復刻版

海の外

第3巻

『海の外』第五五号〜第七八号
（一九二六年一二月〜一九二八年一二月）

森 武麿 編集

不二出版

復刻にあたって

一、『復刻版　海の外』全7巻・別巻1は、信濃海外協会海の外社発行の『海の外』第一号（一九二二年四月）より第二五三号（一九四三年六月）まで、及び後継誌の長野県開拓協会発行の『信濃開拓時報』創刊号（一九四四年七月）より第一一号（一九四五年五月）までを全7巻として復刻・刊行するものである。

一、刊行は第1回配本（第1―2巻）、第2回配本（第3―4巻）第3回配本（第5―7巻）の全3回配本からなる。第2回配本時に、森武麿による論考「満洲移民とブラジル移民―信濃海外協会『海の外』を対象として」と、本復刻版の総目次・索引を収録した別巻を附す。

一、復刻にあたっては、原本は適宜縮小し、白黒、四面付方式にて収録した。

一、頁の破損、印刷不鮮明の箇所については、可能な限り副本にあたったが、補えない箇所についてはそのまま収録した。また未発見のため収録することができなかった号については、「全巻収録内容」に欠号として示した。

一、表紙のうち特徴的なものに関しては、第1巻に口絵として収録した。

一、資料の中には、人権の視点から見て不適切な語句・表現・論もあるが、歴史的資料の復刻という性質上、そのまま収録した。

※使用した底本の所蔵館については、「全巻収録内容」に記載しております。ご提供いただいた各機関のご協力に感謝申し上げます。

（不二出版編集部）

復刻版　海の外　第3巻

収録内容

『海の外』

全巻収録内容

配本	収録巻	号数	発行日	備考	使用原本
第1回配本	第1巻			海の外	
		第一号	一九二二年　四月二〇日		長野県立歴史館
		第二号	五月一日		長野県立歴史館
		第三号	六月一日		長野県立歴史館
		第四号	七月一日		長野県立歴史館
		第五号	八月一日		長野県立歴史館
		第六号	九月一日		長野県立歴史館
		第七号	一〇月一日		長野県立歴史館
		第八号	一一月一日		長野県立歴史館
		第九号	一二月一日		長野県立歴史館
		第一〇号	一九二三年　一月一日		長野県立歴史館
		第一一号	二月一日		長野県立歴史館
		第一二号	三月一日		長野県立歴史館
		第一三号	四月八日		長野県立歴史館
		第一四号	五月一日		長野県立歴史館
		伯剌西爾移住地建設号	六月一日	※号数ママ	長野県立歴史館
		第一五号	七月一日	※号数ママ	長野県立歴史館
		第一七号	八月三〇日		長野県立歴史館
		第一八号	十月一日		長野県立歴史館
		第一九号	一一月二五日		長野県立歴史館
		第二〇号	一二月二五日		長野県立歴史館
		第二一号	一九二四年　一月二九日		長野県立歴史館
		第二二号	二月二〇日		長野県立歴史館
		第二三号	三月三〇日		長野県立歴史館
		第二四号	四月三〇日		長野県立歴史館
		第二五号	五月三一日		長野県立歴史館
		第二六号	六月三〇日		長野県立歴史館
		第二七号	七月三一日		長野県立歴史館
	第2巻	第二八号	八月二五日		長野県立歴史館
		第二九号	九月三〇日		長野県立歴史館
		第三〇号	一〇月三〇日		長野県立歴史館
		第三一号	一一月三〇日		長野県立歴史館
		第三二号	一二月三一日		長野県立歴史館
		第三三号	一九二五年　二月二一日	南米ブラジル「ありあんさ」移住地建設号	長野県立歴史館

配本	収録巻	号数	発行日	備考	使用原本
第1回配本	第2巻	第三四号	三月三一日		長野県立歴史館
		第三五号	四月二五日		長野県立歴史館
		第三六号	五月二六日		長野県立歴史館
		第三七号	六月二六日		長野県立歴史館
		第三八号	七月二六日		長野県立歴史館
		第三九号	八月二六日		長野県立歴史館
		第四〇号	九月二六日		長野県立歴史館
		第四一号	一〇月二六日		長野県立歴史館
		第四二号	一一月二六日		長野県立歴史館
		第四三号	一二月二五日		長野県立歴史館
		第四四号	一九二六年　一月二五日	南米ブラジルありあんさ移住地一覧	長野県立歴史館
		第四五号	二月二五日		長野県立歴史館
		第四六号	三月二五日		長野県立歴史館
			第四七号　欠		
			第四八号　欠		
		第四九号	六月二五日		長野県立歴史館
			第五〇号　欠		
			第五一号　欠		
		第五二号	九月二五日		長野県立歴史館
		第五三号	一〇月二五日		長野県立歴史館
			第五四号　欠		
第2回配本	第3巻	第五五号	一二月二五日		長野県立歴史館
		第五六号	一九二七年　一月二五日		日本力行会
			第五七号　欠		
		第五八号	三月三一日		日本力行会
			第五九号　欠		
		第六〇号	五月二五日		長野県立歴史館
		第六一号	六月二五日		日本力行会
		第六二号	七月二五日		日本力行会
		第六三号	八月三一日	南米ブラジルありあんさ移住地建設紀念号	日本力行会
		第六四号	九月二五日		日本力行会
		第六五号	一〇月二五日		北海道大学附属図書館
		第六六号	一一月二五日		日本力行会
		第六七号	一二月二五日		長野県立歴史館
		第六八号	一九二八年　一月二五日		日本力行会

配本	収録巻	号数	発行日	備考	使用原本
第2回配本	第3巻	第六九号	二月二五日		日本力行会
		第七〇号	四月一日		長野県立歴史館
		第七一号	五月一日		長野県立歴史館
		第七二号	六月一日		長野県立歴史館
		第七三号	七月一日		長野県立歴史館
		第七四号	八月一日		長野県立歴史館
		第七五号	九月三〇日		長野県立歴史館
		第七六号	一〇月一〇日		長野県立歴史館
		第七七号	一一月一日		長野県立歴史館
		第七八号	一二月一日		長野県立歴史館
	第4巻	第七九号	一九二九年 一月一日		長野県立歴史館
		第八〇号	二月一日		長野県立歴史館
		第八一号	三月一日		長野県立歴史館
		第八二号	四月一日		日本力行会
		第八三号	五月一日		日本力行会
		第八四号	六月一日		長野県立歴史館
		第八五号	七月一日		日本力行会
		第八六号	八月一日		日本力行会
		第八七号	九月一日		日本力行会
		第八八号	一〇月一日		日本力行会
		第八九号	一一月一日		日本力行会
		第九〇号	一二月一日		日本力行会
		第九一号	一九三〇年 一月一日		日本力行会
		第九二号	二月一日		日本力行会
		第九三号	三月一日		日本力行会
		第九四号	四月一日		日本力行会
		第九五号	五月一日		日本力行会
		第九六号	六月一日		日本力行会
		第九七号	七月一日		日本力行会
		第九八号	八月一日		長野県立歴史館
		第九九号	九月一日		日本力行会
		第一〇〇号	一〇月一日		日本力行会
		第一〇一号	一一月一日		日本力行会
		第一〇二号	一二月一日		日本力行会
第3回配本	第5巻	第一〇三号	一九三一年 一月一日		日本力行会
		第一〇四号	二月一日		日本力行会
		第一〇五号	三月一日		日本力行会
		第一〇六号	四月一日		日本力行会
		第一〇七号	五月一日		日本力行会
		第一〇八号	六月一日		日本力行会
		第一〇九号	七月一日		日本力行会
		第一一〇号	八月一日		日本力行会
		第一一一号	九月一日		日本力行会
		第一一二号	一〇月一日		日本力行会
		第一一三号	一一月一日		日本力行会
		第一一四号	一二月一日		日本力行会
		第一一五号	一九三二年 一月一日		日本力行会
		第一一六号	二月一日		日本力行会
		第一一七号	三月一日		日本力行会
		第一一八号	四月一日		日本力行会
		第一一九号	五月一日		日本力行会
		第一二〇号	六月一日		日本力行会
		第一二一号	七月一日		日本力行会
		第一二二号	八月一日		日本力行会
		第一二三号	九月一日		日本力行会
		第一二四号	一〇月一日		日本力行会
		第一二五号	一一月一日		日本力行会
		第一二六号	一二月一日		日本力行会
	第6巻	第一二七号	一九三三年 一月一日		日本力行会
		第一二八号	二月一日		日本力行会
		第一二九号	三月一日		日本力行会
		第一三〇号	四月一日		日本力行会
		第一三一号	五月一日		日本力行会
		第一三二号	六月一日		日本力行会
		第一三三号	七月一日		日本力行会
		第一三四号	七月一五日	内地版第一輯	日本力行会
		第一三五号	八月一日		日本力行会
		第一三六号	九月一日		日本力行会
		第一三七号	一〇月一日		日本力行会
		第一三八号	一一月一日		日本力行会
		第一三九号	一二月一日		日本力行会
		第一四〇号	一九三四年 一月一日		日本力行会
		第一四一号	一月一〇日	内地版第二輯	長野県立図書館
		第一四二号	二月一日		日本力行会
		第一四三号	三月一日		日本力行会
		第一四四号	四月一日	内地版第三輯	日本力行会

配本	収録巻	号数	発行日	備考	使用原本
第3回配本	第6巻	第一四五号	五月一日		日本力行会
		第一四六号	六月一日		日本力行会
		第一四七号	七月一日	内地版第四輯	日本力行会
		第一四八号	八月一日		日本力行会
		第一四九号	九月一日		日本力行会
		第一五〇号	一〇月一日	内地版第五輯	日本力行会
		第一五一号	一一月一日		日本力行会
		第一五二号	一二月一日		日本力行会
	第7巻	第一五三号	一九三五年 一月一日	内地版第六輯	長野県立図書館
		第一五四号	二月一日		長野県立図書館
		第一五五号	三月一日		長野県立図書館
		第一五六号	四月一日	内地版第七輯	北海道大学附属図書館
			一五七—一七九号 欠		
		第一八〇号	一九三七年 四月一日		長野県立歴史館
		第一八一号	五月一日		長野県立歴史館
		第一八二号	六月一日		長野県立歴史館
		第一八三号	七月一日		長野県立歴史館
		第一八四号	八月一日		長野県立歴史館
		第一八五号	九月三〇日		長野県立歴史館
		第一八六号	一〇月一日		長野県立歴史館
		第一八七号	一一月一日		長野県立歴史館
		第一八八号	一二月一日		長野県立歴史館
		第一八九号	一九三八年 一月一日		長野県立歴史館
		第一九〇号	二月一日		長野県立歴史館
		第一九一号	三月一日		長野県立歴史館
			一九二—一九六号 欠		
		第一九七号	九月一日		佐久穂町図書館
			一九八—二〇三号 欠		
		第二〇四号	一九三九年 四月一日		長野県立歴史館
		第二〇五号	五月一日		長野県立歴史館
		第二〇六号	六月一日		長野県立歴史館
		第二〇七号	七月一日		長野県立歴史館
		第二〇八号	八月一日		長野県立歴史館
		第二〇九号	九月一日		長野県立歴史館
		第二一〇号	一〇月一日		長野県立歴史館
		第二一一号	一一月一日		長野県立歴史館

配本	収録巻	号数	発行日	備考	使用原本
第3回配本	第7巻	第二一二号	一二月一日		長野県立歴史館
		第二一三号	一九四〇年 一月一日		長野県立歴史館
		第二一四号	二月一日		長野県立歴史館
		第二一五号	三月一日		長野県立歴史館
			二一六—二三一号 欠		
		第二三二号	一九四一年 八月一日		長野県立図書館
		第二三三号	九月一日		長野県立図書館
		第二三四号	一〇月一日		長野県立図書館
		第二三五号	一〇月一日		長野県立図書館
			二三六—二四二号 欠		
		第二四三号	一九四二年 七月一日		飯田市歴史研究所
		第二四四号	八月一日		下伊那教育会館
		第二四五号	九月一日		飯田市歴史研究所
		第二四六号	一〇月一日		飯田市歴史研究所
			二四七—二五一号 欠		
		第二五二号	一九四三年 四月一日		飯田市歴史研究所
		第二五三号	五月一日		飯田市歴史研究所
		第二五四号	六月一日		飯田市歴史研究所
		信濃開拓時報			
		創刊号	一九四四年 七月二〇日		下伊那教育会館
		第二号	八月一五日		下伊那教育会館
		第三号	九月一五日		下伊那教育会館
		第四号	一〇月一五日		下伊那教育会館
		第五号	一二月一五日		下伊那教育会館
		第六号	一二月一五日		下伊那教育会館
		第七号	一九四五年 一月一五日		下伊那教育会館
		第八号	三月一五日		下伊那教育会館
		第九号	五月五日		下伊那教育会館
		第一〇号	五月一〇日		下伊那教育会館
		第一一号	五月一五日		下伊那教育会館

一九二六（昭和元）年　海の外　第五五号

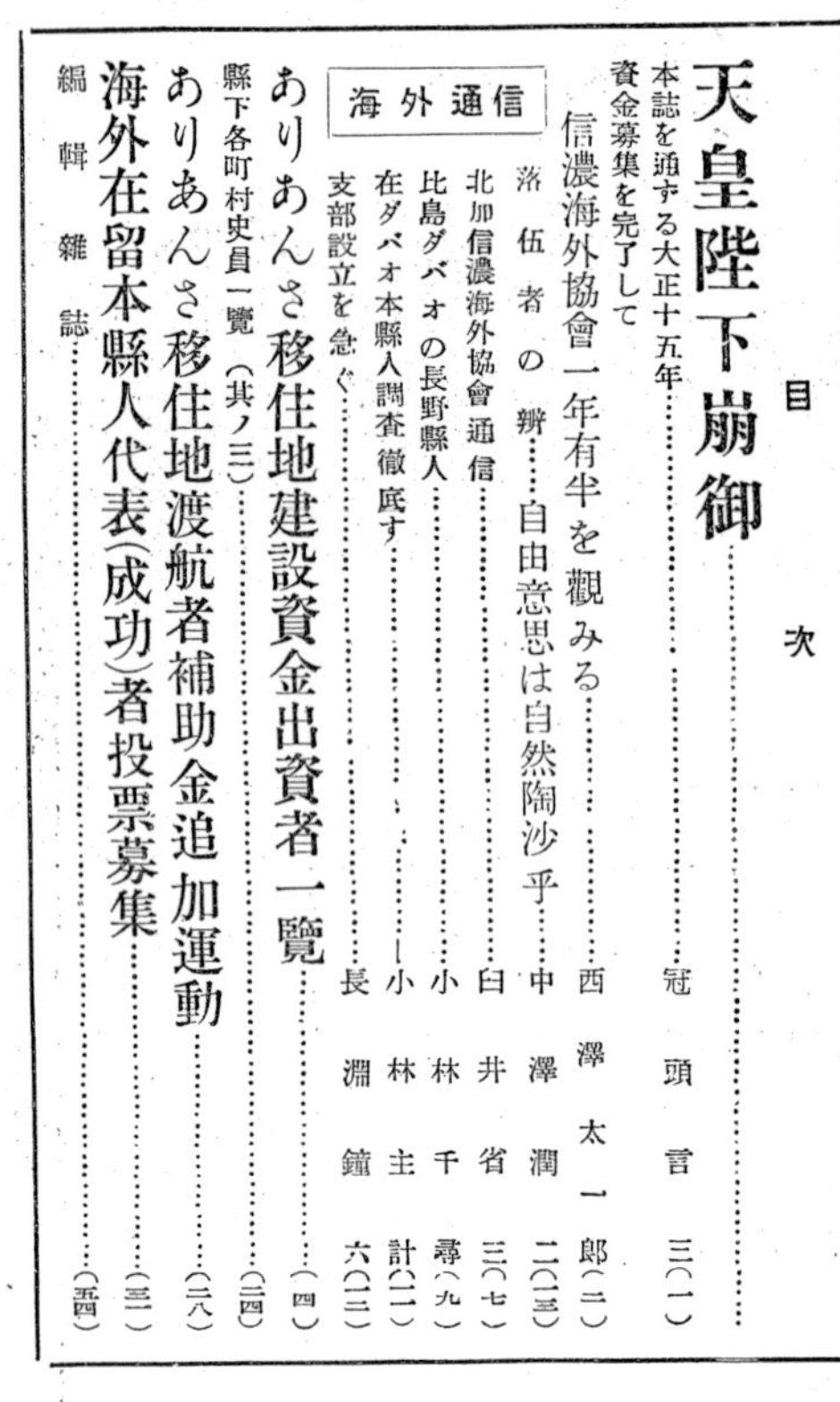

目次

今上天皇陛下
皇后陛下

大行天皇陛下

海の外

第五十五號

大正十五年

十二月號

本誌を通ずる大正十五年

信濃海外協會の機關誌「海の外」を通じて大正十五年を顧みる。

一月號は前總裁梅谷光貞氏が劃時代的の波紋を起せる「ありあんさ移住地」について滿腔の感激を以て移住地一覽發行に序を筆した。直ちに此の移住地は鹿兒島、熊本防長、鳥取の各海外協會に建設計劃が遂行せらるゝに至り、熊本、鳥取の二縣は明明年早春移住者を先發せしむる丈けに進捗した。

ありあんさの渡航希望者は日に何十通の紹介に上り遂に四月の信濃海外協會代議員會に於いては更らに三千町歩の追加購入の得もなきに至り、渡航者は一船に二十家族の多數ありて毎船には平均四十名の渡航者を見たのである。斯くて移住地は益々開發されて八月の通信では開墾面積六百餘町。籾の收穫高は三千俵。移住者總數五百餘名と記されてゐる。

本年の特筆すべき事は在外縣人からの通信である。「海の外」を通して斯く聯絡の出來た事は本會の最も滿足する所である。在外の縣人が益々健在で成功の域にある事は慶賀に堪えない次第である。愈々御奮鬪を望む。

尚七月以後の郡廢による縣下各郡支部會員の聯絡には各町村役場に一切を囑託して其の圓滿を計り本部には二名の役員を增員した。

前總裁梅谷光貞氏を送つて現總裁高橋守雄氏を迎へた事、笠原總裁逝去等も又本年の忘れられぬ事柄である。

海外視察組合が九月發表せらるゝや各方面に非常の感動を與た。各方面から設立の生壁があり既に十數組合が活動を開始した。意氣盛んなるかな。

斯くして本年は活動が各方面に普偏なく及び、益々擴大されて行く事が出來た。總裁以下の各役員の奮鬪と內外會員、關係者各位の御援助を深謝する次第である。

（一二、一〇）

資金募集を完了して

信濃海外協會一年有半を顧みる

常任幹事　西澤太一郎

頓死三生

樂しかりし育英の生活は、十四年三月二十四日の頓死を以て終りを告げた。生前の恩師、先輩、親戚、知友も只々頓死の故を以て總べてを恕されたのであつた。其責任も隨分重かつたで有らうけれども、熱誠と憂國義と情との前には、是れに勝る方策は無かつたのであつた。

時の總裁梅谷閣下と蜂須賀幹事より協會入りの交渉と、海外發展の爲めに全生命を捧げて幾十年來天下國家の經論に神への奉仕と大道を歩める斯道の先輩永田稠氏の至誠の熱涙とが正に是れ二死三生の機因となつたのであつた。滅び行く我農村、荒み行く我國民の心情、行き詰れる帝國の現狀、現今世界の大勢等は、匹夫なりとも微力を捧げんと立つたのである。

神武大帝創業の日に

時は四月三日畏くも神武大帝、建國創業の祝日、轉居早々行李と解かず、永田、宮下幹事と共に更級郡役所に同地青年會に海外發展、南米移住地建設の諸演が誕生一步の門出で有つた。

梅谷總裁、蜂須賀、宮下、永田の幹事と共に、佐久、小縣、南北、安曇、伊那地方と東奔西走歸廳したるは、櫻散りつる五月の始めであつた。此の奮鬪何れも激戰苦惱雨に風、夜に晝の別ちなく、役員何れも疲勞と衰弱を禁じ得なかつた。就中

永田幹事は南米五千里の旅路の病、未だ全く愉えず、服薬日夜絕間なく、然かも病軀をおして、萬難を排して連戰これ努めたのであつた、その身命を屠しての熱誠は、鬼神を泣かしむるものがあつた。

歸れば協會の本營あらず

縣下一巡歸廳して訪ねても、我協會の本營さへ知れず漸くにして農商課內の片隅に、山と積まれたる一月來の各地通信と、取り散らされたる書類とに依つて根據地が定まつたのであつた。休みもあえず、花散る頃漸やく二月號の「海の外」の編輯にとりかゝつた。

稼ぐに追付く貧乏が有つた

多忙〳〵で眼の廻る中、廻り兼ねたのが貧乏財布の懐であつた。切手や紙の調達にさへ工夫を要した、況んや月の手當も無論であつた、債鬼も四方から相當に繁昌した。加ふるに祖先傳來の借金もあつた。此難局に最も力となりしは宮本囑託であつた惱めるものは幸なり難苦缺乏は幸福の基と、今より顧みればうたゝ感慨に堪えぬ、我協會の今日の堅實と隆盛發展とは、一にその賜ものである、感謝すべきは貧乏と多忙とである。艱難と希望と理想とである。

士と富と心持の行詰りは我日本の現狀である。狹小なる國土天惠少なき我國土、此環境に產れたる我愛する青年男女こそ亦幸福である。以て天下を語るべく、以て我運命、我神心、我大自然を開拓する光榮がある。

資金募集も終りて

ありあんさ建設は豫想外に進捗した。資金寄附も豫定を越えた。一口千圓は容易のものではない、一口是れ我帝國の發展、我民族の將來の爲めを憂ふる愛國の大精神、我建國の大精神と世を患ひ農村を愛するものでなくては到底贊成出來ぬ事であつた。誠にこれ有產有識の志士に俟たねばならぬ難事であつたのだ。

幸なる哉、我信州の山河山高く水清し、建國の大精神に則り、新日本の建設ありあんさの建設に參與せられたるもの正に全縣下百八名に上つた、これ眞に邦家の爲めの痛快事といふべきである。

第二ありあんさは鳥取縣に依つて出來我信州の姉妹村となり、熊本も亦その設備なる、和歌山に三重に加能越にと第四第五と、世界の碁盤に新日本の要石は打たれた、渾圓球上我日の丸の旗の飜るのも遠くはない、我日本の文化、我民族の大精神の植え付かるのも世紀を待たぬであらう。ありあんさ建設に參加せる出資者諸賢これに全生命を捧ずたる憂國の志士以て兒孫に訓ふるに足らん

（終）

ありあんさ移住地建設資金出資者一覽

郡町村名	出資額(口)	氏名
南佐久郡臼田町	一	井出今朝平
南佐久郡野澤町	一	並木和市
南佐久郡中込町	一	山岡愼一郎
南佐久郡穗積村	三	黒澤利重
北佐久郡岩村田町	半口	市川多萬吉
北佐久郡小諸町	一	小山清右衛門
北佐久郡小諸町	一	大塚宗次
北佐久郡小諸町	一	小山邦太郎
北佐久郡小諸町	一	小林克巳
北佐久郡小諸町	二	柳澤憲一
北佐久郡小諸町	一	小山重右衛門
北佐久郡中佐都村	一	荻原丈次
北佐久郡三岡村	一	塩川政己
北佐久郡三岡村	一	塩川實
北佐久郡春日村	半口	上野太朗
北佐久郡本牧村	半口	大澤市郎右衛門
北佐久郡本牧村	一	武重一祐
小縣郡丸子町	一	金子行德
小縣郡丸子町	一	工藤善助
小縣郡長久保新町	半口	竹内忠雄
小縣郡滋野村	一	丸山高
小縣郡縣村	一	大塚自治夫
小縣郡和村	一	兒玉衛一
小縣郡豊里村	半口	細田和七郎
小縣郡塩尻村 / 小縣郡塩尻村	一	沓掛正一・佐藤善右衛門
小縣郡塩尻村	一	中島吉左衛門
小縣郡塩川村	一	堀内庄作
小縣郡塩川村	半口	松山原造
小縣村和田村	一	羽田貞義
小縣郡浦里村	一	大井弘
諏訪郡上諏訪町	一	宮坂作衛

郡町村名	出資額(口)	氏名
諏訪郡川岸村	五〇	片倉兼太郎
諏訪郡川岸村	一	高木林治郎
諏訪郡平野村	八	小口村吉
諏訪郡平野村	五	小口善重
諏訪郡平野村	一	尾澤福太郎
諏訪郡平野村	一、五	橋爪忠三郎
諏訪郡平野村	一	林七六
諏訪郡玉川村	一	丸茂文六
上伊那郡伊那富村	三	武井覺太郎
上伊那郡飯島村	一	山田織太郎・高坂松藏・林讓
下伊那郡飯田町	二	林雅次
下伊那郡飯田町	一	野原文四郎
下伊那郡飯田町	一	村松文市
西筑摩郡福島町	一	小野秀一
西筑摩郡王瀧村	一	瀧龜松
東筑摩郡錦部村	一	小澤和一郎
東筑摩郡中川手村	一	倉科多策
東筑摩郡新村	一	上條信
東筑摩郡山形村	一	永田兵太郎
東筑摩郡芳川村	一	中村駿作
東筑摩郡中山村	二	小岩井宗作
南安曇郡豊科町	半口	岡村政雄
南安曇郡穗高村	半口	望月國俊
南安曇郡倭村	半口	降旗太耕
南安曇郡南穗高村	半口	轟佾
南安曇郡高家村	半口	飯田慶司
南安曇郡豊科町・明盛村・烏川村	半口	丸山高次郎・小松修・佐々木重雄
北安曇郡大町	一	福島幸重
北安曇郡大町	半口	平林秀吾
北安曇郡社村	半口	高橋正雄
更級郡稻荷山町	一	小出五十二
更級郡篠ノ井町	一	宮崎萬平
更級郡篠ノ井町	一	山岸市治郎
更級郡共和村	一	寺澤種二郎
更級郡御厨村	一	山崎暢夫
更級郡榮村	一	柳澤德治

郡町村名	出資額(口)	氏名
埴科郡松代町	一	八田彦次衛
上高井郡須坂町	一	上原吉之助
上高井郡須坂町	一	田尻新治
上高井郡須坂町	一	原嘉道
上高井郡井上村	一	坂本重雄
上高井郡小布施村	一	市村連
下高井郡平野村	一	山田莊左衛門
下高井郡平穩村	一	佐藤喜惣治
下高井郡科野村	一	湯本宣成
下高井郡往郷村	一	竹内宇内
上水内郡中郷村	一	山本直義
上水内郡柏原村	半口	高橋義元
上水内郡水内村	半口	塩入治右衛門
下水内郡柳原村	一	丸山森三郎・丸山常吉
長野市吉田町	一	横田九一郎
長野市吉田町	一	丸山與平
長野市西之門町	半口	藤井伊右衛門
長野市縣町	半口	佐藤榮
長野市荒屋	一	西澤隆義
長野市櫻枝町	一	西澤喜太郎
長野市縣町	一	小林暢
長野市	一	丸山盛雄
長野市妻科	一	飯島正一
松本市桐	一	館石源市
松本市北深志東町	一	平林勝太郎
松本市南深志	一	細萱茂一郎
松本市本町	一	山岸榮一郎
松本市筑摩	一	清澤清市
松本市本町	半口	眞島長一郎
松本市深志	半口	赤羽茂一郎
上田市原町	一	瀧澤助右衛門
上田市常入町	一	小島大治郎
上田市常盤城	一	瀧澤一郎
上田市北天神町	一	鴇澤林藏
上田市海野町	一	伊藤傳兵衛

（以上）

海外支部より

北加信濃海外協會通信

在北米桑港 北加信濃海外協會 幹事 臼井省三

北加信濃海外協會は一九二四年（大正十四年）九月桑港を中心として創立せられ、爾來役員諸賢の努力によつて益々隆盛に向つてゐます。海外の地にあつて吾等同縣人がお互に協力し合つて親交を温め、協會と聯絡を取り、遠大なる、そして崇高なる民族海外發展の擧に參加してゐる事は實に喜ばしい事です。

拜復、去る九月二日附を以て總裁の御異動及び御懇篤なる縣下最近の事情御報導に預り多年海外に住み馴れし吾々にも今更の如く溫故の情に燃え倍々本部の隆盛を心から喜び其の發展に御協力申上げ度きと祈る次第に存じます。

御報導の如く過般は未曾有の擾擾事件が突發して折角協會の事業其の緒に就き染めたる場合熱心なる前總裁梅谷光貞氏は誠に御氣の毒なる事情の下に我が長野縣を去らねばならぬ事は遺憾に存じます。然し今回更らに、高橋守雄閣下を新に總裁に迎へる事は吾等の希望も亦新らたに叶ふ樣な心組が致します。我が信濃海外協會の事業は申す迄もなく、一縣の事業と視てはならぬものにて我が國過去海外發展史の苦い經驗より生れ出でたる理想的海外發展實行策にて實に我が國の海外發展に一大ヘボツクを與ふるものであります。此の點に於いて吾々海外在留者は總裁高橋守雄閣下に期待する所多く且又永田幹事の努力を賞揚せずには居られぬと同時に縣下各有志家の援助を難有く感銘して得まないのであります、天涯地隔何處へ行つても長野縣人は理屈ぽつく、理想家の空想連擶へと云はれて居りますが、彼のアリアンサ移住地建設で始めて其の實現を見たので吾々も、肩身が廣くなつた思ひはするので、今後益々移住地の充實發展を祈るものであります。

今在米の日本人も漸く思想上に於いて岐路に立つて居ります。今日迄排日問題については永い間の過去を有して一九二四移民法制定の現在では今や私共の自己反省を促して何如に私共及吾々の第二世を米國市民として創るかと云ふ問題に悩まされてゐます。從來の北米渡航者の多くは、定住の確固なき出稼ぎ的浮腰の者ばかりにて、その浮腰の兩親より生れ出でたる第二世を米國市民として創るには種々の議論があり、疑問が生じてゐるのであります。卽ち第一に斯る第二世を米國市民と創る事は至難中至難である事。第二は第二世を日本に歸して何か有爲の仕事が出來るかと云ふ恐らくそれは明言の出來ぬものにて、幸ひ出來得ればよいが出來ぬ場合は何如にして第二世の將來を考へふべきやで、第三は第二世が自身米國市民として立派に働き得たとするも米國白人は果して此等第二世に對して眞實の交りをするか否かで人種偏見の多い米國では實に我が大和民族の將來が氣づかはれるのであります。

夫れにつきましても特にアリアンサ移住地へ移住せらるゝ者に對しては殊に希望したきは假令日本本國政府が我が移住に援助するからと云ふて、安心せずに民族的團結を强固にして、永住の決心で彼の國の富源開發に貢献する樣な大きな心持で移住して貰ひたい事であります。殊に市民權獲得には一日も忽にせず常にその國の市民として活動の出來る樣にしておかねばなりません。

在外者長野縣人調査御依賴の件出來得る丈け御希望に添ふ樣調査報告可申上又青年學生の勉學渡航の件に關しても總領事館と打ち合せの上御返事申上ます。

先づは御通知まで役員諸賢の御健康を祈り申上ます。

（十月十五日）

懸賞投票

海外在留本縣人代表懸賞投票について各地から澤山の投票があります。面白い發表が御目にかけ得られると思ひます。至急、御投票ご願ひます。當選者には美麗の「新每年鑑」を贈呈します。本誌三十一頁を御覧下さい。

海外通信

比島ダバオの長野縣人

信濃海外協會では在外縣民との聯絡を計りて益々海外發展の有終美を收むべく各地に向つて本縣人調査の根本を研究し目下各方面に此れが遂行に努力してゐる。本通信は當協會が在ダバオ小林千尋氏に依賴して得たる比島ダバオ州に於ける本縣人である。同氏は非常に忙しいにもかゝわらず當協會の依賴を心よく受けて領事館に數日を費し、斯くも詳細の報告を寄せられたのは實に感謝の極みである。尙當ダバオには本縣人有力者を以て支部設立を計畫中である。……記者

在ダバオ　小林千尋

拜啓、貴會益々發展の由奉慶賀存候、度々の「海の外」御送本被下有難く拜見致しおり候。小生も目的に向つて奮闘致しおり候間御休心被下度候。

九月二十五日付の貴翰拜誦仕り候、御照會の趣了承致し早速、領事館に出頭して本年八月十五日當領事館よりダバオ日本人會支部長をして在留本邦人の調査せるものより本縣人のみを調査拔取りて別記御報告申上候。本調査はミンダナオ島ダバオ洲に於ける本縣人にてダバオ洲以外の他洲にも極く少數の本縣人活動致しおり候へ共早速には調査不可能に候。長野縣と海外縣人との聯絡は必要にて本縣人出身のダバオに於ける有力者宮坂國人（太田會社重役）宮澤次郎（領事館書記）小池釣夫（タギヤ、バチフキルド會社支配人）石田幸成（ミンタル拓殖會社支配人）の諸氏と意見交換の上支部設立致さば幸甚と存じ候（略）

甚だ僅少に候へ共、金二十比マニラ正金支店より送金致し候間御納入被下度く候、先づは不取敢名簿報告御返事まで。

ダバオ在住長野縣人（十月五日）

報告には現住所、渡航年月日、職業等記載ありしが紙面の都合上家長名のみとし、追て「海外在留長野縣人名簿」作製の中に掲載する事となせり。括弧内の數字は家族或は兄弟にて記者に於いての調べなれば誤記もあるべし。

宮坂國人(三)　木下源彌(二)　上原正躬
北野粂平　神津吉子　野崎甲一郎
金森靜雄(二)　北村正一　石澤善平
松永彌一　宮坂守三　石澤比衛
宮下鶴(三)　山口忠七　香山忠雄(二)
米山紳吉　北原武夫　竹澤水津八
靑木重次郎　宮下重治(二)　春原國造(二)
上田五郎　古市萬五郎　高寺邦保(三)
中山巖　米山昌富　菅沼遠雄(三)
小林帝次郎　小林時之助(二)　竹内八郎
寺島永治　松永覺三　瀧澤計男
瀧澤與一(三)　小池釣夫　塚田久米治
山田大助　石井哲次　小平次雄(二)
宮澤次郎(三)　宮澤武士　望月正次

馬澤貫　柳澤勇雄　望月政市
島崎彌衛　豐口原心　小林主計
西村多喜美　宮坂濶一　高坂權一
千野勝義　遠山喜綠　草間和重
山崎東司　北津六郎　石田幸成(二)
竹松明男　池田幸平　近藤幸衛
大久保憲仲　小林巖玖男　六川豐太郎
小林元作　山岸末雄　南島武雄
寺島志止三　内山寛治郎(三)　丸山竹治郎(三)
靑柳喜美人　福田義雄　村澤靑砥(三)
別府健三郎　小林千尋(六)　佐々木信次(三)
佐々木袈裟雄(三)　西澤寛　小山正直
島田幸枝　千國民治　池田彥八郎
林傳十　塚田良人(二)　藤澤美次(三)
外谷善藏　代々木喜藏(二)　高山登
野口運之進　柴崎實　南澤基利
恩田大助　上原貫　伊藤春好
中村寛一　宮原岩夫　長橋辰三郎(三)
井上靜雄(二)　橋詰秀雄　小林茂雄
田中壽次　小泉理覺　太田嘉綠
原山芳衛(二)　佐々木幸男　西澤松太郎
倉田國三　小林喜一　大澤繁喜
由澤龜太　齋藤吉郎　宮崎福美
中村保博　村上稻美

（以上）

在ダバオ本縣人調査徹底す

在ダバオ　小林主計

當協會は前記小林千尋氏の報告により在ダバオに於ける本縣人に就いて確實なる數字を得て非常に喜んでゐた。然るに數日を經て一通のレターが手元に屆いたのが本通信である。同氏はダバオ郵便局に勤務致しおり當協會發送の册子に宛名不案内のあるを見て常に親切に處理を致し宛名人の移轉、死亡歸國等について、更らに報告をして頂いた事は當協會の最も感謝する所である。

拜啓、貴會益々御隆盛の段奉賀候。

陳者、小生は昨年十一月よりダバオ日本人會に務め當地郵便局に出勤致し居り候、偶々貴會發行の「海の外」は宛名人の住所不明瞭又は宛名人の移轉、死去、歸國等のため配達不能のもの多く、當地郵便局 Dead Letter office（受取人なき郵便）に置きしが今回、高寺邦保、塚田久米治井上靜の三氏の援助により其の大部分を現在所判明致し居り次第始末致し候。

別記は最近の動搖なれば御報告申上候。

尙當ダバオ洲内在住の貴會員表御送付相成り候ば出來得る限り現住所取調べ御通知申上可候（十一月十日）

歸國

小笠原巖　古市萬五郎　中島幸次郎
島田幸治　大角廣吉　古平清
瀧澤半次郎　百瀬一雄　北條英雄

死亡

飯島光雄　丸山政義　竹内八郎

不詳

伊藤春好　近藤幸衛　高橋榮位（在マニラ）

支部設立を急ぐ

在メキシコ市 長淵鐘六（西筑摩郡田立村）

拝啓、秋冷の候御尊下益々御清榮奉賀候。本日は印刷物御送付相成り拝見仕り候。

數月前の故國新聞には現内閣の移民政策について幣原外相の聲明中に海外移民よりは寧ろ內地移住即ち內地の開拓を奬勵する方針であると聞き及び申し候、更らに移民を歡迎せざる國へは積極的に移民を送らぬとの事もあり現政府の消極政策を發表せられたる由に候。限りある土地に限りなき人口を牧容せんとするは宛然、狭き一家に多數の家族が便所、臺所、まで寢室に宛てると同じく其の不自由窮屈は想像にかたからず候。

現下の日本帝國には「海外發展」が最大の急務で南米に南洋に滿蒙に大和民族の血を擴げる必要は言を俟たず實に實行の時期に到來致しおり候。もとより海外に於ける成功は有形無形の幾多の犧牲が有之決して輕擧妄動は愼しみ、科學の應用と組織統一せる機關の活動に待つはもとより各自の意志も又大いに大切に存じ候。當墨國に於ける在留同胞中には第二世も最早青年に達する者有之候へば當國の將來も又我が大和民族の活動に待つ所多く實に前途有望に存じ候。

海外發展者の第一要件は「永住」の決心にあるは私共の愚辯を要せず所に有之永住の決心ある强固なる青年の前には世界は即ち我が家に有之候。水の流る所、世界到る所青山ありて少しも不安は無之候間故國青年は現內閣の消極政策線を突破して宜しく海外が已が運命を開拓すべしと存じ候。

本縣人の當首府には別に團體は無之候へ共何か同縣人內の事ある場合には共に相談致し居り候、支部設立も適當なれば須藤正夫氏の歸墨を待ち具體的に進み度く考へ居り候。

小生は目下邦字新聞發行に關し奔走致し居り實現の曉き

は同胞のために益する處多大と存じ努力致し居り候。本縣人の住所は常に變動あれば小生の郵函を以て御用致すべく候、尚貴會よりの書信は小生事務所の黒板に記載致し一般本縣人に知らしめ居り候。尚當國に於ける事は努めて御報告致すべく考へおり候間何事なりとも御紹介被下度御回答申上ぐべく候、故國海外協會に對しても出來得る限り盡力致すべく候。いづれ明年一月は當地出發、歸國致すべくにつき其の節はゆる〳〵御懇談致し度く候先づは御通信まで御自愛專一御活動願上候。

（十月二十四日）

落伍者の辨

自由意思は畢竟自然陶汰乎

南米伯國ありあんさ 中澤潤二

輓近自作農者が續々當ありあんさへ入殖し殆んと二百戶になるは近き將來である、此の家族團體は孰れも奮發の動機が尋常でない孰れも有爲の人々であります。是等の方々は本年に入り布哇丸、ラプラタ丸、サントス丸、モンテビデオ丸、等にて永田稠氏が「海の外」「力行世界」に掲載せられし、所謂有產階級知識階級の方々が多くある。併し純農者が尠ないから或人は事業を氣遣はれる就中ラプラダ丸船長市川毅夫氏の如きは職掌柄とは云へ熱心なる移植民主唱者で此の自作農の成功を祈る餘り半ば懷疑を抱く一人であるから老生は一々辨解し必成の理由は奮發の動機が孰れも確乎不拔の起因に出でるを立證しました。但し老生がラプラダ丸乘込家族團體二十一組人員百六十一人團體の委員長でありしが故です。

ありあんさ目的地着後各自抽籤にて地區の割當を受け各自滿足して事業の進行を爲しつゝある今日である。然るに共有產階級にある元臺灣銀行調度課副長藤崎豊治氏が夫婦子女四人而かも三歲の双兒は身體羸弱手數の掛る家庭である、兩親が全力を盡くしても猶手不足であつて主人が自作農を經營自ら耕す事は不可能である。されば子

守を雇ふにも人はなし、耕地は詰り他人に讓渡する外ない或日の事老生に向い前途を悲觀し一層歸國せんと思ふと云はるゝから共歸國は思ひ止まれと勸告し、他の方法を採られよとて、遂にサンボウロに轉ずる事となるは遺憾でありし。冀くばサンポーロに於て他の目的の事業を握り、安定の日の早く來る事を祈る。同家庭は最初より知られたる事で此の歸結は敢て怪しむに足らぬ。

玆に亦サントス丸にて、九月十三日入植の伊藤秀司氏は着後十日斗りの間に突然所有地の一部を他へ賣り、一部を他へ預け、俄にサンポーロ邊に轉ぜられたり。抑も新婚渡伯の事とて、新婦の或人に向ひ言はるゝには、「室內と室外と脈搏が相違する」などゝ。さも病的觀念の話しありしとの事或は新婦の抗議に出でし乎、將た本人の神經過敏落付のなき爲乎、孰れとも話しなければ其理由を知るに由なく。同君には妻帶の爲め歸朝せし由で。樋口四郎氏の添書もあり。二三候補者を推薦せしも緣なく。最後に此の脈搏婦人を得られたるものなるべし。其婦人の紹介もなく親しく一席の談話を爲す暇もなかりしは殘念なり。同氏は北米羅府市にて共にブラジル研究會にあり同氏は三十アルケールを申込他人より三倍の土地を持ち志操堅固なる人と思ひきや按外此の落伍者となられしは遺憾なり。併し自作農者團體より觀れば自然陶汰とも云ひ得て却て永住者に輕擧妄動を警むる話柄となるぞうたてけれ。

以上二人の落伍者が若し信仰ある人々なれば此の輕擧妄動には出でまじきものを返す〴〵も遺憾至極であります玆に世の謬見誤報を恐れ事實を記して後進者の參考としたい。

（十月六日）

永田生曰 藤崎君には東京の海外協會事務所で數回御目にかゝり、出來る丈けアリアンサのありのまゝのお話しを致しました。猶、特に外務省からも旅券のことで御相談を受けたりしました。然るに、移住地理事から「藤崎君は退植するから內務省の補助金を交付せよとの事であるが如何にすべきや」との通信を受領し、お氣の毒に思ふて居た次第であります。若し私が東京でお話し申上げたアリアンサのお話がよく御了解にならなかつたとすれば誠にお氣の毒ですが、私計りではない他の係の者もよくお話ししたのであるから、私共の取扱ふた方々の內では一番多くアリアンサの說明をおききになつた筈と存じます。家庭の事情からアリアンサに居られないとすれば誠にお氣の毒千萬と申す外はありません。中途に於て退植する者に對しては內務省の補助金は交附されまいと思ひます。

伊藤秀司君は加洲のブラジル研究會時代からの研究者でありますから、アリアンサの事情は百も御承知の筈であります、折角貰ふたよい美はしい奥さんが、アリアンサで家の外に居るのと內に居るので脈の打ち方がちがうとあつては、アリアンサ以外のブラジルでも同様と存じます。何れにしてもお氣の毒千萬であります。それにつけても、私共がアリアンサの說明を十分にせねばならぬ事を感ずると共に、千古斧鉞を知らざる大森林を開拓して新らしい村を創造することの非常に困難な事業であることを、移住者達がよく了解されたいと思ひます。

小作希望者へ

本協會員にして、アリアンサ移住地に小作移住の希望者は明年二十五日迄に其の旨を申込み當協會よりの「申込書」を送附せらるべし。今日迄の希望者は數千名に達してゐるが選定に至難なるが故に、從來しば〳〵希望を通知してゐる人々も「申込書」の送付のなき方は此の際至急申込まるべし。當方にては申込順位により選定の結果を通知致す筈である。

海外發展短期講習會

一、期日　大正十六年一月廿日より

一、場所　東京府下上板橋小竹　日本力行會（武藏線　江古田驛下車池袋驛ヨリ三ツ目）

イ　世界の大勢と日本の立場。日本植民論。南洋事情。南米事情。海外渡航法。外國語。キリスト教等

ロ、法學士中谷武世先生、農學博士代議士東鄕實先生。代議士　井上雅先生　日本力行會長永田稠先生

一、東京見學

一、申込資格　（イ）一般有志（講習中は絶對禁酒禁煙）（ロ）男女十八才以上

一、申込　至急日本行會に紹介せらるべし。

一、經費　講習中は同會にて一日一圓の宿泊の便あり。

天皇陛下崩御

官報號外五號の告示を以て宮内省より左の如く發表さる

天皇陛下には大正十五年十二月二十五日午前一時二十五分葉山御用邸に於て崩御遊ばさる

大正十五年十二月二十五日
宮内大臣　一木喜德郎
内閣總理大臣　若槻禮次郎

心臓痲ひを御併發

（東京電話　十二月二十五日午前二時二十五分宮内省公表）

聖上御容態肺炎の御症狀は昨朝より一段御增進御体溫四十一度迄御昇騰あらせられ御脈益々頻數微細とならせられ御吸呼は更らに切迫あらせられ遂に午前一時二十五分心臓麻痺に依り崩御遊ばさる誠に恐懼の至りに堪へず

若槻首相謹話

聖上陛下一度御不例の事あるや中外の國民は孰れも赤誠を披瀝して一日も早く御回復あらん事を祈願し奉りたるに何等の不幸ぞ遂に神去り給ふ予七千万國民共に誠心誠意轉々痛惜の念禁する事が出來ない恭しく惟みるに聖上陛下は殊に聰明高邁の資を以て大正維新の大業を御指導あそばさるゝや特に内外諸政の作振に專念遊ばされ更始一新の實大に見るべきものあり七千萬國民又何れも皇德の廣大無變なるに隨喜し皇室の繁榮は旭日と共に彌が上にも益々光彩を副へるものある時此悲報に接するは國家國民の爲めに無量の痛恨事である。

今上踐祚
皇后陛下册立

天皇陛下崩御と同時に皇室典範第十條により皇太子裕仁親王殿下には天皇崩御と同時刻を以て踐祚あらせられ祖宗傳承の神寶の神器を受けさせられた同時に皇室服喪令第十條の規定に基き先帝陛下を大行天皇と稱し奉る事となつた。皇太子殿下二十五日午前一時二十五分を以て皇位御繼承遊ばされたので同妃良子殿下には同時に皇后陛下に册立あらせられ皇后陛下には皇太后と稱し奉る事になつた。

「昭和」と改元す。

聖上崩御により元號を「昭和」と改めらる。

縣民奉悼の意を表す

二十五日午前三時十五分内相より本縣宛聖上崩御の悲報到る。高橋知事は午前五時内務、警察、學務の三部長、宮房主事、高等警察課長等を官邸に招集御大葬竝に御諒闇に對する本縣の處置を定め午前十時より正廳に縣廳員一同を集め此の旨を告げ一場の訓示を試みた尙高橋知事竝に平野縣會議長は電報を以て天機竝に御機嫌を奉伺した。縣民一般は胸に腕に喪章を附し奉悼の意を表した。

貿易策確立のため
諮問機關設置か

商工省では貿易振興政策確立の一助として、わが國貿易機關の現狀につき調査中であるが調査團體は

日本貿易協會、橫濱輸出協會、神戸貿易商組合、大阪實業協會、南洋貿易振興會、日印協會、日露協會、南洋協會、各輸出組合その他民間の有力な諸團體

にわたり内容事業等の詳細なる報告を徵し、他方諸外國における貿易機關、貿易委員會に關する調査を併せ行つてゐる、これは貿易振興策に對する商工省の積極的活動の開始を暗示するもので、右調査の進展と共に將來は常設的の貿易諸問委員會の設置を企圖せるものとして注目されてゐる、商工省の調査によると貿易政策樹立に關して諸外國では諸問委員會を設置せざる國なく例へば

英國　海外貿易局諸問委員會組織國内商業會議所（代表、バルフオア）共同卸賣組合（代表、チヤーター）その他の組合代表卅名より組織され、貿易政策に關する諸問に答へる。

米國　（イ）民間貿易協會の活動に基づく定期的の全米貿易會議（ロ）官民合同の外國貿易委員會（戰後設置）

フランス　輸出貿易諸問委員會

スペイン　經濟評議員等の活動によつてゐる。

しかして日本がいづれの方法によるかはまだ具體的に確定してゐないが、大體において二三大商事會社より委員を選ぶより、各事業別の組合、商業會議所の代表者により組織するとなるべく從來工業組合輸出組合法のみによる助長策より、委員會を設置して急速なる經濟戰の進展に應ぜんとする企では、商工省の一進歩として民間の期待も少くないので、實現は存外早からうといはれてゐる、なほ委員會の設置は從來不統一であつた貿易行政の對象も整備するわけであるから、この點から見るも歡迎せらるゝ處が多いといふ右につき大藏當局の意見を徵するに今後の國際經濟戰で勝利を得るには是非さうした委員會は必要だと思ふが、商工省にそんな計畫があるとは今日まで聞いてゐない然し實現さるれば結構なことで外國にその例があればなほ更のことであると思ふ。

政本提携正式に成る

政本提携問題に關し後藤新平子並に田中、床次政本兩黨總裁の會見は豫定の通り十四日午後五時から虎の門東京倶樂部において行はれまづ後藤氏は仲介者たる立場から

先船來交渉を重ねた政本兩黨の申合せもいよいよ成立し今日双方から委員を擧げる運びに至つたのでわれわれ關係者三人が一應顏を合せておく必要があると思ひ今晩御出席を煩はした次第である。

と挨拶し床次、田中兩氏ともそれぞれ同氏の好意を多とする旨謝意を表した上政局の現狀等に關して懇談し

兩黨からすでに委員があげられたのであるから今後の事は委員で相談することになるのだがなほ重大な事があつたならば時々兩總裁が逢うて話すとにしたい今や時局は極めて重大であるから兩黨の努力により協力して事態の紛糾を來さぬやうにしやう

等の談話を交換し約卅分間にしてこの會見を終つたが政本兩黨の交渉委員の顏合せについては委員間で交渉した上その日取り等を決定するとなつた政本提携の交渉委員は十六日正午から帝國ホテルで第一回の會合を催すとに決定した。

沼津の大火六時間燒け續く

十一日午前零時沼津市末廣町附近淺間町裏の沼津警察署前の民家より火を發し折柄の十七八米突の烈風に煽られ火勢猛烈を極め消防隊の活動意の如くならず忽ち八幡町に延燒し沼津市の銀座とも云はれる驛前追手町に延燒し同町の大半を燒き火は更に南東へ燒け進み沼津市實科高等女學校を全燒し續いて男子女子小學校は火焰に包れ女子小學校は忽ち燒け落ち警察署郵便局市役所も類燒を免れざる狀況である六軒町揚土町も亦危險に頻し居る既に百數十戸を燒失した尙現在の沼津市は舊沼津町を中心に楊原村を加へて戸數六千八百戸人口三萬八千である火元の末廣町は舊沼津町の中心で目拔きの場所である舊沼津町は戸數三千人口一萬五千である同市は大正二年三月三日に殆ど全滅の大火あり大正十三年にも大火あり數百戸を全燒し今度は三度目の大火である。

沼津の大火に御救恤金下賜

畏き邊りでは靜岡縣下沼津市大火のため被害勘からざる趣き聽召され特に罹災者御救恤の思召を以て十三日午後御内帑金二千五百圓下賜の御沙汰あり内務省を通じて靜岡縣知事に打電した

あはれ「今樣浦島」行倒れて養育院へ

六日午後一時東京府下板橋署へよれよれの洋服を著た老人が一人の男に伴はれて出頭し『是非養育院に入れて下さい』と願ひ出た此老人は小山榮次郎（六九）とて今から三十六年前渡米、北米ロスアンゼルスの農場で使はれてゐたが寄る年波に生れ故郷が急に戀しくなり農場を辭してなにがしかの金を握り、去る九月ひとり者の氣樂さにぶらりと歸朝して、おぼろげながら覺えてゐる自分の生れた京橋區に來て見ると三十六年前と今とではすべてが夢の樣に變り果て一人の知るべきさへないのに今更ながらおとぎ話の浦島太郎のやうな淋しさを感じ堪へられなくなつたところから金のあるうち日光や箱根と遊び歩き東京へ再び立ち歸つた時は、金は一文もなくなつてゐた、この日も前日から殆ど一食もせずすき腹をかゝへて府下板橋町八九〇先を徘徊してをる中飢ゑのため遂に行倒れたのを通行人が發見し事情を聞いて見ると前記の樣な始末なので同情し親切にも同道で養育院につれて來たもので直ちに同院に收容された

上田博士當選す

帝國學士院の貴族院議員補缺選擧は十五日學士院に於て互選の結果左の如く上田萬年博士大多數で當選した

投票數三十四票

十九票	上田萬年
五票	三上參次
三票	服部宇之吉
二票	高楠順次郎

信州記事

縣下各地の御平癒祈願

國粹會松本支會

長野縣國粹會松本支部では十四日午後十一時半から十五日午前にかけて同市井出川町多賀神社に 天皇陛下御惱御平癒祈願を行つた會員二百餘名及一般市民の參加するもの多く其數五百餘名に達し一同は多賀神社奧庭に整列支部長を始め役員は會旗を擁して拜殿に又井出川區長中田清志氏を始め同社氏子總代は同じく拜殿に整列百瀬神官ののりとの後國粹會代表者小林榮重氏、氏

子代表中田清志氏一同最敬禮裡に玉串を捧げ只管 陛下の御惱御平癒の祈願をなした上小林國粹會支部長から宮內大臣宛御機嫌奉伺狀を送つた

上田市 上田市に於ける 聖上陛下御惱御平癒祈願は各神社に於て大半行れ各種團體、學生一般市民も最寄り參加したが市民全體が集合してその熱誠を一丸として御平癒を祈り奉ると云つた「全市民祈願」を行ふべく目下市役所當局では計劃を進めて居るので近く修行する事になるであらう

松本市 松本市では愈々十六日午後一時を期し暇通り四柱神社に於て全市民擧つて 聖上陛下御平癒の祈願を行つた

愛國婦人會 長野市愛國婦人會では十五日午前十時より善光寺金堂において 聖上陛下御惱御平癒祈願を行つた

長野市軍人分會聯合青年會でも午後七時半より城山舘においておこなつた

小嶋區 埴科郡埴科村字小島慈教婦人會は十六日午後一時より同區長福寺に例會を開催 聖上陛下御平癒祈願を行ひ尚同區一般民は十五日午後四時から六時までの間に折柄の泥土を冒して氏神東山神社に參拜 聖上陛下御平癒を祈つた

長野市淀ケ橋區では區民一同參集し十五日午後一時より同區樋下社に於て 聖上陛下御平癒を祈願した

上水淺川村 坂中區では十四日午後二時より坂中社へ氏子一同參集し社掌小池氏の嚴肅なる祭式の下に 聖上陛下の御平癒を祈願した

池田町 では十三日全町民擧つて八幡神社に參拜御平癒の祈願をした

縣民を代表して祈願

本縣會正副議長並に高橋知事は縣會と縣民を代表して 聖上の御惱平癒を小縣郡東塩田村國幣中社生島足島神社に祈願すべく爲に十一日の縣會を休會して正副議長高橋知事岡學務部長田口社事兵事課長五氏は十一日午前九時五分長野發列車で上田に下車自動車で參詣午後二時二十一分長野着列車で歸つた

本縣總人口
百六十四万三千人

人口調査は次の如く發表された

長野縣	一、六四三、〇〇〇
男	八〇一、〇〇〇
女	八四一、九〇〇
市部	一六七、〇〇〇
郡部	一、四七六、〇〇〇
長野市	六八、四〇〇
男	三四、九〇〇
女	三三、五〇〇

松本市	六五、五〇〇
上田市	三三、一〇〇
南佐久	七三、二〇〇
北佐久	九四、四〇〇
小縣郡	一一七、七〇〇
諏訪郡	一七六、〇〇〇
上伊那	一四四、七〇〇
下伊那	一七六、三〇〇
西筑摩	五八、〇〇〇
東筑摩	一三〇、〇〇〇
南安曇	五七、二〇〇
北安曇	五八、九〇〇
更級	七五、六〇〇
埴科	五三、五〇〇
上高井	五九、〇〇〇
下高井	六四、二〇〇
上水內	一〇二、一〇〇
下水內	三五、二〇〇

道路改良費を
北信は喰ひ過ぎる

本縣に於ける道路改良費は年々巨額の支出をなしつゝあり卽ち

大正十年度		二十萬圓
同	十一年度	五十八萬圓
同	十二年度	八十二萬圓
同	十三年度	十萬圓
同	十四年度	四十五萬圓
同	十五年度	六十四萬圓

で此の六ケ年間に既に二百七十九萬圓の支出をなし

更に 十六年度豫算にも五十萬圓を計上されてゐるが右六ケ年間に於ける支出額二百七十九萬圓の內容をみると全くこれを集注的に支出し縣費配當上からみるとき甚だしく公平を欠くものありと云ふ意見が縣會本會議でも質問され土木委員會に於て擡頭するにいたり南信地方の縣議は相當策動して道路改良計劃を中心に一波瀾を醸さすべく事態は進みつゝあるが右南信議員の主張する縣費支出不均等のいひ分は十五年度すでに支出した前記二百七十九萬圓により改良工事をなし又なしつゝあるものを南北信にわけてみると

北信

一、長野中野線立ケ花橋架替三十二萬七千圓(竣工)

一、上田松本線上田橋架替二十八萬二千圓(竣工)

一、上田中の條線改修一千萬圓(豫算額三十萬圓未竣工)

一、長野須坂線村山橋四十七萬五千圓(豫算額五十三萬圓未竣工)

一、國道十號線徳井橋四十六萬三千圓(豫算總額五十萬圓未竣工)

合計百五十五萬八千圓(現在までの竣工に對する支出額)

南信

一、松本本郷線改修十五萬四千圓(竣工)

一、飯田本郷線改修二十二萬千圓(竣工)

一、伊那高遠線改修九萬七千圓(豫算額廿一萬四千圓未竣工)

一、神宮寺茅野停車塲線改修五萬七千圓

合計五十二萬九千圓

にして以上南信北信に對する各支出額を對照すると現在までの支出額に於て已に北信へは南信の約三倍をも支出し更に現在着工し未竣工に在るものに對する豫算と對比してみると實に四倍にも達し實に縣費支出の不公平もこれ程甚だしきはないと云ふにある。

下諏訪鹽尻線は削除さる

過日の閣議では鐵道省豫算の內左記大正十七年以降の新線計畫長野縣下諏訪鹽尻間他十二線に就き協議したが下諏訪鹽尻間の建設に關しては既に鐵道問題を離れて政治問題となつてゐるから今日之れを斷行するにも及ぶまいとのことに決し結局保留(否決)することゝし其他は何れも大正十七年乃至十八年度に於いて工事に着手することになつた井上鐵相は直ちに鐵道省に戻り省內局長を大臣室に招致して此の旨報告する處があつたが既定建設線及び新建設線に充當する建設費は大體十七年度五千百萬圓十八年度五千三百萬圓と決定した模樣である。

警察復活の具體案

高橋知事は縣會において屢々聲明した本縣警察署の新設に對する縣會議員側の要望も大勢を察し得たのでこれを十分しん酌し藤岡警察部長の手許で蒐集した基本材料を中心として具體案を作成中のところ十四日既に九分九厘の脫稿を見たので知事は縣會並に長野市の代議士補缺選擧終了後廿二日この具體案を提げ上京內務省に稟議諒解を求めることに決定した尙その序を以て例の富士見競馬場指定問題及び三信鐵道妥協問題外數件の重要問題について數日間滯在運動を行ふとになつた。

諏訪電鐵伊那電へ合併

諏訪電鐵最後の運命を決すべき百株以上の大株主會を十二日午後一時より下諏訪町同會社事務所に開會大久保專務の經過報告後協議の結果株主より相當條件提出されたるが結局三株に一株の割合にて伊那電と合併と贊成決定したるので來る二十八日株主總會を開き正式に決定することゝなつたが一方伊那電は十二月二十六日東京本社に於て開催さるゝ株主總會の決算報告後同問題を附議することに決定した。

脚色映畫化する
「信濃の善光寺」

多くの映畫製作者が著眼しては何れもさじを投げてをる『信濃の善光寺』を今回長野市權堂町の尾形辨三氏(東京映畫代表者)は信仰思想鼓吹の精神を充分加味して信州善光寺を脚色映畫化し全國の

善女善男 の眼前に展開せしむべく目下專心準備を進めてゐる、まづ筋書は前田曙山氏原作監修に長野市の善光寺研究の權威者秋野太郎氏等の蒐集資料を題材とし中里清氏の脚色で三澤隈眸氏監督のもとに山田隆彌主演となつてこれに二十餘名の男女役者の大多數を引率して、長野市善光寺を中心に縣內のこれが善光寺と密接な關係ある地方卽ち伊那の元善光寺及び松本市小諸町並に佐久の布山等にわたつてロケーションを行ひ次で明年一月中旬より長野市外東京名古屋神戸等で一齊に封切りを行ふ豫定である

西天龍耕整紛糾解決す

紛擾中の上伊那郡西天龍耕地整理組合では十四日午後五時から關係者一同伊那富村辰野の同事務所に會合し杉原組合長も出席し十ケ條よりなる調停案に双方調印し解決を見たが組合長は專任者を設け副組合長四人を二名とし現在徵收しつゝある反別割は四年度かぎりにて徵收せざることと木下區の缺員役員は直に補缺選擧を行ふ事等を承認して手打となつた。

除雪作業は地元青年團に

本縣では例年の如く本年も國縣道の除雪作業を地元青年團その他に奬勵金を交付して依賴するとになり奬勵金は大體延長一町當り五十錢以內と決し目下各土木工區において依賴團體に交渉中で昨年は三千四百七十一圓を支出したが本年は目下の形勢では降雪の多きを豫想し從つてこれが支出額も相當增加するものと見られてゐる。

青年會だより

筑北聯合青年總會、東筑摩郡北部五ケ村本城坂北麻績坂井日向各村聯合青年會總會は十三日坂井村小學校講堂に於て開會諸般の報告を終て役員の改選次の開催村を決定し招待員田川大吉郎氏の時局に關係する講演があつた。

北佐久郡川邊村久保青年會は十二日役員改選會長に小林茂樹氏、副會長に小林久太、社會部長に小林爲次、運動部長に小林伊一郎、娯樂部長に原野丑之助の諸氏當選した。

小縣郡川邊村青年會 では十六日同村小學校で秋季臨時總會を開會圖書館に對する會員の希望体育に關する問題等を研究討議し尙三澤上田裁判

長を聘し陪審法についての講演を聽取した。

東筑摩郡筑摩地村青年會　では十五日午後一時より同村小學校に於いて畔田俊氏の講演會を開いた。

上水內郡朝陽村青年會　圖書館設置を五六年前よりの計劃にて寄附金等の關係にて延引の處今度三千三百餘圓の寄附金を募り八百餘圓の書籍購入此金額二千三百餘圓を支出爲し同村小學校內に圖書室を假設し共開館式を十二日午後三時より同校講堂に青年會秋季總會を兼て開催した

松本市聯合青年會　十八日午後四時より同市役所樓上に幹事會を開き一、縣代議員會經過報告一、日本青年講習會に出席した淺澤福嶋兩氏から會の報告一、來年度豫算編成一、代議員會開催の件其他に就き協議する因に代議員會は本月二十二、三日開催した。

上田市のビルデイング建設

東信四郡市及び埴科更級二郡一部の產業組合代表者は十五萬圓の豫算で上田市に鐵筋コンクリト造りで三四層樓の東信ビルデイングを新築し信聯上田支所及び小縣部會各事務所に充てまた會議室食堂宿泊室などを備へ相互の連絡と利便とに資すべき計畫中であるが多分明年度に實現されるであらう。

縣下各町村吏員一覽（其の三）

大正十五年十二月現在

更級郡（二町二十六ケ村）

町村名	町村長	助役	收入役
篠ノ井町	瀧澤豐馬	宇都宮積	傳田藏重
稻荷山町	小出五十二	兒玉長次郎	山口欽治郎
上山田	若林信平	宮原安平	山崎延惠
力石	荻野貞亮	山崎賢三	中曾根善太郎
村上	原三郎平	宮下信雄	近藤寶作
更級	北村甚兵衞	中村行治郎	堀內萬吉
八幡	南澤庫司	若林進	山崎宗一郎
桑原	柳澤三郎	宮本司一郎	關將雄
塩崎	清水筆治	小山磯重	樋口裕榮
川柳	欠員	高坂喜三郎	中村森之助
信田	西村儀太郎	小林定治郎	山崎正文
牧鄉	柳澤儀一郎	横川政吾	酒井鐵長
大岡	所角南	矢野銀右衞門	島谷越和榮
信級	越山欄一郎	栗原慶治	欠員

町村名	町村長	助役	收入役
日原	小山金久	欠員	飯澤熊作
更府	宮崎運之助	吉澤馬太郎	新井政雄
信里	風間重襄	小山澤治	小林富太郎
共和	大澤鐵左右	福井邦友	岡澤學一郎
榮	宮本千尋	望月佐文治	鳥羽伊三郎
中津	小出一男	須坂敬一郎	寺澤長治
御厨	寺島織之助	林權五郎	酒井龜之助
川中島	川島和三郎	丸田豐治	坂口一郎
稻里	中島弘馬	多田儀市郎	多田儀市郎
眞島	三保直治	竹內初太郎	岡村喜信
小島田	高橋桑造	倉崎圓治	長澤永太郎
青木島	蟻川政治郎	柳島市太郎	小川學
東福寺	福島福茂	倉澤升野	近藤喜傳治
西寺尾	杵淵唯喜	欠員	桑原金次郎

埴科郡（三町十四ケ村）

町村名	町村長	助役	收入役
屋代町	新村寅次郎	南澤小重郎	唐木善明
松代町	矢澤賴道	伊雄三郎	田中庸三郎
坂城町	春日六郎	谷川繁	小宮山林太
南條	瀨澤志郎	宮崎藤三郎	塚田木生
中之條	塚田多治郎	柳澤廉平	中島榮
戶倉	宮本靖雄	宮本三重郎	小宮山太一郎
五加	瀨在要吉	宮城金治	米澤喜代治
埴生	宮城敬藏	中澤榮作	宮坂靜
杭瀨下	米澤秀作	近藤與佐吉	小林一郎
森	久保博実	中條清二	中村定儀
倉科	秋里龍男	近藤治平	宮下島治
雨宮縣	相澤作之助	島田茂	平林文雄
清野	林吉藏	淺井通	宮本熊太郎
西條	松山友之亟	伊藤熊太郎	堀內芳治
東條	相澤忠七郎	河口秀興	小林稚治
豐榮	春原直治	富岡朝太郎	片岡退藏
寺尾	小池與三郎	小山安治郎	岩下市郎

上高井郡（一町十四ケ村）

町村名	町村長	助役	收入役
須坂町	宮下金六	一志茂美	勝山由太郎
保科	上林輔四郎	依田昌司	坂口浦太郎
川田	西澤欣太郎	山岸有喜太	義家龍太郎
綿內	玉川覺左衞門	小澤織右衞門	原田六郎治
井上	坂本重雄	齋藤宗三郎	坂本理一郎
高甫	富澤喜右衞門	鈴木榮治	豐田光水
仁禮	中村貞之助	竹前靜雄	坂田太三郎

町村名	町村長	助役	收入役
豐丘	市川猪之助	坂田彌三郎	小林市藏
日野	寺澤半三	原和作	黑岩吉三郎
豐洲	三木茂右衞門	田子木造	欠員
日瀧	梅木眞之助	二ノ宮邦三郎	市川市太郎
高井	黑岩龍作	欠員	牧又五郎
山田	宮川順作	宮崎忠治	善哉政治
都住	田中慶造	吉澤龜之助	花村龜治
小布施	市川三郎	栗田勘三郎 小宮山才吉	內山實之助

下高井郡（二町十九ケ村）

町村名	町村長	助役	收入役
中野町	頓所實治	小林治雄 近山覺重	小野澤次郎右衞門
延德	宮崎準治郎	欠員	西山芳松
高丘	金井乙之亟	松島長藏	丸子孝之助
平野	原彌太郎	佐藤繁太郎	上原光幸
日野	小林芳造	欠員	川口國廣
穗波	山本保	內田清八	篠原竹藏
平穩	山田市之亟	欠員	竹節定吉
夜間瀨	降旗太郎	畔上城之助	齋藤覺十郎
平岡	町田文治郎	海谷幸之進	綿貫藤作
長丘	保科彥吉	山崎鶴治	高橋和市
科野	湯本寬輔	岩下袈裟之助	島田繼之助
倭	小林吉治	小林俊造	山田宗之助
木島	山本源治郎	佐藤才治	伊藤清八
上木嶋	高木義重	關正勝	禰津忠治
往鄉	佐藤治郎作	土屋卯三郎	竹內松三
穗高	竹原理忠治	藤澤昌之助	荻原佐內
瑞穗	大平宇太郎	小林五郎左衞門	出澤清十郎
豐鄉	富井太一郎	竹井豐吉	池田武利
市川	吉越昇	大口近五郎	丸山美宇
堺	樋口德治	桑原重一	阿部信一郎

上水內郡（二十九ケ村）

町村名	町村長	助役	收入役
大豆島	轟小八郎	竹內幸松	田中大治郎
朝陽	藤澤梅治	福澤勝熊	小出茂一郎
柳原	佐藤喜太郎	坂本喜一	藏原要
長沼	丸山初三郎	欠員	春原龜太郎
鳥居	小島猪左衞門	村松義博	芳川啓治郎
神鄉	井上文太郎	村山岡之助	和田信一
古里	吉原勝太郎	小山勝太郎	藤澤太治郎
若槻	花岡健之助	花岡馨	田中與喜郎
淺川	科野愛吉	石坂作左衞門	小林喜一
高岡	笠井林藏	小林力造	井澤祐利

町村名	町村長	助役	收入役
中鄉	平井泰佳	堀內善一郎	中島助八
三水	小林三右衞門	大川榮一	春日孜賀造
信濃尻	池田亥之助	青山喜太郎	小日向清助
柏原	北村倉藏	村田長之亟	中村與惣治
古間	高橋休三郎	大澤百之祐	野村啓作
富士里	花岡清齋	佐藤藤吉	小林長忠
芋井	小林辰治郎	荒井友治郎	大日方清一郎
戶隱	今井武助	北山信藏	小林梶之助
栅	山口德藏	小池茂助	塚田憲一
鬼無里	中村厚	和田孝太	久保千万太郎
北小川	和田縣平	吉澤佐久治	金木義直
南小川	大日方直一	宮下林藏	久保田保夫
津和	宮尾安治	欠員	宮尾義三郎
水內	清水嘉一郎	嚴澤鄉彌	中澤惣市郎
榮	岩井眞三郎	檀原賢男	檀原薰
日里	新井武三郎	酒井八作	風間龜治
七二會	堀內龍之助	小林信一	石坂金一郎
小田切	池田八三九	池田定吉	岡澤太二
安茂里	大井年榮	大井源藏	柳澤源三郎

下水內郡（一町九ケ村）

町村名	町村長	助役	收入役
飯山町	宇田小作	淺山正春	清水慶之
豐井	宮澤伊助	神田賢一	清野鐵藏
永田	畠山七七	欠員	藤澤力藏
秋津	猪瀨熊吉	木鋪泰藏	瀨澤吉治郎
常盤	木內戶市	高橋松四郎	兼子茂
柳原	丸山藤吉	中島鹿治	武田高治
外樣	足立千代吉	今清水藤之助	久保田柳藏
太田	今清水森作	野口久治	竹田島次
岡山	市村忠司	宮本昌次	米持喜兵衞
水內	江口十作	廣瀨泰吉	伊藤菊郎

（終）

ありあんさ移住地渡航者の渡航準備補助金追加運動

信濃海外協會では政府より交付を受けた十五年度の補助金四万圓(一人當り二百圓)は海外渡航者多きために既に支拂すみて尙今年度中に渡航するもの三十九家族人員二百一人あると云ふので今回政府に向つて補助金追加交付の申請をすることゝなり高橋知事は總裁の名義を以て右申請手續きをとると共に憲政會降旗政友本黨津崎政友會小川の各代議士に依賴して極力補助金追加の運動を試みることに決した。

海外渡航準備補助金追加交付ニ關スル請願書

本會經營南米ブラジル國サンパウロ州内アリアンサ移住地建設事業ハ著々進捗シ出資寄附金募集モ十六万圓ヲ得テ遥カニ豫定ヲ超過セントスル狀況ニアリ大正十三年十月購入セル土地五千五百町歩、本年五月追加購入ノ三千餘町歩ノ合計八千五百餘町歩ハ本年六月末迄ニ區分ヲ完了シ、入植者ハ大正十四年六月出帆ノ三家族ヲ始メ今日迄八十三家族人員三百五十九名ノ多數ニ達セリ。爾來開拓面積八百餘町歩珈琲樹數四十万本、穀收穫量三千俵ニ達シ移住地内ノ自動車道路ハ中央自動車貫通線ヨリ各入植者地區ヘ通ズルモノ延長二十粁ノ完成ヲ見タリ。

四〇坪ノ植民收容所ハ昨年完成シ尙小學校醫局ノ設置モ竣成シ本月末ノまにら丸ニテ衞生主任勝田正道ヲ派遣スベク追テ小學校教員四名ハ明春派遣スベク準備中ナリ。

明年度渡航者ノタメ收容所ノ増築、精米所、製材所、倉庫、瓦工場等ノ新施設モソノ進行中ニシテ明年二月ニハ大半竣成ノ豫定ナリ移住地市街地、墓地、工場モ本年末ニ確定スベク公園、クラブ、日曜學校モ開設セリ。

斯クノ如ク開設二ケ年ナラズシテ道路、交通、教育、産業、衞生、等ノ設備着々整ヒ入植者何レモ健在各自喜悅ト希望トニ燃エツヽ其ノ運命ノ開拓ト大自然ノ開拓トニ從事シツヽアリ。

カヽル移住地ノ迅速ナル進展ヲ見ルニ至リタルハ一ニ昨年度ノ二万圓、本年度御補助四万圓ノ海外渡航準備補助金ノ御交附アリシト曩キニ地方長官會議ノ節、内務大臣閣下ヨリノ切實懇篤ナル御訓示ニ基キタルニ依ルモノニシテ當協會並ニ入植者一同ノ感謝ニ堪ヘザル所ナリ。而シテ本年御下附ノ四萬圓ハ去ル十一月二十九日出帆ノさんとす丸乘船者ヲ以テ全部ソノ給與濟トナレリコレ一意ニ政府當局ノ御補助ノ趣意ニ添フモノナリト信ジソノ喜ビニ堪ヘザルモノナリ。

然ルニ本年十二月、明十六年一月、二月、三月ノ便船ニテ移住地ニ入植渡航セントテ土地購入シテ家財ノ整理、旅券ノ下附等其ノ準備終リ政府ノ御補助サヘアレバ直ニ渡航出發シ得ベキモノ實ニ別紙ノ如ク三十九家族二百一名ノ多數ニ達セリ。

此等家族ノ者ハ内地ニ止ルコト一日長ケレバ一日ノ冗費ヲ要シ、其ノ渡航遲ケレバ一日ノ開拓事業ノ遲延ヲ來スノミニテソノ哀情誠ニ堪ヘザルモノアリ。

政府當局ニ於カレテハ是等多數入植者ノ幸福ト本移住地事業ノ進捗御助成ノ點ニ御考察下サレ十分ノ御詮議ノ上渡航準備補助金三万四千三百圓ノ追加増額御交附アラレンコトヲ事情具陳請而奉懇願候也

大正十五年十二月

信濃海外協會 總裁 高橋守雄

内務大臣 濱口幸雄殿

信濃海外協會經營アリアンサ移住地 狀況御報告並に御助成請願書

本會經營南米ブラジル國サンパウロ州内アリアンサ移住地建設事業ハ著々進捗シ、出資寄附金募集モ十六萬ヲ得テ遥カニ豫定ヲ超過セントスル狀況ニアリ大正十三年十月購入セル土地五千五百町歩ト本年五月追加購入ノ三千町歩ノ合計八千五百餘町歩ハ本年六月末迄ニ其ノ區分ヲ完了シ入植者ハ大正十四年六月出帆ノ三家族ヲ始メ今日迄八十三家族人員三百五十九名ノ多數ニ達セリ、爾來開拓面積八百餘町歩、珈琲樹數四十万本、穀ノ收穫量三千俵ニ達シ移住地内ノ自動車道路ハ中央自動車貫通線ヨリ各入植地區ヘ通ズル

モノ延長二十粁ノ完成ヲ見タリ。

四〇坪ノ植民收容所ハ昨年完成シ尙小學校醫局モ御補助金ニヨリ所期ノ如ク竣成シ本月末ノまにら丸ニテ衞生主任勝田正道ヲ派遣スベク追テ小學校教員四名ハ明春派遣スベク準備中ナリ。明年渡航者ノ爲メ收容所ノ増築、精米所、製材所、倉庫、瓦工場等ノ新施設モソノ進行中ニテ明年二月ニハ大半竣工ノ豫定ナリ。移住地市街地、墓地、工場地モ本年末迄ニハ確定スベク公園ク、クラブ、日曜學校モソノ開設ヲ見タリ。

斯ノ如ク開設二ケ年ナラズシテ道路、交通、教育、産業、衞生等ノ設備着々ニ整ヒ入植者何レモ健在各自喜悅ト希望トニ燃エツヽ其運命ノ開拓ト大自然ノ開拓トニ從事シツヽアリ。

カヽル移住地ノ迅速ナル進展ヲ見ルニ至リタルハ一ニ御省御助成金補助三十六マントスヲ始メトシテ多大ナル御助成ノ結果ト曩キニ地方長官會議ノ節外務大臣閣下ヨリ切實懇篤ナル御訓示ニ基キタルニ依ルモノニシテ當協會並ニ入植者一同ノ感謝堪ヘザル所ナリ。

尙本年十二月、明十六年一月、二月、三月ノ便船ニテ移住地ニ入植渡航セントテ土地購入、家財ノ整理、旅券ノ下附等其ノ準備完了シ政府ノ御補助金サヘアレバ直ニ渡航出發シ得ベキモノ實ニ別紙ノ如ク三十九家族二百一名ノ多數ニ及ベリ。是レ等ノ家族ノ者ハソノ素質、經歷等企業移住民ノ適當ナル者ナリ。

カクノ如キアリアンサ移住地現況ニ付キ御報告申上ゲ尙今後一層ノ御助成ヲ奉懇願候也。

大正十五年十二月

信濃海外協會 總裁 高橋守雄

外務大臣 幣原喜重郎殿

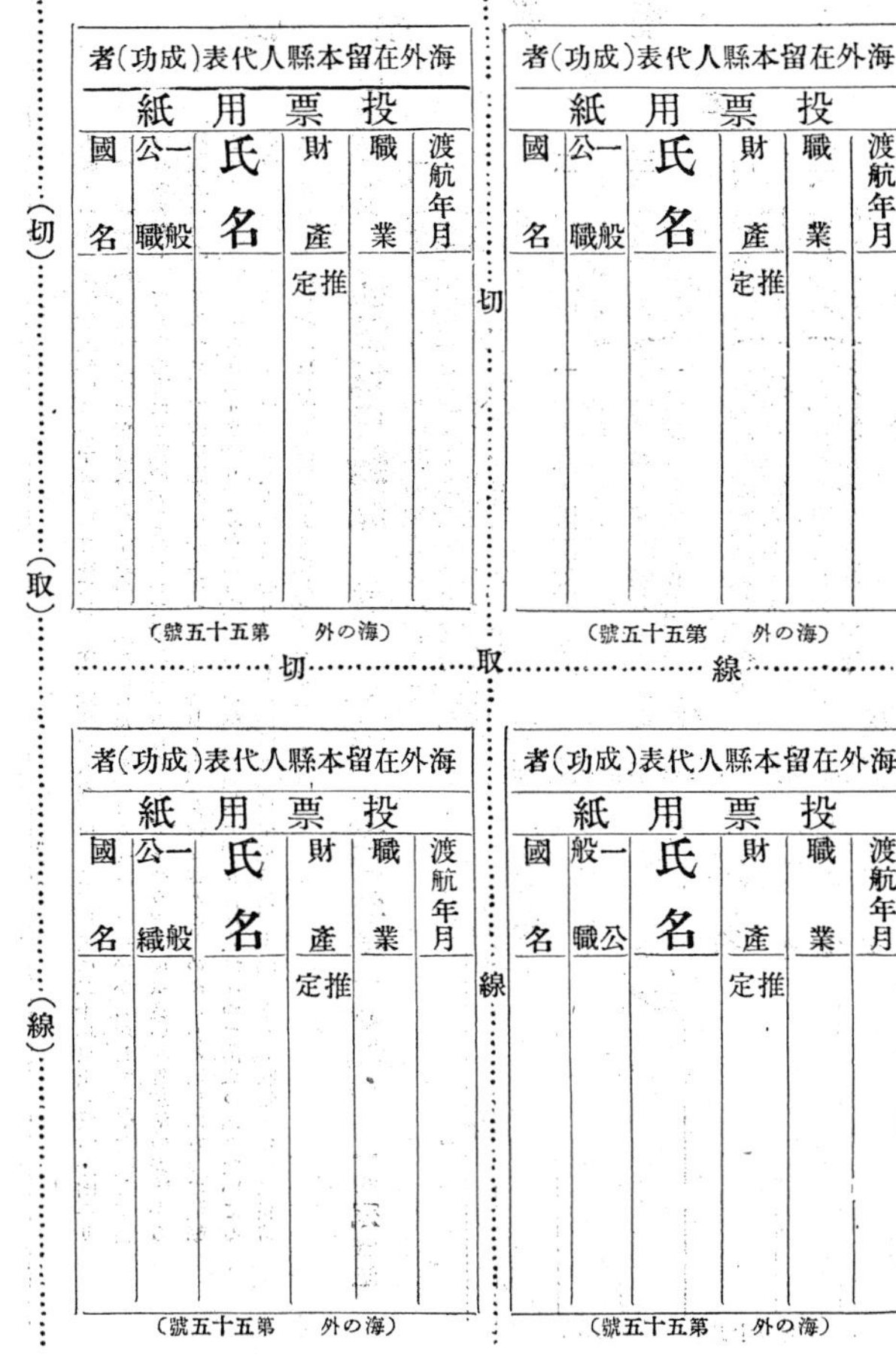

海外在留本縣人代表(成功)者
投票用紙

渡航年月	職業	財産 推定	氏名	一般・公職	國名

(第五十五號　海の外)

海外在留本縣人代表(成功)者
投票用紙

渡航年月	職業	財産 推定	氏名	一般・公職	國名

(第五十五號　海の外)

切取線

海外在留本縣人代表(成功)者
投票用紙

渡航年月	職業	財産 推定	氏名	一般・公職	國名

(第五十五號　海の外)

海外在留本縣人代表(成功)者
投票用紙

渡航年月	職業	財産 推定	氏名	一般・公職	國名

(第五十五號　海の外)

會費領收　十月十六日ヨリ十一月十五日マデ

一金拾圓也　大正十五年度維持會員費　池内直次殿
一金貳圓也　大正十五年會費　丸山芳郎殿
一金貳圓也　同　山岸牛三郎殿
一金貳圓也　同　山岸政吉殿
一金貳圓也　同　白井安五郎殿
一金貳圓也　同　井上喜殿
同　同　沓掛喜殿
同　同　清水喜左衛門殿
同　同　中島忠次殿
同　同　林山藏六殿
同　五味澤作一郎殿
同　同　竹原秀山殿
同　同　羽藤德一殿
同　同　丸山下佐陸殿
同　同　熊谷鈹夫殿
同　同　西村善三郎殿
同　同　中島鹿治殿
同　同　宗田小惣殿
同　同　堀内庄之助殿
同　同　横山寅太郎殿
同　同　柳本榮庵殿
同　同　松井長二郎殿
同　同　竹内貞男殿
一金貳圓也　同　戸谷元治殿
同　同　竹下繁松殿
一金貳圓也　同　水澤豐泰殿
同　同　六川郡治殿
一金貳圓也　同　佐藤仁作殿
同　同　黑坂市郎殿
一金拾六圓也　普通會費一時拂　矢澤定治殿
一金貳圓貳拾錢　同　有賀秀殿
一金貳圓也　大正十四年度分　永井繁太郎殿
一金貳圓也　同　中島忠規殿
一金貳圓也　同　齋藤寬吾殿
同　同　上原長六郎殿
一金貳圓也　同　池内淺一郎殿
一金四圓也　大正十四五年度分　五味澤作一殿
一金貳圓也　同　今井壽左衛門殿
同　同　野口傳兵衛殿
一金貳圓也　同　瀧澤浩殿
同　同　前澤正三郎殿
一金貳圓也　同　清水坦一殿
二金貳圓也　大正十四年度分　大草源市殿
一金貳圓也　同　齋藤益吉殿

在外者送金

一金貳拾圓四拾八錢也　在キューバ　小林百輝殿
一金拾五圓也　在墨國　古川芳男殿
一金貳拾圓拾五錢也　在マニラ　小林千尋殿

編輯雜記

雪が五、六間程向ふが見えない程ドンドン降つてゐる。既に四寸程積つて四方は全くの銀世界と化してゐる。多だ、そうだ多だ。十二月も早や暮れて再び新年を迎へんとしてゐる。年來の氣分が漲つて忙しい光景が街頭に見える、それに家經の總勘定過去一年の奮闘は此處に如何なる結果を示であらう。――

◇

本誌も又過去一ケ年を顧みなければならぬ。貧弱ながらも一回の休版もなく毎月會員諸賢に相見えてゐた事は本誌の最も光榮とする所であります。幸ひ役員各位の努力と會員諸賢の御後援による賜と深く感謝する次第であります。特に在外者諸賢の御同情によつて本誌は命ぜられるまゝに世界各地に飛躍した事は實に本誌唯一の特權であり唯一の誇りとする所であります。

◇

さりながら本誌の最も痛手とする所は經營財源の窮乏であります。海の外社が毎月數百圓の經費を費して內外會員諸賢の聯絡をするのです。其の財源はひとりに會員諸賢の會費に待つので海の外社の苦痛は何時も此處にあるのです。何卒御同情の上一段の御援助を願ひます。

◇

聖上陛下には十七日御險惡と拜し承る。內外の我が同胞此れに越した憂慮なし。

◇

本誌の論說、海外事情は會員相互の智識啓發に全力を注ぎ、在外者の通信母國通信信州記事は內外會員の誌上聯絡の唯一の機關であります。協會記事は當協會本部及各支部の內容について會員諸賢に御報告申上げてゐる。其の他の記事、編輯雜記等はいづれも見逃がす事の出來ぬ記事でありますが本誌を通ずる使命は此等の紙面に溢溢してゐる事を知つて下さい。そして一段の御援助をお願ひ致したいのです。

◇

では皆樣、本年はこれで御免下さい。第五十五號の新年號には、新裝を凝してお眼にかかります。

海の外

定價	內地	外國
一部	廿錢	廿仙
半ケ年	一圓十錢	一弗十仙
一ケ年	二圓廿錢	二弗廿仙

海外郵稅二錢

注意
▲御註文は凡て前金に申受く
▲廣告料は御照會次第詳細通知致します
▲御拂込は振替に依らるゝが最も便利とす

昭和元年十二月二十五日
編輯人　永田稠
發行兼印刷人　西澤太一郎
長野市南縣町
印刷所　信濃毎日新聞社
長野市長野縣廳內
發行所　海の外社
振替口座長野二一四〇番　信濃海外協會

海外渡航取扱所

◉東洋一の理想的設備を有する神戸港へ！
◉旅館は誠實にして信用のある神戸館へ！

各縣海外協會
日本力行會　指定旅館

神戸館本店

神戸市榮町六丁目廿一番邸
電話元町八六一番
振替口座大阪一四二三八番

支店（神戸市海岸通四丁目（中税關前）電話三ノ宮二一三六番）
別館（神戸市海岸通三丁目十四番邸　電話三ノ宮二一三七番）

◇本店へハ神戸驛、支店、別館へハ三ノ宮驛下車御便利

信濃海外協會指定

三津久井屋ホテル

橫濱海外渡航案內所
日本力行會指定

橫濱市本町六丁目（正金銀行トナリ）
電話本局二三六番

各汽船會社取次店

日本郵船會社
大阪商船會社
加奈陀太平洋汽船會社
アドミラル東洋航路汽船會社
ダラー汽船會社

營業案內

外國行旅券出願下附手續及
各國領事査證手續無料取扱
各汽船會社發着表及航路案
內書御一報次第贈呈仕可候

福井旅館御客樣に謹告

福井旅館事務所は弊居に設け有之候御渡航御歸朝一切の事務は弊店に於て御取扱及可申上候間不相變御引立の程奉願上候　再拜

日本力行會長
永田稠著

海外立志傳

四六判、四百二十頁
定價金二圓（送料金十八錢）

私は年少の頃、英雄豪傑や、知名の成功者の傳記を讀んだ後で「俺はトテモ此人の樣には成れない」と失望するのであつた。ナポレオンや豊臣秀吉や西郷南洲等の傳記が私に與へた一種の悲哀は皆さうであつた。それで私は「若し私が立志傳を書く時が來たら、讀者に悲觀されない樣な傳記を書き度い」と希ふて居た。今や其の希ふた時が來たのである。本書中の人々は、皆、私共と殆んど同じ境遇に生れ略同じ程度の教育を受けた者で「此位の事なら僕にも出來やう」と讀者は必ず感ずるに相違ないと思ふ。私は此傳記の内に記されたる人々が、他日ナポレオンであり、秀吉であり、南洲である事を希ふては居るが、よしんば、現在の其儘で終つたとするも後進の讀者の爲に多大の感激を與ふる筈であると考ふる者である。（序文の一節より）

兩米再巡

菊版四百廿四頁　寫眞版三十頁
布製函入
定價金三圓（送料一册拾八錢）

永田氏は信州の生める一異才である。嘗て南米を一週して『南米一巡』を著はし、信州に來つて信濃海外協會の組織に努力し、更に『南米信濃村建設』に關する大使命を帶びて、大正十三年五月末橫濱を出帆し、布哇、北米桑港、ローサンゼルス各地に於ては海外協會支部の設立に盡力しソートレーキ市にもモルモン宗教植民の跡をたづね、デンヴア、シカゴを經て華府に至り紐育より大西洋を南下してブラジルに至り、植移住地の選定•購入•入植の準備をなし、大正十四年二月日本に歸り來り、更に信濃村大成の爲めに努力奮闘し、今や模範的にして世界に誇り得る移住地が建設されつゝある。『兩米再巡』は氏が南北兩米を再巡せる記錄である志を世界に有する者の一日も看過することの出來ない快著である。

長野縣廳內　信濃海外協會　（取次）振替長野二一四〇番

各縣海外協會
日本力行會　指定旅館

高谷旅館本店

海外渡航乘船
領事館手續
貨物通關取扱

本店　神戸市榮町六丁目
神戸市郵便局私書函八四〇番
電話元町八五四番、一七三七番

支店　神戸市宇治川楠橋東詰
電話元町六六六番

昭和元年十二月廿五日發行（每月一回發行）
大正十一年四月廿六日第三種郵便物認可

定價金貳拾錢

信濃海外協會
海の外社發行

一九二七（昭和二）年　海の外　第五六号〜第六七号

目次

海の外

第五十六號
昭和二年
一月號

昭和の御代

昭和第二年こそは、われ等の跳躍の年であります。我等は明治、大正の時代に於いて、海外發展に關するあらゆる宣傳を試み、あらゆる經驗を積んで來て居ります。遠くは建國三千の年長い歴史を顧み、近くは、明治、大正の數十年の過去を見て、此處に確立せる移住方策の已づから樹立せられたる以上は、我等は多辯を要せず直に實行せねばなりますまい。

我が海外發展が一年毎に實質的になりつゝある今日、我等は組織の不完全や統一の不備を指摘して悲觀するには及ばない。

希望と意氣と熱ある人が先づ此時代を見逃がさずに活躍すべきではないか。昭和の御代は實に此等の人々のために開放される時代である。信州青年の意氣も又これに向ふではありませんか。

(一、一〇)

アリアンサ移住者に送る書

信濃海外協會幹事　永田稠

時維れ改元の第二年一月一日、靜かに座して　昭和の新勅を唱し、移住者指導の巨聖モーゼの書き殘したる舊約聖書の數章を誦し、更に近代移住地建設の理想的集團たるモルモン宗徒植民の歷史の幾頁かを讀み、遥かにアリアンサ移住地の過去と將來とを考ふれば、拙きペンを取りて其思ふ所を書き記し、之れを其移住者諸子に送らんとするの情誠に止むを得ざるものがあります。

アリアンサ移住地の歷史は未だ新しく、僅かに數年の經過には過ぎないが、長野縣廳の一室に於て移住地建設の一大宣言が、時の總裁本間知事に依つて發表され、資金募集の困難、關東震災の障害、總裁の交代、土地の調査、其選定、其購入の手續、先發者の入植、外務省との交渉、內務省との談判、移住者の募集、反對運動への對抗、誤解の辯明等樣々の事件を回顧すれば、短かい歷史の間にも幾多の苦心がありました。

其ある時は、百計悉くつきて「ルツサンビラの奥に選みし移住地の小川邊に行きて自ら死なんか」とさへ苦吟せねばなりませんでした。私はアリアンサに於て一本の樹をも切らず、一坪の土地をも開かないけれども、此移住地の建設については、アリアンサ關係の誰人にも劣らざる苦心を致して居ります。故に出來る事ならば、其入植者諸子と共に、膝を交へて懇談し、諸子の言はんと欲する所も聞き猶私の言はんと欲する所のことをも、一人一人目のあたりに言ひ度きことは山々なれども、相距る一萬二千哩、如何ともする能はざるが故に、此文章を草して之れを諸子に送り、アリア

ンサ移住地を産み、之れが發育に就て衷心より考へて居る所の事柄につき、諸子に訴へんとするのである。

聞いたのと見たのと違ふ

諸君の多くがアリアンサに關する話を聞いて、日本に居る時や又は航海中想像して居たのと、實際に來て見た事情とが全然違ふて居るのに驚いた事であろうと思ふ。そして「海外協會の人々が僕等をだましてコンな所へつれて來た、コンナ所なら來る筈ではなかつた。こんなに苦勞をするならば、日本に居た方がナンボよかつたか知れない」等と考へられる者が多いことだろうと思ひます。如何にもご最も千萬なことと存じます。

現代の日本の新聞や、雜誌や多くの海外發展論者が、海外は樂土であり天國である樣な宣傳を致します。從つて海外移住を考へる人々が、海外諸國は行きさへすれば金は何程でも儲かり、御馳走は何程でも食べられ、美衣を纏い自動車に乘につて朝から晩迄遊んで暮せる樣に考へます。移住の經驗のない日本人――三千年間も定住して居た諸君が海外各地を樂園なり天國なりと考へるは自然でありますが、今日の世界は何所へ行つても働かずして食へる所はなく勞せずして着られる所はないのであります。冷靜に批判してアリアンサ移住地が、日本の諸子の生活よりも大局から見てよかつたらそれで滿足をして貰はねばなりません。

私は多くの場合にブラジルの缺點や移住地生活の困難なことを高調致しました。特に農業なり勞働の經驗ない人々に對しては、極端に此種のお話を致しましたし、海外協會の各種の印刷物の中にも、よく讀んで見れば、其點がはつきり解る樣に書いてある筈でありますが、移住者の常として、自分に有利の樣に判斷をして困難なことや樣々の苦しい事などを想像することが足りませんので、聞いたのと見たのとは大變の差が出て來るのです。諸君が「聞いたのと見たのと違ふた、海外協會にだまされた、ひどい目に遇ふた」と考へらるるならば、私は當分諸君を酷ひ目に遇はせた者、だました者となりませう。けれども私は他日諸君から感謝される日のあることを確信致します。諸君等が「前に移住して誠によかつた」と云ふ自然の叫びの一日も早く來たらんことを祈つて居ります。

政府の補助金について

內務省の海外渡航者準備補助金は、其當初に於ては、海外興業會社の取扱ひ者丈けが下附を受けて居たのを、信濃海外協會が移住地を經營することになつた爲め、大正十四年度から少しづつ下附されることになつたのである、同年度の入植者は全部下附を受けたが、內務省の條件通りの家族の構成の出來ない者にはやる事は出來なかつた。輪湖理事から「誰は可愛さうだから補助金をやりたい」といふて來たが、殘念ながらやることの出來なかつた人々がありますが、御氣の毒だが致し方がありません。大正十五年度は入植者の方が補助金より多い爲めに、內務省の條件にかなふた者でも補助金の貰へない者があり、不足に貰ふ者も出來ました。昭和二年度に當つては、此傾向が段々と甚しくなつて來ると思ひます。

ある入植者は「町村役塲が旅費のないと云ふ證明をしてくれない」と云ふて不平を云ふて來て居ります。一應ご最ものことでありますが、一體、私はアリアンサ入植者が政府の補助金を貰ふことを心よしとせぬ者であります。諸君は安住の土地を求めて移住したのである。安住の土地とは自からの力に依つて開拓し、自からの力に依つて生活して行く世界のことである。此世界へ行く者が、國民の血をしぼつた政府の補助金を貰ふて行くと云ふことは如何にも腑甲斐のない話である、子孫に對しても申譯のない親達の耻辱であります。嘗てモルモン宗徒は、移住の途中から、米墨戰爭の爲めに數百名の青年を提供して居ります。國家の補助を貰ふて移住することは、換言すれば、移住の眞精神に違反することであります。それ故に出來る者は、此補助金を當てにしないがよいと思ふ。又、若し既に其下附を受け、又は此下附を受けねば渡航の出來ない者は、止むを得ず貰ふにしても、他日、自分の生活が豊かになつた日には、此金に利子をつけるか、幾倍かにして之を公共の事業に寄附金として差上げるの覺悟を要すると思ひます。「補助金の世話をして置いて酷い事を云ふ奴だ」と思はるるかも知れないが、私は敢て申上げます。政府の補助金を貰ふた者は、他日之れを數倍にして社會公共の事業に寄附して貰はねばならぬと。

ユタの平原についたモルモンの移住團が、第一に擧げた利金は、之れを後進者誘致の資金として使用しました。アリ

アンサ入植者諸君も、自分の生活に餘裕が出來たらば、其第一の金は後進者渡航資金として提供して頂きたい。特に政府の補助金を下附された者は、此資金として提出して貰いたいと切望して止まざる次第である。日本には金がなくて移住の出來ない者が非常に澤山ある。諸君の受けた二百圓があれば、毎年一名宛を渡航させることが出來るのである。

不平の數々

明瞭に私の手許へは諸君の不平が達して居らないが、各方面からの情報を綜合し又私の想像から考へて樣々の不平を諸君は持つて居るに相違ないと思ふ。

其第一は醫者の居なかつた事に對する不平であろう、これが爲めに數名の者が死亡した樣である。この責任は全部私にある。誠に申譯のない事だと思ふて居ります。大正十四年二月私が日本へ歸ると。すぐに醫者を送るべき筈でありましたが、候補者の勝田君の結婚の問題が永びいて決定しなかつた爲めに、出發が遲れました。他の醫者でもやろうかと思ひましたが、私は勝田君の人格と技倆に信頼し「少しは延ばしても勝田君に行つて貰いたい」と思ふて、遂に延引致しましたが、本年一月愈々出發されることになりました。

それについて諸君に申上げたい事は、醫者が來たからとて安心しない事であります。今迄は「病んでも醫者がない」として要心に要心を重ねて居たそれが爲めに病人が少なかつたことであろう。今度、醫者が來たとて安心すると却つて病氣が發生を致します。

序に、一般の人々に言ひたいことは、人生の「死」と云ふ問題である、移住に馴れない日本人は、海外で知人が死ねば「彼は外國へ行つたから死んだ」と考へて、自分の村で幾つかの葬式を出したのを忘れて居る。人はどうせ死ぬ、大學病院のお隣りに住んで居たり天下の醫學博士を皆集めても死ぬ者は死ぬのである。それ故に移住地では、普通一般の病氣に普通一般の手當てが出來たならば、それで滿足をして貰いたいのである。むづかしい病氣や非常なけがでもすれば、何所に居つても死なねばならないのだ。日本とブラジルの死亡者の統計を見れば、日本の方が遥かに多いのだ

から一般的に云へば、日本に居るのが危險である。東京や大阪は一年中腸チブスのない時はないのであるから、アリアンサのアミイバ赤痢位は、日本に住むよりも安全と心得て貰いたいのである。そして死ぬべき時には死ぬものだと考へて居て貰いたい。

不平の第二は移住地の理事が諸子の思ふ樣に世話をしてくれぬことであろう。日本で山伐り代金を拂ふて置いたのに山が伐つてない。伐つた山がうまく燒けなかつた。これ等は皆理事が不親切だからだと考へらるることであろう。日本で山伐りの御註文になつた人々の分は手紙や電報で移住地に通知したが、何分始めてのことであり、手紙の途中で紛失した事もあろうし、山伐り人夫の備へなかつた事情もあろうし、理事達も勢一杯はやつたけれども手の及ばなかつた事もあろうし、諸子が無理に注文した場合もあろう。山がうまく燒けなかつたについては夫れ相當の理由もあろうし運の善かつた者と悪かつた者もあろうと思ふ。種々の手違ひの出來たことは誠にお氣の毒千萬でありますが、關係者は皆善意を以て一生懸命にやつて居ること丈けは御了解を願ひたいのである。移住地は營利を目的として居ないのであるから、從つて經營の資金も少なく理事の數を澤山にすることも出來ない、輪湖君にしても電報毎に船毎にサンパウロやリオ迄出張せねばならず、北原君にしても御覽の通りに何から何迄も世話がやけるのである。

關係者が誠意を以てやつて居る事丈けが解つたら、それで滿足をして貰いたいのである。そして其手の足らぬ所は諸君が自ら進んで村の爲め移住地の爲めになる樣に犧牲を拂ふて貰いたいのである。

由來不平は依賴心があるから出來る場合が多いのである。移住地の建設は安住の世界を作ることであり、安住の世界は獨立心のある所にのみ存在するのである。自分のことは總て自分でやり、其氣力を以て隣人を助ける覺悟があれば、此種の不平は根絶するのである。自分の弱い依賴心を大きくして徒らに不平を云ふことをつつしまねば、諸子の社會は幸福には成つて行きません。

第三の不平は物資が不足で高いと云ふことであろう。ご覽の如き小さい商店部で、ホンに移住者の生活に必要の物資を提供するに過ぎず、ご覽の如き場所であるから、協會では利益を求めては居らないが價格は相當に高くなるのである

從つて思ふ樣な物が安く得られないかも知れないのである。

食物が不足だつたら、タンポポやワラビを取り、野鳥を取つて食ふて下さい。鑵詰やお刺身はアリアンサでは禁物である。トカゲのすき燒き位は平氣で喰べて貰いたいのである。まづい物を喰ふて、きたない衣服を着て、お粗末な堀立小屋に住んで、朝から晩迄非常に骨の折れる仕事をして、それが人生かと聞かれたら諸子のある者は失望されるかも知れないが、それは第一線の生活をする者が當然受けねばならぬ「移住地の洗禮」であります。今日ブラジルで相當に名をなし產をたくはへて居る凡ての人々が受けたのは「移住地の洗禮」である。否、北米合衆國あたりの偉人達は皆此の洗禮を受けた者である。我日本に於ても神武天皇や日本尊の命は皆此洗禮を受けて居るのである。第一線の試練、ボーダーラインの生活から興國の氣が生れるのである。舊文明の墓場である東京や大阪の文化を顧みてはいけません。諸君は新らしくアンデス、アマゾンの文明を生まねばなりません。それには今諸子の受けて居る「移住地の洗禮」を辞退してはいけません。

珈琲を育てる心

諸子は今一生懸命になつて珈琲を育てて居る。其心持ちが大切である。山を伐つて穴を掘つて、種子を蒔いて日被をして、草を除いて手入れをして、一株の珈琲を育てる爲めにどれ程の苦心をする事であるか?。此犧牲の心持ちが唯一つの大切なものである。

諸子の家には今澤山の子供達が生れて來る。珈琲を育つる心は乃ち子供を育つる心である。諸子の村は船毎に多數の家族が增加して行く、私の行つた時にブラジル人の道路修理人の一家族しかなかつた所に、今や百家族五百五十名の人々が入植し、今後二三年すれば四五六百家族、一、二、三千人の人々の住む村になる。新しき村が諸子の目前に育つて居る。諸君の子供を育てる心は乃ち此村の發育を希ふ心と同一である。

物を育てる心持ちとは犧牲の決心である。珈琲は諸子に金を持つて來る。子供は諸子に生命を持つて來る。村は諸子

に光榮を持つて來る。而して其分量は諸子の犧牲心に並行することを忘れてはならぬ。珈琲と子供を育てる心持ちを以て村を育てて貰はねばなりません。

小學校は外務省の補助金に依つて兎に角建設を見たのであるが、此小學校の敎育の爲めには諸子の更に一層大なる犧牲が要求されませう。勞力も提供せねばならぬ金も出さねばならぬ能力もしぼらねばなりません。小學校丈けでは村の敎育は不滿足であろう。出來ることならば中學も專門學校も大學校までもアリアンサに建設するの覺悟をして貰わねばなりません。アリアンサ第一の五千五百町歩の分丈けの珈琲の利益が一年には五十万圓にも達する時が參ります。「珈琲よりも人を作れ」これがアリアンサの標語でなくてはなりません。敎育に關してはブラジル第一の設備をなし、世界の偉人と稱する程の人々を澤山に生まねばならぬ事を心掛けて下さい。

アリアンサ精神の中樞となるべき敎會の建設も亦大切であります。ペローバの樹下に日曜學校をやつたり日曜の禮拜をやることも止むを得ないが、其時代に應じて移住地相當の敎會堂の建設も非常に大切なことであることを十分に承知して頂きたいと思ふ。

病院も其始めに於ては單純の物でせうが、人の增加に從つて樣々の建設を要します。病院は純理論から云へば健康者が建設して病弱者の爲めに献げねばならぬものであるが、今日に於ては此理想の實現は出來ません。乃ち病人の拂ふ金に依つて病院が大きくなります。移住地では他の所より高い藥價を要求を致しませんが、病院の內容を充實することと必要に應じて擴張する事の爲めに、無料で醫藥を給することが出來ませんから、此點を十分に了解して病んだら相當に金のかかる事を覺悟して貰いたいし、又、健康の者も相當に健康税を病者の爲めに支拂ふ覺悟をして貰いたいのである。

村を育てる心は道路の布設に對しても實現をして貰いたいのである。レジストロでは移民會社が入植者から金を取つて道路を布設し上塚植民地では村の人々が總出で道路をつくつたと云ふことである。アリアンサに於ては道路になる土地は其持有主がただで提供して貰いたいし、其勞働力は村中の人々がより合つて寄附して貰いたいし、更に道路の修繕はミランダ氏のやつて居る樣に、金を出して道路の修理人を雇はずに、村の人々が日本の「道ぶしんの樣に協力してやつ

て貰いたと切望するのである。アリアンサの道路は「協會のもの」だと思はないで下さい皆自分達のものと心得て之れを大切にし、自分が直接に使用せぬ所でも、村一統の爲め、村民一人一人の爲めと心得て仲よく建設し保存して貰いたいのである。

アリアンサで作つた米をアラサツーバ迄持つて行つて白米にして又アリアンサ迄運んで來て食ふことの不便と不經濟はよく承知して居ります、自分の山の材木を捨てて置いて高い材木を買い高い運賃を拂ふて煉瓦や瓦を買ふことの不經濟もよく承知して居る。從てこれ等の諸設備の急務なことも輪湖君より催促して來ずとも承知して居ります。只殘念なことにアリアンサの諸設備に要する資金は今や分讓土地代の回收に待ねばならぬ次第である。從つて理想的の設備を一擧してやり上げる譯には參らない、漸を追ふて段々にやつて行くより外に致し方がないのである。昭和二年度に於てこれ等の諸設備の爲めに日本から送り得べき金は二三万圓、之れに政府の補助金を加へても僅少のものであるから、理想の設備は出來ない。諸子の開拓に依り生產された物が土地代の殘金となり回收されるに從つて諸設備を進めて行けるのであるから、設備不完全のことを考へる時には、土地代の殘金を計算して見て貰いたいのである。

貧乏の淨化、困難の團結

モルモン宗徒のユタ州植民史中にはこんな挿話がある。「ある家族では食量が全くつきて、其主婦は柵に懸けて乾して居た馬の皮を煮て馬の脂肪を食はねばならなかつた」「ある家族は食物が盡きた、來年の春蒔く可き種子麥の一袋があつた。一家族の飢をこらへて來年の種子にしようか、それとも食ふて生命をつながうかと一日も二日も考へとうした」「米墨戰爭に行つて、加州を迂回してユタに來た一青年は、一袋の豌豆の種子を食はずに持つて來たが、ソートレーキに着くと腹がへつて氣絶して仕舞ふた」此種の貧乏に就いて此歷史を書いた記者は「モルモン宗徒は貧乏であつた爲めに非常に淨化された。彼等の貧乏の間に流した涙が、彼等相互に相愛する心を生じ、彼等の生活を淨化したことは忘るべきでない」と書きました。

アリアンサの諸君は今や思ふに困難の頂上にあるであらう。日本から持參した資金は盡きたし、收獲は未だ得られない、一部の收獲があつても農產物の價格が非常に安くて金にならないと云ふ事情である。けれども諸君は心配することはない、タンポポもあればワラビもある、山には鳥やトカゲも居る。これユタの植民に比較する迄もなく、これをお隣りの平野植民地に比較してもどれ丈け安心か計り難い、諸子の苦勞は貧乏にあらずして、ユタ植民の如く其心と其家庭と其社會とが淨化されつつあるや否にある。

ミツソリー河畔にあつたモルモン宗徒の根據地は、他敎徒から非常な迫害を受けて、幾人かの人々が殺された。彼等移住の途上は實に慘酷たるものであつた。渡るべからざる大河があつた。病源不知の病氣があつた。アメリカ印度人の襲擊があつた。雨があり風が吹き雪と霜と、時には燒くが如き炎熱があつた。食量の欠乏と野火の災難があつた。あらゆる困難が彼等を迎へて居たのである。ユタ植民史の記者は、これ等の困難を詳記した後に「此困難が彼等を團結させ、其團結が非常な好結果を與へた」と書いたのである。

アリアンサの諸氏は今や困難の頂上にあるであらう、多少の病氣で子女を失ふた者もあり、不馴な仕事に耐へられずに退植した者もあり、バツタや霜害等も或は來るかも知られない。併し、モルモン宗徒の受けたる困難に比較すれば、アリアンサの困難はものの數ではない。私はアリアンサの諸君の困難の寧ろ少なくして從つて團結力の足らざるを心配して居る。「海の外」へ出たアリアンサの某の通信に依れば、「先きに來た入植者は人の家で珈琲の御馳走になれば、其茶碗をお勝手へ持つて行つて洗つたが、此頃の入植者は、キレイの衣物は着て居るが、珈琲の御馳走になりつ放しである」と云ふ不平がある。此種の不平を言ふ者も云ふ者だが云はせる者も云はせる者だ。

私の今讀んだ計りのユタ植民史中にはこんなことが書いてある「私が夕食を食べ始めると後進部隊から急使が來た！一行飢へと寒さとで飢死の外はないから助けてくれ！と云ふのである。私は自分の夕食のパンをポケツトに入れ他の人々には食量を車に積んで直ちに續いて來る樣に命じて、只一騎暗を突いて後續部隊の方向に進んで、夜明けの四時に其幕舍に着いた。一つの舍に這入つて見ると妻は病める夫を看護して居た。其側に一人の小さい子供が寢て居て、他に六七歲の二人の子供が居つた。私はポツケツトから夕食のパンを取り出して子供にやると、其子供達は「ジョージがパンを欲しいと泣きながら寢たから、此パンはジョージにやろうネ」と云ふて腹がへつて居るにも拘らず食はうとしなかつた。其間に夫は息を引き取つた。朝になつて私は其妻と共に夫を埋葬した。私は此新しい寡婦と孤兒達を連れてソートレーキに進んだのである、私共の團体では寡婦でも孤兒でも安全に生活が出來る筈であると信じたからである」と。

私はモルモン宗徒の植民史を其儘にアリアンサに要求する者ではないが、少なくとも彼等の持つて居た、困難に依り相愛し相團結するの美はしい心情丈けは、其儘にアリアンサの入植者諸子に要求する者である。

アリアンサ第一の主張

私の知つて居る範圍、私の知識の範圍では、アリアンサは日本第一の移住地である。之れを經濟的に見るも、三千圓の資金では、日本で生活は出來ない況んや一千圓以下に於てをやだ。アリアンサでは日本で生活するに足らない資金を以て着々と成功の域に進むことが出來るのである。

アリアンサの土地と氣候とは、之れを局部的に云へば勿論よりよい所もあろうが、先づ此位ならば別に不平の言ふべきものではない。アリアンサは全然新たなる建設である。故て其故鄕より惡いものを輸入さへしなければ理想の社會の建設が出來るのである。舊世界に於ける人々が改造に苦心して居るが、アリアンサに於ては只新しい建設さへすればよいのである。

南洋、南米の何れの移住地に比較しても、アリアンサは第一であると私は敢然として主張し得ることを喜ぶ者である、さりながら、始めて入植した者で、モツト外によい所があるであろうと考へる者があろう。其人々はサンポーロは勿論他の何所へでも行つて見るがよい。そしてアリアンサよりもよい所があるならば、其人はアリアンサを遠慮なしに退植するがよいと思ふ。諸子は他に遠慮はいらない、自由の天地に自由に生活するがよいのである。合理的に支拂ふべきものは支拂ひ。受領すべきものは受領して、堂々と退植することも愉快なことである。私共は諸君の爲めに安住の土地を準備し、理想の社會の建設の爲めに努力して居る。不幸にして誤つて其選定した所に安住が出來ない人は、退去するの外はないのである。退去して他の世界を步いて見て、亦、アリアンサがよかつたら歸つて來るがよい。私共は所信に直進する、アリアンサ第一を主張するが故に、これに移住するを可と認めたる人々に對しては、確信を以て入植を勸告して居る。人、由來神にあらず。私共にも間違ひもあろうし諸子にも誤解もあろう。お互に相談して協力の出來る者ならば父子兄弟の如く協力し、協力の出來ない場合は笑ふて別れるの外はないのである。

日本民族海外發展史上のアリアンサ

アリアンサ移住地は必ずしも大きなものではないが、其性質に於て、其地位に於て、少なくとも日本國民海外發展史上にある印象を殘すべき性質の事業である。

從前のブラジル移住は、移民會社の取扱ひに依るか將た單獨の移住に過ぎなかつたのであるが、アリアンサは社會公益の立場より半官半民的、勞資協調、祖國と移住地相聯絡して居る點等に於て、從來のやり方とは其趣を異にして居る。これで立派の成績が擧げられれば、一般の國民は此形式に依つて海外雄飛を試みるべく、萬一、これが失敗に終れば、當分、日本には海外發展に對して方法のない事になるのである。ブラジル在留の人々が注目して居ると同樣に、日本に於てもアリアンサの成敗は官民共に非常なる注意を拂ふて居る。先般山本邦之助氏はアリアンサを見て其知人に手紙を送つて「アリアンサは今二三年たたざれば海のものとも山のものとも云ふことは出來ない」と云ひました。

私のみならず諸子の祖國にあるアリアンサ移住地に關係を有する人々は、少なくとも一生懸命である。私共に於て出來る丈けの努力は此移住地の爲めに盡して居る。故に、諸君も其心して、一生懸命にやつて貰いたのである。

（終り）

墨國低加洲の漁業利權

日墨物產株式會社長　藤本安三郎

私は本誌の六月號と九月號に於て墨國の事業狀態に就て聊か述ぶる所がありましたが、更めて墨國低加洲の漁業利權に就て御話をしたいと思ひます。

墨西哥が自國沿岸の漁業に注意を拂ひ初めたのは茲七八年前からの事で、全く米國太平洋沿岸の漁業に刺戟されたとのであります。夫れまで米國內で消費するマグロ屬（鮪）の罐詰原料は、米國領海內卽ちサンピートル、サンデーゴ沖で捕獲される是で充分であつたのであります。然るに罐詰業者の宣傳宜しきを得、年々其の消費高は增加するに反し、勿論潮流の關係もあるのですが、魚屬が次第に尠くなるので、漁夫は墨西哥沖卽ち國境海上を越へて、低加洲まで出張する樣になりました。是れを見て取つた墨國側では、自國海上の產物を默つて米國側に捕らす譯けにも行かぬから、是れには相當の捕獲稅を課する事にしました。同時に是れを一步進めて自國內でも米國同樣罐詰業の起らん事を希望しました。

此の希望は墨國の新產業保護政策となり、民間に於てこれを起業するものがあれば、出來得る丈け企業し易い樣に組み立てられた漁業利權書（一種の契約書）を政府から民間に發行する事になりました、是れが漁業利權の濫觴であります、尤も墨國革命前のデアス大統領時代にもこの種のものはありましたが、夫れは一小區域で且つ獨專的のもので、眞に產業保護の根本に觸れたものではなかつたのであります、夫れが革命時代となつて兎角本國ですら政治の行き屆き兼ねるのに、まして低加洲までは眼が及ばないのを奇禍として、低加洲知事カヘツーは全く專斷的に種々な利權を民間に發給して、私腹を肥しました、然るに革命も平定し、オブレゴン大統領時代となり、斯くの如き多種多樣な利權に悉く無効を宣言し、利權發給の如き重用なる政策は中央政府直轄となし、僅かに五六を殘すのみでありました。

本社が大正十四年七月、墨人より買收したる利權は其の第六番目の最も新らしいものであつたのですが、漁業利權發給の精神は前述の通り新產業の勃興を希望するあまりであります、從つて企業し易い樣に組み立てられては居るが、毫も指定年限內に罐詰工場を起さないで、却つて利權を他に轉賣するとか、輸出稅の割引を着服するとかの方面にのみ熱心となつて、政府に對する義務を遂行しないから、其の發給精神は何年立つても實現されないのに堪へ兼ねて、比較的惡印象を墨國政府に殘さないものに限り、合憲的、合法的の新漁業利權を再發給する事を條件として新舊利權を論ぜず、大正十五年一月に全部が取り消された樣な次第であります、幸にして本社は惡印象を留めない一人であつた爲め爾來墨國中央政府と交涉する內に墨國國內漁業法案の完成となり米墨漁業條約の締結となり、同年十一月最も有力なるものを直接政府より獲得したのであります。

本社の有する漁業利權に就きまして、墨國政府の聲明する所に由りますと「是れまでは兎角不完全であつた國內漁業法の完成後、是れに由つて發給するものであるから、國家としては無効を宣告する權能は持たない、たゞ利權所有者側の法律または契約違反の場合にのみ、懲罰的に無効が成立する」と云ひ、事實舊利權の如く「政府行政上の都合に由つて取り消す」云々の文字は書き込まれてありませぬ。從つて新利權は罐詰工場を起す事を第一の條件とし、起業後は出來得る丈け、保護をなす事を明記してあります、今二十ケ條中、營業上の利權主要點を意譯しますと。

一、墨國政府は墨國低加洲にある日墨物產會社に對し、凡ての墨國海上(低加洲を含む)に於て向ふ十五ケ年間、魚屬、海藻、貝類の採收及び加工する事を許す。

二、政府は該罐詰工場設立に要する適當なる土地を、個人の私有にあらざる限り、利權有効年限內無代償にて使用を許可す。

三、大藏省は該罐詰業營業上に必用なる一切の材料、例へば工場機械、ブリキ、空罐、燃料、建築材料、罐詰調味材料、船舶の如きを外國より輸入するに際し、利權有効期間內は一切の輸入稅を免除す。

四、營業最初の二ケ年間は外國船を雇用する事を得。

五、工場設備を利用して農產物罐詰をもなす事を得、但し魚類を主とし、農產物を副とする事。

六、罐詰工場企業後の魚類輸出稅は、別に定むる稅率に由り割引をなすべし。

七、利權消滅(十五年)後に於て別に定むる違犯行爲なき限り、凡ての設備及び財產は政府の有に非ず。

以上は利權中の首胸をなす箇條でありますが、是れ丈けを觀ても如何に墨國政府が自國內に新產業の起るべき事を希望して居るかゞ判明すると思ひます、兎に角墨國政府が英米に發給して居る利權中には種々なものがあり或は鐵道の布設權、或は油田、礦山の採掘權と云ふ樣なものでありますが、在外日本人で墨國政府から直接獲得して居るものは、漁業利權以上のものは一つもありません、此の意味に於て最高最大の權利たる事を揚言する次第であります、何れ近き將來に於て日本の方々と膝を交へて說明する時機の到來する事を今より樂しみと致して居ります。

(完)

御追號は『大正天皇』御陵名は『多摩陵に』

大行天皇の御追號は二十日宮中殯宮で嚴かな奉告祭が行はれ同時に宮相首相連署の官報號外をもつて告示されることゝなつた。一木宮相は上奏御裁可を經た結果いよ〳〵決定されたので、十九日午前大喪使から非公式に發表された、一方御陵名についても同時に御裁可があつたので、これも御追號と同時に發表されるはずであるが、御追號は先帝の御盛德を天下後世に銘記せしめる上からも元號を追稱し奉ることはもつとも適當なるべしとの意味で明治天皇による一元一號の例をふみ『大正天皇』と御決定に相成り、また御陵名は既報の如く「多摩陵」と御決定に相成つた由に漏れ承る

母國通信

御陵誌は

閑院宮御執筆

大正天皇御陵所の御名は別項の如く御治定あらせられたので杉諸陵頭は卽刻大喪使總裁閑院元帥宮殿下に拜謁をこひ右御陵名御裁可の旨を言上すると共に御陵誌御執筆方を願ひ出でたので總裁殿下には御承諾あらせられ大喪使側より差だしたる長さ二尺五寸幅二尺の御料紙に左の形式により御揮毫あらせられた、右により大喪使長官一木宮相はこれを拜受したる上二十日より長さ三尺五寸幅二尺、厚さ七寸のみかげ石に彫刻する事となり直に大林組の名工鳩居堂に回付された

國民の熱望の中に

明治節可決さる

「十一月三日―天長節」といふ日は明治年間に生を受けた日本國民に取りもつとも印象深い祝日であつた菊花かほり秋風すが〳〵しいこの季節における國民的祝日が明治大帝の崩御と共に廢されたことは日本國民にとり何ともいへぬ物足りなさを感じさせ各方面にこ

の日を何等かの方法で國民的記念日として殘したいといふ運動が起つたが遂にそのまゝになつて今日に至つた、然るに時機遂に至り明治天皇の御偉德を永遠に記念するために十一月三日の御誕生日を明治節として永遠に記念せんとするの議は過般來貴衆兩院の間に起つてゐたが廿五日兩院は一致してそれ〳〵本會議の冒頭明治節の建議案を提出した、卽ち

貴族院では午前十時開會冒頭二條厚基公より提案しその理由として

「七月三十日の國祭日があるが大正天皇崩御遊ばされて、この國祭日もなくなる、我々は明治の偉業を完成せしめられたる明治大帝の御盛德をしのび奉るために、十一月三日の御誕生日を明治節といふ大祭祝日として永遠に記念したい」

と述べ滿場起立して卽決可決した

衆議院でも午後一時開會するや、憲政會森田茂、政友本黨元田肇、政友會鳩山一郎その他無所屬を通じて十八名が提出者となり全院擧つての贊成をもつて建議案として提出し提案理由として本黨の元田肇君は

明治天皇の御治績御遺業は我々の今更ら申あげるまでもないところで眞に我朝中興の英主に在しましたことは國民のあまねく知つしてゐる通りである、よつて國民は永く天皇の御遺德をしのび奉るため御降誕の十一月三日をもつて明治節となし大祭日の一に加へられんことを希望するものである

と述べ滿場一致で起立して卽決可決された、

皇后陛下めでたき御異例と拜す

【昭和二年一月二十一日宮內省非公式發表】皇后陛下には先般來御風邪御引こもり中のところ御風邪はほとんど御全快遊ばされたるもその後時々御はき氣あらせられ侍醫よりの願出もありかた〴〵御外出は尙御難かしと拜し奉る

御二ケ月位の御兆候

宮內省では別項の如く皇后陛下の御異狀の次第を非公式に發表すると同時に宗秩寮から各宮家にも同樣の御報告を申あげたが先般來陛下には御風のため御引こもり遊ばされて以來侍醫の拜診申あげた御容體の御經過より推し奉るも陛下には御懷姙中の御模樣にて既に御二ケ月御經過遊ばすやに拜すと承る赤坂離宮におかせられて御姙娠の御兆候と同時にひたすら御靜養を御奬め申上てをり從つて烈しい御運動等は御さけになり適度に規律正しき御運動をおとりになつてをられると承る、尙これ

がため陛下には今後行はれる大正天皇大喪儀に關する一切の御祭儀には出御のことなく御名代を立てさせ給ふはずである。

昭和第一次の政戰へ！

朝野兩黨の勢ぞろひ

正義吾にあり 輿論吾を後援す

若槻總裁の演說

第五十二議會の陣容を整ふるため精養軒にて第十一回大會を開き

若槻總裁を始め安達、片岡、江木、町田、藤澤各閣僚並に政務官各總務、各顧問および所屬貴衆兩院議員各支部代議員等千餘名出席

總裁は拍手に迎へられて登壇約三十分にわたり別項の如き演說をなして黨員を激勵し終つて別室にて大懇談會を開き六時散會した。

若槻總裁演說

第五十二帝國議會は諒闇の悲みの內に開かれますので議場の空氣も自ら濕りがちなることは臣子のちう情の然らしむるところと思ひます、さりながら我國において先帝の崩御と新帝の踐祚とは常に同時にくるので哀愁の極まる所は希望のきざす所でなくてはなりません諒闇の悲みは人々の胸に敬けんの念を懷かせますが、敬けんの念に出發する眞しなる努力こそは實に大任に勝ふる所以であると信じます、私は平素忠孝をもつて國民道德の根底となし正義をもつて政治の基調となすべきをくり返して參りましたが昭和の治世は君民一致この理想を實現すべき時代であつて憲政會の實行せんとする諸般の政策も又この外に出ないことを明言したいのであります。

○

大戰後今日の世界の人心には國際正義の觀念が漸く眼覺めて來ましていづれの强國もこの時代思潮をじうりんして究極の利を制することは不可能となつたのであります、我國の外交は正義の觀念によりてその効果を收めねばならぬことを確信します、今や列國は漸次に眼を東洋に轉じ來つて極東は動もすれば世界外交の中心たらんとする勢があります、殊に歐米諸强國が開發自覺の過程にある隣國支那に對して取らんとする政策はもつとも重要なる結果を亞細亞の全局におよぼすものであつてわが利害休戚の係はるところすこぶる大なるものがあります、我國はこの間にありて支那國民の合理的向上心には大に同情します、同時に我國の有する合理的利權はどこまでも擁護しなければなりません更に歐米列國の間に斡旋

して同情ある對支政策を協調せしむることは我國の大なる使命であります、現に支那に演出せられたる時局に對しても政府は機宜を制して適當の手段を講ずることを怠らぬ覺悟でありますがその根底において加藤內閣以來の對支同情を徹底せしむるに何等の變化なきことを明言致します、たゞ支那のいはゆる窮困狀態を脫出せしむるには矢張りその利源を開發し産業を振興し一般的經濟狀態を改善するより外に途はないのであります、いはゆる資本的侵略はこれを警戒せねばなりますまいが支那はその自きやうの策を講ずるがために外國の資本を誘致して資源を開發し産業を振興せねばなりません、それには列國をして安んじて資本を投下せしむるに足るだけの秩序を國內に樹立しなければなりません、こゝにおいてか吾人は支那は列國と共に反省して協同の發達を遂げんことを切望し大勢を指導して誤らざらんことを欲するものであります、もしそれ今日紛きうせる支那の現狀に面し日露兩國間に完全なる國交の回復を見て居なかつたなら果して如何なる狀勢を演出したでありませうか、彼此想合すれば日露の現在關係が大局におよぼす良好なる効果を看過することは出來ないと思ひます

○

吾人はどこまでも國民の信頼を議會に集中しその權威を發揚せねばなりません、併しながらもし議會の構成が國民全部を代表する形體を備へないならば議會は如何に適正に行動しても國民をして直に自己の代表機關なりとの信念を懷かしむることは出來ないのであります、換言すれば制限選擧により選出せられた議員をもつて構成せられた衆議院は選擧權を有しない國民から見れば自己の代表機關なりと信ずることは出來難いのであります、吾人が普選を提唱したのは素より立憲の大義に依るのでありますが、然もまた國民をして衆議院を自己の代表機關なりと思はしめ、衆議院の議決するところ、卽ち自己の參與決定したるものなりとの信念を懷かしめんとの趣旨に出でたるものであります、隨て議會は國民總意の燒點となり、政府は總選擧を通じて國民の總意を察し、正々堂々、一に民意に則りて進退するのが憲政の常道であります、陰謀術數により內閣の更迭を策せんとするが如きは、普選の精神を無視するの甚しきものといはねばなりません。

○

我黨の主張を具體化すべき政策は歷然として昭和二年度の豫算案の數字の上に現はれて居るのであります。反對黨

は同豫算案の外形を見て、又々豫算のばう大うんぬんを非難するのでありませう。さりながらその內容を點檢したならば、その中の甚大なる金額が過去の借金濫費放漫政策の善後處分として支出せられてゐるのを見逃すことが出來ないのでありませう、又新に計上せられた經費はいづれも國家緊急の要求に應ずるものでありまして、一として不急の施設はないのであります。

○

我國の軍備は世界の情勢にして大なる變化なき限り、依然としてその現勢を維持せねばなりません、陸軍の勢力は一旦確立せられた以上變改を加へない限り增減するものではありませんが、海軍に至りてはその勢力の要素を艦艇に置くものであります、政府は帝國の地位、國民の負擔力、國防の緩急等を備さに考察してその調和を失はざるを期し補助艦艇の補充計畫を立てたのであります。

○

我國の人口は年々七八十萬人を增加します、人口および食糧問題は我國においてもつとも重要の意義を有するに至つたのであります。現に增加する人口は都會に集中するに拘らず都會の商工業はことごとくこれを消化することが出來ません。政府は昭和二年度の豫算において經費の協贊を要求し廣く官民各方面の有識者を網羅し調査會を設けこの問題の解決に資せんとするのであります。

○

吾人は議會を前に控へたる昭和新春の政界において、政策を離れたる問題について政府倒壞の企あるを不可思議とするものであります現內閣は今日まで未だ政策上において有力なる反對を受けず、一般國民は政府の主義政策上において有力なる反對を受けず、一般國民は政府の主義政策を支持して居るものと認められます、正義我に存し、國民の輿論我を後援すと信ずる時吾人は胸中自ら勇氣のうつぼつたるを感ぜざるを得ないのであります、諸君は何處までも謹愼なる態度を持して諒闇中の議會に臨み一意專心國家民人のために努力せられんことを希望します。

不信の內閣に期待する事なし

田中總裁の演說

政友會では一月十六日午前十一時より本部に相談役會午後一時より協議員會を開き鳩山幹事長から大會に付議すべき宣言案を諮り二三字句の修正をなしていづれも原案を承認可決した後午後一時定時大會に移る、田中總裁をはじ

め所屬貴衆兩院議員百五十餘名その他地方支部代表黨員等千五百餘名出席まづ開會の辭ありて後滿堂の拍手に迎へられて田中總裁は登壇別項の如く黨員の向ふ所を訓示した。

總裁演說要旨

時諒闇に會し山河憂色に滿たさるゝは當然であるが、哀んで傷らざるは忠孝の本義である、殊に內外の時局極めて切迫して深刻を加へつゝある時、國務の進行は一日もかう廢を許すべきでない、私は當面の世態を通觀し新政初頭において、政治經濟敎育藝術その他社會百般の上に一大革新を加ふるの必要あることを痛感するがこれ等一切の根本をなすものは卽ち政治である、現內閣成立以來少しもこの眼目に觸れてゐないのは遺憾である朴烈事件といひ松島問題といひ當然骸骨を請ふをもつて宰相の臣節としなければ相成らぬ、然もてん然として權位に固着し、しばしば虛構ぶまうの宣傳をほしいまゝにしてゐる如きは實に心外に堪へぬ。

○

凡そこの內閣ほど無責任にして不信の內閣はないと思ふ、先に政局安定を名とし在野の一黨と提携せんとしてその拒絕に逢ひ更に上院の一派に哀願して同じく排斥せられたる如き政黨內閣の面目を顧みざるものといふべきである、また最近徒らに政爭をてう發する言動あるが如きは諒闇中をも憚らざる不謹愼の態度といふべきであるまいか、政府が今期議會に提出せんとする豫算は確かに緊縮方針の破綻である、しかしてその標ばうせる新政策の主なるものは人口食糧問題であるが、わづかに調査會を設置するのみでは時勢の急に副ふ所以ではない、この問題は第五十一議會において早く既に我黨がその成案を提げて政府に迫つた所である、當時政府は何等考慮する所なしと答へたるに拘らず、いまだ數月ならずして我黨の主張に追隨するに至つてはどこに政黨の自信があるか

○

外交の事に至つては實に深憂に堪へぬのである、支那問題が早晩事のこゝに至るべきことは我外交當局者の豫期せねばならぬところである、しかるに數日前支那の關稅付加稅增徵の宣布ありたるに對し我國は唯反對であると通告したのみで、英支紛擾の問題については何等の對策もない、素より英支紛擾の問題については何等の對策もない素より英支關係において支那南方の不法は申すまでもないが、これを導火として發はする想像し得べき種々の事態に對して大いに考慮するところなければならぬ、常に一定の方針なく時に政策

を二三にするが如き態度は斷じて私の採らざる所で、こゝに對支外交更新の必要を認むるのである、要するに今は內外庶政の革新を急務とする、しかして國民は現內閣に對して最早何等の期待を持たず一日も早く昭和新政の旨趣に協ふべき施設を斷行したいと希つてゐる。

黨爭的私情を交へず
あくまで政策本位

床次總裁演說

政友本黨は一月十七日本部に定時大會を開いて現內閣彈劾の黨議を決定した、出席者は床次總裁を始め杉田、川原榊田各顧問內外院總務外本部役員、地方代議員、所屬貴衆兩院議員等八百餘名出席し、大いに陣容を整へ開會のあいさつあり、次いで床次總裁滿場の拍手に迎へられて登壇左の演說を述べた

總裁演說

先帝陛下の御大喪に遭ひ七千萬同胞いづれも哀痛の極にある際允文允武なる新帝陛下の御踐祚あり朝見の御儀において有り難き御詔勅を賜り洵に恐く感激に堪へざる次第であります。

…○…

謹みて朝見式御詔勅において示させ給へる叡慮を拜察し奉る時我黨樹立の精神により積極進取の方針を持し穩健中正の態度を確守し國家主義を高調し社會協調政策に邁往することの極めて適切にして上聖旨を奉體する所以なるを感じ益々精勵の誠を致さねばならぬことと存じます

…○…

我黨は目下三問題に關して政府をきう彈するため政友會と提携をなし議會の冒頭においてこれが論戰に從はんとする場合に立到つて居ります、唯時諒闇に際しかゝる論議を上下することはすこぶる遺憾とする所でありますが司法權の威信を尊重し國體の基礎に關する觀念を高調し綱紀をしゆく正し人心を正し國民生活の安定を期するにおいて事實をきう明して責任を明らかにすることはけだし當然の責務なりと信ずるものであります、これ實に國家的正義を基調とし公黨の本領に終始するもの〻當然なる至誠の發露に外ならぬのであります。

…○…

我黨は第五十一議會において自作農地租免除、義務敎育費國庫負擔增額の二大政策を立て之が實現をなし更に政府を督勵して稅制の整理、地方

制度その他主要法案の改正等を斷行したのであります、これ等諸般の施設は尙いまだ徹底せざるものあるが故に更に一段の進行を計らねばならぬと存じます、次に我黨政務調査會において調査せる六大政策即ち經濟の更新、敎育制度の改善、東洋政策の確立社會政策の完成、移植民の奬勵、農漁村の振興等はいづれも刻下の急務に屬するものであるから具體的成案を得ると共に着々これが實現を期さなくてはならぬのであります

…○…

更に今日の時局は我黨多年の主張たる國家主義を高調し歷史的精神を振興し動もすれば危矯に走らんとする國民思想のきう救に努め又社會協調主義を唱導し思想のすう向經濟の利害を異にする風潮に對し機會均等の施設を完うしなくてはならぬ特に支那對列强の關係は近時著しく急迫を告げ事態の前途すこぶる憂慮すべきものがある、東洋平和の中心に立つべき帝國の進退は深甚の注意を拂はねばならんのであります。

…○…

要するに我黨は政策本位をもつてまい進するものその進退去就一點だも黨爭的私情を交ゆるを許さず、これ實に立憲以來今日まで何等の變更なき我黨固有の精神で今後においても不動の操守なることは申すまでもありません。

…○…

今や新政の初に當り人心の一新を圖るべき一大時期でありますこの時に當り民心はゐ微し國民生活は不安に陷り綱紀はぶん亂し產業は沈衰し憲政の大義遂に沒却されんとするが如き險惡なる事象を見ることは眞に痛恨事といはなくてはならぬ、政府當路者たるもの須らくこの顯著なる事實に目覺め自ら省み自ら慮るところがなくてはならぬと信じます

議會停會の詔書下る
二十日より三日間

野黨提携して內閣不信任案提出を決定するや政府は急に閣議を開き協議の結果議會に反省を求むるに決し停會を奏請したその結果午後一時十五分衆議院本會議開會と共に詔書降下しここに議會は三日間停會を命ぜられた

三黨首會見で局面一轉
不信任案は撤回に決す

政本兩黨がくつわをそろへて內閣彈劾の火ぶたを切り、二十日愈いよ不信任案を提出するや、政府は三日間の停會を奏請して一時をこ塗すると共に若槻

首相は同日直に田中、床次兩黨首に會見を申込み時局收拾に關し五十分にわたる長會見をなし一の申合せまで取きめるに至つた、その會見において政本兩黨首は若槻首相が時局を收拾するため適當の機會において引責辭職するの決意がありしかも暗默の間にその意思を表明したものと解し首相にして既にその意思がある以上更に政爭を續ける必要はない、從つてこの際首相の希望を容れて政爭を中止するがよいといふこととなり三黨首の間において直に

一、政本兩黨より提出した不信任案はこれを撤回すること

一、豫算案は各黨の立場により多少の修正をなすかも知れぬが大體これを承認すること

一、朴烈問題、松島事件、の如き問題については今後これを議場において論議せず、いはゆる泥試合を中止して議會の品位向上に努むると

一、その他出來得るだけ和ちう協同の實を擧げて今議會を無事終了せしむること

等政爭休止の妥協が成立したのである

信州記事

縣下八警察復活

昨年七月大暴動事件を引起した縣下の警察署廢止問題はその後高橋同縣知事藤岡警察部長の手で善後處置を講究中のところこの程に至り內務當局の諒解を得て二十日左の八ヶ所の警察署を復活補政することに決した

△北信地方、中野、屋代、岩村田、丸子

△南信地方、鹽尻、赤穗、和田、富草

三署を得た伊那谷の歡び

分署復活に際し伊那谷では騷がずして赤穗、富草、和田の三分署を得たわけだがこの復活に地元の人達がどんな感想を抱いてゐるかを見るのも興味がある

上伊那の赤穗は町政を布かぬとはいへ人口一萬五千を有する大村で伊那谷の中部に位し諸種の問題があり北部の伊那町南部の飯田に對してどの點から見るも必要欠くべからざる土地で地元の人々は今度の復活を非常に喜び「からならなければ困る」といつてゐる、富草地方は割に飯田に近

いとはいふものゝ阿智川以南の文化の發しやう地であるだけに又必要な土地で今復天龍水電や三信、又は遠信、飯津といふ幾多の事業の上から見て警察は重要な役目をする事になり地元民は非常な喜びをなしてゐる和田地方は伊那谷の最南端で交通の不便極りなく山越え谷越え飯田へ三日もかゝるところであるから今警察が廢される事は苦痛であるが、事件は割合に少ないところであるだけに一部には「分署はあつても無くても大した事はない」といふものがあるが將來遠州三州等との交涉がはげしくなる事が豫想され從つて心ある人はその先見を稱贊してゐる

警察補整につき

縣民へ告諭す

高橋知事は警察制度補整につき二十七日付で縣報號外をもつて二十八日左の告諭を一般に公布した

本縣においては客年六月三十日警察規畫の變更を行ひしがこれに起因したま〳〵不しよう事件をじやつ起したるは縣民とともに深く遺憾とするところなり然りといへども關係地方の人心は今やひとしく冷靜に歸し反省の實を見るに至りたるはもつともきん幸とするところなり變更後の警察規畫實施の結果についてはさきに當局者より今後尙ほ不斷の研究と調査を怠らざるべき旨告諭するところあり余また昨夏これを本縣知事の任につきてより以來今日に至るまでしゆく夜これが研究に努めあるひは實務にあう掌せる警察官吏の意見を徵しまたは縣下における論戰を聽きあるひは親しく縣下を巡視して直接縣民の意のあるところを聽取し審に地勢民情を查察しひたすら地方の實情を調查し新規畫運用の實情を考查したるに警察事務の統一を計り警察力に彈力性を保たしめもつて能率を增進せしめんとするの趣旨においては適切なるものありと信ずれども山岳起伏し河川往流する本縣の地勢と交通通信機關の普及現況に對比しては警察署平均負擔人におよび面積やゝ過多なるを認めかつ各地方の民情產業狀態歷史的關係等諸般の事情に鑑みその所期の効果を收めて益々公安の維持を完うし縣民の利便を計らんがためには新らたに八警察署を增設し現在の警察署警部補又は巡査部長派出所の定員配置その他に關しても相當變更補整を加ふるの必要を感ずるに至れり又ばん近本縣における犯罪數は一萬二千五百件を

の多きを算しこれを全國各府縣に比すれば犯罪件數においては第十一位檢擧件數においては第十二位にあり犯罪件數に比してこれが檢擧の成績はかへつて不良なりといふに非ずといへども

人智の發達は犯罪態様の複雜化を來たし交通通信機關の發達は犯罪關係地域を擴大したる等犯罪防止並に檢擧の困難は逐年甚だしきを加へ治安維持法上今や本縣刑事警察は一大刷新を必要とするの機に際會せり然のみならず全國各府縣の實況を見るに本縣より犯罪件數多きものにして警察部に刑事課を設署せざるものは一もなく近年本縣より犯罪件數著るしく少き縣においてすらも續々これが設置を見刑事課の設置ある府縣の總數十九の多きに達せり故に本縣においても警察部保安課より刑事課を分離獨立せしめもつて刑事警察の充實を計る必要を認めこゝにおいてか本日警察規書の改正を公布し來る二月一日よりこれを實施することとせり希は縣民一般深く本改正の趣旨を諒解し相救けて一日も速かに新規書の運用を修實しもつてその効果を全からしめその精神の徹底に努めんことを希望してやまざるなり

刑事課の獨立

高橋知事は別項警察制度の補正を行ふと共に從來保安課に屬してゐた司法係を獨立せしめ刑事課として二月一日から實施のことに決定した旨公表しこれに伴ふ廳中處務細則を改正し二十八日付縣報號外で告示するはずこれが組織は課長に警部を置き以下警部一名警部補一名巡査部長三名巡査八名をもつて編成されるはずで尙同課の取扱ふべき事項は左の通り

一、犯罪捜査に關する事項
一、拘留科料卽決に關する事項
一、移動警察に關する事項
一、行政檢視
一、行政捜査
一、免囚保護青少年に關する事項
その他刑事警察に關する事項

松本練兵場移轉決定

宇都宮師團司令部では松本聯隊の練兵場に隣接して縣營運動場が設けられ松本市と本郷村の兩方から家屋が盛んに新築されて練兵中の展望が妨げられるといふので同經理部長から縣を通じて松本市へ練兵場移轉の代地寄附を要求して來た、市では本年四月同聯隊の渡満後現在同隊射撃場の南隣接地五万坪

を買收して代地に提供し練兵場の無償拂下げを受る方針を內定した、小里市長はこの拂下げ地の內縣營運動場隣接の一万坪を縣立松本中學校の移轉地として縣へ寄付し殘り四万坪は文化的居住區にする計畫で中學校移轉の跡地も當然縣から無償拂下げをうけて都市計畫の中央公園施設を加へるはずである

初年兵滿洲派遣準備で

松本聯隊七百の初年兵は入營當日松永聯隊長から滿洲駐在の內命を傳へられいづれも胸をとゞろかしその日を待ちこがれてゐるが、同隊では滿洲派遣に備へるため從來の教育方針を一變し、第一期檢閲を一ケ月もくりあげて實施する樣馬力をかけてゐるので今年の初年兵は入營早々一通りならぬ多忙と困苦があると

一週間にわたる大吹雪

一週間にわたり降り續いてゐた信越國境地方の吹雪はまれに見る猛烈さであつたが二十四日は全く平穩に復した、しかして同日正午の積雪量は

脇野田六尺八寸、新井九尺五寸
二本木九尺七寸、關山九尺八寸
田口七尺、柏原三尺二寸で

雪はまだ降つてゐる、鐵道では盛んにラッセル車を活動させて排雪を行つてゐるが運轉系統は依然として亂脈を極め旅客列車は各二車減を行ひ六車につき大型機關車二台をつけるといふほとんど最後の手段を取つてゐるが尙五十分乃至二時間遲延してゐる

貨物は引續き長野管內のものは吉田直江津間管外のものは柏原、直江津間で全然運轉を休止してゐる、そのために直江津貯炭所から毎日運送してくる長野機關庫の石炭は全く欠乏してしまつたので旅客列車に石炭庫を後づけとして二十四日午後一時三十分と同三時三十分との二回にわたり長野に輸送し又貨物列車休止により鐵道給與品に支障を來したので二十四日午後四時半直江津發上りと二十五日午前三時五十分長野發下りとの貨物列車を特發して急送品を輸送することゝした

今夏の北アルプス
登山の施設ぶり

北アルプス本年の登山施設につき松本營林署では早くも調査に着手し、近く東京營林局に上申する事となつたが、大體の方針は前年平田東京營林局長巡視の指示に基き神ばつ境の浴化と風致を害さない事を主眼とするはずで

年々登山者が激増するので今年は特に取締を嚴重にし俗化を防ぐ方針をとり、登山路も上高地河童橋を中心とした附近の探勝路開さく以外は既報のものをもつて十分とし休泊所は休泊所旅舍等も現在數より增設を許さず、天幕指定地は上高地小梨手を約一町歩增して二町五反歩として飲

料燃料等も適當の方法で供給し又高山植物取締のため絶對禁止場所を設ける外新に燕岳へ中房口から頂上まで德本峠式のメートル標數十本を建設し登山者の便を計ると

月の姥捨山を
日本新七景へ

長野民および商業會議所善光寺等が中心となつて組織されてゐる北信濃保勝會その後商業會議所に事務所を置き專任事務を設け明年度豫算は五千圓を計上し着々計畫を進めてゐるが今回鐵道省が從來の日本三景の外に日本新七景を指定紹介するとについて過般同會で視察を遂げた姥捨山をその一つに加へるべく丸山長野市長は來る十七日同地の寫眞數十枚と參考書類を携へて鐵道省に出頭運動することになつたが

姥捨山は從來田毎の月によつて天下に知られた名勝地であるが月の外に四季を通じ展望すこぶる美麗で善光寺平の十三ケ町村を一ぼうに收め晴れた日には遠く信越國境地方まで雄大なる山の美麗を見ることが出來中央線中唯一の絶景であるといはれてある

日本郵船會社出帆船

北米方面（横濱、ホノルル、桑港間）

横濱發	ホノルル、着	桑港着	船名
三月五日	三月十四日	三月廿一日	春洋丸
三月十七日	三月廿六日	四月一日	サイベリヤ丸
四月二日	四月十一日	四月十八日	大洋丸
四月十四日	四月廿三日	四月廿九日	天洋丸
四月廿八日	五月七日	五月十三日	ユレア丸
五月十四日	五月廿三日	五月三十日	春洋丸
五月廿六日	六月四日	六月十日	サイベリヤ丸

南米方面（布哇北米經由メキシコペルーチリー行）

横濱發	マンサニヨ着	カイヤオ着	バルパライソ着	船名
三月十二日	四月十四日	四月廿六日	五月九日	洋丸
五月十六日	六月十四日	六月廿一日	七月七日	安洋丸
六月廿一日	七月二十日	八月一日	八月十四日	墨洋丸
七月廿四日	八月廿六日	九月七日	九月二十日	洋丸

日本郵船の南米航路はブラジル、アルゼンチン兩國に渡航する以外の者は全部此の船に乗らねばなりません。瑪玖渡航者も此の船で墨國マンサニヨに上陸して墨國を横斷して行かねばなりません。

信濃海外協會規約（拔萃）

第一條　本會ハ信濃海外協會ト稱シ本部ヲ長野市ニ支部ヲ必要ニ應シ內外各地ニ置ク

第二條　本會ハ縣民ノ縣外發展ニ關スル諸般ノ事項ヲ調査研究シ其ノ發展ニ資スルヲ以テ目的トス

第三條　本會ハ前條ノ目的ヲ達スル爲メ必要ニ應シ左ノ事業ヲ行フ

一、縣民縣外發展ノ方法ニ關シ立案ヲナス事
二、發展地ニ就キ調査ヲナシ其ノ結果ヲ紹介スル事
三、在外縣民ト聯絡ヲ計リ指導後援ヲナス事
四、海外投資ノ研究ヲナシ之ヲ發表スル事
五、海外發展ニ必要ナル人材ヲ養成スル事
六、雜誌其ノ他ノ出版物ヲ利用シ若クハ自ラ發刊シ又隨時講演會ヲ開ク事
七、海外發展ニ關スル各種參考品及統計ヲ蒐集スル事
八、本會ト共通ノ目的ヲ有スル他ノ機關ト聯絡ヲナス事
九、前各項ノ目的ヲ遂行スル爲臨機本會ノ代表者調査委員等ヲ內外樞要ノ地ニ派出スル事
十、移住組合ノ經營
十一、其ノ他本會ノ目的ヲ達スルニ必要ト認ムル事項

第四條　本會ノ會員ハ名譽會員特別會員維持會員普通會員ノ四種トス

一、名譽會員ハ代議員會ノ決議ヲ經テ總裁之ヲ推薦ス
一、特別會員ハ一時金百圓以上ヲ醵出スルモノトス
一、維持會員ハ會費年額金十圓ヲ十ケ年間醵出スルモノトス
一、普通會員ハ年額金二圓ヲ十ケ年間又ハ一時金十六圓以上ヲ醵出スルモノトス

第五條　本會ニ左ノ役員ヲ置ク

總裁　一名　副總裁　二名
相談役　若干名　會計監督　一名
代議員　若干名　幹事　若干名
囑託　若干名

第七條　役員ヲ定ムル手續左ノ如シ

一、總裁副總裁ハ代議員會ニ於テ推薦シ代議員ハ各支部ヨリ三名宛ヲ選出シ相談役會計監督ハ總裁之ヲ推薦シ幹事及囑託ハ總裁之ヲ指名囑託ス
一、役員ノ任期ハ二ケ年トス但再選スル事ヲ得

第八條　役員ノ任務ハ左ノ如シ

一、總裁ハ會務ヲ總理シ相談役會及代議員會ノ議長タリ
一、副總裁ハ總裁ヲ補佐シ總裁事故アル時之ヲ代理ス
一、相談役ハ重要ナル會務ニ就キ總裁諮問ニ應ス
一、代議員會ニ於テハ豫算ノ議決決算ノ認定其ノ他重要ナル事項ヲ議決ス
一、幹事及囑託ハ會務ヲ處理ス

第十二條　支部規約ハ各支部ニ於テ適當ニ定ムルモノトス

入會申込書

住所	
氏名	
會費	銀行 郵便局 ニテ　圓送金
會員別	普通 維持 特別
職業	
出身地	長野縣　郡　村大字
渡航年月	年　月

貴會ノ趣旨ヲ贊同シ入會申込候也

今後「海の外」毎月御送附被下度申添候

昭和　年　月　日

縣民の海外發展思想普及を計りその實行運動を進むるには在外者先輩諸賢の援助を待たねばなりません。當協會は今日迄在外者諸賢に種々と御聲援を辱しましたが更らに御援助を御願申上ます尚故國信州靑年男女のため貴殿の尊い經驗を御通信下さい

切……取……線

協會記事

役員異動

加藤傳治氏　昨年七月郡廢と同時に當協會に赴任された專任書記加藤傳治氏は今回家事都合上辭任の止むなきに至り十二月末日を以て辭職する事になつた。同氏は郡廢直後郡支部の善後策について多大の盡力を致され今や漸やく秩序恢復の折柄同氏を失ふ事は實に遺憾である。氏の自營自愛御健在を祈る。

畔上日義氏　多年本會事務囑託として、種々と御指導被下つた氏は事務の都合上辭職せらるゝ事になり十二月末日を以て辭職した。氏の御健在を祝福する。

坪內忠治氏　今回加藤傳治氏の後任として、多年海外發展に關して活動してゐた日本力行會員、坪內忠治氏を迎へた、同氏は日本力行會に於て力行精神を實行して來た活動家である。共々の御奮闘を希ふ。

會費は直接町村役塲に納入して下さい

縣下の會員諸賢の會費は貴町村役塲「收入役」に直接納入して下さい。信濃海外協會は郡廢以後各町村の村長、助役、收入役に各々本協會の一切の事務を依賴してありますから、出縣等の際協會に訪會せられざる限り役場收入役に納入せらる樣御願ひ致します

海外視察組合の發展

既に數十組合の設立

海外發展の思想鼓吹を根本とした「海外視察組合」は縣下の各町村に一町村一組合主義を方針として組合設立に運動を開始したが、從來の信濃海外協會員を基礎とする組合設立は宮崎囑託の活動と相待つて一氣呵成に各町村に設立を見るに至つた。或る町村では村長が「此の面白い企では貯金奬勵を氣味して理想的なものであるから、一町村一組合主義を打破して三組合位を作らうではないか」と云ふて自ら、出張して活動されるのである。現在は各郡の二、三十組合が活動を開始してゐるが三月未日迄には五十組合を設立して、組合の事業たる旅行團を組織して各方面に旅行を試みたいと考へてゐる。各方面の旅行目論見は逐次來月號より紹介する予定である。

會費領收（十二月十五日ヨリ一月十五日マデ）

一金四圓也　十四、五年分　佐々木重一殿
一金四圓也　同　高橋　大吉殿
一金四圓也　同　岩田　濱重殿
一金貳圓也　十五年度分　山浦善右衛門殿
同　同　倉竹　竹鋤殿
同　同　櫻井孫次郎殿
同　同　黒坂慶一郎殿
同　十六年度分　大森　甚吉殿
同四圓也　十三、四年度分　竹井　豊吉殿
同貳圓也　十五年度分　村越きよ江殿
同　同　遠藤用治郎殿
同　同　柳澤藤一郎殿
同　同　甲田　英勝殿
同　同　高野　安殿
同　同　矢幡　利一殿
同　同　小泉　亮三殿
同　同　和田　米吉殿
同　同　宮澤　尊憲殿
一金貳圓也　十五年度分　前島　定義殿
同　同　手塚　雄　殿
同　同　水野裂裝治殿
同拾圓也　同　古田　務殿
同五圓也　同　戸高　丸市殿
同貳圓也　同　赤羽壽平治殿
同　同　畠山　七七殿
同　同　片桐　宗内殿
同　同　藤澤　力藏殿
同　同　中島　順英殿
同　同　岡村　音治殿
同　同　高野　儀助殿
同拾圓也　十三年度分　杉谷次三郎殿
同貳圓也　同　曲尾源左衛門殿
同　十五年度分　大島　昇殿
同　同　濱　重雄殿
同　同　小池　安殿
同　同　小海　嘉一殿
同　同　矢崎　彌美殿
一金貳圓也　十五年度分　澁谷　專殿
同四圓也　十三、四年度分　小山　保雄殿
同貳圓也　同　矢澤　頼道殿
同　同　伴　雄三郎殿
同　同　保崎　熊藏殿
同四圓也　十二、三年度分　堀内　朝雄殿
同　十三、四年度分　中村　實治殿
同貳圓也　十四年度分　小池　幸家殿
同　十六年度分　久野　眞治殿
同四圓也　十四、五年度分　齋藤　縫嘉殿
同　同　古幡　文左殿
同拾圓也　十五年度分　金子　行德殿
同貳圓也　同　柴崎　新一殿
同　同　北澤茂一郎殿
同　同　金子安太郎殿
同　同　金子　萬壽殿
同　同　金子吉太郎殿
同　同　丸子　保夫殿
同　同　清水　眞平殿

アリアンサ第三移住地　土地分讓

第一、第二移住地約一萬町歩は既に分讓濟みになり今回第三移住地の内一千五百町歩を有志の各位に提供分讓することになりました。

一、場　所　第一、第二移住地接續地

一、地　代　一地區を約廿五町歩とし卽金壹千七百五拾圓を優先者となり。申込と同時に壹千圓一ケ年後に八百廿五圓支拂ふ者を第二優先者、申込と同時に七百五拾圓第二年度に六百圓第三年度に五百五拾圓支拂ふ者を第三候補者とす。

一、地　主　日本在住の地主は「優先者」に限り海外協會は小作人の選定及土地の經營管理の便を與ふ。

一、申　込　當協會又は東京市丸ビル四五四號海外協會中央會に至急紹介すべし

編輯雜記

昭和の御代は諒闇中でも、靜かに希望と意氣に滿ちて我等を迎へて吳れました昭和の御代こそ。私共の活動の時代です

△

本號は新年であるため、新裝を凝して皆樣に御眼にかゝる約束でありましたが、いろ〳〵の都合で以前通の編輯に從ひました。そのかはり臨時號若しくは二月號として「アリアンサ移住地報告號」を差し上げたいと用意して居ります、

アリアンサ移住地は旣に二週年を經過して豫期以上の進展を見せて內外人の注目の的になつて居ります、伯國視察者が必らず此のアリアンサ移住地を視察せねばならぬものは何故でせう

△

本號の特別記事「アリアンサ移住者に送る書」は永田稠氏の移住者一同に與へる金文字であります、移住の根本精神に則つとつて、我が移住地の完成を期す人々の是非腦裡に深くきざみおかねばならぬものであります

△

在外本縣人を網羅して完全なる聯絡を計るため在外者を目的として會員募集を致します。奮つて御入會を御勸誘して下さい。

謹而迎諒闇新年

昭和二年元旦

信濃海外協會

海の外

定價

	一部	半ケ年	一ケ年
內地	廿錢	一圓十錢	二圓廿錢
外國	廿仙	一弗十仙	二弗廿仙

海外郵税二錢

注意

△御註文は凡て前金に申受く
△廣告料は御照會次第詳細通知致します
△御拂込は振替に依らるゝが最も便利さす

昭和二年一月二十五日

編輯人　永田稠

發行兼印刷人　西澤太一郎

印刷所　長野市南縣町　信濃每日新聞社

發行所　長野市長野縣廳內　海の外社

振替口座長野二一四〇番　信濃海外協會

各縣海外協會
日本力行會　指定旅館

（高）

海外渡航乘船
領事館手續
貨物通關取扱

高谷旅館本店

本店　神戸市榮町六丁目
神戸市郵便局私書函八四〇番
電話元町　八五四番、一七三七番

支店　神戸市宇治川楠橋東詰
電話元町　六六六番

日本力行會長
永田稠著

海外立志傳

四六判、四百二十頁
定價　金二圓
（送料金十八錢）

私は年少の頃、英雄豪傑や、知名の成功者の傳記を讀んだ後で「俺はトテモ此人の樣には成れない」と失望するのであつた。ナポレオンや豊臣秀吉や西郷南洲等の傳記が私に與へた一種の悲哀は皆さうであつた。それで私は「若し私が立志傳を書く時が來たら、讀者に悲觀されない樣な傳記を書き度い」と希ふて居た。今や其の希ふた時が來たのである。本書中の人々は、皆、私共と殆んど同じ境遇に生れ略同じ程度の教育を受けた者で「此位の事なら僕にも出來やう」と讀者は必ず感ずるに相違ないと思ふ。私は此傳記の内に記されたる人々が、他日ナポレオンであり、秀吉であり、南洲である事を希ふては居るが、よしんば、現在の其儘で終つたとするも後進の讀者の爲に多大の感激を與ふる筈であると考ふる者である。（序文の一節より）

第二版

兩米再巡

菊版四百廿四頁、寫眞版三十頁
布製函入
定價　金貳圓八拾錢
（送料一冊拾八錢）

永田氏は信州の生める一異才である。曾て南米を一週して『南米一巡』を著はし、信州に來つて信濃海外協會の組織に努力し、更に『南米信濃村建設』に關する大使命を帶びて、大正十三年五月末横濱を出帆し、布哇、北米柔港、ローサンゼルス各地に於ては海外協會支部の設立に盡力しソートレーキ市にもモルモン宗教植民の跡をたづね、デンヴア、シカゴを經て華府に至り紐育より大西洋を南下してブラジルに至り、植移住地の選定。購入。入植の準備をなし、大正十四年二月日本に歸り來り、更に信濃村大成の爲めに努力奮闘し、今や模範的にして世界に誇り得る移住地が建設されつゝある、『兩米再巡』は氏が南北兩米を再巡せる記錄である志を世界に有する者の一日も看過することの出來ない快著である。

長野縣廳内　信濃海外協會　（取次）振替長野二一四〇番

海外渡航取扱所

◎東洋一の理想的設備を有する神戸港へ！
◎旅館は誠實にして信用のある神戸館へ！

各縣海外協會
日本力行會　指定旅館

神戸市榮町六丁目廿一番邸

神戸館本店

電話元町　八六一番
振替口座大阪一四二三八番

支店（神戸市海岸通四丁目（中税關前））
電話三ノ宮二一三六番

別館（神戸市海岸通三丁目十四番邸）
電話三ノ宮二一三七番

◇本店ヘハ神戸驛、支店、別館ヘハ三ノ宮驛下車御便利

日本郵船會社
大阪商船會社
加奈陀汽船會社
アドミラル汽船會社
ダラー汽船會社

切符代理店

當館ハ櫻木町驛下車ガ御便利ニ候

信濃海外協會
日本力行會　御指定旅館

歐米各國汽船旅客荷物取扱店

HOTL KiNOKUNIYA

紀ノ國屋ホテル

横濱市北仲通四丁目
電話本局　二五九番

昭和二年一月廿五日發行（每月一回發行）
大正十一年四月廿六日第三種郵便物認可

定價金貳拾錢

信濃海外協會
海の外社發行

第57号は収録することが出来なかった。

目次【第五十八號】

海の外

第五十八號

昭和二年

三月號

海外移住組合法案

五十二帝國議會に於いて可決せられたる、該法案は幣原外相の言明したるところによれば、五月一日勅令を以て公布せられる豫定になつてゐる。而して本年は約八組合を設立し、百八十萬圓を組合に關する經費として計上されてゐるもので、此の組合の活動は大に注目せられてゐる。私共は該法案の實施と共に日本の移民政策が確立されたとは夢想だにも思はないが、組合の活動は從來の海外移住に一段の進歩を見る事を期待してその運用に努力したいものである。世論大いに紛議せられてゐる時に、組合の精神を知り、これにたづさわる人が最も大切で要は人の問題であると考へるのである。

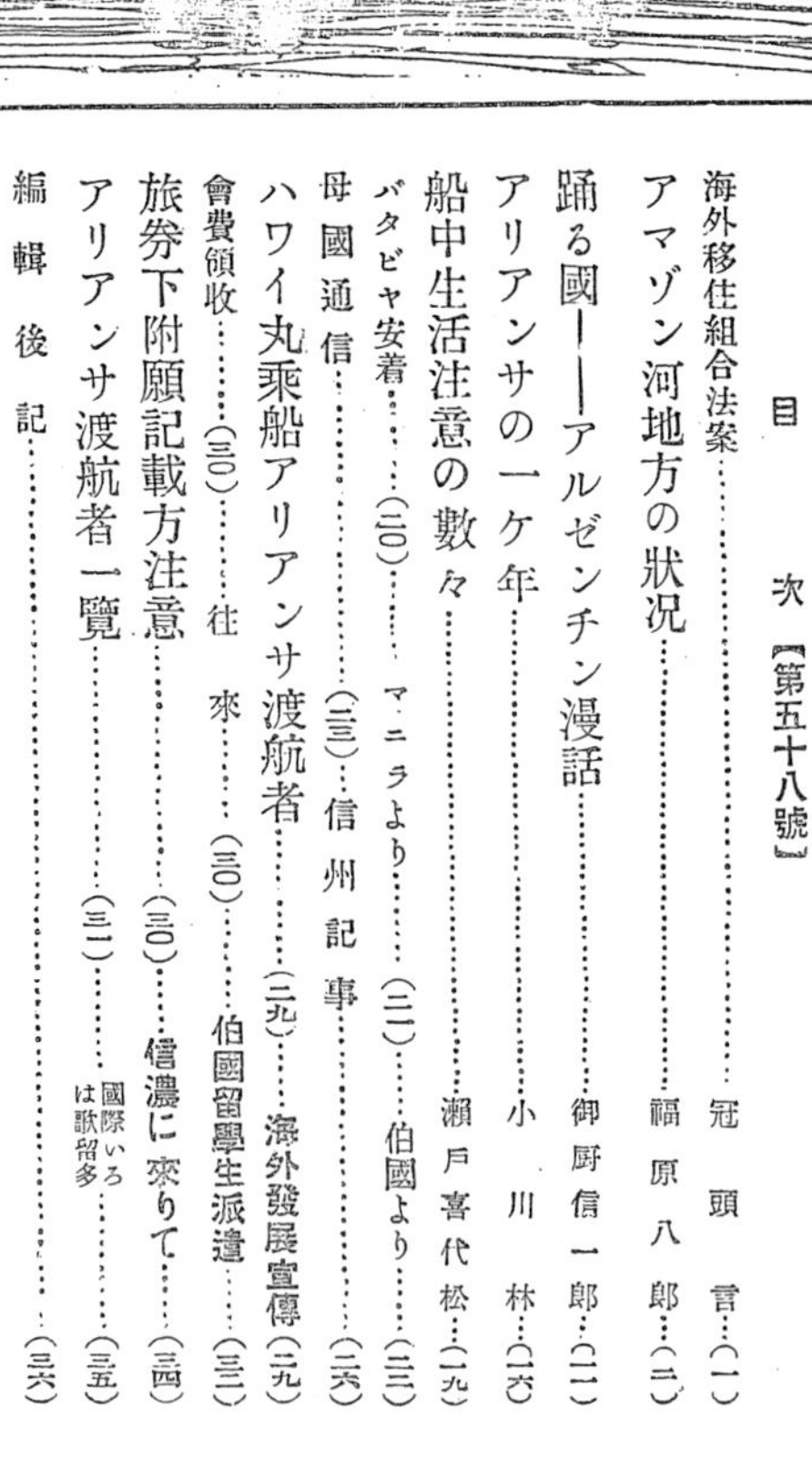

（三・一七）

南米アマゾン河地方の狀況

鐘ヶ淵紡績株式會社
取締役　福原八郎

本記事は三月二日より五日迄内務省社會局主催移植民講習會に於ける第三日の福原八郎氏の講演筆記で、本會よりは幹事、西澤太一郎氏出席の上聽取したものである。福原氏は昨年三月同社の探險隊を率ひて、ブラジルに渡りアマゾン河口附近を精査して本年一月その報告を齎して歸朝したものである。

ブラジルは南米の二分の一を占めて居る。之を我國の面積に比すれば屬領を除いた日本の廿二倍餘に當ります。此廣い土地に人口は僅に三千萬人で、首府のリオデヂャネイロが、最も人口稠密で、又之に接近して居る諸州が稠密であります。次には東北部地方が、餘程前から開けて居りまして、之亦人口稠密であり、又南部も外國移住民などが入りまして比較的稠密であります。然かし奥地に參りますと、未開地が未だ森林の儘で、半分以上も殘つて居ると云ふ有樣で、其方面へ參りますと、一方哩平均人口、僅に半人と、云ふ稀薄さであります。ブラジルの人口稀薄なる事と、日本の稠密なる程度を極く分り易く比例を取つて見ますと、ブラジルでは八疊一間に一人づつゆつくり坐つて居るなり、寢轉んで居るなりして居りますのに、我日本では、疊一枚に五人と云ふ樣な大体の勘定になるのであります。殊にアマゾン河の流域の方は、今後に屬する地方で、人口極めて稀薄で所々の都會か、點在する部落の外は、人の住む所を見出すことが出來ない位である。私の今度の調査は主として、アマゾン河の支流の中でリオカピン河流域でありました。

アマゾン河地方一部の調査

アマゾン河は、御承知の通り中々大きな河でありまして、ブラジル北部の唯一の交通路であつて、流域地方は一に此

河の水運にまつ外はない位です、此河の流域には相當の都會があります、ベレン、マナオス、サンターレン、イキトスがそれであります。ベレンには醫科大學があります、人口も追々二十四萬を超ゆる位であります、マナオスも亦人口四萬もありますその增加も亦非常な增え方で僅か二、三年間前は人口總數一萬のものであつたが、今日では實に四、五倍の人口となつたわけである。ベレンの町などは中々立派のものであります、イキトスの町迄は一千噸級の船は自由に遡江するといふ、又河口からマナオス迄九百哩の所迄は、實に四、五千噸の船がずん〳〵入つて行くといふ、こんな譯けでこれから、此河及數百里もある幾多の支流の水運と共にアマゾンの富源は將來非常なる開發を見る事であらう、今度はアマゾンの一支流リオカピン河流域の調査が目的で船三隻を以て一ケ月ばかり色々その邊を調査をして見たので、即ちアマゾン河により航行四日、ベレンの町より航行二日の地に、棉作適地の二、三千町歩を調査したのであつた、石原博士も同行であつて、色々とアマゾン地方には、内地に居つた頃と異つた見聞が得られたがその二、三をお話したい。

日本において考へたアマゾン

私は日本から出で、ブラジルの調査に行こうとして、先づ豫備の調査の意味で、ブラジル殊にアマゾン河の邊についての氣候風土天產その他について、色々と書物や又學者や知人などについて、研究をしたり說を聽いたりして見た。中々色々の話があつた即ちアマゾン河の地方は熱帶で暑くて燒け死ぬ樣であるとか、非常に雨の多い所で洪水ばかりであるとか、雨期になると陸が皆海の樣に變つてしまうとか、又濕氣の多い所で暑いので大抵の人は皆病氣になつてしまうとか、畑を開墾してもすぐに草が延びて到底やりきれぬとか、中々色々の話があつた、又アマゾンの森林中には、非常な大きな蛇が居つて人を呑んだり鹿を呑んだりするとか、猛獸毒蛇が一ぱい居るとか鰐魚が群をなして居るとか、惡性の混虫が一ぱい居つて人を刺すとか、實に恐ろしくてやりきれぬ樣な話ばかりが多かつた。又渡伯の途中米國を通つて識者、富豪、事業家學者などの意見もお聽きして見た。

ハミルトンライトは有名なアマゾン河の大森林地方や此流域を飛行機で十分の調査をしたといふ實に痛快極まる空の勇士であるが私共一行のアマゾン調査には非常によい事だと言はれ、コロンビヤ大學の女教授は、かつてアマゾン河地方

を、視察調査なされた方であるが、私がアマゾン河地方はどういふ所ですか、との尋ねに對して「いやアマゾン河の地方は大變良い所です、私は出來る事ならばパラーに住みたいものです」と申された、そこで、私はそれでは寶石やダイヤが澤山に出るからで御座いますか、と反問すると、その答へに曰く「氣候が大變良い所だからだ」と言はれた「殊に熱帶で誠に住みよい所だ」との返事であつた、又ハンチン氏は「氣候と文明」といふ著者であるがこれも良い所だと申されてゐる。ワシントン大學の先生は、今後は實に世界の活動の中心は南米であると申された、心から南米に調査に行く事を喜ばれた樣であつた、又バンダーリップは、日本人が南米へ行くのは何より良い事だといはれた。そこで私は、閣下は如何にお考へになりますかと、お伺ひすると日本人の南米へ行く事は日米間の人種問題や所謂日米問題の解決になるのであるとこれ又非常に喜ばれた。

紐育の或る新聞は「ジヤツプ……アマゾン迄行くか」と論じて更に「我我は決してアマゾンを恐れる譯ではない、今後適當の時機にアマゾンへ手をつけるのだ」と記して盛に注目して居つた樣である。

アマゾンへ行つて見て

アマゾンについて、內外の多くの人や、書物や又話にきいて、愈々問題のアマゾンを指して行つて見た、すると中々色々の新事實の發見や、又研究やら又体驗やらが出來た。

まづ日本を出かける前に聞いた御注意によつて、暑い〳〵所で、毎日汗ダク〳〵の地方であるから、カラは少くとも六ダース七ダースは入用であるとの事から、澤山用意して行つたのであるが、常によくとりかへても大抵一日に一本あればよい、又濕氣が多いとか雨量が多いとか言はれて行つたが、さて行つて調べて見ると、マラヂオ島といふ雨量の多い島で二七〇〇ミリ三〇〇〇ミリの間であつた、ベレンの町では二〇〇〇ミリから二四〇〇ミリ二四〇〇ミリの間であつた日本の臺灣は二二〇〇ミリ高知縣は二四〇〇ミリ福岡が二五〇〇ミリであるから何も驚く事はない、殊に日本の樣にジメ〳〵した降り方ではなくて、五分か十分位の驟雨であつて、實に氣持がよい、その霽れた後の氣持は實によろしい。又パラ州には、日射病といふものはない、即ち河や森林や貿易風の關係で極く凌ぎよいのである、イキトスは濕氣

が多い樣である、こんな樣な譯けで、大變實際と話とは異つて居る、日本人で明治二十四年頃アマゾン河の地に行つた人がある、即ち二千人位此流域の森林中へ天然ゴムを採收に行つた者であつた、今日その當時の者で、只今直殘つてアマゾン河畔に家を造つて住居してするものがある、少なくとも十七、八年にはなるのであるが、別に病氣した人もなく何れも非常の元氣で第二故鄕として何不自由なく樂しく、暮してパンや、雜貨商、野菜の栽培やら盛にやつて居る、中にはブラジル人を娶つて、その間に三人も五人もの子供を持つて居る人もあつた。

猛獸も毒蛇もさつぱり見當らぬ

アマゾン河には、鰐魚か居る群をなして居て片ぱしから人を呑んでしまう、流域の森林中には大蛇が居るとか、小猛獸か居るとか大變な恐ろしい話をきかされて行つたが、幾日歩いても、又船で航行しても、さつぱり何も居らぬ、却つて拍子拔けかしてしまつた、一度も虎や大蛇を見ない、然かし猿や鹿は中々多かつた、殊にあの奇麗なオームの群がおつて何とも言へぬ心持がした。山牛や猪の寢ころんだ跡は處々で見た、ニューヨークの博物舘主が申された事には、フイツシヤー氏は南米のアマゾンの河には大蛇は居らぬ、大蛇といふのはかつて南洋のニューギニヤ嶋にて、二丈七尺五寸のものがおつて、これが全世界の大蛇の最大レコードだといはれたと話つた、倘又もし世界で三丈もある大蛇が見付かつたら何時でも直ちに、五萬圓で買入ましようといはれた、然かしマラリオ島附近には蛇は居るとの事である、又鰐魚はベレンの博物舘には陳列してある、又此島の地方には鰐魚が居るとの事であるから一日行つてこれを見た事がある。漁師の話によると未だ鰐魚に食はれた者はないといはれた。昆虫の惡性のものが居るといはれた話もきいたが、熱帶にはあまりそうした昆虫が居らぬ、亞熱帶には多い樣である、蓋ろサンパウロ邊には多い樣である、又カラ蛇も熱帶にはあまり居ないやはり亞熱帶には相當多い樣であります。

洪水や病氣も心配がいらぬ

洪水が時々あり陸が海になるとの事であるが、これも實測したり又その地方〳〵のレコードを調査して見て大体は判つた、又天然木の下部は、水のふいたり又減じたりして標尺の樣に、木の色に形が殘つており跡があつて、增減の狀況が

よく知れるオビトスより下流は大洪水とか大增水とかが少ない、大抵三米から七米の間である、河幅の極く狹いボリビヤの國境邊では、たま〳〵十米位になる事があるといふ。

病氣も又心配がいらぬ、野口英世博士にきくと、大熱病はない、マラリヤは少々あるが今は何等恐るゝに足らぬ心配もいらぬ、即ち醫學が進步して居るので大丈夫であるといはれた、又メキシコの國などではマラリヤは今では病氣の中へ入れぬとの事である、殊にお聽きして冷汗の出たのは、博士からアマゾンにもブラジルにも別に恐ろしい心配の病氣は少しもない、只々どうか日本人のガリ〳〵病我利〳〵病を、入れぬ様に注意して貰ひたいとの一語であつた、どういうものか日本人は心配にもならぬ一寸した病氣を大變に心配しながら、一ばん世界中から日本人のきらはれる、我利〳〵病をなぜお互に恐ろしいものとして、根絶せしめたり治療したり豫防せぬかと眞面目に申された事であつた。然し醫者や病院に不便な地方で一邊病氣をやると立所に三百圓や五百圓の金はかゝる、コーヒー園の勞働などでも大に醫病や衞生の諸設備を良くせねばならぬ、今の所ではまるで幼稚園の様なものである、今後大に此方面の施設の改善が緊要である。

ブラジル各地や又此アマブン地方でも、あまり恐ろしい病氣や流行病などが現在あまりないにしても、今後、病院や衞生の設備改善は大切な事である、私はオヤコフ地方にて百万町步ばかりの所で、事業をしてゐる或る英國人に會つて、「此邊にはマラリヤが多いといひますがどうですか」との質問に大變な勢で怒つていふには「我々は佛蘭西人とは違ふぞ、英國人は世界の到る所で立派な健康地立派な故鄉を造るので、大自然を巧に征服して理想鄉にするのである、」と中々の氣焔であつた、中々英國人はそこへ行くと、その意氣と計劃と施設とはえらいものである、百年の大計を立て永住の決心で着々開拓してその所々を我が樂境と變ずるのである。レベンの町より二里の所に牛皮會社がある。これも英國人の經營であるが、かつて非常にマラリヤ病のあつた所であるが、英國人はこれを征服して僅か三年にして全滅せしめ今では絶對にない所としてしまつた。かくの如き抱負と意氣とで海外發展はせねばならぬ。

天產物

此邊ではゴム、カ、オ（原產地）英人がそれを南洋方面などへ天然を開拓して此ゴム林を造林したのである今のシンガポール附近のゴム林や南洋各地のゴム園は、もとこれをアマゾンに學んで栽培したものである。

綿、煙草、米、豆なども出來る、殊に愉快に感じたのは、マラリオ島には、自然生の稲があつて、何十里とも稲穂の波打つものがあつた事である、一体アマゾン河地方が稲の原產地であつたかとも思はれる、東洋では南洋に原產地があるといはれて居るが、アマゾンの河畔などに見る稲穂は中々大したものであつて、穂なども八寸から一尺はある見事なものである。

藥草も中々色々あつて、凡三百餘種と云はれてゐる、今紐育では盛にアマゾン地方の藥草の研究をやつて居るが、我日本でも決して遲れてはならぬ、キニーネなども澤山原料材がある、殊に此地が原產地である。

人種について

インデアン種族が本來の土人であるが、ポルトガル人、西班牙人、黒人種渡航してその種が澤山に混血してゐる、即ち赤白黒その又合ひの子と中々様々である、カボクロと云ふのが全人口の半分を占めて居る、九十万の中凡そ五十万近くは此種族である、パラー州に一ばん多い、純インデアンは凡そ此地方には二百万人位である。

一体この南米殊にアマゾン河地方の人間は、これを各種の方面から考察して、亞細亞系統の人種だといふ事が判かるその移入の系統は、アンデスを越えてコロンビヤ、ペルー等の方面からアマゾン河を下つたものではなかろうか、私が子供の頃、否若い頃に學んだ話に、我國の佛話に、お產の仕方がある、ローダン經と云ふお經の本に東洋のお產の風習によれば夫がまづ產婦を伴ひ林の中に入る、そうしてその婦人が、まづ大きな木の枝の所につる下がる、そうしてお產の用意をする、その夫は一生懸命でその木の周りを駈け廻る、そうして十遍二十遍三十遍無我無中でかけてゐると、立派な子供が安產をするといふ事がかいてある、所が私は不思議にも今度視察中、或る日の事林の中で一人の土人が何やら一生懸命にて、木の周りをかけて居るのを目擊した妙な事と思うて近寄つて見るとこれは早や立派な赤児が產れる所であつた。私は昔の記憶をたどつて、あゝロータン經そのまゝだ、一体東洋人がアマゾン河の流域へ渡つて來たのであらうと直覺的に感じた。又サンターレンの附近には古墳が發堀されてゐる、それを見ると、又土偶や人形や色々の土器

が殊に、聖徳太子の肖像に似た様な格好の人形、土偶がいくつも見た、どれも純アジヤ式のものである、又土偶の中には冠をかむつたもの、即ち今の消防夫のかむる火消帽子の様なものを戴いたジンギス汗式のものを多く見た丁度古昔の蒙古の武將の様なものである。こんなものを見ても大に東洋的のものが多いと思はれた。

言葉を見ても、又東洋的殊に我日本にある様なのが判かつた、即ちインヂアンの語る語は支那人の支那語を語るによく似たものがある、インヂアンと蒙古人と何か關係があるかと思ふ、ベレンに駐在するペルーの領事は、中々の日本通であり日本研究者であり日本好きの方であるが、この著書に於てインカー帝國の建設者は日本人であると書いておく。大變な斷案を下したものである、チチ、カ、湖といふペルーにある湖水は日本の父、（チチ）母（カ、）であると、又ヘカ（墓）といふ言葉がある、それは日本の墓や古墳の事である、カツパ（河童）の話が所々方々にある、オカ（丘）といふ言葉や、地形の英語皆これは日本のそのまゝのものが、ペルーに傳はつたのであるといふ。中々面白い見解であるが我々も又そう信じて、我々の祖先の活動や偉業を偲びたい、又我國とブラジル、ペルーとの眞の親睦を計りたいものである。

外人の中では、英人が各所で事業をやつて居る、ゴム林の經營や、一切の鑛產物の發堀事業や、又農業の開拓に中々の力である、然かし英國も、米國も何れも金は澤山あるけれども、人間が不足して居る、勞働がない、勢ひ又我日本人を歡迎して居る、佛人もアクレー時代より事業を經營して居るがやはり勞働力に不足して居る、

移植民事業と我國の將來

さて大分時間を費しましたから玆に大体結びたいと思ひますが、凡そ國家の移植民政策をとる上に於て資本と移民とを切り離して進むか、又資本に人と兩方併進して進むか、即ち移民本位で行くか勞資併進主義で行くかといふ事が重大なる問題である、又事業家としても、投資本位にするか勞資併進投入とするかが中々大きな問題である、結局する所今日の世界の大勢から考へて見て、我日本の政策からも、又事業家の投資海外事業から見ても、勞資即ち人と資本との併進の發展が最も當を得たものと考へられるのである。

一例を見てもすぐ判る如きは英人などの行き方である、中々堅實なる經營振りによるのである。

又一つの農園を經營する場合について考へて見ても、その勞力即ち農園入植の人種を如何にするかこれ又中々研究の餘地がある、伯國內の農園の經營者について說を伺ふて見ても中々色々の說がある、即ち全農園全部伊太利人のみにするか、又は伊太利人と日本人とを混入するか純日本人のみの農園にするか夫々研究を要する、伊太利人は溫良忠順の點長所あり、日本人本位は理想的の如くの様にも思はれるが又風俗上、外交上、永住生活等の點から又同化問題から考へても研究の餘地がある、殊に日本人のみの農園は中々理屈や小言が多い、その何れがよいか現在も將來も一層の研究が入るのである。大統領ワシントンルイス氏は、日本人は賃銀勞働には不適當である、即ち非常にセチカチで困る、成功をあせる事業の擴張をあせる、農園を僅かの年限で飛び出す、どうも勞働者としては成績が惡るい、然かし企業移民事業植民としては結構であるといはれた、大に反省もし味ひもし考へなければならぬ、私共の考へでは勞働者で入植しようが企業移民で入植しようが、研究に行こうが、何れの職業を目的として入植しようが、どの道へかけても、立派な移民でなければならぬ、その人格の上に於ても、体力の上からいふても、その才能の上からも、又智識學歷の上からも何れも立派な人物でなければならぬ、眞に人生の何物なるかを考へ、伯國富源の開發に、文化の向上に、又伯國民の眞の進步と發展と幸福とに、貢獻する事の出來る素質のよい選り拔きの同胞の澤山移植する事を希望するものである。眞に世界の市民として人道の進步と向上に、眞に世界の文明に資する事の出來る人々の渡伯を希望するのである。

然かし伯國內に於ては、漸次各種の方面が改善されつゝあるけれども、今後一層とその待遇についての改善や、移植民に對する心持の改善、人格的の懇切なる取扱をなすとか、教育衞生の諸設備を改善するとか色々の方面に亘つて尙大に改善をする必要がある。

日本の方にも更に一層の注意が入る

ブラジルに行くについて多くの人の語る所は、槪して善い方面ばかりして、惡い方面の說明が足らぬこれはよくない事である。又日本人は學校で相當やつてあるが、そのやり方が甚だ不徹底である、實際の役に立たぬ様な事ばかりやつ

て居る。科學的の智識も乏しい、應用もきかね、一寸とした事であるが、人間の生活にも事業の經營の上にも、又人類生活全体の上から見ても一ばん大切な事は、その地方〳〵の溫度と濕度との關係である。人間の病氣とか能率の擧がる擧がらぬとか色々の事に重大な關係があるが、割合に注意せぬ、中には一向頓着なしで居るものが澤山ある。又農產物の生產の上からも溫度と濕度とは重大な關係がある、玉蜀黍の如くも雨量四〇吋位以上なければあまりよくない、然かし綿の如きは四〇吋以上もあれば却つてあまりよくない、木ばかり大きくなつてもその割合に綿が多くとれぬ、米作の最好適地にはあまり綿がよくないといつた樣なものである、又病氣についても溫度や濕度が非常に關係がある事は專門家にまつまでもなく明らかな事である。

これ等の點について獨逸人などは實によく研究して居る、實にその態度については大に學ぶべき點が多い。

最後に私共の申したい事は、何れの地方へ渡航入植するとするも、兎に角資本と勞力の逆進とか、移民の体質や素質の優良なるものを選ぶとか、學力に於ても又その智能に於ても吾同胞として見て決して人後に落ちず、世界の何れの國民よりも優秀なるチャンピオンを、國家の全体卽ち官民一致協力して送り出すといふ事にならねばならぬ。（了）

踊る國

アルゼンチン漫話

御厨信一郎

左の記事は北米合衆國の邦字新聞「日米新聞」に掲載せられたるもので、墨國の某氏より故國青年の海外發展の資料ともならばと態々寄せられたるものであるが、亞國事情紹介の好適なるを認めて讀者諸君に供する次第である。寄せられたる某氏に厚く感謝す。（記者）

日本でいはゆる貴公子タイプのやさ男がパリーのブールヴアールデジタリアン邊りを散步すれば美しいパリー婦人達が「御覽なさい支那人通るはよ」とさゝやくのが聞こへる、色の淺黑いきりゝつとした日本人がロワール河畔に封建時代の古城見物としやれると、ゐなかの實直さうなお婆あさんから「安南から見えたかね」と聞かれる。しかし考へて見ると徒らに他人の無智を笑つてばかりもゐられない。われ〳〵日本人も南半球の事情等にはとんと無智の樣である。そこで自分は極手短に最近見てきたラテン、アメリカの隱れたる一天國アルゼンチン正しくはアルヘンティーナ共和國を紹介しようと思ふ。

□

「冗談いつちアいけないおれは日本人だよ」といへば「まアわざ〳〵日本から見物に見えたかね……所で日本はいつ支那から獨立したつけね」とやられることがある。全く以て一般歐米人の日本に關する知識の貧弱なのにはあきれる。

十餘年前パンパの平原に眼をつけて空拳を以てア國にわたり拮据經營遂に一大牧場を作りあげて今日百萬の富を成し且深刻なる學識と高邁の識見を以て第一流の人物として國際經濟界一方の指導者となつた農學博士伊藤淸藏

氏の告白によれば「冷靜に見てアルゼンチンは世界の一等國たる素質をもつてゐる」とある。

□

實に日本に七倍する國土を有しその過半は溫帶に屬して耕作牧畜に適するたん〳〵たる平野である、數百マイル四方一片の小石すら見出せぬ豊ぜうなる沃野である。耕作播種及收穫はみな自動車である、敢て必ずしも多數の勞働者を要せずして莫大な小麥を收穫することが出來るまた數十頭の小牛や小羊を針金の柵內に放てば、四季代る〳〵生えてくる天然の牧草をくつて自らふとり繁殖してまたゝく間に數千頭數萬頭となる、しかも氣候溫和で他の國に見るやうな自然力の迫害が少いから牛小屋、羊小屋の設備をする必要がない。全く農業牧畜の天國である、小麥や、とうもろこしや牛羊やの產出無制限なることは當然である。歐洲を養ふ輸出國として優勢な爲替相場を維持し世界一に物價の高い國であるのに何の不思議もあるまい。

□

その上西方アンデス山脈に近づけばブドウがでる、ブドウ酒も出來るフランス等の輸入物を驅逐するのも難事であるまい。北部地方の森林にはケブラッテョといふ重實な木がある。鐵道の枕木として腐朽せず、燃料として石炭に代用されそのエキストラクトは鞣皮の大事な材料として重要な輸出品の一つである。またこの方面には近來綿花の栽培が盛んになつて來た。アンデス山脈中に金銅鐵等各種の鑛物がでる。廣大な石油脈も方々にあるらしい。今日では未だ不足してゐる一千萬の人口が次第にふえて農牧に費す力が餘つて鑛業や工業方面にも活動するに至つたならば國の富は驚くべき巨額に上るであらう。すでに大正八年ごろの調査によつても各强國民の一人當りの富は米人 四•六二〇 佛人 三•五七六 英人 三•五四二 獨人 三•一二五ドルで亞國人の 四•〇九ドルは米人に次ぐ裕福さである。

□

フランスの全部はパリーによつて代表されるやうにアルゼンチンの富强は首府ブエノスアイレスによつて顯現される同市は南半球第一の大都會で現在の人口二百餘萬年々約十萬人づゝ增加してゆく計算である。人口に於いてすでに東京を凌駕した、パリーに追つくのもこゝ十餘年を出でまい。

同じ南米中でも、文明の程度において伯都リオ•デ•ジヤチイロに優ること五十年、智都サンチエゴに先だつこと百年と評する者が多い。溫暖なる氣候（夏でも東京より暑くない）廣大なる市區、井然たる市街、氣持のいゝ地下鐵道、廣場〳〵の壯麗なるモニユーメント、それに道行く市民の堂々たる風采華奢な身なり、そして宏荘な邸宅十階二十階の巍々たる摩天樓が續々と新築されてゆく有樣などを見るこの都がニユーヨークを凌ぐにいたる日が來ないとは誰が斷言できよう。

「南米の觀察と印象」の著者ゼームス•ブライスは評していふ「ブエノス•アイレスはパリーとニユーヨークを折衷したやうなものだ」と、蓋し適評である。ブエノスアイレスはニユーヨークの大規模と實用主義とを採用した、しかし同時にパリーに見る市街の藝術化をわすれなかつた、その用意は一つ一つの建物にすら現れてゐる。近來北米の建築技師が續々とアルゼンチンにきてブエノスアイレスの建築美術を學んでゐる事實は同市の市街美を雄辯に語るものであらう。

さうだ物質文明を北米に求め精神文明を佛國にとる――それがアルゼンチン人の文化吸收の態度である。日常の生活にも米人の豪奢と佛人の好尙とがともに現れてゐるそして資本を英國に仰ぎ勞力を伊國に借り巧妙にこれ等を支配し調和して自主的經濟生活を營んでゐるのである。

建國以來僅に百年、いまや吸收の時代である。やがて立派な何物かをつくり出すであらう、今でもすでに母國スペインとも隣强伯智とも違つた一つの國民の國民性を形成して鞏固な國民意識を涵養しをはせた。しかも國民はラテン•アメリカ諸國中殆ど唯一の純白人種である。（ほとんどといつたのは小さい隣人ウルグアイ國もさうだからである）。西、伊の原種に英、佛、獨その他の血を加へたラテン本位の混血白人である。政黨の發達も健全で七十年革命の亂が跡を絕つた。これが他のラテン、アメリカ諸國と著しく異なつた點であり異常な國力の伸張を來した大きな理由の一つである。

元來アルゼンチンは外交といふものを經視してきた傾向があり自國の宣傳をやることをいさぎよしとしなかつたために古い國々からその實力通りに評されなかつたのである。しかし袋の中のキリは自ら現れる、殊に現大統領は外交官出身であるため外交にも意を用ゐてきたので大分實力をみとめられて來た。北米は第一にこの國と大使を交換した西、伊をはじめ英、佛等の諸强國も今まで大使を派遣するのが後れたことを後悔して相ついで實行にかゝつた。

とにかくアルゼンチンが今の勢ひで進むならば、ラテンアメリカ廿國の盟主となつて北米合衆國及歐洲列强と拮抗するに至るのも遠い將來ではなかりさうだ。ルーズヴエルトがかつて南米諸國を巡遊してアルゼンチンを見て「廿世紀は南アメリカの時代となるであらう。」と嘆息したのも無理のない話しである。

以上アルゼンチンに對する簡單な觀察の正當なることは各種の統計や報告や著書等によつて立證することが出來るが、それはこゝに書くべきことではない。話しがかたくなり過ぎた。これから一つぐつと砕けてアルゼンチンの名物の話しをしよう。

アルゼンチンの名物も數々あるが最も有名なのはタンゴであらう。何だダンスかと輕べつしていけない。堯の民も理想的な政治に潤澤な經濟生活が營めたときに皷腹撃壌してうたつた。

「井をうがつては飲み田をたがやしては食ふ、帝力われに何かあらんや。」

平和の中に富裕な生活の出來るアルゼンチンの國民が國を擧げてタンゴの歌を唄ひタンゴの踊りを踊るのに何の不思議があらう。無節制な人口增殖に惱まされ食ふや食はずのわれ〳〵大和民族にとつては全く以てダンスどころの騷ぎではない。しかして英雄閑日月の雅懷を以て別世界の別生活を一寸のぞくのも强ち無意味ではあるまいタンゴの話を聞いて踊りたくなつたら早速アルゼンチに移住するも好からう。過剩人口の調節にも役立つから。

さてアルゼンチンといへばタンゴの本場として世界中に響き渡つてゐるが實際あそこに行つて見ると今更ながらそのさかんなことに驚かされる。

一般に西洋では社交ダンスのできない青年程みじめなものはないがアルゼンチンではタンゴの踊れない者は殆ど人間扱ひにされないといつてもいゝ老たる者も一度は踊つたに違ひない。今は若い人々の踊るのを眺めそれを通じて青春の氣分を樂んでゐるらしい若い人にはタンゴにおいてのみ人生の幸福を見出しうるかの如く各自その屬する倶樂部からの案內狀を持ちつゝ活潑に自分の日常仕事にいそしんでゐる。


こゝで特に注意しなければならないのは今日のタンゴは一部の人々が誤解してゐるやうな卑猥な身振りのダンスでは決してなくむしろ社交ダンス中の最も高級な上品なものであることである。もとよりタンゴの歷史は非常に古くムーア人が歐洲を征服した時の置きみやげとしてスペインに殘したのを更にアルゼンチンの開拓者等がこの地に輸入しそこの土人や混血種（これ等は白人の發展に伴つて漸次滅亡して行つた）の間に傳へて數世紀を經過したものらしく、それがまた白人アルゼンチン人に回收されて一九一二年頃再び西歐に輸入されるに至つたのである。この長い經過に殊に土人の手にある間に多少墮落してみだりがましい身振りを交へるやうになつたとは事實で現に歐洲に再輸入されたタンゴを初めて見たローマ法王は
これは道德上面白くない、カトリツク敎徒は今後決してタンゴを踊つては相ならぬ。

との御托宣を下したさうだ。しかしそれも漸次改善されて殊に現代アルゼンチンの國民的社交ダンスとなつてからは最も道德的な最も高尙なダンスとなつてしまつたのである。

斯くて今のタンゴは複雜で自然なステツプと上品でリズミカルな運動と哀調を帶びた優美な音樂とが相一致して一堂の子女を運動と沈靜哀愁と愉悅の調和に導き幸福な陶醉の境に遊ばせる底のものである。ヤンキーの發明したチアールストンやシミーに見るやうな卑猥と喧騷と哄笑との交錯から來る焦燥と疲勞の感じなど少しも起らないのがタンゴの特徵である。

從つてタンゴを巧に踊り得る國民は自ら之に適した情操と國民性を必要とする。現今に之を踊るのはアルゼンチン人、次で佛人及二三のラテン國民である。アングロサクソン人にはやはり單純なワンステツプか又は修得が容易で運動の性急なフオツクストロツト邊りが適當と見えて如何に熱心にタンゴをそはつてもなか〳〵物にならぬといはれてゐる。アルゼンチン人はタンゴに巧なるとを以て誇りとしてゐる。そして優秀な作曲家は相競つて新しいタンゴの曲を作り勝れたオーケストラは之を公演し公衆の批判を歡迎し自然と流行を作つて行く日本の越後獅子や民謠等を取入れた美しいタンゴの曲等も出來てゐる民衆は新流行の曲について、タンゴを踊るとによつて生活の充分なる慰安を感じてゐる。

かうしてアルゼンチンで流行するタンゴはまづパリーに輸入されそれから漸次世界各國に傳播されるのである。

タンゴはこれ位にして豪壯な王者の遊劇ポロの話、大規模なジヨツキー倶樂部、名物ゼネラル。ストライキ婦人のスポーツ熱、國民の任俠性、漂泊の民であつたガウチヨの話等書きたい事がまだあるが他日の機會に譲る。

海外通信

アリアンサの一ケ年

在アリアンサ 小川 林 （諏訪郡富士見村）

生活狀態

衣食は凡てよし、住宅もアリアンサの式ならば健康に差支へる事なく、衣服に襯衣とスボンで一年中通せる程度であるから襯衣とスボンを澤山持つて來る事。日本着は寢卷用又は女は服は支立替へが出來るから自分のもの位は持つて來て差支へなく、冬季もあれば毛布も各自二、三枚必要である。木綿類は何に使用してもよいから纒めて來る事である。

食物は主に米、豆、肉、マテ茶、珈琲、野菜等で我々に適したものを得られ、日本の農家よりはブラジルの僕等の方が御馳走が澤山出來る。

農作物

自分は米、豆、落花生、サツマ芋、モロコシ、マンジヨカを昨年栽培したのみで、米は十二月初旬に蒔いて五月刈取り、フンジヨン（豆）は十月蒔いて十二月收穫 二月に第二回目を蒔いて六月に收穫が出來る。落花生は十月蒔いて一月、二月蒔いて六月に二回の收穫、サツマ芋は蔓を挿して四、五ケ月目には大塊の芋がゴロ〳〵してゐる。里芋も四ケ月目からは株で一箕、モロコシは四ケ月にて收穫出來る。大、小豆も二回出來るのである。マンヂヨカも五ケ月目には一株あれば一家族の一日の生命は保證さるゝ事が出來る。

米は一アルケール（二町五段）で最低五十俵平均が八十俵の收穫である。豆は三－四〇俵、モロコシは豚四十頭の飼料を得られ、何れも草搔きは二回でよろしいから、經費としては、約百ミルなれば種代十ミル、豆も十ミル、モ

ロコシは二ミルで、今日の相場は米（籾）十八ミル、豆二十ミル、豚（八十キロ）百五十ミルである。

第一年度の耕作面積は十アルケールの者が一アルケール半、二十アルケール所有の者が二アルケール半の開拓で第二年度からは勞働能率の何如によつて增減があり、平均三アルケールならんか。

協會直營の珈琲は今日の處成績良好高さ二尺餘に達し從勞者は住宅と井戶を提供されて、四ケ年契約で活動してゐるが昨年は間作（籾）の收穫少なく經濟困難の模樣であるが、移住地にしては一番安全の地位におかれてゐる。

移住地全体としての活動

當移住地は視察來訪が多く、輪湖、北原兩氏が案內の勞をとつてゐる。移住者入植は輪湖氏サントス迄出迎へて汽車賃、貨物運賃等は無料でルサツンビラまで到着、驛からは自動車で二時間にして收容所に着いてその日の食物は中央部の人々が世話して呉れる。翌日よりは共同自炊を始め、野菜物は先入植者が提供するが知人親戚等の人は近くの家に宿泊する。地區は抽籤で公平に決定され家屋の材料は協會にて準備出來次第自動車にて運搬して假小屋を造つて就勞する事になつてゐる。
輪湖氏は外交方面に北原氏は內面的に各々活動して、輪湖氏は商店會計、人事、戶籍等北原氏は農場、測量、配耕、建築等の擔當で獻身的の活動を續けてゐる。
アリアンサ自治會ありて入植者の協議機關となつてゐる現役員は左記の通り。
會長 弓場　副會長兼會計 瀨下
幹事 高橋、石川、富塚
委員 座光寺、堤、石戶、上條、宮澤等

家と井戶

間口六乃至七米突奥行四乃至五米突で炊事場はヒサシを出して造り家族數に應じて設計し一コントから三コントを要す。大概七米突に五米突にて一コント位で出來、瓦板、樽木、リウパ等は製材所から送られ、桁、柱、樽木、棟木等は自分で造るので建築の時は近隣相扶けて應援してゐる、周圍は壁を以て圍み、寢室は板張りである。移住地の當初としては惠まれた家であると視察者が異句同音に驚異してゐる。

井戶は一戶毎に設ける必要あり、土の軟かい所は一パロム（七寸）三ミル、堅い所はピツサーと云ひ、一パロム七ミルで外人が請負つて掘るが各人が掘つてゐる。淺い所

は五米突で、深い所は三十餘米突もあつて、蓮沼君のアリアンサで一番深くて三十二米突一コントを費し、小生は二十七米で八百ミルを費した。地勢によつて淺い所と深い所がある。

氣象

大正十五年度各月平均氣象表（華氏）

月名	平均温度	最高平均	最低平均	最高	最低	晴	曇	雨
一	七七、三	八〇、三	七三、六	八六、〇	七〇、〇	九日	一八日	四日
二	七七、八	八七、一	七〇、〇	九〇、〇	六二、〇	二五	三	〇
三	七七、一	八三、二	七二、五	九〇、〇	六一、〇	一七	一四	〇
四	七三、五	七九、五	六八、六	八五、〇	六〇、〇	一九	三	〇
五	六六、六	七三、九	六一、〇	七九、〇	四九、〇	二三	七	二
六	六八、八	七九、六	六三、四	八二、〇	五六、〇	二八	二	〇
七	六二、二	七五、五	五五、二	八一、〇	四〇、〇	二九	〇	二
八	六八、五	七七、〇	五八、六	八九、〇	五三、〇	二七	四	〇
九	七六、三	八七、一	六七、八	九四、〇	六〇、〇	二八	二	〇
一〇	七六、〇	八三、二	六五、九	九三、〇	五四、〇	二五	六	〇
十一	七九、四	八七、〇	七〇、二	九四、〇	六一、〇	二七	三	〇
十二	七七、七	八六、五	七三、一	八六、〇	六六、〇	一五	一六	降雨時々アリ

以上の如き温度にて暑苦しいことなく、乾燥地なれば心地が非常によい

渡航者への注意の數々

渡航者は單なる經濟的成功を主眼とせず、精神的方面に於いて確固たる不抜の何如なる困難にも打ち勝だけの決心がなくては駄目である。浮浮なる虚榮心や、文化慾を持つて來ては大なる誤りである。

資金もなるべく多く、土地代金は全部濟まし來て、一ケ年の生活費、開拓費、井戸、家屋建築費を携帶する事で大約千五百圓位を持參せしめたい。

日用品の携帶は、何んでも思ひついた物は持つて來る事。炊事場の道具、蚊帳は日本のものは駄目であるからカンレーシヤを拾圓位買つて來ると良い。帳簿類、石鹸、ハミガキ等は永く持つても悪くならぬから澤山持つて來る事。これらは當地にあるが日本の方が安いからである。勿論資金携帶さへタップリであるならば何うでもよいが高價だから日本で古物でも何でもよいから持つて來る事。人間の棲んでゐる處には必ず人間の棲むに必要なものがあらうからつまらぬものは持つて行かなくてもよいと思ふて來た者は大いに後悔してゐる。日常必要なるものを持たず不要なものを持つて來た者もあり、農具の柄を入れるに鋸も鉋もないのに、立派な鏡台や時計を持

つて居ると云ふ樣な仕末では植民地の生活は出來ないのである。

大工道具は古物でもよいから一揃へする事、日本の針金は良いが釘は駄目、棚も造るにも柄を入れるにも、小屋を造るにも皆んな自分でなさねばならぬのである。

農具としては鍬の厚いものと薄いものを澤山持つて來る。シヤベルは何にも便利、鋤鎌一挺位はよい鍬も必要だが、外には餘り必要を感じない。

病氣に對する注意としては胃腸の薬、腫物（オデキ、アセモ）婦人病（中將湯、實母散）眼藥、キズ藥等を持參するとよい。お産に對する注意が不足で、若い者が當然子供の產れる事を承知してその準備がしてない者が多い

教育は日曜學校丈け目下就學兒童二十餘名、今年中には學校建築の豫定である。

要するに大切な事は眞面目な人を送る事で、船中の事、上陸の事、入植の事等は一切心配無用。神は皆んな惠んで呉れるのである。物足らぬであらうが又後便にて御通知致しませう（一・一六日）

船中生活注意の數々

瀬戸喜代松（山口縣宇部市小串）

私は先日、南米アリアンサ植民地から一寸歸國致しました、歸國早々近來南米渡航熱が盛になつたものか、事情を聞かんとする者每日數名、遂に應接日を取極めなければ此方が困るといふ有樣でした、其の應答中特に航海中の事を尋ねせられる御方が多かつたので自分の氣の付いた事を述べませう。

何しろ二ケ月も要する航海の事ですから、誰も心配をするのは、無理からん事と思ひますが然しそんなに思つた程恐れることもなければ又氣遣ふこともないのです、船中には醫者もをられるし、大阪商船會社の汽船には看護婦もやとつてあります、ボーイも居れば同船者も心配してくれますので案外安心したものです船にようこともありますが、一日二日寢てをればすぐ直ります、次に船中にて使用する道具及心得等を述べてみますと。

一、船中にて使用する副食物及調味料、（出帆港にて買は

れる方よからん）

ソース、鹽、酢、醬油、梅漬、漬物、サイダー、酒類、果物、砂糖、菓子、魚肉類、罐詰、ミルク、乾魚類、味の素、茶

二、船中にて使用する道具及運動具其の他

バケツ、カナダライ、大タライ、コツプ、洗濯石鹸、板草履、藥鑵、ゴザ、地圖、雜誌、書籍、新聞、兩眼鏡、ピンポン、運動具、水筒、カルタ、スゴロク、テニス道具、樂器類、釣道具、干物繩鉋丁、

日用品　楊子、齒磨粉、手拭、石鹼、鼻紙、鋏、針、糸、ボタン、油、櫛、鏡、萬年筆、剃刀、ノート、小刀、爪切、書類袋、鉛筆、ハンカチ、其ノ他女の化粧道具一切

三、船中の心得

1、國家の代表的移民である事を忘れてはならない。

國を一歩出ずれば各個人の凡ての動作には、國家的色彩が必ずふくんでゐることを、忘れてはならない、各船とも外人の乘らざる船は少なく何時も我々の動作は必ずや外人の目に映ずるので大少に拘らず常に注意して外人の物笑ひになつてはならない。

2、團体的訓練の必要

衆團的訓練の貧弱には驚く、各港出入の時の檢閲の有樣は見られたものではない。

3、常に運動を怠つてはならない。

衆團日本人は運動の方を忘れ、食ひ飲みに一生懸命になりたがる習慣があるそれでなくとも船中の事だから、運動は不足勝である外人の規則正しい運動を見てはうらやましい。

4、風紀を亂さぬこと。

5、清潔を重ずること。

6、船には安心して乘れ大海を恐れるな。

7、船中では規律ある食をなせ。

8、葡語を研究すること。

9、重病者や死亡者があつても氣を落すな。

10、船員又は書籍等でブラジルの悲觀説を聞いても心配するな。

バタビヤ着仕り候

バタビヤにて　半田積善（小縣　傍陽村）

諒闇中に付き年賀御遠慮申上候

昨年九月歸朝中は御邪魔仕り候。小生は十一月迄にバタビヤに歸任する豫定にて十月廿五日の歐州航路か二十八日の南米航路によるいづれかに致し度く候所、かねて「海の外」により南米移民の事承知致しおり且つ南米渡航者と親しく御對談致し度く尚再渡航の者有之ば、經驗談も拜聞致し度く二十八日のラプラタ丸に便乘仕候。大部分の南米移民諸子は神戸より乘船せられ候。小生は横濱より乘船致し候。同日は地風の風寒く、船の岸壁を離るゝは小雨さへ交りてテープの切る、悲しみを一層深からしめ候、故國の離別の情、ひとごとならず胸にこたえ候。船には神戸高商の岡田先生。香港まで態々渡航者を見送られ候　神戸青年團では綱谷才一氏が熱心に渡航者を指導致され居り候。船長初め高級船員諸氏の御親切努力にも感服致し候渡航者は此等の諸氏の親切に愉快なる船中生活を送り鄉里へは面白しき通信有之と存じ候。

十一月十一日新嘉坡着　十二日和蘭船に乘り替へ、十四日無事バタビヤに歸着仕候。

御面談の節御約束申上候　蘭領東印度寫眞帳の説明飜譯は歸任後漸やく着手致し候その内に御送付申上候　先づは御挨拶まで

（昭和二年一月四日）

マニラより

在マニラ　駒津昌虎（上高井郡仁禮村）

當市に於ける長野縣人は極く少く二拾名位にて、福岡、廣島の縣人は大約六百名位と存じ候。福岡縣人で『縣人會』を創立致しおり縣人間の融和促進向上發展の中心機關と相成り居り候。尚當市には「日本人會」あり在留邦人の中心となつて活動致しおり候。學校の如きも經營致しおり現在は小學校、夜學校、幼稚園にて小學校は一昨年新築仕り兒童は百八十五名有之、幼稚園入園數は七十餘名と存じ候　支那人に比すればお話にならぬもので、當市には支那兒童の就學者三萬五千名にして學校は七校を有しおり候　然日本兒童も年に增加の樣子にて心強く感ぜられ申し候。

每月比島への渡航者は百三十名位で第一は沖繩、第二は福島、第三は福岡、廣島と次いで大部分はダバオ行きに御座候

長野縣人の渡來は微々たるもので語るに足るべきにあらず小生等は一人も多く來られん事を望み、マニラ上陸の

者あれば精々御世話致すべく候

小生は昨年十一月二十九日男子を儲け候在マニラ長野縣人中妻を有す者は小生唯一人のみとは笑驚申し候

（一・一）

伯國より

拜啓貴會益々御清榮の段奉賀候　御送付の海の外は落掌當植民地在住長野縣人に配本仕り候故鄉の信州は只今冬季の積雪中にて炬燵にしがみついて離れ難い時、當地は眞夏の時期に有之、稻の出穗も出揃い毎日汗みどろになつて、雜草と戰ひをり候。今年の稻作は一月下旬迄の降雨にて發育も良好に存じ早蒔は心配する事も無之候へ共遲蒔のものは、一月未よりの旱天のため、今後の降雨の何如によつて收獲は多少減ぜらる事と心配致し候モロコシ、落花生等は好成績の收獲に有之、豆は降雨のため收獲出來ず腐らした人も澤山あり。今は二番豆の蒔付けにて候　早蒔の稻は成熟致し收獲もボツ〳〵始まり申し候先づは簡單に御通知まで

昭和二年二月十三日

伯國聖州ノロエステ線リンスコルコト、フイン、ニウォン殖民地

笹　澤　新

（小縣、長窪古町）

母國通信

先帝百日祭

大正天皇御百日祭は四月三日午前八時宮中權殿祭を、同午後二時から多摩山陵祭が嚴そかにとり行はれた

聖上陛下には大元帥の御正裝に喪章を付せられ、恭しく靈代に御拜禮あり、次で皇太后陛下には御喪服姿も今更にお痛はしく入江大夫の前行で御靈前に長き御拜禮を遊ばされ皇族、諸員の拜禮も終つた。續いて午後二時更に聖上陛下並に皇后皇太后宮御名代は多摩陵に成らせられ文武百官參列裏に同じく神嚴な山陵祭をとり行はせられ午後三時この重大な御百日祭は滯りなく終らせれた。

府縣會議員選擧

今秋行はれる府縣會議員選擧は北海道東京府、神奈川縣、島根縣、佐賀縣、沖繩を除く全國的なものでかつ府縣制改正後最初の普選であるからその結果が期待されると共にその準備については各方面共に相當な努力を要する譯である

故に五月始めに招集される地方長官會議にも問題となるが内務省は更に地方長官會議後に招集される警察部長會議および府縣特高課長會議には特に一般選擧に對する自覺を促す方法とが協議されるはずである、これと同時に各府縣から選擧に關係ある警部級のもの數名を警察講習所にいれて普選法の趣旨を徹底せしめる豫定になつてる

即ち内務省としては經費の關係よりまづ官憲をして地方に歸つて巡査その他直接選擧の取締に當るものを敎育せしむる外一般民衆に對しても講演、パンフレツト、ポスター等によつて選擧の心得を徹底させる方法をとることにしてゐる、この府縣會議員選擧準備はやがて來年五月に施行される衆議院議員選擧の準備にもなるのであるはすべて地方費による外はない模樣である

五十二議會終る

議場混亂のため議長更迭等が行はれあるひは兩三日會期延長が必要ではないかといはれて居たが二十五日各派交渉の結果議事もスラ〳〵と進み貴族院で修正回付された豫算案も通過して政友會側の藏相不信任案は會期切迫のため上程されず五十二議會を終つた

最終日の衆院

二十五日最終日の衆議院本會議では淸瀨一郎氏を懲罰委員に付するの件は多數をもつて否決大正十四年度決算問題を起した臨時軍事費決算はいづれも委員會決定通り承認貴院回付の昭和二年度各特別會計豫算案を滿場一致修正に同意しこれで昭和二年度豫算案は全部成立次で保險業法中改正法律案も委員會決定通り可決確定をして正副議長の選擧を行ひ十一時半散會

新議長任命

粕谷、小泉衆議院正副議長辭表提出に伴ひ二十五日同院にては議院法第三條により選擧の結果議長第一候補に森田茂氏副議長第一候補に松浦五兵衞氏當選せるをもつて若槻首相は上奏御裁可を仰ぎ二十六日午前十時宮中東溜の間において官記捧授式を行ひ若槻首相は塚本官長を隨へ森田松浦兩氏に對し左の如く官記を捧授傳達した

從七位勳三等　森　田　茂

議院法第三條により衆議院議長に任ず

勳三等　松浦五兵衞

議院法第三條により衆議院副議長に任ず

尙同時に前任正副議長の辭令も發表された

衆議院議長　粕　谷　義　三

願により衆議院議長を免ず

衆議院副議長　小泉又次郎

願により衆議院副議長を免ず

朝鮮總督受諾す

軍縮會議首席代表の交渉を受けた齋藤朝鮮總督は四月二日早朝電話を以て打合せの上午後一時過ぎ永田町首相官邸に若槻首相を訪問し軍縮會議首席代表受諾の旨回答し種々意見の交換をなして二時過ぎ辭去した

全權に石井大使

齋藤總督は四日午前外務省を訪問し幣原外相出淵次官と會談軍縮會議の對策および外務省側の代表問題について協議する所あつたが外務省側全權には石井駐佛大使を事務總長には佐分利條約局長を任命することにいよ〳〵決定したので今五日の閣議に報告の上御裁可を仰ぎ正式任命を見ることゝなつた

郵船司厨部員爭議

郵船司厨部爭議にその後會社側の强硬なる態度で停止船一隻もなく何れも補充して出發するので最近の爭議團は氣の拔けた態で殊に神戸に於ては早くも爭議打切り說が有力にして强制調停さへ希望してゐる狀態にして內務省警保局邊りでは結果同爭議は四月中旬頃爭議團の全敗にて解決するものと見てゐる尙神戸に於ける幹部西村氏と橫濱に於ける會長井上氏はその連絡上に意見を異にしてゐるので同爭議解決は事實目前に迫つたもの丶如くである

貿易通信員六名增置

貿易振興の一策として商工省では一昨年支那、南洋、濠洲、北アフリカの主要商業都市十箇所に貿易通信員を設置したが、明年度より更に六名を增置することになり設置箇所に付調査中の處今回左の如く決定を見た

シカゴ（北米）、リマ（南米）、ニューオルレアンス若くはキューバ（中米）

カラチ（印度）、コンスタンチンノーブル（土耳古）、ミラノ（伊太利）

右の外現に貿易通信員の設置しあるカルカツタに於ては本年政府の援助に依り日本商品館の設置を見て貿易通報上の活動をも爲すとになり、また同じく埃及のポートサイドに於ては明年度中にカイロに日本商品館の設置を見る筈であるので、この兩市の貿易通信員は何れ適當の地を撰擇して他に移轉せしむるとになつてゐる、尙前記六ケ所に派遣さるべき貿易通信員の人選は四月早々商工省に於て情實選擇を排する爲めに經歷の外に試驗銓衡を爲して之を決定すと

人口食糧調査官制

人口食糧調査會官制は四月五日の閣議で決定し之れと共に近く委員の選定を見る筈であるが會長には首相副會長には內相及農相之れに當り委員は正員四十六名臨時委員二十名合計六十六名であつて中貴衆兩院にて十一名他は學者及び實業家より銓衡せられ然して兩院の分は衆議院は正員八名、憲三、政三本二、臨時三貴族院は正員七名、臨時四名の割當であると云ふ

長官會議招集

政府は第五十二議會に於いて通過せる諸般の政策實施上について必要なる諸種の訓令をなすため來る五月二日より五日乃至一週間の豫定で全國地方長官會議を招集することになり四月一日の閣議に於いて濱口內相より各閣僚に諒解を求め決定する所あつた

本年度の在外研究員

文部省の在外研究員費は昭和二年度に於ては前年と略同額の百六十万圓であるが而してその人員は從來官立大學各學部、各專門學校に對し一學部一校に付大體一人の割當であつたから百六十人位宛派遣したのであるが今年は前年と同額の豫算ではあるけれども從來豫算額以上に派遣してある爲め新に派遣し得るのは漸く百人を限度とする丈けの經費しか割當られない從つて從來の如く一學部一校各一人を派遣するとは到底出來ない模樣で目下文部省はその人選を行つてゐるから近くその割當を決定して逐次研究員を任命する筈である

志賀重昂氏氣遣はる

早大敎授志賀重昂氏は三月二十五日から持病の糖尿症で市ケ谷久能病院に入院加療中、兩三日前より關節炎を併發したので三十一日夜帝大附屬病院鹽田外科に入院鹽田博士の治療を受けてゐるが心臟に疾患が生じたので容態急變の虞れあり非常に氣遣はれてゐる

信州記事

銀行法で小銀行大整理

現存の小資本銀行業者にとつて少からざる營業影響をもつ例の銀行法案は今期議會を通過したので政府は近く右法律の發布をなすことゝなつてゐるが縣はこれに對して豫め大藏省の方針により縣下の小銀行に對しこの際極力合併をすゝめてきたので近く本省よりこれが銀行法案通過の通牒到着次第更にそれら合併の實現に大肌をぬぐことゝなつた右銀行法によると原則として百万圓以下の銀行は設置せしめざることゝし已設の百萬圓以下の小銀行は二年度より向ふ五ケ年間に百萬圓以上に增資を行ふか又は合併整理適宜の處置をとらしめ命令をもつて定むる人口一萬の地には廿五萬圓未滿の銀行は二年度より向ふ五ケ年間に五十萬圓以上に增資せしむるものでこの法律によつて增資合併整理の猶豫期間終了の昭和七年度には縣下の銀行は二十餘に整理さるゝものと縣當局は觀測してゐる

信聯貸附額が物語る 農村の慘鬪ぶり

本縣信用組合聯合會からは昨今毎日十五萬圓乃至三十萬圓の貸付が出て居るこんなことは殆ど空前の事に屬するが昨年農村の收入減より來る資金缺乏と不況とを如實に物語る現象として信聯は農村不景氣の深刻さに驚いて居る從つて所屬組合に於ても同樣で一時三千六百餘萬圓に達した組合貯金も昨今はへる一方で既に一千萬圓位は拂戾しされた模樣であるこれに伴ひ貸付けも日々增加する一方であるが信用組合は此際こそ農村資金を出來るだけ豐富に融通し不況を救濟する必要ありとなし努めて借入の要求に應ずるやうな便宜をはかつてゐる右について信聯の池田氏は語る

昨年は繭安と違蠶とのため農村の收入は激減してゐるその影響が今最も深刻に信用組合に及ぼして來た譯である例年にしても昨今は肥料購入その他に資金を要し貸出の增額する際であるが本年のやうに多いことは餘り例がない、それでも信用組合といふ機關があつて比較的潤澤に資金を融通してゐるからそんな際にも大いに助かる譯である

鹽尻(東筑)町制認可

東筑摩郡鹽尻村では去る二月二十七日の村會に於て町制施行の決議を行ひ三月一日本縣知事に向つて四月一日より町制施行の認可を稟請したが高橋知事は町制施行を適當と認め東筑摩郡鹽尻村に四月一日より町制

を施行し鹽尻村を鹽尻町と稱すといふ告示を受けた。鹽尻村は東西一里二十九町南北一里十三町で十二ケ部落よりなり戸數千七百四十六戸人口九千百十二人を有し現在縣立東筑摩農學校外官公衙學校を二十二存立し尚近く實科高等女學校を設立すべく計畫中である現村長は小松會右衞門氏で村會議員十八名である

七支所復活

去る大正十一年の縣會に於て蠶業取締支所篠の井外六ケ所を大正十二年度より廢止することに決議し爾來右廢止地には常設出張所を置いて蠶業取締事務をとつて來たが郡役所の廢止とともに蠶糸業に關する奬勵事務其他が蠶業の取締所に移管された結果郡を單位とする支所を配置する必要を生じ即ち昨年の縣會に於て暫らく廢止して置いた七支所を復活することに協贊したのでいよ／＼此の一日から屋代、中野、飯山、福島、篠ノ井、野澤池田の七支所を復活し支所始め技手農林主事補等何れも一日付を以つて任命された

市制三十周年の祝ひ

長野市々制三十周年記念式は四月一日擧行される當日は午後一時から善光寺金堂に於て大本願の手で物故した市功勞者のために追悼法會を嚴修し引き續き藏春閣で午後二時から記念式を行ふ記念式の模樣は喪中の事とてごく質素を旨とし單に市功勞者の表彰位にとゞめ式後七十錢會費で心ばかりの祝宴を張る豫定であるしかし城山の共進會では愈當夜から夜間開場をなし夜の散策者の吸收策を講じ特に一日は會場內に美形連の手踊りを無料公會するなど城山の春も共進會を中心に次第に色めきわたる事であらう

東筑聯合青年總會

東筑摩郡聯合青年會春季總會は四月三日松本市公會堂に於て開催出席者は凡そ三百名の多數に達し先づ赤羽會長令旨の捧讀をなしてより開會の辭を述べ次いで波場前會長の會務報告百瀬縣代議員の中野町に於ける研究大會の報告あり續いて昭和二年度に於ける同會運動部修養部の各計畫を委員長より全會にはかつて可決し次ぎに協議會に入る豫定であつたが時間がなかつた爲之を省略して全員の五分間演說を行ひ日程を終つて午後一時から早大講師杉森孝次郎氏の「新象徵主義の哲學」と題する講演あり午後四時盛會裡に散會した

金馬簾交附

火災その他の功勞により四月二日付け藤岡本縣警察部長より金馬簾一條づゝを交付された消防組左の通りである

△北佐久鹿塩消防組（火災豫防の功勞）△上伊那郡伊那富、新町下辰野辰野、富町、朝日各消防組（朝日の火災により）△上伊那伊那富、飯沼今木、上嶋、渡戶、上横川、各消防組（川島村の火災により）△

上伊那郡雨澤消防組（改善發達により）同上横川消防組（火災豫防）△上水内黒保刈消防組（火災豫防により）△東筑摩保福寺消防組（錦部の火災により）

松本市記念博覽會

松本市制施行二十周年記念勸業博覽會は愈々豫定の如く四月一日開會式を行つた定刻を稍々遲れて午前十一時場內餘興場前に來賓全部集合、此日朝來絕好の博覽會日和のことゝていやが上にも人氣を唆り來會者約三百名石川副會長の開會の辭あり次いで小里會長開會の辭を述べ丸山幹事長より工事經過報告あり石口本縣農商課長知事代理の告示、二木代議士等の來賓祝辭、同祝電を披露して式を閉ぢ來會者場內を一巡後園遊會に移り午後三時頃散會した

上田公園春が來た

春の陽にスッカリ惠まれた上田公園には昨今散歩の人達が見え出して來た「市營花見茶屋」と唄はれた市で作つて貸す五軒の花見茶屋も手廻しのいゝ明倫堂側のものはきのう出來上つて外の四軒も準備を急いで居る一體花見茶屋を市で作つて貸すといふ趣意の根本は今までの各自に作つて開いた花見茶屋は不體裁で折角の風致を害するといふので市で計畫を立てたのだが出來上つたのを見ると茶屋の建ものだけは新しいがそれ切りでは手せまで駄目なので借り主が古いものや色々なものをやつぎ足したりしてゐるので市で頭をひねつた風致なぞは消えてしまひ散歩者はコンナものかと期待を裏切られて居る

花き案外急がう

松本地方は四月一日の聲を聞くと急に暖くなり毎日まるで花曇りのやうな天候であるが今月になつてから最高溫度は一日で攝氏廿四度同じ昨年の廿二度五分に比べると非常に暖く最低は同じ一日に攝氏三度九分だつたが之れ又昨年の氷點下四度五分に比べると大した相違でこの分で行くと花も案外急ぐだらうと松本測候所では語つた

△上伊那郡町村長會　四月五日午後二時半より聯合事務所に開會在營兵慰問として七日松本五十聯隊を慰問すべく會長から提案ありいろ／＼の議論も出たがとにかくこんどは松本聯隊のみに止め追つて他の在營在團者を慰問することゝなり同日午前八時辰野發列車にて三十一ケ町村全員出張すること北信五郡聯合町村長會に田中伊那町長外一名出席のこと縣の町村長會評議員として長田伊那富日戶南箕輪北原長藤の三村長を指名し關西震災義捐金割當額二千六百圓の醵出方法その他を協議して三時散會

協會記事

ハワイ丸乘船 アリアンサ渡航者

三月二十三日横濱出帆のハワイ丸は神戶に約一週間碇泊四月一日午後四時當協會の渡航者十家族九十二名を筆頭として、熊本縣海外協會十二家族五十七名鳥取縣海外協會五家族二十六名合計三十二家族百七十五名を割載無事出帆したが當協會の分は左の如くである。尚同船は五月二十三日サントス港着の豫定である。

長野縣上高井郡仁禮村和久井靜眞九人
同　上　前島　靜五人
長野縣東筑摩郡和田村百瀨　琴次六人
同　上　百瀨　三郎六人
新潟縣北蒲原郡笹岡村椎野源之助九人
同　上　佐藤謙二郎七人
長野縣更級郡更級村　大谷　貞雄三人
福島縣相馬郡上眞野村高野　清見八人
北海道旭川市曙通り　砂田　作造六人
北海道中川郡幕川村　樫木　喜一七人
大阪市東成區鳴野町　野上　正久三人
愛媛縣松山市南京町　烏谷儀一郎四人
京都上京區仁王門通り細川　岩松五人
大久保和吉七人
福井縣今立郡服間村　吉田惣太郎七人

海外發展宣傳

本年一月以降の縣下海外發展思想普及の宣傳講演會は、西澤幹事の出張を機として郡下到る處で開催され小學校、青年會等では、續々講演を申込み來たり各地の講演會は盛大裡に行はれてゐる。今左に講演會の狀況を示せば

二月一日　更級郡八幡小學校
二月二日　更級郡共和小學校
二月四日　下伊那郡上久堅村青年會
其の他
二月五日　下伊那郡河野村青年會婦人會
下伊那郡神稻村小學校實科中等公民學校
二月六日　下伊那郡生田村柄山區青年會
二月十三日　上伊那郡伊那町古町青年會
二月十四日　上伊那郡赤穗村實科中等公民學校實科女學校青年訓練所、補習學校
二月十五日　赤穗村青年會

等で、殊に徒步旅行家　秋山義一氏（飯田町出身）の來援あり、赤穗村長　福澤泰江氏、墨國歸朝者　須藤正夫氏等の海外事情實況の講演も加はりて聽衆常に數百名を下らざる盛況であつた尚當協會は冬季間を絕好の宣傳期として名士の講演會を開催する準備になつてゐる。

會費領收（自二月十五日至三月三十一日）

一金十二圓也、大正十五年度會費 鈴木四五十殿 轟八郎殿 松山榮吉殿 轟万作殿 久保田勇太郎殿 小林仙之助殿
一金十六圓也、普通會費一時拂 荒井荒次殿
一金拾圓也、大正十五年度維持會員費 山田靖雄殿
一金六圓也、同上普通會員費 小平留雄殿 松岡弘殿 伊藤榮雄殿
一金四圓也、大正十五、昭和二年度會費 臼田銀次殿
一金四圓也、同 上 高山健次殿
一金十六圓也、普通會員一時拂 草川太刀三殿
一金二圓也宛、昭和二年度會費 木村勇夫殿 竹葉芳彌殿 筒井甚一殿 飯島長藏殿 五十嵐政衛殿 家久從郎殿 富田貫治殿 吉岡福仁殿 井出佳四郎殿 中村喜榮殿 大森知英殿 木内政市殿

在外者の部
一金拾圓拾錢也 石田幸成殿

往 來

△大平慶太郎氏の再渡玖 久しく歸朝中の下伊那郡飯田町出身の同氏は三月十九日銀洋丸にて再び玖瑪に向つた。

△須藤正夫氏の再渡墨 同氏は更級郡川柳村の出身約一ケ年の滯在歸朝にて、大平氏と同船にてメキシコ國に向つた。

△矢崎節夫氏の歸朝 二十年振りで、兩親を生前に慰むべく三月二十八日橫濱入港のラプラタ丸にて、鄕里諏訪郡四賀村に歸へつた。

△秋山利一氏出發 獨立力行世界踏破の徒歩旅行家、秋山利一氏は、三月二十日正午、善光寺本堂を基點に世界踏破の壯擧に登つた。

△信濃海外協會訪問者 各府縣海外協會設立のため、當協會參觀訪問者三月の分左記の如し

三月一日 富山海外移民協會幹事 中田德治郎氏
三月八日 群馬縣社會課繁山作太郎氏
香川縣社會課神 保 鐵雄氏
三月二十二日福島縣學務課阿部泰蒂氏
三月二十七日埼玉縣社會課黑澤三郎氏
三月二十八日富山縣農林課金田勝造氏

鳥羽久吾氏逝く

本會相談役鳥羽久吾氏はかねて病氣療養中の處藥石その効なく三月二十九日逝去した、氏は東筑摩郡本鄕村出身で縣會議員。本縣農會副會長、本縣蠶種同業組合聯合會會長の外農政協會にも貢献した人である。尙葬儀は四月三日午後一時自宅出棺神式を營み當協會よりは石口幹事會葬した。

旅券下付願の記載方注意

信濃海外協會其他熊本、鳥取等の經營移住地に渡航する旅券下付願の「渡航目的」には從來單に「農業ノタメ」若くは「農業從事ノ爲メ」に記載致しおりしが、今後は左記に依り記載する事に致せし故、出願者は間違ひなき樣注意せられたし

記

自作者は「アリアンサ移住地內自己所有ノ土地開拓ノ爲メ」
小作者は「アリアンサ移住地內某ノ所有スル土地ノ請負耕作ノ爲メ」

ありあんさ移住地入植者調（大正十四年より昭和二年四月まで）

年次	自作入植者 縣內 戸數	縣內 人員	縣外 戸數	縣外 人員	小作入植者 縣內 戸數	縣內 人員	縣外 戸數	縣外 人員
大正拾四年	四	一〇	二	五	一	二	一	二
大正拾五年	八	二一	四一	一九一	二	九	二二	八七
昭和二年	五	二九	一〇	五九	〇	〇	五	二八
合計	一七	六〇	五三	二五五	三	一一	二八	一一七

備考 役員家族三戸一五人ヲ算スレバ累計家族一〇四戸四五八人トナル

前表各府縣別表

年次	府縣	自作入植者 戸	自作入植者 人	小作入植者 戸	小作入植者 人	合計 戸	合計 人
大正十四年	長野	四	一〇	一	二	五	一二
	宮城	|	|	一	二	一	二
	千葉	一	二	|	|	一	二
	東京府	一	三	|	|	一	三
	計	六	一五	二	四	八	一九
大正拾五年	長野	八	二一	二	九	一〇	三〇
	千葉	四	一二	|	|	四	一二
	茨城	一	三	一	四	二	七
	秋田	一	四	|	|	一	四
	東京府	四	二〇	|	|	四	二〇
	靜岡	三	一九	|	|	三	一九
	鳥取	一	二	|		一	二
	山梨	|	|	一	四	一	四
	兵庫	二	一五	|		二	一五
	岡山	七	三七	三	一六	一〇	五三
	宮崎	二	八	四	一七	六	二五
	長崎	一	四	|		一	四
	佐賀	一	三	|		一	三
	鹿兒島	一	六	二	九	三	一五
	岩手	一	二	|	|	一	二
	栃木	一	三	|	|	一	三
	香川	一	二	三	九	四	一一
	新潟	二	八	|	|	二	八
	廣嶋	一	三	三	一〇	四	一三
	熊本	一	六	|	|	一	六
	山口	一	二	一	四	二	六
	三重	一	九	一	二	二	二
	北海道	|	|	一	七	一	七
	福岡	二	一七	|	|	二	一七

年次	府縣	自作入植者 戸	自作入植者 人	小作入植者 戸	小作入植者 人	合計 戸	合計 人
	和歌山	一	三	|	|	一	三
	宮城	一	三	一	三	二	六
	島根	|	|	一	二	一	二
	計	四九	二一二	二四	九六	七三	三〇八
昭和二年	長野縣	五	二九	|	|	五	二九
	東京	一	五	|	|	一	五
	三重	二	一〇	|	|	二	一〇
	兵庫	一	五	|		一	五
	新潟	二	一六	|		二	一六
	福島	|	|	一	八	一	八
	北海道	|	|	二	一三	二	一三
	大阪府	|	|	一	三	一	三
	愛媛	|	|	一	四	一	四
	京都府	一	五	|	|	一	五
	山口	一	四	|	|	一	四
	福井	一	七	|	|	一	七
			七	|	|	一	七
	計	一五	八八	五	二八	二〇	一一六
合計		七〇	三一五	三一	一二八	一〇一	四四三
外役員		三	一五	|	|	一〇四	四五八

昭和二年四月一日現在

伯國留學生派遣

アリアンサ移住地小學校教員養成の爲ブラジルサンパウロ州立師範學校留學生選拔派遣に付き本會總裁は左の申請書を本縣當局へ提出せり

本會經營南米ブラジル共和國サンパウロ州アラサツーバ郡內所在アリアンサ移住地ハ大正拾貳年來ノ計劃ニ係リ縣當局並ニ政府ノ多大ナル御助成ニ依リ着々進捗シ其出資寄附ハ拾六萬圓ヲ超エ購入土地壹万壹千七百五拾町歩ハ殆ンドソノ處分ヲ完ウシ入植家族モ大正拾四年六月以後今日迄已ニ二百三十五家族四百三十五名ニ達セリ開拓面積八百余町歩珈琲植樹數四拾萬本糧ノ收量三千俵移住地內道路ハ中央貫通自動車道ヨリ各入植者ノ地區ヘ通ズルモノ延長二十基米ノ完成ヲ告ゲ四十坪ノ移民收容所小學校醫局等竣成シ衞生主任勝田正道ハ目下入植渡航中ナリ明年度渡航者ノ爲メニ收容所製米所製材所倉庫瓦工場等ノ新施設モ目下進行中ナリ尚移住地市街墓地公園クラブ日曜學校ノ設備完了モ近キニアリ本會ノ合理的組織的ノ移住地建設ノ方策ハ實ニ天下ノ範トナリ各府縣ガ其植民地ヲ

建設スルニ至レリ即チ鳥取縣ノ移住地モ本會第二アリアンサト合セテ六千二百五十町歩トナシテ經營スルニ至リ富山縣ニテモ本會第三アリアンサト合セテ六千町歩トナシソノ移住地ヲ建設シ熊本縣ニモ本會第一アリアンサノ移住地ノ南接地ニテ千餘町歩ノ經營ヲナスニ至リ尚目下各縣海外協會並ニ各地ノ事業家ニシテブラジル國內ニ移住民地ノ建設ヲ計劃スルモノ續出スルニ至レリ目下在伯國同胞ハ五萬五千人ヲ超エ年年又一萬人內外ノ新渡航者ヲ見ルニ至レリ斯ノ如ク本邦有産有識ノ士ノ渡航入植ヲ見ルハ實ニ邦家海外發展ノ爲ニ慶賀ニ堪エザル次第ナリ然レ共是等渡航者並ニ在伯同胞ノ堅實ナル發展ニ缺ク可カラザル緊急施設ハ實ニ在外子弟ノ教育機關ノ完備ニ在リトス然ルニ目下伯國內ニ於ケル邦人子弟ノ教育ニ關スル施設ノ實際ハ遺憾ノ點少ナカラザルモノアリ本會ハ茲ニ大ニ考フル所アリ本會經營移住地ノ教育機關ノ完備ヲ計リ併セテ伯國內同胞子弟ノ教育ニ就テ大ニ貢献セントシ曩ニ外務省ヨリ壹萬二千圓ノ御補助ヲ得本會ノ豫算壹萬三千三百五拾圓トニテ小學校ノ竣成ヲ見タリ今後其ノ優良ナル校長並ニ訓導ヲ得テ移住地教育ニ關シテソノ完備ヲ期シ併セテ伯國內同胞ノ教育ニ就テノ計劃施設等ニモ關與セシメン爲本年度本縣男女師範學校卒業生中ヨリ適材ヲ拔擢シテブラジル共和國サンポーロ州立師範學校ヘ留學セシメタキ計劃ニテ有之候就テハ伯國在留同胞並ニ子孫ノ爲又本會ブラジル移住他入植者ノ爲特別ノ御詮儀ヲ以テ留學生選拔派遣方御取計ヒ相願度別紙參考書相添ヘ此段及申請御願候也

斯くて、男、女師範學校長においては希望者の中より厳選の結果左記三名を適任者として本會に縣學務部を通して回答ありたり。

女子 長田イサム 諏訪郡豊平村
男子 淸水 明雄 北佐久郡川邊村
兩角 貫一 諏訪郡永明村

信濃に來りて

坪内忠治

生來私は山が好きである。山を見ると私は友達に會つた樣な氣がする。私の生れ故鄕は日本海の荒波に面した石川縣の金澤であるが、山と雪のある事は信州と同じである。私は信州に來てからも何だか自分の生れ故鄕に住んで居る樣な氣がして居る。この點だけでも私は信濃に對して特別の親しみを感ずる。

私は十九の年に學校を卒業して始めて社會といふものゝ中に飛び込んだ、單純な頭と素晴らしい空想をのみ胸に畵く私が社會といふものに直面して見せつけられたものは何であつたか、それは自分の美しい空想を蹈み躙る幾多の矛盾と不合理とである。私は悶えた或時は歡樂に走り刺激を求めた、併し私は救はれなかつた。私は狹い日本が嫌になつた、醜惡な社會から逃れて自由な天地に羽を伸ばしたくなつた。不圖した事から力行會を知り入會する事になつた、こゝで私は自分の主義と一致する多くの同志を見出す事が出來た。そうして廣い心持で人を愛する信仰を持つ事が出來た、そこで私はこの醜惡な社會を美はしいものに淨化する必要を感じた。私と同じ樣な考へから海外に行つて新しい理想社會を建設せんとする人々に對して私は限りなき共鳴を感ずる。我が愛する信州はこの理想を行ふ可く全國に率先して移住地建設の大事業を遂行しつゝあるは誠に愉快の至りである。これが成功を祈るもの獨り當局者　みではあるまい。

私は不思議なる因縁に依り我が海外協會の末席を穢す事になり圖らずも自己の空想を實現すべきこの劃時代的大事業に微力を傾倒し得る事の出來たのは實に欣快に堪えざる次第である然し乍ら事は漸く緒に付いた所だ、これが完成迄には幾多の困苦障害の域を經過しなければならぬ、生みの苦しみの爲に當局者が如何に惡戰苦鬪した事か、其れを思へば私の如きは誠に恥しい次第だが駑馬に鞭つて微力を盡したいと希つてゐる。

アリアンサの覇業をして完成せしめよ、願はくは我が協會員各位の御鞭韃と御後援とを切に祈る次第である。

國際教育いろは歌留多

國際聯盟協會で

い、いろんな國から成り立つ聯盟
ろ、勞働會議にゼネバまで
は、ハドソン河口の紐育
に、日本の國から平和の光
ほ、北極探險のアムンゼン
へ、海牙の世界裁判所
と、時計を進めて日光節約
ち、力と正義は離れちやならぬ
り、リンコルンの奴隷開放
ぬ、ぬかるみちのない紐育
る、ルーテル出でゝ宗敎改革
を、ヲルガは靈亞細の大河
わ、華盛頓府の軍縮會議
か、カントは獨逸の哲學者
よ、夜中に日のあるアイスランド
た、タゴールとガンヂは印度の誇り
れ、禮儀は世界の旅行劵
そ、祖國を後に海外へ！
つ、「月」の土其耳に「日」の日本
ね、眠る亞細亞の有色人種
な、ナイチンゲールは婦人の鑑
ら、ラヂオで世界も直ぐ隣り
ゐ、ムツソリーニの黑シャツ黨
う、ウラルの山から東西見れば
ゐ、井戸の蛙も國際場裡
の、ノーベル賞金は平和のために
お、オリムピックの國際競技
く、クレムリンの「鳴らずの鐘」
や、ヤツプは日本の統治領
ま、マンモス掘出すシベリヤ奥地
け、煙たなびくマンチエスター
ふ、復活した芬蘭土
こ、コロンブスの大陸發見
え、エスペラントは共通語
て、テームス隅田も水續き
あ、アンデス山に基督の像
さ、サラエボから世界戰爭
き、霧のロンドン、花のパリー
ゆ、雪の中のエスーモー
め、メッカは回敎徒の聲光寺
み、南は南洋椰子の月
し、支那は友邦四億の隣人
ゑ、埃及のピラミツト
ひ、飛行機で世界一週
も、モンロー主義の亞米利力
せ、世界は一つ家
す、スキスのジエネバに國際職盟

（「世界と我等」より）

尋人

本籍　長野縣上伊那郡片桐村

佐々木理一

（明治十五年一月三十日生）

現住地　北米合衆國ポートランド帝國領事館所轄内アイダホ州ソーダスプリング馬場文雄方

右の者は明治四十年四月渡米大正六年迄歸里實兄伊之吉に通信ありたれど、其の後不明ポートランド領事館へ紹介せるに大正十三年まで前記現住所に在往の旨通知ありたるものにて馬場氏へは實兄より照介せるも更らに其の通信無之　現在は本人の生死全く不明につき當人につき其の後の事柄につき御承知の方は當協會に至急御一報相煩し度し

長野縣廳内
信濃海外協會

編輯雜記

一順の春風が訪れて永き冬の眠りはパツト醒めました。木枯吹き荒ぶ寒き積雪に耐へ忍んで、世は訪れの春を迎ふる時、そこには大自然の攝理に力强い萬物の活動が開始されました柳の芽のいと、吹き出す姿、一隅の名も知れぬ雜草の伸び行く勇姿、櫻、杏の蕾の日一日と孕らむ喜戲いづれも春の讃美は此處に集りました、

（◦）

「海の外」は産聲を擧げて以來此處に第五十八號を脊負ふて立ちましたが、生れながらの脆弱のため、健全たる發育をせずに兩親の苦勞近所關係者の心配も一通りでありません、我が子を愛撫して立派なる人間になる樣に兩親もいろ〳〵方法を思慮してゐますが、家の經濟が思ふ樣に子供のために運用が出來ず、近所の人達のいろ〳〵の心配で漸やく此處まで無事生育して來た事は誠に有難い幸せと喜ぶ次第であります。

（◦）

編輯同人は雜務に追はれ追はれて、各方面からの催促や、苦情で「これではいかぬ」と「何をさておいても」ご云ふ樣な次第で折角、可愛がつて下さる皆樣の行爲を無視してゐる感が致すので、此の次ぎからは最新の編輯育兒法によつて新鮮なゐ特種ばかりを御目かける事に致しました、相も變らぬ御贔氣を願ひます。

（◦）

御約束ー御約束の「アリアンサ報告號」は詳細なる、精査せる記事ばかり集めて、內容も名實共に劣らぬと自信して目下印刷中で、誠に云ひ難い言葉で御庭いますが、實費で御頒布致す事に致しました。尙海の外にも轉載をして、御目にかける心積みでも居ります。何しろ獨立した單行本として憂美なる製本を致しましたので僅かばかりの實費を頂戴するのでございます。

（◦）

海外各支部から、種々の報告と、通信が到着してゐます、五十九號をそれに當てる豫定で御座います。

（◦）

在外死去本縣人の供養を致します、何卒、無緣の佛を御見捨てなき樣、又在外の地に死去せる本縣人は一人も殘さずに追善供養して亡靈を慰めたいと存じます、前號五十七號の三十頁御覽照の上、若しくはその記載方法によつて澤山の御存じの人々を御通知下さい。

（赤インク）

海の外

定價	內地	外國
一部	廿錢	廿仙
半ヶ年	一圓十錢	一弗十仙
一ヶ年	二圓廿錢	二弗廿仙

海外郵税二錢

注意
▲御註文は凡て前金に申受く
▲廣告料は御照會次第詳細通知致します
▲御拂込は振替に依らるゝが最も便利です

昭和二年三月三十一日

編輯人　永田稠
發行兼印刷人　西澤太一郎
長野市南縣町
印刷所　信濃每日新聞社
長野市長野縣廳內
發行所　海の外社
振替口座長野二一四〇番　信濃海外協會

各汽船會社專屬元扱

日本郵船會社
大阪商船會社
グラー汽船會社
加奈陀汽船會社
アドミラル汽船會社
南洋郵船會社

日本力行會、信濃、廣島、和歌山
福岡、熊本、沖繩 各縣海外協會 指定旅館

海外渡航乘客荷物取扱所

今泉旅館

本店 神戸市海岸通六丁目三番邸
支店 神戸市榮町通五丁目六八番邸
長電話元町三三一番
振替大阪三五四一〇番

海外渡航取扱所

◉東洋一の理想的設備を有する神戸港へ！
◉旅館は誠實にして信用のある神戸館へ！

各縣海外協會
日本力行會 指定旅館

神戸館本店

神戸市榮町六丁目廿一番邸
電話元町八六一番
振替口座大阪一四二三八番

支店〔神戸市海岸通四丁目(中税關前)
電話三ノ宮二一三六番〕
別館〔神戸市海岸通三丁目十四番邸
電話三ノ宮二一三七番〕

◇本店ヘハ神戸驛、支店、別館ヘハ三ノ宮驛下車御便利

各縣海外協會
日本力行會 指定旅館

海外渡航乘船
領事館手續
貨物通關取扱

高谷旅館本店

本店 神戸市榮町六丁目
神戸市郵便局私書函八四〇番
電話元町八五四番、一七三七番

支店 神戸市宇治川楠橋東詰
電話元町六六六番

HOTEL
NAGANOYA
SHIPPING ANDLANDNGI AGNCT
Benten-doli 5-Chome
Yokohama Japan

歐米各國滊船問屋
各滊船乘客切符並ニ貨物取次所

當館ハ櫻木町驛下車ガ御便利ニ候

信濃海外協會御指定旅館

萬長野屋旅館

長野縣出身
館主 藍葉萬藏

横濱市辨天通五丁目正金銀行前
電話本局一六二六番 電略(ナガ)

日本力行會長　永田稠著

海外立志傳

四六判、四百二十頁
定價金二圓（送料金十八錢）

私は年少の頃、英雄豪傑や、知名の成功者の傳記を讀んだ後で「俺はトテモ此人の樣には成れない」と失望するのであつた。ナポレオンや豊臣秀吉や西鄕南洲等の傳記が私に與へた一種の悲哀は皆さうであつた。それで私は「若し私が立志傳を書く時が來たら、讀者に悲觀されない樣な傳記を書き度い」と希ふて居た。今や其の希ふた時が來たのである。本書中の人々は、皆、私共と殆んど同じ境遇に生れ略同じ程度の教育を受けた者で「此位の事なら僕にも出來やう」と讀者は必ず感ずるに相違ないと思ふ。私は此傳記の内に記されたる人々が、他日ナポレオンであり、秀吉であり、南洲である事を希ふては居るが、よしんば、現在の其儘で終つたとするも後進の讀者の爲に多大の感激を與ふる筈であとる考ふる者である。（序文の一節より）

第二版

兩米再巡

菊版四百廿四頁、寫眞版三十頁
布製函入
定價金貳圓八拾錢（送料一冊拾八錢）

永田氏は信州の生める一異才である。甞て南米を一週して『南米一巡』を著はし、信州に來つて信濃海外協會の組織に努力し、更に『南米信濃村建設』に關する大使命を帶びて、大正十三年五月末橫濱を出帆し、布哇、北米桑港、ローサンゼルス各地に於ては海外協會支部の設立に盡力しソートレーキ市にもモルモン宗教植民の跡をたづね、デンヴア、シカゴを經て華府に至り紐育より大西洋を南下してブラジルに至り、植移住地の選定。購入。入植の準備をなし、大正十四年二月日本に歸り來り、更に信濃村大成の爲めに努力奮闘し、今や模範的にして世界に誇り得る移住地が建設されつゝある、『兩米再巡』は氏が南北兩米を再巡せる記録である志を世界に有する者の一日も看過することの出來ない快著である。

長野縣廳內　信濃海外協會　振替長野二一四〇番

切符代理店

日本郵船會社
大阪商船會社
加奈陀汽船會社
アドミラル汽船會社
ダラー汽船會社

當館ハ櫻木町驛下車ガ御便利ニ候

信濃海外協會
日本力行會
御指定旅館

歐米各國汽船旅客荷物取扱店

HOTL KiNOKUNIYA

紀ノ國屋ホテル

橫濱市北仲通四丁目
電話本局二五九番

日本郵船會社は世界の總ての主要な地方と本邦との間に優秀な客船航路を經營して居ります。就中同胞在留者の多い南米と北米には各二ッ宛の航路を設け、優秀な巨船を配して其の設備を完全にし、待遇、食事萬端を顧客本位として我同胞海外發展の便を計つて居ります。

桑港行	（布哇經由）	二週一回
沙都行	（ヴヰクトリヤ經由）	略每月三回
南米西岸行	（桑港、ロスアンゼリス經由 墨西哥、巴奈馬、秘露智利行）	略每月一回
南米東岸行	（南阿經由、亞爾然丁、伯剌西爾行）	略每月一回
倫敦行	（香港、新嘉坡、等經由）	二週一回
志度尼行	（馬尼剌、ダバオ、木曜島經由）	每月一回
南洋諸嶋行	（マリアナ、カロリン、マーシャル群島行）	每月二回

詳細は左記に御申聞を願ひます。

本店及內地支店

本店及切符發賣所	東京市麹町區永樂町一丁目一番地
橫濱支店	橫濱市海岸通三丁目十四番地
名古屋支店	名古屋市中區天王崎四番地
神戸支店	神戸市海岸通一丁目
大阪支店	大阪市西區川口町四番地
門司支店	門司市濱町六番地
長崎支店	長崎市梅香崎町三番地

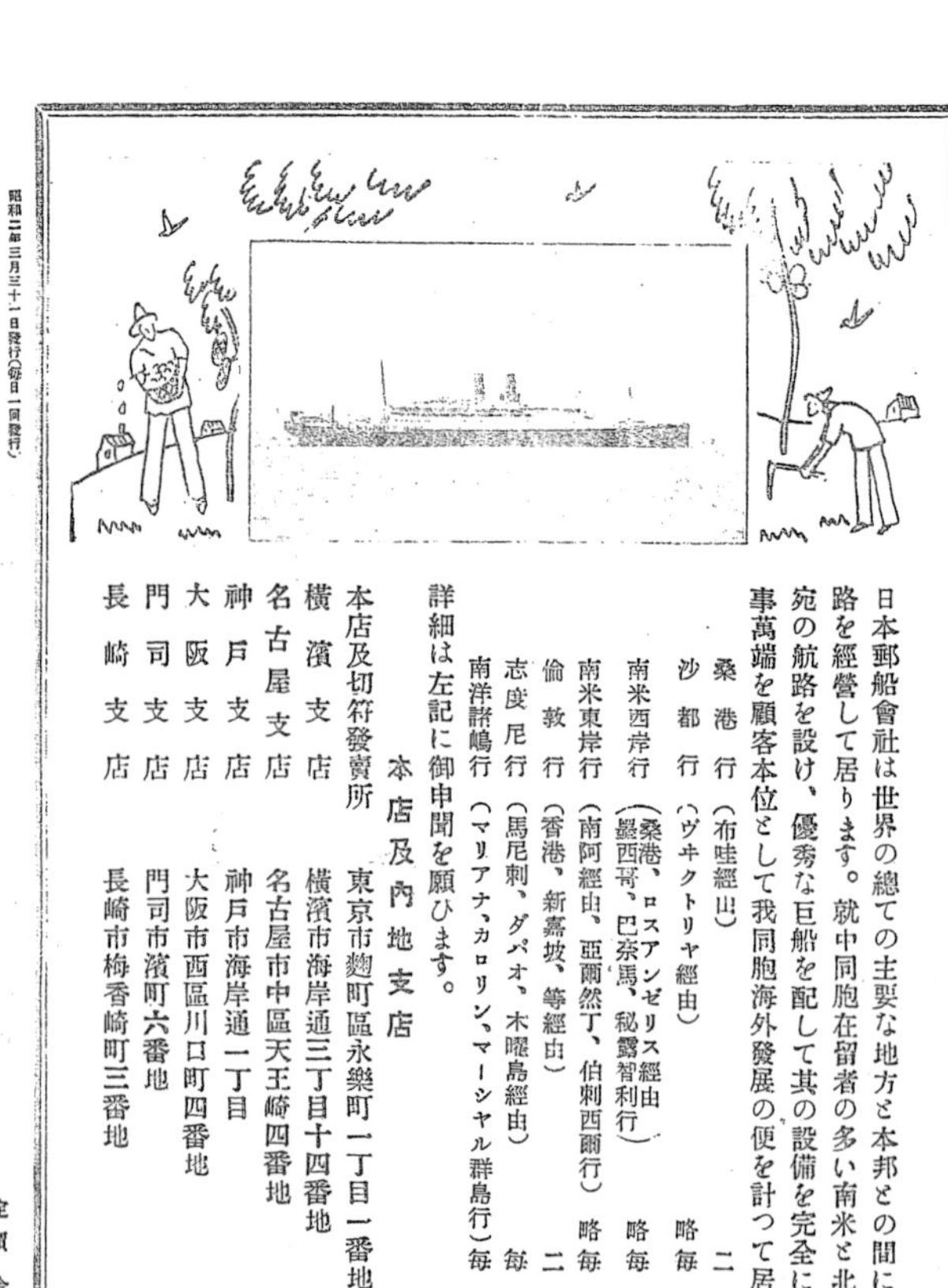

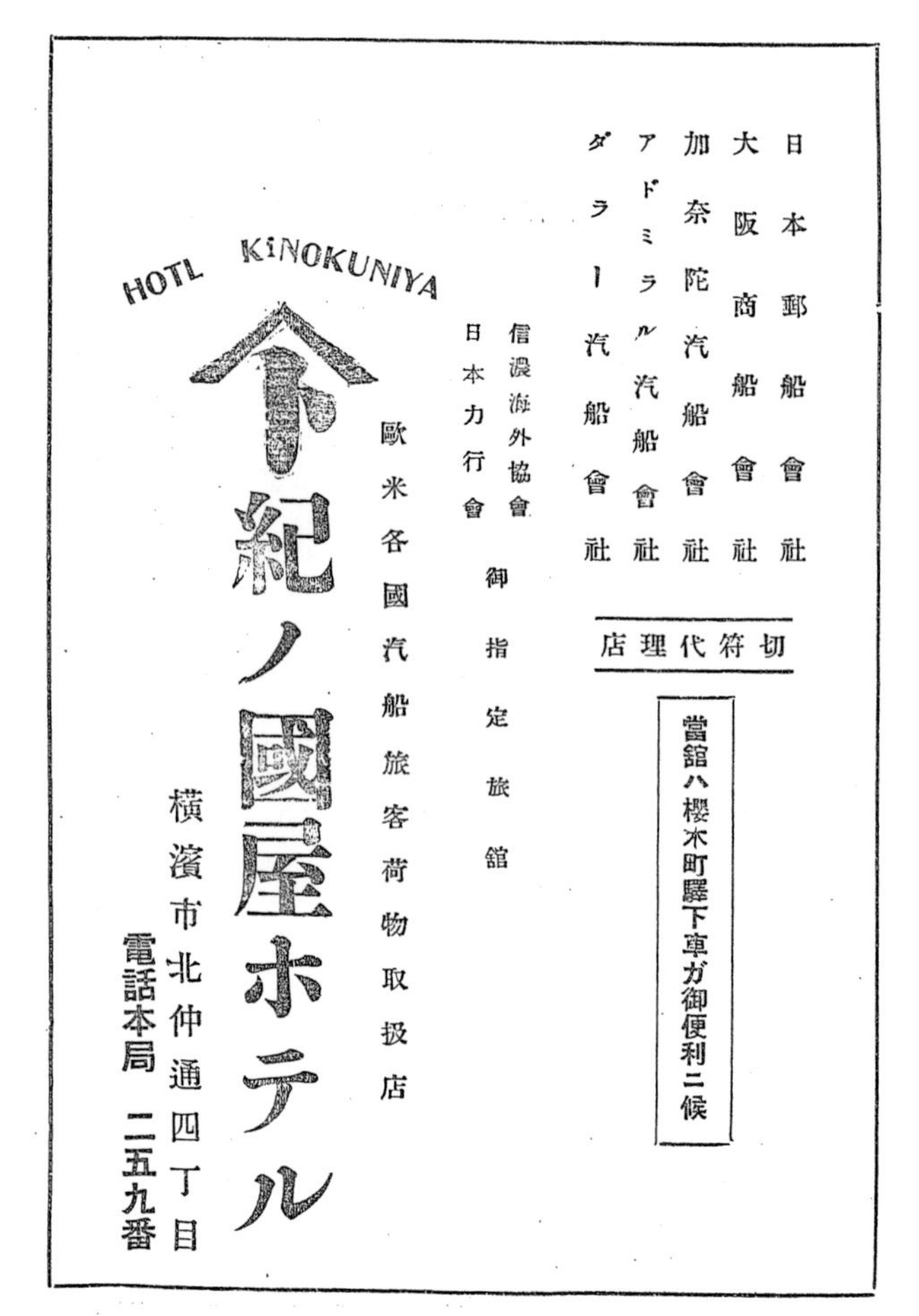

昭和二年三月三十一日發行（毎月一回發行）
大正十一年四月廿六日第三種郵便物認可

定價金貳拾錢

信濃海外協會
海の外社發行

第59号は収録することが出来なかった。

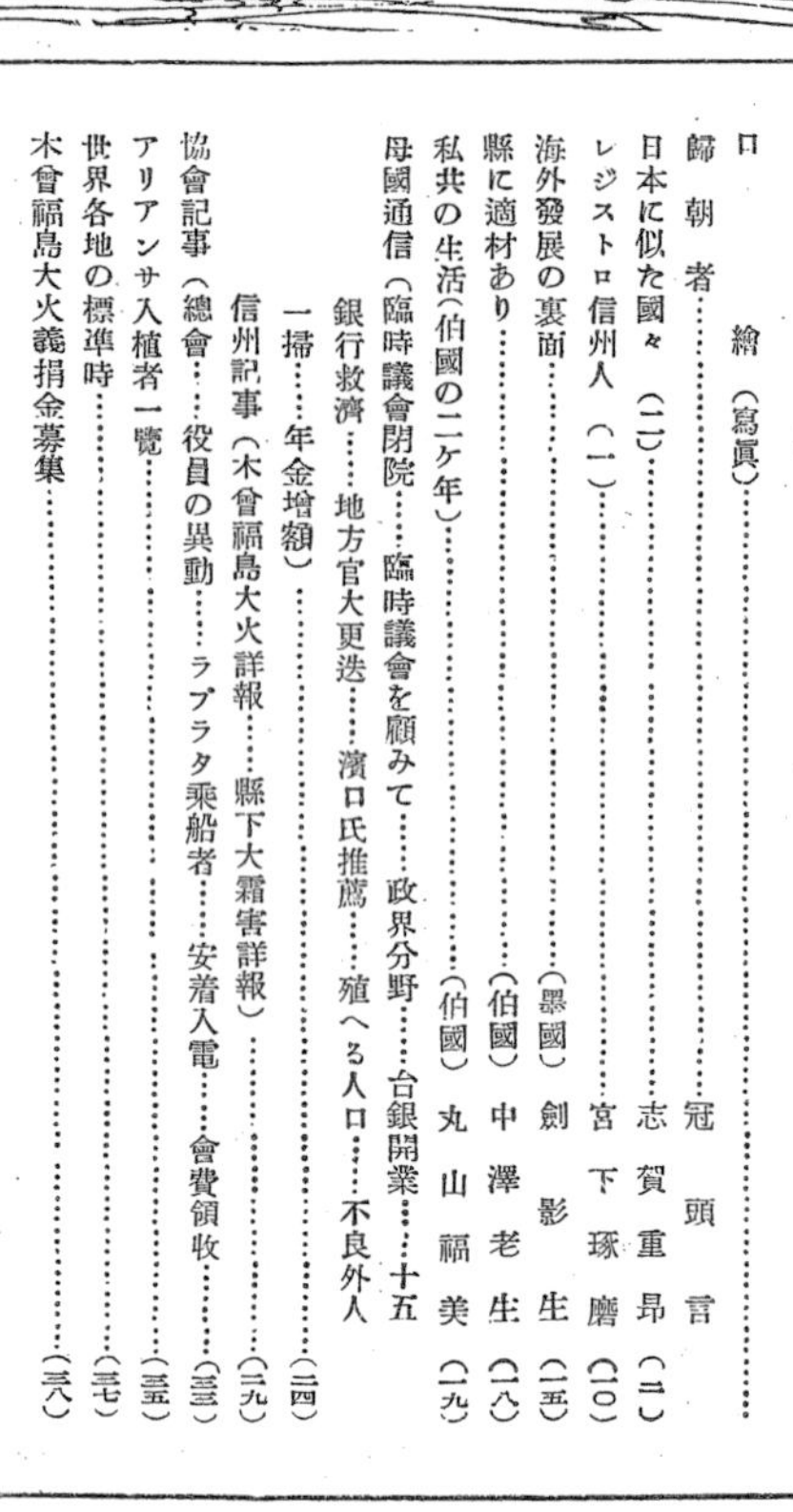

目　次　（第六十號）

海の外

第六十號
昭和二年
五月號

歸朝者

最近海外在住者の本縣人が兩親慰問、親戚友人等の訪門或ひは迎妻、同行者呼寄せのために歸朝する人々が多い事は慶賀に堪へない。此等歸朝者の大部分は在外奮鬪實に十ケ年以上にして二十ケ年振りの故國訪問者もある。左に昨年來歸朝の本會訪門者の數人を擧ぐれば

須藤正夫氏（墨國）　明治三十八年渡航
諸田　鼎氏（北米合衆國）　明治三十六年渡航
大平慶太郎氏（玖瑪國）　明治三十九年渡航
小平次雄氏（比律賓島）　大正六年
矢崎節夫氏（伯國）　明治四十一年渡航

等である。歸朝者の内には不幸にして歸へるものと僥倖の成功を得て歸へる等の人々もあるが、海外發展の根本精神から云ふならば右の如き人々の歸朝は眞に意義あるものと考へるのである

（五・二〇）

現總裁　千葉了氏　　前總裁　高橋守雄氏
現內務部長原田維織氏　前內務部長牛島省三氏　現警察部長土屋耕二氏
前警察部長藤岡長和氏　現學務部長福島繁三氏　前學務部長岡　尙義氏

日本に似た國々（二）

地理學者
早稲田大學教授　志賀重昂

世界的川中島

大正十一年十一月南米のアンデス山を越ゆるや、谿間々々の積もる雪を搔き拂つて土を堀り、マッチを擦り新聞紙の反古に火を點けて、附近から水らしきものを小瓶に入れて行く者をば幾人とも無く見たのであるが彼等は石油を搜索するのである。海拔一萬尺雪のアンデスの谿間〱に石油を搜索するとは、西洋人の努力も然ることながら、此の世界は全く石油是れ力たるの時代となつたことを明かに訓へたのである。要するに將來の世界は一言にして盡くる、曰く油の多き國家は光り榮え、油の無き國家は自ら消滅すと、宜べなり西洋人がヒステリーの發作したるが如くアンデス山一萬餘尺の高度まで石油を搜索せんとすることを、彼等を目擊した刹那、予が直ちにメソポタミヤ行を感起したのである。

アンデス山を下り、智利よりの歸中閑に任かせて新聞雜誌を閲讀し、トルコの復興、回教徒の矜恃心の高潮を知り米國に立寄るやローザン又國際會議がモスル油田（メソポタミア）の爭奪に就き紛糾を極むべきを聞き一日も早くメソポタミヤ其他アラビヤ系各國に遊ばんと思ひ實際を目擊したる上、我國は、一世界的鬪ヶ原の日に近づきたる事二、鋼鐵は黃金なりとの時代はすぎて、石油は黃金なりてふ時代は來り日本は宜しく石油政策を確立すべき事の二大問題を痛告せんかと感起してゐた。メソポタミヤは希臘語で河中洲である川中島である、チグリス及びユフラト河の中島である。日本の川中島の戰爭の如く今はメソポタミヤが石油爭奪の川中島戰地帶である、武田上杉兩雄に代るに英米獨佛土の諸雄國がある。メソポタミヤは古來よりの石油の產地で、窪地に石油の溜つて居り、住民の汲んで炊事用に供して居るものもあり、又年中瓦斯の噴出して消えない處もあり、拜火教の起原

も之に由來すと云ふ。又太古のバビロン城の煉瓦製造のセメントに用ひたるチヤンもエウフラト河沿岸に產するものを以てしたのである。斯の如く全体に涉り油田は散在されてゐるが、然し將來の石油と目されてゐる大油田は寧ろメソポタミヤより東南の地續きで東境より南の方ペルシヤ灣のパンデルアパス及び灣內カシム嶋に到る範圍で、若しも這般地方の油田にして十二分の開發を遂げたりとせんか世界第一の石油國米國に抵抗し得らるべしとは專門家の所說である現在石油年產額は三百五十万噸で北樺太の埋藏總額の約半分である、百五十哩の鐵管にて引いて製油する事一日優に五千噸であるといふ。メソポタミヤは實に將來東西の鬪ヶ原であり白人と有色人との興廢の地ではなかろうか？

サハラ沙漠

此大沙漠は、亞剌比亞人の隊商は沙漠の舟てふ駱駝に賴り四十五日間にて横斷しつゝある。たま〱湧き出づる水を辿り辿るを以て、行程二百五十里程炙る驕陽の下、煎る熱沙の上に一日平均五里半、卽ち四十五日間を要すべきは當然である熱沙無人の境を四十五日間とは餘りに長しとて急ぎの人々は馬、驟馬、駱駝をも雜ふるが疾驅して二十一日間にて横斷するのである。

大正十一年中、米國パウエル陸軍少佐の一行四人が騎馬にて亞剌比亞人の駱駝隊商に隨伴し、十數日にて横斷せし記錄を作りて世界を驚ろかした、英國皇立地學協會の如き斯道の世界的權威に於ては、亞剌比亞將たシベリヤ沙漠の横斷に關する事は、今も昔も珍重せられて居る。

然るに其後ニュージーランド人のナイルン兄弟は、此間に自動車の行るべきを確信し、且つ此間に自動車の旅客運搬業を經營すれば、東洋特に印度方面よりして西歐特に英佛兩國に行くべき最短最捷の衢路たるべきことを悟り、此くて此の營業の有利たるべきことに思ひ付き、大正十二年十月十八日より「ナイルン護衛附自動車沙漠横斷」の名乘を揭げて世界に現はれたのである。

此ナイルン護衛附自動車の沙漠横斷も、開業當時は途中で或は水草の在る處に泊り、或は夜中露營などして五十三四時間もかゝつたが自分の横斷の頃は恰も五ヶ月の經驗を得たることとて晝夜間斷無く運轉することゝなり、車中では日本酒の小宴を催しつゝ、かくて駱駝隊商四十五日間の行程を優に一晝夜で行り遂げたるには我ながら一時は驚いた。然かし是はナイルン兄弟の慧眼と大膽と

米國式自動車の規模の雄大なるのに因るのであると思へば人間の力が自然を決勝的に征服する時期も早くなつた樣に感じられた。

沙漠の横斷

ナイルン護衛附自動車沙漠横斷はバクダード市よりシリアのダマスク市を通つてベイルト港（地中海岸）までの行程である。先づバグダードから歷史に名高いチグリス河を渡りかの「亞剌比亞夜話」の作者ゾベーデー女王の廟を彼方に見ながら疾驅すると早くも北部アラビヤ續きの大沙漠に入るのである。

然かし此邊には未だ步行する旅客、行商、馬を驅り來る人、駱駝に乘れる隊商、紅や白の旗を立てゝ靈場廻りをする巡禮の群等で、中々賑やかである。程なくしてエウフラト河を渡る、河の附近には草樹が繁り、殊に棗椰子の亭々たる林が見ゆるのは生きかへつた樣な感じがする。然かし又沙漠に入り、其の處から日本里程の二百里位は全くの無水と無樹の境で、太陽が沙の地平線の上に最後の光明を燃ゆるばかりに放ち黃紅く下に沒し去る處などは日本に見られない光景である。殊に陰曆の十六夜の月は、一片の雲さへなく乾き切つたる中天に高く冴え渡り水晶よりも彌や淸く、皎々として無限の平沙を照らして雪よりも白き沙の上を自動車は驀地に一直線に突進し一時間凡そ五十哩の速力で疾驅するなど、正に人生の最大痛快事であつた。

此良夜を如何せんとの感興が湧いた、車中は自分は眞中に、右にパーシー人なるドブルジー、左に英國の一海軍將校、前に亞剌比亞人の案內者と運轉監督のスコットランド人及びシリア人の運轉手二名の七人である　此ドブルジー氏は二十日前、自分が南波斯のバンデアパス港で面會の時、西洋から舶來のビールや菓子など供し吳れられた好々爺である、其の人と一千哩も隔てたる處で又再會したのである。世間は廣い樣で狹いものである、惡い事は出來ぬものである。自分は日本酒を持つて居るが一杯差上げたいがと云ふと、ドブルジー氏は此齡になつても未だ日本酒と云ふものを味はつたことは無い、此の沙漠の旅行も初めてだが、日本酒も亦初めてだ、一つ馳走にならうと云ふので大沙漠の眞中、水晶よりも白い月下に日本酒の小宴が開かれた、バグダードより携へて來た雞肉の燒いたのや、牛肉、うで卵、罐詰、パン、菓子、密柑、其他色々の肴が沙の上に列べらるゝ。車掌監督は

濁音のスコットランド音の英語でア、白葡萄酒とシェリーとを雜ぜた樣な味がすると讚辭を述べ、日本萬歲を唱へるぞと管を卷き初める。年若き英國將校は支那の蠟酒を想ひ出すと云ひ出した。ドブルジー氏の禿頭は酒と月の光とでピカ〱光り出す、痛快淋漓、自分は覺えず「開闢以來無此酒」と放吟した。自動車は月下にたゞ疾驅してゐる。翌日大正十三年三月二十一日天明、小銃を肩にし駱駝に跨れる一ベドウイン人が我自動車を目懸けて來た、すると亞剌比亞人の案內者……顏役としてナイルン會社の雇者は顏を外へ出し、一言二言交して彼は歸つた。

午前十一時頃、一頭のガゼール（沙漠に產するカモ鹿）が沙を蹴つて奔り行つた。ミレージ（迷景）が現はれた、迷景は去る十一日にも幾回となく見た、然かし今日のは規模が雄大で、大なる湖と湖中に樹木の繁れる細長き島が現はれた、恰も琵琶湖と竹生嶋の樣であつた、竹生島よりは更に大きくて細長きものであつた（太陽流影日字晴。惟見珠樓縹緲生。俯仰乾坤誰管來。無邊大漠放歌行）ミラージは陸上の蜃氣樓なり、實に雄大なものである。午后三時半、馬の鬣と鞍とをケバ〱しく飾り立てたる兩騎が我が自動車の方を目懸けて飛んで來た、銃を肩にせる者である、我車に迫り來ると英國將校は、ピストルを手にした、我自動車に在るアラビヤ人の顏役と二三語を交はして立ち去つた。これは沙漠を護衛する警察兵であつた。

四時、遙かにレバノン連山の雪を眺めた、俄かに草樹が現はれ來つた。車は李、杏、桃、櫻桃、巴旦杏の花と萠え出づる月桂樹の若葉との間を疾驅し、ダマスク市に着いた。

多趣の歐州旅行は

ダマスクはシリア最大の都會で、人口十七萬（今シリアは佛蘭西委任統治領）基督一千年前より其名を知られ殊に回教一千二百年間の一中心として名所舊蹟は市の內外に散在する。三方の運山よりは雪消けの水流れ來り、合してナール・バラダー（寒流の義）となり、市街を貫き湄々として綠なす青柳の間を縫ひ去る處、恰も春の最中たることを告げ知らすに似、今しも横斷したる沙漠の荒寥をば十年も前に經過したやの感あらしめた。ダマスクに滯在三日、それからハイフアに出で、地中海の煙波を望んだ、卽ち亞細亞大陸を横斷し得たのである。亞細亞

の山も是れが見納めと、神酒卽ちカルメル山の葡萄酒（ハイファより五里、基督以前より「神の山」と稱へ、ソロモン王の頌歌にも見え、今に山僧は世界有名の葡萄酒を醸造す）を酌みつゝ詩を造つて遙か日本の白鳥文學博士の元に送つた。今思浮べて見れば多感のものがある漢書に魏書に唐書に拂林又は拂菻に就ては歐洲の學者の間にも多樣の議論があるが我白鳥博士はそれをシリアなりと斷定せられた故に送つたのである。

目送亞洲將了青。阻風今夜暫淹停。
何時同酌拂林酒。一味春寒話地經。

世界の大戰の後、日本から西洋に行くには、印度洋蘇士（スエズ）運河を經て地中海を通り歐洲に上陸するのであつた否西比利亞鐵道に依らずとすれば、矢張りスエズ運河經由の外は無い、印度方面より行くには是より外に途は無いと思つて居たのである。然かし此の蘇士運河經由は實に迂の極、遠の極で、弓よりも曲つて居る、然かれば弦の如き途を取るを智者とする、と云ふのは波斯灣航行亞剌比亞沙漠橫斷地中海に出で、歐州に行くのである、卽ち日本から孟買（ボンベイ）（印度）まで汽船で三十日、船賃約四百圓、孟買より波斯のチグリスエウフラト河の河合流を溯れるバスラまで汽船で六日半、船賃約二百五十圓バスラよりバグダード迄汽車一日、車賃凡五十圓バグダードから倫敦まで自動車（沙漠橫斷）汽船汽車（マルセイユ上陸）十日間賃銀凡八百五十圓、計四十六日一千五百五十圓で行かれるのである。世界的の川中島、世界的の關ヶ原、卽ち日本人の最も知らざる可らざる方面を經過して西洋に行くのである、況んや行程の間の多趣なること單調なる印度洋を航行するなどと比較すべきものではない。

油のない國は亡びる

今日本で使用する一年の油量は凡百万噸である、其中三十萬噸は產出するが（年々減少する）殘りの七十萬噸は外國から輸入するのである。油の輸入の途を斷たれたら汽船を初めとし軍艦、自動車、飛行機、陸に海に空に總ての活動機關が中止するのである。日本の一ぱんの大難は油の途絕にある、油の輸入が絕たれたら我日本の銳兵も國民總動員も何等施す術はなくなる。尼港の慘殺事件も油の爭奪であつた、撫順の我國の寶庫たる所以はその石炭と、油にあるのである、我國の油のないのには天下朝野の大問題で何れも心配する所である。窮すれば通ず

るの譬はあるが自分としても殆んど世界の隅から隅涯から涯とまでは行かないが兎に角世界へ調査に研究に向つた事が幾度かであつた、學生に青年に識者に學者に陸海軍の智能部に政治家に有りと有らゆる人には絕えず說いて居たのである、自分としても油の問題の解決つかぬ中は寢ても寢られぬ心配さであつた。四六時中只これ油一にも油二にも油と殆んど寢言にも言つて居たのである我此の老齢に及んでも油の解決のつかぬ中は死んでも決して瞑する事が出來ぬのである、玆に於てか自分は、何人と會ふともいつも心配して語るのは此油の問題である、志賀は油の恐怖病患者であると迄言はれた、畏れ多き事ながら私は、先帝陛下の御在世の折も御前に於て御講演申上げたる時にも我終生の心配なる事を申上げました。又閑院宮殿下にも同樣申上ました。我允文允武御聖明に渡らせらるゝ陛下には我々國民の前途を憂ひ給ひ志賀何とか方策があるかと迄の恐懼に堪えざる御言葉をさへ拜承仕つた程である。

幸にも我滿洲の撫順の炭田に於けるシエールから乾溜の方案が研究發見せられたのは實に以て我國の最大慶事である。閑院宮殿下にもシエールを献上申上げ、牧野海軍少將とも會談し木下侍從にも申上たが兎に角今日の成功と國家の安堵を得たのである。

卽ち撫順の石炭層上層のオイルシエール昔は邪魔物として石炭採屈の厄介物であつたが、漸次その研究の結果海軍に使用せらるゝ迄に精製の發見が出來たのである、卽ち原料には凡そ五十五億とんの埋藏があり5.5%は油となるので三億とんの油を得られて我國をして安固の礎の上に置いたのである。志賀も追々油の恐怖病も聊か快愈し、死して又瞑する事が出來、此老齢に至る迄、世界の各地を遍歷行脚をして、是等の原料調査、產地及貿易關係等を究めて步るき、天下の志士に患を說いた甲斐があるのである。然しながら尙我國には油の問題の外に食料問題、人口問題、衣服の問題、鐵の問題曰く何、曰く何と問題ばかりである、志賀も元氣はあるつもりだが年は薬で近頃はどうも長起をしたり、長旅行をしたり、長徒步でもすると、後の疲れが出る樣になつて來た、志賀の頭も白髮と變つた、油の病は快愈したが、老衰病が起つて來た樣にも思はれて來た。未だ死んでは早いが然かし遲かれ早かれお暇申す譯け、天下の中に誰か志賀の樣な變人が出來たり、恐油病患者や恐人口增殖患者や、恐食

料缺乏患者が續々として出てくれればよいがと願つて居るのである。又明治三十八年樺太へ渡り石油二瓶汲み來つたが樺太には八百萬噸あるが今の如く使用すれば、八年で盡きてしまうわけである。

然かし玆に感心すべきは是等樺太の石油に付ても何十年先きに獨人クレー氏は既に立派な調査をして居つた事である、西洋人の中にはアンデスの二万尺もある高處に、サハラの沙漠に、太平洋太西洋の海底に苟も採つてもつて人生の爲めとなる事には生死を超越して研究調査しておる事である。利害を超越し打算を離れて、大自然の開發世界の人類の幸福の爲めに立つ勇士の多い事である。

總動員一ケ所を擊て

今や我國民は日本海戰の如く總動員で海外發展の一ケ所を擊て。海外事情を研究せよ。世界全面を八千万人の眼で探ぐれ。微力ながら自分は四十四年五月以來地理調査會を設立して今日迄やつて來た、然かして費用なしに色々のものを各郡役所へまはしたり自分の調査を發表したり報告をして來た。

日本人は先づ自分の短所を改めねばならぬ海外發展するにも何をするにもまづ我日本人は我短所を考へて改めねばならぬ。

我日本人位恩を忘れる國民はない、人の世話になつても端書一本出さぬ、物を貰つてもその禮も言はぬ殊に役人に至つて甚しい、海外各地を步いても西洋の役人などは中々拔け目がない、大統領といふ人でも物でも贈られた時は鄭重なる禮狀を送る、中々義理難いものである、甚だしいのになると紹介の手紙の中に三錢切手を封入して少し返事でも遲れると三錢切手を入れてやつたのになぜ返事をせぬかと小言を云つてくる。人に事を賴む手紙をかくに住所や氏名をなぐり書きにしてどう見ても考へても明らぬ字をかいたり殊にそれが達筆の人に多いと來ては一層無作法な迷惑の話である、ハガキで人に物を依賴したり赤インキで女郎の紅筆の如くにかいて人の感情を害したりする西洋人も赤インキは大變きらふこんな無作法を平氣でする。煙草の吸ひがらを何處へでも捨てる北樺太の大山火事も日本人の煙草の吸がらが元であつた。智利の國へ行つて氣病といふ言葉を流行させたのも日本人である。豆滿江の河岸のドロ柳の種を絕やす程無茶苦茶に切り盡したのも日本人である。やれ貝を絕やした、植物を絕やしたと惡口ばかり日本人は言はれる。

一体人格の修養が足らぬ、世界の檜舞台へ出る素養が足りぬ。まづ何より先に我々日本人は人格の修練が大切である。我短所を考へ我か短を補はねばならぬ。

敎育も改善せねばならぬ

我日本の敎育は大いに改善を要する、無作法も改めねばならぬ、學校敎師の素行も改めねばならぬ、師範學校の敎育も改めねばならぬ。日本古有の美點を研究し武士道の精神にもよい所、何れも美點は世界へ出すがよい、日本人には世界的事情の明る書籍を多く讀ませねばならぬ有名なる海外發展の書名や著者の紹介をせねばならぬ大に改めたり進めたりしなくてはいけない。

天下の志士に傳へたい

繰返していふ、私はもう本年六十五才である我國の將來と我國の隆昌發展とを引き承ける所の憂國の志士を欲しい。

何人が我國家を泰山の安きに置くといふ決心の人を欲しい。

希くは滿天下の志士に訴へたい。

我日本の今日の現狀、思ひ至れば感慨にたへぬ諸君の如き年尙若き有爲の人に望む。

何人かよく我國を雙肩に擔ひ上聖上に奉公の誠を致し我民族我同胞の爲めに世界の大舞台に立つて人類の平和と進展とに盡するの信念に生きるか。多士才々大に天下國家の經論をなされん事を。

志賀は老齡近きたりとは先程申上げた通りである、尙終生を此道に盡さんとすれど今後は諸君に一層の希望を殘すわけである。（終）

レヂストに信州人（一）

信濃海外協會幹事
海外協會中央會幹事　宮　下　琢　磨

私は一昨年七月廿四日神戸出帆以來、滿一年六月、舊臘廿四日横濱阜頭に上陸しましたが、新年匆々朝鮮に至り東海岸は成鏡道に二度、西は平壤より滿州の方を視察し、漸く一段落となつたのが四月の中ば過ぎて五月から行李の整理を始めたので、何處から報告申してよいかわかりませんが、不取敢レヂストロの植民地に居る信州の諸君の御消息を申上げて見たいと思ひまして、殆ど日記のまゝの荒削りの處を申上げます。

× × ×

レヂストに訪問の途上

二月の半ば過ぎ赤松總領事もサントス、ヂユキヤ、レヂストロの初巡視をすると云ふので、同行を約したが、折しもカーナバルに際したので、是れが終つてからと云ふので廿日に出懸けることになつた。こゝで一寸カーナバルの事を御話し申しますと

× × ×

カーナバル（謝肉祭）と云ふのはラテン系國民の最も熱狂する祭典で、盆と村祭りと一所にしたやうなものである、享樂的なブラジルでは此の祭を待ち遠しくてならない、十二月の廿五日クリスマスが終るともうカーナバルの準備で店には其の當日ふりまくテープや色紙の屑が店頭に飾られ衣裳屋にはトルコ服や支那服やアラビヤチベット歐洲古代の假裝の用具が陳列される、十二月最後の日曜の晩あたりからいそ〳〵豫行演習が始まる、二月の初めの日曜日に揮旗君と赤松總領事の晩餐に招かれ夜をそくブラ〳〵家に歸る途中自働車で一團の若い娘が車でやつて來て首へ長き紙を投げつけてヤーと騒いで歌をうたつて走つて行つた。昨年は二月の十四日から十六日までが祭典であつた此の日には如何なる無禮があつても腹を立てぬことである、晝のうちは色色異形の服裝をした人が無蓋の自働車に乘

りて無暗に騒いで歩るく、それが今日普通になると大通りは往く自働車と歸る自働車でギツシリつまり其の兩側は人を以て埋まる其の人は若い男と共に女は懐から噴水仕かけの香水の瓶をとり出して香水をかけ合ふ車上からは色々の服裝をした人がテープを投げ切れ紙を雪の如く投げちらす、長い街が此の紙の紐や切れで埋められて仕舞ふ、其の行列は景氣よく喇叭をふき、大鼓を鳴らし歌をうたうて後から後からと續く、三晩夜を撤して遊びめいて、時としては一日の延期を請ふと云ふやうな熱心さである、ラテン民族から陽氣な騒ぎすきな處をとれば何物が殘るかと思ふほどです。

× × ×

二月廿日午前十時サンパウロの停車場を出發した總領事の一行は赤松總領事を始めとして、原に書記生江越技師日伯新聞社長三浦君、縣農務局技師ドトール、カルバーリヨ、パルボーザ氏同ドトール、ロゼリオ、カマルゴであつた。

パルボーザ氏は農業雜誌も發行して居り、温厚なドクトル風の下アゴに髯を蓄へた好紳士であり、カマルゴ氏は若い太つた体格のよい人で大きな寫眞器など擔いて居た。

汽車は一時間餘でサントスに着く、領事館藤君、大阪商船の庄口君日本人會の役員などに迎へられ、自働車に分乘しホテルに行つて荷物を置き嶺君の處に行つて風透しの良い冷しい食堂で純日本式の料理の御馳走であつた、カマルゴ氏は器用に箸を働かして刺身まで氣味惡がりもせず綺麗に平げたので、皆感心して賞讃の辭をあびせるとカマルゴ氏大分得意であつた。

食後は總領事は市役所を訪ふて市長に敬意を表し、コーヒーの取引所を視、領事館の出張所を訪ふた、今日は四時から日本人會があつて邦人が集りて總領事を御待ちして居ると云ふので、嶺君から大体サントス附近の日本人特に沖繩縣人の情況について話があつた、それによると

沖繩縣人はよく働くが、風儀上體面を損するやうのことをやるので困る、それから粗衣粗食で一意專心金ためのみにかゝる、故鄕への送金額は中々多いが自己の生活を向上させるとか、又は此處に永住するとか云ふでなく、資金を固定させることを厭ふので一般に借地農で土地を借りて米をつくる、荒して仕

舞ふて米がとれなくなると亦次にうつる、かう云ふ風に水草の民の如く轉々として移轉して行く風があるこれが一番こまる。

と云ふやうな話があつた。

日本人會に於ての總領事の訓示演説のうちにも、生活の改善と定住の觀念とは最も力説したのであつた。

此の夜は歡迎會があつた、海岸の何んとか云ふ料理屋の庭で、入口の門には日章旗とブラジル國旗とが飜々として風にひるかへり、夜會場には一面造花や萬國旗などが飾り立てられ、白い布で被はれた卓上にはビールや葡萄酒ウヰスキーなど林立し實に盛んな光景で、ノロエステ線の邦人が日本政府に救濟的低利資金を哀願し、其の日の糧にも困ると云ふのに、素晴らしい光景であるとツク〴〵感じた。宜なり昨年は米の値が良くて未だ内懐がゆたやかでコーヒー地帶の邦人が大分金の融通を受けて居ると云ふ話であつた。

會長與奈嶺君が一團を代表して歡迎の辭や希望を述べた、領事も艶のある景氣のよい謝辭を述べるなど形の如く私筆靄々たるものであつた、予と席を並べたる與奈嶺會長は切りと沖繩縣だけが特別のあつかひを受けて、呼び寄せでなければこちらへ來ることも出來ぬし、それも數に於て制限されてある、これは實質に於て改善もし向上も計つて居るが、海外協會に於ても御盡力を願ひ度ひと云ふ話であつた（此の問題は一部は其後改正され平等の扱を受けるやうになつて來た沖繩としても海外協會の出來た今日生活の事や、海外發展の眞の精神などについてよく普及宣傳の必要がある）

日本人の植民地はいづれも内輪モメがして兎角圓滑をかき、一度の歩調に出ないのであるが、他に於ては例の無いほど平和な氣分であると領事館の人も言ふて居た、副會長の廣田醫師の謂ふ處によれば

△サントスよりヂユア迄の所謂ヂユキア沿線の日本人は沖繩縣人が八割を占めて居るほど優勢なものである、家族數は四百五十家族で、内米作者が四百三十家族他二十家族が炭やきをすると云ふ情況である

△米は十七万袋（一袋千リツトル入で）一袋五〇ミルに賣るとしても八百五十万ミル即ち八千五百コントの收入はある譯である。

△大体勤勉で能率も上げて居るが、生活も極端に低級でこれが改善せられぬうちは呼び寄せも中止しなくては

ならぬと相談して居るやうな譯である。

△先年日本人の蔬菜を作るには、夜中ひそかに糞尿を施すのである。病菌の傳播にもなり第一不潔であるとて新聞などで大分攻擊を受けたが、それは漸く事實無根と云ふことになつて、此の方は諒解を得て問題ではないが何としても不潔である。

△第一家屋だが、これも豚小屋同然のもので便所なんてものは特別に設けない、豚を飼ふてこれに掃除させると云ふ支那流のやり方だからやり切れない、此の不潔な處をゴチヤ〳〵歩いて其まゝ家に這入るのだから到底見チヤ居れぬ。

△サントスの街に出て來るものも徒跣であるから風紀上甚だ面白くないので、日本人會に偵察委員と云ふものを設けて、嚴重に取り締る、若しこれを犯すものがある時は罰金二十ミルを出すことゝして勵行して居る。婦人が背に子供を負ふてあるくのも、ハダシほどではないが、異様の風俗と見做さるゝからこれも差止めることゝしてある。

△鄕里に送金を競ふと云ふ風があつて、昨年など多くは呼び寄せであるが、送金額二千五百コントス　一コント三百圓とすれば七十五万圓である、これ丈けの金が眞に餘裕があつて送るかと云ふにさうでない、直ぐ翌月から運轉資金にも困り乍らさう云ふことをやる、窮して來ると二割三割の高利を借りる、自分も苦み乍ら無理をしても鄕里にミエを飾ると云ふ風がある

△出産祝の惡弊は、子供が生れると三十五ミルから百ミル位迄の御祝儀を持つて行く産婦の枕許で一週間位は宿りこみで三味を彈き歌舞亂醉、ドンチヤン騒ぎをして客の多いのが光榮で、御祝儀を澤山持つて行くのが巾をきかす、

△今之れ等の惡風を矯めて堅實なる發展を遂げるやうに苦心して居る。

と云ふやうな話であつた。

午後十一時頃ホテルに歸る、三浦君と同室にて眠に入る、明くれば廿一日朝四時頃腹の工合惡くて早く眼をあく、下痢をする吐瀉をする、皆なが起きる迄に二三回である、昨夜のカキが惡るかつたかとも思ふが、今更仕方がない、身体がフラ〳〵して眼がまわるやうだ、コーヒー一杯をのんで皆んなと一所に出懸けることにした。貧弱な停車場に行く六時に汽車は出た、汽車全部買ひ切り

と云ふと何んだか景氣が良いが客車一つに寢臺車二つ位の特別列車だ、汽車中で吐瀉して身体が綿の如く疲れたので、チケな寢臺に横はると先きに寢て居る人がある、見ると原口君だヤツパリやられたらしい、窓からは欝蒼たる緑林に時々鳥の毛のハタキを押し立てたやうな形をして居る椰子の樹が見えるが沓々として汽車にゆられて居る間にヂユキアにつく。

ヂユキアノーボホテルで一同食卓につく、自分は食事を癈してビール一本を飲む、大分元氣を恢復した、一時半に海外興業の用船櫻丸と云ふモーターボートが出る。ヂユキア川を此の船で下つて更にリベーラ川の本流を遡るのである。リベーラ川は目下雨期で平水よりは一メートルも高いと云ふ。水の平で靜でゆるくゆるく流れて行く、兩岸は密林に圍まれて山吹の花のやうな眞黄ろい花が、高い樹の上に咲いて居る、ペローバと云ふ樹である さうかと思ふと又マンガヂンニヤと云ふ赤い葉が紅葉の霜にあきたやうな眞紅のものもある、船は辷るやうに上に上にと進み午後五時にはレヂストロ近くなる、氣分も川風に吹かれて大分爽快になる、遙か先方に燦然と夕陽に輝いて大きな建物が觀える、愈々ヂストロである。それは精米所や事務所や倉庫である、船は其の側迄行つて留まつた、(口繪參照)

會社關係のものや、ジターデ、レヂストロ(街)のものや學校の兒童植民地の主なる人など迎へ出て河岸は大賑ひであつた。

力行會の大花君や前にサンパウロで御知合ひになつた小松敬一郎君など見えた、僕が一行の中に加はつて居るのを知らなかつたので早速長野縣人の諸君に通知しやうと云ふのであつた。

此の日は大分よくはなつたが未だ一向胃の腑が働かないので、ビスケット二三片をたべて寢臺に横はる、同行の諸氏頻りと明日の行程十何キロとか、騎馬の行程は困難であるからとて一日の靜養を勸む、ナーニどんな山坂でも大丈夫、馬の用意だけして置いて呉れと頼んで快く眠る

其の後戸田ドクトル重患に陷り、頃日嶺君の訃をきく人生朝暮をはかられざるを嘆ずと共に特に海外發展の氣運熟したる時ブラジルに苦鬪二十年語學に精通し事務に練れ、友情に厚く事に親切なる嶺君の如き良材を喪いたるを深く悲しむ(編者註 嶺氏はサントス在勤の書記生で第一回移民船で練習生として渡伯された功勞者で三月十四日腎臓病を患ひ尿毒病を併發して遂に永眠した)(續く)

海外通信

海外發展の裏面

△海外生活は決して樂なものでない

△渡航六ケ年はたゞ奉公

メキシコ　劍影生

「海の外の記事としては餘り歡迎されないかも知れないが」と筆者が寄せた左の記事は、私共が常に探し求めてゐたものである。海外發展奬勵と云ふ事は良いことばかり話す事が能事でないから斯うした移住地の暗黒面を讀者諸君に報告する事は極めて必要に迫まられてゐたのであつた。渡航者は渡航先きの樣子をよい事も惡い事も悉知する事が最も大切な事柄であるにかゝわらず往々指導する人も渡航する自身も渡航先きのよい事ばかり話したり聞いたり面白い事のみを歎に描いてとんだ失敗をする事が數知れないのである。一二の成功者及び順調に行つた少數の人を除いては大体次ぎの様な過程を經てゐるのである………と筆者は

言語と仕事を覺へたるに三年かゝる

渡航した多くの青年が風雲の志を抱いて非常にあせり氣味で自分の職業を探ねて成功を待ち望むが第一彼等は言葉が少しも判らぬ事と仕事が出來ぬ事で一頓挫を來たすのである。

最初は「僕等より五年も六年も乃至は在住既に十數年になる先輩が餘り振つてゐないので我こそは腕を現して見せるぞ」と自惚れるが彼等は斯くして三年は言葉と仕事のために過ぎて終ふのだ。三年位は一生懸命にやれば其の土地の新聞位は讀めるのが良い方で中には十年經つても讀めぬ者も澤山ある讀めぬと云ふよりも讀まうと努力

しない者もある。

言葉を覺へるために苦しんで三年位經つと自然と仕事を覺え、知人も出來て來るのである斯くする内に同じ仕事を精出してやる者は先づ無難であるが彼等の大部分は自己の將來のために煩悶と野心の念がひら〳〵と起つて來る。

煩悶と野心、誘惑と自暴

更らに仕事を初め様とするには資金の不足を感ずる。三年努力して覺えた言葉と仕事(技能)とをもとでに將來の活動を律するに空虚を感ずるものは資金の一事である。先輩の諸君や日本人會乃至は同縣人會の幹部の者に相談を試みた所で策を得る事は容易でない。

彼は此處に於いて更らに三ケ年の歳月を精進するか、それとも他に資金貯蓄と自己信用のために夢見る所あつて方向轉換をするかの分岐點に立たせらるのである此の時期が海外發展者の最も大切な時機であるが獨り海外發展者のみならず青年の希望を持つものの誰もが受難する人間の煩悶時代であるのだ。私共は故國の者よりかゝる受難が海外發展のより多く感ずる事は私共の特權であり私共のみに與へられた神の試練であると感謝の念が湧く。

それ人生の精神的洗禮を受くるが故である。然し彼等の多くはこれを神の試練と知らず神の惡戯であるかの如く自己の批判を忘れる場合が多い異國の情緒や社會の下級裏面を知るのも此の頃であるから此の時に神と良友を持たぬ者は實に悲哀である。それでも墨都の此處では同縣人會に相當の相談相手を求むる事は最も大切であろう。異國の狀况を稍々知る此の頃には誘惑が訪れて來る。煩悶と野心に疲れ果てた者は自暴の曠野の眞たゞ中に神の呼び止める聲を耳にしながら聞かずして遂に再び救ふ能はざる境地に彷徨するのである。

煩悶と野心に冷靜なる理智の批判を加へ、自暴と誘惑に精神的の鐵拳を打ち伏せて進む勇者はこれを尋ねて幾人ぞや。曉天の星に等しく或る者は移住地の社會發達の過程にある弱點の場所に自暴と放縱の途を選んで遊泳の術にとりかゝる。或る者は放浪の旅路に假寢の途を歩んで一生を棒に振る。或ひは敗北の航路を死に求めて自殺する者もある。

日本人會の內紛と無能

何處の日本人にも種々のゴタ〳〵があると聞いてゐるが墨都の日本人會も其の傾向が見える。目下首府には凡そ

三百人に近い邦人が居る日本會なるものが半官半民で首府の老人が勝手すぎてうまく纒まらぬとの事で公使館等の援助で館內の一室に事務所がある。餘り邦人全部の者とは交渉があらずして或る特種階級の社交團体に過ぎぬうらみがあるやうである。幹部の多くは明治三十七、八年の戰後渡墨した人々で中には精神的に大きな空虚を見せてゐる者がある樣である。

老人と青年、先輩と後進者

三百人の同胞中には青年(三十五才位迄)が六割を占めてゐる。兩者は思想的にも物質的にも餘程掛け離れた點があり兩者が違つた考へを持つてゐる事は同胞の社會的生活のために誠に悲しむべき事である。老人は先輩として青年たる後進者の指導に一段の援助を願ひ度く、青年は後進者として先輩たる老人の指導に待つ所多くして相融和の一點を見出して行きたいものである。

メキシコ市の第一回移民は既に五十の坂を越へた人が多い。彼等は永年の尊い經驗を有して移住地の勇者たる資格を十分に持つてゐる事は誰もが認める所であるからたゞ此れに不足を感ずる齢を青年に待つ事は實に緊急の事であり當然の途であるべきである。然し後進者は徒ずらにそれに依頼し他人の秘術を盜んでやらうと云ふ不心得者があつたとすればこれこそ言語同斷である。日本人會等も此處に着眼するならば事既に半ば成就の觀がある。偏に奮起を希ふのみである。

とかく移住地ではリーダーとなるべき人物を切に要求するにかゝわらず其の人物がない事は實に遺憾の極みにて私共はその出現を祈つて止まぬ。

此れ勇者

凡そ人間の一生は或る意味に於いて一の賭博である然かし私共は健實なる人生を送りたい。物質も要求するが精神的の墮落も避けたい海外發展が物質にのみ肯定して行はれるならば意義をなさないのだ。日本にて、物質的にも精神的にも不滿の徒が海外にその開拓の途を求める點に於いて海外發展は初めて意義がある。海外渡航青年の移住地活動の失墜する原因は種々の社會的欠陥や不備の所もあろうが一つは渡航者自身の自覺と覺悟にも其の責任の一半を背ふべきかと思考する次第である。(終り)

縣に適材あり

政府移住方針一轉を悲しむ

南米伯國アリアンサ　中澤老生

力行世界十二月號（二百六十四號）の冠頭の辭に曰く

一縣一人なきか！

長野縣に一人の西澤君あり、アリアンサ移住地は大成する。

鳥取縣に一人の白上氏あり、アリアンサ第二移住地三ケ月にして成る。

熊本縣に一人の藤井君あり、三千町歩の移住地の建設を見る。

兵庫縣に一人の原君あり。三百万圓の南米投資團成る

鹿兒島、長崎、山口、廣嶋、岡山、香川、三重、和歌山、福嶋の諸縣其他の府縣にも多きを要せず、只一縣一人にて足る、

嗚呼一縣一人なきか！　永田稠

答へて曰く。三重縣に其の人あり、殊に卓越したる適材あり此の人あるにより三重縣海外協會寄附金も瞬間に五萬圓の巨金を得たり、其の人を誰とかする津市の資産名望兼備なる眞弓吉雄君と云ふ。

君は曾て北米テキサスの野に在る事二十餘年よく奮闘よく活動して辛酸を甞め濠州に渡りて牧畜を試むる事數年いづれも事志と違ふて歸朝せりと雖も豪も屈せず我が國の海外移植民問題に更らに一鞭を打つて三重縣海外協會の設立中心人物となつて活動せらる。現に農工銀行監査役、都市制度委員に擧げられ海外協會の理事として選ばる。

今や漸やく朝野の國民齊しく海外移住に目を注ぐ時、何ぞ計らん獨り政府は移民政策の消極策をとり國內植民地の拓殖に力を注ぐ方針なりと。

政府は北米の脅威に懼れて海外移住はせぬ但し歡迎する國は此の限りにあらずとの附句を加へ窮餘本音を吐くに至り十餘億圓二十ケ年繼續で北海道拓殖を計るとはさても意氣地なきかな。

國策の前途を思慮する時內地移住と海外有望地との移住の比較研究は暫らくおくも我等は政府の無能を痛罵せざるを得ないのである。

北海道の天地は內地のそれに比すれば或ひは良いかも知

れぬがこれを伯國の天地と比較せばこれ雲泥の相違あり天候土質の點より、農作物の收穫の點より我等は斷じて伯國の天地が勝るとも劣らじと自認するもので政府が如何に補助政策を講じるも北海道の植民自身の將來は依然不利益にあるや火を見るよりも明らかであろう。

人口、食料問題解決の一助は却つて他日慮ひを殘すに至らん何んぞ北海道のみが我が國民の植民する天地にあらずよろしく今日の內に海外に發展せずんば我が國富の力三等國以下に下らん。世の識者に問ふ。

訂正

本社發行『海の外』第五拾五號十一頁の比律賓ダバオ長野縣人消息中、竹內八郎氏の死亡記事は、別項謝罪廣告の如く全くの調査不注意の過失にて今回、謝罪廣告及び訂正方申込有之候に付き右訂正仕り候

昭和貳年四月十四日

海の外社

私共の生活

伯國の二ケ年

伯國サンポウロ州ソロカバナ線
サンマノエル驛アラクハミリン耕地

丸山福美（南安、豊科町）

此の通信は實兄に宛てたるものです。同君が在伯二ケ年の生活はいろ〳〵の觀察をしてゐます在外年數から云へば未だ少くないが順調に進んでゐる事は結構であります希くは自重自愛更らに活動せられん事を祈り申上ます。實兄が態々通信を寄せて「海の外に掲載して多少なりとも參考となれば」と本會に送付されたもので御厚志の程感謝致します。

炎熱燒くが如き二月のブラジルより通信致します。御家內御一同樣何等變りなくお丈夫に御過しの事と思ひまして安心して居ります當地ブラジルに於ける私共一家五人も矢張何んの變りなく一日も早く成功の道に入らんと一致協力一生懸命に大元氣にて働いて居りますから御休心下さい。

扨て私は生れて二十五回の正月を迎へました想へば去年の正月と本年の正月とこゝに二回の正月はブラジルの天地に迎へまして今は印象深き感に打たれます。

殊に今年の正月は何たる年か我國內に在るも外に在るも悲哀最も深き　大正天皇陛下の神去りませし事でありますす此の遠いブラジル國へは去年十二月二十七日日本人全員に其通報がありました哀悼奉つて只今日本人と云ふ日本人は一人も殘らず左の腕に黑布を付けて居る次第であります。大正の御代も餘りに短うございました十二月二十五日から昭和元年昭和二年元旦と唯六日間にて一ケ年は終るとは母國の總てに對して其影響は實に多大なものでありませう。今日とても外國に在る同胞は皆々弔意を表し悼み奉る事內地におとりません二月七八の兩日の如き皆休業をして遙に御大喪を拜しました。

母國はかゝる諒闇の中にあるに當ブラジルは非常に豊饒の年であります之れより當地の事情を報告しませう。

本年ブラジルの雨の多い事は今迄にあまりないといふ程で爲に諸作物は非常な勢で生長しました。それとともに草の伸びがよくて忙しさの大半は草取りでありました。雨は降り始めれば十五日も二十日も續くのであります。此豊作年もブラジル國の景況は依然として良くはありませせん去年より幾分か良ひ位であります。此度大統領はワシントンルイス氏に代りて政治上に大改良をするので本年末頃は上景氣となる見込であります。

物價は着物類が下落しましたのみ他の諸物はかはりません農家の作り出す物も未だ良好ならで至る所不況の聲を聞きます。今に好況の來るを待つて居ます又革命がボツ〳〵始まる樣です私共日本人などには革命は好都合な事で盛んに起る事は興味を以て見て居ります。何故にかゝる革命が當地に起るかと申せば卽ちブラジル國の階級が全く金持と勞働者の二階級の爲に今や世界に起りつゝある資本家對勞働者の爭闘であります。彼等ブラジルの金持は橫暴を極めて居るのが大原因であります。

何人か現在の社會制度を破るかさもなくば金持階級の自覺を見ねば勞働者級の良景氣は望まれぬかも知れませんルもあるが、こんな耕地を幾つか持つて居るのが當私共の耕主であります。

今私達の居るアラクハミリン耕地の如きは一万アルケー

私共の居るサンマノエール地方での大地主は前のアラクハミリン及三里程離れた以前州大統領たりし、フランシスコ、ロードルギスアルベスと云ふ人のサンタマリヤ等で其他の大きな地主によつて殆どサンパウロ州の耕地は

金持の所有であります。

そこで多くの勞働者や百姓は其日〳〵を樂しく過せば良いと云ふ如き主義が多い風に想はれます。其中日本人としましては又同じ勞働者といひ百姓としても仕事を多くする金もあるものと思ふて居るので始末にいかん事もあります其のためか山奧に在る日本人など外人にピストル及カラピーナ（日本の獵銃）にて時々打たれるなどの事が當地新聞に見へますが事實かどうかと思ひます。

私は思ふに日本人は外人間に超越して居ると思ひます。頭腦の勝れたといふ外人も日本人に比較してかへつて劣ります此れは日本に生れし日本人として喜ばしい事と思ひます。然るに又日本人としての短所は多々ありますがどうしても外人と同化せぬが一番に惡い事と思ひます。甚しく私達の目に見へるは仕事に規律が無い、日曜にも休まぬ當國の祭日に自分の仕事をする事など同化せぬ大なる事と思ひます。日本人として大に自らも愼しみ戒めねばなりません。幸ひ私共は近くに居る日本人と共に勉めて外人と同化を心懸けて交際もして居りますから惡口一つも聞かず彼等から親しみ懷しみを向けられます。

それで今迄に日本人を知らぬブラジル人及他外國人はこんな事もあります。日本に太陽があるかときく、曰く、今天に見る太陽二つもあつて日本から出て來て日本に入るなどと云ふて笑ふた事もあります位ですが次第に日本國も日本人も知られて參ります。もう五六年もしたら日本及日本人を全く知つて一面恐れられはせぬかそしてそれが惡化して北米の如く排斥を受けはせぬか、之が第一に心配と思ひますが、此處に居る日本人の行ひが第一肝要で又母國の力母國の方針も共に未然に防いで世界人類の幸福と申す立場から公平に愉快に大和民族の發展を日夜思ふて直面のブラジル國に居るのであります。

次に私達の今年の事業をお知せ致します。

昨年の作柄は日照の爲に思はしからず終りましたが本年は前にも御通知申せし米作を主としました。三百俵の豫定であります。今二月の稻は早植えの方は穗を出しつゝあります草丈は五尺以上になりました。植え方は二尺八寸に二尺五寸にしまして其一株が、殖へて直徑一尺五寸からに廣がつて中は步行が出來ない位で見るも靑々と美しい波を打つて居ります。

雨の多かつた爲に成績良好で今では草取も濟み全部へ水を入れてあります。每日每日努力の賜としての生育の靑波は實に快心の至であります。

只今米を入るゝ倉を造つて居ります。又今から玉葱の苗

床を作らんとして居ります此玉葱は米作より金が上る面白い作物であります僅に一反歩位の土地で三コントス（ブラジル金三千金）位上りますそれを今年は三百アローバ（一アローバが日本の四貫）位收獲する程植える心組であります。

米を收獲するのは三月の末から四月の中になります此の手紙の兄さんの手に開かれる頃は其際中と思て讀むで下さい。それまでは毎日農閑の事でありますから此の中に休養をして休力を充實させ來る收獲に全力を注ぐ心得で只今はコツ〳〵仕事に其日を送つて居ります。只今家に飼ふ豚は二十四匹あります鷄は百二十羽持つて居ります。先日五十羽賣りました一羽がブラジル金二圓五十錢しました小さい雛子が澤山出來ました。それに馬が一頭ありますので休日には乘り廻して遊びます。

マリオ（重義）は大きくなりました滿六才であります。私共の唯一の慰安者で種々の仕事の手傳をしてくれます町へ行く時の私の通譯者でブラジル語日本語の宮本武藏であります。

今の當地は非常に暑い時であります殊に日中は蒸し暑いが夜は凉味たつぷりであります。彼方此方に見ゆるカフエの木は青々と美しく廣い〳〵牧場（パスト）は麗しい綠の原をなして四方を見渡しても青い世界年中青い世界の國と思はれます日本の花の時青葉の候紅葉の秋銀世界等の四季の景色は更になき誠にあつさりした景色でありますが此處彼處と思ひの儘に食ひ歩む幾群かの牛や馬も大國原始的の香氣さを見せて名も知らぬ小鳥の唄ひつゝ飛び交う遊ぶ珍らしさ湧ては北に南に働く雲の有樣も面白く唯蛙の聲のみしみ〴〵と聽いて懷しい故國の上を想ひます。夜涼風に親しみつゝ空に見る月も星も一層の思出にあこがるゝ月よ星よ故鄕の者に我が健在を告げたもれなどひそかに賴む心は通ふや否や。

又私は三ケ月前の事一羽のブラジルのオウムを捕りました。それは銃でうちましたが唯々傷は腹下をかすつたが驚愕の餘りに落ちて來ました。今日まで元氣で良く鳴いて居ります。其れは美しい綠色の人馴れのする鳥で可愛らしふあります。人々が珍らしがつて色々と物をやると彼れは嬉しそふに取つて食ひます今にも人の言葉を似ねる樣になりませう樂しみ大切に育てゝ居ります。家鄕の方々も無事の御事と存じつゝも老ひたる母上をいかにと思ひます。近隣親類にも變つた事もありますまい坊は多きくなつたでせう。私の事を煙草を呑むだのでパツパの叔父と申せしが唯今もまだパツパの叔父と申しますか。

私達も遠からず土地を求めて安定の生活に入りたいと一生懸命にやつて居りますどうぞ母上にもつたへて安心させて下さい私も段々言葉が通じました土地も樣子も明かになつて大變に面白く暮らせる樣になりました。必ず發展して一度は母國を訪ふて當國のお話を詳しくしたいと今から決心して居ります。

日本帝國內地の事情鄕里の現情出來得ば御知らせの書狀願ひます。先づは書き度いことも山々ありますが此の位に止めて又後便に致します。御一同樣御大切に御暮しの程遠いブラジルにて祈ります。老ひたる母上樣いよ〳〵健全にて私等の客として行くを待つて居て下さい。

昭和二年二月十五日

御懷しき御家內御一同樣へ

比島ダバオに於ける長野縣人の動靜調査については昨年末頃より小林千尋、小池釣夫、小林主計諸氏其の他諸賢の詳細なる報告に接し、信濃海外協會は此等諸報告の綜合によつて詳細なる縣人活動狀態を知る事を得、此處に多大の努力を拂はれたる右三氏及び諸賢に厚く感謝の意を表し、尙今後も一層の御聯絡を切に御依賴する次第である。

謝罪廣告

信濃海外協會發行昭和元年拾貳月貳拾五日第五拾五號『海の外』に揭載せられたる、ダバオ在住長野縣人消息にある竹內八郎氏死亡の記事は全くの誤謬にして、同氏は現在ダバオ州ドムイにて健實に麻栽培事業を經營しつゝ相當の成果を收め居られ候。

然るにかゝる記事の揭げられたるは、全く不肖等の調査上の不注意に依りたるものにして其の爲めに蒙られたる竹內氏の御家族並に親戚知友諸彥の御心配御迷惑等の甚だ大なりしを思ひて其の責任上、誠に恐縮の至りに堪えず茲に謹んで今後はかゝる誤りを決して爲さゞる樣、注意する事を誓つて其の罪を謝し併而御訂正申上げ候也。

昭和貳年三月廿日

比律賓群島ダバオ

小池釣夫

小林主計

母國通信

監時議會の閉院

政府が財界安定のため提出した各種法案は野黨の反對あり會期の延長は止むなきものと見られ且つ野黨よりは政府不信任案を上程するの噂ありその場合は即時解散する準備も政府に於いては定まり尙樞密院彈劾決議案も上程さる等の臨時議會は危機に臨んでゐたが幸ひに野黨の質問追急鋭き位のものにて會期の延長もせずに無事に貴衆兩院を通過し九日貴族院に於いて閉院式を行ふた。政府は貴衆を通過した財界救濟に關する兩法案即ち

一、日本銀行特別融通および損失補償法案

一、台灣の金融機關にする資金融通に關する法律案

の二件は九日より施行する事にした。

臨時議會を顧みて

醜をさらした政府

新黨クラブ　松田源治氏

□臨時議會も八日終了したが政府は議會に臨んで此の施政方針を國民に示すの立憲的態度に出でず緊急質問をなせば首相に何等の抱負經綸もなくがらも具體的の政見を發表し得ずしかも他の國務大臣の輔佐によつて漸く支離滅裂なる答弁をなして徒らに天下の笑ひを買ふたに過ぎなかつたのは明に首相たるの資格なき事を明かにしたものである

□殊に對支外交について前內閣の方針を非難攻擊しあだかも支那の內政にも干涉するが如き態度を取つたに拘らず一度朝に立てば何等前內閣の方針に異なるなきが如き無定見の甚だしきもの、更に又委員會に於ける各大臣の答弁が全く相一致せざる答弁をなしてその不統一を暴露し二回までも閣議を開いてシドロモドロの答弁をなすの醜體を演じ國務大臣の威信を傷けために衆議院の審議を遲くれしめたるは全く政府の責任といはねばならぬ

□しかして財界安定案は吾々の修正によつて通過したので財界これより安定を期し得らるゝとせば吾々の臨時議會に對する使命は果したものである、思ふに現內閣は本議會において明かに無定見を暴露し大醜態を演じて時局安定の力なきを遺憾なく露出したもので運命はけだし短命なるべしと信ぜざるを得ないのである

野黨貴院に敬意を表す

政友會　山本幹事長

□臨時議會が會期の延長もせず所期の如く無事に終了を告げた事は慶賀に至りに堪へない議會中の經過を顧みるに在野黨の言論について相當豫想もして居り準備も有つてゐたのであるが何分今期議會召集の根本目的が財界安定策の確立にあり國民を擧げて一刻も早く右重要法案成立を待望しつゝあつた際であるから我黨は凡ゆる場合に處して努めて隱忍し態度を愼みもつて所定の期間內に目的を達成せん事を計つたのである全國民は恐らくこの我黨の立場と態度に對して大なる同情と理解を有つてくれ

る事と思ふ

□同時に在野黨が能く我國現下の社會狀態を諒解し殊更に議事を遷延せしめるが如き態度をとらなかつた事と貴族院が國民の輿論と眼前の狀況を達觀しその本來の立場を自覺して共に吾等に協力してくれられた事は感謝に堪えぬ次第である

感謝の外なし

高橋藏相

今回の臨時議會は從來戰爭の時を除いては恐らく前例のない議會であつたがとにかく國民の負擔が七億となるかも知れぬ案件が五日の間に可決されたこと殊に貴族院では三案とも極めて短時間で協贊を得たことは恐らく前例のないことであらうと思ふそれだけ今回の法案が財界安定のため重大なものであることが分るが恐れ多くも陛下におかせられては殊に御心痛あらせられこの陛下の大御心の程がいはず語らずの中に議員の胸裏に映じて聖慮を案じ奉るやう誠意を示して審議可決されたことゝ思ふ現內閣はこれを喜ぶと共に責任の重かつ大なるを感ずる次第である故にわれ〳〵閣僚は責任の重きに鑑みて身心を捧げて最善の努力を盡す積りである自分の如き老齡のものは唯々恐くしていふところを知らない

無事終了は感謝に堪へぬ

田中首相

九日正午永田町首相官邸における田中首相の貴衆兩院議員招待會で田中首相並に貴衆兩議長のあいさつは左の通りである

田中首相　今期議會はやむを得ざる事情によりまして會期が極めて短かかつたにもかゝはらず重大なる議案を提出いたしました所各位は時局に鑑み政黨政派の別を超越され誠意をもつて審議を進められこゝに無事終了いたしましたことは深く感謝いたして居る次第であります

德川議長　臨時議會も昨日をもつて目出たく終了し重要議案も何等の滯りなく兩院を通過いたしましたことは誠に御同慶の至りでありますこゝに總理大臣初め各大臣に祝意を表します

森田議長　今期議會は短時日の議會でありましたが重大なる時局をきやう救するといふ點から申せばすこぶる重大なる意義を持つた議會でありましたが無事議案の通過を見ましたことは誠に御同慶の至りであります この種の會合は政府と議員との意思疏通上至極結構なことゝ存じますからその機會を作られるやう希望してやまない次第であります。

議會後の政界分野

先般の政變以來動搖を續けてゐた政界の分野は九日元田氏外六名の政友會入および昭和クラブの解散並に京都府の補欠選擧の結果によつて政友會は新たに八名を增加した卽ち

□新黨クラブ　二三〇

憲政會　一六三

政友本黨　六五

その他　二

□政友會　一七四

□舊昭和クラブ　五

□新正クラブ　二五

□實業同志會　九

□無所屬　一五
□欠員　六
合計　四六四

となり右のうち舊昭和クラブ員五名は近く政友會に入黨することゝなつてゐる

台銀支店全部開業

財界救濟の兩法案が八日貴衆兩院を通過したので台灣銀行では既に大藏日銀兩當局の諒解を得開業に要する資金の準備も完了して居るので九日より内外各閉鎖支店を一せいに開業する事に決定し東京支店より八日深更各支店に向け開業命令の急電を發送した尚台銀内地支店は休業以來各地の手形交換所組合銀行から脱退して居るが開業と共に復活の手續を取る事とし差詰め九日からの手形交換について正金銀行に依頼し代理交換を實行する事となつた

十五銀行救濟　貴族院に送付された特別融通台銀救濟の兩法案は本會議委員會を通じ極めて短時間をもつて貴族院を通過するに至つたが實に毎年度豫算案の約半額に近き巨額の國民負擔となるべき右兩法案が一擧にして貴族院を通過したについてはその間何等かの事情が伏在してゐるのではないかとの疑問を生ぜしめてゐる、貴族院が文字通りのうのみで法案を通過せしむるに至つた理由は『財界現状の急迫』といふ簡單な理由によるものと稱してゐるがそれは全く表面上の理由でその裏面には實に左の如き事情が伏在してゐる

一、研究、公正兩派に屬する有爵議員の幹部が十五銀行特殊救濟問題を交換條件として完全に政府と策應したこと

一、議員中日銀、台銀、鮮銀等に直接關係を有する者はこれまた自己の利害的立場から同僚議員に對して八方諒解運動を試みたこと

によるものである卽ち公正會のいはゆる幹部派と稱する二三議員は明かに政府の旨を承けて會内の質問者を徹底的に押へつけた事實ありと

台銀有頂天の夜　□七億圓の『特別融通案は僅二十五分間でアッサリと貴族院を通過した、三週間休業の日限が切れる危ない分秒のせと際にその內二億圓といふ黄金の山を持ち込まれて蘇生する台銀の昨夜の狂喜振！

□貴族の殿様連の御満足もさこそだが『たゞ今台銀救濟案通過』といふけたゝましい電話のベルと共に吉報がドサリと、それは八日夜十時四十分青息吐息で靜まり返つてゐた東京支店内は忽ちひつくり返るやうな歡喜に早變りした

□早朝から議會の雲行を案じて首を集めてゐた森頭取以下總出の各重役は思はずウアッと聲をあげて『給仕ッ、ウヰスキーだ平野水だ、何でも良いから祝杯の用意だッ』といふ有頂天

□行員は上衣をカッ飛ばして台灣の本支店から内地外國の各支店出張所その他の電報を打つこと合計二百本以上『ワッこれで我々も浮かばれました、お陰で……』行員達の目には涙が光つてゐる

空前の地方官大更迭

内務省に於ては五月十六日長時間に亘つて大臣兩次官參與官警保局長等の首腦部會議を開き其間鳩山書記官長山本政友會幹事長宮田警視總監等も相往來して地方官大更迭に關し意見の交換を

行つた結果内務省原案殊に安河内案に對して非難續出したので鈴木内相は原案に對して根本的改正を施し結局休職知事十五名依願免官二名、本省局長も二名休職となすことに決定しこれを補充するに十七名の復活を以てし部長級よりの昇級するものは僅に二名、而して異動府縣は三十四府縣及び前回異動せる府縣を除けば留任せるものは僅に數縣に過ぎざる大異動を斷行することゝなりこれと同時に内務部長も殆んど全部の大更迭を斷行することゝなつた警察部長は選擧對策もあるので殊に鈴木内相の意志を徹底せしめた更迭を斷行たし

本縣關係の異動は左記の如く今回の更迭に奮慨して辭表をたゝきつけた者は元福岡縣知事大塚惟精氏及び元富山縣知事白上佑吉氏である。

新潟縣内務部長　原田維織
任長野縣内務部長(三等)
長野縣書記官内務部長　牛島省三
任石川縣書記官(内務部長)
長野縣書記官警察部長　藤岡長和
任岐阜縣書記官(警察部長)
石川縣書記官警察部長　土屋耕二
任長野縣書記官(警察部長)
長野縣書記官　岡　尚義
任滋賀縣書記官(四等)補學務部長
鹿兒島縣書記官　福島繁三
任長野縣書記官(四等)補學務部長

濱口氏を推薦　憲政會の臨時幹事會では五月二十日濱口雄幸氏を立憲民政黨の總裁に推す事に意見一致し政友本黨でも同日の臨時幹事會に於いて憲政會側に於て濱口氏に異存がないならば是に對して本黨も何等反對の意見はないと一致した。

殖へる人口一年に百萬

昨大正十五年昭和元年中の帝國內地に於ける人口狀態の確定數は發表迄に今後猶一ヶ月餘を要する見込であるが今日迄に調査し得たる概數に就て見ると出生、死亡の差增たる人口の自然增加は實に九十四萬に達し我國未曾有の大增加であつて更に屆遲れを加へると昨年一ヶ年間の人口自然增加は恐らく百萬を超ゆるであらう自然增加の最も著しかつた年として注目された

大正九年	六十万三千人
十年	七十万二千人
十一年	六十八万二千人
十二年	七十一万人
十三年	七十四万三千人
十四年	八十七万五千人
十五年	九十四万人

出生の增加死亡の減少が兩々相俟つて一昨年に優る未曾有のレコードを示すに至つたのである、尙婚姻離婚死產を見るに昨年中の婚姻は總數五十萬三千百六十一件で前年に比し一萬八千二百七十七件を減じ、人口千に付八、三に當り最近數年間に見ざる低率を示してゐる、又離婚は五萬百件で前年に比し千五百八十七件を減じ人口千に付〇、八死產は十二萬三千八百六十で前年より五百四十三を減じ人口千に付二、〇に當り離婚と同樣年々遞減の趨勢に在るものと見られる

不良外人一掃

警視廳外事課では不良外人一掃のため活動中であつたが果然六日麻布區本村町一四四に居住する海上ビル內バーキユー・オイル・コンパニー支店長英人イ

ー・シー・サンドラー(二九)および同家へ泊り居たモダンガール麹町區麹町佐々木はる子(二三)の兩名を召喚し祕密裏に外事課別室で取調べを進めてゐるサンドラーは永らく東京に居住してゐる關係上外人に對しては特に虚榮的な近代女性の心理をよく知り拔いてゐるのと、また美ぼうの持主で日本語に巧なところから出入商人に頼んでモダンガールに近づき『自分は佛人である』と詐稱して巧みに交際を求めてゐたものであるこの種の不良外人の徒で近く警視廳に召喚される見込みの者はまだ六七名とこれに近い不良徒三十名内外はブラックリストに掲げられてゐるから外事課ではこれを機會に徹底的に檢擧の方針であると、尙これ等外人の徒のために犧牲になり今更悔いの淚にくれてゐる女性は數限りなく中には夫持つ身にも拘らず善良な外人と思ひこんで交際を續けて居るうちに暴力によつて貞操をじうりんされたものに赤坂區檜町深田たき子(二〇)假名あるひはいつはりの求婚廣告に釣られて外人宅を訪問するや別室に導かれて一時に二人の女性が暴行を加へられた者ありいづれも結婚申込あるひは强酒にしたゝか酔はされた上に暴行されたなど今さら外事課係員はその惡らつ振りに驚いてゐるこれについて三嶋外事課長は「一部不良の徒が居るために善良な一般外人が誤解されるので當局としても徹底的にこれら外人について取調べをする中には虚榮的な現代女性の罪も可なりあるが彼等の暴行ざたに至つては到底默視することが出來ない、今後も引續き取調べの上その罪狀によつて警告、國外放逐あるひは刑事處分にする方針である」と

勳功の六万八千人

金鵄勳章並に旭日章所持者達の多年の年金增額運動は去る五十二議會で漸やく報ひられ今年より實施される事である增額の總額は三百三十万圓で約六万八千人の功勞者が救はれるわけである。現在勳章を所持してゐる者は昭和二年三月末日までに勳章年金證書交付請求書に最近の戸籍謄本及現住地の警察署又は領事館の現住證明書を添へて賞勳局に差出せば新證書を郵便局を經て交付すると。

寄贈圖書ヨリ

○聖州の農作　珈琲は豊作で米も所によりて相違はあるがノロエステ線など一般に順調で三角ミナスも平年の八歩位との事、ソロカバナ線は大体に良好の由又同線一帶の棉作も天候順調のため只今は開朔期を前控へて成績も良好相場も去年はアローバ四五ミルであつたが昨今は十四ミルである。フエジョンは多雨のため收穫皆無價格は昇る一方だ、ジュキア線は本年初めより新米が出初め相場は五十五－六十八ミルで豊作である。

○ダバォの邦人　大正十五年六月末日現在のダバオ州在留邦人は五四〇七名にして毎月新航者百五十名を下らず出產又二十名を越ゆる有樣で昨年度出生及死亡は左の通である

	男	女	合計
出生	一一〇人	九五人	二〇五人
死亡	五三人	一四人	六七人

○アリアンサに美人　伯國大使館通譯生某君は休暇を利用してアリアンサ植民地に態々視察に行つたがカンシンなものと褒めて見たら某君が伯國赴任の船中で美人のモッサと知り合ひになりての女を追ふて行つたのだと……御苦勞さまでがんす。

信州記事

燒失八百餘戸 哀れ灰燼

木曾福島の大火

第一報　十二日午後一時半頃木曾福嶋町御嶽登山道入口附近から發火した折柄の南の烈風に火は見る見る中に附近に燃え擴がり先づ目拔きの場所田町全部を燒きつくし更に警察署、帝室林野管理局、木曾支局、町役場、郵便局小學校、大同電氣木曾支社、大六商店岩屋旅館等の大建築物をまたゝく間に舐めつくし町の東部を全燒西部の一部を殘してゐるのみ火は午後三時半頃に至り更に附近の私有林から帝室御料林に燃移り目下盛んに延燒中(午後二時)

第二報　福嶋町は午後二時頃に至り全く火の海と化し上の段、上町、向城、下町等の目拔の場所は全く全燒全滅した(午後三時)

第三報　十二日午後零時二十分木曾福嶋町上の段平澤孫一方より發火同家を全燒折からの西南風に煽られて附近數軒を全燒向城に飛火し原誠吾方及び長福寺願行寺其他數ケ所より火の手をあげ盛に延燒しつゝあり何分にも水不足にて笹板葺の屋根が多いため手の下し樣なく無人の曠野をゆくが如く紅蓮の焔はなめる樣に燃え盛つており向城は全滅し上町も盛にもえつゝあり下町も危險の狀態にある福嶋町は全く全滅に瀕してゐるこれがため逃げ惑ふ人々や家財を負つて逃げ場を失つてゐるもの等あり阿鼻叫喚を極め火の地獄と化してゐる(午後三時半)

第四報　木曾福島町同驛遠方信號所附近寺院久松院から十二日後零時十分飛火し發火して折柄の烈風に煽られて四方に飛火して炎々燃上り火先は鐵道線路並に木曾川を隔てゝ南方より北方に進み同町目拔の山の手本町仲町並に向城町籍なる郵便局、警察、町役場、帝室林野管理局、木曾支廳、木曾銀行、小學校、長福寺に木曾義仲の墓や勅使門を有する名刹興禪寺等の大建物全部を燒失し午後五時に至り八百餘戸をなめ盡して漸く鎭火した同町現在の戸數約一千三百戸であるが目拔を燒き拂つたから殆ど全滅といふ程度である鐵道も被害を受け鐵道電話も不通となり連絡を缺て居るが驛は幸ひ無事なるを得た名古屋發長野行の八一七號下り旅客列車は午後三時頃約分で福嶋驛を通過した程である(午後五時)

燒野原に泣叫ぶ

(福島電話)　鎭火した福嶋町の目拔の場所一帶は板子一枚だに殘さず燒き盡くし全く燒け野原と化し未だ各所に火をふいて盛んに燃えてゐる場所もあり凄慘を呈し燒け跡はトタン板セメント缺け石ころ鐵片等が眞黑になつてごろ〳〵してゐるのみで悲慘を極めてゐる又一物もなく燒いた罹災者は凄慘の色に包まれて泣き叫び或は子を呼び親を搜す子もあり燒跡に立つて呆然としてゐるものあり持ち出したふとんにうづまつて眼をはらしてゐる老婆もあり文字通り焦熱地獄の哀れさを止めてゐる尙餘燼は徹宵消防隊の手に依つて

警戒しつゝあり電燈はなく暗黑の巷となり昨夜まではなやかであつた同町も昨日に變る今日の哀れさで人の淚をそゝつてゐる(午後六時)

損害三百五十萬圓　福島町大火の損害高は十三日午後五時本縣保安課への報告によれば總計三百五十万圓と稱され御料林の燒失は既記の如く二丁步で損害高は輕微である民有林の燒失反別六十六丁步損害高九千四百圓木曾山林學校演習林二十丁步損害二百圓、死亡者は十三日午後三時半までに救護したる總人員七十名內重傷者十二名であると

福島署發表

松本署到着福島署公表

發火時間　午前十一時三十分
火元　福島町字山平平澤孫市方
全燒戶數　八百戶(一說には五百戶)
官公衙學校　ほとんど全部燒失
鎭火　午後四時三十分
死者　四名
負傷者　多數の見込み
燒失町名　下町、上道町、横橋町、門前町、下手町、上町、六軒町、裏向町、靑木町、馬場町、御料林木曾支局（午後八時報）

金三千圓御下賜　木曾福島町大火の慘狀を聞こし召され畏きあたりにては十三日長野縣を經て同町罹災民に對し御救恤として金三千圓御下賜遊ばれた

御料林六千石を御下賜　畏きあたりでは十四日內務省を通じて今回燒失した長野縣西筑摩郡福嶋町の五百戶に對し木曾御料林の木材約六千石を御下賜相成旨御沙汰あり同省では近く縣當局と協議の上罹災家屋平均十二石づゝ拜授することになつた

毛布五百枚　本縣では松本聯隊から取敢ず毛布五百枚を借り受け木曾福島町の罹災者に貸與へる事とし窪田松本署長は當日午後六時聯隊に小西留守隊長を訪問し右借受け方を依賴した

警官隊急行　松本警察署では十二日午後三時三十分松本驛發列車で金澤警部補外二十名の巡査を應援のため福島町に派遣したが更に六時五十八分發列車で六名の應援巡査を派遣した

福島町救濟　福島町の罹災者救助には岡學務部長栗林社會課屬は十八日同町に出張し町理事者と打合せ中であるが救濟資金は本年度豫算二萬七百五十圓を全部支出する模樣で不足分に對しては二十五日の縣參事會に追加豫算を支出すると

大火保險金　木曾福島町の燒失建物に對する火災保險金は總額三十萬圓で內小學校の分は十萬圓である爲め學校建設は直に着手し得る筈

福島町義捐　松本音樂研究會では第五十六回演奏會を木曾福島町火災慰問慈善音樂會に改め來る廿一日(土)松本高等學校講堂に開催する、東京音樂學校研究生並びに生徒中優秀者數名を聘し晝の部は午後三時より、夜の部は午後七時半から二回演奏する

小諸町警備救護隊では木曾福島大火に際し十六日義捐金二十圓に慰問狀を添へ發送した、當町に於ても靑年會軍人分會の援助を得て一口五十錢以上の義捐金募集に着手した

信每新聞社　未曾有の大火災に見舞はれた木曾福島町の罹災民に對し、同社では之が慰問の爲同地本社販賣の近藤新聞店を通じて慰問袋を各戶毎に贈

呈する事となり十七日發送したが右は松坂屋の特製で一袋毎に齒磨塵紙石鹼本社名入れの手拭其他臺所道具等入れてあり二三日中に漏れ無く配付される筈である長野新聞社でも五月二十三日より長野市に義損金募集演藝の大會を開催した

勇敢な二交換手　木曾福島町の大火で全燒した福島郵便局千村、渡澤兩交換手は、同日局舍に火の手が廻つても平然として交換臺を離れず最後の土端場迄二人は交換に從事し實に職務に忠實にして健氣な行爲は一般から頗る賞讃されて居るが同町の燒跡の視察を行つた千葉知事は之れを聞き直に兩名を引見して其行爲を賞讃し金一封宛を兩女へ贈つた

木工學校生徒が應援　福嶋町大火の善後策のうちもつとも急を要する家屋建築は同郡に大工が極めて少いため一番困難となつてゐるが更級郡中津村の更級木工學校では小出校長が三十余名の全校生徒を擧げて福島に出動し奉仕的にバラツクの建築を引受けるのみならず少くとも數ケ月は同地に學校を移轉して豊富な木曾の木材を利用し各種の實習を試みつゝ福島市の復興に努力することゝなつた

派遣隊から　義・捐・金・

木曾福島大火に北滿柳樹屯に駐在中の松本五十聯隊では今回の木曾福島の大火の報に接し各將卒から義損金を募り百三圓纏つたので二十日松本留守隊宛送つて來た、更に右留守隊でも目下義捐金募集中で纏り次第之と共に贈る事となつた尙目下留守隊入隊中の同町出身後備召集兵森山晉八に對し全燒の見舞金として二十四圓の特志金を贈つた

縣下の大霜害

全桑園の七割—葡萄、苹果　梨、杏も駄目

十二日午前二時に至り氣溫は攝氏零下〇、二度に下り薄氷さへ張るに至つたので漸く若芽を出した桑は凍結し若葉は眞黑焦となつたので、蠶業試驗場を始め郡農會、蠶業取締所では全技術員の非常召集を行ひ被害調査を開始した未曾有の慘狀を呈した今回の霜害に就き本縣蠶絲課から十三日夜電報で農林省に報告した調査要項に依れば桑園被害總反別四萬四千二百二十二町四反步で縣下全桑園六萬四千百七町六反步の七割に達し桑葉收穫皆無の損害見積り高七百二十八萬八百三十八圓である內春蠶桑園の被害面積二萬六千百八十五町一反步、被害高六百三十九萬七千九十七圓、夏秋蠶桑園被害面積一萬八千四十七町步損害高八十八萬三千七百四十一圓で養蠶家は殆んど恢復し難き痛手を蒙つた春蠶桑園の全滅したものは一萬五千三百七十一町で最も甚しいのは南佐久二千百二町七千步、北佐久二千百三十一町六千步、更級千六百五十二町、上高井千六百二十五町、上水內千三百十五町は東筑、南安、埴科千二百町步以上の全滅で當初の豫想以上の慘狀である

下伊那郡下の被害調べ　下伊那郡農會で調査中であつた降霜による被害につき十九日大體終了した所によると全面積七千五百三十七町步中全滅五百

三十八町步中等被害五百五町步で最も被害甚大であつたのは清內路（全面積百十四町步の中百町步全滅）會地（同八十八町步の中六十六町步）波合（同百二十町步の中百町步）生田村（二百十七町步の中百五十三町步）等である

諏訪地方　十二日諏訪郡一帶は氣溫低下し攝氏零度下り大降霜あり、上諏訪蠶業取締所で調査した處に依ると平坦部が殊に甚しく、被害面積は著しく一千八百八十町六反步に達し、養蠶家は掃立期を控へ大恐慌を來して居る尙當夜は諏訪湖畔が結氷した寒さで富士見山浦地方は全滅である。

長野地方　長野地方は十一日夜來氣溫俄に低下し十二日朝溫度が氷點下一度を示し大降霜襲はれ善光寺桑園は全滅の有様となつた、正午迄に長野警察署へ達した被害報告は吉田町十町步五千圓、柳原村五十一町步二萬圓、朝陽村百四十一町步、一萬四千圓、古牧村八十二町步二萬四千七百圓中御村七十町步一萬圓、三井村反別なし四萬圓合計五百四十四町步十一萬二千三百圓の大被害である、農家は目下春蠶掃立を控えて大恐慌を來して居るが、長野測候所の調査に依ると今回の霜害は三十四年來で測候所創設以來の現象である

林檎杏や野菜物も被害　長野地方十二日朝の霜害で同地方の主製產物林檎、杏、葡萄を初めその他の果樹、蔬菜類は大被害を蒙り約三割減して云はれて居るが、全產額四十萬圓として三萬圓强の減收である

南安曇の被害　南安曇郡の桑園大凍霜害は慘狀目も當られぬ程で春蠶は全滅の狀態である尙ほ夏秋蠶用にも不足を來し秋蠶原蠶飼育にも大支障を來すので他郡及び岐阜縣等に右飼育の分場を設置すべく計畫中

農林省から　本縣下凍霜害に對し西田囑託を本縣へ派遣し桑園の被害調査を行はしめたが其慘狀は實に豫想以外なので更に同省では田中技師を廿日出張させ數日間に亘つて詳細な調査を爲す事になつた

稚蠶を犀川へ　八千町步の桑園が一朝にして秋枯れの結果に比すべき慘狀を呈するに至つた松本市並に東筑摩郡下養蠶家の悲嘆振りは他の見る目も氣の毒の極みで全く生色を失つてゐる蠶種の催靑前ならば掃き立てを延ばして桑の再度發芽を待つすべもあるが大部分は二十日より二十五六日ころまでに掃立てる豫定で既に催靑に掛かつてゐた折柄とて今更如何とも手の出しやうなく早場所の川手筋では淚を呑んで稚蠶を犀川へ遺棄するもの桑畑に埋めるものが續出するに至り他も大部分催靑を中止して蠶種を燒き捨てたので現在飼育中の蠶兒は極少部分の原蠶種のみでこれは總てはるばる山梨方面より桑を仰いでゐるものであると

善後策研究　十九日午前十一時より長野市霜害善後策研究の全縣下養蠶業者大會は時節柄與論の緊張を呈し縣下各郡は關係技術官一般養蠶家一千五百名出席左の決議をなし、直に知事に陳情に及んだ

決　議

一、縣は霜害對策に付き一千萬圓借入れの爲め臨時縣會を招集し迅速に養蠶業者を救濟し以て國家蠶業を萎靡せしめざる樣適當の御計畫を乞ふ

一、縣稅家屋稅の納入期六月十五日を九月十五日迄延期せられたき事

協會記事

總會は七月十日前後

本會の總會及代議員會は五月下旬開催の豫定であつたが地方長官の大更迭竝に各部長の異動のため遂に機を逸してゐたが新任總裁千葉了氏の就任と新任各部長の着任も終りたれば七月十日頃開催する事に決定した。尙移住地建設紀念會も當日開催する。

總裁の移動

本縣知事千葉了氏總裁に推戴。本會總裁高橋守雄氏は四月二十八日長野縣知事御退官と共に總裁を辭せられたるにより新任知事千葉了氏を代議員會（各代議員に通信照會により回答を求む）に於いて總裁として推戴せり

本會總裁高橋守雄氏辭任　今回高橋守雄氏は長野縣知事御退官と共に本會總裁を辭任せられた。尙高橋氏は家族と共に東京府下大森に暫く靜養すと

相談役の異動

本縣內務部長牛島省三氏警察部長藤岡長和氏學務部長岡尙義氏は本會相談役として推薦されてゐたが今次の異動により轉任の止む無きに至り相談役辭任せるにより新任部長を左記の如く相談役に總裁より推薦した

內務部長　原田維織
警察部長　土屋耕二
學務部長　福島繁三

本會相談役に推薦す(各通)

石口幹事相談役に推薦

本縣農商課長石口龜一氏は本會幹事として二ケ年活動せられ任期滿了せるにより相談役に推薦せり

社會課長幹事囑託

本縣社會課長白石喜太郎氏は本會囑託としてゐたが今回幹事として囑託した

事務囑託

本會は二月本縣視學板倉操平氏、社會主事補栗林藤松氏、社會教育主事補關庸氏に本會事務取扱を囑託せり

らぷらた丸乘船
アリアンサ渡航者

本會は本年度に入り四月には三船にアリアンサ移住地渡航者を渡航せしめたが四月一日のハワイ丸には十二家族九十二名、四月十五日の神奈川丸には四家族十七名四月三十日のラプラタ丸には十三家族五十八名である。尙五月二十日には若狹丸四家族二十一名渡航出帆した。左にラプラタ丸及び若狹丸乘船者は、

埼玉縣北埼玉郡樋遣川村　矢澤清鑿　六人
埼玉縣北埼玉郡樋遣川村　永田眞作　二人
埼玉縣北埼玉郡平子林村　大戶橋造　八人
東京市淺草區永住町　吉田壽三郎　三人
京都府愛宕郡修學院村　西川八郎　二人
埼玉縣兒玉郡本庄村　鈴木德義　二人
長野縣諏訪郡永明村　竹村安定　七人
新潟縣南蒲原郡中之島村　五十嵐政衞　二人
長野縣更級郡力石村　塚田軍司　二人
長野縣上伊那郡飯島村　芦部たゞよ

一人
三重縣安濃郡村主村　大森甚吉　十二人
山口縣宇部市中宇部　瀬戸喜代松　四人
長野縣松本市　増田政一　三人
兵庫縣尼ヶ崎市別所村　山室重夫　四人
佐賀縣佐賀市水ケ江町　石井博二　八人
靜岡縣安倍郡大川村　森田良平　五人
靜岡縣小笠郡垂木村　田宮博　二人
茨城縣新治郡和村　吉田清吉　六人

尙若狹丸には熊本海外協會六家族二十二名鳥取海外協會七家族四〇名が同船渡航した。

神奈川丸乘船者追記

四月十五日出帆の同船アリアンサ渡航者の本會の分左記追記す（前號協會記事三十四頁參照）

鹿兒島縣大島郡早町村　秀島盛輔　三人
神奈川縣中郡高部屋村　原鍋之助　三人

モンテビデオ丸サントス港に着く

本年二月二十三日神戸出帆の同船は海興移民六百餘名に本會アリアンサ渡航者武田三三氏家族外二家族人員合計十七名其の他の乘船客を割載して四月十一日伯國リオ港に寄港、十三日サントス港に入港した。五月十九日本會に武田三三氏より左の通信があつた

今朝リオ入港先般來朝のフォンセカ博士一行が日本滯在中の好感のために海港檢疫並に移民檢査共に省略せられたるは望外の待遇と存じ候益々後進移民を精選すべき義務を感じたる次第に候　四月十一日　武田三三

尙四月一日神戸出帆のハワイ丸は本月二十三日同港に入港の豫定で同船には本會關係の乘船者十二家族九十二名が居る。

ハワイ丸安着入電

本會の十二家族九十二名熊本、鳥取の十七家族八十三名を割載して四月一日神戸を出帆した同船は五月二十三日サントス港に安着した電報が輪湖幹事より二十四日あつた

「ハワイマルジョウセンシャアンチャク」

會費領收

一金貳圓也　昭和二年度會費　増田政一殿
一金貳圓也　同上　常田宗太郎殿
一金貳圓也　同上　風門光治殿
一金貳圓也　同上　柴田芳三殿
一金貳圓也　同上　赤羽甲子雄殿
一金拾圓也　大正十五年會費　土屋岩太郎殿
一金貳圓也　同上　清水了殿
一金貳圓也　同上　白鳥修一殿
一金貳圓也　同上　清水恒吉殿
一金貳圓也　同上　古平佐兵衞殿
一金貳圓也　同上　赤羽春雄殿
一金六圓也　大正十五、六七年度會費　白鳥清一郎殿

海外より

一金五圓也　在ジャババタビヤ　牛田積善殿
一金八圓拾九錢也　在紐育　伊藤益一殿
一金拾圓四拾壹錢也　在羅府　中曾根孝次殿

ありあんさ入植一覽

家長名	本籍地	家族數	渡航年月	乘船港	自小作	地主名
上條佐和太	長野縣	二	大正一四・六	横濱	小作	上條信
鈴木京壽	宮城縣	二	同	同	同	遠藤於兎
小川林	長野縣	二	同	同	自作	
岩波菊治	同	二	一四・七	同	自作	
瀬下登	同	五	同	同	自作	
錺本茂	千葉縣	二	一四・一〇	同	自作	
井村政勝	東京府	三	一四・一二	神戸	自作	
藤本顯正	長野縣	二	一五・一	横濱	自作	
佐藤鼎	千葉縣	二	一五・一	同	自作	
樋田榮太郎	茨城縣	三	一五・三	同	自作	
佐藤清治	秋田縣	四	一五・三	同	自作	
連沼信一	東京府	二	一五・三	同	自作	
佐々木保作	長野縣	五	一五・三	同	自作	
松本圭一	静岡縣	六	一五・三	同	自作	
高木利治	鳥取縣	二	一五・三	同	自作	
橘田惟謙	山梨縣	四	一五・三	同	小作	細川幸人
弓場爲之助	兵庫縣	一〇	一五・三	同	自作	
山口誠實	千葉縣	二	一五・三	同	自作	
廣木太郎治	茨城縣	四	一五・四	同	小作	片倉兼太郎
近藤修一	岡山縣	五	一五・四	神戸	自作	
若本千代太郎	宮崎縣	五	一五・四	同	自作	
黄瀬稲藏	同	三	一五・四	同	小作	片倉兼太郎
西虎雄	長崎縣	四	一五・五	横濱	自作	
細川未男	長野縣	四	一五・五	同	自作	
内海榮郎	東京府	二	一五・五	同	同	
中澤豊三	同	五	一五・五	同	同	
提伊八	佐賀縣	三	一五・四	神戸	自作	
荻原彦四郎	宮城縣	三	一五・五	横濱	小作	武井又兵衛
永原勘吾	長野縣	二	一五・五	同	自作	
勝蒲時雄	岡山縣	九	一五・五	同	小作	石戸義一
藤森茂里	長野縣	三	一五・五	同	自作	
藤崎豊治	鹿兒島	六	一五・五	同	自作	
高橋善導	岩手縣	二	一五・五	神戸	自作	
高野桂秋	栃木縣	三	一五・五	同	自作	
池田太藏	宮崎縣	三	一五・五	同	自作	
河内五郎	同	四	一五・五	同	小作	松本圭一
松野茂一	長野縣	五	一五・五	神戸	小作	片倉兼太郎
山田淺吉	宮崎縣	六	一五・五	同	小作	同
川建唯一	岡山縣	二	一五・五	同	小作	同
光田滿喜太	岡山縣	一〇	一五・五	同	自作	
光田省三	岡山縣	五	一五・五	同	小作	
砂尾巖	香川縣	三	一五・五	同	小作	角田高治

家長名	本籍地	家族數	渡航年月	乘船港	自小作	地主名
神谷信一	兵庫縣	四外一	一五・五	同	自作	片倉兼太郎
大石友明	岡山縣	四	一五・五	同	自佐	
大田正武	新潟縣	五	一五・六	同	自作	
三枡恭一	廣島縣	三	一五・六	同	小作	相馬愛藏
庭瀬健兒	岡山縣	三	一五・六	同	自作	
石川安太郎	香川縣	二	一五・六	同	自作	
金竹盛重	熊本縣	六	一五・六	同	自作	
麥生田卯藏	鹿兒島	二外二	一五・六	横濱	小作	金竹盛重
崎山清廣	同	二外三	一五・六	同	同	同
木村庄太郎	廣島縣	三	一五・六	神戸	小作	小口善重
角崎巧	同	四	一五・六	同	小作	藤森良藏
小川一	千葉縣	四	一五・七	同	自作	
伊藤秀司	靜岡縣	二	一五・七	横濱	自作	
渡邊彌肋	長野縣	二	一五・七	同	自作	
田中啓二	千葉縣	三	一五・七	同	自作	
富塚勇	東京府	一一	一五・七	同	自作	
高橋豊信	新潟縣	三	一五・七	同	自作	
上條源治	長野縣	四	一五・七	同	小作	丸山龜之助
伊藤德象	同	二	一五・七	同	自作	
中原三藏	山口縣	二	一五・七	同	自作	
山本正祐	香川縣	三	一五・七	横濱	小作	森喜代一
篠原幸治郎	同	三	一五・七	同	小作	同上
田島福一	山口縣	四	一五・七	同	小作	小口善重
掘江繁一	岡山縣	九	一五・七	同	自作	
中川清一郎	同	二	一五・七	同	自作	
吉田榮	同	四	一五・七	同	自作	
片岡芳太郎	三重縣	二	一五・七	同	小作	鈴木威
佐藤藤次郎	北海道	七	一五・八	同	小作	唐澤俊文
久米仙藏	靜岡縣	一一	一五・八	同	自作	
淺見文藏	福岡縣	九	一五・八	横濱	自作	
西田惣太郎	同	八	一五・八	同	自作	
竹久竹治	宮崎縣	四	一五・八	同	小作	片倉兼太郎
木森重行	三重縣	一〇	一五・九	同	自作	
赤井健治	和歌山	三	一五・一〇	神戸	自作	
泉忠一郎	廣島縣	三	一五・一一	同	同	依田穗
勝田正通	長野縣	三	一五・一二	横濱	｜	
佐藤信二	宮城縣	三	一五・一二	同	自作	
井上覺三	島根縣	二	一五・一二	同	小作	菊地長四郎
吉安春達	東京府	五	昭和二・一	同	自作	
武田三三	二重縣	五	二・一	神戸	同	
柿並保弼	同	四	二・一	同	同	
沖晴郎	兵庫縣	五	二・一	同	同	
篠原秋次	長野縣	一	大正一四・六	同	横濱	
百瀬琴次	同	六	昭和二・三	同	同	
百瀬三郎	同	六	二・三	同	同	
椎野源之助	新潟縣	九	二・三	同	同	

家長名	本籍地	家族數	渡航年月	乘船港	自小作	地主名
佐藤謙二郎	新潟縣	七	二・三	同	同	
大谷貞雄	長野縣	三	二・三	同	同	
高野清見	福島縣	八	二・三	同	小作	梅谷光貞
砂田作造	北海道	六	二・三	横濱	小作	梅谷光貞　宮崎萬平
樫木喜一	同	七	二・三	同	小作	宮崎運平
和久井靜眞	長野縣	九	二・四	神戸	自作	
前島靜	同	五	二・四	同	自作	
野上正久	大坂府	三	二・四	同	小作	前島靜
烏谷儀一郎	愛媛縣	四	二・四	同	小作	小出五十二
細川岩松	京都府	五	二・四	同	自作	
笠原義忠	長野縣	一	大正一五・六	横濱	自作	
瀬戸喜代松	山口縣	四	二・四	神戸	自作	
吉田惣太郎	福井縣	六外一	二年四月	神戸		
大久保和吉		七	二、四、	神戸		
羽藤德一	愛媛縣	五	二、四	神戸		
宇野利吉	愛媛縣	六	二、四	神戸		
秀島盛輔	鹿兒島縣	三	二、四	神戸		
原鍋之助	神奈川	三	二、四	神戸		

以下別項に依る

世界各地の標準時

（日本（東京）中央氣象台正午の時）

布哇　前日午後四時三十分
アラスカ　同　午後六時
米國大平洋岸標準時・カナダ・合衆國の西部　同　午後七時
米國山岳部標準時カナダ・合衆國の一部　同　午後八時
米國中部標準時カナダ・合衆國の一部　同　午後九時
米國東部標準時カナダの一部・合衆國東等パナマ・ブラジルの西部ペルー　同　午後十時
米國大平洋岸標準時カナダの東部・ブラジル中部アルゼンチン　同　午後十一時
ブラルジの東部　當日午前零時
英國グリニッチの標準時イギリス・ベルギー・フランス・スペイン・ポルトガル　同　午前三時
歐洲中部標準時ノルウェー・スエーデン・デンマルク・ドイツ・チェッコスロバキヤ・オーストリヤ・ユーゴースラヴイヤ・イタリー　同　午前四時

義捐金を募ります

五月十二日午後突如、火を失し一瞬にして紅蓮の焰に包まれた木曾福島は僅か數時を出でずして全町は燒土と化し四千餘人の罹災者は漸く身を以て免れたるに過ぎず今や雨露を凌ぐにも事を欠くの悲慘なる狀態にあります本社はこゝに左記要項に依り義捐金を海外の縣民諸君に募ります

一、義捐金は一口日本金三圓以上の事
一、在留地縣民が代表者を出し一纒めにして送金の際は其の旨通信の事
一、送金の節は住所、氏名、金額を明記して「長野縣廳內信濃海外協會」又は海の外社宛
一、領收は海の外紙上を以て之に換ふ
一、申込みは送金日附八月末日限り

長野縣廳內
海の外社

海の外

定價

	一部	半ヶ年	一ヶ年
內地	廿錢	一圓十錢	二圓廿錢
外國	廿仙	一弗十仙	二弗廿仙

海外郵税二錢

注意

▲御註文は凡て前金に申受く
▲廣告料は御照會次第詳細通知致します
▲御拂込は振替に依らるゝが最も便利さす

昭和二年五月二十五日
編輯人 永田稠
發行兼印刷人 長野市南縣町 西澤太一郎
印刷所 信濃每日新聞社
發行所 長野市長野縣廳內 海の外社
振替口座長野二二一四〇番 信濃海外協會

HOTL KiNOKUNIYA

切符代理店
日本郵船會社
大阪商船會社
加奈陀汽船會社
アドミラル汽船會社
ダラー汽船會社

信濃海外協會
日本力行會
御指定旅館

當館ハ櫻木町驛下車ガ御便利ニ候

歐米各國汽船旅客荷物取扱店

紀ノ國屋ホテル

横濱市北仲通四丁目
電話本局 二五九番

HOTEL
NAGANOYA
SHIPPING ANDLANDNGI AGNCT
Benten-doli 5-Chome
Yokohama Japan

歐米各國瀛船問屋
各瀛船乗客切符並ニ貨物取次所

當館ハ櫻木町驛下車ガ御便利ニ候

信濃海外協會御指定旅館

萬 長野屋旅館

長野縣出身
館主 藍葉萬藏

横濱市辨天通五丁目正金銀行前
電話本局一六二六番 電略(ナガ)

各縣海外協會
日本力行會
指定旅館

海外渡航乗船
領事館手續
貨物通關取扱

高 高谷旅館本店

本店 神戸市榮町六丁目
神戸市郵便局私書函八四〇番
電話元町 八五四番、一七三七番

支店 神戸市宇治川楠橋東詰
電話元町 六六六番

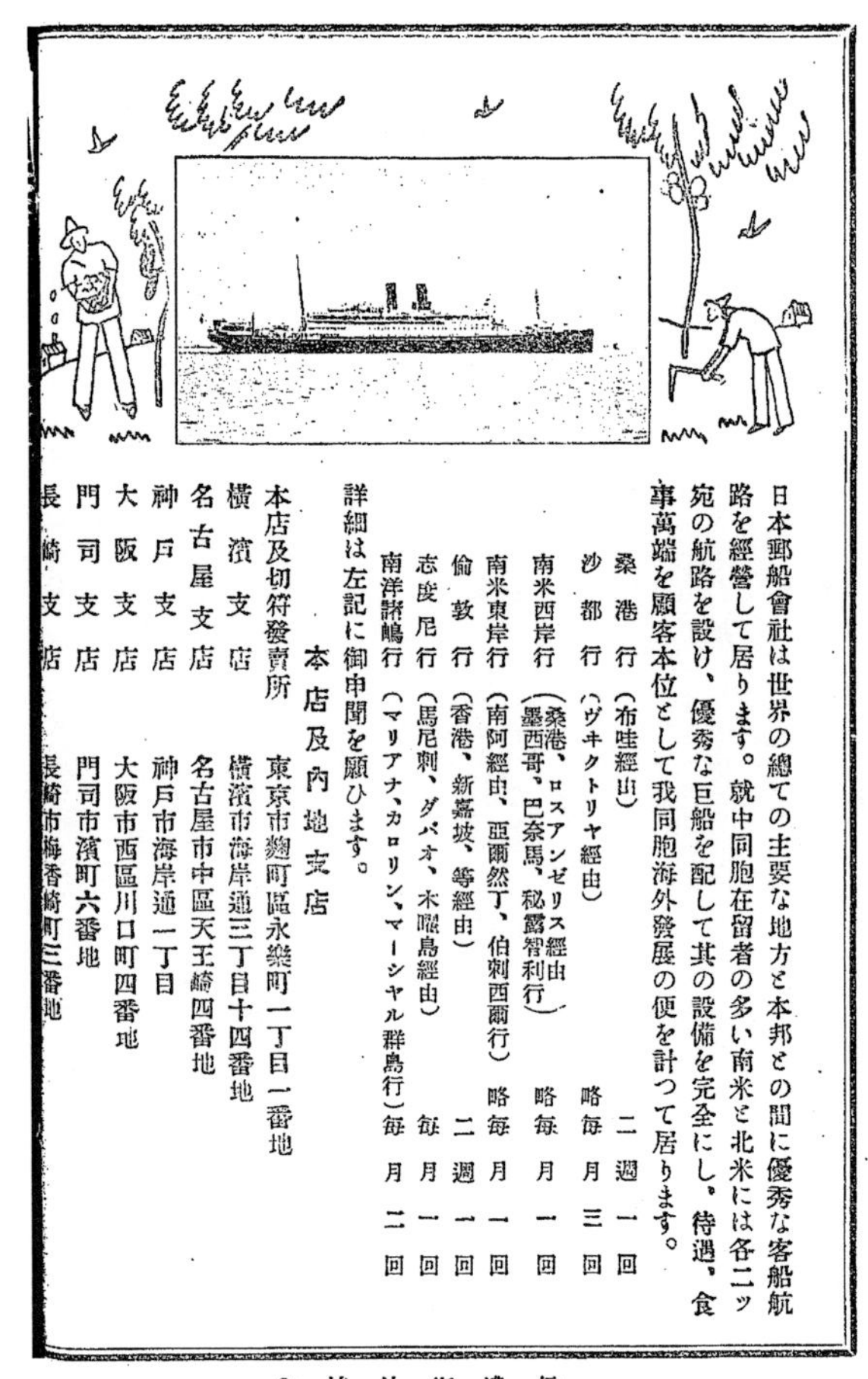

信濃海外協會

海の外社發行

海の外

第六十一號

目次

通信の聯絡
殉難者の靈前に
移住日誌（二）
海外通信
母國通信・信州記事
サントス丸を見送る
協會記事、編輯後記

信濃海外協會海の外社

目次（第六十一號）

百瀬正二（十一才）
百瀬大綱（十八才）
吉田幸子（二十才）
宇野高士（二十四才）
佐藤彰吾（十八才）

列車衝突殉難者

レジストロ訪問

▽馬上の宮下琢磨氏（中央）

▽リベイラ川を航す

▽リベイラ川の汽船

海の外

第六十一號

昭和二年

六月號

通信の聯絡

海外發展に反對と悲觀の材料を與ふるものに在外者からの不注意の事が澤山ある。勿論日本人は移住の訓練と經驗がないから無理ならぬ事であろうがその二、三の例をあぐれば

一、私の息子は比律賓に渡航してゐるが、三年前から音信が絕へて當方からの返事も來ぬ。生死の程が心配でならぬ。

二、私の長男がブラジルで成功すると云ふて拾數年になるが未だ一厘の送金もせず、通信もせぬのみならず、家督相續であるから呼び寄せたいがその現住所が不明である。

三、隣りの息子がブラジルで睹博の親分だそうだ。妻子が泣いて早く歸國したいこ云ふて來てゐる。しかも毎年の徵兵檢査の延期願が出來ぬから司令部から矢ヶ釜しく云ふて來るし役場からは催促されてゐるので家では當惑してゐる。

四、外國に行つて近所や親戚，友人に一度位の通信はあつて欲しいがそれが無いのは、監獄部屋と同じ樣な所で殆んど奴隷的な生活に違いないだろう。

等と云ふのが本會へ相談紹介される問題である。問題をそのまゝ信じてゐるのではないが此等の事は在外者の人々の注意が少しでもあればよいと思ふのである。

自分の一人の問題が近所、親戚、村內に迷惑を及ぼし自分の信用を落し、ひいては海外發展奬勵と云ふ立場からは非常の障害をもたらすのである。海外の地で異民族と接觸する日本人が自己の對面を汚さぬ樣に注意してゐるならば故國の人々にも自分の信用や体面を汚す事のない樣に注意して貰ひたい事である。

敢へて在外の二、三人への苦言であるが、一般の注意を喚起したい。

（六、一〇）

列車衝突殉難者の靈前に

新天地の建設の途上にあつて此の悲慘事があらんとは吾等の毛頭豫期せざりし所であつた。去る四月一日神戶港阜頭に百七十餘名の一團は安住の地を南に求めて希望の胸を躍らせつつ祖國を離れられた、盛大な見送りを受けられた一行は元氣に滿ちて「萬歲」と「ビバー」の裡に船出した。信濃海外協會は一行の船路の平安と前途の成功を祈つて四月三日には南支那海を航行する一團に總裁の名を以て無電を送つた。

「一ロヘイアン、ゴセイコウヲイノル、シナノカイガイキヨウカイ、ソウサイ、タカハシモリヲ」

一行から翌日直ちに返電が來た。

「シクデンヲカンシヤス、一ドウブジ、コウカイチウ、キヨウカイノリウセイヲイノル、ハワイマル一ドウ」

航海中の動靜は間斷なく聯絡通信を寄せられた。四十餘日の航海は終り一行は無事に憧れの地ブラジルに着かれたのであつた。

定めて安堵され、「希望に輝きつつアリアンサへと急がれたであらう。五月二十三日サントス港出迎への輪湖理事からは、

「ハワイマルジヨワセンシヤ、アンチヤク」

の無電が地球を廻つて二十四日吾等の手に屆いた………

然しそれは束の間の喜びであつた。その翌々日には遭難の悲報が吾等の胸をついた………犧牲者の皆樣には申上げる言葉も出ない深い悲しみである。只天の無情に泣くのみである。どんなに歎き悲んでも是れ又人爲の如何ともする事の出來ぬ不慮の災厄で傷ましくも悲痛の極である。雄圖萬里雄心勃々遠大の抱負と希望に燃えつつ無慘にも黃泉の客となられた。吾等はかぎりなき悲しみの心を止める事が出來ない。遭難者の皆樣よ天命の下に安らかに地下にて眠られよそして殘りし同胞の爲に、開拓者の神として永劫に我移住地を地下にて護られよ。アリアンサ七百の志士は勿論八千萬同胞は均しく皆樣の遭難の爲めに哀悼の意を表されると共にその瞑福を祈られる事であらう犧牲者の皆樣よ安らかに瞑せられよ。神の試練か、それとも神の惡戲か、吾等は此アリアンサ移住地に入るもの、これに携はるもの協力一致その完成と有終の美を納め、せめても殉難者の皆樣の靈を弔ふ。哀愁の情に堪へず、嗚呼死者よやすらかれ!!

五、二五

ハワイ丸一行の列車衝突遭難

死者五名。負傷者二十五名を出す。各方面の同情と應援あり。最善の努力を講ず。――負傷者は經過頗る良好。

本年四月一日神戸出帆ハワイ丸乘船のアリアンサ移住地入植者一行は五月二十三日無事伯國サントス港に上陸して安堵の胸をなでいよ〳〵アリアンサに向け二十四日午後聖市を出發後數時間を出でずして翌二十五日午前二時半ソロカバナ線ソロカバ驛附近に於いて上り夜行列車と正面衝突して即死三名重輕傷二十五名を出だせる事件あり、その急報に接するや内外各方面に於いては必死の救濟に努力してゐたが其の後更らに二名の死亡者を出し負傷者は病院に收容しその他は直ちにアリアンサに直行した。ハワイ丸乘込者と遭難事件の經過の顚末は左記の如くである。

信濃海外協會扱　一四戸　九二名
熊本縣海外協會扱　一二戸　五七名
▲鳥取縣海外協會扱　五戸　二六名

△信濃海外協會扱の渡航者

長野縣上高井郡仁禮村	和久井靜眞	九人
同　上	前嶋　靜	五人
長野縣東筑摩郡和田村	百瀨琴次	六人
同　上	百瀨三郎	六人
新潟縣北蒲原郡笹岡村	椎野源之助	九人
同　上	佐藤謙二郎	七人
長野縣更級郡更級村	大谷貞雄	三人
福島縣相馬郡上眞野村	高野淸見	八人
北海道旭川市曙通り	砂田作造	六人
北海道中川郡幕別村	樫木喜一	七人
大阪市東成區鴫野町	野上正久	三人
愛媛縣松山市南桑町	烏谷儀一郎	四人
京都市上京區仁王門通	細川岩松	五人
	大久保和吉	七人
福井縣今立郡服間村	吉田惣太郎	七人

海外協會中央會の奔走

同會は直ちに幹事永田氏外務省に出頭遭難の後報、取調べの方法、善後處置等打合せをなすと共に死者、負傷者氏名の調査をなし鳥取、熊本、信濃及關係する所に遭難の件を通知し移住地理事、在サンパウロ赤松總領事、在パウルー多羅間領事宛應急處置取計ひの依賴を打電する等中央にあつてよく各方面に奔走せり。

今回の死傷者慰問の電報と共に見舞金を送るため同會では外務省と交涉と同時に關係海外協會にも見舞金割り宛をなせり。

電報…第一信（五月廿七日午前九時半外務省ヨリ長野縣宛）

「最近ハワイ丸ニテ渡航セルブラジルアリアンサ行キ移民ノ乘込メル汽車二十五日衝突シテ死者三名負傷者二十六名ヲ出シ人名等取調中ノ趣、在サンパウロ總領事ヨリ電報アリタルニ付キ右不取敢通報ス貴縣海外協會ヘ御傳ヘヲ乞フ」

二十六日永田幹事は赤松總領事宛に

「閣下ヨリ外務省ヘノ電報ヲ傳聞セリ出來得ル限リノ御救濟ヲ仰グ必要ナル經費ハ當方ヨリ送ル御通知ヲ願フ」

と打電し同時に同幹事より多羅間領事宛に

「赤松總領事ヨリ外務省ヘアリアンサ行移住者ノ乘車セル汽車衝突ノ電報アリ出來得ル限リノ御救濟ヲ仰グ」

と打電し海外協會中央會よりは更らに二十七日赤松總領事宛に

「輪湖俊午郎無事ナルヤ下記遭難者ニ御傳達ヲ乞フ「各位ノ遭難ニ對シテハ同情ニ耐エズ各協會及外務省ト相談シ相當ノ援助ヲナスベキニヨリ協力シ萬難ヲ排シ渡航目的ニ向ヒ猛進セラレタシ尙死傷者ノ姓名御通知ヲ乞フ」

斯くて遭難の後報を待つと同時に中央會は出來得る限りの活動を各方面に依賴し尙不取敢見舞金を取纏めたる分三千圓を伯國に送金せり。

二十八日午後一時同會より本會宛移住地理事輪湖氏よりの打電を傳送せり。

電報……第二信（五月二十七日サンボウロ發輪湖理事より中央會へ着電）

「二十五日午前二時半アリアンサ行特別列車ソロカバ驛通過後間モナク上リ夜行ト正面衝突シ即死三名重輕傷者二十五名午前六時ソロカバ町慈善病院ヘ收容セリ、入院後更ニ二名死亡ス負傷セザル植民ハ午前七時アリアンサヘ直行セリ

午後六時サンボウロヨリ梅本領事、山田海興支店長、同仁會ノ高岡醫師來着應援、死亡者ハ佐藏彰吾（新潟縣人十八才）百瀨大彌（長野縣人十八才）百瀨正二（長野縣人十一才）吉田幸子（福井縣人二歲）宇野高士（福井縣人二十四歲）重傷者ハ吉田きくの（福井縣人二十六歲）鳥取扱ノ重傷者ハ中尾貞造（鳥取縣人六歲）熊本人全部無事今後ノ處置ハ次電　輪湖」

輪湖理事の活動

右の電文により同理事の活動は如實に判明してゐるが、此の過然なる突發事件に際して斯くも適切なる方法を講じ秩序正しく植民者を安全地帶に移すと同時に負傷者は速ちに病院に收容し負傷せざる大多數を未明にアリアンサに向け出發せしめたのは全く當を得たるものにて同氏は一行を移住地に無事到着せしめ、一行を慰撫して再びサンボウロ市に出で〻、病院に見舞をなして右の電報を故國に送電せるもの〻如くである。

右の電文により死者の本籍及家族の續柄を調査したるに

長野縣東筑摩郡和田村　百瀨三郎氏（渡航）
（死亡）長男　百瀨大彌（明治四十三年一月二十六日生）
（死亡）二男　百瀨正二（大正六年一月二日生）
新潟縣北蒲原郡笹岡村　佐藤謙二郎（渡航）
（死亡）弟　佐藤彰吾（明治四十三年二月十二日生）
福井縣今立郡服間村　土田惣太郎氏（渡航）
（死亡）二女　吉田幸子（大正十五年七月十五日生）
福井縣今立郡栗田部町　田惣太郎氏同行者
（死亡）　宇野高士（明治三十七年九月卅日生）

倘重傷の吉田きくのは吉田惣太郎氏の妻であつた。三十日在伯赤松總領事は田中外務大臣宛打電せる電文は左記の如くである。

電報……第三信（三十日午後零時三十分外務省着）

「往電第四八號ニ關シ即死三名入院後死亡二名右七名ノ氏名ハ輪湖ヨリ永田宛電報ノ通リ其他負傷者二十一名左ノ通リ何レモ經過良好

新潟縣　佐藤トセ　佐藤謙二郎　佐藤キヨ
長野縣　百瀨琴次　百瀨弘二　百瀨弘三郎
百瀨キヨ子　百瀨三郎　百瀨ミエ
百瀨スミ子
福井縣　吉田惣太郎　吉田武雄　吉田ナミ子
吉田ヒロ　鈴木
鳥取縣　中尾サダ　米原トク　米原スミ子
川崎イロ　川崎敏雄

續いて六月一日輪湖理事左記電送ありたり

電報……第四信（海外協會中央會宛）

「經過良好、近日ノ内八名退院　全治猶二週間ヲ要スル者十名四週間以上ノ者五名ナリ其ノ姓名ハ吉田キクノ、中尾貞藏、百瀨弘二、百瀨弘三郎、百瀨澄子、幸ヒニシテ全部不具者ニハナラザル見込、負傷者ニ對シテハ最善ノ手當ヲナシツヽアリ家長皆無事入植ニ差支ヘナシ、安心ヲ乞フ　以上」

同情と應援

今回の事件に對し内外各方面より同情と援助あり就中伯國に於いて赤松總領事の間斷なき情報により事件の眞相を悉知せると共に海本領事、山田海興支店長の來應あり、殊に同仁會の醫師高岡專太郎氏の應援は感謝の外がなかつたのである。外務當局も又盡力の程感謝の至りである。遭難者關係の海外協會では信濃海外協會扱ひが最も被害が激甚であつたため、熊本、鳥取の兩海外協會は遭難の飛報と共に驚愕して悔みと見舞の電送ありたり。

本會の盡力

二十七日午前十時以外の飛報に接するや役員一同は各方面に事件の眞狀を紹介し、ひたすら詳報の飛來を鶴首して居た。速ちに海外協會中央會にそれが救助の方法及善後處置につき相談し、不取敢西澤幹事は二十八日夜行にて上京するに決し前端の處置を東京にて講ずる事にせり、本會は遭難家族の故國關係親戚、近親を調査して事件の經過を悉知せしむる準備と共に死傷者の見舞金として不取敢一金一千圓を電送した。

西澤幹事は永田幹事と共に外務省に出頭して當局に救濟方法につき意見の開陳と共に懇望する所あつた。

斯くて伯國よりの第二信着電と共に死者の關係家族へは詳細なる經過の報告と共に不慮の災禍に罹れるを慰問する鄭重なる見舞の手紙を出し流言誤報等による徒らなる心配をなさぬ樣に取計ひたり。

而して遭難の直接家族に對する香奠、慰問、慰籍等の一切は移住地理事の裁量に委せ日本に關係する親戚、近親等へ悔狀見舞狀を前記の如く發せり、

尙事件の詳報は書面により移住地理事其の他遭難者よりの通信によつて追て報告するを得べしそれによつて更に當時の眞相を本誌に掲載する事とする。（六月十日記）

返禮

本會の御悔みと遭難報告に關係親戚では、全く不慮の災難として人をうらまず天をうらまず神の試練として頭初

の希望に猛進する樣、理解と同情、激勵の返信と接せるは本會の望外であると同時に犧牲者の心安けく眠る事が出來樣ら。その一例をあぐれば

拜復

度々御報告を忝ふし有り難く御禮申上候家兄等老來雄圖を抱いて遙々南米の地に渡航いたし候處不慮の災禍に逢ひ候段殘念至極に有之候然しながら之れ偏に天の命にて大なる試練と申す外無之益々雄心頭初の決心遂行に努力いたさねばならずと存じ居り候

取り敢へず御禮の御挨拶のみ　匆々

六月十三日

東京市小石川區久堅町七七
木下安次郎

東京府下井ノ頭明星學園前
百瀨四郎

東京市京橋區本材木町三ノ七
百瀨五郎

信濃海外協會　御中

追記

六月十七日海外協會中央會に移住地理事より左記の如く病院に入院中の重傷者につき報告來電があつた

電文

「救濟金多謝　負傷者十六名全快退院、左院者七名」　以上

移住日誌（二）

サンポウロにて

武内三三

リオ入港—檢疫省略—好遇と自重—兩替—見物—伊太利移民—上陸—出迎—移民收容所—通關—聖市出發—パウリスタ線—乘替—バウル着—多羅間領事—ノロエステ線—火の子と黄塵—ルツサンビラ驛下車—自動車—着ア—アリアンサの初夜

工學士　武田三三氏の移住日誌は編者の予期通り、六十號には掲載する事が出來なかつた。第二信は、六月一日三七日に續いて憧れの地……ブラジルの土を踏んで來てゐる。

早朝リオデヂヤネいに入港…………山の中の初夜を過ごす……は正に移住日誌の本論に入つた樣な觀がする觀察力の鋭どい同氏に映ずるブラジルは如何なるものであるか、彼の眼に注がれる大小個々別々のすべての事が微細に解剖せられてゐる。

移住地入植後に於ける同氏の御健在を祈ると同時に一家の祝福の多き事を主に祈る次第である。常に通信を寄せらるゝ同氏の厚意を感謝する—編者（記者）

四月十一日　第四十七日

早朝リオデヂヤネイロ入港、岸壁に繋留する、豫て寫眞に見た奇岩は港口に聳立ち奇峰は市街を圍んで併列し奇觀と美觀を兼ねたる天然の良港である、午前八時檢疫の爲に整列中俄に檢疫を省略するといふ事である、次に午前十時より島の檢疫所に上陸して眼の檢査がある筈の所これ亦省略せられた、意外の好遇である、つまり先般來朝の伯國醫官フォ博士が日本滯在中良好なる印象を以て歸國せられたると又本船にて渡伯せられた藤波博士に對する敬意の結果と認められた。今後も此例によりて本邦移民を遇せらるゝであらうと思ふが益々自重して面目を維持したいものと思ふ、官民共に努力せられん事を希望する次第である。正午上陸第一の印象はリオの町は話程奇麗で無い事である。正金銀行の兩替は現金十圓に付四十ミル、手形は四十一ミルであるから現金で持參するよりも出發の際手形にした方が有利といふ事になる。取敢へず自動車を雇て「シユガーローフ」見物に出掛ける、自動車は一時間十五ミル、二時間あれば往復に充分である、「シユガーローフ」は砂糖山といふ意味であらうが日本式に言へば天狗の鼻岩といつた方が適當で、港口に突起する圖方も無く奇拔なる花岡岩である、空中に懸垂する上下二ケ所の電車によりて岩頭に運搬せらるゝ、下から見て居れば却てヒヤ〳〵するが乘て見れば左程でも無い、何でも生命保險の切符を賣る相であるが吾等は買はなかつた、空中ケーブルの運賃一人六ミル、山上の茶店で一寸休息飮食料を加算し一行八名の往復見物賃百三十ミルと言へば大した金額に聞ゆるが日本貨の約三十圓で二台の自動車を二時間雇ふのであるから安いものと思ふ。伊太利の移民船が二隻來て居る、何れも一万噸程の立派な客船で移民を滿載して居る。近來日本移民の品質もよく評判もよきに反し伊太利移民は大變受けが惡く距離は日本より遙に近きに拘らず毎航多數の死人を生ずるに反し日本船は一万五千浬を突破し來りて死者は一人も無い事もあり、又有つても極めて少數である點に於て伯國醫官の賞讃を博して居るといふ話であつた、最近伊太利船の移民は多數送還せられた例もあり一船の移民全部入國を拒絕せられてアルゼンチンに向つた例もある、之に對して本船の如く無檢疫無檢査といふのも衞生狀態の良好な點が與て力あるものと思ふ、何と言つても結構である、獨逸は國力の恢復に全力を注いで居るが爲に伯國迄は手が屆かぬ、伊太利はムツソリニ氏の鼻息伯國の感情を害し移民契約は不調に終つて居る今日に當て日本は一ツ馬力を掛けたら必ず結果があるだらうと思はれる。

四月十二日　第四十八日

早朝サントス港外着、今日は上陸の日とあつて船では風呂を用意して呉れる、早速入浴各自第一種服に着換へる、午前八時檢疫官乘船檢疫が始まる、此處でも亦全部省略ほんの申譯に種痘の跡を見ただけで全員無事合格、ヤレ〳〵と安心する、午前十時岸壁着、此處にも伊太利の移民船一隻滿船の盛況で横附になつて居る、此割合で行つたら伊太利船は一日に一回か二日に一回本國を出帆して來るものと見ゆる。岸壁には多數の同胞が出迎に來て居る中にアリアンサ幹事代理としてサンパウロから曲尾氏が一行を案内に來られた、午後一時半手廻品だけを持て上陸開始、舷梯で稅關官吏が一寸のぞくだけで中味は調べぬ至極寛大である。本船の直前に引込まれた八輛の二等客車に乘り込み（尤もサンパウロ鐵道には三等が無い）午後三時船長以下船員に見送られて岸壁を發車した。神戶出帆の節は船が日本船であるから尙鄕土の延長であるが此處で愈々ほんとの異鄕に來た氣持がする。

馳する事一時間半某驛で列車は二分せられて早速の索道汽車となり約三十分の一の勾配を一時間程も登り詰めて霧の中に沒してしまひ俄に寒くなる。午後七時半サンパウロ市の燈火に迎へられて移民收容所の構門に着車、早速食堂に案內せられて米の粥にソーセージ、パンとコーヒーの御馳走に預る、まづくて喰へぬなどゝ申す連中も居つたが吾等には大牢の美味と感じて難有頂戴に及んだ。八時半寢室に案內せられて眠に就ぐ。

海外協會の移住者はサントスから先は自辨で行くか海外興業の手數を煩して移住地迄無賃で送つて貰ふかせねばならぬ。自辨も結構であるが萬事不便であるからリオ迄出張せられた海興社員に賴んで兎に角收容所迄連れて貰つた、今回は小人數であるから何とか始末を附けたが今後多數の團体は豫め左の準備をせられん事を附記して置く。

一、アリアンサ移住者は每船神戶出帆以前に團長を設け宿屋と汽船會社とに連絡をとり直通荷物を一括して海興移民の荷物と區別したる船艙に積込んで貰ふ事

二、團長は團員の姓名、大人、中人、小人、赤兒を明記したる目錄を作りリオに於て船の事務長と海興社員に提示し收容所に於ける食券と無賃乘車券を請求する事

三、サントス上陸の際船艙の荷物と手荷物とを一括して稅關の檢査を受け直に移住地へ發送して貰ふ事、稅關吏は荷物さへ一括してあれば早速便宜を計らうと言つて居つたが今回は遺憾乍ら其準備が無くて間に合はず收容所迄持ち込んだが爲に多大の混雜を生じた、收容所は結構であるが何分荷物の處理が大變であるのと稅關の手加減がサントスの方が良い樣に思はれる。

四、右の通手順を運べば收容所へは來てもよし、來なくてもよいが經驗の爲に收容所の生活も結構と思ふ、但し無賃乘車券は收容所で發行する。

四月十三日

収容所の第一日である、午前四時頃からざわ〲騒ぎ出す。午前六時食堂に集合チブス豫防の爲とあつて丸藥一粒水藥一杯を飲まされ、パンとコーヒーの朝食が出る、引續き移民官立會の下に別室に於て家長を集めて耕地の指定と乗車劵の配附がある。晝食は午前十時米の粥にて牛肉とマカロニーの汁とパンである、何れも結構であり分量も豊富である。午後二時外出許可、曲尾氏に伴はれてサンパウロ市街を一順見物して歸る。十年此方の發展であるが都市の美觀と贅澤は遙にリオを凌駕して居る。移民収容所は滿四十年前の建築に係る古建物であるが其割に清潔に保たれてあつて無料宿泊には勿体無いと思ふ、赤煉瓦の二階建で正面階上は罪人の収容所、目下革命の主領四十五名を監禁して居り追て銃殺に處するなど〻噂して居る。革命の大將毎日鐵窓より顔を出して吾等を見て居るが時々大騒ぎをやらかす。階下は事務室、左右兩翼階上は移民収容室、約八百の寝台がある、以前は毛布迄備へてあつたといふが今は無く所々蒲團の無い寝台もある。右翼階下に約百五十の寝台があるが蒲團も無く荒れ果て〻居り、此處に伊太利露國其他の着のみ着の儘靴も無き移民がボロ〲の着物で針金の儘の寝台に寝かされて居る。階上は全く日本移民の獨占で所々に外國移民の上等の部類が二三十人交つて居るが全く比較にならぬ程日本移民が立派である。但し日本移民が立派といふのは誇るに足るや否やは別問題である、左翼階下は荷物處理室、中庭には食堂が獨立し大理石の食卓が四十脚、先づ一船の日本移民で滿員となる。後庭には二階建の病院がある。此外洗濯場一棟、便所二棟、賣店兩替店一棟、停車場事務所一棟等で水道の水は豊富に出るが便所の不潔には一寸閉口する。銃劍の兵が四五十名居つて見張つて居るが全く規律も何も無い、毎日移民と與太を飛ばして遊んで居り非番の兵は廊下の寝台に靴の儘泯つて居る始末、兎に角吾等を好遇して呉れるだけでも有難いと思ふ、午後四時夕食には小豆の粥と牛肉マカロニ汁、パンにコーヒーが出る、これが収容所の一日である。

四月十四日

今朝は稍疲勞もあり横着もあり中々起きる者が無い。午前六時監督連に呼起されてぼつ〲目を覺ます。丸粒水藥例の如く朝食晝食を濟ます。午后二時荷物列車到着早速通關手續に掛る、何やら税關吏の御機嫌甚惡く檢査甚

綿密で頗閉口する。午後四時中止、通關濟のもの如何程も無く一寸悲觀の体である。

四月十五日

午前八時税關開始、今日は稍寛大であり午后からは面倒臭くなつてどし〲無檢査通關一氣に片附けた所ブラジル式であらうか、所でサントス税關に紛れ込んだ荷物が澤山有つて一行中に十個も不足して居る、明日サントス迄取りに出掛ける事にする。何れにしても今後も有る事であるから荷物は是非前記の様に處理せられたい、午後四時許可を得て収容所を出て常盤旅館に宿泊した。種痘が化膿して船中の經過不良であつた二才位の子供一名収容所へ來ると直ぐ死亡した収容所の醫官の手當を受けて翌日葬つた筈である。日本移民は服装其他萬事立派である事は前記の通りであるのみならず頗金持であつて今航の移民が神戸での買物が五万圓、海興への托送金が四万圓程、此外に懐中にも持參して居るから合計均十万圓程を持ち出した譯である。元氣も亦溌剌として居るが外國移民の多數を見るに全くみすぼらしくて意氣消沈して居る、此際何とか故國朝野の後援の下に將來も此元氣を失はぬ様に願ひたいものと思ふ。尚船中の指導を一層適切にして一夜漬でも禮節や公德を教へ、責めて収容所での厄介中でも掃除位は自分でやる様にしたら一層立派に見へるだらうと思ふ、掃除する先き〲から紙屑を散らす、便所は汚す、夜中に小供がギヤア〲泣き續けても親は一向平氣で人の迷惑を辛棒すると言つた様な點を改良したら良からうと思ふ。

四月十六日

獵銃、拳銃、山刀を買込む、是等武器の要否は當地に來てから決定してよからうと思ふ、態々日本から面倒な手續をして持つて來る必要は無い、當市に日本人の銃砲店があつて何の手續も要せず買入る〻事が出來値段も日本より安くとも高くは無い（但し今の相場で）、獵銃の上等五十圓拳銃の上等三十圓位である。

四月十七日

午前雜用、午後から公園の博物館、ブタンタンの毒蛇研究所見物に出掛ける。サントスへ取りに行つた荷物は他人の分は全部有つたが小生の分一個は遂に發見せぬ、一寸困る、愈々通關はサントスで爲るに限ると思ふ。

アリアンサ収容所にて

四月十八日

午前三時起床、四時パウリスタ線停車場に集合する。収容所長の好意により無賃乗車劵を貰ふ事になつて居つたが係の主任は所長の命令を受けて居らぬからとの理由で渡して呉れぬ。發車時間々際に驛長の好意的取計ひで兎に角乗せて貰ふ、直ぐ發車する、大騒ぎである、パウリスタ線は英人の經營に係り万事親切である、吾等一行大小二十七名の爲に四十三人乗の客車を貸切りにして扉の錠に鍵を掛けて呉れる、何人も乗る事が出來ぬ日本人客車である、途中の驛で乗替、軌道は三呎六吋の狭軌となり客車も小さくなり、貸切りでもなくなつたがまだ樂に乗れる、電汽機關車は蒸汽機關車となり薪を焚いて走り午后六時バウル驛に着いて日本旅館に宿泊した、夜多羅間領事に御目に掛かり色々話を承はる。バウル驛から先はノロエステ線となり會社も違ひ設備万端甚不良である點に就て様々嚇かされる。兎に角明朝出發せなければ直通列車は二日置にしか出ぬ、御負けに驛長は無賃乗車を承知して呉れぬ、領事の話もあり明日リンス驛迄行つて宿り日本人農園でも見物して次の直通列車に乗る事にする。

四月十九日

午後一時十分バウル驛發車リンスに向ふ、次の驛に着いたと思ふと一時間以上も停車して居る、嚇かされた程でも無いが成程ひどい列車である、狭軌の鐵道は四十五封度のレールであつて、バラストを敷いて居らぬ、客車は日本よりもまだ小さく窓には硝子扉が無く鎧戸だけである、烟突の火の子は花火の如く、舞込んで來るといふ有様、鎧戸は締切りにしても赤土の塵埃は濠々と立込めて着物でも顔でも赤くなり客車は左右に一尺程も動揺し乍らどし〲走るといふ痛快な植民列車である、先づ〲着物も燒かず、泥棒にも遇はず無事午後七時半大に遅刻してリンス驛着日本旅館に泊つた、リンスの町も旅館もバウルよりは増しである。

四月廿日

午後リンスの先住者藤永氏の御宅を尋ね御話を聞く、要點左の如きものであつた。

一、十二年前入植の際は一アルケール百ミル、現在では買ひ度くとも賣手がない。

二、現在のコーヒー園に十アルケール、小作五家族、

三、一アルケールにコーヒー一千六百株、株間の距離三米四分の三、

四、除草請負一年千本に付三百五十ミル。

五、今年は豊作、平均四本で一俵の見込、粗製一俵約二十五ミル、經費四ミル、精製費一ミル半。

六、土地の高さ四百二十米乃至五百二十五米。

リンスの町から二哩もあらうか至極閑靜な農園生活である、西に傾斜した一望の野には何處やら一沫山燒の烟が立昇つて居る。處々に高く聳へ立つ綿の喬木は今が花の盛りで恰も八重櫻に彷彿として居る、耕主の住宅と外に小作の住宅五棟が各獨立して居りブタが七十頭、雞多數、犬が三匹に猫が若干、花は四時庭に咲き亂れて居るといつた有様、今にアリアンサもこんな狀態に發達するであらうと思ふ。入植一年間は兎角病氣があるが藤永氏の御家族は全部無病健全であつたと申されて居つた。十年前の入植者は兎角經驗が無く日本式に水の流に近く住宅を建てた爲病氣の爲に多數の犠牲者を出したが今では水に遠き高地へ高地へと居住する様になつたから昔の様な事が無い相である、庭の草花と蜜柑の御土産を頂戴して歸る。

四月廿一日

午前八時廿分リンス驛發車、例の如く黄塵旅行を續ける。列車は一等客車一輛、二等客車一輛、食堂車一輛の三車だけで大入滿員の盛況、午后四時リツサンビーラ驛着、四時半一台の貨物自動車に分乗して三十八キロを走つて黄昏収容所に着いた、最近渡航者が無かつたが爲に収容所には正月以來の宿泊者が三家族居るだけである。吾等の爲に準備せられた夕食の御馳走に預つて山の中の初夜を過ごす。

農耕のいとまに

伯國アリアンサにて（和歌）　岩波生

ほのぼのと明けゆく山の爽かさ
　もろ鳥のこゑ澄みとほりたる

ころ〲と蟇の鳴くこゑとほるなり
　夕立雨のはれし今宵は

鳴く鳥のたぐひぞ多しそのうちに
　我が知れる名はいくばくも無き

山燒の時もすぎにしこのごろや
　さへかに空の澄みこほるなり

日の入りて風おさまりし一と時を
　おほに鳴きみつる蜩のこゑ

海外通信

自分で感じた事

渡伯準備注意

在伯國アニウマス耕地
宮部里治
（諏訪郡四賀村）

君は愛妻を求めるには數奇のローマンスがある、兩親の後を追ふて渡伯の具体化をするまでには此のローマンスのために一大暗礁に乗り上げ樣とまでした事はたゞ知る人が知るのみであつた。君の周々の心持ちには少からず動かされなかつた者はなかつた。

話は昨年の未だ薄ら寒い三月の淡い雪がシト／＼と降る頃に戻る。その筋書きは……時の本會總裁梅谷光貞氏の時一通の四角の色封筒が「待史、親展」として縣廳の知事室に舞ひ込んだ。總裁は一と通りの眼を通して「此れは彼の重大な問題であるから輕々しく取扱ふ事は斷じて許す事が出來ない。宜しく十分の調査の上本人の希望に添ふ樣に盡力してやらねばならぬ」と人情味に溢ふる決意と共に微笑を浮べた。

此の問題は遂に本會の幹部の鶴首會議となり一幹事は速ちに諏訪に走つてゐつた。娘の心に理解のない兩親は徒らに反對するのみで青春の血に燃ゆ二人の前には遠く憧れの南米の地が彷徨してゐる。……出來なら一日も早く……なぜ許して呉れないのだろうと二人は遂に非常手段を講じ樣としたが然し「未だ私共の熱誠が足りないのでせう……理解の出來るまで…許して下さるまで奮闘致しませう」數旬が瞬く內にすぎてゐた。「それでは娘を可愛がつて下さい……お前も達者で働らいて呉れ」と娘の母親は微笑を浮べて或る仲介人を通して二人の紙約を許した。二人の熱と誠は報られて話が以外に進捗した。吉報が伯國に飛んだ彼の兩親は喜ん

で呼寄せの費用を送金して來た。目出度く華燭の典は擧げられて旅裝に急いだ「それならば妹も一緒に」と娘の兩親が勇んで云ふた。君の夢まどろかな新家庭の上には梅谷光貞氏縣農商課長石口急一氏幹事西澤太一郎氏四賀製糸組合長濱左衛門氏を忘るゝ事は出來ないだろう……同耕主矢崎氏の歸朝談によると「極めて眞面目な青年で一生懸命に働らいてゐる」と。

私は海興の扱で渡航したのであるから其の心算で見て下さい。

荷造りは、柳行李なれば一番大きなものを選ぶ事が必要でなるべく個數は少なくして澤山の品物を持參する樣にした方がよい。柳箱なれば周圍にに金輪をかける事が大切。私の感じた事は大きな麻袋のズツクにつめて窓莚でくるむのがよいと思ひました。それは鞄やスーツケース等に入れて税關の目が光るよりは飾けのない方が光らないのです。税關では荷の解け易い樣にしておく事、品物がすぐ判る樣にすれば樂である。今回は極簡單で十個の內一個開けた位なものです。税關吏が慾しいと云ふたら呉れてやる事が大切であります。

海興等では荷物を制限して一人十二貫迄にしてゐるが事實に於ては無制限で船の事務長の云はるゝには三十貫位迄よいとの事で當地へ來れば何一つとして不要のものはなく。

何んでも持つて來ればよいと思ふので家まで纏めて持つて來れば良い位です。殊に布は何んでもウント持つて來る事、書籍。手帳。用紙。インク。ペン先等は忘れぬ事、衛和、和衛の辞典も必要で藥は 風邪。胃病。婦人藥。沃土等のものを持つて來る事です。

勝手道具は釜鍋ヤカンは云ふ迄もなくフオーク、サジ、サラ（セトビキ）コツプ（セトビキ）カヒーフオーク等は內地より持參せられたい。樽も持つて來れば便宜で漬物好きの日本人には此の樽がなくて困つてゐる。衣類は何でも持參外出用の洋服は一着で結構、カーキ服の二、三着ズボンとシヤツは山程持つて來い婦人は洋服を作る必要がないと思ふので船へ來るまでは和服で船中では和服を縫ひ替へると良いのである。お互に飾るのは途中丈けでブラジルに着いたが最後日本の乞食に間違いられる位で結構である。フトンは必要で莚包みがよい靴も一足あればよい勞働靴はブラジルで買はれるから軍人の靴であれば二、三足は持つて來い。

農具大工道具、日用品は忘れぬ事ブラジルは物價が日本の三倍乃至十倍であるから五年や十年は日本より持參したもので不足を感じない位に澤山持つて來る事をお奬め致します横濱で乘船する人は東京で神戸で乘船する人は大阪で購入する方が二割乃至五割安いと思ひました。餘計な金は一錢でも險約して渡航後の費用に宛る樣にして下さい。

船中では、ポ語の自習、雜誌等永い航海では會話の一つや二つ數字の百位は覺える樣にする事です、食料品として鑵詰、干菓子、サイダー等辛味物も結構である。風を引かぬ事、胃を傷めぬ事それに運動が第一である。風を引けば航海を無趣味の上に不快を感じ船醉ひばかりするのである。聖書は唯一の慰安であり、激勵であり、安靜であり總べての糧となる。

植民地に來てからは、早起き正直、惰けぬ事、投機的に手を出さぬ事、伯人と接近して親密にする事等が大切であると感じました。

當耕地監督矢崎節夫氏が歸朝されました。何卒詳しい事は同氏に御聞き下さい（略）

私は當地に來た時十一歳

八年前のレジストロ

在レジストロ植民地 植木酉二
（上高井郡豐州村）

私は大正八年三月二十七日父母に連れられ鄉里を辭して、神戸卓頭に南米行の船に乘つて、數十日の航海で五月中旬ブラジル國サントス港に上陸致した。

サントス港は日本からの移住者が大部分と云ふか全部上陸する港で伯國第二の輸出入港である。

上陸してから直ちにサンパウロ市の移民收容所に汽車で送られ、此處に一週間寢食（無料で）再びサントスに戻りサントスージュキア線で一日下り私等の目的地たる海興のレジストロ植民地に船を寄せた。

編者曰く現在サントスを午前六時に出發すれば同日午後五時レジストロに着く

船から上陸して見ると人家が僅かばかりしかない。人家の少ないのは未だよいとして道路が少しも作つてないの

で入口より大森林で、唯、港の近くが開墾されてあり、リベイラ河中には四、五艘の小さい蒸氣船があり、植民地には貳頭引の馬車が拾臺許りあつたのみである。植民地の入口には海興の事務所と支店長の住宅、移民の收容所が白壁で建てられ、小さな海興の販賣店が馬小屋、馬車小屋等と竝んで、外人の小さな商店と一諸にあるばかりであつた。植民地內には約二百五、六十家族が入植してゐるそうである。日本にゐる時立派な學校があると聞いて來たが未だ一校もないと云ふ有樣である。

私の一家は入口から十五基米突の奥で約三里三十町の場所である。

二十日程收容所で暮し、父が先きに大体の陣立をしておいたのであとから荷物を馬車に依賴し一家は徒步で馴れぬ山道を步み、その時、當時は秋の氣候だつたので、何となく寂しい感が起り、鄉里の信州の山中よりは一層の寂莫感に打たれた。

× × ×

入植後二週間は每日故鄉の事ばかり懷しく考へられて友達のH、S、R、M、の諸君が今頃何をしてゐるだろう？又私が渡伯すると云ふのでせめてはローマ字位は知らねばならぬと敎くて呉れたT、M、の兩先生が日の前に浮んで小さい胸を一ぱいにした。それは無理もない私が尋常四年を修業した十一歳の春であつたのだ。

近所と云ふても二、三百米突は離れて居り小供には每日近所の小供と遊ぶ事が出來ないまして外人の小供と來ては手つき手まねで遊ぶと云ふ樣な事で夕方歸る時は『アテローゴ』と云ふのが何んの挨拶であるか判らない狀態で、今になつて見れば『サヨナラ』と云ふ事で背の稽だ、斯くして三、四ケ月を經過して私は近所の小供と一緒に遊び本を見たりする樣になつた。

× × ×

私等が入植してから四ケ月に植民地中央に伯語學校が設けられ私の所からは八キロ（二里餘）もあるのでとても通學が困難であるから兄が通學し私は家で勉强する事にした。間もなく青年會で「第四部青年讀書會」が創り伯語研究を開始した。私共はまだよいので私共より先きに來た者、學齡兒童が一番氣の毒で、尋常一年生の子供に每日往復六キロ乃至二十五基米突を步めとは無理である。植民地に於ける敎育機關の不完全は當然なことで、これを日本にゐる時宣傳する者と渡航する親がしつかり考へ

て置かねばならぬので日本に於ける伯國宣傳を今少し正直にせねばならぬと思ふので、知らないで知つた風をして宣傳されては渡航する者の大迷惑な事である。又新植民地開設は不便なのは當りまいであるから小供を持つ親の當然覺語せねばならぬのである。私は伯國の一般移民の活動するコーヒー園の狀態は存じませんが、大きな珈琲園になると種々の設備が完備してゐるが小さな資本の所ではまだ〳〵慘めな所が多いと思ふ（編者曰くレジストロには現在十三校生徒數五百五十名あり）

× × ×

植民地には海興の農事試驗場がある。試驗場はまだ試驗が淺いので我々移住者の試驗の淺いのと同じく失敗が可成りあります。皆自分で試驗し、失敗し進歩して行くので成功者は十人に一人ありません。試驗場で試驗して植民に指導するのは誠に結構であるが日の淺い試驗場では第一年目にカンナを奬勵して皆一―二町歩を栽培して見たが收穫期に逼つて皆大失敗、珈琲が此處では育たないと云はれて誰も植へて見る者がなかつたが此處四―五年植へて見れば結構に育つと云ふ有樣で、試驗場の指導を仰ぐよりは植民が自分で作物の栽培試驗をした方が早道である。今迄はすべてが實驗の時代であり試驗の時代であるから最初の宣傳とは違ひ勞多くして効少ないと云ふ結論が長い年月の試驗から明らかに證明せらるゝのである。

× × ×

レジストロ植民地も初めは前述の樣であつたが今日では學校も建設され日本語と伯語が日、伯人によつて教育され（伯人教師九人日本人教師十餘人）日本の子供も外國の子供も一諸に勉强してゐる。我々第四部青年讀書會では一九二二年の伯國獨立百年祭に讀書會々館を建設して文庫を集めて居る。又植民地の入口は「レジストロ町」に出來植民地中央道路は自働車道に完成し、各自が酒、砂糖の製造工場を持ち、籾、珈琲、の精製も出來水力で製材の作業も致す樣になり今後はレジストロ植民地も一年一年と發展して日本よりは善くなると思ふのであります。（終）

右の通信は「海の外」四十號に募集した在外諸賢の投書である。九年前の十一歲の少年が甲斐々々しくも當時を追想して現在の活動狀態を報告し將來に多大の希望を持つ所に內地の青年と全然違ふ點を發見する事が出來る。

アリアンサ通信

アリアンサの私共

珈琲の花が開く、籾の百俵 マモンとバナ、が食卓へ

在アリアンサ 小川生（諏訪郡富士見村）

これは本會宮本君宛の通信である。拜借してアリアンサの一端の紹介にする。小川君は大正十四年の渡航であるから在ア既に二週年を經過してゐる。移住地の生活には十分の經驗がある筈である。君の方ではアリアンサからの音信が杜絕して近頃種々の風說に不思議の疑惑を持つてゐる樣だが、僕等の方は愈々開拓の本舞台に立つので却々思ふ樣に通信も出來ぬし、だん〳〵懷鄕の念も薄らんで來て當地に馴化した氣持になり今更殊珍らしげに通信する材料も機會がないから書きたくない次第である。それよりも僕よりも錚の適者な者が居り新らしい移住者から絕へず近況が行つてゐるのだと思ふてゐる……云々と落附きはらつて移住者そのもの〻如く次の樣な事が書かれてある。

マニラ丸一行と勝田主任の歡迎會

マニラ丸の一行が第二アリアンサに入植することになり二、三週前に假小屋を建て入植致しました。先々週の日曜には勝田衞生主任の歡迎會があり全會員（力行會員）參集してお手製の茶菓子、饅頭、テンプラ、豆粕、團子。ドーナツ等あり一同大いに故國の近況や力行會の近況について語り合い一日樂しく送りました。私共親しく在會中指導を受けし先生を此處に迎へて一層の緊張と努力の念が湧くのであります。

珈琲の花が開く

第一回の植付の珈琲は成績良好、既に花をつけてゐます。大きさも私の腰位になりました此の分では三年目には可成收穫があり、四年目には豫定以上の收入があると思ひます。今年は霜のおそれがあるので霜除けの用意をいたして居ります珈琲の株の上へ一本の棒を立て藁を傘の樣におきます。

昨年の蒔いた珈琲二千株も今五段の葉をヒラ〳〵伸びて藁の棒につかへてゐます、今年は更に一町歩ばかり擴張いたす積りです、

籾が百俵の收穫

開作の米作が先週で收穫が終りました。昨年に比較して當アリアンサは良成績で米が山と築かれてゐます私のも種子と食料の外百俵以上はあると思ひます

奮闘なるかな、奮闘なるかな、奮闘の妙味。

煉瓦工場開設

事務所には多忙なので生島氏が會計、中島氏が測量の方に入り荷物自働車が四台、乘用が一台總ての運搬が緩和された樣です。

煉瓦工場が出來てブラジレーロが仕事を始めてゐます、精米所は八月頃になるが既に機械が到着してゐます。

私共は籾を臼で搗いてゐますが日曜の朝二、三時間で石油罐へ一杯白米が出來るから一週間以上も食べられます。

マモンとバナ、

私共が此處へ來て植へたマモンやバナナが毎日食卓に供せられる樣になつて凡てが自分の手によつて蒔かれ收穫されるので樂しみです、堀兄は協會のコルノで六千數百本の請負で奮闘してゐるし戸叶兄に測量部の古參格で原始林の中を馳け廻つてゐる。

傳導と日曜學校

傳道隊は松井、木村、石戸、の諸兄が日曜の午前は中央部に日曜學校を開き午後はアリアンサを六區に分ちて廻つてゐます。土曜の晩は所々に祈禱會が催されこの時は神の國と致す事に努力してゐます。

今當地は秋に當るのでパイネーラの花が處々に咲いて恰度日本の櫻の樣です。（以下略す）

在ア一ケ年の月誌

アリアンサ移住地 藤本顯正（上水內郡信濃尻村）

同君の入植記念日は三月二十三日だと云ふ。本年滿一週年を迎へたので不取敢故國の親戚知人等に平素の御無音を謝して此の記念日に際し感慨多い一ケ年の樣子をペンに走らせて五月九日に實父に宛てたものが本通信である。同君の通信は本誌四十九號及五十四號に掲載してあるから綜合して見ると面白い。アリアンサの狀況については小川林君の通信がある尚小川君の在ア一ケ年の通信は本誌五十八號にあるから合せて讀むと興味がある。

三月 十八日サントス港入港、廿日上陸植民地に向ふて出發、廿三日午後二時頃アリサンサ到着、旅疲にて今月は何もせず、氣候は我國の九月頃の樣であつた、秋の初にて稻が黃色になつて居た、月末頃より刈り始めた。

四月 今月より仕事を始むることにした、一里半の道を山まで屋敷の山切に毎日通つた、中旬頃より毎日の夕立で思ふ樣に仕事が出來ぬ、氣候がだん〳〵涼しくなる、朝夕はとても寒し、蒲團一枚にて寒い位であつた。

五月 今月も月末まで山切、中旬頃より道作りの毛唐六十人程來る、氣候益々涼し此の中旬頃と思ふ岩波君の處に厄介になる、新植民の人たち廿日頃入植したと思ふ、中旬頃屋敷前の自働車道完成す。

六月 屋敷の地均しをなし十三日より井戸堀をなす、十九日より溫度を記入することにした、此の日、日中七十度（今月より多ならんと思ふ）此の頃毛唐を雇ひ珈琲園の山切を始む、自分は二アルケールス山切をなす、月末終了す。此仕事多忙になりたる爲井戸堀は七、五米にて中止。

七月 二日新入植者多數來る、四日は日中氣溫五十五度朝四十五度前日來になき寒さなり月初めより建築材料準備に着手す、九日山燒をなす（屋敷の）連日雨天の爲め山燒惡し、十七日氣溫三十五度初霜あり、續けて三日降霜、今月一杯大工仕事にて何もやらず、朝は寒くて朝寢をなす、蒲團三枚にても中々寒し。

八月 三日近隣の人々十三名にて建前をなす、棟上まですむ、十日頃岩波君の宅より引越をなす、だん〳〵暖になれども朝晩は寒し、住宅の造作にて毎日家にブラ〳〵旱天續の筈なれども今年はなか〳〵降雨多し、寒暖計破壞の爲め氣溫記入中止。

九月 大分暖になる（いよ〳〵當地の春となる）甘藷。玉黍唐等蒔付く、時たま故國の夏の樣な日もあり。

十月 段々暑し、今月中旬山燒をなす、うまく燒けぬ、半アルケール位（一町二段五畝）自分にて燒跡を片付け珈琲七百本位蒔付く。

十一月 中旬頃稻半俵蒔付く、一アルケール程自分には手ばゐ爲め毛唐七人程雇入て後片付をなす、中々暑くて自分等には仕事にならぬ、日中は三時頃ま

で晝寢をなす、日中九十四度が一番暑つかつた樣に思ふ、朝晩は中々涼し。

十二月　毛唐の後片付がなか〳〵思ふ樣に燒けぬ、四百本程珈琲蒔付け稻を其の間作に蒔付く、丁度終つた頃出產（二十日）二十一日中曾根春雄君（更級郡力石村）來る、二十三日和（カノオ）と命名出產手續を了す。

一月　まだ中々暑し、中曾根君と今月一杯七百本の珈琲草取、やつと二段位が一番大きい、間作の稻は雜草の爲め大變遲れたり、降雨中々多し、昨年（十四年）入植者の珈琲は二尺位になる、野菜は中々上出來。

二月　中々暑し、中曾根君產婆の宅へ手傳に行つて居る留守に自分は協會のカマラダに行つた（日雇人のこと）今月中旬より昨年の珈琲やつと二つ葉が出初めた、昨年八月植付の桑丈二尺位になる、パインナツプル、バナ、蜂植付けて大分大きくなつた、ネーブルの苗木も五六本植付けた、鷄は每週食する爲め中々增へぬ、只今二十五羽、中旬頃より一號口の稻穗を出し初む。

三月　今年は昨年より暑い樣に思ふ、珈琲は四段位になる、早口は月初めより稻刈を初む。

アリアンサの片々

南米ブラジル力行農園　細川末男（諏訪郡富士見村）

此の通信は西澤幹事宛のもので私信であるが要點のみを原文のまゝ拔き書きしたのである。

御無沙汰お許し下さい。當地は秋の時候にて皆取り入れの忙しく働いてゐます。故國は只今、櫻花の候の事と存じます。

私共も幸ひ、第一ケ年を送ります其の收穫を致して居ます故御安心下さい。

私共の來てからの一ケ年のアリアンサの變化全く驚くに堪えません二十アルケール近くの開拓が現在は五百アルケール以上も伐られ到る所に道路が開け、日本の田舍よりも規則正しく布設され佛蘭西瓦の家が建ち竝んでゐます何しろ近くに百數十家族六百人以上のものがゐるのでブラジルとしても珍らしい發展振りです。

協會直營地には三十人餘の青年が働いてゐます伐木隊の請負師ルイスも四十人餘の外人を使ひて伐木に從事してゐます。

自働車は乘用一台、貨物用四台あり去年の收容所は醫務局と事務所に當て醫師は只今笹田ドルトクが居ます近々勝田先生が來てゐますので此の方面も完備致しましたホテルは輪湖さんの宅の近くに出來て視察者のために非常に便利になつてゐます。

只今は粉の收穫で非常に多忙であります。皆なのものは初めてなので失敗ばかり演じてゐます雨が順調であつたので收穫が多くて喜んでゐます。今日は製米器を購入して据へつける所です。

第二アリアンサは今年度から入植者があるので收容所は二十八キロの所に立てるべく四アルケール程伐つて燒きました一度に家族が來る等と云ふのでどうしてよいか骨が折れる事でありませう。

熊本縣の方も略々設備が整つて此の四月に新らしい移民達が來ると云ふので大分緊張してゐます。

僕等の農園は至つて平穩無事にやつてゐますアリアンサよりは隔れてゐるので靜かでよいかも知れぬ。

（三月三十一日）

（廿八頁より）

六月七日　第四日

船体の動搖が多少するので船客に於ても吐く人も僅にあります、た津も本日は少しく頭が痛く胸の具合が惡いと云ふのですが大した事はありませんでした。食後神戸にて始めて知合になつた中野君と共に甲板にて讚美歌を合唱する。

六月八日

一昨日も昨日も船島影も見ることが出來ず漸く今朝支那大陸の島影が薄く見へる雨が降つて居るので海上は波も少しく激しく船体も動搖したが船客も漸次に船になれた關係上左樣に醉ふ人もありません。午前二、三の洗濯物をした、愈々明朝は香港に入港するのである一刻も早く上陸したいと待ちに待つて居る、今は船は香港に進んで居ります。

健けく吾子生れぬるとふるさとの
　老父母にはやも告げまし
たらちねの母がなさけの包物
　おし頂きて妻と開けにけり
頂きて包ほどきぬ幼子の
　吾子に給びたる品のかず〳〵
あけくれを仕へまつらぬ我らをも
　かほど心にとめ給ふか父母は
黃昏るゝ庭べに吾子を抱きをり
　ひと時しげき蜩のこゑ

サントス丸を見送る

壯なるかな飛雄同胞

神戸にて　宮本生

歡迎

第一突堤に巨船が横付けになつてゐる。今朝橫濱から入港したサントス丸である。同船は、大阪商船のズルツアーのヂーゼルエンヂンの主機關を備へ一時間十六浬半の速力を有し、船客七百三十名を搭載する日本最大の優秀モーター客船である。私は同船を三日の正午に訪れる橫濱からの乘船者は極く少數の者だけであつた。

船体の中央には「歡迎」アーチ大字が五朱色で畫かれ二字を中心として船体が可麗に裝飾されてゐる。ブラジル國渡航者のために國民が擧つてその壯途を祝しその前途を祈るためにこゝには其の準備が出來てゐる事は慶賀に堪えない次第である。

八百餘名の伯國渡航者

本船は海興の移民が七百七十一名各海外協會扱が四十九名其の他數十名の乘船者で滿員の有樣である。神戸では一週間前から乘船のために大部分の移民が万端の準備を進めてゐる出帆の日早朝から乘船が始まつてゐる。協會のアリアンサ渡航者は三等客室に長途の航海の陣容を整へた。最近の伯國渡航者はその素質に於て大いに改善せられ數年前の移民に比すれば隔世の感がある。海興でも各種關係團体でも移民の選擇について愼重の考慮を拂ひ日本移民の聲價を益々發揚してゐる最近日本移民は伯國珈琲園主から信用され好感を持たれその他日來朝のフォンセク博士の日本滯在の厚意によりリオに於ける檢疫、カサントス檢疫が省略せられたと云ふ事である。

紅白のテープ

出帆が四時と云ふので正午過ぎから渡航者の親兄弟姉妹親戚友人の人々が本船へと見送りに行く。船への行商者が五月蝿い樣に是等の人々の間を往來してゐる。船中への出入は自由であるので室の中、上甲板の所々で離別の挨拶をしてゐる者最後の握手に涙を模樣してゐる等は流石に希望の門出に何んとも云はれない哀別の情が流れてゐる。姉の渡航に妹が抱き合ふて別れを惜んでゐる情景等は先づ彼の女等の心持ちを汲んでやりたい樣である。

然し此處は單獨青年の數人の一團、彼等は憧れの地に微笑を浮べて涙一つ出さない固い〳〵決心が彼等の一人一人に十分の覺悟が出來てゐる――。植民學校出身の生徒だ――移住者の移住練習が彼等を指揮してそこには靜かな祈禱が始まつてゐる。――送別の讚美歌が元氣よく合唱されてゐる――時間が刻々と迫つてゐる。船から一條の白いテープが鮮やかに投げられると思ふと岩壁の人々からも投げ上られる、かくてテープは何千數十本が船腹も見えぬ程に交換されてテープを一縷に哀別の情が通ふてゐる。

日伯協會の大活動

ブラジル渡航者のために每船盛大なる見送りをして渡航者に元氣百倍壯圖を祝福する計劃が日伯協會で實行されてゐる。神戸を中心とする都下の小學生、女學生、中學生が每船二、三百人が岩壁に整列して小旗を振りかざして無心にも健げな見送りが行はれてゐる。樂隊に合はせて……………。

行け〳〵同胞海越えて
　强きかいなに愛國の
血しほをひめてほゝえめる
　君が勇姿を送らなん。

數回繰り替されるのである。

小蒸汽船が遠く沖合まで數十名を乘せて二船が本船に同航するのである。日伯協會役員一同が出勤して此等の見送りに關し秩序を持して奔走されてゐるのは感謝に堪へない。

汽笛一聲

四時が打つと出帆の汽笛が鳴る、聞き馴れないものには異樣な不氣味な汽笛が三度ばかり鳴つたと思ふと岩壁から除々として離れる。

ドツト泣き合ふ聲と萬歲が隨所に起る小旗が振られテープが切れる。限りなく「萬歲」が交はされて次第に遠ざかる。更らに送別の歌が合唱されて一同が動よめくと本船は旣に自動の速力を出す。

私は日伯協會のランチで巨船を追ふた。最早岩壁の見送り者船上の人々の識別が不可能の頃我がランチは偉大の活動を始める、巨船は靜かに港外に向ふ。船体の腹には名殘りのテープが搖られてゐる。

次第に本船の速力が出で、可成り遠くまで定泊船の間を縫ふてゐる。ランチが本船に或ひは近く或ひは遠く隔れて一行の別れを惜しむ近づくにつれ隔たるにつき間斷なく萬歲が連聲されてゐる、行進の曲、樂隊が一行を元氣つける。ランチが最大のスピードを出して港外の第一防波堤まで追ひかけるのだ巨船が一路港外に出ると悲壯の電動サイレンが鳴る。

お別れ

約三十分を巨船と道を同うして港外に來た。

無中になつて言葉を交せたが最早それが出來ない巨船の速力が益々出ると我がランチはその追隨を許されないのだ最後の「萬歲」が殘されて急に胸が込み上げる。ランチは迂回して歸路につくと早や巨船は見失ふ樣に遠く離れてゐた、私は一行の將來を祈るためにしばし默祈を續ける……「又會ふ日まで」がせめてもの慰めである。

アリアンサの一行

十四家族四十九名の中には知識階級と移住者の素質に於いて他の移民の追隨を許さぬ資格者が全部である。我が移住地建設途上の旣に大成を得た要點はここであつた。

遠藤源吉氏は長く官界にあつて現在は某有力なる會社の重役である思ふ所があつて十九才の息子を本年渡航させ今回は家內三人の渡航であると云ふ。中深治平氏は陸軍航空兵大尉の軍人であり體軀偉大にして家族四人を擧げてゐる。「私よりも妻の方が熱心で」と渡伯の動機を語つてゐる。

柴田芳三氏は日本力行會員で妻を長野縣から求めたと云ふので非常の元氣である。

倉持敏雄氏は數年前の計劃が此處に實現して喜んでゐる眞面目な農村子弟である。市岡経道氏は岐阜から北海道に第一移住の試驗にパスして現在置戸小學校長であるが更らに南米に行く決心して兄の反對を說破し置戸の村民から惜しまれ盛大な送別會が開かれたと云ふ。反對した兄からは出帆の朝次きの様な電報を寄せて壯圖を祝ふのである。「返還イ殘念、幸アレヨ、寂シキ極ニ堪ヘカネテ兄弟ノ歸ル日ヲ待ツ、我世ニ在ルカ」アキラ

鈴木綱吉氏は兄の家族と同行仕様うと云ふのであつたが「一日も早く」と云ふので兄に先き立つて兄さんは後から兄弟のこまやかな相談が纏つて渡航すと云ふ。兄は某建築組の請負師で日本を縱橫に飛び歩く多忙であるが「私は荒れくれ男何百人の監督を見るよりは安住の地に更らに苦勞して見たい」と態々神戸へ三日を費して弟の世話と船中の見物に餘念がなかつた。

富山縣海外協會からは先發隊の四家族であるため非常に緊張して渡航後は富山移住地の理事として活動される帝大農科の實科出身の松澤謙二氏が一行の指導者であつた。

サントス丸第一信
香港より

(滋賀縣坂田郡神照村) 柴田芳三

六月四日 第一日

午後四時船は靜かに陸を離れて行く多數の見送人と來船客とにて蜂の巣の如くに美しく張られたテープは全部惜氣もなく打切られ海上に沈んで行く、船は瀨戸內海に進んで行く、須磨明石の絕景を賞讃し此の景色も幾年かは見ること出來得ないと名殘り惜しく思ふ六時夕食の爲食堂に行く麥飯なれども相當に美味しく御馳走も思つたよりも多い。

六月五日 第二日

起床後甲板に飛んで出る、瀨戸內海を船は走つて居るのであるが島が多數にあり景色も非常によい十時半過ぎに關門海峽に入つて來たので船客は殆ど甲板に出る、下關、門司を左右に眺め最早日本の景色を眺めるのも最後であると思へば悲しい感じが自然に起つて來る、午後になつて漸次船体の動搖も激しくなる中には吐く人も少々あつた、又甲板にて毛布を敷いて横になつて居る人々も多數にあつた。

六月六日 第三日

本日は、海上は非常に靜かにして疊の上を走る如き航海にして船客一同元氣は非常に宜敷い、朝食後は入浴に入る鹽湯にして何だか氣持が惡い併し船中の事であるから辛棒せなくてはならん、午前海外興業會社の代表者より協會に對して、娛樂、葡語研究、子供教育等に付いて實施したいと思ふから協會も共に同意してくれと云ふので一同協議した上、中澤樣松澤樣より同意する旨を返答せられたり。

(廿五頁下段に續く)

母國通信

內閣一部改造

政友會內閣の高橋大藏大臣は過般の財界混亂の救濟を了したので六月二日辭表を提出した、よつて左記の如く一部改造が行れた。今回の改造により藏相の椅子の當てが外れた山本農相は不滿の所から辭意を漏らす等政友會內部にも多少の不平者があると云ふ。

任大藏大臣 文部大臣 正四位勳一等 三土忠造
任文部大臣 正三位勳一等 永野錬太郎
依願免本官 大藏大臣 正三位勳一等 高橋是清

立憲民政黨生る―總裁濱口氏約二ケ月にわたり産みの苦しみを經たる立憲民政黨は六月一日上野精養軒に於いて結黨式を擧げこゝに花々しく憲本兩黨は更生の首途に上つた。決定した役員の主なるものは左の如し

總裁 濱口雄幸(憲)
總務 安達謙藏(憲) 町田忠治(憲) 原修次郎(憲) 齋藤隆夫(憲) 小泉又次郎(憲) 榊田淸兵衛(本) 松田源治(本) 小橋一太(本) 八木逸郎(本)
幹事長 櫻內幸雄(本)
黨務部長 田中善立(憲)
政務調査部長 小川郷太郎(本)
遊說部長 中野正剛(憲)
顧問 若槻禮次郎 床次竹二郎 山本達雄 武富時敏

政界新分野 立憲民政黨は憲政會一六一名、本黨六三名、その他二名をもつて一日結黨式を擧行したよつてこゝで衆議員における各政黨の分野は左の通りとなつた

民政黨	二二六名
政友會	一八〇名
新正クラブ	二四名
實業同志會	九名
無所屬	一七名
欠員	八名
合計	四六四名

支出兵―動員令を下る

支那戰局に關し我が政府では五月二十八日左の聲明を中外に發すると同時に陸軍では滿洲駐在師團の約二千人及工兵、無線電信隊若干の出動命令を發した。

支那における最近の動亂殊に南京、漢口その他の地方における事件の實跡に徵するに兵亂の際支那官憲において保護十分なるを得ざりしため在留帝國臣民の生命財產に對する重大なる危害を被り甚しきは帝國の名譽損の暴擧を見たり從つて現下北支の動亂切迫の際に之の種事件再發のおそれなきを保せず今や右戰亂は濟南地方に波及せむとし同地在留帝國臣民の生命財產の完全に付危ぐの念なき能はざるものあり同地には帝國臣民の居住するもの二千の多數に上り然も同地は海岸を距ること遠き奧地にあるをもつて長江沿岸各地における如く海軍力により之を保護すること到底不可能なるにより帝國政府においては不しやう事件の再發を豫防するため陸兵をもつて在留日本人の生命財產に保護のためやむを得ざるに至れり然るに右保護のため派兵の手配をなすには相當日子を要ししかも戰局は刻々變化しつゝあるに顧み應急處置として在滿部隊

より約二千の兵を取敢ず青島に派遣し置くことに決せり右陸軍力による保護は固より在留日本人の安全を期する自衛上やむを得ざるの緊急處置に外ならずして支那國およびその人民に對し何等非友好的意圖を有せざるのみならず南北兩軍いづれの軍隊に對してもその作戰に干涉し軍事行動を妨害するものに非ず。

帝國政府はかくの如く自衛上やむを得ざる處置として派兵を行ふといへどもはじめより永く駐在せしむるの意圖なく同地方の日本人にして戰亂の患を受くるの恐れなきに至らば直に派遣軍全部を撤退すべきことをこゝに聲明す。

移民博物館設立

內務省社會局は昭和三年度に於て移民政策の積極策をとる事に方針を定め既に之が具體案も出來上つたので近く省議に付議し決定の上は豫算閣議に提出する運びになつてゐる、その主要なる事項を擧ぐれば先づ移民思想の普及をはかるために豫算約百萬圓を投じて東京に一大移民博物館を新設して北海道、朝鮮或は滿洲、樺太等內國移民地を初め南米。南洋その他海外移植民地の事情をして一目瞭然たらしむるべき諸般にわたる施設をなし國民に對する移民事情の紹介を試みそれを中心として今後海外移民の中堅たるべき知識階級分子を教育輔導する教育機關にまで發展せしめんとの大抱負に依るものであるる之は豫算の關係上明後年度になるだらうと見られてゐる。尙この外內外移民奬勵費算二百萬圓をもつて海外渡航費を一萬人まで擴張支給する事にし一人當り五百圓の生業資金を貸付企業移民奬勵の目的として千六百家族の企業移民を海外に送る事に內定してゐる。而して之が指導保護上遺憾なきを期するため十萬圓の經費をもつて移民監督官六名、同補十名を新に任命する方針である。

海外移民組合組織の定款と事業方法

第五十二議會を通過した海外移住組合法は五月一日から實施せられたので組合組織の基標となる模範定款および事業方法書を社會局で立案し五月廿七日これを府縣知事あてに通牒した同通牒によれば

一、海外移住組合の組織は原則として府縣一組合有限責任として組合員の出資一口の拂込金は五十圓とし第一回拂込額はその五分の一卽ち十圓とする

一、組合の執行機關としては組合長一名理事九名監事三名を置き組合長には府縣知事を充てる

一、組合事業の目的地は大體南米ブラジルサンパウロ州とし一組合五千町步を限度とする故に第五十二議會で協贊を經た百八十萬圓の助成金では八組合四萬町步の豫定である

一、土地購入形式は海外移住組合が移住組合聯合會から資金を借受け土地を購入しこれを個々の組合員に分讓するが土地購入價格および償還方法は左の通りとする

(イ)購入地の價格は一町步約四十二圓五十錢總價格約二十一萬二千五百圓內外

(ロ)移住者に對する分讓價格は一町步五十六圓一組合員は廿五町步價格千四百圓の見込

(ハ)移住者は大體一組合二百家族とし初年度および二年度に各五十家族三年後に百家族を移住せしむること

(ニ)組合員の聯合會に對する出資額を一萬五千圓とし五年間に毎年三千圓づゝを拂込ましむる事

(ホ)組合員の出資口數は三千口のこと

(ヘ)土地代金の貸付金は三年すゑ置三年賦年利五分のこと

右の結果移住者は渡航に要する費用および移住後の住宅建設費一ケ年間の生活費を見込み大體三千五百圓乃至四千圓程度の手元金があれば六年後には大體二十五町步の地主になれる譯であると

日墨醫術協定癈棄

大正六年四月廿六日ソキシコ市において調印せられたる日墨醫術自由開業協定は調印の日より十ケ年を經過したる後卽ち本年四月廿六日以後締約國の一方よりその廢棄を通告し得べき時期に達しゐたがメキシコ政府は五月廿日付をもつて在日本メキシコ公使を通じ右廢棄の通告をわが政府になしたもつとも右協定は廢棄通告後尙一ケ年間有効にしてその間は日本人醫師(各科醫師および產婆を含む)は新規に渡墨し無試驗開業をなし得べく、尙右協定により現に開業しつゝあるものおよび今後一ケ年內に開業する者は右協定失効後といへども營業繼續を認められるとなつた、現にメキシコにおいて本協定により開業中の日本人は各科醫師藥劑師および產婆を合せ四十六名でメキシコ醫師で日本に開業するものはない。

メキシコ物產陳列所設置

メキシコ政府から東京駐在名譽領事に任命された伊藤敬一氏は家族同伴三十日橫濱着の樂洋丸で安着した、氏は近く東京にメキシコ物產陳列所を設置し日墨貿易の促進に努める外更に明春メキシコ聯合商業會議所主催の日本實業視察團を組織し同國の著名な實業家を親しく日本に案內し相互の緊密を計ることにしこれが準備を進めてゐるがメキシコ移民についても次の如き報もたらした

關西資本家の投資によるみやこ土地會社は近くメキシコに法人會社を設けメキシコ政府と交渉して同國中央部ハリスコ州に數萬エーカーの廣大な農作地を買收しこれに日本移民を送ることにし次の船便で三十家族を連れてゆくとのことである、同農作地は既に開拓された地味も氣候もよい土地だから砂糖、果樹類。綿の栽培に適し相當の成功を擧げると思ふ

移民收容所の官制決る

五十一議會に於いて協讃を經てある豫算十五萬三千圓で本年度から三ケ年計畫で神戸市に新設される移民收容所の官制は五月三十一日の閣議で決定、醫官一名(所長)醫官補三名、屬三名を置くことになり、さしあたり醫官および屬一名をもつて準備に着手し本年十一月一日から實行に入る豫定である收容人員は七百名、一ケ年の延べ人員七千名で收容者は出帆前十日間無料宿泊せしめ移住地における風俗習慣氣候風土などの豫備知識を與へかつ簡單な日用語を敎授しまた身體檢査、健康注射などを施し從來の欠陷を除去せんとするものである、なほ敷地はかねて第二女學校跡と內定。山縣前知事は稅關跡を

適當なりとして內申し內務省では不同意の旨通牒を發した矢先政變となりまだ決定してゐないが多分內務省の意見通り女學校跡に決定する模樣である。

農林省の內地移民對策

食糧並に人口問題解決策として、政府が今回計畫した規模の國營開墾の實施に伴つて當然起るべき問題は、新開墾地に對する農村の移住奬勵であるが現在までの實績を見ると頗る不成績である卽ち同奬勵に依る建設戶數は約二十七百戶程度で、將來如上の大規模開墾が實施さるゝに於ては到底之等の移住奬勵を以てしては覺束ないので、政府當局は新に現行産業組合法を改正して、今回調査の全國四大開墾地其他に對して團體的內地移住をなさしむる方針の下に客歲來攻究を重ね、近く之が實施をなす計畫である、卽ち新開墾地に對して農民が共同的に團體行動を取り、産業組合を組織して移住經營の目的を遂行すれば、經濟上非常な便宜があると共に一面政府の之に對する保護奬勵策も行ひよい事となるが玆に一つの難關は從來の産業組合を以てしては、組合の區域關係乃至組合法定類別形式等の關係に於て頗る面倒な問題が起る點で、當局も右については充分考慮を拂ひ法の活用を計ると共に産業政策上遺算なきを期する方針である。而して內地移民を産業組合組織の下に行はしめてゐる例は歐米各國にありなかんづくドイツの如きはこの利用に成効し、內地移民政策上多大の效果を收めつゝありと。

古島一雄氏講演

六月十八日信濃教育會總會に招待された前遞信政務次官古島一雄氏の支那問題に關する批判講演があり熱辯を振つて聽衆に多大の感動を與へた。

霜害救濟資金

本縣の霜害救濟に對し本縣では政府に低利資金の融通に運動してゐたが六月十八日非公式に五百三十七萬圓の資金を融通する事に認可の報告があつた。右資金は農工銀行と信用組合の兩方面から貸付ける豫定であると。

總會。代議員會 移住地建設記念會 決定

七月二十日（於長野市藏春閣）

本會の總會及代議員會は愈七月二十日と決定し、移住地建設記念會も當日と決し講演會も開催せらるゝ事になつた。尙當日は原司法、小川鐵道兩大臣を初め多數の名士が本會役員として出席する豫定である。

信州記事

縣政界の分解を促す

いよ〳〵立憲民政黨が出來上つたので本縣の政界は南北信共にこぶる活氣を呈して來たが北信では原法相のお國いりで政友內閣謳歌の氣勢を添へた外に憲政會では松本忠雄氏が山桝代議士と共に五月十五日來長し地方黨情を視察すると共に松本市は鈴木禎治、早川穗治郞氏等長野市の幹部と會合種々協議を遂げた松本氏の態度は注目されてゐたが結局新黨へ參加はするがその決定は新黨の政綱政策が出來てから本月下旬選擧區と協議の上正式に新黨參加を表明する事となし支部としても結黨式の後改めて支部大會を開くを可とする事となつた

一方北信の大勢にもつとも重大な關係を持つて居る小坂順造氏は新黨へは斷然參加しない事だけは言明したそれで小坂氏は非憲政といふ事になり北信の本黨は事實上全滅した事になつた將來小坂氏の進退は疑問だが恐らく適當な時機を見た上で相當の手續を經て政友會に復歸するものと見られて居る

明年の代議士戰

明年の衆議院議員改選に對し第二區の東信一市四郡では既に政友派の東信同志會並に東信憲政クラブ（民政黨）兩派でそれ〴〵準備を開始したが同志會では最近の狀況より推して內務大臣秘書官篠原和市元代議士春日俊文の兩氏を出馬せしめることに決定した模樣である篠原氏は南北佐久の兩郡を春日氏は上田小縣埴科の一市二郡を背景として運動する方針らしく過日の總會で北佐久に支部を設置するに決定したのは篠原氏のため、又小縣郡で數回の政談演說會を開いたのは春日氏のための準備であると傳へられて居る

定員三名に對し候補者を二名に止めたのは人物の少い點もあるが候補者の多い憲政派が三名を立候補せしめ全部の當選を計畫して居ると傳へられて居るのでこれに對し同志會では全力を二候補に注ぎ確實に二名を當選せしめ結果において一名の勝算を得ることに留意した結果らしい

小坂塚原兩氏の入黨

小坂順造氏が民政黨不參加を鮮明した結果本縣の本黨系で殘るのは松本市の塚原加藤、諏訪の丸茂藤平の兩氏のみとなつたが塚原氏は種々の關係で小坂氏同樣この際政友いりをなすべく丸茂氏のみは對小川氏の關係上政友いりを肯ぜないものと見られて居るので結局最後まで本黨と生死を共にして新黨に參加するのは丸茂氏一人となり本縣政友會は幾ぶんばうちやうの結果になるであらう。

高井村に降雹

上高井郡高井村字牧地方は六日午後三時半頃から雷鳴と共に五厘銅貨大の降雹あり柿の葉を打ち落とす程の勢ひで約十分間降りしきつた爲凍害後漸く芽を吹いて來た桑葉は殆ど全く落とされ十日頃から掃立の豫想を立てゝゐた遲春蠶は又々見込みがなくなり同地方養蠶家は全く生氣を失つてゐる損害價額については目下須坂署で調査してゐるが桑園二十町步菜園三十町步は全滅に歸した

鳥居村に降雹

上水內郡鳥居村は過般の霜害には比較的被害少く上下高井方面の蠶種家へ桑葉を賣却して居つたが七日午後三時十五分降雹あり厚さ二分位地上へ積もつたが桑葉其他に相當被害ある見込であるが詳細取調べ中

藤村詩碑の原型

信濃協會及び舊小諸義塾同人によつて計畫された嶋崎藤村氏詩碑は、其後信濃協會整理のため一頓挫を來たしてゐたが、小諸義塾同窓會に保管されたる約五百圓の醵金を基礎とし有嶋、水上正宗、北原他二十氏を發起人とした「藤村詩碑建設後援會」の手によつて愈よその原型銅板が出來上つた、筆は藤村氏の自筆、製作は高村豐周氏の苦心になり詩文は有名な「千曲川旅情の歌」である

原型は横四尺五寸、縦二尺五寸右にすると凡そ横一間高さ一丈に近い尨大なものになる此の石は千曲川に産したものであるさうだが、重量七千貫東京迄の運賃に約二千圓はかゝる豫定だとある設置の場所は千曲川を一望に收める小諸城址外廓通稱「開かずの門」の一角で遲くも六月下旬迄には建設されるといふ、此の「小諸なる古城のほとり」に建つ一基の詩碑は一人藤村氏の事業を永く後世に遺すばかりでなく雲白き千曲川の地に彷ふ人のために一篇の詩情を仰へ度い爲めにあるさうな

大霜害郡市別調査―縣農會調査

總額壹千百二十一万餘圓

	春蠶桑園（町）	被害反別（町）	減收歩合	繭收被害價格	其他被害額
南佐	二、一七五、〇	一、五八一、〇	二、〇	四三六、九七一	—
北佐	二、五九七、〇	二、一二一、〇	四、〇	九六〇、九七一	—
小縣	三、三四六、八	三、七八〇、〇	三、五	一、三八九、八一五	—
諏訪	一、二二一、〇	五一〇、〇	一、五	二五六、八五三	三五、〇〇〇
上伊	四、六九〇、九	三、四三九、〇	二、五	三六三、九八八	一五、〇〇〇
下伊	六、四一八、〇	四九五、〇	〇、四	一、一四〇、三〇〇	—
西筑	六〇〇、〇	一一〇、〇	〇、五	四四、八八三	—
東筑	四、二八三、〇	二、九二五、一	六、〇	一、七二一、〇〇〇	一六五、〇〇〇
南安	一、二六七、〇	九九六、六	六、〇	三一〇、三〇〇	一四〇、〇〇〇
北安	四八五、〇	六〇一、四	三、〇	一〇一、六四三	六〇、〇〇〇
更級	二、四一五、四	二、四〇〇、〇	六、〇	一、一〇九、九〇〇	一五八、〇〇〇
埴科	二、一〇七、七	一、七三一、一	五、〇	七九八、一八八	—
上高	一、八九一、七	一、八二〇、〇	六、〇	九〇〇、八〇二	二〇、〇〇〇
下高	九八六、〇	五八六、〇	六、〇	四六一、五一〇	七、〇〇〇
上水	二、一二〇、四	二、〇八二、五	五、〇	七四六、八八五	五三、四〇〇
下水	五一三、〇	三〇二、五	三、五	一一〇、六一〇	—
長野	四三六、九	四三五、〇	七、〇	一六七、九五二	四二、九〇〇
松本	一七二、〇	一六〇、〇	八、〇	一〇〇、四七〇	—
上田	三五八、二	三三、〇	二、〇	五八、八三〇	—
計	四〇、三四九、一	二六、一一〇、八	三、四	一一、四九九、七九二	六九六、三〇〇

備　考

一、夏秋蠶專用の桑園にありても約一萬八千町步の被害ありたれど一面春蠶用桑園を夏秋蠶桑園に變換するものあるを以て差引繭の收量に增減なきものと見なせり

二、繭收被害高は一貫目の價格七圓五十錢とせり

三、其他被害額は葡萄、苹果、梨等の果樹及綠肥作物である

四、本表は概括的調書で多少の增減がある。

梓山部落燒く

南佐久郡川上村字梓山中嶋和一郎方より五月十七日午後一時半頃發火、折柄の烈風に忽ち十九戶三十二棟の同部落全部を燒き拂つて同五時二十分頃燃へるものが無くなつて鎭火した、同所は山奧の谷間とて消防の設備無く全く燃えるに任せ、十八日に消防組が駈けつけ跡始末中である。

徵兵檢査成績

下高井郡に於ける本年度の徵兵檢査の成績は壯丁數全部で五百七十二名あつて此內合格したのが甲種に百八十五名第一乙種八十五名、第二乙種九十四名であつて此內最も合格者の多かつた町村は平隱村の十九名、夜間瀨の十七名、中野十七名、木島十五名等で又合格步合の良かつたのが夜間瀨村の壯丁三十五名中十七名の合格平岡が二十三名で十二名合格、日野が十四名で七名合格して居る、又最も成績不良なのは中三町で七十八名の壯丁で僅かに十七名の合格を見たばかり、長丘は十八名でたつた三名の合格、瑞穗は四十五名で十三名合格したのみである。

溫村學校紛擾

南安曇郡に於ける學校問題は五月十一日全村委員會を開催協議する筈であつたが同日は開會に至らずして流會となり愈々收拾すべからざる狀態に陷つたが之が爲め同村長小穴久一郎氏は十二日朝辭表を提出し又同村上長尾小野澤兩區選出村會議員一同もそれ〴〵辭表を提出し混沌たる有樣を呈して居る。

原法相の墓參　司法大臣原嘉道氏は五月十四日須坂町に展墓のため歸省あり同町は早朝から沿道に各學校の生徒を始め町內のあらゆる有力者が身動きも出來ない程に出迎へて盛大なる祝賀會が催され鄕黨では倒立ちになつて原法相を迎へた。

波多敬老會　東筑摩郡波多村禁酒會主催の敬老會は五月八日午前十時より村役場樓上に開催此日招待を受けた七十歲以上の高齡者は男八十四人女百十二人勅語奉讀司會者の挨拶の後安養寺住職及波多腰村長の祝辭高齡者總代中野前村長の謝辭あつて式を閉ぢ記念撮影晝食を總つて午後一時よりは附近松林中の餘興場に於て浪花節ラヂオ煙火打揚げ等の餘興其他藤田松中教諭の講演を濟ませ摸擬店を開いて園遊會に入り補習學校女生徒處女會員等が其間を斡旋して夕刻散會したが同村七十歲以上の高齡者內譯は天保生れ九人弘化生れ十二人嘉永生れ百人安政生れ七十五人であると。

五百餘町步を燒き

甲信境八ヶ嶽山麓の大山火事は二十八時間一晝夜餘に亘つて燃え續き目測四五百町步を燒き一日午前十一時頃火勢おとろへ午後三時頃殆ど鎭火の狀態となつた燒失區域は御料林が大部分で他

は本鄉富士見金澤境及び山梨縣小淵澤村五村から成る八ケ岳森林組合の作地で赤松が多く御料林も同樣赤松及び「から松」で損害は莫大な額に達する豫定である一日出場の消防は小淵澤から五百餘名諏訪南山各村から二千餘名が押し登り消火に盡力したもので各消防組は綿の如く疲れ午後四時何れも歸村した原因については最早炭燒き時期でもなく刈敷に煙草の吸ひ殼でも落として行つたのが大事に至つたのではないかと。

湖畔の大公望

諏訪湖畔及び同湖水に注ぐ六斗川文出三の丸その他各河川では最近はや、あかづその他の魚類が澤山釣れるので毎日二百人近くの大公望が押しかけるので困つたことに漁業組合員の漁獲區域にどん／＼入り込み多額の費用をかけて養殖する漁族を組合員以上に釣り上げて來るのみか田畑の畦畔等をいためることも甚だしく地元民からは矢を射る苦情に太公望の取締を必要とし諏訪湖漁業組合では近く釣竿狩を行ふことになつた若し道樂及びそれ以上に釣をしたい者は一年金一圓也を組合に納めて大威張りでやつてほしいと。

募る同情

縣も救助準備宮下屬を

臨時出納吏に命任

福島町大火の罹災救助については本縣に罹災救助資金が二百萬圓もあるのでそのうち必要に應じていくらでも支出することに決し會計課の宮下屬を臨時出納吏に任命して十三日福島町へ出張させた長野市から見舞金を持參丸山長野市長は見舞金五百圓を携へ十三日午前六時十三分被害地へ向つた

町で義金募募

本縣では福島町大火の義えん金を募集することに決し縣廳全員が月俸百分の一を割き率先義えんするはず

松本も義金五百圓を贈る

松本市參事會は十三日午前十時から開會木曾福島町大火に付金五百圓の義金を贈る事を決議した。

赤石登山準備　南アルプス赤石連峰は登山期を控へて地元山岳會でもその設備につきあたまを絞つてゐるが本年は婦人團體の登攀も增加の傾向にして法政山岳部の大縱走を皮切りに登山者殺到し遠山口及大河原口とも賑ふ模樣で飯田測候所は七月一日から警察電話を利用して各登山口へ天氣豫報を通知し便宜をはかる由。

父の物故も知らぬ

南佐久郡平賀村字新田片井大二郎（四四）は明治四十一年二十一歲で雄志を抱き渡米したがそれ以來鄉里に音信不通となり既に死んだものと思つて居た所去る三十日午後二時頃突然大二郎から亡父に宛て電報で「橫濱に上陸したから出迎へて吳れ」とて止宿旅館まで明記されてあるので近親のものが喜んだり直に三十一日迎へに出掛けた。

健保醫患者

諏訪郡に於ける五月中の健保患者總數は又々前月の一萬九千九百五十五人に比較して一千五百四十八人を增しこれが點數において實に四十一萬六千五百五十點五分前月に增す事驚くなかれ六萬七千八百十六點五分に達し諏訪郡下に於ける女工六萬餘人の三割八分は病人となつてゐる譯である。

協會記事

海外視察組合の活動

續々設立される上、下水內。更埴、小縣地方

本會の事業として海外發展の實際化を期するため、目下設立募集中の海外視察組合は、以外の成績を示しつゝ續々設立されてゐるが殊に縣廳內には四組合を設立してゐる。尙上水內、更級、小縣の諸地方に於いては各村長が奔走してゐる、本組合は貯金奬勵を加味したもので三ケ年に每月三圓積積むものは百二十三圓餘、六圓宛のものは二百四十六圓餘、九圓宛のものは三百六十九圓の貯金が出來るもので利子は九分を保證されてゐるから有利な貯金が出來且つ海外發展希望者には種々の便宜が與られ尙近く設立せらるべき海外移住組合と聯絡をとらば組合員の利益は多大である故頗る歡迎されてゐる。此の組合貯金の特色は各自が貯金通帳を持つて居て安心が出來る事と貯金額は海外視察旅行費用に當られるのであるが旅行せざる時は純粹の貯金となり、子女の家經の諸費用に流用されたり、子女の教育さては結婚の雜費にても當てられると云ふので、心ある人々は進んで申込加入をしてゐる盛況である。左に既に設立された組合の二、三をあぐれば

縣廳第一視察組合

哇上日義
佐藤四郎
佐原正男
北澤新太郎
倉石大二郎
關　　庸
西澤善十郎
西澤太一郎
茶鍋　要
宮下　周

上水內郡富士里村視察組合

組合長　花岡清齊
佐藤藤吉
小林長忠
池田六太郎
增田善作
大草彌一
外谷本治
丸山幸三郎
戶田正義

更級郡更級農學校視察組合

組合長　矢田鶴之助
檀上謙爾
中條　勇
板倉長三郎
早川喜七郎
後藤宰一
今井正三
安達益之助
竹原貞治
宮本邦基
荒井雅次郎

顧問及相談役推薦

本會は長野縣出身の名士、有力者を以て本會の役員に推薦してゐるが今回左記の如く二名の顧問及四名の相談役を推薦した。

（司法大臣）原　嘉道氏
（前東京市長 前台灣總督）伊澤多喜男氏
本會顧問に推薦す（各通）
（前海軍政務次官 代議士）降旗元太郎氏
（代議士）樋口秀雄氏
（東京第三助役 代議士）松本忠雄氏
（警保局長）山岡萬之助氏
本會相談役に推薦す（各通）

書記任名

高津榮氏　本會は事業益々多忙を極めるにより今回下高井郡上木島村出身の高津氏を本會書記として任命した　同氏は永く海軍に身をおき海上の生活には馴れたもので本會の如き仕事には非常の興味ある由で同勞の任を分つ事になつた。

相談役異動

石口龜一氏　本縣農商課長として一昨年新潟縣より赴任せられたる同氏は本會幹事として滿二ケ年を御盡力被下本年五月幹事滿期と共に更らに相談役に推薦、本會のために御勞力拂はさるに勝れず永く靜養に努めしが今回官界を退くと同時に本會相談役も辭任し專ら療養する事になり居を長野郊外に移せり。

山田武雄氏　本縣庶務課長山田氏は今回、千葉縣に御榮轉せられたるを以て本會相談役を辭任せり。

神奈川丸、ラプラタ丸安着

四月十五日の神奈川丸、四月三十日のラプラタ丸は神戶出帆以來航海無事、それぞれ六月十三及六月十六日サントス港に安着の旨出迎への移住地理事より來電が十八日あつた。

サントス丸乘船
アリアンサ渡航者

六月四日サントス丸は海外興業扱の伯國移民七百七十餘名を割載して無事神戶港を解纜したが同船には信濃、富山、鳥取、熊本の各海外協會のアリアンサ移住地渡航者十四家族四十九名をも加へて意氣陽々憧れの地ブラジルに向ふた。

本會よりは宮本氏海外協會中央會の代理を兼ねて出張して一行の萬端の指導に任じ遺憾なきを期した倚富山からは堀井氏、熊本からは中山氏が出張して夫々の指導に任じた。左に本協會扱の渡航者を擧ぐれば

滋賀縣坂田郡神照村　柴田芳三　二人
北海道常呂郡置戶村　市岡恕道　三人
靜岡縣加茂郡城東村　中澤治平　五人
京都府相樂郡富尾村　倉持敏雄　三人
東京市本所區松倉町　鈴木綱吉　三人
栃木縣下都賀郡赤津村　遠藤源吉　三人

矢崎節夫氏訪會

かねて歸朝を報導されてゐた在伯二十ケ年の奮闘者矢崎節夫氏（諏訪郡四賀村出身）は五月二十四日本會を訪れた　本會では役員一同出席同氏の歡迎會を模して伯國の事情につき種々話があつた。尙同氏に關する記事は次號に掲げる。

新入會員（自昭和二年四月一日 至昭和二年六月二十日）

新潟縣北蒲原郡中浦村　梅川誠治
長野縣上水內郡榮村　上條　愿
長野縣下伊那郡大島村　松下喜代志
宮城縣桃生郡拾五濱村　中谷　清
福井縣大飯郡高濱町　武村俊夫
三重縣安濃郡安濃村　神田利兵衞
三重縣安濃郡櫛形村　田中庄助
長野市妻科　神方敬勝
長野縣更級郡力石村（在ア）　塚田軍司
滋賀縣坂田郡神照村（在ア）　柴田芳三
松本市（在ア）　增田政一
岐阜縣惠那郡上村　熊谷好治
長野縣小縣郡東田村　櫻井莊八郎
長野縣北佐久郡布施村　常田宗太郎
長野縣伊那町　山下茂太郎
長野縣東筑摩郡笹賀村　赤羽甲子雄
長野縣南佐久郡川上村　風間光治
長野市西後町　深堀浩一郎
長野縣上伊那郡伊那町　山岸直人
三重縣桑名郡桑部村　西井政郎

會費領收（自五月二十五日 至六月二十四日）

滋賀縣坂田郡神照村　柴田伊八
長野縣諏訪郡上諏訪町　河西傳作
長野縣更級郡力石村　中曾根仲治郎
長野縣下伊那郡南和田村　山崎勝男
尼ケ崎市築地町　白井與一

一金貳圓也　大正十五年度分　靑田　務殿
一金貳圓也　同　上　上條利一殿
一金貳圓也　本年度分　丸山惠三殿
一金拾圓也　同　上　深堀浩一郎殿
一金貳圓也　同　上　上條利一殿
一金貳圓也　同　上　河西傳作殿
一金貳圓也　同　上　柴田伊八殿
一金貳圓也　同　上　中曾根仲次郎殿
一金拾圓也　同　上　山田市之丞殿
一金貳圓也　同　上　白井與一殿

海外より
一金貳拾圓也　在ブラジル國　高橋　武殿

編輯後記

△初夏のお訪れ！ オ、炎熱の夏が訪れた、熱烈の暑さは我々青年の氣性に合ふ所だ、熱と力と希望に燃ゆる青年は酌熱の如き熱心がなければならぬ……熱だ……戀も熱で行け

△信州の半年は寝て暮らす。ほんとだネー、農家の上半期が既に過ぎて行く春蠶の收繭は大霜害で夢で終つた。田植の仕付けが濟んで夏蠶に馬力をかける。短かい夜もソコ〳〵に未明の鷄聲に驚ろいて飛び出す。

△宮下幹事のレジストロ信州人は同氏の朝鮮出張とあつて續稿を得る事が出來なかつた。次號まで待つて下さい。口繪を以てお許しを願ひたい。

△列車の衝突遭難者には弔意を表す。衷心から船舶の無事を祈つて五月二十四日安着の入電に接して喜んでゐた甲斐もなく翌々二十七日には此の悲報を受た事はかへすぐも悲しき極みである。

△六月四日のサントス丸にはアリアンサ行き四十九名が意氣盛んに門出した。一行の無事を祈るのみである。

海の外

定價		内地	外國
一部		廿錢	廿仙
半ヶ年		一圓十錢	一弗十仙
一ヶ年		二圓廿錢	二弗廿仙

海外郵税二錢

注意
△御註文は凡て前金に申受く
△廣告料は御照會次第詳細通知致します
△御拂込は振替に依らるゝが最も便利さす

昭和二年六月二十五日

編輯人 永田稠

發行兼印刷人 西澤太一郎

長野市南縣町
印刷所 信濃每日新聞社

長野市長野縣廳内
發行所 海の外社

振替口座長野二一四〇番 信濃海外協會

各汽船會社専屬元扱

日本郵船會社
大阪商船會社
ダラー汽船會社
加奈陀汽船會社
アドミラル汽船會社
南洋郵船會社

日本力行會、信濃、廣島、和歌山
福岡、熊本、沖繩 各縣海外協會 指定旅館

海外渡航乘客荷物取扱所

今泉旅館

本店 神戸市海岸通 六丁目 三番邸
支店 神戸市榮町通五丁目六八番邸
長 電話 元町 三二一番
振替大阪 三五四一〇番

海外渡航取扱所

◎東洋一の理想的設備を有する神戸港へ！
◎旅館は誠實にして信用のある神戸舘へ！

各縣海外協會
日本力行會 指定旅館

神戸市榮町六丁目廿一番邸

神戸館本店

電話元町 八六一番
振替口座大阪一四二三八番

支店 神戸市海岸通四丁目（中税關前）
電話三ノ宮二一三六番

◎本店へハ神戸驛、支店へハ三ノ宮驛下車御便利

信濃海外協會篇 （四六版布製美本函入） 頁數三百餘頁 定價二圓（送料共） 海外送料二十八錢

最新刊

南來（ブラジル）アリアンサ移住地の建設

題字 貴族院議員 今井五介氏、鐵道大臣 小川平吉閣下、司法大臣 原嘉道閣下
前長野縣知事 岡田忠彦閣下、木内利雄閣下、梅谷光貞閣下、髙橋守雄閣下
寫眞 本會關係各名士、役員、アリアンサ移住地、出資者各位
三十數葉、アリアンサ移住地地圖添付

本書はありあんさ移住地建設經過二ケ年を中心とした信濃海外協會の略歴である。全日本に偉大なる海外發展運動の實際化を卷き起したるアリアンサ住地の建設の記錄は收めて本書にある。本書はそれだけで十分であつたが加ふるに本會設立當時から移住地建設の今日迄に至る各方面關係の名士の題字、寫眞を掲げた就中長野縣下の有識者諸賢の寫眞は海外各地にある本縣人のために何かの機會を與へたものである。

實は信濃海外協會の略歴であるがこれは長野縣下の海外發展歴史であらう。長野縣の海外發展は信濃海外協會設立と共に一新生面を開いたものと見て差支へはなからう。

尚本書には重要なる記事があるそれは海外移住組合法である。別に説明する必要はないが本問題については朝野の人々が多年論議せられたる我が海外移住策の一策の結晶である事を附記しておく。本書は各方面から殺倒の注文があるが殊に海外各地にある本縣人の希望に滿ちるため豫定の冊子が保存してあるから海外の諸君はなるべく早く注文をして貰ひたい。出來得れば在住附近の數人と纒めて吳れゝば至極好都合である。

長野縣廳內 信濃海外協會
振替 長野 二一四〇番

信毎印刷部は斯くして不斷に活躍

御用命の場合は御一報または電話で御知らせ下さい早速社員が參りまして名刺、端書の御下命も喜んで御相談に應じます。

活字鑄造場

活字は四六時中、休む暇なく使用して居りますから夥しく磨滅します。當印刷部ではこの滅字を一々とり出して、新活字を補充するため活字鑄造場があります。こゝには五台の鑄造機があつて邦、歐いづれの活字をも鑄造してゐます。

歐文植字課

どんな印刷物でもお引受けいたしますが殊に歐文課では英、獨、佛文に關するあらゆるタイプの活字が用意されてありまして、同時に優秀なる技術者が植字場で從業して居ります。

ステロ場

再版、三版と版を重ねて發刊する印刷物にあつては紙型として版を永く保存して置く必要があります。そのためにステロ場の設備があつて、間斷なく活動してゐます。紙型は決していたまぬように保存する設備もあります。

製本工場

寫眞で御覧になるとほり製本工場には數十人の從業員が金文字をうつもの、假綴りをするもの、表紙の体裁をなほすものなど目まぐるしい程、忙殺されてゐます。一時に數十万もの印刷物がかたまつて來たときは殆ど晝夜をわかたづに活動をつゞけます。

長野縣市南縣町 信濃毎日新聞社印刷部 電話 二一〇番 二四〇番 三七七番 二九三番

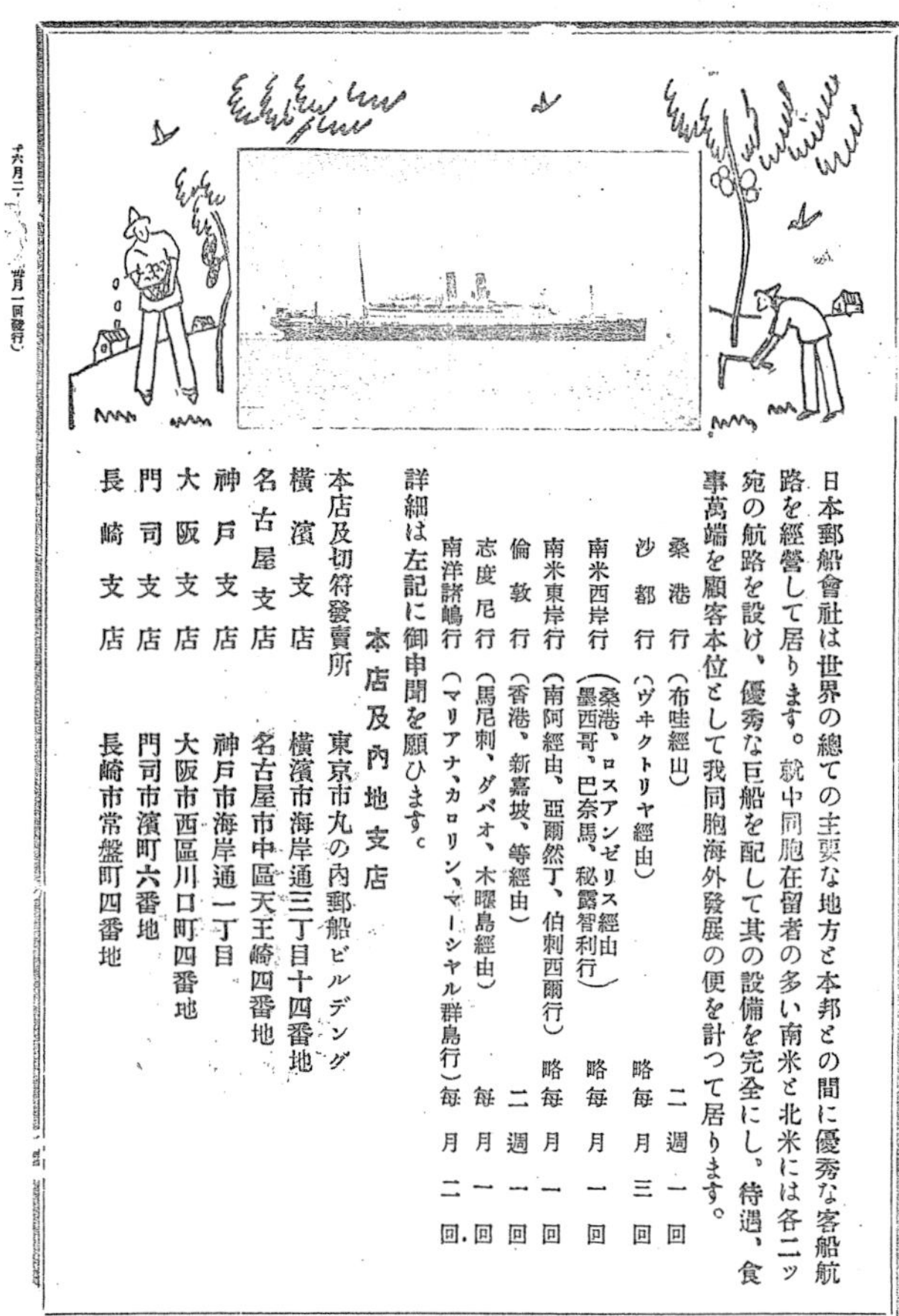

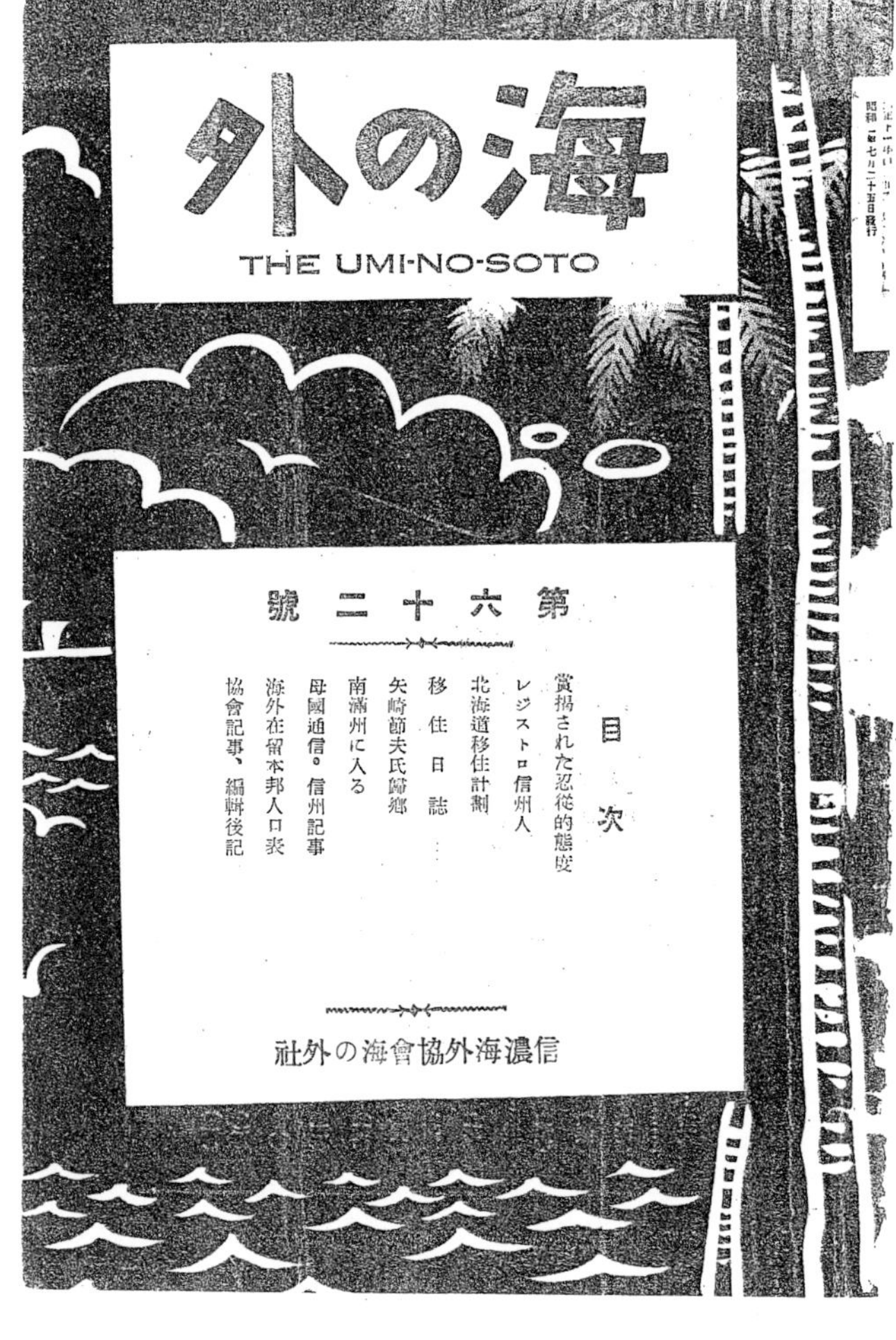

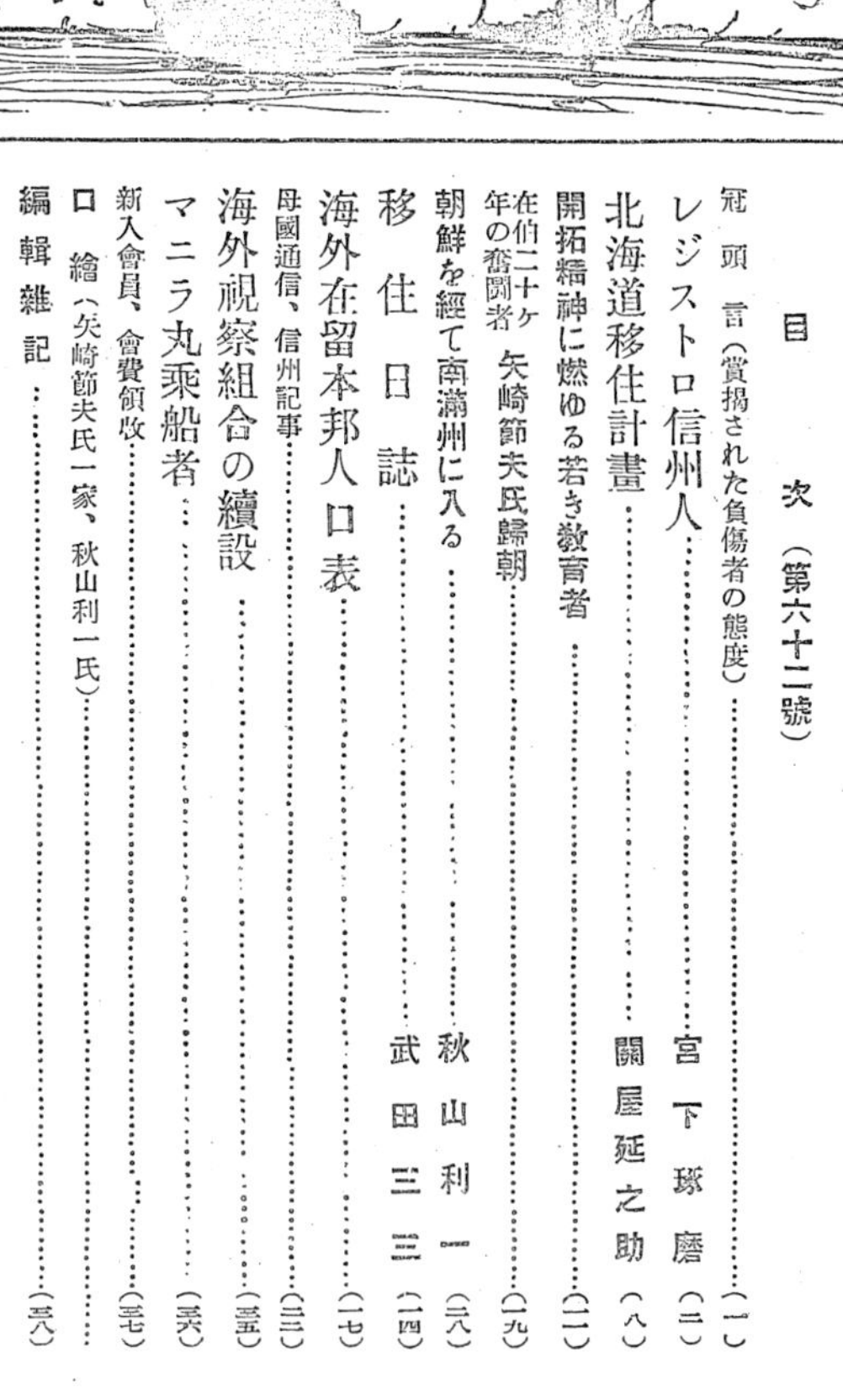

目次（第六十二號）

矢崎節夫氏一家

矢崎氏夫妻及び長男霊南（レナ）さん（四才）長女マリヤさん（三才）

日本を出發して

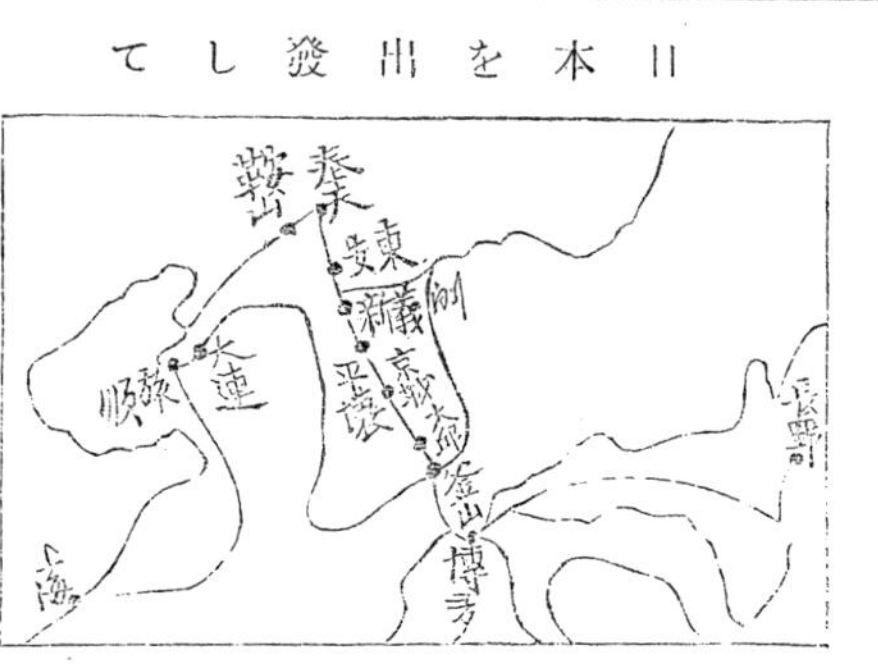

獨立力行　世界踏破

徒歩旅行者　秋山利一

出身地　日本　長野縣下伊那郡
○豫定　世界一週
○現在　實行中
○目的及研究、共存共榮實行主義宣傳、人類生活狀態觀察、○所屬＝信濃海外協會員、世界テクルヒト同盟員　○踏破地＝日本横斷—滿洲東蒙古（大正十四年より昭和二年まで）○出發地＝長野縣善光寺出發（昭和二年三月廿日）略歷＝飯田中學出身　踏破里數（昭和二年まで六千哩）

海の外

第六十二號

昭和二年

七月號

賞揚されたる
負傷者の忍從的態度

近着日伯新聞によればアリアンサ行き衝突列車の事件に際し慘狀に直面したる日本人の遭難並びに援助者の態度につき當地のエスタード紙は曰く。

「サングカザに收容された日本人負傷者は呻くことも苦痛をも訴へることもなく靜肅に苦しみをこらへてゐる又家族から死者を出した者も何等取乱した行爲なく涙すら流さぬ。又或る婦人の如き自己の重傷なるに拘らず他の人を先きに手當して下さいといつてゐた。斯くの如く麗しい心情には敬服の外はない」云々。

遭難突發以來每日交替にソロカバ迄慰問に出掛け患者を慰めて來た市內の邦人キリスト教團體は此際遭難者のため義捐金を募集勸誘中であると。

アリアンサ移住地建設の精神はこれで十分である。日本民族南米發展の根本はこの精神に則りこの犧牲的協力の團結に基づく、

レヂストロの信州人（二）

信濃海外協會幹事
海外協會中央會幹事　宮下琢磨

赤松總領事曰はく「自分は永く外務省に居たが、「レヂストロ」と「イグアッペ」の關係がよくわからなかつたが、こゝに來て始めてわかつた」と、赤松氏にして然りとすれば、一般が混雜するのは無理もない、依て此處に簡單に說明すると「イグアッペ」は行政區で日本で言へば郡とでも申すべきもので、「レヂストロ」は日本人植民地の名稱である。

「イグアッペ」は「リベーラ」川の河口にある、古くから開けた港で、奴隷賣買の市場であつた今の「サントス」「ヂユキヤ」の鐵道が未だ開通しなかつた時代には、サントスから海路「イグアッペ」に航行し、夫れから「リベーラ」川を遡る順序となるので、此の街には淺草の觀音樣のいわれと同じやうな、漁師の網にかゝつたと云ふ、マリヤの聖像を奉安してある「ノッソ、セニヨール、ド、イグアッペ」と云ふ名刹がある、八月初の緣日には南三州あたりの遠方から參詣する善男善女で、逆もホテルに宿れないので街は軒下から街路迄ホテルの代用をすると云ふ賑さである。

「レヂストロ」はこゝから リベーラ」川を遡ること約二十里、今から三四百年も前に此の川の上流で砂金をとつた頃、此の土地に關所を置いて、收獲高を檢査したと云ふことである「レヂストロ」とは登記すると云ふ意味ださうだ、今此處に日本人の植民地を作るまでのいわれを申述べて見ると、先づ

創立者青柳郁太郎氏の苦心

を憶はざるを得ない、青柳氏は少壯志を懷いて孤劍飄然ペリユーに渡航し、其の後馬來半島に計畫を樹て、ハワイ移民に盡力するなど南船北馬席暖なるに遑あらざる狀態であつたが、其の後サンパウロのある移民會社から、日本移民を送つて呉れとの交渉があつて、始めてブラジル移民と云ふことの研究に指を染めたのであつた。

時は明治四十二年總理大臣桂公、內務大臣平田子、農商務大臣が平田子、床次さんは地方局長と云ふときに、大に南米發展論を高唱したのであつた、其の時民間には工學博士長谷川芳之助と云ふ熱心家があつて、氏の計畫を助け、政府當局の盡力と民間有志の斡旋によりて、翌四十三年に

東京シンヂケートの創立

となり、六万圓の視察費が出來た、氏はこれを持ちてシベリヤ經由でドイツに入り、此處でドイツ植民地の狀況などを調べ、夫れからブラジルに行つて　あちらこちら各地の調査をした、先づ眼についたのは「イグアッペ」が古來米の產地である、これなら日本人に好適だと見込をつけて、十萬町步の無償交附を請願したのである、そこで政府と數次折衝して

イ、五万町步を無償交附すること

ロ、運賃も定住の後は州政府に於て償還すること

と云ふ指令を貰つて歸國したのが、四十五年の春であるが、歸つて直ぐ百万圓の會社設立の計畫であつたが、今とは違つてブラジルなど始めて聞いた位の人が多い頃とて、相談は中々纒まらぬ、州政府との契約の期限は迫る、實に苦辛慘憺たるものであつた、處が時なるかな第三桂內閣が組織された、好機逸すべからずと桂公に說き、公の御聲掛りで　重なる實業家三十餘名を招待して、植民會社創立懇談會が開かれた、誰れもブラジルのことなどよくは知らぬが、酒田通商局長や田中議長が、贊成者芳名錄をつくつて何分御願申すと持ち廻つたので、澁澤子が第一に署名すると後は順々に判を押し、こゝに

ブラジル拓植會社の設立

とまで漕ぎつけた、吾々が宿つた前地旅館が其の時の移民收容所として建てたもの、倉庫として建てたのが今の藥局事務所になつて居る處ださうである。

始めの移民タツタ四家族

諸般の準備を整へて、鳴物入りで移民募集をし、扨て愈々蓋をあけて見ると驚く勿れタツタ四家族、それにレヂストロの植民地も道路をつくるとか、區劃をするとか大分準備が入るので、とりあへずイグアッペ郡で、イグアッペの上陸港とレヂストロの中間の處に　地所を買ふ

て中繼ぎの植民地をつくることとし、始めの四家族とサンパウロ市に居る職工などを集めて出來上がつたのが、

移植民地

である、ブラジル拓殖會社は　其の後大正七年寺内内閣の時に、從來の移民會社を合併して　資本金四百五十万圓の、

海外興業株式會社

と云ふものになつた、レヂストロから上流二十六キロの處に「セテバラ」と云ふ植民地を設けたのは大正九年である。

以上は船の中で白鳥氏から聞いた話の大要であるが、今から見れば海興に兎角の難はあるとしても、今までブラジルに單なる移民として出稼ぎのつもりで行つたものが、各地日本人の植民地が出來、ブラジル發展上に一新紀元を劃したる、青柳氏の功勞を深く多とせねばならぬ。

信州には故中村國穗君が居て、盛に海外發展論を唱へ、大にブラジルの宣傳をしたのも此の當時で、信州人がブラジルを知り、ブラジルに雄飛を試みたのも「レヂストロ」を根基として居る、隨てレヂストロと信州人は深い緣故を持ち　其の數に於ても他の追隨を容さない程多數で、長野縣人は一勢力をなして居る、本稿には主として信州の諸君の御消息を申す積りであるが、順序としてズヴと通ふた道筋のあらましを申上げる。

植民地一巡

二月廿二日朝早く起きて見る、氣分が良い、ホテルの前は原場になつて居り、テニスコートがある、竹藪がある、五六町先きの低い處に池のやうにリベーラ川が見える、鷄が遊んで居り、色々の草木が露にうるほつて居る、實に靜かな平和な光景である。

朝のコーヒーにパンの食事をすますと、庭前には七八頭の馬が用意してある、同行の諸君は「兎に角、馬は用意したが、工合はどうか」と健康を心配して呉れるのであつたが、「今日は大丈夫」と言ふて、小柄なやうな馬にのつて出懸けた。

前にミナス州のセーテ、ラゴアスの山坂を馬で乘り廻した時、尻の皮をすりむいて大分困つた事があつたので、今度は先に萬創膏を張つて萬全の計をたてゝ出懸けることにした、海興の白鳥君は手馴らした肥馬に跨りて先導の役を蒙り、赤松總領事以下一行八名、所謂御成街道をシンズシンズと打たせたのであつた。

× × ×

此の地の狀勢は　アリアンサ方面のやうに波狀形で大きなウネリを作つて居るのでなく假令ばサザエのやうに、小さなコブが累積して居る、道も谷間に這入ると、丘陵の上に出る、谷には水が縱横に流れ、中には大排水溝でも作らぬと利用出來ぬ處もある。

アリアンサの森林は土地が乾いて居るので日光が樹の根元迄直射し、明るい感じがある隨て何十里森林が續いても、上野公園でも歩くやうな輕い氣分で、幾かゝへもある大木もあるが山靈の氣人に迫ると云ふものはない、イグアツペの方は雨量が多く、森林は太古さながらの姿を示して、枝を交はし葉を交へ、其の上に太き蔓草が縱横に引つぱり廻し、バンブーデ、タクワーラと云ふツル竹が樹から木に何十尺も高い處を打ち纒ひ、中には欝々として綠門を形つくつて居る處もある、深林の中は影暗く、神韻水の如く冷かに漂ふ、古木には寄生木が多く、奇麗な蘭科の植物などが、美しい花を開いて居る、野生のバナヽなどが見える、林間よりピピツと云ふやうな鳥の聲が聞えるブラジル人にはこれがベンテ、ミと聞えるさうだ、ベン、テ、ミとは「見たぞ」と云ふ意味で昔、昔若い男女が、兩者が手をとりかはし頰をすりつけて甘き戀のさゝやきに醉ふて居る時に、突然見たぞと大喝されたので、驚いて飛びのいた、爾來鳥の中でも憎らしい鳥となつて居るのは、日本での明けのカラスよりも甚だしい。

× × ×

始めに訪問した農家では、昨年米が澤山とれたので、若い者が味をしめて、働かぬので困ると云ふ話をした、夫れから馬なども要らぬけれど金のつかひ途がないので買ふて仕舞つたとも云ふ、又南洋にも生活して見たが此處程結構な處はないと頗る滿悅の体であつた。

バナナなど茂つて居る山道をぼつ〳〵行く赤松氏は馬上から予を顧りみ僕一句を得たと云ふ、米を賣つた金の使ひ途がなくて仕方なしに馬を買ふたと云ふ面白いぢやないかネと「米賣りし金使ふべき途つきて、買ひたりと云ふ駒は勇めり」と。

盛んにベンテミーと云ふ鳥が鳴く。

× × ×

始めに第五部の小學校に寄る、此處は一面識ある石田少佐が、部長をして世話をして居るのである、兒童は校前に並び村民が集りて迎へた、今度小學校を改築して新に伯人の教師を入れると云ふ話であつた。

此處で晝食を頂戴して出懸ける、途中でマンヂョカの工場を觀る、マニラ丸で同航した橋田氏が此處に居たので意外の感があつた。

夫れから第四部の小學校に行く、此處には兒童は四五十名であつたが、ブラジルの女教員が居る、從前はレヂストロにも伯人の女教員が數名居たやうであるが、今は此の人だけである第一日本人の部落に孤獨の生活をして居つたのでは、華やかな生活にあこがれて居るブラジルの娘さんには修道院に居るやうで迚も堪えられざる苦痛である、夏やすみにでもなれば逃げ出して仕舞ふので、教師を取ることは中々困難であると云ふことである。此の女教師は夫も子供もある、其の夫と云ふのは黒い眼鏡をかけて、子供の守をしてブラ〳〵遊んで居るが仕事と云へば仕事で、畑もあるが村の人が折角奇麗にしてやると、少したてば復たもとの草原にして仕舞ふと云ふ話である。

此の學校では始めに君が代の唱歌があり、次にブラジルの國歌をうたふ。次に領事の訓辭バルボーザの感想、江越教師の農業上の注意などがあつた。

次に中央小學校を訪づれる、こゝでも君が代とブラジル國家とを歌つた。海外萬里の異域に於て君が代の唱歌を聴くのは、涙ぐましい深甚微妙の感激を與へるものである。

× × ×

大分時も過ぎたので此處を辭してから、馬に鞭をあて出した。私はミナス州の時の經驗から豫め鞍ずれのする處に萬創膏を張つたのであつたが、スッカリあてがはづれたのは、馬の大小、鞍の形が違ふのだから擦れる處もちがふ譯である、亦鞍ずれで痛くて仕方がない、段々尻を横の方に持つて行く、馬は此奴新參者と侮つてか、道側の笹の葉などかぢりついて急がない、餘り忌々しいので手綱で尻をウンとヒツ叩いたと言ふものだ、處がかれ奮然として一足とびに驅け出す、私も一生懸命鞍にシャガミつく、可成りへたゝりのあつたバルボーザの側を驅けぬけて、未だ驅せて行く、バルボーザも只事ならじと眼をとめて見たところ、馬の腹帶はゆるんで鞍がだん〳〵傾いて來た、これにつかまつて居る私の身体はだん〳〵地面に垂直處か角度が狹まつて來て居る、落ちさうになつた譯である、ベ君こりや大變とあつて後から追つかけて來て、馬上から手を出して僅に危を免かれたと云ふ譯で、「馬上の握手」なる語は一行中の一笑話とされたが、實は一寸弱つた。

× × ×

ドトール、バルボーザから馬の腹帶をしめて貰らつて海外興業の種苗場があると云ふので廻つて觀る、今は仕事をやめて居る、それから岡本遞藏氏の經營して居る茶園を觀る、ブラジルでは紅茶は大分やつて居るが、日本茶を試みて居るのは、私の知る範圍では岡本氏一人である、邦人の植民地で段々落ちつきが出るに從つて、母國の香りがする飲料を欲しくなる、茶の需要も段々增して は來て、賣れ行きは可成り良いらしい、

氏の茶園は今年で三年目になると云ふことで、樹數は壹万五千本、初年目には三千五百キロを採り、二年目には七千キロを採りた。

茶は九月頃新芽をふくので、夫れから順序摘むで行く始めから大分肥料を要する、肥料には馬糞とか、厩肥などを用うる、生產費は一アルケール一五コント位であると云ふ話であつた、利益は一アルケールで六コント、工場などを觀て居るうちに夕暮れ近くなる、ボツ〳〵馬を進める。

日はトツプリと暮れた、上絃の月は高く、中天に輝く虫の音が聞える、畑の勞働を了りて車を挽いて歸る婦人などに會ふ、一行は駒のあがきを早めて影も見えぬ、少し馬を急がせると、ドトール、バルザーサが只一騎ボツ〳〵行くので追ひついて、好い月だとか、涼しい、風だとか、疲れたかなど簡單な單語を並べ乍ら話をしつゝ宿に歸る。

元氣よく夕食も充分たべたので、皆大に安心したやうであつた、食後小松君の處へ話に行く、

明日は會社のランチに乘り、西岸の風光を賞しつゝ、リベーラツを下り桂植民地からイグアツペに行き、イグアツペ泊りの豫定である。　（續き）

北海道移住計畫

北海道廳拓植部長　關屋延之助

一、北海道概論

北海道は千島を合せて六一五五方里本土だけにて五一二二方里（八〇〇〇万町歩）ある。

明治二年の人口は五萬八千人であつたが、昭和二年には實に二百五十萬人となつた。日本全國の密度一方里二四三七人に對し四一七人大に抱容餘地がある。

耕地八〇萬町歩（百五拾八萬町歩の見込に）

牧場九〇萬町歩（見込あるものを含む）

公共地一二〇萬町歩。

自然林五〇〇萬町歩。

鐵、石炭幾百億圓と稱せらるゝ大正十四年には五億六千萬圓の總生產額あり今後二十年後には年額鑛產十六億圓にする計劃なり。

二、開墾第一期經過

明治十五年より四十三年迄の凡十七ケ年を第一期計劃とし、凡そ計費總額十六億圓を投資せり、其國庫よりの總支出額は、明治二年の北海道開拓使の設置以來今日迄凡十億一千萬圓にして其國庫收入總額は十億三千萬圓その益金二千萬圓なり。

三、第二期計畫

北海道の第二期の開拓計劃は凡そ九億六千萬圓の國支出にて主に農民の自力開拓に任かせりこれ北海道の現狀なり。

四、新開拓計畫

一、土木交通等凡そ六億六千萬圓とし、水產業及其他の產業奬勵費三億圓を投ず。

鐵道は目下省線一四六六哩私設線三三九哩にして、內地の方哩半哩に比して三方哩五分に付き一哩の割合なりとす。

道路は一方哩に付き一里二十五町にして、岩手縣の一方哩三里二十八町より大に少なり。

將來は一五二九哩の省線鐵道と私設線とを豫定せり。

又入地及原野鐵道馬車鐵道等凡五百哩を敷設す（現今四十三哩完成し居れり）

而かして國有森林二五〇町歩、民有森林地二〇〇町歩

の伐採運搬をなさんとす。

道路は道廳にて三五〇〇里私人にて六五〇〇里を開鑿せんとす。此外港灣の修築をなして農產物の運搬を始め一般交通を計らんとす。

二、人口の入植に付ての方計

現今は二五〇萬人なれども今後廿ケ年後には其數六〇〇萬人たらしめんとす、卽ち一般入植移住民二百萬人を募集移住せしめ北海道の增加を一五〇萬と見倣す。

三、移住民の入植募集に付て

初年に於て三〇〇〇戸乃至四〇〇〇戸とし農家の總數は一四四〇〇〇戸とし人口七二萬人とす。

移住者のためには汽車汽船賃を五割引とす又その十四萬四千戸の保護移民の中北海道の道廳指定移住地入植の者には特に其生活費、農具費、家屋、渡航費、その他雜費の補助費として一戸に三五〇圓內外の道廳補助あり。

自由移民は自己の自由選定地に入地する者にしてこれにも亦汽車汽船の割引あり。

四、土地に付て。

家族の人員、地形によりて別あれども、指定地は五町歩より十町歩の面積とす。

四〇萬町歩乃至六〇萬町歩の農耕適地を貸與し五ケ年間に開墾すればこれを給與するものなり。

これは官報、新聞その他ポスターにて宣傳して一般に知悉せしむ。

國有未開墾地の賣却は必ずしも入地條件はなく別に定めず希望出願とす、又公開することあり。

民有地は三〇〇萬町歩の中一二〇萬町歩は未開地なり其四〇萬町歩は耕適地、他は山林となるもの及牧場となるものなり。

卽ち此分八〇萬町歩なり。

五、低利資金の貸付方

此開墾に付ての貸付方は、中央より年利四分八厘なれども道廳にて年一分三厘の補助ありて結局三分五厘なり。

その返濟は凡二〇ケ年とし年賦返濟法なりとす。

六、土地購入法

一二〇万町歩を六千万圓の公債發行案によらんとせるも此案を捨てゝ道廳にては、只其購入の世話をなし、手續などをなすに止め地主より直接購入する方法とせり。十町歩凡一〇〇〇圓位とし年々五四圓內外を納入して年賦として自己所有となる、卽ち小作料納入より

遙に有利なり。

北海道の小作料は一般に投資金の二割五分位より三割三分位のものなり、而してなるべく內地人に賣却したし。又入植者は道廳の小作地へも入るを得べし。

七、入植資金に付て及道廳の補助金

小作入植三人家族にて四百九拾圓內外とし、自作入植資金は三人家族にて凡一〇〇〇圓內外を要す。

道廳は入植の世話をなし、對遇條件等を調査して內地へ報告す。

開墾の助成としては開墾費の四割を補助す即ち土地一町歩一四四圓とすればその四割の補助となる。

耕地變更に付ては亦同樣なり。

牛馬從來より飼養せるものには三割移民にして新に購入するものはその五割を補助す。

植林の苗は無償交付をなす。

その他の造林には五割を補助す。

八、公共施設に就て。

醫者と病院は何れの移住地にも必要であるが、新移住地にはその設備の不完全なることが多い、依て拓植醫を設置し住宅を設くる必要がある、これに付ては大体左の補助をすることになつた。

住宅を設くる場合は千八百圓・二千五百圓を補助す。

醫師の給料を支給する。

昭和二年度より產婆を設くること。

敎育に付て。

校舍の設立には八割の補助を交付す。

敎員給には俸給額の五割を補助す。

宗敎的方面の施設として寺院建立、布敎場設立等に付ては壹千五百圓を補助する。

神社の造營奉給には三百圓を補助す。

此外娛樂としては蓄音機の配布活動寫眞の巡回設備等をなす。

五、移住の時機

一、着時期は三月－四月迄を最適とす。

二、開拓着手。

五六月頃着手して以後四十日間位を播種期とす。

年中十四度　十五度位の寒溫の差あることあるのみなり。

三、冬の北海道は子供のスケート、スキー等の運動に好適なり。

四、伐採作業は冬の主なる作業なり從て年中の勞動の仕事あり。

九州の宮崎縣出身にて八人づれの一家族にて入植して一年に凡八町歩開懇したる例あり。（三月上旬內務省社會局主催移植民講習會に於ける同氏の講演筆記要領）

開拓精神に燃ゆる

若き教育者の信念

◇逝ける志士の思出

イ、△△△先生へ

粛啓小生は玆に意を決し申候　時は已に既に長き熟慮の時を許さず候斷行を要し申し候

明治大帝の五ケ條の御誓文に曰く

官武一途庶民に至るまで各其志を遂げ人心をして倦まざらしめんことを要す

大正の大御代宜しく聖旨に答へ奉らんことを期し申し候

四愛兒難を冒して新天地に至らん身心を鍜へつつ有之候村先覺者の一二同人は旅費調達の企畫有之候

小生は身を挺して斷々乎として北海に飛び事情を精探して此等の人の志を空ふせざらんことを期し度く候就ては此際內地敎職を擔ふの人は決して少なきを訴へず候依つて小生は先づ北海道の地に敎職を奉し而して自ら深く希望ある北海の新天地を採り度所存に有之候今は日一日月又一月年一歲と遷延するの不可を覺悟仕り候俸給の多寡は望む所に無之候　只小生の微意敢て行ひ得るの地御選定奉職の道を得ること御高配相願度候小生は微少なる身卑賭狹少なる已を以て敢て此事を願ふ誠に方今地方農村の狀態國民の情態に鑑み情に忍ぶ能はざるを以てに候萬感胸を衝いて筆にする能はず候

沈靜なる人心の發奮は必ずや志を行ひ得るの地を要し申し候志を行はんとするの士は意氣の潑溂を要し申し候至急小生をして北海の地に行かしむるの御高配を蒙り度く奉存候何れ御拜顧の砌萬議愚衷開陳仕り度く候

×　×　×

ロ、再び△△△先生へ

拜啓昨日一書捧呈仕り候後御惠贈下され候北海道移住手引草多大の希望を以て拜受仕り候厚く御禮申上候昨夜は農工補習學校に於て現今世界の大勢よりして日本の現世に及び殊に青年の狀態を說き農村の實況より本村の現況

これに處するの覺悟に及び北海道の好望なるを說き申候所頗る深甚の興味を感じ候御惠贈に預り候地圖を材料として農業工業商業の希望あること殆ど肉躍るを禁じ能はず只唯一の資本は汝の頑强不退の身体と確乎不拔の精神世界的頭腦の獨立自營の意氣なることを說き內地に齷々として猫の額の如き小局に跼蹐して論爭競奪を事として國家の大事を知らず力の發揮の快樂を知らずして醉生夢死するは男兒の本領にあらざることを說き申し候金を貯蓄せんが爲めのみに働くにあらずして努力の悅樂を得ん爲め活動する高潔の精神は當に義兒の本領なることを說き申し候これ男俠に候俠氣に候俠氣は男性美に有之候二男三男の者は頗る眞面目に北海道の狀況を尋ね申し候小生は此等の人々が將來渡航すると否とに係らず此等の人が北海道に興味を有し活動の新天地あるを始終念頭に置くは一面人心に潑溂の英氣を與へ將來共明黨の若きもの又は子孫に關して之が發展上頗る有益の事と信じここに北海道會なるものを起して常に北海道の事情に關することの書類蒐集仕り度新聞一種時報の如きもの二三種購讀仕り度き所存に有之候

右適當なる御指導相願度く奉存候實費は御報知相願ひ發送仕り度考に有之候自立自營の精神と民心の發奮は焦眉の急に有之候本會は身体と精神とを共に鍛錬研磨し合ひて日々生の悅樂充實せる生活緊張せる快感に進み度き所存に有之候先は御禮申上度如斯に候昨日御依賴申し候件何卒御高配奉願候

敬具

×　×　×

再び又△△先生へ

肅啓一昨日は參堂仕り厚き御配慮を蒙り奉謝候ア、人心の倦怠これ最も憂ふるの一事に有之候教育の最大事にして最急務は人心の緊張に有之候發憤に有之候彈力の反撥に有之候世事の振ざる沈滯の甚しき人に人心の振否に有之候德操を固守して正義の履行を以て無上の悅樂とするの國民は高潔にして生々不息の活動的國民に候然らば教育の急要務は此の一事に有之候消費生產に越へ人心活動肉体活動浪費に時を過すこれ故に經濟は益々人心を壓迫し人心は日々に萎微として振はざるに至り申し候此の源を決せずんば教育は波上の書字砂上の樓閣に候力ある教育は人心に活動と光明とを與へ申し候力あるものはよく自らの志を行ふこれ故に教育は此志をして堅固たらしめざるべからず不屈たらしめざるべからず而して此志を行はしめんと欲せば活動の天地を展開し望見せしめ而して

其活動は自らの力の發揮により、より大なる好果を得せしむるの要實にこれ人生至高の樂事にして又價値に有之候北海の地は活動の天地に有之候教育は品格の薰陶識見の蓄積に有之候

小生は方今の現勢に徵して大聲疾呼大にこれが實行を期し度く候　天下の憂に先つて憂へ天下の樂に後れて樂しむこれ達人の襟度に候教育者達人にして始めて社會は活動に滿ち淸新の氣漲り申し候彈力あることと相成候

彈力新鮮の血は彈力に富み青年の肉は彈力に富むこれ故に青年は理想者にして希望の光輝き申し候方今の青年否生徒學生眞に此彈力を有するものや少く徒らに上を凌ぎ下を虐げ訕に痛恨に堪へざるものに有之候

此海の寒風は以て惰眠を覺醒すべく北海の雪は以て軟弱なる肉体に彈力を與へ申すべく茫々たる草原は活動に胸躍らせて勇躍奮鬪を競はしめ申すべく候

ああ希望の光に滿ち活動の風薰る北海の地豐饒なる農產好望なる商業無盡の水產生產に滿てる北海の地五体に溢るる鮮血のエネルギー胸に疊める百年の畫策邦國に忠を致して已の志を果さんとするの士は

北海道へ！　北海道へ！

これ教育の原動力に俟たずんば遂に此を如何に致すべき自覺の內心の叫びを發せしむるは長き無意識的の教育に俟つの外無之候

先覺者の外的援助

(イ)教育者……品格と体力獨立自營の精神（忠君愛國）

(ロ)先輩……北海道の智識

心と身体の鍛錬により旅費貸與法

苟も志堅固にして德操高く身体强健の者にして北海道への念あらば獨立獨步志を遂げしむべく旅費の貸與法を講じて自ら費用に志を空うせしめざることを勉むるは先覺者の後人を導くの責務に候身心を鍛錬することを忘れ旅費に惱さるるはこれ所謂經濟に捉はるゝの一事に有之候未だ社會人たらざるものは只活動の本資は爾の体力と心力なるを以てせば万人の志必ず遂行し得んと信じ候經濟の束縛打破られ教育の一急要事に有之候　下略

敬具

×　×　×

移住日誌(三)

アリアンサにて　武田三三

アリアンサ第一日—第二日……在アーケ月—アリアンサ見聞十一觀

> 本通信を七月十三日落掌。本號に編輯出來た事はうれしい。これを以て武田氏の移住日誌を終るが同氏の通信は今後種々の情報をもたらすに相違ない。開拓の實行に着手する同氏には益々多忙であり、いよ／＼御苦勞であるが精々後進者のため若くは故國の人々のために御通信を寄せられたく讀者會員に代つて御願する。同氏及御家族一同の御健在を主に祈る……編者(記者)

四月廿二日

收容所の第一日、朝食は先住者の御世話に預り晝食から各自が勝手に調へることにする、何とか間に合つて格別の不便も無い、先住者鈴木君が來訪何かと御世話になる、事務所で輪湖北原兩理事から地割の說明を聞く

四月廿三日

午前中澤氏來訪、午后北原理事の案內で第二移住地を視察する、二十七キロに約五町歩を切り開いて二棟の收容所を建築中で四月一日出帆の移住者に間に合はせる樣急いで居り此處を西に距る約三キロに六家族が假小屋を建てゝ住んで居る、次の船で百餘名が入植したらどん／＼開けるであらうと思ふ

四月廿四日

同船の客堀氏黑川氏が視察に來られた、御供してアリアンサ全部を巡視する、一年以上の先住者の耕地は可なり良く開かれ住宅も小奇麗に建てられて居る、就中小川氏の庭園は美しく手入されて居つた

四月廿六日

午后三時某氏の小供の葬式がある、仕事着の儘鍬やばい

ぶる片手に默然たる葬列が墓地に向け進むを見て「メーフラワー」を聯想しつゝ見送つた

五月廿一日

今日で滿一ケ月に飛ぶ、熟々思ふに移住地の實況は內地の人々に參考には爲るが移住者の思ひ／＼で觀察が違ふのであるからうつかり私見を交へると誤解を招ぐ恐がある、因て一ケ月間沈默に及んだ次第である、此處でぼつ／＼見た所を摘記して見る

一、ブラジルの四季は夜だけの問題と見へ日中は每日八十度以上今の朝晚は六十度內外である、今年になつてから霜が二度結んだそうで五十度以下になることがある、其節は可なり寒く夜具だけは冬の用意が必要である、ブラジルは熱帶であるから冬の夜具がいらぬと考へたら大違ひ、今度の渡航者の鳥取の人々は蒲團綿を拔て皮許り持參して大に困つて居る、成程綿の木はあるが蒲團の綿にはならぬ、買はうと思てもサンパウロ迄注文せなければならぬ、綿の國に綿が無いのは北海道で鹽鮭が食へぬと同樣であらう、吾等は幸にして「有る物は持て行く、金を出しては買つて行かぬ」といふ原則によつて蒲團の大荷物を持參したが爲に大助かりであつた、生活必需品は何でも持つて來ること、便利品以上の贅澤品は持つて來ぬことである

二、一ケ月間に雨が二度降つた、それも三十分は續かぬ每日／＼晴天續きで夜は明月林頭に澄み返つて居る

三、物價は高いが生活費は安い、買はうと思つても買ふ物が無いからである、賣店で賣つて居る物品だけで更に不便を感ぜぬ、三重縣の或人がブラジルの白米は一升二圓、ランプが一つで十圓などと通信して大に知人の不安を惹起したが斯樣の通信は甚だ困る、參考迄にアリアンサ賣店の物價を紹介する、値段は邦貨である

白米	六十キロ	九圓五十錢
赤砂糖	一キロ	〇、四二五
鹽	一キロ	〇、一五〇
メリケン粉	一袋	七、八〇〇
干牛肉	一キロ	〇、七五〇
鹽タラ	一キロ	〇、八七五
コンデスミルク	一罐	〇、六二五
石油	一罐	八、〇〇〇
鉄鍋	一ケ	三、六〇〇
箒	一本	〇、八七五

此外食糧品としてはコーヒー、茶、豚脂、豆、マカロニー、マンヂョーカ粉だけであるが數量の比較が取れぬ

から當かぬ、此外酒に烟草、石ケンに農具下駄に服地水瓶に樽、木材に瓦、等を賣つて居る

四、蛇にオンサ（豹）は澤山居るが人の目の前には出て來ぬ、蛇は時々見受けるが人が行けば逃げて行く、豹に至ては見た人も無く喰ひ附かれた人も無い、屢問題になる毒柄であるから書いて置く、此外アンタといふ牛位の先生、山豚、鹿が居るが態々征伐に行かぬ限り先方からは往問して來ぬ、收容所に居る時毎晩雞を喰ひに來る奴があつたが遂に正体が判らぬ、却て收容所附近よりずつと偏卑の處ではこんな奴が出て來ぬ

五、蚊に蟲は澤山居るが夕方からは一匹も出て來なくなるから從て蚊帳の必用なしといふことになる、晝の蚊帳は小供用だけであるがこれには日本蚊帳は目が荒くて役に立たぬ、尤もブラジル全体が晝間だけの蚊であるかどーかは判らぬが兎に角アリアンサでは夜は蚊が居らぬ、「イグアペ」植民地の如きは一般的には健康地であるが蚊は晝夜共盛に出て人家が增すに從て蚊も殖へて行くそーであるがこれは下水の量に比例する次第と思はれる。

六、雨は降らぬが水は絶へぬ、山林の儘では水溜も無い處が樹木を伐り拂へば谷川が流れ出し井戸水も水量を增して來る所が一寸日本と反對の樣に見ゆるが原則には變りが無い事と思ふつまり夜露の凝結が夥しく朝起きて見れば葉からぼた〳〵と雨の如く落ちて來る、此露が樹の根に吸ひ込まれるが樹が無くなれば流れて谷川となると謂つた次第である、林の中に低地さへあれば山伐りの後は必ず小川と爲る

七、十年前頃の邦人殖民地は日本式に住宅を建てた爲高い處よりは低い處に、水に遠き處より流に近く居住したが爲にマレータ共他の病氣の爲に多大の犠牲者を出した、今では高い處、水に遠い處に住む樣に爲てから病人は夥しく減少した、從來の例によれば新植民地は開拓後二三年目が一番病氣が多いといふ話である

八、ブラジルの犬は猫を追はぬ、猫は鷄を追はぬ皆雜居して遊び廻て居る、如何にも自然其儘である

九、新開地で山伐りから出發する移住者は自作でも小作でも山林生活に趣味が無くして打算許りでは必ず失望を免れぬ、豫算は猶忠君愛國の如しである、渴仰はするが百人悉く乃木將軍にはなれぬと一般であらう

十、鳥取の橋蒲氏は一日獵に出て林の中で一頭の鹿を打ち逐ひ掛けて歸路を見失ひどうしても出る事が出來ぬ、一夜を樹上に過し翌朝死を決して方位を默考中手近に自動車の音を聞いて漸く活路に出ることを得た、何といつても密林に突入することは禁物である、一町も中に進めば素人にはもー出る事が出來ぬ、自分は過日下駄（タマンコといふブラジルの下駄）穿きの儘丸木の上を渡り滑つてころんで肋膜を打つて休養中である、何れも老人の冷水であらう

十一、アリアンサは異彩ある植民地として樣々の人が見物に來る、移住者が通過する沿道の連中は若干目を聳てゝ見たり評したりして居る、善にも惡にも今アリアンサを批評するのは早過ぎると思ふ、要はこれからである、願はくは根底ある名實共に異彩ある植民地たらしむべく統一協力せんことを。

（終り）

（五月二十七日）

海外在留本邦人口表

（大正十五年十月一日現在）

本表は外務省に於いて在外帝國公館の報告に基き調製せるものなり

尚最近十ヶ年間の海外在留本邦人比較表に於いて大正十二年度在留者數が前年度に比し激減したるは極東露領及支那內地の在留者の激少したるに因ると

年別	在留人口	對前年增加人口
大正六年	四五〇、七七四	三七、五七五
大正七年	四九三、七五五	四二、九八一
大正八年	五三三、七九一	四〇、〇三六
大正九年	五四一、七八四	七、九九三
大正十年	五六八、一〇一	二六、三一七
大正十一年	五九〇、〇二四	二一、九二三
大正十二年	五八一、六五〇	減 八、三七四
大正十三年	五九四、六一一	一二、九六一
大正十四年	六一八、四二九	二三、八一八
大正十五年	六四〇、〇一八	二一、五八九

在留地別 ＼ 在留人口別	男	女	計	大正十四年十月現在	對前年增加人口
英領加奈太	一二、二二二	七、六六三	一九、八八五	一九、六七九	二〇六
北米合衆國（布哇ヲ除ク）	八四、〇七七	四九、五二八	一三三、六〇五	一三三、〇八〇	五二五
布哇	七〇、二一〇	五七、七四一	一二七、九五一	一二五、七六五	二、一八七
墨西哥國	二、七一四	一、三〇四	四、〇一八	三、六三二	三八六
巴奈馬及玖馬	七四五	一五七	九〇二	八五〇	五二
伯剌爾國	三一、二一〇	二四、二七一	五五、四八一	四九、四〇〇	六、〇八一
秘露國	八、三五四	三、四三二	一一、七八六	一〇、九六九	八一七
亞爾然丁國	二、一一二	六一九	二、七三一	二、六〇九	一二二
南亞米利加（伯國・ペルー・亞國ヲ除ク）	一、〇九七	二二九	一、三二六	一、二二五	一〇一
北律賓群嶋及グアム島	八、〇六六	二、〇五八	一〇、一二四	八、九九五	一、一二九
南亞細亞	一三、八九九	九、一二〇	二三、〇一九	二一、七八二	一、二三七
大洋洲（南洋群島を含む）	三、四五五	二九七	三、七五二	三、八八三	減 一三一
支那（滿洲を除く）	二六、三四五	二二、六一六	四八、九六一	四七、六一三	一、三四八
滿洲（關東州を含む）	九九、一三九	九二、五一七	一九一、六五六	一八四、五三九	七、一一七
極東露領	一、〇八〇	三〇六	一、三八六	九二二	四六四
歐羅巴洲（西比利亞及北樺太）	二、七八五	五七四	三、三五九	三、四三四	減 七五
阿弗利加洲	四六	三〇	七六	六四	一二
合計	三六七、五五六	二七二、四六二	六四〇、〇一八	六一八、四二九	二一、五八九

在伯二十年の奮闘者 矢崎節夫氏歸朝

△兩親を慰問してブラジル事情を語る▽

伯國に於ける長野縣人の有力者を擧ぐれば矢崎節夫氏はその一人である。同氏は有力者であると同時に成功者の第一人者である。と云ふのは信濃海外協會が目下海外在留本縣人代表（成功）者投票募集による投票によつて證明されつゝある。

同氏は明治四十一年の渡航で本縣人としてはブラジルの最初の渡航者であろう。諏訪中學を卒業して直ちに雄圖を抱いて渡航した同氏は最初アルゼンチン國に行き大正三年に伯國に渡つたものである。爾來同氏は首都リオ、デ、ジャネイロに五ケ年語學研究と伯國の事情に努力して伯人間の社交界に入り日本人は勿論各國人の人望と尊敬を受けつゝあり大正十年十二月より海外興業株式會社アニューマス農場長に籍任した。同氏の家庭には伯人夫人との間に長男レナさん（靈南）一四才長女マリヤさん一三才の子供があり平和な團欒家庭である五月二十四日本會を訪れた同氏は歸朝の感想と共に在伯長野縣人の活動について大体左の如く語る

× × ×

出發と歸鄕の日が同じ

私が日本を去るべく鄕土を出發したのが明治四十一年三月三十日で今度の歸鄕が不思議にも三月三十一日であるから私の海外生活は丁度滿十九年である。向ふ（サントス）を一月二十日ラプラタ丸に便乘して三月二十六日橫濱に上陸した私は日本を左程に懷しみを感ぜずして鄕里に兩親を訪れました。在外の生活が日本の生活と略同一であり青年時代の感激性の年頃を伯國にすごした私は歸鄕と云ふものの、未だに旅行的氣分であります。

兩親の慰問

今回の歸鄕は全く兩親の慰問でありまして永年の伯國生活は日本の生活に比較していろ〳〵違ふ點を發見致します第一の印象は至る所に市街が見え人間がウヨ〳〵してゐる事森林が殆んどなくなつてゐる事であるが一番驚く事は農村の農家が舊体依然として二十年前に變らざるのみならず却つて壁が落ち屋根が潰れてゐる位である。

アニユーマス農場

私の農場はサンパウロ市より十時間の距離にあります面積は一千二百十町歩で珈琲が三十五年乃至四十年生が二十一萬本十年内外生が九萬本で牧畜は牛が三百頭、馬二十四頭、豚、鷄が澤山ゐる。現在勞働從事者は約七十家族で内日本人が三十家族外人中伊太利人が二十家で四百人が活動してゐます。長野縣人は左記の家族であります

草間宏三 東筑 壽村
矢崎秀夫 諏訪 四賀村
宮部福松 諏訪 四賀村(七人)
宮部里治 諏訪 四賀村(二人)
伊藤茂吉 諏訪 上諏訪町(五人)
北原勇 上伊 飯嶋村
大井浩 小縣 依田村(三人)
百瀬松子代 南安 梓村(三人)
宮原桑男 上伊 伊那富村(六人)
青木篤哉 諏訪 下諏訪町(七人)
武井龍市 東筑 入山邊村(五人)
小松豊作 諏訪 四賀村(七人)

農場の設備は電燈、水道、珈琲精選所、製材所、鍛冶、精米所、製粉所、薬店、契約醫、日用品取次販賣所、學校があり、青年會、運動部、讀書部にわかれて居ります。長野縣の右の人々は順調に地盤を築いてゐます栽培作物は珈琲の外、米、棉、玉蜀黍、豆、牧草等で此處では衛生設備に最も留意してゐます。

資本家の移住

ブラジル移民の近年盛んになつた事は喜ぶべき事であるが更に資本家の移住を望む次第で今日迄の様に勞働の雇傭關係のみにては根底ある發展は望み難し北米に於いて排日の如き問題が起る場合にも土地の所有權を得、市民權を持つ事が大切でそれには從來の如く單なる移民では駄目である。日本移民は外國移民に比し耕主の受けがよい事は非常に日本人の喜ぶべき事であるが日本人は落ち付きのない事が一番の欠點である即ち無資本でブラジルに來てお金を貯めて早く歸りたい等と云ふ事から仕事の不馴れな事、事情の疎いにもかゝはらず耕地を逃走するので日本の信用を落すばかりでなく逃走してみじめな人々が多いこれは少くとも三、四年は辛棒して相當の貯蓄と農業の經驗を會得し後獨立する様にせねばならぬ。

智識階級の移住

資本家の移住と相俟つて大切なのは智識階級の移住である。移住地では科學の智識と技術がなくては非常に困難である。又科學の應用が此等の人々によつて活用せられる事は當然であるから意志强固の永住の決心ある智識者の移住は何處でも歡迎される。

すべて伯國渡航者の最も大切な事はブラジル國に歸化しブラジルの人間になつて働く事で一時出稼ぎや、巨萬の財産を日本に持つて歸る等の考への人はブブラジルでは來て貰つて迷惑である。

殊に珈琲園に勞働從事に活動される者は農業の經驗が日本で十分にあり、家族が澤山で大勢の勞働力があればよい。

伯國の誤解

日本ではブラジルの事情が可成り誤解されてゐる、ブラジル渡航を悲觀してゐる樣であるがこれは移住訓練を經て居らぬ結果で渡航する者も日本にゐる者も共に悪いのである。ブラジルさへ行けば成功するものと思つたり、ブラジルで死んだり不幸の事があればブラジル等に行つたが故に其の樣な災難があると思ふて自分の家の壞はれてゐるのや、自分の村の寺のお墓が增加してゐるのに氣が附かないのである。北米合衆國の如き勞働賃金を得るのみにて益々事業を大きくする事の出來ぬ所とブラジルの如き資本さへあればいくらでも事業を擴張してゐる所と混同して送金がないから、どんなに貧しい生活をしてゐるのだと思ひ、通信がないからと悲觀してゐる樣であるがこれは大体杞憂にすぎないのである。

伯國では成功と云ふても僥倖を得ぬ限り順調に進んでも尠くて十年位、十數年は經つて見なければ成不成は語れぬ事である。これは獨り伯國のみならぬ世界いづれの地も同じであろう。云々

同氏は七月の便船で再び歸任される豫定であつたが久振りの歸朝で親戚友人の訪問、招待、在伯邦人からの傳言や依賴が澤山でとてもかへれぬので八月のモンテビデオ丸にて歸任される事にした。尚滯在中は各地方でブラジル事情の講演が小學校、中學校、女學校、青年會等で開催されて二十年間の在伯經驗から眞のブラジルの事情を縣民に知悉してゐる。(口繪表參照)

母國通信

首相の施政演説

六月二十八日の地方長官會議で田中首相は組閣以來最初の施政演説を試みた。演説要項中特に産業立國と法權獨立を力説して今秋施行の府縣會議員の總選擧及び來春の衆議院議員總選擧に普選制の實施につき嚴正の運用を訓示した。

正金建直引下げ

六月二十七日横濱正金では對英米建直各一ポンド方引下げた

無賃乘船で日本を去る

實父の不倫に泣く一青年の哀話

青年は達男(二四)、今から廿五年前シンガポールの移住民の子に生れた、三歳の時、父の明は事業の失敗から内地へ資金を得るために單身歸つたがそのまゝ日本に留まつて戻らず、母の若葉は幼い達男を抱へて毎日待ち暮す中に遂に死亡した。

それから祖母の手一つで育つた達男は成長すると共に父に會ひたくつてたまらず、同地ライジングサン石油會社に書記として勤めた俸給をためて旅費として六月七日箱崎丸で神戸へ上陸同船客の横濱市永井久一郎氏の骨折りでまもなく東京市外の實父明と廿一年振りで親子再會を喜んだが、それは束の間、父親には後妻との間に二人の女の子までであり、それに雜誌の外交をやつてゐる父の生活は餘り豊でないので達雄は毎日氣の毒な父一家の生活を見るに忍びず、いつも外に出ては食事を取つてゐたが、日本語を全然知らない同人はまもなく繼母や義妹達から邪魔者扱にされはる〴〵訪ねた父の家に同居すること僅か十日餘りで持參した三百圓餘の旅費は無一文になつてしまつた。再び祖母の許にかへるにも歸れない同人は前記横濱の永井氏に相談した上、人事相談所を訪問する次第で同所も同情して郵船の永島旅客課長に依賴し無賃船客として來る四日箱崎丸でシンガポールまで送り届けてやることになつた。

南米土地會社

南米企業組合では同組合所有地二万五千町歩を基礎とし一大土地會社を設立るす爲發起人のみで株を引受け差當り右土地現物出資とする南米土地株式會社(資本金百十萬圓全額拂込)を設立し將來は增資し一千万圓程度を目標として進むことゝし十一日午後六時丸の内東京會館に於て創立總會を開催し左の如く役員を選任した

代表取締役山科禮藏、取締役馬越恭平、植村澄三郎、同相馬半治、今井五介、同福嶋行信(其他略)

人口食糧問題調査委員決定す

農林省の人口食糧調査委員は人選中のところ貴衆兩院以外の顔ぶれは左の如く内定した

官吏側

内閣書記官長、内務兩次官、鐵道事務次官、遞信事務次官、法制局長官、社會局長官、外務兩次官、農林兩次官、大藏兩次官、商工兩次官、朝鮮總督府政務次官、臺灣總督府總務長官

臨時委員

內務參與官、農林參與官、陸軍事務次官(農林推薦)佐藤昌介、岩住良次、堤清六、有島健助、佐藤友右衛門鈴木梅太郎、(內務推薦)白仁武、藤山雷太、氣賀勘重、壚澤昌貞、柳澤保惠、永井亨

民間側委員(食糧關係)

矢作榮藏、横井時敬、梶原仲治、有賀光豊、牧朴眞、村上隆吉、月田藤三郎、宮尾舜治、磯村豊太郎、(人口關係)下村宏、新渡戸稲造、福田德三、山本美越乃、井上雅二、鈴木三郎助、三井清一郎

東拓が計畫中の南洋投資熟す

東拓では整理案の實行許りで新規着手事業が少いとの非難を免れるため、南洋廳管下の諸島に南洋興發株式會社を經て糖業投資を計畫中であり更に南洋ゴム投資方法を調査中で近く實行の方針を樹つる運びとなつた、南洋砂糖投資については既に調査も完了し渡邊東拓總裁はこの最後決定をなすため三週間の豫定で南洋へ出張中であるが南洋ゴム資金融通については調査完了次第これを開始する由である、元來マレー半嶋、ジャワ等の南洋における日本人のゴム投資は總額約一億圓に達してをり元ゴム事業の金融は主として臺銀がこれに當つて居たが臺銀の資金難に原因して大正十一二年の兩年に渉つて臺銀のゴム貸付を東拓の代理貸付に肩替はりしたその當時の總頭は九百萬圓でこの殘りは現在四百四十萬圓に減少してゐるこれ以來臺銀はゴムの新規貸付をなさず東拓又實行せざるため南洋の我ゴム事業は金融の道全く無くただ株式投資によるより外金融の方法が無い有樣であつた

昨年南洋會議の開催された當時この南洋投資金融機關として特殊使命を有する新機關を設ける案も出たが兎も角東拓の活動でこの金融を實行する必要ありとの事になつたので東拓ではこのゴム事業に對する金融を新たに開始する事に内定したのである

川崎救濟行惱む

窮境に陥つた川崎造船所の救濟策は政府に於いて三千萬圓の融資若くは責任支出をすべく閣議中であつたが今回川崎造船の債權者は相次で債權差押への手續きを取らんとする意向である。これでは折角の救濟も結局債權者に支拂ふやうなもので川崎は舊態依然として立ゆかず政府の初志が裏切られる事になるので政府は更に全然白紙に歸へり案を樹て直さねばならぬ事になつた。

暴行議員の有罪

第五十二議會に於ける議會暴行事件は暴行代議士が種々言をかまへて中々召喚に應ぜず意外に手間どつてゐたが六月二日豫審終結決定起訴された十一名の中原惣兵衛氏の證據不十分で豫審免訴となつた外左の通り全部有罪と決定し、八月頃の公判に付せられる筈である。

△傷害罪 海原清平、松岡俊三、廣瀬爲久
△公務執行妨害並に傷害罪 難波清人

坂井太輔
△公務執行妨害並文書毀棄　三善清之
吉良元夫
△暴行罪　堀切善兵衛、近藤達兒
△傷害並に暴行罪　靑木精一

大平洋橫斷飛行に同乘

桑港東京間大飛行計畫中のアボット中佐に札幌中學校教諭吉野猛氏（三〇）が同乘の契約成立したと。同氏は英語研究の留學滿了を機會に死を覺悟して八月十二日桑港から同乘すと。

八丈島飛行場

海軍省が豫ねて計劃中の八丈島飛行場は八月中に完成して今秋の海軍大演習に使用すると云ふので島民四百名は自發的に勞役奉仕をなしつゝ既に地均しが出來上つたと云ふ。完成の上は國際的飛行場にもあてる筈で大平洋航空路の要衝となるわけである。

保險會社の不良

中央生命、共同生命、旭日生命の三保險會社を中心とする不良保險會社退治

に檢事局はとみに緊張して司直の手がのびてゐる。

海拔千五百尺の山が消えた

相州片浦村根府川邊から四里を隔つた箱根連峰の大洞山（海拔千五百尺）が大正十二年關東大震災に地中に陷沒した事が六月末同村民が發見した。

移植民關係來年度豫算

昭和三年度の各省豫算澤定の省議が開かれてゐる移植民關係の豫算發表の左の如し

內務省社會局　（單位千圓）
一、海外移住奬勵費の增　九八〇
（從來の渡航移民七千七百五十人を一万二千人に增加）
一、海外移住組合補助費　二、二〇〇
（百七十萬圓海外移住組合資金貸付、十万圓事務補助、四十万圓生業資金貸付）
文務省
一、移植民に關する敎育施設費　約　二〇〇

人口食料初調査總會

七月二十日首相官邸に於て人口食料調査會第一回總會が開かれ田中會長、鈴

木山本兩副會長以下各委員臨時委員幹事等九十余名出席劈頭田中會長より挨拶あり諮詢二項を鳩山幹事長朗讀して九月に入り部會を開く事に打合せ午餐共に散會した

諮問事項

一、人口問題に關する對策、殊にわが國の現狀に鑑み急速實施を要すと認むる方策如何
わが國の人口は累年增加し、その密度は益々高からんとするすう勢にあり、凡そ人口の增加は國力の增進に資し國家隆興の基調をなす所以なりといへども國土の狹少にして天然資源にとぼしく、しかも產業經濟の發達いまだ不十分なる我國にありては人口ちう密の度を加ふるに隨ひ勞働の需給均衡を失し國民生活の不安を招來するのおそれありかくの如き狀勢に鑑み我國人口の增加に對する根本方策を樹立すること刻下きう緊の要務なりと認む、よつてこゝに本案を提出しこれに對する意見を求む

一、食料問題に關する對策、殊に我國の現狀に鑑み急速實施を要すと認むる方策如何
食糧問題は人口問題に對して特に緊切なる關係を有し、これが解決ばいはゞ人口の增加に伴ひ益々緊要の度を加へつゝあり然して食糧問題の解決はたゞに食糧の需給を圓滑ならしめ、國民生活の安定を期する所以なるのみならず、又我國資源を開發し以て國富を增進する所以なるをもつて我國現下の狀態に應じ食糧の生產配給等の各方面にわたり新たなる考察を加へ、もつて全國的に食糧問題に對する方策を樹立することは刻下のきう緊の要務なりと認む、よつてこゝに本案を提出しこれに對する意見を求む

信州記事

郡廢一年目の成績はどうか

郡役所廢止の一周年目であるが、郡廢は改善か、改惡かこの一年間の成績を見るにまづもつとも打擊を受けたのは縣稅の納入成績で郡役所のある時は每年度末の未納額が二三万圓であつたのに本年度は五月末現在の縣稅滯納額は十万餘圓を算し、六月中に極力整理しても結局五六萬圓の未納がある、これは郡廢による影響の白眉であつて中には一村にして七八千圓も滯納してゐるのもある、次は往復の文書で從來郡役所の關門を通る時一應整理されたのが今日は直接縣へ押し寄せるから官房の文書課は郡廢と同時は十二人の定員增加を行つたが

一月から四月までの取扱文書は收受十六萬二千三百發送十五萬六千九百合計三十一萬九千二百に達し昨年の同期間に比し十一萬八千（五割五五分）を激增してゐる

隨つて郵稅も多大な額に上り、書留小包を市町村へ一度發送すれば忽ち五十圓かゝる譯で每日平均百二三十圓の切手を使ひつゝある文書の到着日數を調べた成績によると

午後四時に投函して翌日中に配達となるもの二百九十一市町村、翌々日のもの七十二町村、三日目のもの一村（他に未詳のもの十六村あり）三日目となるのが四五個村ある見込で靑森と縣內とが同一日數を要するのである

その他警察が事務激增した事と、陳情團が每日三四組づゝ縣廳に見える事も郡廢の餘波と見るべく、この一年は郡廢後の試練時代であつたから實際の能率の高低を計るのは今後の實績にあると見てゐる

霜害減少春繭

本年春繭の收繭豫想は二百六十二萬四千貫で前年實收額四百五十六萬七千貫に比し約二百万貫の激減である。

縣議投票用紙

今秋九月二十七日縣下一齊に行はれる本縣の縣議員選擧に用ひられる投票用紙の捺印と枚數調べに縣廳では十五名の事務員を雇ひてゐる。因みに普選有權者數は四十一万餘であると。

梓川水利起工式

梓川水系南安東筑一町十四ヶ村の水田五千餘町步を生かすため所要工費百三十八万圓の梓川農業水利改良工事の起工式は七月九日波多小學校に於いて盛儀が行はれた

千曲、犀川氾濫

七月三日以來の降雨のため各地方とも八日水騒ぎであつたが千曲、犀川は增水一丈に達して各渡橋は交通絶へて危險に襲はれつゝあつたが漸やく晴天となつたので難をまのがれた

新八景に上高地入選

大每東日が先に投票募集の日本新八景は審査の結果本日左の如く决定した
△海岸室戶岬（高知）△湖沼十和田湖（秋田）△溫泉別府溫泉（大分）

△河川木曾川（愛知）△溪谷上高地（長野）△瀑布華嚴瀧（栃木）△山岳雲仙ヶ岳（長崎）△平原狩勝ヶ原（北海道）

水騒動

東筑里山邊村湯の原外七區と同村林、小松村及入山邊部村橋倉三區の薄川分水問題の紛爭は六月二十六日惡化し双方から荒なわだすき、鍬を持つた一千名の農民が出動して薄川をはさんで對抗し盛に投石戰を演じた。

東筑地方は旱天續きのため枯渇に瀕してゐる水田數百町歩あり、芳川、本郷、笹賀方面は殊に甚しく水田に龜裂を生じ水騒動を始めひたすら慈雨を待つてゐる。

佐久地方の淺間山麓に水源を發する南大井村および三岡村方面の水田に灌がいする水不足のため南大井村地內の用水破壞に兩村民三百餘名がにらみ會ひである

小縣地方の依田村外三ケ村も田植の水さへ大欠乏となり昨年の大かんばつの二ノ舞ではないかと憂慮してゐる。

田中總裁を迎て北信八州大會

政友會本縣支部七月二十一日北信八州政友會を長野市に擧行する事になり當日は北信八州の政友代議士參加し田中總裁、小川鐵相、山本農相臨席して縣會館で大會を開いた上長野劇場、相生座の二ヶ所で大演說會を開催する筈であるが久し振りの大會のことゝて大いに氣勢があがるであらう。

勞農北信支部結黨式

勞働農民黨北信支部結黨式は六月二十五日午後七時半から長野市城山館で擧行した參會者六百名で原山武夫氏を議長に宣言を發表役員は委員をあげて選ぶことになり左の諸項を決議し終つて大山委員長の記念講演會があつたがすこぶる盛會であつた

一、霜害被害者同盟組織の件
一、縣議對策の件
一、對支非干渉同盟の件
一、無產者新聞支持の件
一、議會解散請願運動の件
一、日勞黨、社會民衆黨排擊の件
一、農民組合彈壓抗議の件

アルプス登山隊賑ふ

眞夏の碧空に雪の稜線がクッキリ浮び出た日本アルプスを目蒐けて七月十日松本を經由奈良女高師生徒四十一名が松本驛前飯田屋旅館で穿き馴れぬ草鞋に穿きかへて白馬へ、東京高師附中生徒二十四名が、槍、穗高方面へ、一高山岳部員七名が燕、槍、上高地のコースで登山した、尙ほ廣島女師生徒十四名は十日午後七時松本着十一日朝中房方面へ向ふ豫定である、其他神戶ひよこ登山會員五十名が十四日上高地へ、大阪北野中學生四十名が二十日槍方面へ向ふ筈で、北アルプスの夏は慌しく賑つて來た

市長候補の邦人は松平子の從弟 舊上田藩主の令弟の子と判る

米國エドモンド市々長候補に擧げられた松平銀次郎氏（四三）は計らずも我國華冑界の名門である長野縣上田の藩主故松平忠禮氏と因緣淺からぬ關係にあることが分つたから同氏の父君松平忠厚氏は故忠禮氏の令弟で松平家當主忠正子と從弟關係にあるとがわかつた話は

明治五年の昔にさかのぼる當時華冑界の新人であつた忠禮、忠厚兩氏は工學研究のため米國に遊學し同十二年故國に錦を飾ることゝなつたが其頃にアメリカ娘を愛人に持つたと傳へられる忠厚氏は愈船が港を出る際に兄忠禮氏をまいてどこへ行つたか姿を消してしまつた斯うした事情で忠厚氏と松平家との間は絶交狀態にあつた以來四十餘年の間全く音信不通の有樣であつた其後忠厚氏はメアリダンロの某鐵道會社に勤め同二十一年に世を去つたが當時アメリカ婦人との　に出來たのが卽ち今度エドモンド市長に推された銀次郎氏で當時僅に三才にして父忠厚氏に死別したものである

寄贈圖書より

○海興取扱本年一月以降五月末迄の海外移民渡航數は左の通りである

ブラジル　二、三四九名
ペルー　一五六
キューバ　二
濠州　二七
比律賓　五九五
計　三、一二九

○一九二六年に於けるサントス經由移民入聖數は總計六萬二千八百九名で日本移民は第一位を占めてゐると。因みに日本移民は七千七百八十六名であつた。（海興編移民地事情）

○米人財政顧問招聘　ボリヴィア政府は一昨年智利政府の招聘に應じ同國中央銀行設立、幣制改革其の他財政の安定及刷新に多大の功績を擧げた米人エーウィン、ウォター、アメラー氏を招聘し同氏は三月末同國首府ラパス市に到着した。（國際時報）

○大正十五年十月現在海外在留邦人口六十四万五十八名の內藝妓、娼妓、酌婦等の職業に屬する者は約四千六百餘で大部分は滿州、支那本土、南洋で在住してゐる。

○比島タバオの出生と死亡（長野縣人）　（二、三月屆出）

產子氏名	性別	屆出人氏名	原籍地
佐々木信夫	男	佐々木喜道	下伊那郡市田村
原山保子	女	原山芳保	上水內郡鬼無里村
藤澤照子	女	藤澤義次	下水內郡秋津村

死亡者氏名	性別	年齡	原籍地
淺川安市	男	三十二才	

ダバオ邦人生死比較（最近七ケ年統計）

年次	出生	死亡	差引增加	在留者總數
大正九年	五一	四四	八	五、五五三
大正十年	八五	五一	三五	四、二六八
大正十一年	七四	三四	四〇	三、二〇九
大正十二年	七七	三七	四〇	二、六九六
大正十三年	九五	四九	四六	三、七六一
大正十四年	一二八	四二	八六	四、五七一
大正十五年	二〇五	六七	一三八	五、四六二
昭和二年一月至五月	一〇一	二六	七五	未調
平均	一一七	五〇	六七	四、九二〇

處女旅行に成功して
朝鮮を經て南滿州に入る
△所要　五十餘日にして▽

安曇にて　秋山利一

長野より博多まで

「今朝無事飯田町を出發致し候」三月二十日長野市善光寺本堂を世界一週徒歩旅行の壯圖に登つた自分は、生れ故郷の下伊那郡飯田町に到り、竹馬の友大倉氏の歡待を受け二十八日積雪三尺の大平峠を越へて阜岐縣中津町に着した。同夜は町役場員の厚意によつて同所に夢を結んでいよ／＼縣外への第一夜を過ごした。翌日中津を出て名古屋、津、山田市に長野縣人會を訪問せしに山田市では美齊會と稱して大正十一年八月の創立である現會員は十七、八名で同郷のよしみを續けてゐる。

伊勢大宮に成功と將來の無難を祈願して津市に引返し奈良に向つた。奈良縣廳では衛生課長の河合氏（下伊那郡飯田町出身）に面接して海外移民問題について語る。同氏は曾つて長野縣に奉職中本縣の海外發展熱を看て奈良縣は長野縣よりおくるゝ事十年であると云ふてゐた。近年漸やく醒めて來て昨今伯國渡航希望家族は百家族に達し縣社會課で種々の便宜を與ふる事になつてゐるとの事である。

京都では醫科大學の敎授代田源六郎及代田稔兩氏の厚意で心ゆくばかりの晩餐に接した。兩氏は飯田中學時代の先輩である。

紹介せられた大阪の前澤恒介氏に行く。同氏から更に前澤重雄氏に紹介狀を貰ふ。同氏は大坂市の飯田中學卒業生會の會長で五光舍と云ふ大きな電氣器具屋である。自分の今回の壯圖を話すと非常に激勵されて誠に少々ではあるが靴代にでもと十圓の紙幣を頂戴した事は限りもない感謝である。同氏から更に長野新聞大坂支局に紹介を受け支局からは大坂の諸新聞に紹介狀を貰ふ事になり旅行中困難の小康を得たわけである。

大坂市には近畿信濃青年會があつて滋賀、京都、大坂、神戸、兵庫の在住長野縣人が網羅されてゐる。同會からは大坂毎日の二等飛行士和田氏（長野市出身）に紹介を受け面會致せり二十二日各位の好遇と御盡力を感謝して岡山に向ふ。

岡山縣海外協會を訪れる。同會は大正九年の設立にかゝり保安課の官吏が一生懸命に會の仕事を手傳つてゐる。

專任の主事若くは幹事と云ふものがないのである。一同の好意により晝食兼懇談會が催されて海外移植民問題に花を咲かせた。

二十四日廣島縣に向ふ同縣海外協會を訪問す。廣嶋縣は海外發展縣として日本有數の縣で海外移住者數から云ふならば數位にある。

二十七日下關から門司へ渡り、博多に着く、渡鮮！それは少からず自分の頭を腦ました。善光寺を立つて早や四十日近い內地旅行には各方面の好遇を受けてさしたる支障もなく今や內地をあとにいよ／＼鮮滿への旅、世界一週の旅路には對馬海峽に望んで感慨去來のものがあつた。渡鮮については博多汽船會社の厚意によつて無事渡鮮が出來る事になつたがそれにはかなりの苦心を要したのである。內地の人々に私は謝意を述べて船の中に一夜を過ごす。尙前途にはあてどもない旅行を續けねばならぬ。すべてが未知の所であるから忍耐と眞面目を以て終始したいと祈願の外はなかつた。翌くれば二十八日—身は對岸を隔つる釜山に着いてゐた。

釜　山

往時內地朝鮮の交通は博多灣から壹岐を經て對岸に渡り其處から朝鮮の山を目標に漕ぎ寄せたもので二、三日を要したと云ふ。今は關釜聯絡汽船で三千六百噸級が往復して僅か八時間で航行が出來る。釜山は朝鮮東南端の主要貿易港であると同時に鮮朝全道を貫通する唯一の內地聯絡點であり滿支交通の要衝である。

釜山驛前の「しなのや旅館」に旅裝を解く、館主坂口波治氏は上高井郡川田村出身にて大正三年敎育界を辭して渡鮮し釜山小學校に敎鞭をとりつゝ朝鮮事狀の研究と企業に努力して、釜山製產肥料會社を起し盛大なる事業に着手しつゝあつたが不景氣の襲來と共に不幸に遭ひて終つた。現在は旅館經營に盡力して當地方の有力なる長野縣人の一人である。

釜山長野縣人會の設立がしば／＼話題にのぼり大正三年坂口波治氏の主唱と共に第一回の會合を見たが縣人會も名ばかりにて今回は第七回を開く準備中との事である。釜山縣人會と信濃海外協會と聯絡をとり朝鮮方面へ發展の緒をつけてる事は大切である。

釜山長野縣人會名簿（ＡＢＣ順）

原籍地	現住所	職業	姓名
松本市	慶尙南道廳	水產課長	相澤　毅
諏訪郡	東拓支店	主任	降幡　三郎
	刑務所		平塚
佐久郡横島村	土城町	釜山日報記者	今井　八郎
	水昌町三五五	菓子商	國村　益人
更級	埋立新町	質屋業	春日　隆英
上田市	琴平町	紹介業	工藤　蕃
	西町		小林看護婦會
	瓦子電會社		宮崎　淸呂
東筑摩郡丘村	片倉米穀肥料	會計	百瀨　衛
下水內郡飯山町	釜山鐵入口電車停留所前	測量技師	丸山　宗次郎
	寶水町	竹下方店員	中村　熊一
西筑摩郡田立村	慶尙南道廳內	河部視察	宮川　長治
南安曇郡明盛村	朝鮮汽船會社		大山　喜代榮
上伊那郡富縣村	同	支配人	埋橋　美代也
上高井郡川田村	驛前	旅館業	坂口　波治
長野市若槻村	草縣	鐵道官舍	篠原　太平治
小縣郡長瀨村	釜山第一高等女學校	支那語	白井　喜四郎
更級郡塩崎村	土城町	代書業	澁谷　敬一郎
松代	富民町	釜山府廳	島田　三郎
佐久	片倉米穀肥料（東京本店在勤）		戸塚　巳之助
松本市	琴平町	紹介業	玉川　謙吾
	土城町	疊屋	田中　金彌
下水內郡飯山町	草縣	天理敎敎師	高橋　武藏
更級	大所町	農業	竹內　顯次郎
	富平町	醫學博士	田中吉左エ門
	警察署		內山　良治
南佐久郡畑八村	本丁四丁目	運送業	山田　長兵
	牧之島	船渠工業會社	米山　藏太
諏訪郡豐田村	片倉米穀肥料	主任	山田　高代
更級郡信里村	本町一丁目	關門日報社釜山支局長	柳澤　今朝治

釜山長野縣人

今井八郎氏（北佐久郡横島村出身）

同氏は釜山日報の外交部長である。同日報は朝鮮全土の三大新聞と唱えられてゐる。同氏は大正十二年總督府に在職し後新聞界に身を投じ記者とし手腕を振ひ殊に產業方面には同日報の中堅記者であると云ふ。私は同氏を訪れて朝鮮の農業方面について種々話されたのである。

澤柳今朝治氏（更級郡信里村出身）

同氏は明治三十七年更級郡書記から總督府に轉任し大正八年辭職して朝鮮水產組合に入り同組合が大正十二年京城に移轉せらるゝや退きて關門日日支局主任となり活動中である現在は釜山出版會、南朝農事協會の理事として人望を集めてゐる

片倉米穀肥料會社

一日同會社を訪れる。同會社主任は山田氏（諏訪郡豐田村出身）である　今日內地人が朝鮮米として一笑に附してゐるが內地米に較べて何の變りもなく內地の一等米にも劣らぬ程、質のよいのである。內地へは毎年五百萬石から八百万石以上も輸出せられてゐるので、內地米だと云はれて消費されてゐるのである。同社は前身を戸塚巳之助氏（北佐久郡出身）の個人經營であつたが數年前現在の片倉の手に移つたもので同氏は現在は東京在勤だと云ふ。

朝鮮米を見本として五包貴會に贈る由である尙同社には百瀨衛氏（東筑摩郡片丘村出身）が活動されてゐる

降幡三郎氏（諏訪郡出身）

同氏は東洋拓殖株式會社支店の主任である。同社は朝鮮における拓殖事業の經營の規模最も大なるものである。

相澤　毅氏（松本市出身）

同氏は慶尙道廳水產課長である

埋橋美巳代氏（上伊那郡富縣村出身）

明治三十八年日本郵船の一船員として奮鬪して大正元年朝鮮郵船會社に入社し大正十四年朝鮮汽車會社にして現在は支配人としての要職にあり立志成功者である。

×　　×

朝鮮雜聞

濟州島　某日濟州島から更級郡出身の某氏に會いて同島の話を聞く、濟州嶋は木浦から八浬で汽船の便あり面積一三三方里人口二十二、三万である電氣が發達してゐる。稻作は水便惡しく當分駄目であると、地價は反當り十圓前後で養蠶、養蜂、棉花が盛んで森林も多く椎茸を產出する

朝鮮の土地　今日は朝鮮田舍の地主に會ふて話を聞くにこの男は曾つて巡査を勤めたものである。地主ではあるが金貸し業（高利貸）で　土地を低當として金を貸し債務の履行が出來ぬ時はその土地をとると云ふのである。此の男の所有土地の價格は坪當り一圓前後であると。朝鮮の農業も面白き事にて東洋柘殖では一手に引き受けて植民を奬勵してゐる樣である。勞働賃金等も安く四十錢位であるから資本の投下と共に養蠶等が有望であると。

金　貸　し（高利貸）

朝鮮で一番ボロイ儲けをする者は金貸であるそうだ。日本人は百姓の副業にこの金貸しをして期鮮人相手には百圓の貸金に對して七十圓を手渡するのみで一割二分の利子をつけてやる。それで擔保として土地を提供されるのである。殖民地では資本難であるが常であるが朝鮮では日本人の高利貸が横行して一面には反感をかつてゐる。

朝鮮で土地を買收して農業をやるよりは、てつとり早い金貸しをした方がよいと云ふ事で日本人自身の植民的發展は思はしくないのである。

釜山一週間

日用品は內地と大差がない樣である。野菜類が內地から來るものが高價であるが魚類は安くて食はれる。

釜山は內地化して建築物交通の設備は內地と何等異る事がない。朝鮮の風俗。習慣を視るにはこれより地方に行かねばならぬ。

釜山では當地長野縣人會の多大なる厚意によつて長野縣人有志の寄附金あり五月五日密陽に向ふた。釜山長野縣人名簿を掲げて深く感謝する次第である。

密　陽

密陽には內地人二千人位あり內長野縣人にて私の知り得たる者は

東筑摩郡里山邊村　片倉密陽主任　丸山多喜登氏
東筑摩郡本鄉村　密陽警察署　上　原　氏
小　縣　郡　農蠶學校　高　橋　善吉氏

であつた。此處には所謂不逞鮮人の多い所であると。翌日大邱に向ふ。

大　邱

朝鮮第一の大隧道七千六百五十六呎の省峴隧道を潜り、慶山驛を過ぎて京城以南の最大都市大邱驛に着く。大邱は政治及產業の中樞地として商工業の盛んな點は西鮮の平壤と相對峙し市街の殷賑交通の整備は大都市として恥しからぬ設備を有してゐる。人口七万五千にして內地人は二万三千と云はれてゐる。古來大邱附近は地味豊沃で灌漑に富み農蠶の業に適應するため近來著しき發展を來し每年五百萬石の穀類を產出し果樹、煙草、製糸は盛大で殊に苹果は名聲赫々たるもので內地は勿論遠く海外まで輸出し、好評を博しつゝある市內には片倉、山十、朝鮮の各製糸の大工場があり信州人の意氣を吐いてゐる。

大邱には長野縣人三百名と稱せられ同地縣人會は大正八年設立され常任幹事五人あつて每年例會を開いゐる。左に縣人會名簿を掲げば（編者　編輯の都合上追て掲載す）。

朝鮮の產米增殖計畫に關する要綱を見れば朝鮮の產業の將來を知る事が出來るが拔萃を參考のため送付する（編者　略す）

原蠶種製造所長天澤茂登一氏を訪れる朝鮮產の繭、生糸を頂戴して貴會に送付する。

大邱を長野縣人會の厚意により京城まで汽車で行く。四呎八吋半の廣軌道、大きい客車、ふんわりした座席は健脚にまかせて步く私には限りない感謝であつた。今日の旅行に於いて私は各位縣人の厚意とお勸めによつて、多く乘車を利用してゐる。

徒步旅行家の立場から云ふならば世界を健脚に任せて步くのが本意かも知れぬがそれは字句の解釋である私は徒步旅行家を自任して各位の厚意を全部容れて旅行そのものゝ主義に於いてすべての機關を利用して今日に及んでゐる。

漫然と世界を健脚で步き廻つた所で、それは何の意義もなさぬ。私は徒步旅行の美名にかくれて海外各地の長野縣人を中心としてその援助を乞ふとは毫も考へてゐないのみならず。徒步旅行の目的は最初からそうではなかつた。徒步旅行の精神に則つて如何なる困難にも、如何なる迫害にも猛然として進み、長野縣人を中心とする日本人の世界各地の活動を探り、人類の生活に於いて何等かの意味をもたらすのではなくてならぬ。……と車中に想ひつゝ無事江水鳳山の翠色を沈めて首都京城に入る。

京　城

大邱で信濃每日新聞を見ると既に京城に入つてゐる記事があつて驚ろく。

京城にある長野縣人會は三百餘名が協同して縣人會の組織に當たり朝鮮の中心をなしてゐる。現會長有賀光豊氏（上伊南箕輪村出身）は朝鮮殖產銀行頭取である。幹事七名、評議員が各出身郡市から一人宛選ばれてゐる。（別封同會名簿送付す）（編者略す。）

京城は三日間の滯在であつたが長野縣人會の誤解のためか嘲笑と罵倒、私にはたへがたい侮辱をあびせかけられた。私にはこれに辯明する丈けの雄辯を持たなかつたので彼等の言葉を甘じて受くより外はないのであつた。一種の詐僞漢として彼等の頭から京城を去らなければならなかつたのは何んたる悲壯ぞや。

これは私への神の試練であつた。幸ひ誘惑の手から逃れて更らに平讓に向ふ。京城では更らに鼓舞激勵と共に壯途を祝福された縣人あり涙を呑んで戰亂の支那へ入るべく決心する。

平　壤

五月十四平讓につく。櫻花の滿開にて醉ひ狂ふ人々を見受ける。平讓長野縣人會では多大の厚意を受けて種々の

厄介になる。有名な原田直吉の玄武門を見物する。昨年十月現在の平讓長野縣人會名簿（編者註追て發表す）を送る。同會は八十餘名の縣人を以て組織致してゐる。平讓には數日の滯在新義州に向ふ。

新義州

新義州は朝鮮最北端の市街地、江を隔て安東縣の市街と相對して居る。義安兩市を連絡する長橋は三千九十八呎の開閉式鐵橋、兩岸には名物の流筏が一ぱい繋がれてゐる。

同地縣人會員は左記の如し

原籍
北安神城村
北佐平根村
埴科東條村
東筑宗賀村
下水柳原村
上伊手良村
上高綿內村
埴科東條村
小縣鹽尻村
上田市
小縣武石村

現住所
鴨川町
本町
本町
眞砂町二丁目
榮町二丁目
常盤町
榮町
旭町
常盤町
眞砂町
廊田洞
本町

職業
製材業
營林官吏
運送業
書店
官吏
敎諭
貿易商
營林署
法院官吏
王子製紙
菓子

姓名
長澤紀代司
渡邊毎平
宮澤藤四郎
奈良井勘市
田中武男
向山武男
野村利男
中澤善治
山崎豊太郎
田邊貞
今川忠勝
岡本幸藏
春原桂治

更級小島田村
西筑三岳村
北佐岩村田村
上伊藤澤村
東筑神林村
上伊藤澤村
東筑本城村
上伊西春近村
小縣鹽尻村
東筑五常村

眞砂町
濱川町
製材業
製絲會社
定州普通學校
旅館

本島榮次郎
安川龜五郎
梶原乙二郎
井上權三郎
伊藤恒光
筒井武雀
伊藤直夫
安川　肇
鈴木三友
菅沼義
本鄉甲子太郎
宮澤
丸山

（編者註　名簿中姓名漏其の他不明の個所あり心當りを御通知を乞ふ）

朝鮮一ケ月餘の旅行は私の試驗的旅行であつた。多くの自稱世界一週何々旅行家が內地を各方面からの聲援で勇ましく壯途に登つて朝鮮に入るが此の朝鮮通過の途中に於いて遺憾ながら座折して終ふのである　此の種の旅行に經驗に乏しい者には種々の誘惑に克ち、嘲笑と壓迫を打ち破る事は困難であろう。私は幸ひに滿洲へそれから支那本土の旅を續く事が出來るは信濃海外協會の精神的後援と各地縣人及縣人會の御盡力と深く感謝する次第である。

編者曰く　秋山氏は斯くて奉天、大連、旅順、上海（七月七日）と勇姿を現はす。各地長野縣人及縣人會の消足は追て掲載する。

協會記事

移植民問題大講演會

七月二十日午後一時より總會に引續いて前ブラジル大使田村七太氏、內務省社會部長守屋榮太氏の講演が開催せられる。

アリアンサ移住地死亡者追悼法會

アリアンサ紀念會を合せて移住地に於いて犧牲となりたる靈を弔ふべく善光寺本堂に於て供養を執行する。

本縣出身名士の臨席

本會の移住地建設紀念會には長野縣出身の名士が東京より臨席せらるゝが今日迄の決定せる者は左記の如くである（括弧內は本會役員名）

鐵道大臣（顧問）　小川平吉氏
代議士（相談役）　降旗元太郎氏
貴族院議員（顧問）　今井五介氏
外務參與官　植原悅二郎氏
內務大臣秘書官　篠原和市氏
代議士（相談役）　松本忠雄氏

尙關係名士の臨席者は
代議士（前總裁）　岡田忠彥氏
（前總裁）　本間利雄氏
代議士（海外協會中央會副會長）　津崎尙武氏

海外視察組合の續設

各地方青年の奮起!!

「百聞は一見に如かず」と縣下の青年が海外を實際に見なければならぬと各地に組合が續設してゐる。山國の縣民が海を恐れたり、旅行の經驗がないために海外雄飛が出來ないでゐる。コセ〳〵した所から植民地のノンビリした氣分を養ひ見聞を擴くする事は机上の愚論に勝る。樺太、北海道、朝鮮、滿州、臺灣、小笠原の方面の旅行は組合員諸君の活動舞臺である。左にその四、五をあぐれば

更級郡信里村村山組合　組合長　成田俊雄
縣廳第二組合
小山平一郎
小笠原德太郎
小林脇三郎
小山武
平林男女治
南澤重治郎
南澤勝茂
小笠原勝宗
渡邊照治
淸水榮之助
荻原惠治
雨宮博

坪内忠治
宮入汎省
長谷部眞一
矢島進
河野好三
中村熊三郎
佐藤市三

縣廳第三組合

深堀德治
小林英一郎
宮本乙己
中村禮三
深堀賠次
佐藤揆圖次
高津榮
宮崎袈裟義

上水内郡古間村組合

組合長　高橋休三郎
野村啓作
駒村孝作
松山定治
佐藤榮助
川原田卯太郎
高橋助作
高橋源作
牧野政右エ門
本山幸作
小林清治郎
若月治作

上水内郡柏原村第一組合

組合長　北村倉藏
外谷嘉三治
小林卯吉
佐藤幸藏
高橋義元
中村與惣治
中村榮太郎
小林嘉瑞
中村德左衛門
小林彌八

上水内郡柏原村第二組合

組合長　池田茂左衛門
鹿島利男
北村友善
北村哲二
高橋要左衛門
小林富伊
小林主計
池田加一

まにら丸乘船 アリアンサ渡航者

七月七日神戸出帆まにら丸乘船アリアンサ移住者渡航者は左記三家族十名であつた。

大阪市東成區中道町　平井芳雄　二人
群馬縣山田郡毛里田村　柳田國光　四人
佐賀縣小城郡三日月村　提喜三　三人
京都府北桑田郡山田村　中久保益太郎　一人

日本植民通信社移轉

新社屋　東京市麴町區下六番町五十番地（省電市ケ谷驛・市電市ケ谷驛前下車）番野小學校隣

日本植民通信社
日本植民相談所
▼振替口座東京三三二五一番
▼電話九段33一八三七番

新會員（自六月二十一日 至七月二十日）

東筑摩郡笹賀村　上條定實
北佐久郡本牧村　依田乙一
北佐久郡本牧村　眞山嘉助
長野市妻科　金井富三郎
西筑摩郡山口村　原彌兵衛
西筑摩郡山口村　河合次郎

會費領收（自六月二十五日 至七月二十四日）

一金貳圓也　本年度分　山崎勝男殿
一金貳圓也　同　上　小泉玉貴殿
一金貳圓也　同　上　西井政郎殿
一金八圓也　大正十二、三、四、五年度分　花岡清齋殿
一金貳拾圓也　大正十四、五年度分　戸田正義殿
一金貳圓也　大正十五年度分　外谷本治殿
一金貳圓也　同　上　小林豐治殿
一金貳圓也　本年度分　金井富三郎殿
一金貳圓也　同　上　原彌兵衛殿

消息

○北歐見學團　中村嘉壽代議士を團長とする學生一行十四名は七月十二日東京驛を出發。シベリヤ經由、露、獨瑞その他北歐を見學旅行して九日下旬歸朝の豫定

○小平次雄氏　迎妻歸朝中の同氏は七月十三日神戸より安藝丸にて比島ダバオに渡航した

○山崎ちか氏　歸朝中の南安北穗高村の同氏は七月十二日常磐丸にて加奈陀に再渡航した。

○澤柳政太郎博士　七月十五日から布哇に開かるゝ第二回大平洋問題調査大會に出席の同氏は北南米の同胞兒童の教育狀態を視察し日本人子弟の教育研究に向ふた本會は同氏の渡米を機會に在外子弟教育について研究調査項目を依頼した。

○伊藤五中校長　東京府立第五中學校長伊藤長七氏は來る八月カナダに於て開催する國際教育會議に列席のため九日午後三時横濱解纜のコレア丸で渡米の途に上つた

○宮澤次郎氏　比島ダバオ分館（マニラ總領事）在勤の同氏は六月十日安藝丸にて歸朝。因みに同氏はダバオ五ケ年間の在勤であると氏は北佐久郡南御牧村出身。七月二十日訪會。

○新任駐日伯國大使マチメントフエートガー氏夫妻はエム、エム線のポール、ルカ號で七月十九日神戸に入港した

○アリアンサ訪問者

五月十九日　濱口副領事一行
五月廿〇日　大橋領事一行
五月廿四日　藤波博士一行
五　廿七日　海興移民監督

編輯雜記

本誌は長野縣人在外者に一人殘らず配本致すべき趣意なれば洩れある者あらば御通知を願ひ度い。在外者には一ケ年二圓四十錢にて御領けする故五年乃至十年間を纏めて御送金を御願ひする。

○本誌は在外者間の聯絡及び故國と在外者との聯絡をする唯一の機關誌なれば努めて御利用を願ひ度い。

○宮下氏のレジストロ信州人は本號に續いて掲載した。武田氏の移住日誌も掲載出來た。

○七月二十日移住地の建設紀念會が擧行せらるゝので大多忙を極めてゐる。各方面とも御沙汰は御許し下さい。

○次號は紀念會を中心としたアリアンサ記事を滿載致したいと存じます。

○各方面の投書を歡迎します。殊に故國の青年會員と在外者諸君へ御願ひ致します。表題は隨意、何んでも感じた事でよい。

○在外者諸君の御消息を、本誌を通じて友人、知己へ御便りするも結構と存じます。御希望により「海の外」は何部にても御送付致します。

○各地長野縣人會が本會を知らず聯絡の出來てゐない事があります。努めて御聯絡をお願ひ致します。

海の外

定價	内地	外國
一部	廿錢	貳拾貳錢
半ケ年	一圓十錢	一圓貳拾貳錢
一ケ年	二圓廿錢	二圓四十四錢

送料共

注意
▲御註文は凡て前金に申受く
▲廣告料は御照會次第詳細通知致します
▲御拂込は振替に依らるゝを最も便利とす

昭和二年七月二十五日
編輯人　永田稠
發行兼印刷人　西澤太一郎
印刷所　長野市南縣町　信濃毎日新聞社
發行所　長野市長野縣廳内　海の外社
振替口座長野二一四〇番　信濃海外協會

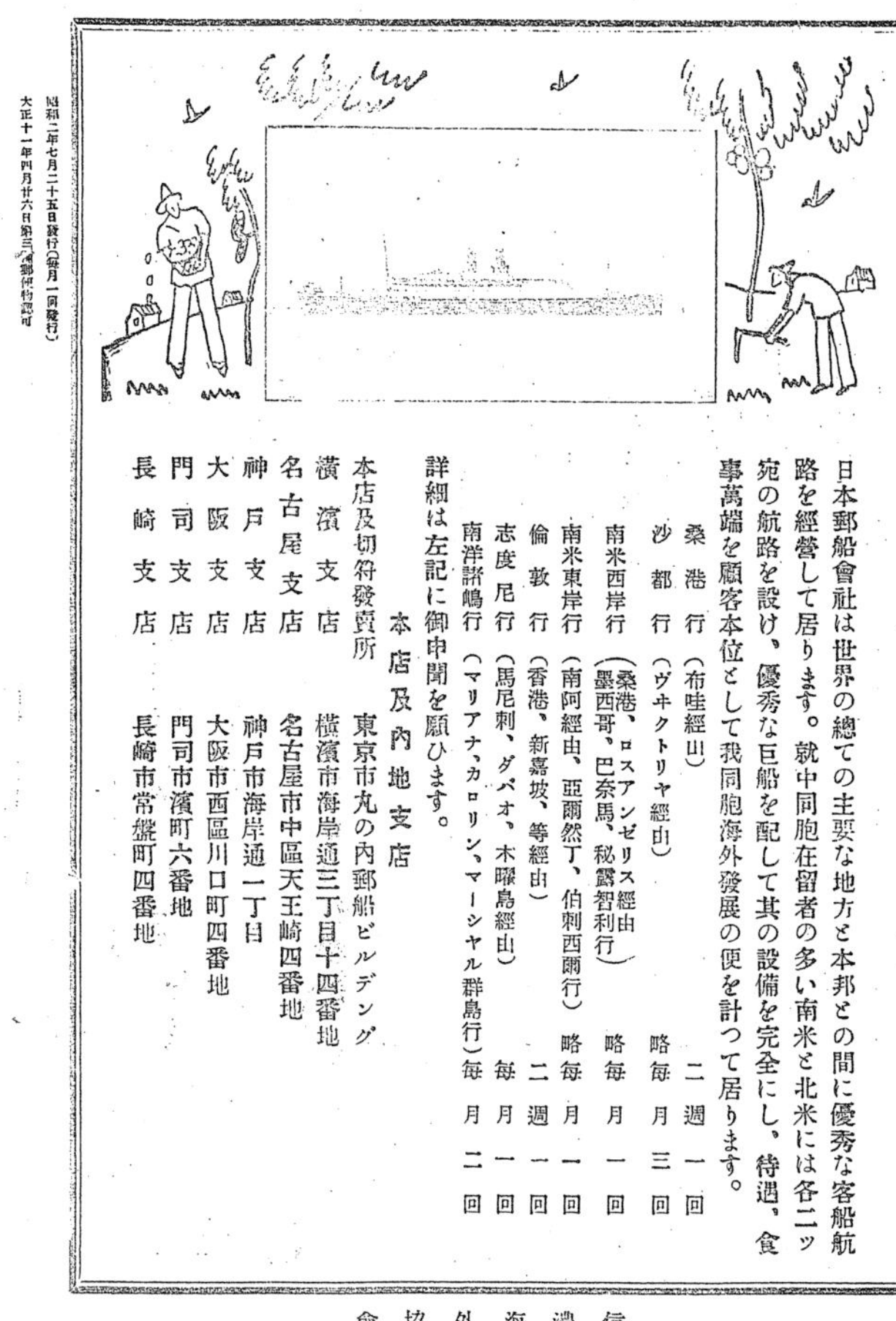

昭和二年七月二十五日發行（每月一回發行）
大正十一年四月廿六日第三種郵便物認可

信濃海外協會
海の外社發行

海の外
THE UMI-NO-SOTO
大正十一年四月廿六日第三種郵便物認可
昭和二年八月三十一日發行
第六十三號
南米
ブラジル
ありあんさ移住地
建設紀念號
信濃海外協會海の外社

目次

總裁　千葉了氏

副總裁　佐藤寅太郎氏

副總裁　平野桑四郎氏

第二代總裁　本間利雄氏

第一代總裁　岡田忠彦氏

顧問（司法大臣）原嘉道氏

顧問（鐵道大臣）小川平吉氏

第四代總裁　高橋守雄氏

第三代總裁　梅谷光貞氏

顧問（前東京市長）伊澤多喜男氏

顧問（貴族院議員）今井五介氏

相談役（代議士）山本慎平氏

相談役（貴族院議員）小林暢氏

相談役（代議士）樋口秀雄氏

相談役（前海軍政務次官）降旗元太郎氏

相談役（縣會議員）高田茂氏

相談役（赤穂村長）福澤泰江氏

相談役（代議士）植原悦二郎氏

相談役（代議士）松本忠雄氏

相談役（松本市長）小里頼永氏

相談役（製絲家）工藤善助氏

相談役（製絲家）片倉兼太郎氏

相談役（警保局長）山岡萬之助氏

相談役（製絲家）越 壽三郎氏

相談役（内務部長）原田 惟織氏

前相談役（警察部長）村井 八郎氏

前相談役（内務部長）細川 長平氏

相談役（警察部長）土屋 耕二氏

相談役並幹事長（學務部長）福島 繁三氏

前相談役（警察部長）落合甕四郎

前相談役（内務部長）牛島 省三氏

前相談役（内務部長）竹井貞太郎氏

前相談役（警察部長）田寺 俊信氏

前相談役（警察部長）竹下 豐次氏

前相談役（警察部長）藤岡 長和氏

前相談役（農商課長）石口 鶴一氏

前相談役（庶務課長）山田 武雄氏

相談役（庶務課長）白石喜太郎氏

幹事（社會課長）高野 忠衛氏

前相談役（地方課長）萬 富次郎氏

前幹事（農商課長）蜂須賀 亮氏

會計監督（會計課長）原田增次郎氏

囑託（學務課）板倉 操平氏

前幹事（社會課長）三樹 樹三氏

前相談役（學務部長）岡 尚義氏

囑託（社會課）栗林 藤松氏

囑託（社會課）關 庸氏

北佐久郡支部長　市川多萬吉氏

南佐久郡支部長　但丸留藏氏

書記
坪內忠治氏

幹事
宮下琢磨氏

囑託(保安課)
清水義直氏

諏訪郡支部長　石原快三氏

小縣郡支部長　阿蘇溫藏氏

幹事
西澤太一郎氏

幹事
永田剛氏

下伊那郡支部長　臼田松太郎氏

上伊那郡支部長　杉原定壽氏

書記
高津榮氏

書記
宮崎袈裟義氏

書記
宮本乙巳氏

上水內郡支部長　田中泰藏氏

下高井郡支部長　中山德十氏

南安曇郡支部長　長山謙吉氏

東筑摩郡支部長
幹事(社會課長)　高野忠衛氏

西筑摩郡支部長　羽生秀三郎氏

長野市支部長　丸山辨三郎氏

下水內郡支部長　竹中三吉氏

更級郡支部長　小林一重氏

北安曇郡支部長　牛山喜一氏

上田市支部長　勝俣英吉郎氏

松本市支部長
(相談役)
小里頼永氏

上高井郡支部長　志賀市藏氏

埴科郡支部長　長坂治助氏

紀念會（七月二十日）

アリアンサ建設紀念號發刊について

本會は七月二十日長野市藏春閣に於いて、本會經營のアリアンサ移住地建設に當初より今日までに非常なる盡力を賜はれた方々を廣く招待して盛大なる紀念會を催した。

當日は本會の代議員會と共に總會あり特にアリアンサ移住地において病沒せし或ひは過般の列車衝突の犧牲者と共に、善光寺本堂に追悼法會を修め、紀念講演として前駐伯特命全權大使田付七太氏を招待して「ブラジル事情」の講演を催したり。

紀念會は小川平吉閣下、降旗元太郎氏、福澤泰江氏、宮川良治氏、丸山辨三郎氏等の祝辭、今井五介氏、梅谷光貞氏の祝電あり盛會を極めた。

當日の御報告を本會員に致し度いと存じ卽ち本誌を增大し「アリアンサ建設紀念號」とし、合せて本會の今日迄の大体の經過、移住地の狀況をも加へたのである。

先きに本會は此の紀念會の獨立出版物として「南米ブラジルアリアンサ移住地の建設」を發刊して特志家に分與し兼ねて御盡力を賜つた各位に對し感謝の意を表する事にしたが、一般本會の關係者及び會員諸賢には何等御報告申上ぐる機會もなくて遺憾の極みであつたので幸ひに機關誌「海の外」を通じて御知らせする次第である。

本誌と紀念會の獨立出版物とは重複の箇所が、多少あるが編輯に當り努めて抵觸する事を避けてある。本誌と共に獨立の出版物とを併讀せらるれば一層了解出來る所が多い。

アリアンサ移住地は四星霜を經過して一段落の形にあるが未だ建設の過度中にある。今や全國各府縣共海外移住組合設立せられ、海外移住の具体實行が敢然として行はれんとする折柄、範を天下に示したる本會經營のアリアンサ移住地の報告は時機に適したものであらう。

他方、在外の本縣人諸賢の間にもこれを一期に更らに聯絡團結して活躍の地歩を固ふし、以て日本民族永遠の發展と世界の平和確保のために奮鬪して貰ひ度いと希ふ次第である。

昭和二年七月二十日

信濃海外協會

信濃海外協會組織

本縣出身、日本力行會長永田稠氏は大正九年南北兩米を巡遊して、日本の大勢が國民の海外發展を要するに拘らず、國民の間に此種の運動の勃興せざる事、又、折角盛大なりし長野縣下の此の運動の中止されたるを悲しみかくの如き悲境に陷りたるは、畢竟本縣を中心としたる自主的の主体のなかつた事に依り、何とかして此運動を再起せんことを熱望し、貴族院議員今井五介、衆議院議員小川平吉、宮下琢磨及び當時伯國より歸朝中なる輪湖俊午郎の諸氏と協議し、更らに當時の縣知事岡田忠彥、縣會議長笠原忠造、信濃敎育會長佐藤寅太郎の諸氏と計り、信濃海外協會組織の決意をなし、大正十一年一月二十九日、長野市城山館に於いて之れが發會式を擧行するに至つたのである。

信濃海外協會設立趣意

種々なる意味に於て特に我國の社會上經濟上から見て、國民の海外發展が非常に重要且つ必須な問題となつて來たことは最早爭ふ可からざる事實であると信じます。然るに之を如何にして實現せしむるかの大切な問題に至つては、遺憾ながら多く顧みられぬ現狀にあると存じます。海外發展は元より國民の自覺と自由意志に俟つべきではありますが、又同時に之を指導誘掖し後援し、更に在外先輩をして後進者の爲め道を開かしむるの方策を忘れて、到底健實なる海外發展は望まれぬ事と存じます。歐洲先進諸國が西に東に雄飛を試み、其國民的膨脹を擅にするに至れるも、所詮當路者の懇切なる指導後援と完全なる組織に因る處大なるを思ふ時、私共は一種異樣の寂寥を感ずるのであります。

我長野縣に於きましては幸ひ近時縣民の自覺と先覺諸賢の貴き犧牲的運動に依つて漸次熱度をこの方面に加ふるに至り、誠に欣喜に堪へざる處であります。而して此傾向を萎頽せしむるなく、更に永續的に、層一層組織的統一的に、勞資相俟つて一段の光彩を縣民海外發展の上に求むるには、どうしても玆に權威ある機關の設立を緊要と考へます。現代の世界に無主の國はありません。從つて所謂海外發展も悉く他領土への國民的膨脹である以上、國際的誤解を成る可く避ける點に於ても、又鄕黨的親睦を善用するの意味よりするも、地方的協力が最も効果の大である事は信じて疑はぬ次第であります。信濃海外協會設立の趣意も實に叙上の理由に外ならぬのであります。

信濃海外協會規約 （昭和二年五月）

第一條　本會ハ信濃海外協會ト稱シ本部ヲ長野市ニ支部ヲ必要ニ應シ內外各地ニ置ク

第二條　本會ハ縣民ノ縣外發展ニ關スル諸般ノ事項ヲ調査硏究シ其ノ發展ニ資スルヲ以テ目的トス

第三條　本會ハ前條ノ目的ヲ達スル爲メ必要ニ應シ左ノ事業ヲ行フ

一、縣民縣外發展ノ方法ニ關シ立案ヲナス事
二、發展地ニ就キ調査ヲナシ其ノ結果ヲ紹介スルコト
三、在外縣民ト聯絡ヲ計リ指導後援ヲナス事
四、海外投資ノ硏究ヲナシ之ヲ發表スル事
五、海外發展ニ必要ナル人材ヲ養成スル事
六、雜誌其ノ他ノ出版物ヲ利用シ若クハ自ラ發刊シ又隨時講演會ヲ開ク事
七、海外發展ニ關スル各種參考品及統計ヲ蒐集スル事
八、本會ト共通ノ目的ヲ有スル他ノ機關ト聯絡ヲナス事
九、前各項ノ目的ヲ遂行スル爲臨時機本會ノ代表調査委員等ヲ內外樞要ノ地ニ派出スル事
十、移住組合ノ經營
十一、其ノ他本會ノ目的ヲ達スルニ必要ト認ムル事項

第四條　本會ノ會員ハ名譽會員特別會員維持會員普通會員ノ四種トス

一、名譽會員ハ代議員會ノ決議ヲ經テ總裁之ヲ推薦ス
一、特別會員ハ一時金百圓以上ヲ醵出スルモノトス
一、維持會員ハ會費年額金拾圓ヲ十ケ年間醵出スルモノトス
一、普通會員ハ年額金貳圓ヲ十ケ年間又ハ一時金拾六圓以上ヲ醵出スルモノトス
會費ヲ滿一ケ年以上滯納スル者ハ會員ノ資格ヲ失フモノトス

第五條　本會ニ左ノ役員ヲ置ク

總裁　一名　副總裁　二名
相談役　若干名　會計監督　一名
代議員　若干名　幹事長　一名
幹事　若干名　書記　若干名
囑託　若干名

第六條　本會ニ顧問若干名ヲ置ク顧問ハ總裁之ヲ推薦ス

第七條　役員ヲ定ムル手續左ノ如シ

一、總裁副總裁ハ代議員會ニ於テ推薦シ代議員ハ各支部ヨリ三名宛ヲ選出シ相談役會計監督ハ總裁之ヲ推薦シ幹事長、幹事及書記囑託ハ總裁之ヲ指名囑託ス
一、役員ノ任期ハ二ケ年トス但再選スル事ヲ得

第八條　役員ノ任務ハ左ノ如シ

一、總裁ハ會務ヲ總理シ相談役會及代議員會ノ議長タリ
一、副總裁ハ總裁ヲ補佐シ總裁事故アル時之ヲ代理ス
一、相談役ハ重要ナル會務ニ就キ總裁ノ諮問ニ應ス
一、代議員會ニ於テハ豫算ノ議決決算ノ認定其ノ他重要ナル事項ヲ議決ス
一、幹事長、幹事書記及囑託ハ會務ヲ處理ス

第九條　本會ノ會合ハ左ノ如シ

一、總會ハ毎年一回之ヲ開ク
一、相談役會ハ隨時之ヲ開ク
一、代議員會ハ毎年一回之ヲ招集ス但シ必要ノ場合ニハ臨時招集スルコトアルヘシ

第十條　本規約ハ總裁ノ發議又ハ代議員十名以上ノ發議ニヨリ代議員會ニ附シ出席會員三分ノ二以上ノ贊成ヲ得ルニアラサレバ改正スルコトヲ得ス

第十一條　本會ノ經費ハ會員ノ醵金寄附金及ヒ雜收入ヲ以テ充當スルモノトス

第十二條　支部規約ハ各支部ニ於テ適當ニ定ムルモノトス

附　則

本規約ハ大正十二年ヨリ之ヲ施行ス
本規約ハ昭和二年度ヨリ之ヲ施行ス

現在役員氏名

總裁（本縣知事）　千葉了
副總裁（縣會議長）　平野桑四郎
同（前代議士）　佐藤寅太郎
顧問（鐵道大臣）　小川平吉
同（貴族院議員）　今井五介
同（司法大臣）　原嘉道
同（前台灣總督）　伊澤多喜男
相談役（前海軍政務次官）　降旗元太郎
同（代議士）　樋口秀雄
同（代議士）　松本忠雄
同（代議士）　植原悅二郎
同（警保局長）　山岡萬之助

同（製糸家）　片倉兼太郎
同（貴族院議員）　小林暢
同（全國町村長會副會長）　福澤泰江
同（製糸家）　工藤善助
同（縣會議員）　高田茂
同（衆議院議員）　山本愼平
同（松本市長）　小里頼永
同（製糸家）　越壽三郎
同（內務部長）　原田惟織
同（警察部長）　土屋耕二
同（學務部長）　福島繁三
同（地方課長）　白石喜太郎
會計監督（會計課長）　原田增次郎
幹事長（學務部長）　福島繁三
幹事（社會課長）　高野忠衞
同（常任）　西澤太一郎
同　永田稠
同　宮下琢磨
同　輪湖俊午郎
同　北原地價造
書記　坪內忠治
同　宮本乙巳
同　宮崎袈裟義
同　高津榮
囑託（保安課）　清水義直
同（學務課）　板倉操平
同（社會課）　栗林藤松
同（社會課）　關庸

○各郡市選出代議員氏名

南北久郡
臼田町　小林亥吉
大澤村　木內定一

北佐久郡
岩村田町（支部長）　市川多萬吉
小諸町　大塚宗次
岩村田町　市川多牧
中佐都村　荻原丈次

小縣縣
泉田村　小林榮太郎
殿城村　柴崎新一
和田村　羽田貞義

諏訪町
上諏訪町　宮坂作衞
平野村　小口善重
同　笠原房吉

上伊那郡
赤穗村　福澤泰江
伊那町　清水米三郎
小野町　宇治光治

下伊那郡
千代村　大平豁郎
飯田町　平野桑四郎
上伊那町　高田茂

西筑摩郡
福嶋町　伊藤淳
同　小野秀一
王瀧村　瀧龜松

東筑摩郡
芳川村　中村畯作
新村　上條信
中川手村　倉科多策

南安曇郡
豊科町　藤森馨
同　岡村政雄
烏川村　黒岩重義

北安曇郡
大町　平野秀吾
同　福島幸重
同　高橋正雄

更級郡
篠ノ井町　宮崎萬平
共和村　寺澤種二郎
篠ノ井町　山岸市治郎

埴科郡
松代町　矢澤頼道
杭瀬下村　田中住年
坂城町　市川澄丈

上高井郡
井上村　坂本重雄
須坂町　田中邦治

下高井郡

科野村	湯本宣成
同	須藤謙治
平岡村	山田市之丞
上水内郡 大豆嶋村	森小八郎
朝陽村	松山勝三郎
下水内郡 飯山町	牧野長藏
常盤村	木内一郎
柳原村	丸山藤吉
長野市	丸山辨三郎
松本市	小里頼永
上田市	勝俣英吉郎
	瀧澤助右衛門
	有川仙之助

信濃海外協會の經理

○本會創立以來ノ經費並補助金

	經費	縣費補助金	國庫補助金
大正十一年度	七、四九〇円	三〇〇円	五〇〇円
大正十二年度	三、八七六	三〇〇	五〇〇
大正十三年度	三、八〇九	五〇〇	一、〇〇〇
大正十四年度	五、〇九〇	五〇〇	一、〇〇〇
大正十五年度	六、二六四	一、五〇〇	一、五〇〇

大正十四年度歳入歳出決算（普通會計）承認

歳入決算高　五千貳百參拾七圓五拾錢五厘

歳出決算高　五千九拾圓參拾錢五厘

差引殘金　百四拾七圓貳拾錢　（大正十五年度ヘ繰越）

歳入內譯　（△ハ減ヲ示ス）

科目	決算額	豫算額	增減	附記
一、會費	二、四一六.四九円	八、二〇〇.〇〇円	△五、七八三.五一円	會費收入少シ
二、寄附金	二六〇.〇〇	一、〇〇〇.〇〇	△七四〇.〇〇	同
三、補助金	一、五〇〇.〇〇	一、五〇〇.〇〇	—	
縣費補助金	五〇〇.〇〇	五〇〇.〇〇	—	
國庫補助金	一、〇〇〇.〇〇	一、〇〇〇.〇〇	—	
四、雜收入	七八一.二一	一、七〇〇.〇〇	△九一八.七九	同
五、繰越金	二九.八〇五	五〇.〇〇	△二〇.一九五	繰越金少キニヨル
六、借入金	二五〇.〇〇	—	二五〇.〇〇	不足金補塡
歳入合計	五、二三七.五〇五	一三、四五〇.〇	七、二一二.四九五	

歳出內譯　（△ハ減ヲ示ス）

科目	決算額	豫算額	增減	附記
一、事務所費	一、四七六.一七円	二、三九〇.〇〇円	△九一三.八三円	
雜給	一、二〇〇.〇〇	一、三二〇.〇〇	△一二〇.〇〇	支出ヲ要スルコト少ナカリシニヨル
旅費	一〇三.五六	六〇〇.〇〇	△四九六.四四	同
印刷費	九.九	一二〇.〇〇	△一一〇.九一	同

科目	決算額	豫算額	增減	附記
通信費	四三.〇九	一五〇.〇〇	△一〇六.九一	同
備品費	一三.二二	二〇.〇〇	六.七八	同
雜費	一〇七.二一	一八〇.〇〇	△七二.七九	同
二、會議費	一九.四〇	五〇〇.〇〇	△四八〇.六〇	
總會費	・	三〇〇.〇〇	△三〇〇.〇〇	總會費ヲ要セザリシハ代議員會ト兼ネタルニヨル
代議員會費	一九.四〇	二〇〇.〇〇	一八〇.六〇	
三、事業費	一、九〇四.五〇五	四、七〇〇.〇〇	△二、七九五.四九五	
宣傳費	—	八〇〇.〇〇	△八〇〇.〇〇	資金募集ト同時ニナシタルヲ以テ支出ヲ要セザリシ
雜誌費	一、八八九.五〇五	三、〇〇〇.〇〇	△一、一一〇.〇〇	支出ヲ要スルコト少カリシ
調査費	—	四〇〇.〇〇	△四〇〇.〇〇	未ダ調査開始ノ運ニ至ラザリシ
標本蒐集及展覽會費	一五.〇〇	五〇〇.〇〇	△四八五.〇〇	支出ヲ要スル少ナカリシ
四、支部交附金	八五六.五三	三、八八〇.〇〇	△三、〇二三.四七	同
五、返濟金	八〇〇.〇〇	八〇〇.〇〇	—	
六、雜費	三三.七〇	五〇.〇〇	△一六.三〇	同
七、豫備費	—	一三〇.〇〇	△一三〇.〇〇	支出ヲ要セザリシ
歳出合計	五、〇九〇.三〇五	一三、四五〇.〇〇	△七、三五九.六九五	

大正十五年度歳入歳出決算（普通會計）承認

歳入決算高　壹萬參千參拾八圓拾貳錢也

歳出決算高　六千貳百圓六拾四錢也

差引殘高　六千八百三拾七圓四拾八錢也　（昭和二年度繰越）

歳入內譯　（△印ハ減ヲ示ス）

科目	決算額	豫算額	比較增減	附記
一、會費	五、四五六.八二	七、三六〇.〇〇	△一、九〇三.一八	
內地會員會費	一、三三一.八三	三、三四〇.〇〇	△二、〇〇八.一七	
海外會員會費	七一〇.九九	一、五〇〇.〇〇	△七八九.〇一	
新募集會員會費	六七四.〇〇	二、六二六.〇〇	△一、九五二.〇〇	
出資特別會員會費	二、八五〇.〇〇	—	二、八五〇.〇〇	
二、寄附金	—	五〇〇.〇〇	△五〇〇.〇〇	
三、補助金	一、五〇〇.〇〇	二、五〇〇.〇〇	△一、〇〇〇.〇〇	
縣費補助金	五〇〇.〇〇	一、〇〇〇.〇〇	△五〇〇.〇〇	
國庫補助金	一、〇〇〇.〇〇	一、五〇〇.〇〇	△五〇〇.〇〇	
四、雜收入	五、九三四.一〇	一、八三三.〇〇	△四、一〇一.一〇	
過年度會費	四六六.六四	一、四〇〇.〇〇	△九三三.三六	
雜誌賣却代	六九.〇一	七一.〇〇	△二.九九	
雜誌廣告料	八二五.〇〇	三六〇.〇〇	四六五.〇〇	
雜入	四、五七三.四五	—	四、五七三.四五	
五、繰越金	一四七.二〇	一七.〇〇	一三〇.二〇	
歳入合計	一三、〇三八.一二	一三、二〇八.〇	八二九.一二	

歳出內譯　（△印ハ減ヲ示ス）

科目	決算額	豫算額	比較增減	附記
一、事務費	二、六二七.七八	四、七六〇.〇〇	△二、一三二.二二	
役員給料手當	一、六八〇.〇〇	一、六八〇.〇〇	—	

科目	本年度豫算額	前年度豫算額	增減
手當	｜	三〇〇.〇〇	△三〇〇.〇〇
旅費	四五四.三八	一、六八〇.〇〇	△一、二二五.六二
印刷費	六八三.二〇	一、〇〇〇.〇〇	△三一六.八〇
通信費	一一二.〇三	一〇〇.〇〇	一二.〇三
備品費	四二.七〇	五〇.〇〇	△七.三〇
本部雜費	七八一.一三	五〇〇.〇〇	二八一.一三
會員募集雜費	一九二.三四	八〇〇.〇〇	△六〇七.六六
會議費	｜	三〇〇.〇〇	△三〇〇.〇〇
總會費	｜	一〇〇.〇〇	△一〇〇.〇〇
代議員會費	｜	二〇〇.〇〇	△二〇〇.〇〇
三、交附金	四四三.五〇	三、五〇四.〇〇	△三、〇六〇.五〇
出資特別會員募集交附金	一六八.〇〇	｜	一六八.〇〇
町村主任交附金	一一〇.七〇	二、二〇八.〇〇	△二、〇九七.三〇
郡市主任交附金	二〇.八〇	七三六.〇〇	△七一五.二〇
過年度會費町村主任交附金	二八.八〇	四二〇.〇〇	△三九一.二〇
同上郡市主任交附金	一一五.二〇	一四〇.〇〇	△二四.八〇
四、事業費	二、二六五.六一	二、九〇〇.〇〇	△六三四.三九
講習會費	｜	二〇〇.〇〇	△二〇〇.〇〇
宣傳費	三九.二二	五〇.〇〇	△一〇.七八
雜誌費	二、二二六.三九	二、五〇〇.〇〇	△二七三.六一
調査費	｜	一〇〇.〇〇	△一〇〇.〇〇
標本及蒐集及展覽會費	｜	五〇.〇〇	△五〇.〇〇
五、過年度支出	六五〇.〇〇	五五〇.〇〇	一〇〇.〇〇
六、雜費	二一三.七五	五〇.〇〇	一六三.七五
七、豫備費	｜	一四五.〇〇	△一四五.〇〇
歳出合計	六、二〇〇.六四	一二、二〇九.〇〇	△六、〇〇八.三六

昭和貳年度普通會計收支豫算　可決

收入

一金五萬六千參百六拾圓也　收入豫算額

支出

一金五萬六千參百六拾圓也　支出豫算額

收入支出差引殘無シ

收入內譯（△ハ減ヲ示ス）

科目	本年度豫算額（円）	前年度豫算額（円）	增減（円）	附記
第一款 會費	四二、一三〇	七、三六〇	三四、七七〇	
一、內地會員會費	二、二五〇	三、二四四	△九九四	維持會員六五人一人十圓（六五〇圓）普通會員八百人一人二圓（千六百圓）計二、二五〇圓
二、海外會員會費	一、九〇〇	一、五〇〇	四〇〇	海外會員九五〇人一人二圓計千九百圓
三、新募集會員會費	七〇〇	二、六二六	△一、九二六	普通會員三五〇人一人二圓計七百圓
四、海外視察組合會員會費	八四〇	｜	八四〇	十五年度設立二一〇組合員中維持會員三十一人十圓（三百圓）普通會員二七〇人一人二圓（四五〇圓）
五、同右新募集會費	六、四四〇	｜	六、四四〇	昭和二年度二三〇組合設立維持會員二三〇人普通會員二〇七〇人計四一四〇圓
六、出資特別會員費	三〇、〇〇〇	｜	三〇、〇〇〇	一口三百圓ノ特別會員ヲ大凡一郡市ニ十名募集ス此會員百人計金三万圓
第二款 寄附金	二、五〇〇	五〇〇	二、〇〇〇	
一、寄附金	二、五〇〇	五〇〇	二、〇〇〇	ブラジル移住地直營地收益ノ內ヨリ凡ソ一割ノ寄附金此金二、五〇〇圓

科目	本年度豫算額	前年度豫算額	增減	附記
第三款 補助金	三、〇〇〇	二、五〇〇	五〇〇	
一、縣費補助金	一、五〇〇	一、〇〇〇	五〇〇	縣費補助
一、國庫補助金	一、五〇〇	一、五〇〇	｜	內務省補助
第四款 雜收入	二、八八〇	一、八三二	一、〇四八	
一、過年度會費	一、八四〇	一、四〇〇	四四〇	會員增加ニ伴ヒ未納モ增加ノ見込
二、雜誌賣却代	八〇	七二	八	
三、雜誌廣告料	九六〇	三六〇	六〇〇	廣告料增加ノ見込
第五款 繰越金	五、〇〇〇	一七	四、九八三	
一、前年度繰越金	五、〇〇〇	一七	四、九八三	前年度繰越ノ見込
第六款 土地管理料	八五〇	｜	八五〇	
一、移住地土地管理料	八五〇	｜	八五〇	出資特別會員提供地ヘ小作入植希望者ヨリ一口一七〇圓五十口分
收入合計	五六、三六〇	一二、二〇九	四四、一五一	

支出內譯（△印ハ減ヲ示ス）

科目	本年度豫算額	前年度豫算額	增減	附記
第一款 事務費	七、二〇八	四、七六〇	二、四四八	
一、給料手當	三、〇二八	一、九八〇	一、〇四八	幹事一人月額百圓年千二百圓囑託二人月百圓年千二百圓縣廳內囑託一人年手當十圓四人分給仕一人十四圓年一六八圓年末手當二十圓役員事務員手當四〇〇圓

科目	本年度豫算額	前年度豫算額	增減	附記
二、支部役員手當	九五〇	｜	九五〇	三市十六郡主任年手當一人五〇圓十九人分九百五十圓
三、旅費	一、六八〇	一、六八〇	｜	一般出張旅費四〇〇圓會費整理會員募集視察組合指導出張旅費一郡八〇圓 二市十六軍分一、二〇〇圓
四、印刷費	三〇〇	一〇〇	二〇〇	視察組合指導講習會用印刷物其他
五、通信費	二五〇	一〇〇	一五〇	
六、備品費	五〇	五〇	｜	
七、雜費	九五〇	八五〇	一〇〇	會員募集ノ分八〇〇圓一組合凡三圓本部事務用雜費一五〇圓小使手當ヲ含ム消耗品運搬費
第二款 交附金	八一八	三、五〇四	△二、六八六	
一、町村主任本年度會費交附金	四五〇	二、二〇八	△一、七五八	徵收金額十分ノ二ノ交附金
二、同右過年度會費交附金	三六八	四二〇	△五二	過年度會費一、八八〇圓ニ對スル同右ノ交附金
三、郡主任本年度會費交附金	｜	七三六	△七三六	郡主任ノ手當トシテ交附スルニヨリ交附金ノ制ヲ廢止ス
四、郡主任過年度會費交附金	｜	一四〇	△一四〇	右ニ同ジ
第三款 出資特別會員募集費	四、五〇〇	｜	四、五〇〇	
一、交附金	二、四〇〇	｜	二、四〇〇	出資募集市町村交附金一〇〇口分
二、旅費	一、八〇〇	｜	一、八〇〇	三〇〇圓一口ノモノ縣下一郡市ニツキ一〇口ヅツ本年度一〇〇口募集ノ見込
三、雜費	三〇〇	｜	三〇〇	同右 百口分
第四款 會議費	一、〇〇〇	三〇〇	七〇〇	
一、總會費	八〇〇	一〇〇	七〇〇	縣內十六ケ所ニテ開會一ケ所金五〇圓此金八〇〇圓

二、代議員會費	二〇〇	二〇〇	―	代議員會費
第五款 事業費	一一、九五三	二、九〇〇	九、〇五三	
一、海外視察組合奬勵費	四、三七三	―	四、三七三	海外視察組合三ヶ年積立一組合ニ付一八一八圓中本會ヨリ利子補給交費額四八圓六〇錢一ヶ年平均十六圓二〇錢二六〇組合分四二一二圓同組合役員會費一六〇圓
二、講習會費	四〇〇	二〇〇	二〇〇	郡市主任及移住者講習會四ヶ所分二〇〇圓視察組合理事講習會四ヶ所一ヶ所五〇圓計二〇〇圓
三、講習會補助費	二四〇	―	二四〇	組合聯合講習會二日以上開會ノモノ一ヶ所一五圓十六ヶ所へ補助計二四〇圓
四、海外視察費	二、一〇〇	―	二、一〇〇	役員視察費五〇〇圓組合視察團引率一回四〇〇圓四回分一六〇〇圓視察一回五〇人四回二〇〇人
五、宣傳費	一五〇	五〇	一〇〇	
六、雜誌費	四、四四〇	二、五〇〇	一、九四〇	會員四七六五人寄贈二三五人計五〇〇〇部毎月印刷ノ分送料ヲ含ム
七、調査費	一〇〇	一〇〇	―	
八、標本蒐集及展覽會費	一五〇	五〇	一〇〇	
第六款 雜費	四二〇	五〇	三七〇	
一、雜費	四二〇	五〇	三七〇	縣内海外發展病沒者ノ法會執行補助費二五〇圓諸雜費一七〇圓
第七款 過年度支出	―	五五〇	△五五〇	
一、過年度支出	―	五五〇	△五五〇	過年度支出ナキ見込
第八款 土地代及經營費	七、五一七	―	七、五一七	
一、土地代	六、六六七	―	六、六六七	アリアンサ移住地内土地ニシテ出資特別會員ニ提供スベキ土地代三ヶ年賦第一年目支拂代金六六六七圓

二、經營費及管理料	八五〇	―	八五〇	經營費ハ當分特別會計ノ經營ニ依囑ス小作人五戸入植管理料八五〇圓
第九款 積立金	一五、〇〇〇	―	一五、〇〇〇	
一、積立金	一五、〇〇〇	―	一五、〇〇〇	本會準備積立金(今後年々積立ノ見込)
第十款 豫備費	七、九四五	一四五	七、八〇〇	
一、豫備費	七、九四五	一四五	七、八〇〇	
支出合計	五六、三六〇	一二、二〇九	四四、一五	

大正十五年度事業報告並事業成績

一、年度

大正十五年四月一日より昭和二年三月三十一日迄

二、役員の異動

(イ) 總裁の異動

梅谷總裁閣下の辭任　大正十五年九月
高橋總裁閣下の就任　同上

(ロ) 相談役の異動並に副總裁の逝去

笠原副總裁の逝去　大正十五年十一月
竹下相談役の辭任　同　年九月
萬　相談役の辭任　同　年十月
細川相談役の辭任　同　年十月
鳥羽相談役の逝去　昭和二年三月
牛島相談役の辭任　昭和二年五月
藤岡相談役の辭任　昭和二年五月
山田相談役の就任　同　二月
白石相談役の就任　同　二月
岡　相談役の就任　同　二月
原田相談役の就任　同　五月
土屋相談役の就任　同　五月
福島相談役の就任　同　五月

(ハ) 書記及囑託の異動

宮崎囑託の就職　大正十五年四月
加藤書記の就職　同　年七月
同　辭職　同　年十二月
坪內書記の就職　昭和二年一月
畦上囑託の辭職　大正十五年十二月
板倉囑託の就職　昭和二年二月
栗林囑託の就職　同
關　囑託の就職　同

三、海外發展に關する宣傳及講習

(イ) 各種學校並に公共團体に關する宣傳

本會役員、海外成功歸朝者、海外視察研究者の海外發展に關する名士に依り各種學校、青年會婦人會等各種の公共團体に海外發展の講演をなす

本會幹事及囑託、竹內陸軍少佐、代議士中村嘉壽、須藤正夫、福澤泰江、其他の名士

小學校　十二校、中學校、女學校、農學校　四校
郡役所　三ケ所、青年會及青年訓練所　五ケ所、婦人會及處女會　四ケ所、合計　二十八ケ所、聽講者何れも百五十名乃至五百名以上なり

(ロ) 海外發展に關する印刷物の配布

ブラジル「ありあんさ」移住地の狀況、海外協會の狀況及南洋方面、メキシコ方面、ペルー其他海外發展地の狀況を知らしむるため印刷物を配布す

本會經營、ブラジル「ありあんさ」移住地狀況、南洋「ダバオ」の麻栽培の狀況、南洋ボルネオの椰子栽培事業の槪況、其他特に海外發展上參考となるべき事項を印刷物として之れを一般希望者、各公共團体、本會々員に配布す

信濃海外協會槪況、南米ブラジルアリアンサ移住地槪況其の一　二〇〇〇部
海外視察組合設立趣意書
南米ブラジル移住地槪況其の二　一〇〇〇部
ありあんさ第三移住地一覽　三〇〇〇部
ありあんさ移住地々圖　三〇〇〇部

(ハ) 海外發展に關する著書、雜誌印刷物の紹介、配布

(イ) 發外發展に關する著書、雜誌、印刷物等の書名、發行所、著者及內容梗槪等を會員並に一般公衆に紹介

謄寫印刷物配布　五〇〇〇部

活版印刷物配布　八〇〇〇枚

(ロ) 海外發展の著書を會員並に一般希望者に配布斡旋をなせり

南米一巡、兩米再巡、海外立志傳　五〇〇部
植民年鑑(中南米篇)　一六〇部
日本郵船會社發行南米渡航案內　一五〇部
ブラジル人國記　一〇部

四、其の他海外各地發展希望者の爲め指導啓發をなす

(イ) アリアンサ移住者の指導

アリアンサ移住地へ入植希望者には土地分讓の斡旋自作及小作人入植心得、渡航法、移住地衞生、開墾法、移住地事情を知らしめ一般海外各地への渡航希望者には夫々その目的地毎に海外發展に必要なる指導啓發をなせり

尙旅券下附より渡航乘船等に至る迄詳細懇切なる指導をなせり

(ロ) 本會の指導により渡航決行せる者の數

メキシコ　七名
キューバ　五名
南洋方面　六名
北米方面　三名
印度　三名
ブラジル一般各地　二二名
アリアンサ移住地
本會移住地　自作　四九戸　二一二名
　小作　二四戸　九六名
　合計　七三戸　三〇八名

(ハ) アリアンサ渡航入植者のために出發港に於ける指導

橫濱、神戶等の出發乘船港へは每月の入植者の乘船出帆の都度本會役員一人若しくは二人出張して旅券査證、荷物の發送、身体の檢査、乘船渡航一切の指導をなし尙海外發展並に移住地に關する諸般の講話諸注意をなし併て發展者を精神的に鼓舞激勵し本會の總裁よりの訓示祝電等をも發してその行を盛ならしむ

一般渡航者見送り(他縣海外協會、中央會、各團体提携)熊本、鳥取、富山等の他縣海外協會、日伯協會等と相携聯絡してブラジル國渡航を始め智利、アルゼンチン、北米、メキシコ、南洋等各地へ渡航するものをして激勵するために橫濱神戶港にてこれを

送ること八回に及べり

（二）海外發展者のため特種指導

本會事務所東京支部事務所等に海外發展の目的を以て來訪する者、海外發展者の家族知己友人等にして海外在留者への各種の紹介、物品、書籍の送附、狀況の調査等を依頼するもの若しくは海外への呼寄、求婚希望、その斡旋依頼等を申込に來れる者多數ありこれに付て本會はなるべく迅速、正確、懇切にその指導又は便宜を計り發展者の郷里にある者の慰藉と一般關係者のために海外發展指導をなす

本部事務所にて面談指導せるもの

ブラジル	八六名
メキシコ	五名
南洋	五名
キューバ	三名
其の他	四四名
合計	一四三名、

海外渡航者、又は再渡航者、在外縣人のために婚姻に付き諸種の斡旋せるもの

七件　十名に達す

海外發展希望者のための通信指導

海外發展希望のものにして本會へ通信にてその手續海外事情、その他各種の指導を依頼し來れる者に對しては本會は一々詳細なる返事を送り印刷物、地圖、書籍等を送る等本人の滿足する迄懇切なる返信並に教授をなす

（大正十五年四月一日より至昭和二年三月三十一日）

長野本部扱	一二一五人	三七九四通
東京支部扱	九七〇人	二一四〇通
合計	二一八五人	五九三四通

（1）郡市別通信指導者數表（縣内）

郡市別	教授人數
南佐久郡	二五
北佐久郡	二三
小縣郡	一六
埴科郡	一一
更級郡	一五
上高井郡	一二
下高井郡	六
上水内郡	二三
下水内郡	八
東筑摩郡	四二
西筑摩郡	二六
南佐久郡	一六
北佐久郡	八
諏訪郡	七六
上伊那郡	四四
下伊那郡	三〇
長野市	一三
松本市	二七
上田市	六
合計	四二七

（2）通信指導者數表（縣外）

府縣別	教授人數
北海道	三四
青森縣	六
秋田縣	三一
山形縣	六
宮城縣	一〇
岩手縣	五
福島縣	八
茨城縣	五
山梨縣	五
千葉縣	九
群馬縣	二一
栃木縣	一四
新潟縣	四一
愛知縣	一八
岐阜縣	一四
富山縣	六
石川縣	二
福井縣	九
滋賀縣	三
靜岡縣	二一
三重縣	三〇
和歌山縣	六
京都府	二八
奈良縣	五
大阪府	三七
兵庫縣	四五
鳥取縣	二
島根縣	四
山口縣	二六
廣島縣	六
岡山縣	三二
香川縣	一二
愛媛縣	二四
高知縣	二
徳島縣	一
大分縣	一
福岡縣	四一
佐賀縣	三九
長崎縣	一一
宮崎縣	六
熊本縣	五
鹿兒島縣	四
南京府	六四
神奈川縣	七
臺灣	一二
樺太	一五
朝鮮	三二
滿洲	一一
支那	二
合計	七八八

五、機關雜誌「海の外」の發行

本會機關雜誌「海の外」を印刷して廣く內外各地の會員及講習者、購讀者等に配布し來りしも會員の增加並に購讀者の增加に伴ひ增刊印刷配布せり

內譯

（イ）縣內會員配布	一〇九二
（ロ）東京支部會員配布	一五〇
（ハ）雜誌購讀會員配布	一四〇
（ニ）海外會員配布	八三〇
（ホ）公益團体その他へ寄贈	四四〇

六、會員の募集及動異

（イ）內地新會員募集

本會は大正十一年の創立にかゝり爾來會員內地海外合せて二千名に近くに一達せり、かくて會の基礎愈々鞏固ならんとす、併して海外發展の各種事業に多大の貢献をなし來り殊に「南米ブラジル」移住地建設の如き全國海外協會の範たるべき大事業さへ企畫するに至る然れども當初よりの會員に更に新なる有力の會員を一層多く募集するの必要に迫りたるを以て此方面に力を注ぎたり

（1）縣內　新募集入會會員	六〇名
（2）縣外　同上	九五名
（3）海外　同上	八〇名
合計	二三五名

（ロ）出資特別會員募集

本會從來の特別會員は百圓以上の寄附者にして本會よりは毎月の雜誌を贈呈したるのみなりしも今回は一口參百圓以上の特別會員を募集し尙現在經營の移住地建設の事業に參加し併て移住地建設の精神の普及と將來移住組合法の實施せらるゝ塲合はその組合員の參加を得んため縣下二〇〇名、一郡市凡そ十名の會員を得る計畫を立てこれが實行にとりかゝれり尙本會の特別會員中特に出資特別會員の名を附し一口に付ありあんさ第三移住地の土地二町五段步を謝禮として提供せり

其會員　一一名を得たり

（ハ）退會會員

創立以來の會員中脫會申込のもの及本會より整理せる會員百四十名なり

（ニ）現在會員數

一、內地會員數

東京	一三〇名
他府縣	九五名
縣內	一〇五四名
合計	一二七九名

二、海外	九二〇名
累計	二一九九名

七、海外視察組合の設立

海外視察及調査を目的とせる海外視察組合を設立しその經營は十人若くは十四人にて組合を造りて貯金するものにして今日迄三十組合組合員三〇〇名を得たり此組合は三ケ年間貯金するものにして三ケ年目にはその總額五萬圓に達すべし

海外視察組合員は同時に本會員に限るを以て此組合に加入せるものは組合員と會員とを兼ぬ

維持會員	三〇名
普通會員	二七〇名
合計	三〇〇名

八、本縣出身海在外者並に故鄕の家族親戚等の狀況調查

一國の志士・憂國の士たり海外發展の勇者たる我同胞の海外に於ける發展地方、其事業狀況、其生活狀況並に發展者數を調査研究することは其海外發展地の狀況

を調査すると同時に其甚だ緊要なることなり又其出身地等を中心として其發展者の故郷の親戚、親兄弟の狀况を調査し或は感謝し或は激勵し或は慰藉し或は其海外發展狀况發展地の各種の事情等を報告するは又發展者の狀况調査と共に必要なる事項なり本會は此二方面の調査と共に又本會との連絡をとる爲めに詳細なる連絡調査をなせり

（イ） 海外在住個人との連絡通信數

加奈太	八	比米合衆國	一五
玖瑪	六	墨西哥	一三
ブラジル	三〇	比律賓	三〇
其の他	四〇	合計	一四二

（ロ） 海外在住者よりの通信連絡により新に在外者として知り得たる數

滿洲	四	比律賓	七五
北米合衆國	五〇	墨西哥	二〇
ブラジル	二〇	其の他	二〇
合計	一八九		

九、海外歸朝者の懇談會

海外殊に比島米國、カナダ、墨國、南洋、印度、シベリヤ等よりの海外歸朝者の懇談會を開きその海外發展各地の事情を報告しその地の邦人發展狀况、人情風俗、邦人の長所短所、改善すべき諸事項の研究等の懇談をなし大に斯道の發展の上に參考となり本會並に邦家海外發展策の上に貢献する資料を得たり

（イ） 第一回昭和二年三月開催
長野市、上水内、上高井、更級郡の區域
來會者世界各地發展歸朝者
計二十一名

（ロ） 第二回以後縣内各郡全部に開催す
町村主任の設置
本年度は郡役所の廢止に伴ひ郡の支部長たりし郡長は廢官缺員となり支部本部の活動上に大なる影響を來したりし以て改めて全縣下の町村に對し町村長助役、收入役に對し本會囑託制をとり大にその組織を改めその活動の上に良成績を收めたり

十、標本蒐集及展覧會

（イ） 本會は大正十四年度より廣く海外に於ける特産品を蒐集陳列して一般公衆の海外發展の思想啓發に資せんが爲め海外歸朝者又は在外者「ブラジル移住地」等より特に依頼して海外特産品の蒐集に努め本年は大にその數を增加せり

卽ち墨國内動植物標本

(1)工藝品標本・諸物產標本・其の他雜品　須藤正夫氏五拾餘点寄贈
(2)墨國及中南米寫眞　大平慶太郎二〇〇枚寄贈
(3)南洋ジャバ寫眞帳壹冊　半田積善氏寄贈
(4)ありあんさ珈琲及籾類標本四点　藤本顯正氏寄贈
(5)ダバオ寫眞帳二冊　小林千尋氏より・小平次雄氏より
(6)其の他　二十一種

（ロ） 展覧會
上水内農學校落成紀念展覧會（十五年十一月）に本會所有各種の書籍、標本、地圖、アリアンサ移住地に關する各種の寫眞地圖、書籍等を出品して大に海外發展のための參考となりその成績良好なりき

十一、海外支部設立

現在本會は縣内十九、東京一、海外六、計二十六の支部あるも本會は本年に於て更にメキシコ及ヒリツピンのダバオ島にその支部設立を見たり

メキシコ　九名
ダバオ　一二〇名

昭和二年度事業計畫書

一、會員整理並新會員募集

（イ） 會員の整理並新男子會員募集
本會は大正十一年の創立に係り爾來會員内地海外二千餘名に及ひ海外發展各種事業の爲大に貢献し來り殊に南米ブラジルの移住地設立の嚆矢たり其の他各種の事業大に見るべきものあるに至れり然れども其の當初よりの會員は已に星霜六ケ年各種の事情のため新會員の更新を要するときに遭遇せり玆に於て本會は本年度に於て其の整理をなし更に新なる有力の會員を募集せんとす

（ロ） 在外海員の募集
本會は大正十五年度に於いて在外本縣出身海外雄飛

者調査をなし以つて大に本縣の在外志士成功者を詳かにして新に內外相呼應して我か海外發展を隆昌ならしめん爲めに本縣出身の在外者の入會增加に努力せんとす

（ハ） 女子會員の新募集
海外發展は國民全部の運動ならざるべからず貴賤貧富の別なく老幼男女の別なく世を擧け協同一致當に立たざるべからざるのときなり殊に我帝國の將來を雙肩に負ふへき青年男女の擔はざるべからざる大問題なり然るに從來は男子會員の募集と教養とに力を注がれ女子會員の募集と教養とは全く忘却せられたり本會は本年度は女子會員の募集及女子に對する海外發展の講習宣傳鼓吹等其の教養の爲大に力を注かんとす

二、海外視察組合の設立增加並海外視察

本會は大正十五年度より縣內三百六十の海外視察組合設立に着手し十五年度に於て凡そ三十の設立を見たり更に本年度は其の數を增加して二百三十組合を設立せんとす組合員たる本會々員も二千六百名となし組合員の視察研究貯金も亦三十萬圓に達せしめんとす

三、出資特別會員ノ募集

前年度に於て募集したる成績に依り本年度は大に力を注ぎて移住地建設、移住組合設立等の事業と相提携して大募集をなさんとす
卽ち縣下郡市を通じて凡一〇〇口三萬圓の募集をなさんとす

四、役員並組合員ノ海外視察

（イ） 本會役員海外視察
本會役員をして南米「アリアンサ」移住地及海外各地の海外事情調査をなさしめんとす

（ロ） 本會の指導に係る海外視察組合は樺太、北海道臺灣、比律賓、南洋、布哇、朝鮮、滿洲等に付き凡二百名の視察員を派遣す

五、講習會ノ開催

（イ） 各郡市主任講習會並海外移住者講習各郡市主任並海外移住者を集め海外協會の趣旨並本會の經營方針一般海外發展に關する事項「アリアンサ」入植規定及移住各地の事情、海外衞生、渡航法等の講習會を縣內四ケ所に開催す

（ロ） 海外視察組合理事講習
組合設立の精神海外視察地方の事情視察研究の要項等主として組合の理事として大切なる諸般事項を講習せんとす縣內四ケ所に開催す

（ハ） 組合海外事情講習會の奬勵
縣內の海外視察組合數ケ聯合して海外事情の講習會を開く本年度此の種の講習は縣內十六ケ所に達せしめんとす

六、海外發展ノ宣傳

（イ） 各種學校並公共團体に關する宣傳
本會役員、海外成功歸朝者、海外視察、研究者、海外發展に關する名士により各種學校、青年會、婦人會等各種公共團体に海外發展の宣傳をなさんとす

（ロ） 海外視察組合員に對する海外發展の指導
組合員三千六百人に對し本會並各種公共團体各種の國家機關と聯絡提携して大に植民教育海外發展指導等をなさんとす

七、機關雜誌ノ刊行內容ノ改善並部數增加

本會機關雜誌「海の外」を印刷して廣く內外の會員及購讀希望者に頒布し來りしも本年度は海外視察組合の設立と共に新會員の增加に伴ひ其の發行部數を倍加して其の內容も亦大に改善せんとす

八、標本ノ蒐集及展覧會

本會は大正十四年度より廣く海外に於ける特產品を蒐集陳列展覽して一般公衆の海外發展の思想啓發に資せん爲海外各地支部海外歸朝者又は在外者、ブラジルありあんさ理事等へ特に依賴して其の參考品の蒐集に努め來りしも本年度は一層其の種類と分量とを增加し將來海外發展の博物館の設立をなさんとす

九、海外發展ニ關スル著書印刷物ノ紹介又ハ配布

（イ） 本會組合員並會員に配布の印刷物刊行
本會指導の海外視察組合員の視察研究に便ならしめん爲北海道、樺太、小笠原、臺灣、滿洲、支那等に關する調査物を印刷して遍く配布せんとす

（ロ） 海外事情の著書、各種印刷物海外發展修養書等の配布又は斡旋
組合員の視察海外諸地方に關する書籍、海外發展に關する著書、印刷物等を會員並組合員一般希望者に

配布取次紹介等の斡旋に盡力せんとす

十、海外支部設立

現在縣内十九、東京一、海外六、計廿六部あれ共尚本年はメキシコ、比島、アルゼンチン等に支部設立をなさんとす

十一、海外發展病沒者ノ法會執行

前年度海外歸朝者懇談會の際の與望に基き海外諸方面發展者の病沒せる者の慰靈法會を營み邦家海外發展のため又世界の開拓文化進展に盡され異郷に於て病沒せられたる志士の靈を追善供養し併せて其遺族を慰藉せんとす

十二、出資特別會員提供地ノ開拓

アリアンサ移住地土地にして特別會員に提供せる土地中一二五町歩五戸分の地に小作入植をなしその開拓をなさんとす

海外支部との聯絡と狀況

◎信濃海外協會米國西北部支部

同支部とは數回の往復通信によりてよく聯絡を保持しをり現在會員百數十名を有し會員相互の親睦益々厚く役員諸賢の奮鬪によつていよ〳〵隆盛を示し本年會務報告の大要は左記の如くである。

一、新年會(一月三日) 同支部の恒例により會員互禮を兼ねたる新年宴會を開催し、伊藤總務第一式を司會し出席者よりは新年の所感演說各自の自己紹介等ありて第二式に移り、春原總務の司會に初まり數番の余興あり就中米國出生兒童の日米唱歌等感興少からず和氣靄々たる會合であつた。出席者二百餘名此の種集會としては稀に見る盛會であつた。

二、代議員及役員の改選(二月二十一日) 定期總會で原議長開會を宣し、續いて開會の挨拶ありそれより日程に入り昨年度會務會計報告ありてこの承認を求め討議

事項の豫算案、會則修正案につき討議しいづれも通過した後代議員選擧を行ひ左記當選せり。三月八日は第一回代議會を開催し役員選擧をなし左記の者當選す。

◎役員

總務委員(三名)
伊藤豊作
原　春樹
倉田圓吉(宮田主計氏辭任補欠當選)

理　事(二名)
小池代治郎
中會根武平

會　計(二名)
望月五六
依田武左衛門

議　長
川船和夫

副議長
瀧澤百二

◎代議員

公選代議員(六名)
宮田主計　伊藤豊作
中會根武平　春原候
依田武左衛門　原　春樹

◎各區代議員(三十二名)(△印ハ各區主任)

第一區
△田中正作　木村憲司
山口良之助　小林慶太郎

第二區
△尾澤永吉　山浦與十郎
川船和夫　神津作一
香山直温　田中豊造
宮澤鹿之助　小池代治郎

第三區
△渡邊熙誠　尾澤義胤
依田讓一　渡邊勘助

第四區
△原　渡　保刈陽夫
名取三重　溝口浪三郎

第五區
△横山重義　瀧澤百二
藤原正富　望月五六
平林破魔雄　平林基宜

太田留吉　片瀬與市

第六區
△關嶋　堅　池上榮七
中村學一　倉田圓吉

三、帝國特務艦歡迎

四月上旬より下旬に渡り帝國特務艦鶴見、石廊、神威、襟裳、知床の五艦が相前後してシヤトルに入港し同支部は慰門袋を寄贈し特に神威には九名の長野縣人乘組あり會員所有の自動車を提供し連日市内の觀光其の他の便宜を計りて誠意歡待を盡せり。

四、種痘勵行(三月二十二日)

惡性天然痘流行著しきため役員會は井出醫師に交涉し本會々員の保健を慮り全家族の種痘を奬めたり。

五、貯蓄組合創立研究(五月十三日)

貯蓄組合創立の委員會開催意見の交換をなす。

六、野外淸遊會(六月二十日)

同支部例年の催さるゝものにして本年はシヤートル市郊外のメープルウツドに第四回淸遊會を催す。原委員長の開會の辭あり、開會一ケ月前より會場運輸、接待賞品、競技、新聞、救護等の各部委員によつて準備されたるプログラムにより各種の妙技競抜あり、アイスクリーム、オレンジ、西瓜、レモネード等は女子を悦ばし、山なす賞品は青年等を樂しませ、盛夏の夕べ、吹き來る涼風に蕭々たるシーダ河の淸流に十二分の歡を盡し、夕陽の斜を知らず暮色に誘はれて散會。

七、笠原副總裁へ悔狀(十二月二十八日)

本部副總裁故笠原忠造氏へ悔狀を送る。

八、昭和二年度豫算

收入の部
一金五十弗　會費豫想百人分
一金三十弗　雜收入
計　金百八十弗也

支出の部
一金三十弗　社交費
一金二十五弗　會報費
一金二十五弗　文房具
一金二十弗　會合費
一金十弗　廣告費
一金六十五弗　豫備費
計　金百八十弗也

◎北加信濃海外協會

桑港を中心とせる同協會は現在加洲、ユタ洲、コロラド洲、アイダホ洲の四洲に跨り會員七十有余を有し昨年より二十數名の新會員を加へて會員相互の親睦、福利增進のため役員の活動は一方ならず、本會との聯絡も又圓滿に致しをり意氣益々あがり健實の發展に進みつゝあり、左にその狀況を記せば

一、現役員

理　事
桑　港　酒井喜多市　田中常助
　　　　望月滋司　大久保政淸
　　　　小川榮一
オークランド　青木賓次　北村嘉久藏
サンノゼ市　北澤武右衛門
サクラメント　町田貞三郎
ベ　市　町田貞三郎
ユタ洲　田々井昌
コロラド洲　藤森德重
ワツソンビル　伊藤晴之
スタクトン　遠藤照治
アイダホ洲　二木二一
フレスノ　尾澤寧次

會　計　酒井喜多市　小川榮一

幹　事　片瀬太門　安曇穗明
　　　　臼井省三

二、第三回定期總會(二月十三日)

桑港の理事酒井喜多市氏の宅に開催、出席者は三十有余名(各地散在せる會員の事なれば致し方なくユタ、コロラド、アイダホの各洲は七、八百哩から九百哩附近のフレスノでさへ百七十哩、對岸のオークランドの外は悉く百哩前後隔つてゐるので止を得ぬ)理事田中常助氏の司會に始まり、幹事臼井省三氏の事務報告、遠藤照治氏の會計報告等あり次で幹事片瀬多門氏の「南米植民地に對する金融機關設立」の調査報告あつて引つづき司會者の指名により遠藤氏議長となり幹事小川榮一氏の左の議案につき詳細の說明あり滿場一致を以て可決された。

一、長野縣人在留者調査の件
一、名簿作製の件
一、在米信濃海外協會聯絡の件
一、在桑港各府縣海外協會に對し中央會設立發起の件
一、遠藤會計に總會の名によつて感謝狀贈呈の件
一、會費徵收に關する事項及本部送金額の件
其の他長野縣人在留成功者投票の件、本部發行「海の

外」へは安曇穗明氏に依賴して通信する事等であつた。

三、晩餐會、講演會

總會が終つて酒井氏の饗應の晩餐が開かれ、久しぶりで各自郷里の話しに花が咲き、尙長野縣出身の實業家で今回世界一週觀光團員に加はつて來桑した遠藤要氏の觀光談や、獨逸に留學社會學を專攻せる長野縣松本出身の赤羽豊治郎氏等の講演あり盛會裡に散會した。

四、在桑港の各海外協會提携を勸誘

同協會の本年度總會に於いて在桑港各府縣海外協會に對し中央會設立發起の件を可決したのに基づき三月上旬同協會では各海外協會に向けて中央會設立に關する勸誘狀を發した。

五、長野縣人在留者調査

本會よりの依賴に基づき同協會では總會に議案として提出無事可決したる該調査に關し直ちにその趣意の印刷物を配布し調査の實行に着手した。

◎信濃海外協會南加支部

同支部は設立より支部名稱を信濃海外協會北米支部と呼びたれど在米他の支部關係と混同され易く種々の支障ありたればこれを改名して信濃海外協會南加支部或は信濃海外協會ロスアンゼルス支部と變更するを適當と信じ目下同支部にてはこれが協議中である。從がつて南加支部とは適宜本會に於いて稱呼したる名稱にて追て同支部より改名報告あり次第「海の外」を以て發表する豫定である。現在會員は約四十數名にして大正十三年六月報告により役員は左記の如くである。

部長　藤本安三郎
副部長　入隆夫
會計　山岸義茂
幹事　澁谷豊

支部長就任

本年二月の報告によれば今回藤本安三郎辭任浦田毛佐太郎が新支部長就任せる旨挨拶があつた。尙同支部の最近の狀況は本會より紹介中にて未だ其の回答に接せざるが本冊子に報告するの出來ざるを遺憾とする次第で回答ありたる時は「海の外」を報告に替ゆる豫定である。

◎タンピコ信州人懇親會

墨國タンピコ市日本人會長矢嶋璋三氏は本縣上伊那郡

伊那富村出身にして同地方日本人の重鎭であるが、タンピコ信州人の聯絡機關を作り本會と聯絡を計るを機宜に適したると信じ同郷の青年岩垂貞吉氏と共にこれが運動に盡力し、一月下旬遂に十數名の同志を得て「タンピコ信州人懇親會」と命名し、同時に本會の趣意に參じたのである。

先きに矢嶋氏には本會創立に贊同せられて、多大の寄附金を贈られ在墨同地方に於いては常に日本人相互の親睦のため日墨親善のために多大の盡力を拂はれ在墨既に二十數年の奮闘の士である。

◎アリアンサ支部

本會經營の該移住地支部は未だ組織的のものでなく支部としての聯絡も出來ざる現狀にして昭和二年度に於いては規約、役員、會員の組織統一を計る方針である同移住地の會員と目さるゝもの現在百五十名に達してゐる。

◎レジストロ支部

在伯同支部は現在會員百拾數名を有し、長野縣出身者を以て組織してゐる。

同支部は長野縣人會を組織し北原他價造氏が會長たりし後そのまゝ大正十三年本會の支部として聯絡を支持しをり支部長に小松敬一郎氏就任し、今日に及んでゐる。

同支部の最近狀況も又其の回答に接せず十分の説明を試みる事の出來ぬのは甚だ遺憾である。

◎其の他

北米ポートランド市には在住者は凡そ四十家族百二十名あり有志を持つて會を組織し本會と聯絡を計る希望を以て同市在住の上伊那郡美篶村出身者畑實氏より通信あり、目下支部設立の計劃中で昭和三年度は具体的の方針が生れる豫定である。

比律賓では昨年來より之が計劃中で本年は本縣人の徹底調査の必要を感じ過般在ダバオの小林千尋氏、小池釣夫氏、小平次雄氏、小林主計氏の諸氏が盡力して呉れ本縣人有力者にして且つダバオ市の中心に活動中の宮坂國人氏小池釣夫氏等聯絡を取り確固たる支部を設立すべく計劃中である。

墨國メキシコ市を中心として更級郡川柳村出身者須藤正夫氏本年歸朝を機會に之れが懇談あり同市在住の青年西筑摩郡日立村出身長淵鐘六氏が中心になつて活動してゐる

南米移住地建設の宣言とその一般計畫

大正十二年度の總會に於て、本田總裁は信濃海外協會に對し、退いて協會の解散をなすか、將た、進んで百尺竿頭更に一歩を進むるかの二案を持つてゐたが、遂に其後者を選むの一大決意を示され、大正十二年五月十三日海外協會の役員及び各郡市長を召集して、移住地建設の宣言が言はれた。之れは信濃海外協會に於ては空前の宣言であると同時に、我日本の海外發展史上に一時代を劃するの原動力となつた宣言であると思ふ。

本會總裁の宣言に附隨せる移住地經營の一般計劃の骨子は大体左記の如きものであつた。

一、資金　貳拾万圓　本縣關係者有志の醵金に待つ

二、土地　約一万町歩とし南米ブラジル及サンポウロ州内にて珈琲栽培可能地を購入す

三、土地利用

イ、五千町歩　出資者に分配提供す

ロ、一千町歩　信濃海外協會直營地

ハ、一千町歩　長野縣よりの新渡航者に賣却す

ニ、一千町歩　在伯長野縣人に賣却す

ホ、二千町歩　土地組合に賣却す

四、移住地施設

イ、交通設備　金一万圓支出

ロ、產業組合　金二万圓貸附

ハ、教育保健　金一万圓支出

ニ、土地管理　年額五千圓を計上す

五、移住者　一人につき二百圓を補給す

以上の計劃は各方面の狀況から、愈々實行する場合に於ては當初の計劃とは余程異つたものになつて來た。

移住地經營資金

移住地經營資金を貳拾万圓と概算したが、海外協會が公益團體であるから、營利事業は出來ない、從つて出資に對して利益配當をする事が出來ない。玆に於てか出資は寄附金とならねばならぬ。乃ち一口一千圓の寄附をして貰ふことに決定した。但一般の寄附金とは其精神を

ルツサンビラ驛（アリアンサ移住地入口）

アリアンサ街道入口

アリアンサ事務所前

原始林の伐採！

アリアンサ街道

移民収容所全景

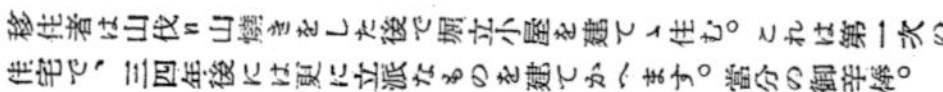

移住者は山伐り山燒きをした後で掘立小屋を建てゝ住む。これは第一次の住宅で、三四年後には更に立派なものを建てかへます。當分の御辛棒。

移住者の開墾地と住宅

協會直營地開墾（其の一）

協會直營地開墾（其の二）

アリアンサ移住地の里芋

此移住地では里芋が植えてから三ケ月で此位に大きくなります。トロロ芋の如きは一個一ト抱もあるものが出來る。

住　宅

井　戸

野　球

ユーカリ並木　つきあたりは北原君の住ひ

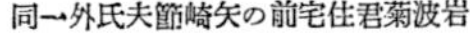

岩波菊君住宅前の矢崎節夫氏外一同

アリアンサの力行會連

(右)移住地監督幹事多羅間鐵輔氏　(中)移住地理事北原地價造氏
(左)同輪湖俊午郎氏

異にするから、寄附金の半額に相當する丈けの土地を移住地に於て寄附者に提供することにした。乃ち一千圓の寄附に對し其半額五百圓大正十四年度の土地價格は一反歩五圓であるから拾町歩の土地を提供したのである、而して各郡市に割當たる標準は左の通りである。

八、〇〇〇圓	南佐久郡
一、〇〇〇圓	西筑摩郡
三、〇〇〇圓	南安曇郡
三、〇〇〇圓	北安曇郡
二、〇〇〇圓	埴科郡
三、〇〇〇圓	下高井郡
一五、〇〇〇圓	北佐久郡
一三、〇〇〇圓	小縣郡
一〇〇、〇〇〇圓	諏訪郡
一五、〇〇〇圓	上伊那郡
二〇、〇〇〇圓	下伊那郡
一〇、〇〇〇圓	東筑摩郡
五、〇〇〇圓	上水内郡
二、〇〇〇圓	下水内郡
一〇、〇〇〇圓	上高井郡
一五、〇〇〇圓	更級郡
一〇、〇〇〇圓	長野市
五、〇〇〇圓	松本市
七、〇〇〇圓	上田市

合計貳拾四萬七千圓で二割餘のダメージを見込まうと云ふ次第であつた。

關東震災の前後

偖、各郡市に割當てたる移住地資金の募集は、其當初に於ては、海外協會の支部長たる郡市長の努力に依つて出來るものと思ふて居た。何分、始めての仕事であるから、赤十字社や愛國婦人會の仕事の樣に、郡市の努力に依つて出來ると高をくゝつて居たのに無理はないが、偖實際問題になると、郡市支部の當局者は勿論、一般の縣民に海外思想が徹底して居ないのであるから、話す者も話される者も、雲をつかむ樣な次第で、各郡市共成績は更に擧らないと云ふ有樣で、殆んど四ケ月を經過してしまうた縣下の經濟事情が九月頃からよくなるので、愈々着手しようとして居ると、關東の大震災に直面し、ブラジル移住地の寄附金などを問題にして居ることが出來なくて、空しく大正十二年は暮れて行つたのである。

明くれば大正十三年一月、震災の騷ぎが一段落になつて、國民はやゝ落付いて來た。冷靜に考慮すれば國民海外發展の事業は益々急を要するので、震災の爲めに一頓挫をして居た南米移住地建設の事業も、萬難を排して遂行するの必要に迫られて來た。時の總裁本間利雄、幹事蜂須賀[illegible]亮、永田稠、宮下琢磨、藤森克等は熱心に活動を始めた。片倉兼太郎氏の寄附金五万圓、東筑摩郡の九千圓、諏訪郡の一万六千圓、西筑摩の二千圓、上高井八八千圓等漸次申込を得て、同年三月には其申込金額十万に達するに至つた。茲に於て本間總裁は事業に着手するの決心をなし、幹事永田稠を南米に派遣することに決定したのである。

移住地の購入及命名

總裁の命を受けて永田幹事は大正十三年五月下旬橫濱を出帆し、布哇を經て北米に至り、海外協會支部の組織に努力し、モルモン宗徒の植民地、猶太人移住協會等必要なる事情を研究調査して、八月上旬ブラジルに達し、多羅間領事、輪湖、北原の諸氏と共に既に選定せられたる移住候補地に至り、地形、地質、氣候、風土病の有無、交通、地權其他必要なる事項を調査研究すること約二ケ月、長文の電報を以て協會と協議して遂に移住地の決定をなし、引續き購入の手續を了したのは、大正十三年十月一日である其土地購入契約の譯文は次の通りである。

左記契約書の土地の外に、ルツサンピラ、コトペロ、兩驛に各拾二町五段歩と、郡役所の所在地アラサツーバ市に約四百坪の合計三個所の附屬地は別に購入した。

土地賣買契約書（寫）

譲渡人　上院議員　ロドロフオ・ノゲーラ・ダ・ローシヤ・ミランダ
譲受人　永田稠
契約價格　五百五十コントス（約十八萬圓）
契約期日　千九百二十四年十月一日
契約記入帳簿　第百十一卷五十四頁

サンパウロ市第四公證人役場
公證人役場

千九百廿四年十月一日サンパウロ市當公證人役場ニ於テ契約兩者出頭ノ上契約ス、即チ讓渡人サンパウロ市居住上院議員ロドルフオ・ノゲーラ・ダ・ローシヤ・ミランダ、讓受人永田稠並ニコレガ同意者フランジスコ・シミツテ大佐遺產整理人代表者タル嗣子ギレルメ・シミツテ立會ヒノ上、上院議員ロドルフオ・ノゲーラ・ローシヤ・ミランダガ千九百廿二年一月廿八日故フランシスコ・シミツテ　大佐ト協定セル土地賣却委任契約ニ基キ讓受人永田稠ト左記條件ノ許ニ地權交附ヲ契約セルコト實證也

一、賣却地ハサンパウロ州アラサツーバ郡サン・ジヨアキム耕地內ニ存在シフラシスコ・シミツテ大佐ノ相續人ノ所有ニ屬シ賣却地面積二千二百アルケールス（區域ハ添付セル地圖ノ如シ、一アルケールハ二萬四千二百平方米突（約五千五百町步）ニシテ一アルケールノ賣價金二百五十ミルレース即チ全面積五百五十コントス也

右二千二百アルケールスノ一地域ハ當サン・ジヨアキム耕地內第二十六號地區トス

而シテ同第廿六號地區ノ周圍境界ハ左ノ如シ、伯國西北鐵道ノ起點パウル驛ヨリ三百八十五基四百三十八米突ノ地點タル現存ルツサンビラ驛ヨリ始メラル、ルツサンビラ、アラサツーバ自働車道ニ於ケル三十三キロノ標杭ヲ起點トス。此起點ハラツサンビラ驛ヨリ東南四度四十分ノ方向ニテ直線距離二十九基二百六十米突ノ地點ニ同ジ。此起點ヨリ東北四十三度四十五分ノ方向ヲ保チサン・ジヨアキム耕地ト境シツ、千百八十米突ニ至リ、第二ノ標杭ニ會ス。ソレヨリコトペロ川ニ沿ビ下向シマレモト溪流ト合スル地點ニ於テ標杭第三ニ至リ。更ニマレモト溪流ヲ溯リ同溪流ノ發源地ニ於テ標杭第四ニ會ス。ソレヨリ東南五十四度四十分ノ方角ヲ以テサンジヨアキム耕地ト境シツ、二千七百三十米突進ンデ標杭第五ニ達ス。此ノ標杭ハインテルベンソン溪流ノ發源地ニアリ、ソレヨリ同溪流ヲ下向シコトペロ驛ヨリロドルフオミランダ市街豫定地ニ至ル計劃車道ト合スル地點ニ標杭第六アリ。ソレヨリ西南五十三度二千百七十米突ニテ標杭第七ニ至リ。更ニ西南二十九度二十分依然サンジヨアキム耕地ト境シツ、六千六百五十米突ヲ走ツテ標杭第八ニ至ル。夫レヨリ西南八十四度二十分、ガブリエル・デ・アゼベト・ジユンケーラ氏ノ土地ト境シツ、三千五百

米突ニシテ標杭第九ニ達ス。此ノ標杭ハルツサンビラ＝アラサツーバ自働車道ニアリ、ソレヨリ此ノ道ニ沿ヒ三十米突ノ上方ニテ標杭第十トナリ、更ニ西北八十八度三十分、九百四十米突ニシテマカジーニヨ溪流發源地ニ至リ標杭第十一ト會ス。ソレヨリ同溪流ヲ下向シトラベツサクランデ川ト合スル地點ニ標杭第十二アリ。而シテトラベツサグランデ川ヲ更ニ下流ニ向ヒ標杭第十三ニ達ス。（同川右側ニ此標杭アリ）夫レヨリ東北八十三度五十分サンジョアキム耕地ト境シツ、三千七百四十米突ニシテ前述自動車道ニ於ケル三十四基米突ノ地點ニ於テ標杭第十四ニ達ス。ソレヨリ同自動車道ニ沿ヒ後戻リシ出發點タル三十三基米突ニ至リテ止ム。此ノ土地ハ面積五千三百二十四エクタール即チサンパウロ州ノ二千二百アルケールスヲ有ス。

二、前記二千二百アルケールスノ賣却價格ハ五百五十コントスニシテ其内百八十四コントスハ既ニ賣却者ヘ拂込濟ナリ。殘額三百六十六コントスハ百八十三コントス宛二ケ年賦拂トシ更ニ殘額ニ對シテハ年一割ノ利子ヲ附ス事。支拂期日ハ千九百二十五年十月一日及ビ千九百二十六年十月一日トス但シ此ノ期日以前ニテモ拂込ム事ヲ得、此ノ場合ハ支拂當日迄ノ利子ヲ添附スルモノトス。

三、賣却者ハ購入者ヘ第二回ノ地代支拂ト同時ニ地權ヲ交附スルモノトス、但シ拂込金ノ殘額ニ對シテ此ノ土地ヲ擔保トナス事。

四、購入者ノ希望ニヨリテハ一且地權ヲミランダ氏ニ移シ然ル後購入者ニ交附スルモノトス。此ノ場合登記料ハ購入者ノ負擔トス。

五、二千二百アルケールスノ賣却地ガ測量ノ過失ヨリ或ハ多ク又ハ少ナキ時ハ二ケ年以内ニ賣却者ニ對シ申シ出ヅルコトヲ得。

六、前記二ケ年以内ニ於テ同土地ガ二千二百アルケールスヨリ少ナキ場合ハ其ノ差ヲ一アルケール二百五十ミルノ割ニテ賣却者ハ購入者ヘ、又萬一コレニ過グル時ハ同ジク其差額ヲ購入者ハ賣却者ヘ對シテ支拂フモノトス。

七、賣却者ハ現在ルサンビーラ＝アラサツーバ自働車道中驛ヨリ三十三基米突ニ至ル間其使用交通ノ保證ヲ購入者及其

繼承者ヘ與ヘ且同地帶賣却ノ場合モ同樣其保證ヲ條件タラシムルコト。

八、三十三基米突ヨリ四十三基米突ニ至ル間ノ自働車道ノ修理保存ハ千九百二十五年四月末日迄賣却者ニ於テ其責ニ任ジ以後ハ購入者ノ負擔トス。

九、賣却者ハ現存前記サンビ＝ラーアラサツーバ自働車道ノ中、同驛ヨリ三十三基米突ノ地點ニ至ル間、土地ノ賣却セラレザル部分ニ對シ其通過區域ノ修理ヲナスモノトス。

十、購入地二千二百アルケールノ中ニ現存セル凡テノ動產例ヘバ三十六基米突附近ナル道路修理人ノ爲メニ造ラレタル住宅、井戸、畑地農作物其他ハ無條件ニテ購入者ノ所有タルコト。

十一、賣却者及其相續人ハ將來此土地ニ對シ問題ノ惹起セル場合ハ其責ニ任ジ之レニ要スル一切ノ費用ヲ支辨シ購入者ノ權利ヲ飽ク迄保證スルコト。

十二、賣却者及購入者ガ此契約書ニ於ケル條項ヲ履行セザル場合ハ其罰金ヲ五百コントスト定ム尙賣却者ガ今ヨリ一ケ年以內ニ購入者ヘ地權ヲ交附セザル場合及ビ其他此契約條項中違反ノ箇所アル時ハ右五百コントスノ外ニ第二項ニ記セル既ニ第一回地代トシテ拂込メル百八十四コントスヲ返金スルモノトス。更ニ購入者ガ購入セル土地ニ動產施設ノ際ハ其金額ヲモ要求スルコトヲ得。

十三、地權交附ニ際シテ登記ニ要スル諸費ハ購入者ニ於テ負擔スルモノトス。

十四、購入者ハ此契約ト同時ニ前記二千二百アルケールノ土地ヲ自由ニ使用シ得

十五、購入者ハ賣却者ノ承諾ナシニ此ノ契約ヲ第三者ニ移轉スルコトヲ得ズ

十六、此ノ契約ハ其ノ各項ニ至ル迄兩契約者ノミナラズ其ノ繼承者モ又コレガ履行ノ義務ヲ有スルモノトス。

十七、購入者ハ隣地區ノ購入人ニ對シ既成自働車道並ニ車道ノ交通ヲ許スベキモノトス。

十八、賣却者ハ千九百二十五年四月末日迄ニコトベロ驛ヨリ購入地ノ境界ヲ走リアゼベート・ジュンケーラ氏所有ノ土地ニ至ル車道ノ開設竣成ヲナスコト。

十九、賣却者ハフランシスコ・ナポリタノ及ジョ・アキンメンデス・ブラガ氏ニ依ル一切ノ要求ヨリ何等購入者ニ迷惑ヲカケザル事ヲ保證ス。

二十、賣却者ハ此土地ニ入植スル植民ニ對シルツサンビーラ驛ヨリノ移轉輸送ヲ無代ニテ最初ノ二十家族分丈ナスコト故フランシスコ・シミツテ大佐ノ遺產整理人タル嗣子ギレルメ・シユミツテ氏ハ前記契約ニ同意シ購入者モ又此契約ヲ承諾セル事實證也

千九百二十四年十月一日

ロドルフオ・ノケーラ・ダ・ローシヤ・ミランダ

永田　稠

ギレルミ・シミッテ

證人　ジョアン・バチスク・ペレーラ

フランシスコ・ロドリゲス・ゴデイ

公證人　アルレド・フイルモヂ・ペレーラ

種々評議の結果、移住地の名稱を「アリアンサ」と稱し、其中心地を「トシヲ、オポリス」と呼ぶことにした之れは本會總裁を紀念するためである。

新しき移住地と開設

既に移住地の決定と購入を終りたるを以て、永田幹事は臨機の處置を以て、輪湖俊午郎、北原地價造の兩人を移住地理事に任じ開設の準備に着手せしめた。即ち北原理事は測量機械、農具、種子、藥品等を準備し、座光寺大工を從えて十月二十一日第一に入植した。森林を伐採して之れを燒却し堀立小屋を建て井を堀つた。十二月十日に

は約七町歩の土地に玉蜀黍と陸稻の播種をした。

四十坪の移住者收容所の建築をした。荷物自動車を講入した。測量をして入植者の地區を區劃した。

かくて大正十四年五月には入植者の爲めに一切の準備が出來上つた。

新しき信濃村。面積五千五百町歩。長徑二里半、周圍約八里。附屬地二個所各拾二町五段步宛、ルツサンビラコトベロの兩驛に接し將來の市街である。一戸宛の耕作面積は平均約二拾五町步、二百戸人口一千名の一村となるべき豫定である。

消費、農產加工、販賣、運搬諸他の事業は大体產業組合の制度に依り。德川時代五人組の制度を復活して隣保相助けることになり、猶冠婚葬祭等は一定の規準を定め小學校、病院等の施設も始めから着手する筈である。

新しき信濃村の建設は既に着手されました！信州健兒の移任を待つて居る。

本會歷代の總裁

第一代總裁	岡田忠彥氏
第二代總裁	本間利雄氏
第三代總裁	梅谷光貞氏
第四代總裁	高橋守雄氏
現時ノ總裁	千葉　了氏

資金調達の回顧

（移住地の建設促進上、最も困難を感じた建設資金の募集については回顧すれば、感慨に余りある。左に本誌所載の當時の記事を轉載する。）

信濃一巡

三月八日には諏訪郡永明宮門兩村聯合青年會に於て、「開拓の移神」と題して約二時間の講演を試み、更に幾時間かの懇談をした。

◎

三月九日には海外協會諏訪郡支部主催のブラジル事情講演會と上諏訪町役場樓上に開いた來會者約百名、林縣會議員、金井町長等來聴された。

◎

十日には茅野郡書記と共に岡谷に出張した。先般蜂須賀幹事の來訪された林組、山共組、笠原組を歴訪して二十万圓の資金中へご出資方を話し南米の事情を申述へた。午后四時から岡谷倶樂部に於ける岡谷在郷軍人分會に於て約三十分間「軍人の海外發展とブラジルの信濃の村」について話した。

◎

十一日には郡役所で重要なる打合せをなした後松本へ行つた。

◎

十二日は午后四時頃迄來る程の人に南米の話を繰りかへした。熱心な移住希望四五名を得た外に小岩井さんも御來會下さつた。夜は支部に招かれて夕食を頂いた。

◎

十三日の朝は南曇氷室の里に多田井氏を訪ね午后は村井に中村氏を訪ひ更に轉して明科に倉科氏を訪問し、夜は淺間で上條さんにお目にかかつた。皆二十万圓の出資者諸君である。これより先き諏訪では宮坂縣會議員と南米開拓の懇談を遂げた。

◎

十四日には芳川村聯合青年會で一場の講演をなし、清水郡書記と共に朝日村に清澤氏を訪問して懇談し、松本に歸つて夕食をすまし、七時の汽車で上諏訪に向ふた。車中幸にして片倉翁に遭ふた。

◎

十五日には高嶋小學校で諏訪郡聯合青年會でよい顔をした男女の青年に約五十分間信濃村建設の物語りをして三時の汽車で長野に行つた。驛前のホテル山崎延吉先生にお目にかかつた。先生は夕食を中止して種々と御懇談下さつた。十六日から廿一日迄の間に上下高井と下水内を巡回し、一と先歸京し、廿五日頃から上伊那を始として信州の各郡を一巡する豫定である。南米出張の報告會と共に、更に多くの出資者を求め、移住者を集め信濃村の完成に努力したいのである。

◎

趾を思ひ　金を集めて　暮るる日や
犀川べりの　汽車を待つ室

（大正十四年三月十五日於長野）

◎

高嶋小學校に於ける諏訪聯合青年會で講演をした。後で縣廳に行つて見ると、澤山の印刷物要求者があつたのに驚かされた。青年達は一番よく自分の將來について心配して居るが、今日では學校でも先輩でも彼等が首肯することの出來る樣な具体案を示してくれないのである。信濃海外協會の事業は此點に於て極めて有意義であると思はせられた。

◎

三月十六日には上高井郡に行つた、支部でかなり骨を折つてくれたとの事であるが、來會者は殆んどない、農學校の生徒が間に合せに來て居るに過ぎなかつた。原君の御案内を得て越壽三郎氏坂本重雄氏上原吉之助氏等歴訪した。上原氏は上高井の八十町歩（出資金一千圓につき十町歩の土地を提供するから上高井郡八千圓分八十町歩ある）の共同開拓を主張せられたので心強くなつた。

◎

下高井には本部からの通知が達して居らないと云ふので何等の準備が出來て居らない。かなりの失望を感じたけれども如何ともする能はず、さりながら八十二才の湯本宣成氏が衆に先んじて一千圓を提供されたのは嬉しい。次に佐藤氏を訪ね翌日は嶽北に雪を踏んで宮崎氏を訪ねた。

◎

三月廿日の正午から下水内支部の總會が郡役所に開かれた。來會者約三十名決算豫算も決議され二三の熱心家も來會して居た。

◎

廿一日には午前九時の汽車で長野を立ち東筑摩郡の筑摩地村の青年會へ講演に行き、轉し諏訪郡役所に石原郡長さんを訪ねて打合せをして一泊し。廿二日には松本に行き東筑摩郡聯合青年會で有馬賴寧氏の前座として約一時間信濃村の話をした、茲からも多數の印刷物要求者があつた。廿三四兩日は東京に來てなすべき事務を見た。

◎

廿五日には一番の汽車で飯田町を出發して岡谷に行き千

野君と面會し、上諏訪へ引かへし伊藤徳象君が信濃海外協會諏訪支部の專任幹事となることの打合せをした。同君は犧牲的に諏訪の海外發展の爲めに努力して見ようと云ふのである。人物のある所資金自ら生じ資金の生ずる所事業從つて起るのである。諏訪が專任幹事を置き得るに至つたことは愉快でたまらない。

◎

廿六日は上伊那に行つた。武井覺太郎氏が三千圓を提供された外に誰も應ずる者がないと云ふのである。懇談會への來會者は三四名で中々熱心家はあつたが、今回の信州一巡の目的とは頗る距離がある。宮本牧師の御案内で長田製絲工場で短時間の講演をなし工場主御夫婦の歡待を得たことと、郡役所の有志が大にやりませうと元氣をつけてくれたことがせめてもの心やりである。廿七日には上片桐村の青年會で講演した。二十何年か以前に代用教員をして居たので私には忘れ難い村である。

◎

廿八日は下伊那郡役所で講演し夜は四里離れた千代村の青年男女に講演を試みた。此郡では信濃海外協會の移住地建設資金を未だ一人も出して貰れない。ブラジルに渡般者は前郡書記羽丹君を始めとして信州としては多數の方であるのだから相談の仕方に依つては必ず出來ると信ずるので、第一支部に於て一層の盡力をすること、第二蜂須賀幹事の出張を請ふこと、第三總裁の出張を仰ぐこととそれで出來ねば遺憾ながらあきらめることにしたいと思ひこれ等の人々と相談して長野から手紙を書くのであつた。

◎

廿九日には飯田から上諏訪に來る電車の中でロすさんだ。

新しく建てて行かるゝ信濃の村は
アラサツーバの奥の院

新しい信濃の村の名を問ふならば
ヌクロ、コロニアル、デ、アリアンサ

チエテ河ゆるく流るるルツサンビラの
停車場から八里半

トラベツサグランデのあの川上に
妻戀ふ男鹿がないて居る

珈琲の白い小さいやさしい花が
何とまア香りが高いだらう

◎

三月卅日には木曾に行つた。郡役所の諸君其他の來會者にブラジルのお話をした小野秀一さんも特に來會された雪が飛ぶ。

信濃路を旅して行けは伊那路には梅の花さき木曾路雪降る

◎

松本に一泊して三十一日に豊科に行つて見ると藤森町長も不在であるから長野と交渉して八日にしてもろう事になつて居ると云ふので一日の間を得た。

◎

四月一日には北安に行つたが二三の來會者と清水さんが來た丈けで物にならないし、本部に報告されてある山本さんの一千圓も外の諸君が出資すれば出すと云ふ條件つきだとのことでどうすることも出來ない。八日に南安に來るから九日にも一度來ることにして引上げる。尊い時間が空に消ゆる事の悲しさ。

◎

四月二日には上水内郡に來た。熱心家が三四名あつた皆物になりさうな人々で嬉しかつた。

◎

三日は神武天皇祭である。更級郡は信州海外發展の發祥地である。篠の井の青年會で懇談會をして出資募集の打合せをした。

◎

四日には埴科に行つた。宮下幹事の東京から來援されるあり、新任の西澤幹事の助勢せらるるあるも埴科は何とも目鼻がつきさうにもないが、郡役所の各位に御依頼する。

◎

五日には小縣郡長さんを訪ねて北佐久に行つた。小山清右衞門氏大塚宗次氏の外郡役所で三四千圓を得らるる資が十分あると云ふので心強い、小學校の校長さん方が四五名來會せられ懇談會を開く。妹を南米にやりたいと云ふ方などがあり愉快であつた。臼田に行つて一泊。

◎

六日の早朝郡長さんにお目にかかつて打合せをなし轉して上田に行く。本部よりは梅谷總裁蜂須賀幹事の來り會せらるるあり、白石支部長の非常なる御盡力に依り小縣郡の有力者約十名の御來會があり梅谷總裁の御挨拶の後を受けて私はブラジル事情を説いた。懇談の後晩餐を共にし大にご了解を得た。八日には宮下君が更に白石支部長縣會議員山本莊一郎氏同沓掛正一氏と丸子に出張され大に努力して下さつた。

◎

七日朝早別所溫泉を出發した梅谷總裁蜂須賀宮下西澤諸氏の一行は午前十時半臼田に着いた。私は午前の時間を利用して農學校で一場の講演をした。午后の一時から南佐久郡有力者約十名との懇談會があつて夕食を共にし大に得る所あり一行は午後四時の汽車で長野に歸つた。

◎

私は一行と別れ西澤君と共に八日南安に行つた。農學校や研成義塾の生徒の外流石は輪湖信濃村長を生んだ土地丈けに熱心なる青年が來會して居り協會に入會者三四名もあつた九日には北安に行つたが豫期した人々は集まつて來ない。寺嶋君と池田の町に行つたが成績は極めて不良であつた。

◎

信濃路を南田北田旅したり雪に來りて梅の咲く迄

◎

私は爲すべきことをなした。これ以上は只神樣に委ねるより外にはない。二月一日歸朝したらばせめて十日間位は病軀を休養したいとはブラジル以來考へて來た事であつたが、十日は偖ずき一日も休養などは出來ずに七十日を働き續けた。そして有り難い事に健康はすつかり快復した。昨年出發する時に比較して体重が一貫五百匁足りない丈けだ。信濃の海外發展に一貫五百匁の肉を献けて濟めばお安いご用である。どんなに仕事が困難だつて生命のある限りやりとうさずに措くもんですか（終）

（永田稠）

爲さざる也

私は今、信濃村建設資金募集の運動の一段落をつけて東京に歸る汽車に乘つて居る。そして思を南米移住地建設運動の當初に馳せざるを得ない。本間總裁が有志を集めて、縣廳の一室で南米信濃村建設の一大宣言をしたのは、大正十二年の五月であつた。集まつた者は郡長さん方であつた。

『まア食事をしながら懇談しよう』

と云ふので一同はある旗亭に行つた。笠原總裁が中心に

なつて、出資金を郡別に割り充てた。

『諏訪郡は五万圓、どうだね郡長さん』

と云ふた調子で、割り當てた後で、金額を計算すると廿五万何千圓かになつた。

『じや二割減收と見るかネ』

と云ふ樣な事で、郡長さん達も、とに角引受けて御歸りになつた。

けれどもよく考へて見ると、海にも接して居らぬ山國の信州で、所もあらうに地球の向ひ側の南米へ地所を買ふ、其資金も一二万ならとに角、二十万兩と云ふのであるから、常識から考へれば如何にも亂暴なことであり、正に縣知事や郡長の肩を入れる仕事としては無謀の擧であつた。郡役所へ歸つて主席の郡書記に其話をすると彼は云ふた

『郡長さんエライものを背負ひ込みましたネ』

と。かくて仲々仕事は困難であつた。

其内に關東の大震災が起つて、天下はヒツクリかへる樣な大騷ぎとなり、南米の信濃村どころの問題ではなくなつて大正十二年は暮れて行つた。震災の如きものがあればある程、國民の海外雄飛は必要になつて來るので、本間總裁以下の局に當る者は奮起したのであつた。

東筑摩は第一に立派な成績を示した。一郡で第一に八九千圓の出資を募ることが出來た。第二は諏訪であつた。片倉組の五万圓は別として、其他五六名の有志が一万六千圓の出資を承知してくれた、第三は西筑摩であつた、一口の割り當てに對し三口の申込みがあつた。上高井が之れに次いで約九千圓、下高井が二千圓と云ふ風に、困難の内にいくらかづつ進歩して、約十万圓に達するのであつた。

『もうソロ〳〵土地を買ふ方がよいかも知れぬ』

と云ふ事になつて、私は大正十三年五月下旬に其使命を帶びて日本を出發して南氷に向ふた。桑港について新聞を見ると知事乃ち海外協會から云へば總裁が交代した。かなりの不安を抱いた私はブラジルに着いた。

大正十二年七月調査費を送つて移住候補地の調査を多羅間頭事に依託したのであつたが、丁度其調査の完了した所へ私は到着した。實地に視察し調査し研究し諸氏の意見も聞いた上で、日本へ電報を打つた。なかなか返電が來なかつた。私の出發後集まつて來る筈であつた金が集まらなかつたのである。とに角、梅谷總裁と宮下幹事の努力に依つて、前後七万圓の送金を得て、五千五百廿五町歩の移住地を購入し、輪湖北原兩君に依頼し、各般

の準備を終つて歸朝したのが本年の二月であつた。

報告の爲めに信州を一巡したが、各郡とも報告を聞きに集まる者は少なかつた。ある郡では

『そんな通知がありませんでした』

とさへ云ふた。私は多大の不安と失望の間に、とに角、印刷物を作り、移住者の募集と、資金の追募に努力せねばならなかつた。梅谷總裁は極めて熱心に努力してくれた。多忙の間を或は小縣へ、或は南佐久へ出張され、機會のある毎に各方面の方々に出資を勸誘された。

東京に於ける仕事も仲々容易ではなかつた、內務省から入植者の旅費の補助と信濃村の爲めに特別に助成金を貰ふこと、外務省では入植者に對し旅券の下附をすること、特別の補助金を貰ふこと等、蜂須賀、石口の兩氏と共にお百度を踏まねばならなかつた。私が二月歸つた時に片倉翁が

『土地代の支拂期日がすぐ來るで』

と云はれた通り、其期日は着々とせまつて來た。

三万兩を豫期した北米方面からは一万圓位しか出來ないと云ふて來た。東京では兎に角豫定の二万圓が何とか出來さうである。長野で四万圓を得ねばならぬ。內務省の補助其他を合せて二万圓きり出來て居ないし、其內で借金の支拂を要する分もある。

『もう二万圓』

と私は決心をして九月上旬に信州に行つた。黑澤利重氏白石小縣郡長、西澤幹事の努力は、小縣に於て約一万兩を得らるる望となり、北佐久の努力で小山邦太郎氏外數氏より三四千を得らるる望が立ち、但丸南佐久郡長と黑澤剛氏のお骨折りで、南佐久でも八千兩を得らるる望がついた。

九月十三日には石口、西澤兩幹事、諏訪郡長、木場課長、山岡郡書記、林縣議、山岡縣參事の諸氏と岡谷に行つて、諏訪の製絲家諸君に訴へた。殘暑の暑苦しい内を四日間に二十四軒を歷訪して、私共の志のある所を訴へた。其結果は未だ知ることは出來ないが、開拓の神諏訪明神の子孫達は、此事業の爲めに應分の努力をしてくれることを信じて居る。

ブラジルの金が高くなつた。去年の金は日本金一圓が伯貨四ミルに替へられたが、本年は一圓が二ミル九と云ふので一圓につき三十錢の差がある。七万圓の送金で二万圓も損をせねばならぬ破目にあるので。今井顧問にお願いし、正金のリオ支店から伯貨を一時借り入れて土地代を支拂ひ、伯貨の下落した時に圓を送ることにして頂

かうと思ふて居る。

かくて約一ケ年半の苦戰惡鬪の結果は漸次酬ひられつつある。

出資金を割當てられた當時、多くの人々は

『ソンナ事が出來るものか』

と心中で思つて居た樣である、ある郡長さんは、後日會議のあつた時

『海外協會の仕事には反對しようじやないか』

と相談をしたとさへ傳へられて居る。然かも開拓の精神に燃えて居た當局は敢然として猛進した。杉原郡長の如きは、上高井で一ト戰やり、更に上伊那で第二回の戰をして、立派な成績を擧げて居る。古人は云ふ『出來ざるにあらず爲さざる也』と。

無謀の擧であると認められたる南米信濃村建設の大事は、關係各位の開拓の精神に依つて、既に其一大難關を突破した。出資の困難を認められた更級や長野も近日相當の好果を見らるべしと豫期されて居る。今や私共は辭書から「不可能」と云ふ文字を消すべき機會に到着して居るのである。常に信濃村の事業のみならず、人生百般のこと只開拓の精神がなければ効果を擧げることは出來ないのである。

協心努力

私は更に昨年南米から歸つて來た時から思ひ起す。縣の社會課が離散されて協會は農商課に移轉した、一昨年の十二月專任幹事の藤森君が辭任したので、畔上君が當面の事務を見て居てくれた丈けで、其他の仕事は其處に放任さるるの止むを得ざる事情であつた。借金の二萬も仕拂はねばならず、土地代も六七萬圓を要するし、移住地の經營費も少くとも一、二萬圓を要する。この莫大なる金を集めることが非常な困難である外に、移住者の募集もせねばならず、政府當局への運動もせねばならぬ。果して此大仕事がやれるかどうかが問題であります。

此場合に於て梅谷總裁が堅忍不拔の大決心を以て此事業に向はれたことは、此上もない仕合せであります。若し總裁に少しでも此事業に對して、疑問を持たれたり百折不撓の覺悟がなければ、トテも此仕事は出來上るべきものでありませんでした。

當時の農商課長蜂須賀亮氏が、北海道其他の新開地に居られた關係から、移住地建設の事業に非常な理解と同情を持つて居られた事が、又、此仕事を遂行して行く上に極めて好都合でありました。蜂須賀幹事が、山梨へ榮

轉された後を現在の農商課長石口龜一氏が幹事をして御盡力をして戴くことになりましたが、又、非常なる熱心家で其熱誠と明敏なる頭腦と、其練磨された人格とが、ドノ位此仕事の大成を助けたかは計り知ることが出來ません。

同時に現任の西澤幹事が、諏訪の小學校から來つて專任に事務を見てくれることになり、其熱心なる犧牲的活動は、事實に於て此大事業の中心人物であり大黒柱でありました。小縣郡の運動丈けに、靴が二足きれたと云ふ一事が、同幹事の熱誠を物語つて居ります。宮本助手が月二十圓の薄給に甘んじて、朝の七時から晩の七時八時迄人に知れない苦心をしてくれた事も忘るることの出來ない一事である。

此年度に於て特に成績の優良であつたのは、小縣郡であります。當時の白石支部長及び其他の支部員各位、沓掛縣會議員、柏原吉重郎氏等の御盡力も大變なものであります。北佐久郡支部の諸君の御盡力も奇蹟的の成功をなし、更級郡支部も亦立派な成績を示し、南北安曇や上伊那諏訪等もよい成績でありました。

東京では中央會の藤森、眞中兩幹事が非常な努力をして約八萬圓の土地を賣つてくれたし、北米ではローサンゼルスのブラジル研究會の中木淸秀、森田三樹、森喜代一の諸君の努力に依り、約七萬圓の土地が賣れました。

アリアンサ移住地に於ては、輪湖、北原兩幹事が、非常の努力をしてくれました。豫期した通りの金が行かず、ミルの相場が高くなつたり、種々なる困難の間にアレ丈けの成果を納めたことは、此上もない感謝であります。

世界的に分れて居る諸機關の間で、事務は圓滑に進み何等の障害を來たさず、着々として事業を進め得たことは、當局者の協心努力の結果であります、天の理は地の理に如かず、地の理は人の和に如かず、關係者一同の和衷協同の精神が、偉大なる仕事を遂行する原動力となつたと存じます。

又、片倉組の各位の陰に陽に此事業を後援して下さつたことを、私は茲に書を落すことが出來ません。

（永　田　稠）

資金募集を完了して

頓　死　三　生

樂しかりし育英の生活は、十四年三月二十四日の頓死を

以て終りを告げた。

生前の恩師、先輩、親戚、知友も只々頓死の故を以て總べてを恕されたのであつた。其責任も隨分重かつたで有らうけれども、熱誠と憂國義と情との前には、是れに勝る方策は無かつたのであつた。

時の總裁梅谷閣下蜂須賀幹事より協會入りの交渉と、海外發展の爲めに全生命を捧げて幾十年來天下國家の經論に神への奉仕と大道を歩める斯道の先輩永田稠氏の至誠の熱涙とが正に是れ二死三生の機因となつたのであつた。

滅び行く我農村、荒み行く我國民の心情、行き詰れる帝國の現狀、現今世界の大勢等は、匹夫なりとも微力を捧げんと立つたのである。

神武大帝創業の日に

時は四月三日畏くも神武天帝、建國創業の祝日、轉居早々行李も解かず、永田、宮下幹事と共に更級郡役所に同地青年會に海外發展、南米移住地建設の講演が誕生一歩の門出で有つた。

梅谷總裁、蜂須賀、宮下、永田の幹事と共に、佐久、小縣、南北、安曇、伊那地方と東奔西走歸廳したるは、櫻散りつる五月の始めであつた。此の奮闘何れも激戰苦惱雨に風、夜に叢の別ちなく、役員何れも疲勞と衰弱を禁じ得なかつた。就中永田幹事は南米五千里の旅路の病、未だ全く愈えず、服藥日夜絶間なく、然かも病軀をおして、萬難を排して連戰これ努めたのであつた、その身命を屠しての熱誠は、鬼神を泣かしむるものがあつた。

歸れば協會の本營あらず

縣下一巡歸廳して訪ねても、我協會の本營さへ知れず漸くにして農商課内の片隅に、山と積まれたる一月來の各地通信と、取り散らされたる書類とに依つて根據地が定まつたのであつた。休みもあえず、花散る頃漸やく二月號の「海の外」の編輯にとりかゝつた。

稼ぐに追付く貧乏が有つた

多忙〳〵で眼の廻る中、廻り兼ねたのが貧乏財布の懷であつた。切手や紙の調達にさへ工夫を要した、況んや月の手當も無論であつた、債鬼も四方から相當に繁昌した。加ふるに祖先傳來の借金もあつた。此難局に最も力となりしは宮本囑託であつた惱めるものは幸なり難苦缺乏は幸福の基と、今より顧みればうたゝ感慨に堪えぬ、我協會の今日の堅實と隆盛發展とは、一にその賜ものである、感謝すべきは貧乏と多忙とである。艱難と希望と理想とである。

土の富と心持の行詰りは我日本の現狀である、狹小なる國土天惠少なき我國土、此環境に産れたる我愛する青年男女こそ亦幸福である。以て天下を語るべく、以て我運命、我神心、我大自然を開拓する光榮がある。

資金募集も終りて

アリアンサ建設は豫想外に進捗した。資金寄附も豫定を越えた。一口千圓は容易のものではない、一口是れ我帝國の發展、我民族の將來の爲めを憂ふる愛國の大精神、我建國の大精神と世を患ひ農村を愛するものでなくては到底贊成出來ぬ事であつた。誠にこれ有産有識の志士に俟たねばならぬ難事であつたのだ。

幸なる哉、我信州の山河山高く水清し、建國の大精神に則り、新日本の建設アリアンサの建設に參與せられたるもの正に全縣下百八名に上つた、これ眞に邦家の爲めの痛快事といふべきである。

第二アリアンサは鳥取縣に依つて出來我信州の姉妹村となり、熊本も亦その設備なる、和歌山に三重に加能越にと第四第五と、世界の基盤に新日本の要石は打たれた、渾圓球上我日の丸の旗の飜るのも遠くはない、我日本の文化、我民族の大精神の植え付かるのも世紀を待たぬであらう。アリアンサ建設に參加せる出資者諸賢これに全生命を捧じたる憂國の志士以て兒孫に訓ふるに足らん。

而して大正十二年度より前後五ケ年に亘る寄附金募集が容易の事業にあらざりしは今更に改めて云ふ必要はありますまい。

寄附を受けた金額、寄附者芳名及び其の住所は左の通りである。

移住地經營資金寄附者名簿

一金五万圓也	諏訪郡川岸村	片倉兼太郎氏
一金八千圓也	諏訪郡平野村	小口村吉氏
一金五千圓也	諏訪郡平野村	小口善重氏
一金參千圓也	上伊那郡伊那富村	武井覺太郎氏
一金參千圓也	南佐久郡穂積村	黒澤利重氏
一金貳千圓也	東筑摩郡中山村	小岸井宗作氏
一金貳千圓也	北佐久郡小諸町	小林克已氏
一金貳千圓也	下伊那郡飯田町	林雅次氏

一金壹千五百圓也	諏訪郡平野村	橋爪忠三郎氏
一金壹千圓也	諏訪郡上諏訪町	宮坂作衛氏
同	諏訪郡川岸村	高木林治郎氏
同	諏訪郡平野村	尾澤福太郎氏
同	諏訪郡平野村	林七六氏
同	諏訪郡玉川村	丸茂文六氏
同	小縣郡丸子町	金子行德氏
同	郡丸子町	工藤善助氏
同	郡滋野村	丸山高氏
同	小縣郡縣村	大塚自治夫氏
同	郡和村	兒玉衛一氏
同	郡塩尻村	中嶋吉左衛門氏
同	郡塩川村	堀内庄作氏
同	郡和田村	羽田貞蕘氏
同	郡浦里村	大井弘氏
同	東筑摩郡錦部村	小澤和一郎氏
同	郡中川手村	倉科多策氏
同	郡新村	上條信氏
同	郡芳川村	中村畯作氏
同	西筑摩郡福島町	小野秀一氏
同	郡王瀧村	瀧龜松氏
同	北佐久郡小諸町	小山淸右衛門氏
同	郡小諸町	大塚宗次氏
同	郡小諸町	小山邦太郎氏
同	郡小諸町	柳澤憲一氏
同	郡小諸町	小山重右衛門氏
同	郡中佐都村	荻原丈次氏
同	郡三岡村	塩川政已氏
同	郡三岡村	塩川實氏
一金壹千圓也	北佐久郡本牧村	武重一祐氏
同	南佐久郡臼田町	井出今朝平氏
同	郡野澤町	並木和市氏
同	郡中込町	山岡愼一郎氏
同	下伊那郡飯田町	野原文四郎氏
同	郡飯田町	村松文市氏
同	北安曇郡大町	福嶋幸重氏
同	更級郡稲荷山町	小出五十二氏
同	郡篠ノ井町	宮崎萬平氏
同	郡篠ノ井町	宮崎運平氏
同	郡篠ノ井町	山岸市治郎氏
同	郡共和村	幸澤種二郎氏
同	郡御厨村	山崎暢夫氏

一金壹千圓也	同　榮村	柳澤德治氏
同	埴科郡松代町	八田彥次郎氏
同	上高井郡須坂町	上原吉之助氏
同	同　郡須坂町	田尻新治氏
同	同　郡須坂町	原嘉道氏
同	同　郡井上村	坂本重雄氏
同	同　郡小布施村	故市村蓮氏
同	下高井郡平野村	山田莊左衛門氏
同	同　郡平穩村	佐藤喜惣治氏
同	同　郡科野村	故湯本宣成氏
同	同　郡往鄕村	竹內右內氏
同	上水內郡中鄕村	山本直義氏
同	長野市吉田町	横田九一郎氏
同	同　市吉田町	丸山與平氏
同	同　市荒屋	西澤隆義氏
同	同　市櫻枝町	西澤喜太郎氏
同	同　市縣町	小林暢氏
同	松本市桐	館石源市氏
同	同　市北深志	平林勝太郎氏
同	松本市南深志町	細萱茂一郎氏
同	同　市本町	山岸榮一郎氏
一金壹千圓也	同　市筑摩	清澤清市氏
同	上田市原町	瀧澤助右衛門氏
同	同　市常入町	小嶋大治郎氏
同	同　市常磐城	瀧澤一郎氏
同	上田市天神町	鵜澤林藏氏
同	同　市海野町	伊藤傳兵衛氏
一金五百圓也	北佐久郡岩村田町	市川多萬吉氏
同	同　郡春日村	上野大朗氏
同	同　郡本牧村	大澤市郎右衛門氏
同	小縣郡長久保新町	竹內忠雄氏
同	同　郡豐田村	細田和七郎氏
同	同　郡鹽尻村	沓掛正一氏
同	同　郡鹽尻村	佐藤善右衛門氏
同	同　郡鹽川村	松山原造氏
同	南安曇郡豐科町	岡村政雄氏
同	同　郡倭町	降旗太耕氏
同	同　郡高家村	飯嶋慶司氏
同	北安曇郡大町	平林秀吉氏
同	同　郡社村	高橋正雄氏
同	同　市	丸山盛雄氏
同	同　市妻科	飯嶋正一氏

一金五百圓也	南安曇郡南穗高村	轟侑氏
同	上水內郡柏原村	高橋義元氏
同	上水內郡水內村	擴入治右衛門氏
同	下水內郡柳原村	丸山森三郎氏
同	同　郡柳原村	丸山常吉氏
同	長野市西ノ門町	藤井伊左衛門氏
同	長野市縣町	佐藤榮氏
同	松本市本町	眞嶋長一郎氏
同	同　市深志	赤羽茂一郎氏
一金壹千圓也	上伊那郡飯嶋村	山田織太郎氏
	同　郡飯嶋村	高坂松藏氏
	同　郡飯嶋村	林讓氏
一金五百圓也	南安曇郡豐科町	丸山高次郎氏
	同　郡明盛村	小松修氏
	同　郡烏川村	佐々木重雄氏

移住地資金寄附狀況

郡市別表第一表（大正十二年五月ヨリ大正十五年十二月締切迄）

郡市名	寄附金額	寄附人名	郡市名	寄附金額	寄附人員
南佐久	六、〇〇〇円	四人	更級	七、〇〇〇円	七人
北佐久	一三、五〇〇	一三	埴科	一、〇〇〇	一
小縣	一一、五〇〇	一四	上高井	五、〇〇〇	五
諏訪	六九、五〇〇	九	下高井	四、〇〇〇	四
上伊那	四、〇〇〇	四	上水內	三、〇〇〇	四
下伊那	四、〇〇〇	三	下水內	一、〇〇〇	三
西筑摩	二、〇〇〇	二	長野市	七、〇〇〇	八
東筑摩	七、〇〇〇	六	松本市	六、〇〇〇	七
南安曇	三、〇〇〇	八	上田市	五、〇〇〇	五
北安曇	二、〇〇〇	三	計	一六〇、五〇〇	一〇九

アリアンサ移住地の狀況（昭和二年五月末現在）並に昭和二年度後の計劃

移住地建設經過の大要

（イ）大正十二年五月十三日移住地建設宣言をなす
（ロ）同年七月調査費を伯國領事館に送りて移住地後補地の調査を委託す
（ハ）同年九月五日信濃土地購買利用信用組合設立す續いて南米土地組合を設立す
（ニ）大正十三年一月より事業を起し同年三月約七萬圓の資金募集をなす
（ホ）同年五月土地購入の爲永田幹事出發す
（ヘ）同年十月一日ブラジル共和國サンパウロ洲アラサツーバ郡內に移住地購入をなす

(1) 移住地、サントスより汽車二十六時間にてアラサツーバ驛に至りこゝより自動車四十分にて第二及第三アリアンサに到り一時間にて第一アリアンサに到る

(2) 附屬地三ケ所

（イ）アラサツーバ市內　四〇〇坪
（ロ）コトベロ驛　十二町五段歩
（ハ）ルツサンビラ驛　十二町五段歩

（ト）同年十月二十一日經營の移住地理事及大工等入植し各種の準備に着手す
三家族十名　男六人　女三人　子供一人
（チ）大正十四年二月永田幹事歸朝す資金募集及移住地入植者の募集に着手す
（リ）同年四月長野本部に專任書記一名を置く
（ヌ）同年五月內務省の渡航準備補助金下附の了解を得
（ル）同年五月アリアンサ入植者旅券下附に付き外務省との了解を得
（ヲ）同年六月十三日「シカゴ丸」にて第一回渡航者入植す
（ワ）同年九月第二年度土地代伯國へ送金す
（カ）大正十五年三月土地代伯國へ送金す
（ヨ）同年四月五千五百町歩の土地分讓の處分完了
（タ）同年四月土地分讓完了したるを以て出資者所有土地並に分讓地所有者の小作入植の渡航者を募集に着手す

（レ）同年六月アリアンサ移住地接續他三千二百五十町歩を追加購入す
（ソ）同年六月追加購入土地代伯國へ送金す
（ツ）同年六月追加購入土地三千二百五十町歩の分讓完了
（ネ）伯國送金の部

年月	金額	年月	金額
一三、一〇	七三、〇〇〇円	一五、六	五〇、〇〇〇円
一四、六	三、五〇〇	八	三五、〇〇〇
九	七〇、〇〇〇	九	七〇、〇〇〇
一五、三	五〇、〇〇〇		

（ナ）昭和二年一月第二回移住地土地購入追加をなす三千町歩
（ラ）同年五月土地分讓二〇〇町歩殘るのみ（長野本部）
（ム）第二回追加移住地を第三アリアンサと命名す中五百町歩を一口三百圓とせる出資特別會員二〇〇口に分つ（現在募集中）

政府の補助金

（イ）大正十四年六月二十九日渡航準備補助金として金壹萬圓交附さる
（ロ）大正十五年四月二十日渡航準備補助金として金四萬圓を交附さる
（ハ）昭和二年度は內務省より同金八万圓下附を受くる筈なり
（ニ）外務省より小學校醫局の補助金として金壹萬二千圓の補助あり
（ホ）外務省より移住地設備補助費として金參萬五千圓の補助あり
（ヘ）本年度は外務省より金四萬圓の補助ある豫定

資金に關する事項

（イ）資金の總額を二十萬圓と豫定す（大正十二年計畫當時）
（ロ）一口出資千圓宛の寄附金として之に對し移住地の土地十町歩を謝禮として提供す
（ハ）土地代金は第一アリアンサ移住地は凡金拾八萬圓にして毎年六萬圓平均三ケ年仕拂とし既に支拂ずみなり
（ニ）第一回追加購入土地代金は凡十五萬圓にして毎年凡五萬圓平均三ケ年仕拂とし既に二回支拂ふ
（ホ）大正十五年十二月迄に出資寄附金十六萬圓となり

出資金募集を完了す

(ヘ) 信濃土地利用購買信用組合より土地分讓代金壹萬圓入金

(ト) 南米土地組合より土地分讓代金貳萬壹千圓入金

(チ) 土地分讓代金三十一萬七千九百二十圓中未納殘金拾貳萬八千六百五十圓(大正十五年十二月末現在)

(リ) 昭和二年十一月第二回移住地追加購入三千町歩此代金十五萬圓毎年凡五萬圓平均三ヶ年賦拂とし其第一回分を支拂ふ

(ヌ) 本年度は土地分讓代金並に出資拂込殘金の整理に付き本部、東京支部、アリアンサ移住地共に盡力する計畫なり

土地に關する狀況

(1)第一アリアンサ移住地

(イ)面積五千五百七十五町歩にして五千五百町歩の農業地と三ケ所の附屬地とす

(ロ) 農業地五千五百町歩は東西凡二里南北凡二里半ルツサンビラ驛コトベロ驛より自動車道通す

(ハ)珈琲を主作物とし其他、棉、籾、豆、モロコシ、里芋、野菜等の諸作物に好適なり

(ニ)二十五町歩又は三十七町五段歩、五十町歩を一地區として分割し各地區へ自動車道を開鑿す

(ホ)地帶中央に收容所、小學校、醫局、製材、精米所倉庫等の設備をなし中心市街地となす

(ヘ)地區を數區合せて區となし區制を施行す

(ト)直營地五〇〇町歩に小作を入植せしむ

(2)第二アリアンサ移住地

(イ)面積三千二百五十町歩にして鳥取縣海外協會所有の三千町歩と組合せて一移住地として經營す、道路第一移住地の如し

(3)第三アリアンサ移住地

(イ)面積三千町歩にして富山縣海外協會所有の三千町歩と組合せ一移住地として經營す

(ロ)大体第一の如き方法により經營す

(ハ)自動車道路、コトベロ驛より直通

(4)本會移住地合計

(イ)面積壹萬壹千七百七十五町歩

直　營　地	五〇〇町歩
出資者へ提供	一、六〇五町歩
出資特別會員へ提供	五〇〇町歩
入植者へ分讓	九、一四五町歩

市　街　地	二五町歩
住　宅　地	四〇〇坪

(5)開拓方針

(イ)一般分讓地へは自作入植者又は小作入植者入植す土地所有者及協會は小作入植者に資金を貸附くることあり

(ロ)直營地及出資特別會員提供地、出資者提供地へは小作の入植をなさしむ此場合に於て小作者には出資者及協會より資金を貸附くる方法あり

(ハ)移住地は開拓をなさざるも土地代騰貴すれども入植開拓をなす場合は數倍の地代となる從つて早く開拓するを以て最も有利とす

(ニ)小作入植の場合出資特別會員又は出資者の小作人に貸附くる場合は八分の利子にて六ケ年賦とし一町歩に付き凡拾五圓以上とす

(ホ)小作入植濟の場合は地主の土地管理料として二十五町歩に付き年額凡百七十圓(爲替相場により一定せず)を本會又は移住地理事へ納むるものとす

(ヘ)小作入植の方法

四年契約と六年契約の四種あり一般に六ケ年契約の方多し

六ケ年契約にては地主は土地を所有し小作人は凡一人五〇〇圓位の資金を以て入植して開拓に從ひ六ケ年間その收穫一切を收得す。六年後は二十五町歩の土地は凡二萬圓となり小作人の財産は凡一萬圓となる七年目以後は小作料の收入あるべく年額凡そ二千五百圓となる

移住地の經營

(イ)移住地は區制町村制に則り產業組合法の機關を組織し自治の模範村としてその完全なる發達を望む

(ロ)各種學校、病院、各種の產業組合、道路、交通運搬その他公益機關は村營とし自治の發達につれて協會は經營の主体より離る

(ハ)十家族を以て一區となし區長を選出し又代議制となしてその發達を計りやがて海外の日本村として特色ある文化村たらしめんとす

(ニ)敎育衞生交通等は特に力を注ぎて不便なからしめんとす

現在の狀況

(イ)入植者、百二十一戸五百三十人

(ロ)開墾面積、直營地三百四十町歩、一般凡三千町歩

(ハ)移住者收容所、四〇坪のもの完成(大正十四年)

(ニ)小學校、醫局落成

衞生主任、着任(昭和二年一月渡航)

小學校訓導を留學生として伯國に派遣す

(昭和二年三月男子師範學校卒業生二名　女子師範學校卒業生二名中一名選定未決)

(ホ)製材所、倉庫、精米所、瓦燒場、煉瓦燒場の設備進行中

(ヘ)自動車　三臺

(ト)購買販賣組合營業開始(大正十四年度より)

(チ)道路中央貫通自動車道路より各地區へ入る自動車道開鑿延長三千米

(リ)日曜學校開始(大正十五年)

(ヌ)中央市街地に近く運動場設置(大正十五年)

(ル)第一アリアンサ移住地は全部入植すみとなる

(ヲ)第二移住地は收容所完成(大正十五年)

昭和二年一月鳥取より先發隊四家族入植す以後信濃、鳥取兩協會扱渡航入植者續出す

(ワ)第三アリアンサ移住地へも同樣の設備をなし富山、信濃兩協會入植す

移住地完成の場合

(イ)入植家族　四百四十家族

(ロ)人　口　二千二百人

(ハ)小學校完成

(ニ)中等學校完成

(ホ)各種産業組合完成

(ヘ)村營發電所電話網完成

(ト)地代一千萬圓

(チ)投資總額公私合せて二百四十萬圓

(リ)珈琲だけにて村の純益百十萬圓

(ヌ)一戸平均の生産額三千五六百圓

昭和二年度計畫

(イ)資金の完納を計る

(ロ)土地分讓代金の殘り拂込整理

(ハ)入　植　者

自作入植者は大正十四年度及十五年度に入植しつつ尚引續きその入植をなすべく今後は小作入植者の渡航に力を注ぐ

豫定家族數　百家族　五百名

(ニ)直營地及一般出資者所有地へ入植する小作人貸附金五千圓

(ホ)自作入植者へ貸附金二萬圓

(ヘ)直營地の設備完成

井戸、住宅、道路、運動場の設備改善

(ト)學校設備の改善及倉庫、精米所、製材所、煉瓦燒場等の內部の設備の充實を計る

(チ)移住地內道路敷設、產業組合設立の經營をなし殊に販賣購買部の擴張をなすこと

(リ)移住地入植者のために日用藥品の販賣實施及醫局設備充實

(ヌ)鳥取海外協會と組合せ第二移住地へ小學校醫局の設置

(ル)富山海外協會と共同して第三移住地の設備に着手す

(ヲ)移住組合法による組合の設立助成並に移住地經營の助成をなす

將來の計畫

(イ)移住地の完成

(ロ)移住組合法に依る移住地經營の助成をなすこと

(ハ)メキシコ、南洋等の好適地へ移住建設の調査及計劃をなすこと

(ニ)海外視察組合の助成補助をなすこと

(ホ)移住地視察研究旅行團の派遣をなすこと

(ヘ)海外事情研究調査のため役員を派遣すること

(ト)海外發展を目的とせる學究者を海外に派遣して其大成を助成すること

(チ)移住地の收益により本會經營移住地出資者、縣內敎育者、縣會議員、青年會長、婦人會長等の海外視察の費用を補助すること

(リ)海外發展に必要なる人材養成のための學校の經營をなすこと

(ヌ)海外發展を目的とする金融機關の完備を計ること

アリアンサ移住地の土地利用

アリアンサ移住地は、前記の如き經過に依つて開設の準備は出來た。玆には、此移住地の土地が關係者に依つて如何に利用される可きかを記さねばならぬ。

サンポーロ州では、三人の勞働者を有する家族を「標準家族」とされて居る。これ丈けの家族で、若し珈琲の耕作をするとすれば、大體六七千株を適度とする。乃ち此家族は六七千株の珈琲の手入れの外に、米、豆、玉蜀黍、棉、其他の耕作をなし、丁度勞力相當の仕事になると云ふのである。而して、珈琲六七千株の植付に要する

面積は約十町歩で、サンボーロ州の標準の地勢から云ふと、珈琲十町歩を植付ける爲めには、約二十五町歩位の面積を要することになるので、此地方に於ては標準の一戸分の耕作面積を二十五町歩としてゐるから、アリアンサ移住地でも此標準に從ひ、一戸分を廿五町歩とした次第であるが、此外に三十七町歩五反、五十町歩、七十五町歩、百町歩、二百五十町歩、五百町歩等の地區もある。

二十五町歩處理の標準

三人の家族で始めから二十五町歩の土地の耕作は勿論出來ない。當初四五年間に大要左記の程度に開發されれば、普通の成績とされて居る。

一、約十町歩珈琲六七千株を植付く。
二、約二町五反　牛馬豚雞等の牧場とする。
三、約五町歩、棉花、稻、豆其他の雜作地
四、約七町五反原始林のまま保存す

前記の標準に從ひ二十五町歩の利用法を考察すれば、大要左の通りである。

二十五町歩の自作移住者

目下アリアンサ移住地の土地二十五町歩を購入し、自ら耕作する目的を以て渡航する者の必要なる經費其他につき槪略を示せば左の通りである。これは最少限度を示したものだから、下手にやればこれより以上を要する覺悟をせねばなりません。又資金はなるべく豊富の方がよいのである。大人三名の家族と見て

一、土地代金	一七五〇圓
一、支度金	三〇〇圓
一、乘船迄の諸費	一五〇圓
一、船賃及船中諸費	七五〇圓
一、上陸地より移住地迄の諸費	一五〇圓
一、山伐り代（二町五反歩）	一五〇圓
一、小屋掛代金及井掘料	四五〇圓
一、種子及器具代	二五〇圓
一、生活費約八ケ月分豫備金	六五〇圓
合計	四、六〇〇圓

アリアンサで二十五町歩の土地を所有し、仕度をなし其年の五月の内に出發し一萬二千哩を渡航し、山伐り小屋掛から植付けまでやつて一回の收穫を得る迄には、約五千圓の資金を要するのである。尤も此内土地代は萬止むを得る者に限り六百圓丈仕拂ふて殘金は年一割の利子を附し三年賦にすることが出來るから殘金一千百五十圓を協會から借りて置けば三千四百五十圓の資金でよいこと

になり、外に政府の補助金が六百圓ある見込みであるから二千二百五十圓あればどうにかやつてやれぬことはないが、野菜の代りにタンポポを食べたり、牛肉の代りにトカゲのすき燒位は平氣で食する覺悟を要します。

偖、これ丈の金を準備して渡航し、約四箇年間、まづい物を食ひ、破れた衣物を着、堀立小屋に寢て、文字通りに苦戰惡鬪をすれば、珈琲は白い小さい可愛い花が咲き段々と其收穫を得られる樣になります。而して、二十五町歩の土地に珈琲が六七千株と小屋と井とがあれば、現在の所では其價格は一萬二三千圓であり、昭和二年から着手して四年後の昭和六年には少なくとも二萬五千圓位の價格になります。（ブラジルでは一箇年に少なくとも二割乃至三割位地價が騰貴して居る）勞働資金を含み一箇年の利益少なくとも二千五百圓多ければ四千圓内外を得る事が出來る樣になりませう。

土地代を年賦で約束した者は、大々的に努力すれば自分の生産物を賣つて土地代と其利子を拂ふて行けませう。

日本在住者の二十五町歩

自分で移住することは出來ないが、うまい話ならば、アリアンサの土地を買ふて置いてもよいと云ふお方があります。ブラジルの土地は買ふて置いた丈けで、一年に二三割の騰貴を致しますから、ヘタな銀行預金やつまらぬ事業よりは安全であります。加之、土地購入者には海外協會で小作人の世話から、土地の管理迄して差上げますから希望者は若干の出資さへ出して置けば、地球の向側へ知らぬ間に資產が出來て行くと云ふ事になります。それで玆に二十五町歩の土地を買ひ、次ぎに記す六年契約の小作人を協會から世話をして貰ひ、其土地の管理を託したと計算を試みませう。

一、土地二十五町歩代	一、七五〇圓
一、土地管理料六年分	一、〇二〇圓
一、移住敎育衞生費六年分	九〇圓
合計	二、八六〇圓

乃ち合計約二千八百六十圓を六箇年間に投資すれば、アリアンサに於て珈琲十町歩、牧場二町五反、雜作地五町歩、原始林七町五反歩、之れに小屋と井のある土地で其價格約三萬圓のものが自分のものとなり、第七年以後約二十五年間、珈琲の樹齡）每年約三千圓の純益を得るゝのである。

以上は二十五町歩について云ふたのであるが若し一萬一千四百四十圓を六箇年間に投資すれば百町歩の地主と

なり、其價格は十萬乃至十二萬圓となり、每年一萬二千圓の純益を擧げ得ることになるのであります。

お斷はりをして置きますが、ブラジルならば何所でもこう有利に行くと云ふことは出來ません。今迄日本人のやつて居た移住地でも土地代の少しも騰貴せぬ所もあり、うまく行かない所もあります。が、アリアンサ移住地で、信濃海外協會が經營を致して居る間は前記の成績を擧げて行くことは出來やうと思ひます。

二十五町歩の小作移住者

前項の樣に日本に居つてアリアンサ移住地の土地を所有して居る人が澤山あります又、一方に於てはアリアンサの土地を買ふて自作者として移住したいのは山々であるが、資本の關係上土地を買ふては渡航がなくなるから、止むを得ざれば小作人となつても渡航したいと云ふ方が澤山にあります。それで海外協會では、此小作希望者と日本在住の地主との間に立つて兩者のお世話を致します。此兩者の小作契約は大體次の要項から成り立ちます。

一、地主の方から出すもの
（イ）土地二十五町歩
（ロ）管理料六箇年分（これは協會へ出す）
（ハ）諸掛り（これも協會へ出す）
二、小作人の方では
（イ）約十町歩に珈琲六七千株を植付ける
（ロ）約二町五反歩を牧場にする
（ハ）約五町歩を雜作地とする
（ニ）小屋を掛け井を堀る
（ホ）六箇年間の生産物全部を小作人が取る
（ヘ）小作料は少しも支拂はない
三、土地の管理は協會でなし、地主と小作人間の調停は協會でやると云ふのであります。

偖、大體前記の通りで日本から移住して小作をして行く爲に要する費用を計算して見ると大躰左の通り（大人三人家族）

一、支度金	三〇〇圓
一、乘船迄の諸費	一五〇圓
一、船賃及船中諸費	七五〇圓
一、上陸より移住地迄の諸費	一五〇圓
一、山伐り代（二町五反歩）	一五〇圓
一、小屋掛代及井戸堀料	四五〇圓
一、種子及農具代	二五〇圓

一、生活費約八箇月分及豫備金	六五〇圓
合計	二、八五〇圓

此内に内務省の補助金が六百圓あるから、自分で準備すべき資金は二千二百五十圓となるのであります。

これ丈の資金を以て渡航し二五町歩の土地を前記の樣に開拓し農作物を全部自分のものとすれば、平均每年一千圓宛六箇年分の六千圓と、四五六の三箇年は此外に珈琲が合計三千圓位採れるから、六箇年後には八九千圓の貯畜が出來る、若し夫れ每年の收入を利用して土地を購入し、ブラジルで流行して居る四年契約の小作を入れて珈琲園を仕立てて行けば・自分の六年契約の終る時には他の二十五町歩の珈琲園が自分のものになつて居ると云ふ事になるのである。

農作物栽培年中行事

月別＼項目	稻	玉蜀黍	甘蔗	珈琲	綿花	豆	備考
一月	除草	除草	除草	古コーヒー除草新植第一回間引及植穴ノ手入	虫害防除除草摘心	―	
二月	除草	除草早蒔モノハ收穫シ得	除草	同	蟲害防除	下旬ヨリ二番豆ノ播種	二月下旬ヨリ三月ニ掛ケテ日本ノ秋蒔野菜例之大根甘藍玉葱葱菜類等
三月	早蒔モノ收穫	收穫	晩生種ノ收穫製造	山建テ	同	播種	播種
四月	收穫	收穫	同	山建テ下旬ヨリ收穫始ム	收穫	除草	原始林伐木開始
五月	收穫	收穫	―	收穫新植コーヒー第二回間引及植穴ノ手入	同	收穫	同
六月	―	收穫	製造準備	收穫	同	同	同及山燒
七月	―	―	同	山崩シ	―	―	同

月							
八月	—	—	收穫製造	山崩シ及新植コーヒーノ第三間引及植穴手入	—	—	同
九月	九月下旬ヨリ早蒔ハ播種始ム	播種	同 播種	播種	播種	一番豆ノ播種	八月上旬ヨリ日本ニ於ケル春蒔野菜ヲ蒔ク但シ九月ヲ最モヨシトス
十月	播種	播種	同 同	播種 除草	播種除草間引	中旬迄蒔クヲ得	原始林ハ伐木一二ヶ月ニシテ山燒ヲナシ後生林ハ其ノ樹木ノ大サニヨリ二三十日ヲ以テ燒ク事ヲ得
十一月	播種及除草	播種	同 同	同	同	除草	原始林地ニ播種セル場合稲甘蔗綿豆等ハ年一回ノ芽カキヲ兼ネテ除草スルノミ玉蜀黍ハ殆ド其ノ必要ナシ後生林。草生地ハ其草ノ程度ニヨリ二三回乃至數回ノ除草ヲ行フ
十二月	除草	上旬迄播種スル事ヲ得	除草	除草	上旬迄播種除草	收穫	

稲　畦巾株間は原始林地及其他の肥沃の地にあては凡二尺平方に一株位とし後生林及草生地等肥瘠の程度により漸次畦巾株間共に短縮すべし播種期の最も適せるは十月中旬より十一月迄とす其方法は點播になし一株十粒乃至二十粒とし多く機械播とす。

玉蜀黍　畦巾株間約一メートル平方乃至一、五メートルに一メートル。一株に三四粒を蒔く玉蜀黍栽培は最も粗放にして餘り除草を行はざるも差支なし。

甘蔗　畦巾株間二メートルに一メートル收穫の適期は七月下旬より九月下旬迄とす早生種は植付後十一二ケ月晩生種は十七八ケ月を以て收穫製造し得且つ一回植付れば三四株間は同株より收穫する事を得。

珈琲　畦巾株間三メートル半平方位一格へ二三十粒を播下し發芽後二ツ葉の時即一月頃第一回間引及植穴の掃除手入をなし以後七八葉（五六月）の時及十二三葉（八九月）時の二回間引手入をなし最後に四五本殘し成育せしむ尚播種後刺木（一尺四五寸のもの）を以て植穴の上部を覆ひ日光の直射を防ぎ成育すると共に井形に根元に積み上げ根元の乾燥を防ぎ冬期は是により霜害を防ぐ。

綿花　畦巾一メートル平方乃至一、五メートル、に一メートル一株に七八粒乃至十二三粒を蒔き發芽後三四寸の時及一尺內外の時の二回間引をなし最後に二本位殘し成育せしめ尚一月頃花芽のつく頃を見計ひ摘心を行ふ棉は害虫の恐れ最も甚しきものなれば常に注意をなし害蟲の防除につとむる要あり害蟲は蟻及青蟲ラガルタロザーダ（種子の心を喰ふ蟲）の二とす。

豆　畦巾株間二尺平方位にて二番豆は稍其距離短かきをよしとす一株に二三粒。

マンジオカ　九十月頃に二メートルに一メートル位に「マンヂオカ」ノ枝を七八寸位に切りたるものを少しく打起したる處に差置き其後一二回の除草をなし植付後十ケ年月位より牧穫する事を得。

注意　ブラジルには各種植物の葉及幼芽を喰ひ落し已の集に運び去る「サウバ」と稱する蟻あり其害甚しなければ播種前是れが驅除を行はばるべからず。

伯國留學生派遣

アリアンサ移住地小學校教員養成の爲ブラジルサンパウロ州立師範學校留學生選拔派遣に付き本會總裁は左の申請書を昭和二年二月本縣當局へ提出せり

本會經營南米ブラジル共和國サンパウロ州アラサツーバ郡內所在アリアンサ移住地は大正拾貳年來の計畫に係り縣當局並に政府の多大なる御助成に依り着々進捗し其出資寄附は拾六萬圓を超え購入土地壹萬壹千七百五拾町步は殆んどその處分を完うし。入植家族も大正拾四年六月後今日迄已に三百三家族四百三十五名に遂せり開拓面積八百餘町步、珈琲植樹數四拾萬本、籾の收量三千俵、移住地內道路は中央貫通自動車道より各入植者の地區へ通ずるもの延長二十基米の完成を告げ四十坪の移民收容所、小學校、醫局等竣成し衞生主任勝田正道は目下入植渡航中なり明年度渡航者の爲めに收容所、製米所、製材所、倉庫、瓦工場等の新設も目下進行中なり尚移住地、市街、墓地、公園、クラブ、日曜學校の設備完了も近きにあり本會の合理的組織的の移住地建設の方策は實に天下の範となり各府縣が其移民地を建設するに至れり卽ち鳥取縣の移

住地も本會第二アリアンサと合せて六千二百五十町步となして經營するに至り富山縣にても本會第三アリアンサと合せて六千町步となしその移住地を建設し熊本縣にも本會第一アリアンサの移住地の南接地にて千餘町步の經營をなすに至り尙目下各縣海外協會並に各地の事業家にしてブラジル國內に移住地の建設を計畫するもの續出するに至れり目下在伯國同胞は五萬五千人を超え年々又一萬人內外の新渡航者を見るに至れり斯くの如く本邦有產有識の士の渡航入植を見るは實に邦家海外發展の爲に慶賀に堪えざる次第なり然れ共是等渡航者並に在伯同胞の堅實なる發展に缺く可からざる緊急施設は實に在外子弟の教育機關の完備に在りとす然るに目下伯國內に於ける邦人子弟の教育に關する施設の實際は遺憾の點少なからざるものあり本會は玆に大に考ふる所あり本會經營移住地の教育機關の完備を計り併せて伯國內同胞子弟の教育に就て大に貢獻せんとし曩に外務省より一萬二千圓の御補助を得本會の豫算壹萬參千三百五拾圓として小學校の竣成を見たり今後其の優良なる校長並に訓導を得て移住地教育に關してその完備を期し併せて伯國內同胞の教育に就ての計畫施設等にも關與せしめん爲本年度本縣男女師範學校卒業生中より適材を拔擢してブラジル共和國サンポーロ州立師範學校へ留學せしめたき計畫にて有之候就ては伯國在留同胞並に子孫の爲又本會ブラジル移住地入植者の爲特別の御詮議を以て留學生選拔派遣方御取計ひ相願度別紙參考書相添へ此段及申請御願候也

斯くて男女師範學校長に於いては希望者の中より嚴選の結果左記三名を適任者として本會に縣學務部を通じて回答あり直ちに本會にて訓導に任命す

女子　長田イサム　諏訪郡豐平村
男子　清水明雄　北佐久郡川邊村
　　　兩角貫一　諏訪郡永明村

渡航準備補助金交付

(1)、年齡五十歲以下の夫婦を中心として其孰れかの左記續柄にある者

（イ）實父母、養父母、繼父母、祖父母

（ロ）實子女、繼子女及各配偶者

（ハ）年齡滿二十一歲未滿獨身の養子女

（ニ）兄弟、姉妹、及各配偶者、但し妻の姉妹は其夫を加入同伴することを得ず

（ホ）甥、姪

（ヘ）孫

(2)、年齡五十歲未滿の夫婦の家族、

(3)、補助金額

（イ）年齡滿三歲――六　歲迄　一人　五〇圓

（ロ）年齡七　歲――十一歲迄　一人　一〇〇圓

（ハ）年齡十二歲――以　上　一人　二〇〇圓

(4)。旅券出願者には本會より旅券下附に必要なる入植證明書を交付す

アリアンサ渡航者一覽

（昭和二年八月マデ）

回數	出帆年月日	船名	家族	男	女	計
第一回	大正十四年六月十三日	しかご丸	三	三	三	六
第二回	同　年七月二十日	まにら丸	二	四	三	七
第三回	同　年十月一日	はわい丸	一	一	一	二

第四回	同年十月廿四日	阿波丸	一	一	―	一
第五回	同年十二月廿四日	サントス丸	一	二	一	三
第六回	大正十五年一月廿三日	まにら丸	二	二	二	四
第七回	同年三月三十日	はわい丸	一三	二九	二五	五四
第八回	同年四月二十日	神奈川丸	一	二	一	三
第九回	同年五月六日	らぷらた丸	二〇	四五	三六	八一
第十回	同年六月十日	サントス丸	八	一二	一七	二九
第十一回	同年六月三十日	河内丸	二	三	四	七
第十二回	同年七月十五日	まにら丸	一五	二七	三一	五八
第十三回	同年八月廿八日	モンテビデオ丸	五	二一	二三	四四
第十四回	同年九月廿六日	はわい丸	一	三	六	九
第十五回	同年十月三十日	らぷらた丸	一	一	二	三
第十六回	同年十一月廿九日	さんとす丸	一	二	一	三
第十七回	昭和二年一月十日	まにら丸	四	五	八	一三
第十八回	同年二月廿三日	モンテビデオ丸	三	七	一〇	一七
第十九回	同年四月一日	はわい丸	一二	五二	四〇	九二
第二十回	同年四月十五日	神奈川丸	四	七	一〇	一七
第二十一回	同年四月三十日	らぷらた丸	一三	三二	二六	五八
第二十二回	同年五月二十日	若狭丸	四	一四	七	二一
第二十三回	同年六月四日	サントス丸	六	一〇	八	一八
第二十四回	同年七月七日	まにら丸	四			一〇
第二十五回	同年八月十七日	モンテビデオ丸	一	一	二	三
計			一二八	二八八	二六七	五六五

アリアンサ移住地入植者

（大体渡航順ニヨル）

家長名	本籍地	家族數	渡航年月	乘船港
上條佐和太	長野縣	二人	大一四・六	横濱
鈴木京壽	宮城縣	二	同	同
小川林	長野縣	二	同	同
岩波菊治	同	二	一四・七	同
瀬下登	同	五	同	同
鍔本茂	千葉縣	二	一四・一〇	同
井村政勝	東京府	三	一四・一二	神戸
藤本顯正	長野縣	二	一五・一	横濱
佐藤鼎	千葉縣	二	一五・一	同
樋田榮太郎	茨城縣	三	一五・三	同
佐藤淸治	秋田縣	四	一五・三	同
蓮沼信一	東京府	二	一五・三	同
佐々木保作	長野縣	五	一五・三	同
松本圭一	靜岡縣	六	一五・三	
高木利治	鳥取縣	二	一五・三	同
橋田惟謙	山梨縣	四	一五・三	同
弓場爲之助	兵庫縣	一〇人	一五・三	横濱
山口誠實	千葉縣	二	一五・三	同
廣木太郎治	茨城縣	四	一五・四	同
近藤修一	岡山縣	五	一五・四	神戸
若本千代太郎	宮崎縣	五	一五・四	同
黃瀬稻藏	同	三	一五・四	同
西虎雄	長崎縣	四	一五・五	横濱
細川未男	長野縣	四	一五・五	同
內海榮郎	東京府	二	一五・五	同
中澤豐三	同	五	一五・五	同
提伊八	佐賀縣	三	一五・四	神戸
荻原彥四郎	宮城縣	三	一五・五	横濱
永原勘吾	長野縣	二	一五・五	同
勝浦時雄	岡山縣	九	一五・五	同
藤森茂里	長野縣	三	一五・五	同
藤崎豐治	鹿兒嶋縣	六	一五・五	同

高橋善導	岩手縣	二人	一五・五	神戸
高野桂秋	栃木縣	三	一五・五	同
池田太藏	宮崎縣	三	一五・五	同
河內五郎	同	四	一五・五	同
松野茂一	長野縣	五	一五・五	同
山田淺吉	宮崎縣	六	一五・五	同
川建唯一	岡山縣	二	一五・五	同
光田滿喜太	同	一〇	一五・五	同
光田省三	同	五	一五・五	同
砂尾巖	香川縣	三	一五・五	同
神谷信一	兵庫縣	四	一五・五	同
大石友明	岡山縣	四外一	一五・五	同
太田正武	新潟縣	五	一五・六	同
三桝恭一	廣島縣	三	一五・六	同
庭瀬健兒	岡山縣	三	一五・六	同
石川安太郎	香川縣	二	一五・六	同
金竹盛重	熊本縣	六	一五・六	同
麥生田卯藏	鹿兒島縣	二外二	一五・六	横濱
崎山淸廣	同	二外三	一五・六	同
木村庄太郎	廣島縣	三	一五・六	神戸
角崎巧	同	四	一五・六	同
小川一	千葉縣	四	一五・七	同
伊藤秀司	靜岡縣	二	一五・七	横濱
渡邊彌助	長野縣	二人	一五・七	同
田中啓二	千葉縣	三	一五・七	同
富塚勇	東京府	一一	一五・七	同
高橋豐信	新潟縣	三	一五・七	同
上條源治	長野縣	四	一五・七	同
伊藤德象	同	二	一五・七	同
中原三藏	山口縣	二	一五・七	同
山本正祐	香川縣	三	一五・七	同
篠原幸治郎	同	三	一五・七	同
田島福一	山口縣	四	一五・七	同
堀江繁一	岡山縣	九	一五・七	同
中川淸一郎	同	二	一五・七	同
吉田榮	同	四	一五・七	同
片岡芳太郎	三重縣	二	一五・七	同
佐藤藤次郎	北海道	七	一五・八	同
久米仙藏	靜岡縣	一一	一五・八	横濱
淺見文藏	福岡縣	九	一五・八	同
西田惣太郎	同	八	一五・八	同
竹久竹治	宮崎縣	四	一五・八	同
木村重行	三重縣	一〇	一五・九	同
赤井健和	和歌山縣	三	一五・一〇	神戸
泉忠一郎	廣島縣	三	一五・一一	同
勝田正通	長野縣	三	一五・一二	横濱

佐藤信二	宮城縣	三人	一五・一二	同
井上覺三	島根縣	二	一五・一二	同
吉安春達	東京府	五	昭和二・一	同
武田三三	三重縣	五	二・一	神戸
柿並保弼	同	四	二・一	同
沖晴郎	兵庫縣	五	二・一	同
篠原秋次	長野縣	一	大正一四・六	同
百瀬琴次	同	六	昭和二・三	同
百瀬三郎	同	六	二・三	同
椎野源之助	新潟縣	九	二・三	同
佐藤謙二郎	同	七	二・三	同
大谷貞雄	長野縣	三	二・三	神戸
高野淸見	福嶋縣	八	二・三	同
砂田作造	北海道	六	二・三	横濱
樫木喜一	同	七	二・三	同
和久井靜眞	長野縣	九	二・四	神戸
前島勝	同	五	二・四	同
野上正久	大阪府	三	二・四	同
鳥谷儀一郎	愛媛縣	四	二・四	同
細川岩松	京都府	五	二・四	同
笠原義忠	長野縣	一	大正一五・六	横濱
瀬戸喜代松	山口縣	四	一三・四	神戸
吉田惣太郎	福井縣	六外一	昭和二・四	同
大久保和吉	同	七人	同	同
秀島盛輔	鹿兒島縣	三	同	同
原鍋之助	神奈川縣	三	同	同
羽藤德一	愛媛縣	五	同	同
宇野利吉	同	六	同	同
矢澤淸鑒	埼玉縣	六	二・五	同
永田眞作	同	二	同	同
大戸橋造	埼玉縣	八	二・五	神戸
吉田壽三郎	東京市	三	同	同
西川八郎	京都府	二	同	同
鈴木德義	埼玉縣	二	同	同
竹村安定	長野野	七	同	同
五十嵐政衞	新潟縣	二	同	同
塚田軍司	長野縣	三	同	同
大森甚吉	三重縣	一一	同	同
瀬戸喜代松	山口縣	四	同	同
増田政一	長野縣	三	同	同
山室重夫	兵庫縣	四	同	同
石井博二	佐賀縣	八	同	同
森田良平	靜岡縣	五	二・五	神戸
田宮博	同	二	同	同
吉田淸吉	茨城縣	六	同	同
柴田芳三	滋賀縣	二	二・六	神戸

市岡恕道	北海道	三人	三・六	神戸	平井芳雄	大阪府	二人	三・七	同
中澤治平	靜岡縣	五	同	同	柳田國光	群馬縣	四	同	同
倉持敏雄	京都府	三	同	同	提喜三	佐賀縣	三	同	同
鈴木綱吉	東京市	三	同	同	中久保益太郎	京都府	一	同	同
遠藤源吉	栃木縣	三	同	同	木本保	石川縣	三	三・八	神戸

（註　右の入植者は日本本國より政府の補助金を受けて渡航せし者にて、此の他に單獨者の新航者北米合衆國、伯國其の他の國より、移住地に入植せる者はこれに掲載なし）

アリアンサ移住地の經理

◎大正十二年度收支決算

收入ノ部

一、出資金の部　一四、八〇〇、〇〇（円・銭）
二、利子の部　三〇八、二九
合計　一五、一〇八、二九

支出ノ部

一、資金募集費　一、七〇三、九三（円・銭）
二、印刷費　一九、一〇
三、調査費　一、〇〇〇、〇〇
四、貸付金　八〇〇、〇〇（円・銭）
合計　三、五二三、〇三

差引繰越金
一、大正十三年度繰越　一一、五八六、二七

◎大正十三年度收支決算（日本の部）

收入の部
一、出資金の部　六〇、三五〇、〇〇（円・銭）
二、利子の部　一、一三三、四一

三、分譲土地代東京の部　一、一〇〇、〇〇
四、借入金の部　三、〇〇〇、〇〇
五、大正十二年度繰越金　一一、五八六、二七
合計　九四、〇六八、六八

支出の部
一、伯國送金の部　七〇、一九〇、九六（円）
二、賃金募集費の部　一、八八九、一〇
三、渡伯費の部　八、〇〇〇、〇〇
四、貸付金の部　四〇〇、〇〇
五、返濟金及利子の部　一〇、六八〇、〇〇
六、雜費の部　一四、七一
長野の部　一〇、〇〇
東京の部　四、七一
七、通信費の部　一三、四五
合計　九一、一六七、八五
差引繰越金
大正十四年度へ繰越金　二、九〇一、四九三

アリアンサ移住地大正十三年度歳入歳出決算（南米の部）

歳入
一、日本より受入　二七三、九九九、四〇〇（コントス・ミル・レース）
二、南米土地組合より受入　一三、五三四、四〇〇
一、鈴木增長土地代　三、〇〇〇、〇〇〇
一、南米土地組合より受入　一三、八九九、四〇〇
合計　三〇三、四三三、二〇〇

歳出
一、土地代金　一八五、九四〇、〇〇〇（コントス・ミル・レース）
一、通信費　一、七九三、三〇〇
一、俸給手當謝禮等　一九、一七七、四〇〇
一、拂戻金　一五、五六四、六〇〇
一、雜費　八、九三五、三〇〇
一、旅費　六、四九八、三〇〇
一、建物　一、八三五、二〇〇
一、農具器具　二、六五二、四〇〇
一、圖書　五四〇、〇〇〇
一、衛生材料　二三五、五〇〇
一、農場支出　三、七三五、四〇〇
一、營業費　三三六、七〇〇
一、諸運賃　一四四、三〇〇
一、大正十四年度へ繰越金　五五、五七三、八〇〇
合計　三〇三、四三三、二〇〇

備考
（一）以上は大正十三年八月一日より同年十二月卅一日迄の分
（二）日本金壹圓は伯貨二ミル七百五十レース乃至四ミル四五百レースの間を昇降しつゝあり

◎大正十四年度收支決算（日本の部）

收入
長野支部扱收入決算高　一金六萬七千九拾圓八錢
東京支部扱收入決算高　一金九萬八百五拾圓六拾九錢
合計金拾五萬七千九百四拾圓七拾七錢

支出
長野本部扱支出決算高　一金六萬六百八圓九拾錢五厘
東京支部扱支出決算高　一金九萬八百五拾圓六拾九錢
合計金拾五萬千四百五拾九圓五拾九錢五厘
收入支出差引金六千四百八拾壹圓拾七錢五厘

收入

科目	決算額	附記
一、出資金	四〇、四〇〇 〇〇〇	
本部扱	四〇、四〇〇 〇〇〇	
二、分譲土地代	六八、二二八 〇〇〇	三百七町五反歩代
本部扱	一三、七七五 〇〇〇	内南米土地組合より千五拾參圓七拾八錢北米ヨリ二万圓合計二千六百六十九町五反歩代
東京支部扱	五四、四五三 七八〇	
三、補助金	一〇、〇〇〇 〇〇〇	
本部扱	一〇、〇〇〇 〇〇〇	内務省補助金
四、雜收入	二五九 二七〇	
本部扱	一九六 四六〇	銀行預金利子
東京支部扱	六二 八一〇	同
五、繰越金	三、〇〇六 二〇五	
本部扱	一、九一八 六二〇	前年度繰越金
東京支部扱	一、〇八七 五八五	同
六、借入金	二一、〇一二 五一五	
東京支部扱	二一、〇一二 五一五	
七、委託金	五、六八九 〇〇〇	
東京支部扱	五、六八九 〇〇〇	開拓費其の他委託金
八、引繼金	八、五四五 〇〇〇	
東京支部扱	八、五四五 〇〇〇	信濃土地組合解散に付引繼金
九、貸付金償還	八〇〇 〇〇〇	
本部扱	八〇〇 〇〇〇	普通會計へ貸付分償還
收入計　本部扱	六七、〇九〇 〇八〇	
東京支部扱	九〇、八五〇 六九〇	
合計	一五七、九四〇 七七〇	

支出

科目	決算額	附記
一、事務所費	八、一八五 九七五	
一給料手當	一、九一三 三四〇	
本部扱	一、七三三 三四〇	幹事手當及支部長手當等
東京支部扱	一八〇 〇〇〇	手當
二旅費	二、九六五 九〇〇	
本部扱	二、二五八 八〇〇	役員出張旅費
東京支部扱	七〇七 一〇〇	同
三通信費	五三六 五四五	
本部扱	二一四 六一五	電話、電報料及郵便切手代等
東京支部扱	三二一 九三〇	同
四印刷費	一、四四〇 二〇〇	
本部扱	一一二 二〇〇	
東京支部扱	一、三二八 〇〇〇	
五備品費	一九 八四〇	
東京支部扱	一九 八四〇	事務所用品代
六消耗品費	九 四六〇	
東京支部扱	九 四六〇	
七廣告宣傳費	三八〇 〇〇〇	廣告費貳百圓宣傳費百八拾圓
東京支部扱	三八〇 〇〇〇	
八雜費	九二〇 六九〇	

科目	決算額	附記
本部扱	三二五 一八〇	
東京支部扱	五九五 五一〇	
二、資金募集費	三、五五八 四九〇	
本部扱	三、五五八 四九〇	(支部交附金參千百拾貳圓雜費四百四拾六圓四拾九錢)
三、渡航補助金	一〇、〇〇〇 〇〇〇	
本部扱	一〇、〇〇〇 〇〇〇	移住地入植者ニ補助
四、移住地送金	一一三、五〇〇 〇〇〇	
本部扱	三一、〇〇〇 〇〇〇	移住地經營費及土地代ノ內
東京支部扱	八二、五〇〇 〇〇〇	同
五、貸付金	二、四二六 二三〇	
本部扱	六五〇 〇〇〇	普通會計ヘ貸付分
東京支部扱	一、七七六 二三〇	入植者ニ貸付分
六、借入金償還	一〇、七五六 二八〇	
本部扱	一〇、七五六 二八〇	借入元金壹萬圓及利子
七、拂戻金	五二〇 〇〇〇	
東京支部扱	五二〇 〇〇〇	委託金ノ內拂戻シ分
八、信濃土地組合經費	二、五一二 六二〇	
東京支部扱	二、五一二 六二〇	(給料千五百圓印刷費七百參拾貳圓拾錢旅費四百八圓通信費九拾四圓六拾五錢備品費百四拾參圓拾五錢其ノ他九拾貳圓貳錢)
支出計 本部扱	六〇、六〇八 九〇五	
東京支部扱	九〇、八五〇 六九〇	
合計	一五一、四五九 五九五	

大正十四年(自一月至十二月)收支決算(南米の部)

收入ノ部

	コントス ミル レース
第一款資金	
第一項資金	
第一資金	三二五、〇七四、四〇〇
第二款土地代	
第一項土地代	
第一土地代	一三、四五〇、〇〇〇
第三款農場收入	
第一項農場收入	
第一農場收入	一、三八一、九〇〇
第四款商店部	
第一項商店部收入	
第一商店部收入	二、四六〇、六〇〇
第五款利子	
第一項收入利子	
第一利子	五〇〇、〇〇〇
第六款借入金	
第一項借入金	
第一借入金	二六、四八八、〇〇〇
第七款不足金	
第一項不足金	
第一不足金	二、七三七、〇〇〇
第八款繰越金	
第一項繰越金	
第一繰越金	五七、一六六、九〇〇
收入合計	三二八、二五八、八〇〇

支出ノ部

第一款事務費	二六、一六六、九〇〇
第一項給料	一三、〇〇〇、〇〇〇
第一幹事給料	一三、〇〇〇、〇〇〇
第二項雜給	五、二六六、七〇〇
第一報酬	二〇、〇〇〇

第二旅費	二、九八〇、五〇〇
第三雇人料	二、一九六、二〇〇
第四手當	七〇、〇〇〇
第三項需要品費	六、〇五六、三〇〇
第一消耗品費	一、七四五、六〇〇
第二備品費	二、七九一、三〇〇
第三通信費	四七二、九〇〇
第四印刷費	二三二、五〇〇
第五廣告費	四〇九、八〇〇
第六運搬費	四一四、二〇〇
第四項圖書費	二八四、八〇〇
第一圖書購入	二八四、八〇〇
第五項營繕費	四五、〇〇〇
第一營繕費	四五、〇〇〇
第六項土地賣却雜費	三二、〇〇〇
第一土地賣却雜費	三二、〇〇〇
第七項食費	五〇、〇〇〇
第一食費	五〇、〇〇〇
第八項接待費	三八、四〇〇
第一接待費	三八、四〇〇
第九項事務所費	一、三九三、七〇〇
第一屋賃及電氣料	一、三七三、二〇〇
第二雜費	二〇、五〇〇
第二款事業費	三五、一一四、二〇〇
第一項雜給	八、八八九、六〇〇
第一勞銀	五、四三六、〇〇〇
第二手當	二、六三三、三〇〇
第三旅費	八二一、三〇〇
第二項需用品費	一三、一三〇、八〇〇
第一消耗品費	五、一八八、七〇〇
第二備品費	七、三八八、一〇〇
第三運搬費	五五四、〇〇〇
第三項營繕費	一三七、六〇〇
第一營繕費	一三七、六〇〇
第四項食費	七、四八一、八〇〇
第一食費	七、四八一、八〇〇
第五項建築費	三四、四七三、六〇〇
第一收容所建築費	七、六六七、八〇〇
第二瓦代	五、六七〇、〇〇〇
第三板代	五、五〇四、〇〇〇
第四井戸堀代	一五、六三〇、八〇〇

第六項 農場作業費	二六、四〇五、二〇〇
第一 植付費	四、一九〇、一〇〇
第二 除草費	一六〇、〇〇〇
第三 格堀代	一六二、五〇〇
第四 山焼代	一、九三八、六〇〇
第五 山伐代	一九、九六五、〇〇〇
第七項 種子代費	三、一九五、四〇〇
第一 種子	三、一九五、四〇〇
第八項 家畜費	五〇五、二〇〇
第一 家畜購入費及養畜費	五〇五、二〇〇
第九項 收容所費	二〇〇、〇〇〇
第一 給料	二〇〇、〇〇〇
第十項 道路費	一、一〇六、〇〇〇
第一 道路費	一、一〇六、〇〇〇
第十一項 土地費	一四一、六〇〇、〇〇〇
第一 土地代費	一〇五、〇〇〇、〇〇〇
第二 土地代利子	三六、六〇〇、〇〇〇
第三款 測量部費	四八三、七〇〇
第一項 測量費	四八三、七〇〇
第一 消耗品費	一三、七〇〇
第二 備品費	三七一、〇〇〇
第三 營繕費	三五、〇〇〇
第四 雜費	六四、〇〇〇
第四款 商店部費	三一、八七七、三〇〇
第一項 商品仕入費	三一、五八五、一〇〇
第一 商品仕入	三一、五八五、一〇〇
第二項 需用品費	二九二、二〇〇
第五款 衛生部費	二七二、〇〇〇
第一項 需要品費	
第一 消耗品費	一九四、〇〇〇
第二 備品費	七八、〇〇〇
第六款 諸税費	二五六、七〇〇
第一項 關税	一〇〇、〇〇〇
第一 關税	一〇〇、〇〇〇
第二項 地税	六、六〇〇
第一 地税	六、六〇〇
第三項 登記料	一五〇、一〇〇
第一 登記料	一五〇、一〇〇
第七款 借入金勘定費	二六、四八八、〇〇〇

第一項 借入金勘定	二六、四八八、〇〇〇
第一 借入金支拂	二六、四八八、〇〇〇
第八款 預金勘定費	八、六〇〇、〇〇〇
第一項 預金勘定	八、六〇〇、〇〇〇
第一 預金返濟	八、六〇〇、〇〇〇
支出合計	三一八、三五八、八〇〇

◎大正十五年度移住地會計收支決算（昭和二年三月三十一日現在） 可決

（長野本部扱）

歳入決算高 拾四萬六千貳百四拾四圓五拾七錢也
歳出決算高 拾壹萬六千七百七拾九圓七拾八錢也
昭和二年度へ概算繰越 壹萬圓也
差引殘高 壹萬九千四百六拾四圓七拾九錢也

收入内譯

科目	決算額	備考
一、出資金	三六、四九〇.〇〇	
未納金整理	一〇、五九〇.〇〇	
新募集	二五、九〇〇.〇〇	
二、土地分讓代金	五三、三五〇.〇〇	
長野扱未納金拂込	一一、一五〇.〇〇	
新分讓土地代金	四一、二〇〇.〇〇	
三、補助金	四〇、〇〇〇.〇〇	
渡航準補助金	四〇、〇〇〇.〇〇	
四、借入金	六、〇一三.五〇	
出資者借入金	六、〇一三.五〇	
五、土地管理費	七九九.〇〇	
第一年度管理料	七九九.〇〇	
六、委託金	二、〇五〇.〇〇	
入植者預り金	二、〇五〇.〇〇	
七、雜收入	九二一.八九五	
銀行及土地代利子	九二一.八九五	
八、繰越金	六、四八一.一七五	
九、貸付金償還	一、一五〇.〇〇	
合計	一四六、二四四.五七	

支出内譯

科目	決算額	備考
一、事務所費	八、三二七.〇八	
書記給	一、〇五〇.〇〇	
雜給	一、五〇三.四〇	
旅費	一、三六四.三二	
出資募集交附金	三、一六四.〇〇	
出資募集雜費	五五三.一九	
印刷費	九二.二〇	
土地分讓雜費	一七五.四五	
雜支出	四一四.六三	
二、土地代及利子	五九、五五〇.〇〇	
十五年度土地代	二九、五五〇.〇〇	
追加購入土地代	二五、〇〇〇.〇〇	
利子	五、〇〇〇.〇〇	
三、農場經營費	五、〇〇〇.〇〇	
四、營業費	三一〇.一〇	
商店部資金	三一〇.一〇	
五、貸付金	五〇〇.〇〇	普通會計へ貸付
六、渡航準備補助金	三八、七〇〇.〇〇	
七、補塡金	四、五〇二.五〇	普通會計へ支出
八、繰越金	一〇、〇〇〇.〇〇	昭和二年度へ概算繰越
合計	一一六、七七九.七八	

◎大正十五年（自一月至九月）アリアンサ移住地決算（南米の部） 可決

收入の部

第一款 資金	六二三、一九四、〇〇〇（コントス、ミル、レース）
第一項 資金	六二三、一九四、〇〇〇
第一 資金（東京ヨリ送金）	六二三、一九四、〇〇〇
第二款 土地代	五九、六七七、五〇〇
第一項 土地代	五九、六七七、五〇〇
第一 分讓土地代	五九、六七七、五〇〇
第三款 農場收入	三、六三三、〇〇〇
第一項 收入	三、六三三、〇〇〇
第一 農場收入	三、六三三、〇〇〇
第四款 商店部收入	二三、〇五四、七〇〇
第一項 商品賣上	二三、〇五四、七〇〇
第一 商品賣上代	一二、四五三、四〇〇
第二 掛金回收	一〇、六〇一、三〇〇

第五款 運送收入	五、〇九七、〇〇〇
第一項 運送收入	五、〇九七、〇〇〇
第一 運賃	五、〇九七、〇〇〇
第六款 雜收入	一、二四一、四〇〇
第一項 雜收入	一、二四一、四〇〇
第一 雜收入	一、二四一、四〇〇
第七款 立替金	一四、三九一、〇〇〇
第一項 立替金返却	一四、三九一、〇〇〇
第一項 立替金回收	一四、三九一、〇〇〇
第八款 不足金	四二、〇三七、二五〇
第一項 不足金	四二、〇三七、二五〇
第一 不足金	四二、〇三七、二五〇
收入合計	七六一、三三五、八五〇

支出ノ部

第一款 事務所費	一九、五二一、六〇〇
第一項 給料	九、〇〇〇、〇〇〇
第一 幹事給料	九、〇〇〇、〇〇〇
第二項 雜給	四、四四三、八〇〇
第一 報酬（心付）	三一、〇〇〇
第二 旅費	四、四一二、八〇〇
第三項 需要品費	二、七四一、一〇〇
第一 消耗品費	八五、八〇〇
第二 備品費	六九四、九〇〇
第三 通信費	八九二、四〇〇
第四 印刷費	二七三、〇〇〇
第五 廣告費	七九五、〇〇〇
第四項 圖書費	一〇〇、〇〇〇
第一 圖書費	一〇〇、〇〇〇
第五項 食費	二三三、〇〇〇
第一 食費	二三三、〇〇〇
第六項 接待費	九八一、九〇〇
第一 接待費	九三一、九〇〇
第二 上陸世話費	五〇、〇〇〇
第七項 事務所費	二、〇二一、八〇〇
第一 家賃及電燈料	九六二、四〇〇
第二 雜費	一、〇五九、四〇〇
第二款 事業費	五五一、九二一、八〇〇
第一項 雜給	一三、〇四一、四〇〇
第一 勞銀	一三、〇四一、四〇〇

第二項 需要品費	二二、四八八、三〇〇
第一 消耗品費	八、六三三、三〇〇
第二 備品費	八、一二一、〇〇〇
第三 運搬費	五、七三四、〇〇〇
第三項 營繕費	六、一八四、〇〇〇
第一 營繕費	六、一八四、〇〇〇
第四項 食費	四、六〇一、四〇〇
第一 食費	四、六〇一、四〇〇
第五項 建築費	四三、六六一、〇〇〇
第一 設計諸費	七五〇、〇〇〇
第二 木材代	三〇〇、〇〇〇
第三 板代	二七、一九九、九〇〇
第四 瓦代	一三、九〇七、七〇〇
第五 煉瓦代	一三、九〇七、七〇〇
第六 建築材料代	七九、八〇〇
第七 雜費	七七、六〇〇
第八 井戸堀煉瓦卷	一八六、〇〇〇
第六項 農事作業費	八七、三〇〇、〇〇〇
第一 山伐	八七、三〇〇、〇〇〇
第七項 種子代費	三一八、六〇〇
第一 種子代	三一八、六〇〇
第八項 家畜費	一、六七六、五〇〇
第一 家畜購入代	一、六七六、五〇〇
第九項 道路橋梁費	三三、五六六、五〇〇
第一 道路費	三二、一一六、五〇〇
第二 橋梁暗渠費	一、四五〇、〇〇〇
第十項 土地費	三三八、八七三、五〇〇
第一 土地代費	三三六、三七五、〇〇〇
第二 土地代利子	二、四八七、五〇〇
第三 土地賣却諸雜費	一〇、〇〇〇
第十一項 雜費	一、二一〇、六〇〇
第一 雜費	一、二一〇、六〇〇
第三款 測量部費	一、三七九、〇〇〇
第一項 測量部費	一、三七九、〇〇〇
第一 測量費	一、三六七、〇〇〇
第二 備品費	一二、〇〇〇
第四款 商店部費	一〇三、三一二、四五〇
第一項 商品仕入費	一〇三、三〇一、三五〇
第一 商品仕入代	一〇三、三〇一、三五〇
第二項 需要品費	一一、一〇〇
第一 消耗品費	六、一〇〇
第二 備品費	五、〇〇〇
第五款 衛生部費	三、九三三、九〇〇

第一項 醫師費	三、六〇〇、〇〇〇
第一 醫師招致診斷諸費	三、六〇〇、〇〇〇
第二項 需要品費	三三三、九〇〇
第一 消耗品費	三三三、九〇〇
第六款 諸稅費	一七、九三二、五〇〇
第一項 地統	一、一五二、五〇〇
第一 地稅	一、一五二、五〇〇
第二項 登記料	一六、七八〇、〇〇〇
第一 登記料	一六、七八〇、〇〇〇
第七款 預金勘定	二三、〇三四、〇〇〇
第一項 預託金拂戻	二三、〇三四、〇〇〇
第一 內務省補助金額拂戻	一三、二〇〇、〇〇〇
第二 預託金拂戻	九、八三四、〇〇〇
第八款 立替金勘定	二四、二六〇、二〇〇
第一項 立替金	二四、二六〇、二〇〇
第一 立替金	二四、二六〇、二〇〇
第九款 借入金勘定	一六、〇四〇、四〇〇
第一項 不足金支拂	一六、〇四〇、四〇〇
第一 不足金支拂	一六、〇四〇、四〇〇
支出合計	七六一、三三五、八五〇

◎昭和二年度アリアンサ移住地收支豫算　承認

收入

一金參拾六萬四百圓也　收入豫算高

支出

一金參拾六萬四百圓也　支出豫算高

收入支出差引殘ナシ

收入內譯　（△印ハ減ヲ示ス）

科目	本年度豫算額	前年度豫算額	增減	附記
第一款 出資金	七、七五〇円	一六、〇〇〇円	△八、二五〇円	
第一項 出資金	七、七五〇	一六、〇〇〇	△八、二五〇	
一 未納金整理	七、七五〇	一六、〇〇〇	△八、二五〇	出資申込者未納金
第二款 土地分讓代金	一九二、六五〇	一一九、二〇〇	七三、四五〇	
第一項 土地分讓代金	一九二、六五〇	一一九、二〇〇	七三、四五〇	
一 土地代未納金	一二六、四〇〇	一〇九、二〇〇	一七、二〇〇	（第一第二アリアンサ殘金中本年度拂込見込ノ分）
二 新分讓土地代	六六、二五〇	一〇、〇〇〇	五六、二五〇	第三アリアンサ土地代
第三款 補助金	一二〇、〇〇〇	五〇、〇〇〇	七〇、〇〇〇	
第一項 內務省補助金	八〇、〇〇〇	四〇、〇〇〇	四〇、〇〇〇	
一 內務省補助金	八〇、〇〇〇	四〇、〇〇〇	四〇、〇〇〇	大人換算一人二百圓四〇〇人分
第二項 外務省補助金	四〇、〇〇〇	一〇、〇〇〇	三〇、〇〇〇	
一 外務省補助金	四〇、〇〇〇	一〇 〇〇〇	三〇、〇〇〇	在外子弟教育補助金及在外者商業補助金
第四款 農產物收入	二五、〇〇〇	一二、〇〇〇	一三、〇〇〇	
第一項 農產物收入	二五、〇〇〇	一二、〇〇〇	一三、〇〇〇	
一 直營地收入	二五、〇〇〇	一二、〇〇〇	一三、〇〇〇	直營地農產物收入見込
第五款 商店部益金	五、〇〇〇	三、〇〇〇	二、〇〇〇	
第一項 商店部益金	五、〇〇〇	三、〇〇〇	二、〇〇〇	
一 アリアンサ移住地商店部利益金	五、〇〇〇	三、〇〇〇	二、〇〇〇	アリアンサ移住地商店部利益金

科目	本年度豫算額	前年度豫算額	增減	附記
第六款 繰越金	一〇、〇〇〇	一、〇〇〇	九、〇〇〇	
第一項 繰越金	一〇、〇〇〇	一、〇〇〇	九、〇〇〇	
一 前年度繰越金	一〇、〇〇〇	一、〇〇〇	九、〇〇〇	前年度繰越金見込額
收入合計	三六〇、四〇〇	二〇一、二〇〇	一五九、二〇〇	

支出內譯　（△印ハ減ヲ示ス）

科目	本年度豫算額	前年度豫算額	增減	附記
第一款 事務所費	二八、一〇〇円	三一、一三〇円	△三、〇三〇円	
第一項 給料	二三、八〇〇	一三、六三〇	一〇、一七〇	
一 移住地理事給	七、二〇〇	四、八〇〇	二、四〇〇	アリアンサ理事一人年手當二千四百圓三人分
一 同衛生主任給	二、四〇〇	二、四〇〇	—	同上衛生主任一人年手當
三 小學校教員給	二、四〇〇	二、四〇〇	—	同上小學校教員二人分
四 雜給	二、五四〇	二、八三〇	△二九〇	役職員年手當其ノ他
五 書記給	二、四六〇	一、二〇〇	一、二六〇	本部勤務書記二名囑託一名年手當
六 留學生費	六、八〇〇		六、八〇〇	（ブラジル師範學校入學留學生四名手當一人百圓渡航手當一人五百圓四人分）
第二項 出資金募集費	七五〇	六、〇〇〇	△五、二五〇	
一 旅費	二五〇	一、八〇〇	△一、五五〇	整理ニ關スル旅費
二 手當	二五〇	三、二〇〇	△二、九五〇	手當
三 雜費	二五〇	一、〇〇〇	△七五〇	通信費及外諸雜誌
第三項 土地分讓費	三、五五〇	一一、五〇〇	△七、九五〇	
一 旅費	四五〇	二、〇〇〇	△一、五五〇	第三アリアンサ壹千町步分讓旅費

二 印刷費	五〇〇	三、〇〇〇	△二、五〇〇	諸印刷費
三 交附費	一、四〇〇	二、五〇〇	△一、一〇〇	
四 廣告料	一、〇〇〇	二、五〇〇	△一、五〇〇	新聞雜誌廣告費
五 雜費	二〇〇	一、五〇〇	△一、三〇〇	事務所用諸雜誌
第二款	八八、〇〇〇	六八、四〇〇	一九、六〇〇	
第一項 土地代	八〇、〇〇〇	六七、〇〇〇	一三、〇〇〇	
一 第二アリアンサ土地代	四〇、〇〇〇	六七、〇〇〇	二七、〇〇〇	第二アリアンサ第二回分
二 第三アリアンサ土地代	四〇、〇〇〇	—	四〇、〇〇〇	第三アリアンサ第二回分
第三項 利子	八、〇〇〇	一、四〇〇	六、六〇〇	
一 土地代殘金利子	八、〇〇〇	一、四〇〇	六、六〇〇	土地代未拂ニ對スル利子
第三款 諸設備費	四五、〇〇〇	三三、四〇〇	一一、六〇〇	
第一項 住宅費	三、〇〇〇	四、〇〇〇	△一、〇〇〇	
一 植民住宅費	三、〇〇〇	四、〇〇〇	△一、〇〇〇	小作人住宅三戸分
第二項 教育費	三、〇〇〇	一三、三五〇	△一〇、三五〇	
一 小學校費	三、〇〇〇	一三、三五〇	△一〇、三五〇	第二アリアンサ一校鳥取ト共同
第三項 病院費	一〇、〇〇〇	一三、三五〇	△三、三五〇	
一 病院費	一〇、〇〇〇	一三、三五〇	△三、三五〇	病院設備費
第四項 精米所費	一〇、〇〇〇	—	一〇、〇〇〇	
一 精米所費	一〇、〇〇〇	—	一〇、〇〇〇	精米所設備
第五項 煉瓦燒場	三、〇〇〇	—	三、〇〇〇	
一 煉瓦燒場	三、〇〇〇	—	三、〇〇〇	煉瓦燒場設備
第六項 製材所	一〇、〇〇〇	—	一〇、〇〇〇	

一 製材所	一〇、〇〇〇	—	一〇、〇〇〇	製材所設備
第七項 飲料水	一、〇〇〇	二、〇〇〇	△一、〇〇〇	
一 井戸	一、〇〇〇	二、〇〇〇	△一、〇〇〇	井戸五ツ
第八項 道路費	五、〇〇〇	七〇〇	四、三〇〇	
一 道路費	五、〇〇〇	七〇〇	四、三〇〇	第一ノ殘部及第二アリアンサ道路費
第四款 農具器具費	三、五〇〇	三〇〇	二、七〇〇	
第一項 農具器具	五〇〇	三〇〇	二〇〇	
一 農具器具費	五〇〇	三〇〇	二〇〇	同上用農具代
第二項 自働車費	二、五〇〇	—	二、五〇〇	
一 自働車	二、五〇〇	—	二、五〇〇	フォード二臺分
第五款 衛生費	三、〇〇〇	三〇〇	二、七〇〇	
第一項 衛生費	三、〇〇〇	三〇〇	二、七〇〇	
一 衛生材料費	一、〇〇〇	三〇〇	七〇〇	醫療器械追加
二 藥品	二、〇〇〇	—	二、〇〇〇	藥品及材料
第六款 農場經營費	四、〇〇〇	四、一〇〇	△一〇〇	
第一項 農場經營費	四、〇〇〇	四、一〇〇	△一〇〇	
一 山伐代金	一、〇〇〇	七〇〇	三〇〇	二十五町歩山伐代金
二 牧場費	五〇〇	五〇〇	—	直營牧場費
三 運搬費	一、〇〇〇	一、七〇〇	△七〇〇	材料運搬費
四 雇人料	一、〇〇〇	五〇〇	五〇〇	農場勞働賃金
五 種苗家畜	五〇〇	七〇〇	△二〇〇	種苗及家畜購入費

第七款 營業費	二一、五〇〇	六、七〇〇	一四、八〇〇	
第一項 營業費	二一、五〇〇	六、七〇〇	一四、八〇〇	
一 旅費	一、〇〇〇	一、〇〇〇	—	商店部旅費
二 雜費	五〇〇	七〇〇	△二〇〇	
三 商業資金	二〇、〇〇〇	五、〇〇〇	一五、〇〇〇	商店部經營資金
第八款 貸付金	二五、〇〇〇	二〇、〇〇〇	五、〇〇〇	
第一項 貸付金	二五、〇〇〇	二〇、〇〇〇	五、〇〇〇	
一 入植小作人貸付金	五、〇〇〇	五、〇〇〇	—	アリアンサ入植小作人一戸五百圓十戸分
二 入植自作者貸付金	二〇、〇〇〇	一五、〇〇〇	五、〇〇〇	入植者ヘ貸付金
第九款 補助金	八〇、〇〇〇	四〇、〇〇〇	四〇、〇〇〇	
第一項 補助金	八〇、〇〇〇	四〇、〇〇〇	四〇、〇〇〇	
一 渡航準備補助金	八〇、〇〇〇	四〇、〇〇〇	四〇、〇〇〇	
第十款 豫備費	一三、八〇〇	一、四〇〇	一二、四〇〇	
第一項 豫備費	一三、八〇〇	一、四〇〇	一二、四〇〇	
一 豫備費	一三、八〇〇	一、四〇〇	一二、四〇〇	豫算不足又ハ豫算外支出ニ充ツ
第十一款 借入金支拂	三〇、〇〇〇	—	三〇、〇〇〇	
第一項 借入金支拂	三〇、〇〇〇	—	三〇、〇〇〇	
一 借入金支拂	三〇、〇〇〇	—	三〇、〇〇〇	
第十二款 繰越金	二〇、〇〇〇	—	二〇、〇〇〇	
第一項 繰越金	二〇、〇〇〇	—	二〇、〇〇〇	
一 後期繰越金	二〇、〇〇〇	—	二〇、〇〇〇	

支出合計	三六〇、四〇〇	二〇五、七三〇	一五四、六七〇

代議員會

七月二十日午前十時より藏春閣に於いて代議員會開會出席代議員平野桑四郎福澤泰江外二十余名千葉總裁の開會の挨拶あり、次ぎの如き會議の要件につき詳細なる質疑應答あり異議なく夫々可決、承認及び協議があつた。

一、決算の認定

大正十四年度歳入出決算

普通會計（別項　六頁參照）

特別會計（別項七十四頁參照）

大正十五年度歳入出決算

普通會計（別項　八頁參照）

特別會計（別項八十一頁參照）

一、大正十五年度事業報告

信濃海外協會一般（別項十五頁參照）

移住地關係一般（別項五十四頁參照）

一、副總裁推薦の件　平野桑四郎氏（縣會議長）を滿場一致異議なく推薦す

一、豫算の議定

昭和二年度歳入出豫算

普通會計（別項　十一頁參照）

特別會計（別項八十五頁參照）

一、會則變更の件

第五條代議員若干名の次に「幹事長一名」の五字及び幹事若干名の次に「書記若干名」の五字を加ふ。

第七條相談役會計監督は總裁之を推薦し次ぎに「幹事長、幹事、書記」の七字を加ふ。

第八條五項は「幹事長、幹事、書記、囑託は會務を處理す」と改む。

附則「本規約は昭和二年度より之を施行す」の項を加ふ。

一、移住組合設立の件

信濃海外移住組合の設立に關して設立發起人の選衡、設立發起人會、設立總會等につき協議する所があつた。（別項　頁組合定款案參照）

尙會議半ばにして十一時半一先づ議事を中止して、善光寺本堂における追悼法會に參列し、終つて午餐を共にしつゝ引き續き再會し午後一時閉會した。

追悼法會

信濃海外協會は七月二十日午前十一時半より長野市善光寺本堂においてアリアンサ移住地にての死亡者及先般列車衝突のため、死亡したる人々の追悼法會を修し千葉總裁以下相談役代議員、前駐伯特命全權大使田付七太氏遺族關係者等列席して、一同着席と共に大勸進大僧正水尾寂曉師代理を從ひて入場千葉總裁の追悼の辭あり僧侶の讀經、行導に續いて遺族を代表して百瀬四郎氏、協會及參列者を代表して千葉總裁燒香し遺族へ供物を贈呈し、嚴肅裡に法要を終つた。

追悼の辭

明治維新以來春秋玆ニ六十年、日本民族ノ文化ハ內ニ愈々充實シ更ニ宇內諸邦ノ和平ニ貢献セン爲メ、益々海外ニ進展セントスルノ機運ニ際會セリ。

我信濃海外協會ハ此機運ノ第一線ニ立チ地ヲ南米ブラジル共和國ニトシ、アリアンサ移住地ノ經營ニ着シ官民協力、勞資調協シテ縣ノ內外ト在留地ノ東西トヲ問ハズ南米ノ新天地ニ自由ニ其運命ヲ開拓シ、安住ノ土地ヲ求

メ、兼ネテ世界平和ノタメニ努力セント欲スル人々ノ爲メニ開放セリ。

此事業タルヤ我國民海外發展史上ノ創造的事業ナリシト雖モ鳥取、富山、熊本ノ諸縣モ範ヲ本縣ニトリテ、同樣ノ事業ヲ斷行シ移住他ノ面積ハ二万二千町步ニ達シ開設以來ノ移住者既ニ二百戶壹千人ヲ數フルニ至レリ。移住者ハ千古斧鉞ヲ知ラザル原始林中ニ進入シ、斧ヲ振ツテ樹木ヲ伐リ火ヲ放ツテ之レヲ燒キテ堀立小屋ヲ建ツテ之ニ住ミ自ラ汗ヲ流シテ井戶ヲ堀リ、各種作物ノ種子ヲ蒔キ孜々營、我民族海外發展ノ先驅者トシテ新天新地ノ開拓ニ努力シツヽアリ誠ニ快心ニ耐エザル所ナリ。

我等ガ移住地ヲ選定スルニ當リテハ氣候風土ノ適順ナル所ヲ選ミタリト雖モ地球上遂ニ人類不死ノ地ヲ得ル能ハズ、移住地ニ於テ病沒セル者既ニ數名ニ達シタリ。

特ニ去ル五月廿五日、アリアンサ入植者ヲ乘セタル特別列車ハ不幸ニシテ、ソロカバ驛附近ニ於テ衝突シ百方救護ノ方法ヲ講ジタリト雖モ遂ニ五名ノ死者ヲ生スルニ至レリ。

鄉黨ニ別レテ故山ヲ出發シ巨船ニ搭シテ一萬二千哩ノ波濤ヲ蹴破シ僅カニ二十時間ノ後ニハ多年宿望シタル移住地ニ到着セントスルノ場合、不時ノ事件ノタメ遂ニ不歸ノ客トナレルハ何ソ悲壯ナルヤ

我等ハ其心事ヲ推シ又其家族ヲ思ツテ深甚ナル同情誠ニ禁シ難キヲ覺ユルナリ。

昭和二年七月廿日アリアンサ移住地建設ノ紀念會ヲ催スニ當リ我等ハ先ヅ病沒遭難者ノ英靈ヲ祭ラント欲シ、玆ニ遺族ヲ招キ、前ブラジル國駐劄大使田付閣下ノ御臨席ヲ得、善光寺ノ衆僧ヲ勞シ、信濃海外協會代議員一同諸他ノ有志ト共ニアリアンサ移住地遭難死者病沒者追悼ノ法養ヲ營ム。

ソレ移植民地ハ先驅的殉難犧牲者ノ墓ヲ中心トシテ發達スルモノナリ。

思フニ鄉等ノ遭難病沒悲哀ハ乃チ悲哀ナリト雖モ、日本民族ノ南米發展ガ鄉等ノ墓標ヲ周リテ發達スルコトヲ思ハバ諸子ノ英靈亦瞑ス可キニアラズヤ。

信濃海外協會總裁千葉了謹ンデ追悼ノ辭ヲ述ブ。

希クハ英靈來タリ受ケヨ。

×　×　×

謝辭

遭難以來協會各位ノ深厚ナル御同情ヲ忝フシ、殊ニ本日ハ極メテ手厚キ追悼ノ法會ヲ催シ戴キマシタ事ハ衷心ヨリ感謝スル次第デアリマス。

這般ノ遭難ハ實ニ天ノ命デ大事業ノ前ノ大試練デアリマス　思フニ愈々甦生ノ意氣ヲ以テ所期ニ向ツテ精進スルコトヽ信ジマス。又逝キシモノモ、稍モスレバ出稼ギ氣分ニ始終スル移民ノ多キ今日、植民精神ノ眞意義ノタメニ死シテ貴キ何モノカヲ齎スモノト信ジマス。

軈テ伯國植民事業ノ美シキ進展ヲ見ルノ時彼等ハ地下デ永遠ニ喜ビ續クルコトデセウ。玆ニ謹デ謝辭ヲ申述ベマス。

昭和二年七月二十日

親族總代　百　瀬　四　郎

紀念會

總會

代議員會に引續き午後二時半より藏春閣に於て總會擧行、本會相談役降旗前鐵道政務次官、前駐伯大使田付七太氏、縣會議員、福澤町村長會長、丸山長野市長等出席來聽者約一千名、代議員會において新に副總裁に推薦された平野縣會議長次ぎの如き開會の辭を述べ西澤幹事海外協會の事業報告をなし、永田幹事アリアンサ移住地の狀況を說明した。

總會開會の辭

信濃海外協會は大正十一年に組織せられ縣民一般の海外發展に關する各般の事業を經營して參りましたが、大正十年には南米ブラジル共和國に移住地を經營するの案を立て縣下の有力者より寄附金を募り、大正十三年には土地五千五百町步を購入し、大正十四年度より之れが開設の運びになりました。

當時に於て此種の事業は頗る其經營上に不安の點がありましたが今日御來會の各位其他の方々の御盡力に依り漸次事業は順調に進展し只今迄に約一万一千町步の土地を購入するに至りました。

外務省は小學校其他の設備に對し多大の補助金を交附され、內務省はアリアンサ入植者に對し大人一人二百圓宛の渡航準備補助金を下附せらるゝことになり移住地の經營は益々順境に進みました。

玆に於て、鳥取、富山、熊本の諸協會が範を本會にとり本會と協同し又は本會の指導により同種類の移住地を經營するに至り、既に購入したる移住地の總面積は約二万二千町步此價格約壹百万圓になり入植者數は總計約二百戶人員一千名を數ふるに至りました。

本會及其他の協會の移住地經營が大体に於て順調に進みたることが我國民海外發展の上に一大刺戟を與へ、第五十二議會に於ては海外移住組合法の制定を見、國家が此種の事業に低利資金を供給するの途が開け、更に明年度に於ては渡航者に對し企業資金の融通を計畫する迄に進捗して來ました。斯くの如きは誠に邦家のために喜ぶべきことであります。

我協會の創設したる事業が此の如き良好なる結果を得るに至りましたことは今日御集まりの各位の甚大なる御援助の結果と存じまして深く感謝する所であります。特に炎暑の候、アリアンサ移住地建設の當初に於てブラジル大使として彼國に駐劄せられ多大の御盡力を賜はりたる田付閣下が紀念講演のために御臨席下され又、小川鐵道大臣閣下を始め本縣御出身にして本協會のために創立以來御盡力下されたる各位の御臨席下さることは誠に本會の光榮として且感謝に耐え

ざる次第であります。

今日に於きまして本會の事業は一般的の海外協會の仕事も漸次餘力を生ずるに至り、移住地經營の事業も既に最大難關は突破致し、これより漸次事業を擴張し得るの機運に際會致しました。併しなが海外協會の事業は其緒に就いたと申す位の程であります、眞に目的達成のためには更に一層の憤發と努力とを要することは當然のことであります。

特に今日迄日本全國に於て海外發展の陣頭に立つて參りましたる本協會の使命を考へますと前途の猶遼遠なるを痛感する次第であります。乃ち更に一層本協會の基礎を鞏固にし既に縣外各地にある縣民との聯絡を密にし、後援を盛にし、或は移住組合法を利用し、啻にブラジル國のみならずアンヘンチナ、メキシコ諸他のラテンアメリカ地方又は南洋各地及び滿蒙シベリヤ地方に至る迄國民進展の途を講じ啻に移住者のみならず本縣の特産物を海外各地の市場に新販路の開拓を試み又は在留子弟の教育、在外者のために衞生設備等各般の事業を遂行せねばなりませぬ。

特にアリアンサ移住地を充實せしむるためには一日も早く小作人を移住せしめ各位の御所有の土地を開拓して戴かねばなりません。之れが爲め協會は元より出來得る限りの盡力を辭しませんが土地所有者各位に於ても一郡一市毎に協力され小作人の選定をなし、移住資金の貸付を計らるゝ等、協會と御協力を願ひ度い次第であります。

本會は遠からず信濃海外移住組合の組織を實行致し度いと思ひます。詳細の事は幹事をして說明致させますが之れは海外協會と姉妹關係に於て發達す可きものでありますから之れ亦各位の御盡力に俟つものが多いと存じます。

教育を以て誇りとして居る本縣に於ては在外子弟の教育に於ても各府縣に對し先鞭をつけて居ります、乃ち本年卒業の師範學校生徒男子二名、女子一名を本協會に於てブラジル國に派遣し、同國の師範學校に於て正式に同國の教師たる資格を得せしめ、在留子弟の教育に當らしむることになりました。

又本會に於ては縣民の海外思想を涵養し海外旅行を奬勵し、兼ねて貯金をなさしむるために海外視察組合の組織を勵行し相當の効果を納めて居ります。

時代の進運と共に本協會の事業は益々多端となります。私共本協會の局に當る者は勿論十分の努力を致しますが、御來會の各位に於ても倍舊の御配慮を賜はり本日の會合を一期とし更に一層の發展をなし得る樣御盡力を願ひたいと存じます。

小川平吉閣下の祝辭

本日私は遲刻致しまして先刻到着致しました。此の海外協會の總會並に記念會に當りまして簡單乍ら一言祝辭を述べ度いと思ひます。嘗つて本會創立の際も當地に參りまして諸君に御挨拶しました。其の後本會は着々と進步致され大いに其の功績を揚げられしことは、本會の爲め尙國家として慶賀すべきことであります、

尙本日は斯くの如く盛況でありますことは誠に喜びに堪へません。

殊に滿場の諸君の中には青年多く尙婦人も多數見へて居りますことは一層欣喜に絕へない處であります。

此の勇氣ある青年諸君が之れを研究し進んで計畫するは大日本帝國の將來を負ふに足るものであると確く信じて實に賴もしいのであります。

特に婦人方がかゝる會合に出席致され海外の話を熱心に聞かれると云ふことは信州婦人にあらざれば見ることが出來ません。

東京に於ける信州學生大會にも女子學生が多數出席致し講演する人さへあります。皆堅實なる有意の持主であつて我が帝國の前途の母たるに充分であると存じます。

全く東京の婦女子の如き浮薄なる者は無く將來東都の婦人否日本の婦女子は我が信州婦人に依りて改革せられなくては

ならぬと思ひます。

此の勇氣ある青年諸君並びに婦人諸君であつてこそ萬里の波濤を越へてあの遠きブラジルに日章旗も立て得られ、やがて世界の果までも征服し得られるのであると思ふのです。

御承知の如く我が國は富源は惠まれて居りません。然れども幸なる哉人口の增殖率は何れの國にも決して劣らないのであります。

日本人は益々繁殖して漸次增加して來ます、故に生活難も生じ食料問題も起つて來る然し此の人口問題に關しては決して恐怖するには足らないと思ひます。

人口の增殖は軈て世界を掌握するに足るのであります。我々人間の世界に於ては數の多きものが勝利を占めるは當然の事であります。

然るに此事實を考へず此の大目的を度外して唯目前の生活難を緩和せん爲めに避姙したり惰胎すると云ふのは最も大なる罪であつて誤解も甚だしいと云はねばなりません。

彼の佛國の如く人口の增殖に關して如何に後援するも更に增加しない、かゝる佛蘭西の前途は推して知るべしと思ひます。我々同胞は此の大なる繁殖能力を有する上に我國は數千年以來の美しき歷史を有し純然たる一大家族を成し政治觀念、仁愛の觀念に富み正義の精神强く實に道德上に於て麗はしいのみならず寒熱兩帶何れの地に在りても良く生活の困難に打ち勝ちて依然として增加繁榮する、此れが日本人であつて歐米人の到底及ばざる處であります。

誠に幸福であつて誇りとするに足るのです。支那は四億の民を有すると云ふけれども歷史上に於ても極めて複雜し習慣上、風俗上に於ても種々異つて居て總てが個人主義の爲めに生きて居るのです我が美しき國体とは到低比較にはなりません。

吾々は此の麗はしき國民性と此の美しき國体とを持して世界の文化に貢献し世界の歷史を飾らねばならね責任があります。

此の大なる使命を果し此の美しき志を貫徹するにはどうしても海外に發展せねばならぬのであります、本協會は此處に着眼し最初より熱心に努力し今日迄一貫して變じません、而して此の海外發展の目的地は隨分各方面に良い場所があるでせう、然し各地の狀況を綜合して見るに矢張り本會の奬勵するブラジル程面白い處は今の處無いのです。故に諸君は此の大使命を果す爲めに日本人の先陣となりて續々ブラジルに發展して大信濃村を建設し活動せられんことを望んで居ります。

吾が國は約三百年間海外發展のことに就いて遲れてゐます之れは實に殘念なることです。あの德川幕府の鎖國政策が無ければ諸君も御承知の通り確かに南洋諸嶋は歐米の手には落ちて居らず、現今の世界圖は全く色を變じて居るに相違ないと思ふのです。

米國はあの樣に廣大なる領土と無限なる富源を有して居ります、然れどもつら〳〵考へるに矢張結局は實力である、我が國も諸君の決心如何に依りて今後二三百年の間には必ず此の失敗も取りかへしを付けて世界の形勢を一變せしむることが出來るでせう。

賴むべきは此の繁殖力であり此の日本魂であります。

婦人參政權だの社會主義だのと餘りに小さくて話にならぬではありませんか。

簡單乍ら今日の盛會を祝すと同時に尙將來本會の益々發展せられんことを望みます。（文責記者）

降旗元太郎氏の祝詞

信濃海外協會が多くの困難と努力を越へ事業上に於て一段落となりしを祝します。

扨て何故それ程喜ばしいかと云ふには多年平素より私の胸中に在ることを述べさせて戴き度い。

現在及將來に於て政治上及び經濟上の大問題は人口問題又之れに伴ひての食料問題である。吾人は此れを放任して置く

譯には行かぬ然らば此の解決策如何と云ふに之れに關しては二方法あると云ふことが出來樣、即ち消極論と積極論である。

消極論とは申す迄も無く人口を制限せんとする論であつて換言すれば近時盛んに叫ばれつゝある産兒制限である。生れる兒を制限するには種々の方法があるであらう、然し何れの方法を取るも自分は此れに贊成することは出來ない。次に積極論である。之れは人口增加を國力の擴張卽ち海外發展に依りて解決せんとするものにして私も贊成者の一人である機會である每に此の積極論を叫んで居る。

凡そ物事は自然の法則に從ふが最も正しくして良いのである。

森羅萬象は皆存在の意義無くして存在するものは無い我々人間は萬物の長靈である、造化の神の造り給へるものである。此の神の化身である尊き人間を消極的に調節せんとするは言語同斷の沙汰なりと云はねばならぬ。

彼の米國に於て開かれたる軍備縮少會議は最も注意の的であると云はねばならぬ。蓋し會議の成否如何は人間の向上發展に大なる影響がある。

卽ち英國は歐洲の覇者である、米は亞米利加の王である、日本は東洋の王者である、故に本會議は世界の大問題であることは論を待たない。

我が國土は狹小であるにも係らず七千万の民を育ふつて居る而して此の七千万の同胞の血液中には齊しく淸き歷史と美しき道德が流れて居るのである。

此の我が尊き格式と權威と能力とは如何にしても世界人類に貢献せねばならぬ使命がある。

斯くの如き重大なる使命を有する人間を唯單に國土の狹少である故を以つて此の增加を恐れ消極的方法に依りて調節せんとするは世界の狀態に盲目であつて天に對しても世界に對しても大なる罪惡と云はねばならぬ。

和蘭、丁抹、の如き小國ですら人口の增加には決して恐れて居ない。國土は狹くとも世界は廣い地球表面に於て開拓可能地は現在耕作地の四倍も有る。

世界的に見れば人口問題食料問題等は笑ひに耐へないものである。

重大なる責任を負つて居る吾人日本人が人口問題食料問題で惱んで居るとは實に殘念であると云はざるを得ない。

文化の程度は日に月に驚くべき程の速度を以つて進歩して居る。

過去數十年前の所謂封建時代の夢は醒めて現代に於ては普選實行期であり、自由平等主義の叫ばれて居る時である。吾々日本人は根底から反省し覺醒せねばならぬ。人は皆平等であるべき筈である。地球上如何なる處に於ても均等の恩惠に浴せなくてはならぬ。

日光を浴びるに東西の區別は無く、空氣を呼吸するに文野の差異は無い。

雨は老若の別なく、貴賤の差なく、均等であるのである。其の國の法律上に於て正當に活躍するに何等差支が無い。故郷に戀々として父祖傳來の職業を守るのが靑年の意氣ではない。人間到る處に靑山ありと云ふ此の精神こそ國運發展の第一步である。

小にして考へて我が信州の現狀は如何に生絲絹織物の原料たる繭は其の產額に於て全國に冠たり、尙敎育方面に就いて見るも他縣の到底追從を許す處にあらず。

普選問題に關する會合を全國中初めて開きたる處も我が信州の松本である。

尙信濃海外協會の發展振りは又大なる誇りの一つである。此等種々の方面より見て如何に他縣に比して早くより目覺めて居るかを覗ひ知ることが出來る。

嘗つて辻新次と云ふ敎育者がありて日本はどうしても南洋の權を得ざるべからずとて其の地の調査に苦心し調査物を多く所有せしも彼の地に到り活躍する適任者を得ずして不幸にも大志を抱きつゝ逝けり誠に遺憾なることである

其の他の者でも勇ましき海外發展の大志を抱きつゝも其の人を得ずして不知の間に埋れし者は極めて多き事であらう。

昔も國に志を得ず狹き日本に居るを飽きて密かに洋を越へて蘭領印度支那邊に到りし者も事實は余程多かつたのである彼の地に行けば日本人の墓標が五千も有る處より見ても解る

山田長政がシャムに活動せし事實は現今歷史で云はれて居る樣な小さな話で無くもつと大規模に多人數渡航して活動して居つたに相違無い私も嘗つては海外に於て大いに發展せんと大志を抱き渡滿して事業に着手したる時代が有つた、然し其の結果を見る能はず事が失敗に終りし爲め今日に至る迄口を緘して語らなかつたのである。されど今日の喜びに對して遂に口より滑り出たのである、當時私はコマと支那との國境に於て大連より桑を取り寄せて植へ付けた其の桑は今尙繁茂して居る、

蒙古のトシイ黨と約して日本人を入れて牧畜業を初めたるも自分である。

然るに我が信濃海外協會の努力の結果は見事に成功し已にブラジルに於て信濃村となつて表はれたのである。

私が平素思つて居る人口問題に關する積極論を實行する大なる道程である、此の安全道程の開けたるは實に喜ぶべきである故にお芽出度ふと云ふ上に更に私は尙進んで反省を乞はんと思ふ、參考迄に諸國の移民統計を見るに大正十四年度に於て日本は移民者一万人に過ぎざるに英國は十五万、伊國は十一万、獨乙が六万と云ふ事になつて居る此の數字より見るにまだ〳〵日本は大いに目覺めねばならぬ。

本協會も今後尙幾百倍の努力を要する、天は幸なる哉盛んに人口を增加せしめて吳れる、我が國の靑年諸君は約半分は海外に發展しなくてはならぬ現狀である、

小生は只今六十余才になる、然れども今後尙大いに奮鬪する積りで居る勇氣潑溂たる靑年諸君にも決して劣らぬ決心がある。

ブラジルに本會が已に基礎工事を施してある諸君はどし〳〵發展して日本民族の與へられたる使命を果さん爲めに廣漠たる土地を力の限り開拓して序に世界の人口、世界の食料問題までも解決せしめてやるが良いと思ふ。

諸君故鄕の月のみを眺めずして大いに發展せよ、海外發展卽國運の發展である簡單ながら本日の盛會を祝すと共に將來本會の益々發展せられん事を祈る（文責記者）

福澤泰江氏の祝辭

私は縣下の町村長を代表して一言祝詞を申上ます每年五〇万乃至七〇万の人口の增加率を以つてゐる我が國として之の問題は漸く昨今に於て稱へられ初めたと言ふのは政府は如何に怠慢であつたかを物語るのである。又國民も大なる怠慢であつたと言わねばならぬ。

故に吾々は自から進んで實行せねばならぬと思ふのである、これ程の問題がなぜ今日まで延びたのか今更不思議の樣であります。

我が國は歐米諸國にどれだけ認められてゐるか實に殆んど哀れなる狀態であつて米國には二〇万の移民者あるも金融の便を缺き企業者のなきため只勞働をしてゐるのみであるから、私は本年彼地に行つて見たが今なほ困難を訴へてゐたのである。

其して今日の移民者の考へはどうかと言ふに只海外に乘り出して行き僅かの資本で事業が出來ると或は後日は妻を得て母國に歸ると言ふのが今日の移民の狀態である。これ等の難問題に當つて、幸なる哉永田氏の樣な人物が多く現れこの問題に對して指示者となりて、早くより實行されたことは吾々は實に愉快に感ずる所であります、又同君に對しても大いに感謝する次第である大正十一年度以來着々と此の堅實なる思想は國家の力と變じ全國各府縣の海外協會の如きは殆んど之れを學んで居る所で富山岡山熊本福嶋の如きは今尙極めて緩慢なる程度にありて基礎は甚だ堅くないのであるが信濃協會の政策は全く確立したる案をたてられたることは誠に結構な事であります。

我國現狀ではどうしても海外に移民せねばならぬのであつて、其地にはブラジル又滿洲どこの土でも良いのであるがいづれに行くとも死力を盡してどこ迄でも忠實にやる覺悟がなくてはならぬ。

結局諸君と共に海外發展を協力して大いに奮勵努力しようと言ふのが私の乞ひ願ふ所であつて、之の目出度い日に哀心

より之の信濃海外協會の隆盛を皆樣と共に喜ぶのであります。（文責記者）
一言してお祝の辭と致します。

宮川良治氏の祝辭

我國は維新以來六十餘年の間に、長足の進步を來し、世界大戰後第一等國となりたるはお互に心を强くして居る所であります猶ほ今後としても國威を益と發揚する事に努め國力の充實を謀る必要があります。而しつら〳〵我國の現狀を考へ見れば其の內最も重大なる問題は人口問題と之に伴ふて食料問題である。之れに當る吾々は大いに努力して各方面に發展せねばならぬと思ふ。幸に信濃海外協會は數年來著しき進步發展するを見たのは誠に喜しき事である帝國に先んじて企圖せしは本縣の誇とする所であつて、之の先鞭は我國の剌戟ともなつたのである、要するに吾々は之の機に乘じて今後益々國策として考慮し、大いに努力すべきを望むと同時に信濃海外協會の將來の發展を祝して止まない次第であります。一言申述べて祝詞とします（文責記者）

丸山辨三郞氏の祝辭

本日の盛會に對しては簡單に祝詞を述べ度いと思ひます。

信濃海外協會が多大の困難と努力を經て漸次發展の機運に向つて來たのは本會の爲め尙國家として誠に喜こびにたへない次第であります。

益々本會の發展する樣祈つて止まないものであります（文責記者）

祝電

南米に於ける信濃村の建設成り、本日盛大なる紀念會並に不幸海外移住殉難者のため追悼會を擧行せらるゝに當り事故あり遺憾ながら欠禮、玆に協會の發展を祝し殉難者の英靈に哀悼の意を表す。

今井五介

祝辭（代讀）

信濃海外協會總會並に南米移住地建設紀念會御開催に際し顧みて幾分成功の緒に就き得たるを悦ぶと共に謹んで各位の深甚の御努力を感謝し尙人口食糧問題解決の聲高き折柄益々勇奮其大成を期し範を天下に示し以て海外發展の急先鋒として國家重要政策の實行に萬丈の氣焰を揚げられんことを切望して止まず爰に一言を寄せ祝辭とす。

梅谷光貞

晚餐會

斯くて午後五時二十分盛會裡に講演閉會後、晚餐會に移り、出席者二百余名、觀を盡して小川鐵道大臣一場の挨拶を述べ、協會の万歲を三唱して散會した。

ブラジル事情

前駐伯特命全權大使　田付七太

本日は信濃海外協會主催の下に南米ブラジルに、移住地建設の紀念總會を催され、此の盛會に列席致しまして諸君にお目にかゝる事の出來ましたのは甚だ喜びとする所である。此の際に於て一場の講演をなしてくれとの依賴に依り諸君も凡に御承知ならんと思つて居るけれども私の見聞した事に就いて一寸申し上げて諸君の御參考に供したいと思ふ。

信濃海外協會先輩諸氏の實地指導に依り、又當地の重任に當られし人及び時の知事等の後援に依り、尙全國に先だちてブラジルに移住地を設け其の端緒を開かれ今後ブラジルに移住せらるゝ諸君の爲に最善の便利を與へられたる事に對して、我々海外移民をモツトーとしてゐる者は非常に本事業に對して敬意を表すると同時に其の成功を祝して止まないのである。

幸にも本事業は日に月に益々進む現狀にありて甚だ心强く感ずる次第である。

全体諸君も御承知の通りに、口切即ち皮切と云ふ事が非常に困難なものであつて、是が一旦成功すると後は容易に出來ると云ふ事は各種の事業に就いて見る實相である。

海外に移住地を建設すると云ふ事は隨分昔より考へられてゐたことであるが、これを實際に行ふ樣になつたのは極く近頃の事である。

例へば本協會がアリアンサ植民地を設ける初に於ても、多くの資金を要し永田君が土地を探求せられたる時分は大

なる骨折であつた。

不幸にも永田君は病氣のため少し歸國を早くしたが幸なるかな天は此の人を捨てず永田君の病は日一日と快方に赴き、又元氣で協會の爲に盡せらるゝ事になつたのは、同君の幸許りで無く、海外協會の爲め、引いては我が帝國の發展に就いても大なる喜びと云はねばならぬ。

尙又アリアンサ植民地經營者たる輪湖君等の盡力も實に偉大なものである。

鳥取、熊本、富山、福島、岡山等の諸縣に於ても本縣に倣ひ移住地を建設するに至つた。これが又我が國の全部に亘り近頃の海外移住組合法案と同時に我が國の食糧問題を幾分なりとも解決するを得るならばと私の希望する所である。

出稼ぎ根性で排斥される
資金を持つてブラジルに行け

扨今迄の移民狀態を申しますれば、移住者はたゞ自己の身体を以てこれにあたる卽ち勞働移民であつた。其の汗によつて得た金を本國に送り所謂出稼ぎ人と同樣であり、そして歸國を急ぐものが多かつた。併し乍其の內に貯金をなしそれによりて土地を買ひ求め其處に止まりて自作農となるものも少々はあつた。

ブラジルは米國に比して經濟狀態が非常に異つてゐる。土地等も米國よりは大變安價にして少額の金にて數十町步の地主となることが出來る。志ある人は働きたる賃銀を以つて土地を買ひコーヒー園を作るのである。現在日本人は五萬五千を越えてゐる。然し十五町步以上の地主は未だ多くはない。他は今尙勞働者として一心に努力してゐる。

矢張實際に勞働に從事せねばならぬ。

此の頃セツテバラーに新土地を拓かんとしてゐる。最近邦人の多く行く樣になつたことは結構なことである。然れども是等の人々はコーヒー園にやられて、一日二圓五十錢乃至三圓の日給に過ぎない。故に折角出て行つて勞働するも大なる効果はないと云ふことになる。日本人が勞働者となつて働くことも必要である、けれども資本家が行かねば本當に目的を貫徹することが困難である。

ブラジルでは小額の資本を以つて働く人を世話して呉れる者が無い。悪い人々の甘言に乘つて遂に失敗する人が大變にある。

或る日本人が十五万圓の資金を持つて一家族が永住する目的で渡つた。これは誠に良いことであるが惡漢の爲に全部の金を巻き取られてしまつた。最後に私の所にこられ今迄の樣子をすつかり話されたけれども既にどうすることも出來なかつた。其の君も施すに道無く遂に日本に歸られた。うつかりしてゐると土地を高價に賣りつけられたり又資本金を奪はれることが大變に多い。是等の例がある故に我々の最も望むべきことは良い民に對して充分に世話する人がなくてはならぬ。信濃海外協會など組織を有するものは最もよく便宜を計つて貰はねばならぬのであり、又私の大いに希望する所である。此の協會なるものは誠に都合がよく向ふに行けば安心して働けるし、且又自分で土地を買つて仕事をする人も大變によいのである。只ブラジルに行つたからとて直ちに大金を貯へる考へでは失敗に終る。

土地を買ふには出來上つた所を買ふがよいけれども、これは甚だ高價なるが故にどうしても森林地帶を買はねばならぬ、ことになるので、樹木を焼き拂ひ耕地とするまでにはなかなか容易なことではない。コーヒーを栽培するにも五年を經過せねば駄目である。至る所にダイヤモンドが轉つてゐるのではなく、困難して汗と共に戰ひ奮勵努力すれば數年にして大地主となる事が出來る。二町五段歩より千五百圓乃至二千圓位の收入がある。然しこれは其の時の變動に依りて一定してゐない。

要するに今日迄の日本の移民と云ふものは一例を言へば、勇敢なる兵士が一人で活動してゐる樣で一個所に集る特有がないから弱いのである其大なる能率を發揮する事が出來ない、之を利用し考へたならば諸君の能率は增進する事と思はれる。

元來我が國は勞働移民許りに重きをおき過ぎた。支那の如きは他國との感情問題は面白くないのである。此支那を見るにつけても恒に我々の念頭におかねばならぬ事である。排日を叫ばれる事にもなるから之を我々はどうしても無

視することは出來ない。

南米にも排日案があるかないかとよく聞かれることであるが、之は最も心配なことである。一方より見れば非常に日本人を歡迎し決して心配する事はないと言はれてゐるが兩者共に理由があるからである。全体に於てブラヂル人は非常に親切で正直で馴れ易き人種である又一方に於て非常に怒り易い心がある。つまり之は前の樣な良い性質があるからであらう。

ブラヂル人に好まれて永く使はれてゐる日本人はブラヂル主人に愛されて大變に評判がよい。此の日本人の評判のよいのにつけ込んで悪いことをする日本人もある。例へば主人の金品を盗んで逃げる樣な事で此の時等は非常に怒る、然し此例は極めて稀れで槪して評判はよいのである。

ブラヂルは土地の大なること世界の第五位で、面積は日本の凡そ十三倍、人口は僅かに三千二百万日本人口の二分の一である、一粁平方に凡四人、我が國は百五十人乃至二百人位である。現在の日本位の人口が二十何もブラヂルに移入する事が出來る。

富は無盡藏と言ふことが出來、目下ブラヂルの農作物で主なるはコーヒーで世界年消費額の凡六割を占めてゐる。時に依りて異るが凡六億圓に達するのである。又鐵鑛の量は五十万億圓と稱せられてゐる。首府より二十八粁離れたる所に金山があり英國人がやつてゐるが昨年よりは掘る探さが一乃至二粁進んで此の金山より出る一日の純金高は凡二万圓以上で我が國の煉瓦の大さ位である。其の他米、木綿、の如きは近頃に至つて輸出せらるゝ樣になつたが大部分は國内に於て消費せられる。昔は印度より輸入されたものである。今は自分の國で作るに至つた。其の樣に澤山の富があるけれども人手に不足を來してゐるのであるから、人手さへあればいくらも金儲が出來る。故にブラヂル國民は人手に不自由を來さぬ樣にと常に思つてゐる。

彼國の出產率は非常に高く一人の腹から二十人もの子供が產れ、レコードは驚く勿れ三十五人もある。それはそのはず氣候が暖く食量は充分にあり、生活狀態は豊なるからである。此の樣な增加振りでもまだ人手が不足して

ゐるのである。

ブラジルの排日運動 全伯に散在せよ

最近日本移民に關する排日案が具体的に法令化し聯邦會議に（一九二三、一〇）提出されたことがある。それ以前より排日案は起つてゐたのであるが尙法令化されたので日本は大變に心配したがそれは政治家の一部又は學者の一部に過ぎなかつたので實際とは遠ざかつた問題である。其の人々のやる事は剛情であつて一番困るのは北米のまねをするのである。これが種々の事狀の下に今まで蓋がかぶさつてゐる狀態である。

同年七月十五日サンパウローにある軍隊が政府に反抗したので國民共に之に惱まされ爲に排日問題は何處にか去り一時邦人は安心した。此の排日問題と雖も全部の日本人を排拆するの意味ではなく現在ブラヂルに居る人の約百分の三にしたい案なるも百分の五と增され現に農業に從事する者を云ふのである。全部排斥するのは人手に不足を來してゐるブラヂルの大地主に反對されるのである。申し上げた通其の年は到々排日案はオヂヤンになつて二十五年まで其の問題は引かゝつてゐたが丁度大統領の選擧であつた爲又泣寢入りと云ふ狀態になつた。議會の大勢は反對であるが之がブラヂル人の性質として自分の友達が悪いと云へば例へそれがよくても惡くてもそれを信ずるのであるから此の點は特に注意せねばならぬ。

玆には日本人を排しきれない理由がある。これを理由として戰へば決して負けをとらぬから心配はない。

我々の安全に移住出來る點を擧ぐれば、日本人は土地を擴張することが出來るそれは外國人凡て法を以つて保護してくれるからである。向で二年を經過すると歸化權を得ることが出來るさうすれば日本人は所有權と歸化權を得てブラヂル人になりそして選擧權も被擧選權も得られ第二世よりは大統領にまでなる資格を得らる。此の點から申せば一日も早く一人も多く行つてブラヂル移殖民の土台を造るに必要ではないかと思はるゝ。

一九二六、七、一五、の革命は二三週間續き其の際サンパウローを發したる革命軍の中には獨逸人が大變多く混じつて居た。其の獨逸人は歐洲大戰の流であつて常に正道を歩まず、時が來たならば大なることをしようと思つ一居

た所へ、革命軍に誘はれしを幸ひに軍に加つたのである。運よく邦人はたつた一人も加軍しなかつたことは誠に嬉しい事であつた。

戰に破れ革命軍の大將イシドウローの部下が要塞を守つて居た時其の兵士等は官軍の爲に捕虜となつた之を能く調べて見ると殆んど全部が獨逸人であつた。故に其以後恐れて移民をさし止める事になつたのである。我が國では其の多少の影響を見たが然し其の革命軍に加はらなかつた精神は實に立派なものである。

當時日本人の美しい話がある。それはイシドウロー大將が戰に破れて逃げ行く途中を見物して居た我が國民に對し金を澤山與へるから自分の軍に加つてくれと誘ひし時に邦人はその場にて自然に口を開いたことが大いに振つてゐる。今我々が此處に移つて暮らして居ることは我々が共に幸福を求めんが爲である。今官軍に銃砲を向ければ矢張ブラヂル人に對して砲を向けることになるのである。故に我々日本人は參加することが出來無い。万一外國がブラヂルに攻めて來たならば我々一同は擧つて之に應戰する考へであると言つてゐたさうである。

此の話が本となり排日の調査委員長が報告してゐる中に斯る良話を聞きこれに大變同感してゐることを書き述べてある、今までの樣に議會に排日案を提出しておくことが出來ないと言つた位である。

排日家の中に有名な醫師であり且又大政治家である人がある。氏は日本人の一個人としては尊敬してゐるが、ブラヂルに移民することを絶体に反對して居る。中には此の樣な面白い人もある。日本は國家主議であることが一時非常に他國より反對された。斯の如く邦人の移民に對しては大なる反對を叫べども日本人の病氣に付いては殆んど凡てを忘れ金を取らずに親切に診斷してくれるのが常であつた。

前の戰話の日本人の評判は大變によい。先づ彼國に渡るには此の樣な美しい覺悟を持つて行かねば駄目である。

現在新政府の農省務官である人が果して排日案がブラヂル全体に對しての與論であるか否かを研究したことがある。若しもブラヂルの與論が悪るかつたならば誠に困ると思ひ色々の苦心をしてよき宣傳などに努力したされど其の結

果心配には及ばなかつた。

日本人がよいと云ふ結果になつたけれどもそれは大部分條件付きである。日本人は一個所に大集團することはよろしくない。實はブラヂル人はまだ眞に出來てゐないのである。千五百年に發見せられて以來オランダ人其の他種々の人類が移住してゐてブラヂルは一つの人種より成立しては居ない。

サンパウローに於けるイタリー人は非常に多い。政治上經濟上に其の他に勢力を持つてゐる。

移民とコーヒー園者との間に爭の起つた時はブラヂルの裁判所で裁判するのではなくして、イタリーの領事館で裁判するのでこれを大いに憤慨してゐる。ブラヂル國民より見ると領事に裁判權を以つて行はる事は面白くないと常に念頭より去つたことがない。故に茲に於てイタリー人とブラヂル人との間に反目のあるは當然である。今日でもまだ解決がつかないのである。

兎に角國民は大きな團体で移住しなくては駄目である。此の點はよく日本人も考へなければならない。事無き時は安心であるが一度事が起つた時は困るのである。

アマゾン流域に至れば政府では百万町歩と云ふ大地を日本の移民者に只與へると云ひ、又その先方に至れば六百万町歩を與へるから是非其の地を開拓してもらひ度いと言つて居る。

ブラヂル人は此の限り無き天然の富を有する土地をば早く拓き洲の富を増さうと云ふ考への下に進んでゐるが故に、日本人がそこで發展して行けば政府にては多少の反對はあるかも知れぬが、二十万人もアマゾン河畔の森林の中に移住することが出來るから少々の事に出合つても大丈夫である。人目につかぬ中に大いに移住すべきである。

先刻申した可否の問題は日本人とよく接觸してゐる所では眞に其の性質を知り日本人を惡いと言つてゐる人は只の一人もない。全般に亘ると日本人の性質がよくわかつてゐないからブラヂルに於ては我が國の美なるを大いに宣傳せねば百年の大計を失することがある。特に日露戰爭後大いに彼の國に知られて來たが之が又易々と行はれることではない。

總括して云へば法律の保護あること、日本人を非常に愛すること、人爲的能力不足なること、好まぬ所に觸れない樣にして方々に散じて移民したら一番宜しからう。もう一つは日本人の爲に勞力收穫上より云ふても之必ずコーヒー園に依つたことではない。今日では綿の如き又アマゾン流域のゴム米等又脂肪の製造等非常に有利なものがある。明治四十二年以來困雜して築き上げた土台が一九一四年の非常な乾魃のために大なる損害を被り之を救濟するに政府より八十余万圓の救濟資金を出された。將來全部乾魃の爲に失敗したとしたならば永い間の土台は又これより築かねばならぬ狀態に陷るのである。之を救濟するには所々に散在し生活しておれば共に讓り合ひこれが目的を達することが容易である。これから云ふても散在は最も必要であると云ふ。

誤解されてゐるアマゾン流域

アマゾンは住みよい

世の中で誤つて考へられて居た中で最大なるものはアマゾン河である。日本人のみならず外國人にてもアマゾン河と云ふ所は熱くて猛獸毒蛇の住んでゐるため到底人間は住めないだらうとのみ惡く宣傳してゐた。元よれ之は地理書に誤つて書いてあるからである。私は行つて見たがあれ程天下の樂土はない、と思ふ。熱帶であるから熱いことは地圖の上で想像されるのであるが實際は然らず。第一大西洋より貿易風が一定の方向に吹いて來て風力は一秒に一乃至四米突である。

大なる土地は處女林で樹草にて覆はれて居る故に日光は和らげられる。

アマゾン河の灌漑面積は七百万平方粁であるこれは世界第一である。雨量が多く故にこれに依りても太陽の熱度が緩和されるのは當然の事なり。南米に於ては太陽の光線の屈曲具合によりて赤道線はこれより北にあると云はれてゐる。兎に角實際に行つて見ると平均溫度九十乃至九十三度位である。印度は百三十度乃至百四十度でアフリカに比すればまだ遙に涼しいのである。溫度は決して恐れる程ではない。年內に浴衣一枚あれば結構である。薪炭の心配は不用で生活は極めて樂である。土地肥沃なる故に困ることが無い。川の中には魚が多く淡水の魚は歐洲では凡

百三十種であるがブラヂルでは百五十種もある其の中大部分はアマゾン河に住んで居る。其の沿岸に於ては綿でもなんでも生育することが出來殊にゴムの木等の發育は旺盛である。此の地に於て生活の安定を得て副業としてやるには最も良いのである。

アマゾン河の本流より百五十粁行つた所にマナオスと云ふ地があるそこにはワナナと云ふ特別の果物があつてこれを不老不死と言ふて居る。西洋人は不老不死の藥として呑んで居り又土人が早くより呑み精力を大ならしむるものとして居る。

此の外にイヤムイと云ふ木がある。其の液は九十八%のテレピン油を含まれて居る。液を取つてそこを塞いでおくと又直ちに油が出てくる。これは二三年前より發見せられたのであるフランス人がこれより純粹なテレピン油を取り又色々と外に計畫されて居る。

ドクトルウーヴア氏の本に依るとアマゾン流域の一粁の土地を研究すると一生の間にも終らないと書いてある。

土地肥沃にして氣候はよく人体に適合してゐる。病氣などは餘り多くない。

風土病に度々かゝるものアマゾン流域には殆んど之れがないと云つてもよい位である。

猛獸ではオンサと云ふ犬の大きさ位のものが住んで居る。けれども印度邊りに居るものとは異り溫和しい性質のものである。小豚などを食ひ人間には決して害を及ぼさない。

次に毒蛇これも餘り居らないこれにやられるのは不注意より來るので長靴でもはいて步けば決して害を受けることがない。若し害を被つた時には二十四時間以內に注射すれば恢復する。外にウハバミが居るこれ主として河に居るので邦人が害を受けたことは一度もない。ワニ之は南洋の如く大きいものは居ない。人間に抗するものはなく廣い河中に居るので多く其の影を見ることが出來ない。

オームの類は群をなして飛び廻つてゐる。

ブラヂルの土人が非常によく日本人に似てゐる。福原八郎氏の實驗談に依るとどうしてもこれがモンゴリヤ民族で

あると教說本中に斯の如きことが書かれてある。又土人の生活狀態が昔の邦人に似てゐる部分を認めて來た。古墳を開いて見ると冠のゆいかたが日本人と同じ形の耳かくしをやつてゐる。これは如何なる所へ行つても見られないことである何れにしても見た所は日本人其儘である。

早くからオランダ人が澤山行つて物々交換をして大變に儲けた。次にポルトガル人が行きて甘心を買うとせしが遂に出來なかつた土人は白人より非常に逆待されたことがあるから白人に對しては生涯の恨を持つて居る白人を見ると恐れて入れない。然し日本人を見ると兩手を擧げて嬉んで來る。

アマゾン河畔の大森林を切り拓くには日本人では能率の上らないことが澤山ある。どうしても土人に依らねばならない所があるので此土地を開拓するには大いに土人は力あるものである。

日本人の腦力を以つて此の頑强なる土人を四肢の代りに使つて仕事をすることは非常に大切である。土人は成る程頭の働きはないが体の丈夫なことに驚く程である。

アマゾン河畔では土地を買ふ金でも大いに儲るのであるから盛んに開墾すべきである。先彼地に行つた時は心を大きくして大自然の優大さに觸れたならば大丈夫である。

諸君がブラジルに行かれたならば是非一度アマゾン流域を御覽になられんことを希望するのである。暑い所を諸君が御熱心にお聞き下され誠に御苦勞でした。簡單乍らこれを以て終りとします。　以　上

（文責在記者）

信濃海外移住組合定欵（案）

第一章　總　則

第一條　本組合ハ組合員又ハ組合員ト同一ノ家ニ在ル者ノ海外移住ヲ助成スルヲ以テ目的トス

第二條　本組合ハ其ノ目的ヲ達スル爲メ左ノ事業ヲ行フ

一、組合員又ハ組合員ト同一ノ家ニ在ル者ノ海外移住ニ必要ナル資金ヲ組合員又ハ組合員ト同一ノ家ニ在ル者ニ貸付スルコト

二、組合員又ハ組合員ト同一ノ家ニアル者ノ海外移住ニ必要ナル貯金ノ便宜ヲ組合員又ハ組合員ト同一ノ家ニ在ル者ニ得セシムルコト

三、組合員又ハ組合員ト同一ノ家ニ在ル者ノ海外移住ニ必要ナル土地、建物其ノ他ノ物件ヲ取得シ又ハ借受ケ之ヲ組合員又ハ組合員ト同一ノ家ニ在ル者ニ讓渡シ又ハ利用セシムルコト

四、學校、病院、倉庫其ノ他組合員又ハ組合員ト同一ノ家ニ在ル者ノ海外移住ニ必要ナル事業ヲ行フコト

五、本組合ノ區域內ニ現ニ本籍ヲ有スル者又ハ曾テ本籍ヲ有シ若ハ寄留シタリシ者ニシテ本組合ノ移住地ニ在住スル者ニ對シ前各號ノ事業ヲ行フコト

第三條　本組合ハ信濃海外移住組合ト稱ス

第四條　本組合ノ組織ハ有限責任トス

第五條　本組合ノ區域ハ長野縣ノ區域トス

第六條　本組合ノ事務所ハ之ヲ長野縣廳內ニ置ク

第七條　組合原簿ニ記載シタル事項ニ付變更アリタルトキハ每年十二年三十一日迄ニ取纏メ其ノ後二週間內ニ届出ヲ爲ス

第八條　本組合ノ公告ハ本組合ノ掲示場ニ掲示シ且信濃每日、長野、信濃日日ノ三新聞ニ掲載シテ之ヲ爲ス

第九條　本組合ノ組合ハ組合員ノ區域內ニ本籍ヲ有シ又ハ寄留セル者ニシテ獨立ノ生計ヲ營ム者ニ限ル

第十條　組合員ハ本組合ト同一ノ目的ヲ有スル他ノ海外移住組合ニ加入スルコトヲ得ズ但シ理事ノ承認ヲ得タルトキハ此ノ限ニアラス

第十一條　本組合ノ區域內ニ居住スル組合員ハ組合員總數ノ三分ノ一ヲ下ルコトヲ得ズ

第十二條　組合員ハ組合ニ關スル一切ノ行爲ヲ代理スベキ者ヲ定メ之ヲ組合ニ届出デタル後ニ非ザレバ海外ニ移住スルコトヲ得ズ

組合員前項ニ規定スル代理人ヲ組合ニ届出デズシテ海外ニ移住シタルトキハ組合ノ會議及組合ノ爲ス通知又ハ催告ニ關スル一切ノ權利ヲ拋棄シタルモノト看做ス

前二項ニ規定スル代理人ハ當該組合ノ區域內ニ居住スル組合員タルコトヲ要ス

第十三條　組合員ハ出資金ノ全額ヲ拂込ミタル後ニ非ザレバ海外ニ移住スルコトヲ得ズ

第十四條　本組合ノ財產ニ對スル組合員ノ持分ハ左ノ標準ニ依リ之ヲ定ム

一、出資金ニ對シテハ出資額ニ應ジ算定ス

二、準備金ニ對シテハ拂込濟出資累計額ニ應ジ年度每ニ之ヲ算定加算ス

三、特別積立金ニ對シテハ第二條第三號ノ事業ニ關シ組合員又ハ組合員ト同一ノ家ニ在ル者ガ本組合ヨリ讓受ケタル物件ノ價額並本組合ニ仕拂ヒタル利用料ノ額ヲ合算シタル金額ニ應ジ年度每ニ算定加算ス但シ讓受ケタル物件ノ價額ニ對スル持分算定ノ率ハ總代會ノ決議ヲ以テ物件ノ種類ニ依リ之ヲ異ニスルコトヲ得

四、其ノ他ノ財產ニ對シテハ拂込濟出資累計額ニ應ジ之ヲ算定ス

五、本組合ニ損失アリ其ノ未ダ塡補ヲ爲サザル前持分ヲ拂戾ストキハ特別積立金ニ對スル持分ニ按分シテ控除シ其ノ特別積立金ヲ以テ足ラザルトキハ準備金ニ對スル持分ニ按分シテ控除シ持分ヲ算定ス

本組合ニ損失アリタルトキハ之ヲ塡補シタル財產ノ科目ニ對スル持分ニ按分シテ控除シ持分ヲ算定ス第二十二條ノ規定ニ依リ特別積立金ノ臨時支出ニ處分シタル場合亦同ジ

本組合ノ財產ガ出資額ヨリ減少シタルトキハ出資額ニ應ジ持分ヲ算定ス

第二章　出資及積立金

第十五條　出資一口ノ金額ハ金五十圓トス

組合員ハ五十口迄ノ出資ヲ爲スコトヲ得

第十六條　出資第一回ノ拂込ミ金額ハ一口ニ付金二十圓トス

第十七條　出資第二回拂込ハ配當スベキ剩餘金ヨリ拂込ミニ充ツルモノヽ外殘金ヲ翌年九月末迄ニ拂込ムモノトス

第十八條　出資ノ拂込ミヲ怠リタルトキハ期日後一日ニ付其ノ拂込ムベキ金額ノ二百分ノ一ニ當ル過怠金ヲ徵收ス

第十九條　本組合ハ出資總額ニ達スル迄每事業年度ノ剩餘金ノ四分ノ一以上ヲ準備金トシテ積立ツルモノトス

第二十條　過怠金第八十一條ノ規定ニ依リ拂戾ヲ爲サザル持分額ハ之ヲ準備金ニ組入ルヽモノトス

第二十一條　本組合ハ剩餘金ヨリ特別積立金ヲ積立ツルコトヲ得

第二十二條　準備金及特別積立金ハ損失ノ塡補ニ充ツルモノトス但シ特別積立金ハ總代會ノ決議ニ依リ之ヲ臨時ノ支出ニ處分スルコトヲ得

第二十三條　準備金及特別積立金ハ海外移住組合聯合會若ハ總代會ノ承認シタル銀行ニ預入レ又ハ之ヲ以テ國債證券、地方債證券、貯蓄債券、勸業債券、日本興業銀行ノ債券、北海道拓殖銀行ノ債券、農工債券其ノ他總代會ノ承認ヲ經タル確實ナル有價證券ヲ買入ルヽノ外他ニ之ヲ利用スルコトヲ得ズ但シ總代會ノ承認ヲ經テ事業資金ニ融通スルコトヲ得

第三章　機　關

第二十四條　本組合ニ組合長一名理事九名監事三名ヲ置ク

組合長ハ長野縣知事ヲ以テ之ニ充ツ

理事ハ理事長一名專務理事一名ヲ互選ス

第二十五條　組合長ハ事務ヲ總攬ス

理事長ハ事務ヲ統理シ組合ヲ代表ス理事長事故アルトキハ專務理事之ニ代リ理事長專務理事共ニ事故アルトキハ理事ノ互選ニ依リ其ノ代理者一名ヲ定ム

專務理事ハ理事長ヲ補佐シ組合事務ヲ掌理ス

第二十六條　理事ノ任期ハ三ケ年トシ監事ノ任期ハ一ケ年トス但シ再選ヲ妨ゲズ

理事長專務理事ノ任期ハ理事ノ任期ニ從フ

補闕選擧ニ依リ就任シタル理事又ハ監事ハ前任者ノ任期ヲ繼承ス

理事及監事ハ任期滿了後ト雖後任者ノ就職スル迄其ノ職務ヲ行フモノトス

第二十七條　辭任其ノ他ノ事由ニ依リ理事又ハ監事ニ闕員ヲ生ジタルトキハ通常總代會ノ時期迄猶豫スルコト能ハザル場合ニ限リ臨時總代會ヲ招集シ補闕選擧ヲ爲スモノトス

總代會ガ理事又ハ監事ノ解任ヲ議決シタルトキハ同時ニ其ノ補闕選擧ヲ爲スコトヲ要ス

第二十八條　組合長、理事及監事ハ名譽職トス

理事及監事ニハ總代會ノ決議ニ依リ報酬手當又ハ賞與ヲ支給スルコトヲ得

組合長、理事及監事ハ正當ノ事由ナクシテ辭任スルコトヲ得ズ

第二十九條　理事及監事ハ總代會ノ決議ヲ經タル後地方長官ノ許可ヲ受クルニ非ザレバ海外ニ移住スルコトヲ得ズ

但シ理事長及專務理事ハ海外ニ移住スルコトヲ得ズ

第三十條　本組合ハ產業組合法第三十八條ノ二ノ規定ニ依リ總代會ヲ設ク

第三十一條　總代ハ各選舉區ニ於テ之ヲ選舉ス

選舉區及各選舉區ニ於テ之ヲ選舉スベキ總代ノ數ハ總會又ハ總代會ノ決議ニ依リ別ニ之ヲ定ム

組合員ノ增減ニ依リ總代ノ選出數ニ異動ヲ生ズベキ場合ニ在リテモ現ニ總代タル者ノ任期滿了ニ至ル迄ハ之ガ異動ヲ爲サザルモノトス但シ特別ノ事由アルトキハ此ノ限ニ在ラズ

第三十二條　總代ノ任期ハ二ケ年トス但シ再選ヲ妨ゲズ

辭任其ノ他ノ事由ニ依リ總代ニ闕員ヲ生ジタルトキハ遲滯ナク補闕選舉ヲ爲スモノトス

第二十六條第三項及第四項第二十八條第三項ノ規定ハ總代ニ付之ヲ準用ス

第三十三條　總代ハ其ノ選舉區內ニ於ケル組合員四分ノ三以上ノ同意ヲ以テ何時ニテモ之ヲ解任スルコトヲ得

第二十七條第二項ノ規定ハ前項ノ場合ニ之ヲ準用ス

第三十四條　總代ハ辭任スルニ非ザレバ海外ニ移住スルコトヲ得ズ若シ之ニ反シテ海外ニ移住シタルトキハ總代ヲ辭任シタル者ト見做ス

第三十五條　總代選舉ノ方法ハ總會又ハ總代會決議ニ依リ別ニ之ヲ定ム

第三十六條　通常總代會ハ每年一回何月之ヲ開ク臨時總代會ハ左ノ場合ニ之ヲ開ク

一、理事ガ必要ト認メタルトキ

二、監事ガ必要ト認メタルトキ

三、總代ガ總代五分ノ一以上ノ同意ヲ得テ總代會ノ目的及其ノ招集ノ理由ヲ記載シタル書面ヲ提出シテ總代會ノ招集ヲ理事ニ請求シタルトキ

第三十七條　總代會ノ招集ハ少クトモ五日前ニ其ノ會議ノ目的タル事項ヲ示シタル書面ヲ以テ總代ニ之ヲ通知スル

コトヲ要ス

前項ノ通知書ニハ招集者之ニ記名スルコトヲ要ス

第三十八條　總代會ハ總代ノ半數以上出席スルニ非ザレバ開會スルコトヲ得ズ

前項ノ場合ニ於ケル決議ハ出席シタル總代ノ過半數ヲ以テ之ヲ爲ス

理事若ハ監事ノ選任又ハ解任、定款ノ變更、組合員ノ除名、海外移住組合聯合會ニ加入シ又ハ脫退スル場合ノ決議ハ總代ノ半數以上出席シ其ノ四分ノ三以上ノ同意アルコトヲ要ス

第三十九條　總代會ノ議長ハ理事長之ニ當ル理事長事故アルトキハ理事ノ互選ニ依ル

監事ノ招集シタル總代會ノ議長ハ總代會ヲ招集シタル監事之ニ當ル其ノ多數ナル場合ニ於テハ其ノ互選ニ依ル

第四十條　總代會ニ於テハ決議錄ヲ作リ開會ノ時期場所、會議ノ顚末及出席者ノ員數ヲ記載スルコトヲ要ス

決議錄ニハ議長及議長ノ指名シタル出席者二名以上之ニ記名捺印スルコトヲ要ス

第四十一條　總代會ノ議事ニ關スル細則ハ總代會ニ於テ之ヲ定ム

第四十二條　解散又ハ合併ノ決議ヲ爲サントスルトキハ總會ヲ招集ス

前項ノ決議ハ總組合員ノ半數以上出席シ其ノ四分ノ三以上ノ同意アルコトヲ要ス

第三十六條第二項、第三十七條、第三十八條第二項及第三十九條乃至第四十一條ノ規定ハ前項ノ總會ニ之ヲ準用ス

第四十三條　本組合ニ世話係若干名ヲ置キ組合員又ハ組合員ト同一ノ家ニ在ル者ノ中ヨリ理事長之ヲ囑托ス

世話係ハ理事ノ指揮ヲ受ケ事業執行上ノ補佐ヲ爲スモノトス

第四十四條　本組合ニ事務員若干名ヲ置キ理事長之ヲ任免ス

事務員ハ理事及監事ノ指揮ヲ受ケ庶務ニ從事ス

第四十五條　理事長ハ理事會ノ決議ヲ經テ特別ノ知識又ハ技能アル者ヲ協議員ニ囑託スルコトヲ得

協議員ハ理事ノ諮問ニ答ヘ又ハ組合ノ事業ニ付理事ニ意見ヲ開陳スルモノトス

第四章　事業

第一節　通則

第四十六條　本組合ノ事業年度ハ曆年ニ依ル

第四十七條　本組合ノ餘裕金ノ預入ニ付テハ第二十三條ニ準ズルモノトス其ノ運用ニ付亦同ジ

第四十八條　事業執行ニ關スル細則ハ理事之ヲ定ム

第二節　資金ノ貸付及貯金ノ受入

第四十九條　資金貸付ノ請求アリタルトキハ理事ハ貸付金ノ用途ヲ調査シ其ノ金額及貸付方法ヲ定ムルモノトス

第五十條　理事資金ノ貸付ヲ爲ス場合ニ於テ必要ト認ムルトキハ借受人ヲシテ保證人ヲ立テシメ又ハ擔保ヲ供セシムルコトヲ得

第五十一條　貸付金ノ辨濟期限ハ三ケ年以內ニ於テ理事之ヲ定ム但シ土地、建物、機械器具其ノ他ノ重要ナル設備ニ要スル固定資金ニ在リテハ十ケ年以內ニ於テ之ヲ定ムルコトヲ得

第五十二條　貸付金ノ利率ハ年一割二分以內ニ於テ理事之ヲ定ム

貸付金ノ辨濟ヲ遲滯シタル場合ニ於テハ理事ノ定メタル遲延利息ヲ徵スルコトヲ得

第五十三條　理事ハ貸付金使用ノ實況ヲ監査シ貸付ノ目的ニ反スルモノアリト認ムルトキハ期限前ト雖辨濟ヲ爲サシムルコトヲ得

第五十四條　貯金ノ取扱ハ壹回金壹圓以上トス

貯金ノ利率ハ年七分以內ニ於テ理事之ヲ定メ其ノ利息ハ每年五月末及十一月末ノ兩度ニ之ヲ元本ニ組入ルヽモノトス

第三節　土地、建物其ノ他ノ物件ノ購賣

第五十五條　本組合ニ於テ賣却スル物件ノ種類左ノ如シ

一、移住ニ必要ナル土地、建物

二、產業用機械器具、家具、建築材料

三、其ノ他總代會ノ決議ヲ經タル物件

第五十六條　理事ハ需要ヲ調査シ又ハ其ノ注文ニ應ジ前各號ノ物件ヲ便宜買入レ必要アルトキハ加工又ハ生產スルモノトス

組合員又ハ組各員ト同一ノ家ニ在ル者ハ理事ノ承諾ヲ經ルニ非ザレバ組合ニ於テ取扱フ物件ヲ本組合外ヨリ購買スルコトヲ得ズ

第五十七條　購買ノ申込多數ノ場合ニ於ケル賣却ノ順位又ハ數量ハ申込人ノ必要ノ程度信用等ヲ參酌シテ理事之ヲ定ム

第五十八條　理事ハ必要アリト認ムルトキハ時期ヲ指定シ注文者ヲシテ注文物件ノ見積代金ノ一部ヲ提供セシムルコトヲ得

第五十九條　購買者ハ組合ヨリ購買物件引渡シ通知ヲ受ケタルトキハ遲滯ナク之ヲ引取ルコトヲ要ス前項ノ通知ヲ受ケタル日ヨリ一週間內ニ引取ヲ爲サザルトキハ過怠金ヲ徵收ス其ノ金額ハ理事之ヲ定ム此ノ場合ニ在リテハ本組合ニ於テ其ノ賣買契約ノ解除ヲ爲スコトヲ得

第六十條　購買者ハ購買物件ノ引取ト同時ニ其ノ代金ヲ支拂フコトヲ要ス但シ理事ニ於テ已ムコトヲ得ザル事由アリト認ムルトキハ六ケ月以內ノ延納ヲ承諾スルコトヲ得

此ノ場合ニ於テハ理事ノ定メタル遲延利息ヲ徵收ス

第六十一條　土地又ハ建物ヲ購買シタル場合ニ於テハ十ケ年以內ニ於テ理事ノ定ムル割賦支拂ノ方法ニ依リ購買代價ノ支拂ヲ爲スコトヲ得

第六十二條　第四十九條及第五十條ノ規定ハ土地又ハ建物ヲ購買スル場合ニ之ヲ準用ス

第六十三條　割賦支拂ニ付定メタル期間內ニ購買代價ノ仕拂ヲ爲サザルトキハ理事ノ定メタル遲延利息ヲ徵收ス

割賦支拂ニ付延期ノ請求アリタルトキハ理事ハ必要ニ應ジ購買者ヲシテ保證人ヲ立テシメ又ハ擔保ヲ提供セシメテ六ケ月以內ノ延期ヲ承諾スルコトヲ得

第六十四條　本組合ヨリ購買シタル土地、建物其ノ他ノ物件ハ不用ニ歸シ其ノ他已ムコトヲ得ザル場合ノ外之ヲ他ニ讓渡スコトヲ得ズ

前項ノ事由ニ依リ土地建物其ノ他ノ物件ヲ他ニ讓渡セントスル場合ニハ豫メ理事ニ申出ヅルコトヲ要ス

第四節　土地、建物其ノ他ノ物件ノ利用

第六十五條　本組合ニ於テ利用セシムル物件ノ種類左ノ如シ

一、移住ニ必要ナル土地、建物

二、產業用機械器具、種畜

三、其ノ他總代會ノ決議ヲ終タル物件

第六十六條　前條ノ物件ヲ利用セントスル者ハ其ノ種類、所在地、數量及利用期間ヲ記載シタル申込書ヲ理事ニ差出スベシ

理事前項ノ申込ヲ受ケタルトキハ申込人ノ必要ノ程度等ヲ考査シ利用ノ條件及方法ヲ定メ之ヲ申込人ニ通知スルモノトス

第五十七條ノ規定ハ利用申込多數ノ場合ニ之ヲ準用ス

第六十七條　第六十五條ニ規定スル物件ヲ利用スル者ハ利用料ヲ支拂フコトヲ要ス

利用料ハ毎年總代會ニ於テ決議シタル範圍內ニ於て理事之ヲ定ム

利用中其ノ物件ヲ損傷シ又ハ之ヲ喪失シタルトキハ理事ノ定ムル辨償金ヲ指定ノ時期迄ニ支拂フコトヲ要ス

第六十八條　前條ノ利用料ハ一ケ月毎ニ之ヲ計算シ其ノ月末迄ニ之ヲ支拂フコトヲ要ス但シ理事ニ於テ已ムコトヲ得ザル事由アリト認ムルトキハ土地及建物ニ在リテハ一ケ年內ニ其ノ他ノ物件ニ在リテハ六ケ月內ニ於テ支拂期間ヲ定ムルコトヲ得

前項ノ支拂ヲ怠リタルトキハ過怠金ヲ徵收ス其ノ金額ハ理事之ヲ定ム

第六十九條　理事ハ必要ト認ムルトキハ利用者ヲシテ保證人ヲ立テシメ又ハ擔保ヲ供セシムルコトヲ得

第七十條　理事ハ物件利用ノ實況ヲ調査シ利用ノ條件ニ反スルモノアリト認ムルトキハ利用者ヲシテ其ノ物件ヲ返還セシムルコトヲ得

第五節　學校、病院、倉庫其ノ他ノ事業

第七十一條　本組合ニ於テ行フ第二條第四號ノ事業ノ種類左ノ如シ

一、移住地ニ於ケル小學校、簡易醫局、農業倉庫

二、移住地ニ於ケル共同宿泊所、集會所及其ノ附屬設備

三、移住地ニ於ケル生產物ノ共同販賣又ハ運搬

四、移住ノ斡旋

五、其ノ他總代會ノ決議ヲ經タル事業

第七十二條　前條ノ事業ハ別ニ定ムル所ノ規程ニ依リ之ヲ行フ

前項ノ規程ハ總代會ノ決議ヲ經テ理事之ヲ定ム

第五章　剩餘金處分並損失ノ塡補

第七十三條　剩餘金ヨリ準備金ニ積立ツベキ金額ヲ控除シ尙殘餘アルトキハ配當金、特別積立金、役員賞與金又ハ繰越金ト爲スモノトス

第七十四條　剩餘金ノ配當ハ其ノ剩餘ヲ生ジタル年度ノ終リニ於ケル組合員ノ拂込濟出資額ニ應ジ共ノ率ハ年六分以下トス

前項ノ配當ノ基礎トナルベキ金額ニシテ圓位未滿ノ端數ハ之ヲ切捨ツルモノトス

第七十五條　損失ノ塡補ハ先ヅ特別積立金ヲ以テシ次ニ準備金ヲ以テス但シ總代會ノ決議ニ依リ特別積立金及準備金ヲ以テ塡補スルコトヲ得

第六章　加入、增口及脫退

第七十六條　新ニ組合員タラントスル者ハ出資口數ヲ增加セントスル者ハ申込書ニ申込金拾圓ヲ添ヘ理事ニ差出スコトヲ要ス

理事前項ノ申込書ヲ承諾シタルトキハ其ノ旨申込人ニ通知シ出資第一回ノ拂込ヲ爲サシメタル後組合員名簿ニ記載スルコトヲ要ス

加入又ハ增口ノ效力ハ第七十七條及第七十九條ノ場合ヲ除クノ外出資第一回ノ拂込ハ同時ニ發生スルモノトス

第七十七條　持分ヲ讓渡サントスル場合ニ於テハ理事ノ承諾ヲ經ルコトヲ要ス

持分ヲ讓受ケントスル者ガ組合員ニ非ザルトキハ申込金及出資ノ拂込ヲ爲サシメザルノ外前條第一項第二項ノ規定ヲ準用ス

第七十八條　組合員脫退セントスルトキハ其ノ事業年度末六ケ月前ニ其ノ旨ヲ理事ニ豫告スルコトヲ要ス

第七十九條　死亡ニ依リ脫退シタル組合員ノ相續人ガ直ニ加入セルトキハ組合ハ被相續人ニ對スル持分ノ拂戾計算ヲ爲サズ被相續人ト同一ノ權利ヲ有シ義務ヲ負フモノト看做ス但シ此ノ場合ニ於テハ申込金ヲ徵セズ

第八十條　組合員ハ左ノ事由ノ一ニ當ルトキハ總代會ノ決議ニ依リ之ヲ除名ス

一、出資ノ拂込、過怠金ノ納付又ハ借入金、購買代金、利用料、辨償金若ハ利息ノ支拂ヲ怠リ一ケ月內ニ其ノ義務ヲ履行セザルトキ

二、理事ノ承諾ヲ經ズシテ組合ヨリ讓受ケタル物件ヲ他ニ讓渡シ又ハ組合ヨリ利用ヲ許サレタル物件ヲ他人ニ利用セシメタルトキ

三、組合ノ事務ヲ妨グル所爲アリタルトキ

四、犯罪其ノ他信用ヲ失フベキ所爲アリタルトキ

第八十一條　組合員脫退ノ場合ニ於ケル持分ノ拂戾ハ拂込濟出資額ニ止ムルモノトス但シ除名ニ依ル場合ニ於テハ其ノ拂込濟出資額ノ半額ヲ死亡、組合員タル資格喪失、破產、禁治產其ノ他總代會ニ於テ已ムコトヲ得ザルモノト認メタル事由ニ因ル場合ニ於テハ其ノ持分ノ全額ヲ拂戾スモノトス

第七章　解　散

第八十二條　本組合解散シタルトキハ理事其ノ清算人トナル但シ總會ノ決議ニ依リ組合員中ヨリ之ヲ選任スルコトヲ得

第八章　附　則

第八十三條　本組合設立當時ノ理事及監事ヲ定ムルコト左ノ如シ第一回總會ニ於テ之ヲ改選ス

理事長　今井五介
理　事　西澤太一郎
同　白石喜太郎
同　永田稠
同　福澤泰江
同　小里賴永
同　丸山辨三郎
同　沓掛正一
同　市川多萬吉

監事　片倉兼太郎
同　佐藤寅太郎
同　平野桑四郎

備考

一、本定款例ハ總代會ヲ設クル組合ニ關スル例ヲ示セルモノナルヲ以テ總代會ヲ設ケザル組合ニアリテハ第三十條乃至第三十五條及第四十二條ヲ削除シ其ノ他ノ規定中「總代會」トアルヲ「總會」ト改ムル等適宜變更スルコト

二、本例ハ成ルベク具体的ノ事例ヲ來スコト、セリ從テ實際定款ヲ作成スル塲合ニハ其ノ組合ノ經營方針ニ應ジ適宜變更スルコト

海外視察組合設立趣意書

本會ハ左ノ趣意ニヨリ海外視察組合ヲ設立ス。

一、海外發展ノ思想ヲ皷吹シ協力一致シテ國民的大運動タラシムルコト。

二、各地方ノ繁閑思想ノ傾向、氣候、風土ノ狀況等ヲ考慮シ其ノ地方ニ適切ナル海外發展ノ施設ヲナスコト

三、海外發展ノ講演會、講習會、指導員幹部養成等ノ基礎機關ノ設立ヲナスコト。

四、普ク海外各地ノ視察調査ヲナシ以テ世界ヲ舞臺トスル公民ノ養成ヲナスコト

五、海外視察ノ旅費調達並ニ勤儉貯蓄ノ實際的具体的施設ヲナス

海外視察ノ爲ニハ最モ簡便ナル無擔保低利ノ月賦返濟ノ旅費調達機關トナリ視察見學ノ機會ヲ得タリシ者ノ爲ニハ最モ有利ニシテ確實ナル貯蓄機關トナル而シテ海外視察ノ希望ト抱負トヲ實現スルニ最モ機宜ニ適シタル施設ナリ。

六、海外視察ニ行カザル者ノ海外發展ノ修養ニ資スルコト

海外視察旅行ヲナス能ハザルモノモ視察者ノ報告組合ノ各種ノ海外發展ノ修養會等ニ依リ海外發展ニ關スル修養ヲナスコトヲ得

七、海外發展ノ基礎的根本的ノ施設トナス。

（イ）植民ノ社會教育ノ機關トモナル。

（ロ）植民學校設立ノ基礎トモナル。

（ハ）移住民ノ金融機關トモナル。

（ニ）移住組合法案決定後ハ移住地建設其ノ他移住民事業ノ金融方面ノ實行機關トモナル。

海外視察組合ハ一團トシテ移住組合員トナリ各視察組合員ハ海外移住組合員トシテノ利益ヲ受クルコトヲ得

海外視察組合規約（拔萃）

第一章　名稱及目的

第一條　本組合ハ海外視察組合ト稱ス

第二條　本組合ハ海外事情ノ研究視察ヲナシ海外發展ニ資スルヲ以テ目的トス

第二章　組織及役員

第三條　本組合ハ十名以上ノ信濃海外協會員ヲ以テ組織シ第一種組合員一名第二種組合員二名第三種組合員七名ヲ以テ一組合トス但シ特別ノ塲合ハ十名以下ニテモ組合ヲ組織スルコトヲ得

第四條　組合ニ左ノ役員ヲ置ク

組合長　一人

理事　一人

第五條　役員ハ信濃海外協會ニ於テ之ヲ定ム

第六條　役員ノ任務左ノ如シ

組合長ハ組合ヲ統理ス

理事ハ組合長ヲ補佐シ會計其ノ他組合ニ關スル一切ノ庶務ヲ掌ル

理事ハ組合長事故アルトキ其ノ職務ヲ代理ス

第八條　組合ノ監督ハ信濃海外協會之ニ當ル

第九條　組合員止ムヲ得ザル事故又ハ死亡等ノ爲退會セムトスルトキハ其ノ家族又ハ親戚知人等ノ中ヨリ自已ニ代ルベキ適當ノ組合員ヲ選定シ其ノ權利義務ノ繼承ヲナシ連署ヲ以テ組合長ニ屆出ヅベシ

第十一條　組合ハ之ヲ聯合シテ聯合會ヲ設クルコトヲ得

聯合會ノ規約ハ信濃海外協會ニ於テ別ニ之ヲ定ム

第十二條　組合ハ事務打合セノ爲毎年春秋二回組合會ヲ開クモノトス但シ必要ニ依リ臨時ニ之ヲ開クコトヲ得

第三章　事業

第十三條　組合員ハ第二條ノ目的ニ充ツル爲左記ノ種別ニ依リ三ケ年間一定額ノ定期貯金ヲ爲スモノトス

（一）第一種組合員（信濃海外協會特別又ハ維持會員）

毎月金九圓宛カ又ハ六月、九月、十二月ノ三回ニ毎回金參拾六圓宛ノ定期積金ヲナスコト

（二）第二種組合員（信濃海外協會普通會員）毎月金六圓宛カ又ハ六月、九月、十二月ノ三回ニ毎回金貳拾四圓宛ノ定期積金ヲナスコト

（三）第三種組合員（信濃海外協會普通會員）毎月金參圓宛カ又ハ六月、九月、十二月ノ三回ニ毎回金拾貳圓宛ノ定期積金ヲナスコト

第十四條　組合員ノ貯金ハ組合設立ノ際其ノ第一回ノ拂込ミヲナシ爾後滿三年間第十三條ニ依ル貯金ヲナシ其ノ期間中ハ天災地變又ハ止ムヲ得サル塲合ノ外拂戻シヲ爲サヾルモノトス

第十五條　組合員ノ貯金ハ信濃海外協會ノ指定スル銀行又ハ信用組合ニ預金スルモノトス

第十六條　組合員ノ貯金ニ付テハ其ノ貯金ヲ預入スル銀行又ハ信用組合ニ於テ附スル利子ノ外信濃海外協會ニ於テ其ノ銀行又ハ信用組合ノ利子計算期毎ニ三年間年利二歩ニ相當スル奬勵金ヲ交付ス

第十七條　組合員ハ信濃海外協會員トシテ會費ヲ毎年四月中ニ納入スルモノトス

第十八條　組合員並其ノ家族ニ於テ特別ノ災厄ニ罹リ貯金ノ拂戻シヲ爲サムトスルトキハ組合長並信濃海外協會ノ承認ヲ得テ其ノ一部又ハ全部ノ拂戻シヲ爲スコトヲ得

組合ハ三箇年間ニ於テ少クモ二人以上ヲ海外ニ派遣シ其ノ事情ノ視察研究ヲ爲スモノトス但シ臺灣、樺太、北海道、朝鮮、滿洲ハ此ノ視察派遣ノ範圍トス

第二十二條　組合員ハ組合創立ノ日ヨリ三年間ノ中ニ於テ一回海外視察研究ノ目的ヲ以テ信濃海外協會ノ指定銀行又ハ指定信用組合中其ノ定期積金預入ヲ爲ス銀行又ハ信用組合ヨリ臨時左記ノ金額借入レヲ爲スコトヲ得

第一種組合員（一時金）

第一年目ノ者金參百參拾貳圓以內

第二年目ノ者金參百參拾六圓以內

第三年目ノ者金參百四拾七圓以內

第二種組合員（一時金）

第一年目ノ者金貳百貳拾圓以內

第二年目ノ者金貳百貳拾四圓以內

第三年目ノ者金貳百參拾圓以內

第三種組合員（一時金）
第一年目ノ者金壹百拾圓以內
第二年目ノ者金壹百拾貳圓以內
第三年目ノ者金壹百拾五圓以內

第二十六條　組合員ノ積立金總額ハ創立ヨリ滿三年後ノ各人名義ノ貯金通帳ニ記載ノ金額トス

第二十七條　組合員ハ組合ノ爲々ニ要スル費用ハ之ヲ負擔スルノ義務アルモノトス但シ此ノ費用ハ組合存續期間中各人ノ積立貯金中ヨリ支出スルコトヲ得ス

第二十九條　組合員ニシテ第二十二條ニ定メタル最高限度ノ借入金ヲ爲シタル者ハ組合解散ノ場合其ノ者ノ所有ノ貯金通帳記載ノ金額ハ其ノ儘借入銀行又ハ信用組合ヘ返濟金トナル其ノ積立金ニシテ第二十四條ノ積立金總額ヨリモ少額ナルモノハ其ノ不足額ヲ借入銀行又ハ信用組合ヘ支拂辨濟スルノ義務アルモノトス若シ債務者タル組合員其ノ義務ヲ履行セザルトキハ其ノ連帶責任アル組合員又ハ別ノ保證人之ヲ辨濟スルモノトス

第三十一條　組合ハ其ノ事業トシテ毎年一回以上總會ヲ開キ海外發展ニ關スル研究會又ハ講演會講習會ヲ開催スルモノトス

本條ノ爲要スル費用ハ組合ノ負擔トス但シ信濃海外協會ヨリ相當補助スルコトアルベシ

第三十二條　組合員海外視察ノ場合ハ信濃海外協會ハ視察費ノ補助人物ノ紹介支部トノ聯絡等ニ依リ便宜ヲ計ルモノトス

第三十三條　組合ニ於テ海外視察員ヲ派遣シタルトキハ其ノ氏名視察目的日數視察地名等ヲ、歸朝シタルトキハ其ノ視察概況ヲ組合長ヨリ信濃海外協會ニ報告スルモノトス

第三十四條　前各條ノ義務ヲ履行セザル組合員並組合ハ其ノ特種ノ權利及特點等ヲ失フコトアルベシ

第四章　組合ノ解散

第三十五條　組合ハ創立第一回ノ貯金ノ月ヨリ三年ヲ以テ存續期限トシ期限滿了後三月以內ニ會計及事業ノ整理ヲ完了シ第三十九條ノ承認ヲ經タル上解散スルモノトス

第四十一條　組合ノ解散ヲ承認セラレタルモノニアラザレバ組合員ノ貯金ニ付テハ指定銀行又ハ指定信用組合ハ其ノ拂戾シヲ爲サヾルモノトス

第四十三條　組合ハ存續年限滿了スルモ解散セスシテ更ニ三年間之ヲ新ニ繼續スルコトヲ得但シ特別ノ事情アルモノニ限ル

第五章　信濃海外協會指定ノ銀行及信用組合

第四十五條　信濃海外協會ハ海外視察組合員ノ定期積金預入トシテ左記銀行及信用組合ヲ指定ス（例）

株式會社何々銀行本店
同　支店
同　代理店
何郡何町村
何々責任信用何々組合
何　市
何々責任何々庶民信用組合

編輯雜記

○本誌は發刊の辭にのべた如く七月二十日の事柄を土台として本會の大要を掲せたのである。即ち代議員會における本會の經理と事業について、それ〴〵の承認と可決、協議と議定の內容が各關係項目に分かれて發表されてある。

○海外支部の事は極めて簡單に説明されてゐる。本會は在外の縣人に對し今後一層の努力を拂ふ必要があるのでやがて海外各地支部特輯號を編んで本項を補ふと共に活動の一期を劃したいと希ふてゐる。

○移住地の寫眞が百數十葉、今、南米から到着してゐる。珍らしい面白い寫眞と云ふではないが移住地の近況を説明して呉れるものとしては得がたいものである。然し本誌に一葉も挿入の出來なかつたのは殘念至極である。

○移住組合は組合の案だけ發表しておいた。觀察組合も既に會員諸君には御承知の筈であるから拔萃で失敬する。

○本誌の內容は紀念號として努めて努力した筈であつたが出來上つて見れば未だ足りない個所が多く發見せられる。不足の所、誤りの所は追て補正、訂正してゆく、たゞ此の記事は本誌でなければ他に綴る事が出來ないので本誌の續讀一覽を願ひたい。

○「一葉落ちて天下の秋を知る」殘暑がすぎて涼しい風が訪れる。信州の高原はやがて紅色の世界に彩られる。

○次號は永田稠氏御執筆の一大論說「再びアリアンサ入植者に與ふ」を中心として續いて御目にかけます。（編　人）

海の外

定價	內地	外國
一部	廿錢	廿仙
半ヶ年	一圓十錢	一弗十仙
一ヶ年	二圓廿錢	二弗廿仙
	送料共	

注意
▲御註文は凡て前金に申受く
▲廣告料は御照會次第詳細通知致します
▲御拂込は振替に依らるゝを最も便利とす

昭和二年八月三十一日
編輯人　永田稠
長野市南縣町　發行兼印刷人　西澤太一郎
長野市南縣町　印刷所　信濃毎日新聞社
長野市長野縣廳內　發行所　海の外社
振替口座長野二一四〇番　信濃海外協會

各汽船會社專屬元扱

日本郵船會社
大阪商船會社
ダラー汽船會社
加奈陀汽船會社
アドミラル汽船會社
南洋郵船會社

日本力行會、信濃、廣島、和歌山
福岡、熊本、沖繩 各縣海外協會 指定旅館

海外渡航乘客荷物取扱所

今泉旅館

本店 神戸市海岸通六丁目三番邸
支店 神戸市榮町通五丁目六八番邸
長 電話 元町 三二一番
振替大阪 三五四一〇番

各縣海外協會
日本力行會 指定旅館

海外渡航乘船
領事館手續
貨物通關取扱

高谷旅館本店

本店 神戸市榮町六丁目
神戸市郵便局私書函八四〇番
電話元町 八五四番、一七三七番

支店 神戸市宇治川楠橋東詰
電話元町 六六六番

海外渡航取扱所

◎東洋一の理想的設備を有する神戸港へ！
◎旅館は誠實にして信用のある神戸館へ！

各縣海外協會
日本力行會 指定旅館

神戸市榮町六丁目廿一番邸

神戸館本店

電話元町 八六一番
振替口座大阪 一四二三八番

支店 神戸市海岸通四丁目(中税關前)
電話三ノ宮二一三六番

◎本店へハ神戸驛、支店へハ三ノ宮驛下車御便利

(第二版)

日本力行會長 永田稠著

兩米再巡

菊版四百廿餘頁・寫眞版三十頁・布製函入

定價一册金二圓八十錢・送料一册八拾錢

永田氏は信州の生める一異才である。嘗て南米を一週して『南米一巡』を著はし、信州に來つて信濃海外協會の組織に努力し、更に『南米信濃村建設』に關する大使命を帶びて、大正十三年五月末横濱を出帆し、布哇、北米桑港、ローサンゼルス各地に於ては海外協會支部の設立に盡力し、ソートレーキ市にはモルモン宗教植民の跡をたづね、デンヴア、シカゴを經て華府に至り、紐育より大西洋を南下してブラジルに至り、移住地の選定。購入・入植の準備をなし、大正十四年二月日本に歸り來り、更に信濃村大成の爲めに努力奮鬪し、今や模範的にして世界に誇り得る移住地が建設されつゝある。『兩米再巡』は氏が南北兩米を再巡せる記錄である。志を世界に有する者の一日も看過することの出來ない快著である。

長野縣廳內
信濃海外協會取次販賣

東京小石川區林町七十番地 日本力行會發行 振替東京六八八一番

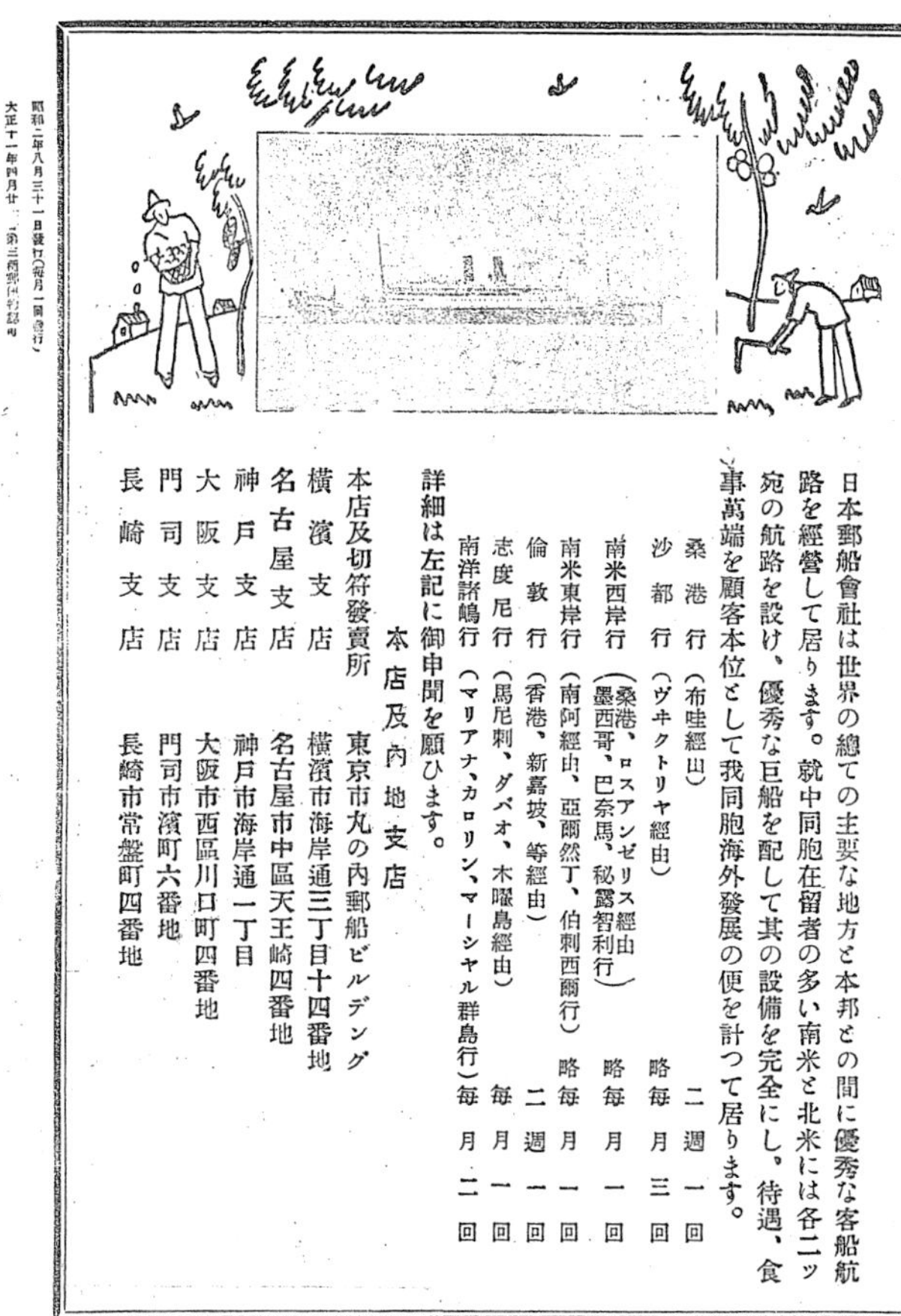

日本郵船會社は世界の總ての主要な地方と本邦との間に優秀な客船航路を經營して居ります。就中同胞在留者の多い南米と北米には各二ッ宛の航路を設け、優秀な巨船を配して其の設備を完全にし。待遇、食事萬端を顧客本位として我同胞海外發展の便を計つて居ります。

桑港行（布哇經由）　二週一回
沙都行（ヴヰクトリヤ經由）　略毎月三回
南米西岸行（桑港、ロスアンゼリス經由 墨西哥、巴奈馬、秘露智利行）　略毎月一回
南米東岸行（南阿經由、亞爾然丁、伯剌西爾行）　略毎月一回
倫敦行（香港、新嘉坡、等經由）　二週一回
志度尼行（馬尼剌、ダバオ、木曜島經由）　毎月一回
南洋諸嶋行（マリアナ、カロリン、マーシャル群島行）毎月二回

詳細は左記に御申聞を願ひます。

本店及內地支店

本店及切符發賣所　東京市丸の內郵船ビルデング
橫濱支店　橫濱市海岸通三丁目十四番地
名古屋支店　名古屋市中區天王崎四番地
神戶支店　神戶市海岸通一丁目
大阪支店　大阪市西區川口町四番地
門司支店　門司市濱町六番地
長崎支店　長崎市常盤町四番地

信濃海外協會
海の外社發

昭和二年八月三十一日發行（毎月一回發行）
大正十一年四月廿[illegible]日第三種郵便物認可

第六十四號

目次

人口食糧問題の國際的研究
再びアリアンサ入植者に與ふ
レジストロの信州人 (三)
玖馬へ安着
母國通信
信州記事
協會雜報

信濃海外協會海の外社

目次（第六十四號）

レヂストロの訪問（其の一）

ランチ休憩室の一行
右ヨリ江越氏・バルボーサ氏中央は赤松氏、宮下氏、白鳥氏等

リベーラ河口とイグアツペ街
白く見ゆるは寺院

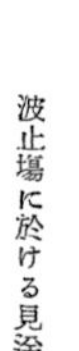
波止場に於ける見送り

レヂストロの訪問（其の二）

イグアツペ街ホテル前
前列向つて左ヨリ原口氏、江越氏市長、赤松氏、バルボーサ氏、白鳥氏等

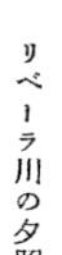
リベーラ川の夕照

桂植民地の小學校

海の外

第六十四號

昭和二年

九月號

人口食糧問題の國際的研究

今夏「ハワイ」に開かれたる第二回大平洋問題會議において國際的見地より人口食糧問題が考究せられたるに際し我國の人口食糧問題が多大の注意をひきて自ら討議の中心となつてゐたそうである。

我が國の急激なる人口增加は、單に我が政治家に取つての難問題である許りでなく諸外國殊に大平洋沿岸に廣大なる領土を有する國々の頭痛の種となつてゐる。日本が人口增加の壓力に押されて侵略主義に出ではしないであらうかそして日本が東洋の第二の「ドイツ」となつてこゝに大平洋を舞臺とする第二の世界戰爭が開かれはしないであらうか、といふやうな疑ひが一部白人の頭に往來しつゝある事は事實である。しかも我が國としては移民の制限をせられたることその他に關して種々の憶測が試みられてゐる。

人類生活の世界舞臺には遠からず各國共通の人口食糧の惱みがあるが我國の如く旣にその問題に到達して我々が心配する以上に世界の人々が日本の將來を氣附かつてゐるのである。

果して此の問題は各國共通のものではあるが各々獨自の立場に如何なる硏究が行はれてゐるかは疑問の點が多い。

再びアリアンサ入植者に與ふ

信濃海外協會幹事　永田稠

私は本年の始めにアリアンサ入植者に與ふる書を認めて「海の外」誌上で發表したのであるが、今回、更にモ一度、アリアンサ入植者に對し公表せねばならぬことになつた。それは私の尊敬する一友人から、アリアンサに關する通信を受領したからである。以下、友人の通信の項目每に、私の立場に於て云はねばならぬことを言ふて見たいのである。

一、土地分讓の順序に關して

友人の手紙は左の通りである。

「去月入植と同時に土地の指定を求めたる所理事に於て吾等一行に就ては協會より、何等の通報に接し居らずとの事にて（永田生曰ふ說明の便宜の爲め此項をAとす、以下同じ）アリアンサは滿員の爲め第二移住地を指定せられたる次第、何所でも構はぬ樣なものなれども貴方の指定は兎に角五千五百町のアリアンサと明記しあるにより一月十三日附の貴信を提示したる所理事に於ても承認せられ三十四キロに地割することゝ相成候も（B）踏査に約一ケ月を要すとのことにて今日迄未だ決定せずブラ〳〵致し居候マニラ丸の一行も一昨夜入植、總て第二移住地に收容せられ居り候が此連中にも或は出發前アリアンサの分讓を得たる人々ありて或は問題を起しはせぬかと考居候前よりアリアンサ滿員とは理事の腹の中の問題にて三十四キロの一千町步は未開の儘にて殘存しあり理事の希望としては大自作者に分讓したしとの事にて協會本部が勝手に日本にて指定されては困ると大分不服の樣子なりしも（C）先づ〳〵吾等の分を承認せられたる次第に有之候

アリアンサと云ひ第二と云ひ第三と云ひ日本に居ては一視同仁なれども實際來て見れば可なりの相違にて素人目にも優劣を判別し得べく二十七キロの第二移住地は三十四キロのアリアンサよりは約百米突低く（地圖にては八十米突）立木はヒョロ〳〵といつた次第に候西に行くに從つて段々地形優れ四十三キロよりジュンケーラを經て四十九キロの林田氏の耕地は更に百米突高く一目アリアンサを展望し得べく一度此地形に接すれば第二第三移住地の連中は何とか文句を申出さぬかと餘計な心配を致居り候（D）

土地代分割拂込の人々は今後二三年間は定期拂込六ケ釜しかるべく自分の土地を賣りたしと云ふ人々も二三有之候に付これ等は遠慮なく買戾して整理の上希望者に分讓しては如何に候や當地理事に於ては未完納の土地の賣買を承認せずと云ふ御意見らしく見ゆれども賣りたしと云ふ人はそう澤山ある譯でもなく且又どうせ地代拂込の見込もなき次第に付き折角希望者は日本にも無數に居ることとなるにより寧ろ進んで買ひ戾された方有利と考へられ候（E）吾等一行は一ケ月餘を空費したる次第これは覺悟の前にて不服は無之候へ共今後の爲め御多忙中と存候へ共通信連絡を良好ならしむる樣御願申上候（F）

AとF、日本とアリアンサ理事との通信連絡に對しては非常の苦心をして居ります、事の始まりは入植者が何時出發するかゞ、日本本部でさへよく知ることが出來ないのである。何日の船で行きたいと云ふてまた準備の出來ない者があり、仲々行けさうもないと云ふて居た者が急に支度が出來て行ける樣になつたり、其局に當つて居る者から見ると、入植者が愈々出發して見ねば確かな所を知ることが出來ないのである。アリアンサからも早く知らせろと云ひ私共も一刻も早く通信して置きたいと思ふが大切な入植者の出發が確定しないのでどうすることも出來ず、船が出帆後に至つて何家族何人出發したと云ふ電報を打つのでありますから、一個人で特別の事情にある者の爲めの通信は自然に後れるのであります（友人の如く第一と第二と兩方の土地を購入した人などは殊更にさうである）渡航者が十分早く本部に確實に出發を豫告されるより外に通信を迅速にする方法はありません。

特に貴殿には大阪でも神戶でも面會し、「現地の分讓は移住地理事の裁量にあるから、出來るならば第一にはいれる樣

に手紙を書くが第二に割當てられるかも知れないから左樣御承知ある樣に」とくれ〲もお話しよく御承知の上で出帆されたと記憶して居る次第であるが如何のものにや。幸に第一に這入れれば誠に結構と申さねばなりませぬ。

B、アリアンサ五千五百町步の土地を分讓して置きながら、第二、第三に廻されたと言ふ不平は尤も千萬と存じますが、これは移住地經營の立場から如何にしても防ぐことの出來ない事情があることを御了察を願ひます。アリアンサ五千五百町步の分讓を終りそれで移住地經營を一段落として居つては後續者の爲めにどうすることも出來ず、又五千五百町步の處分を終り之れを購入した人々の移住を待つて居たのでは、アリアンサの發達は非常に永い時間を要するのであります。それで止むを得ず、先きに土地を購入した方でも渡船が後れれば第二第三へ行つて貰はねばならず、又第二第三を購入した方でも先きに渡航すれば第一へ繰り上げられると云ふ個人個人から見れば不公平となり、移住地經營の大局から見れば便宜の方法を採るの外協會としては致し方がないのであります。此點は先きに分讓を受けて後から渡航する者にはお氣の毒千萬であるが、よく御了恕を願ひます。

C、若干の土地を最初の入植小作者の爲めに保存して居ります。これは土地の分讓を受けたる者で、後から渡航した爲めに第二第三へ繰下げられた人から見れば不平に考へらるゝことは當然であります。但し私共は先驅者として第一にアリアンサに入植し、殊に資金其他の關係から土地を所有することを得ず、殘念ながら小作をして居る人々のことを考へねばなりませぬ。四年なり六年の契約を終り地主の畑が立派になり、自分達は其儘多年奮鬪の土地を後にしてアリアンサを去らねばならぬと云ふことは如何にも氣の毒の事であります。協會では第一二年度の小作入植者の爲めに第一アリアンサに於て若干の土地を保留し、契約滿了後は第一第二年度の先驅的入植者としての敬意を拂ひ、其先驅者としての勞苦に酬いたいと考へて居るのです。人情の上からも移住地經營の上からも當然のことだと思ひますそれを後から行つて先驅者から知らず知らず多大の便宜を得ながら、已れは土地分讓を受けた者だお前方は小作人だから出て行けと云ふのは餘りに人情を無視した考へ方ではないだらうか友人の通信に依れば三十四キロに一千町步あつて之れはアリアンサ理事が大自作者に分讓を希望して居るらしいとの事であるがそれは何等かの誤解ではなからうか？又協會で現地を

勝手に指定しては居りません、皆アリアンサ理事に一任して居るので、友人の如く特に第一に行きたいと云ふ人に對し、私から『若し第一に入れるならば入れて頂きたい』と希望を述べたに過ぎません、理事が不平を云ふたとすればそれは只一時の誤解と思ひます。

D、四十九キロの林田氏の耕地が一番よく第一が之れに次ぎ第二第三に從ふて土地が劣ると云ふのは勿論事實である。私が行つて土地を決定する時にジュンケーラ以南では土地を一とまとめに得られない事もある水が少ないだらうと云ふ理由の爲めに、ジュンケーラ以北に五千五百町步を選定したのである。だからジュンケーラ以北に於ては第一が勿論一番よく第二第三と行くに從つて劣つて來るのは止むを得ないことである。世界何れの天地でも、先きに行つた者がよい所を安くとり、後から行つた者は劣つた所を高く買はねばならぬことは人類の原則であります。珈琲園でも後から行つた者は一番遠くてきたないコロノの小屋に住み、珈琲園中一番不出來で雜草の多い所を割り當てられます、これは止むを得ない事である、アリアンサに於ても先きに行つた者が土地代も安くて、土地のよい所を取り、後から行つた者が土地の劣つた所をしかも高く買はねばなりません。しかし此差から文明が生れることを思へば、後進者が悪い者を高く買ふのもしかたがありません。アリアンサが世界人類生活の原則から離れることは出來ない。

E、年賦拂の土地代が二三年拂へる望がないと友人は云ふて居り、アリアンサの通信は多くさう云ふて居るが、私は左樣には信じないのである。ブラジルは目下三四十年來の不景氣のドン底に居る。從つて農作物が思ふ樣に賣れない、それで一般的に悲觀するのは無理はないが、ブラジルの景氣は段々回復するそして農作物が相當の代價で賣れ、土地代が拂へる樣になる。植民の事業は永い時間の將來を考へねばならぬ、今年不景氣だからと云ふて悲觀してはならぬ、況んや少し位苦しいからとて土地を賣つてはならぬ土地を賣つて他へ行けばアリアンサ以外にドンナよい所がブラジルにあるのか。

況んやアリアンサの理事が土地代が拂へないから、協會が儲からないからとて、ドシ〲土地を取りあげる樣なことをしたらどうなる、入植者は安心して仕事をする事は出來ないではないか。土地代が拂へそうがないからと云ふて悲觀す

るな。今によい年が廻つて來るのだ。土地代の拂へぬ者から土地を取り戾して整理しろなんて不人情な事を云ふな皆苦しく忙がしいだらうが、手の足らぬ者に手をかしてやれ、困つて居る者を助けてやれ、泣いて居る者があつたら一所になつて泣いてやれ、アリアンサの基礎が「金」の上にあると考へるな。アリアンサの基礎は「愛」の上に置かねばならぬことを忘れてくれるな。

二、列車衝突事件

に對する友人の手紙は左の通りである

「何分にも未曾有の慘事にて家を擧げて海外萬里に死を求むるが如き大に一行の不安と並に將來移住希望者の不安を招く次第と存じ候、移民列車事故に對しては伯國當路者の慰籍も至つて輕微の趣に有之候へば出來得る限りの御煩慮の程切望仕り候遭難者の直話を綜合するに死者三名重輕傷者三十名と註せられ、ソロカハ線は複線に有之正面衝突を爲すと云ふも可笑しく且又死傷者は日本移民側のみにて敵の列車には死傷者なく損害輕微なりし點より察するに敵の列車は線路を取違へて退却中のものに非りしやとも考へられ候、矢ケ間敷云へば國際問題なれども一面より見ればサントスよりアリアンサ迄三日間一泊の暇もなく休息もせず特發列車に轆ちたるも亦原因と認められ候、サンパウロの移民收容所は必ずしも海興專有にも無之次第に有之候へば出來る限り此收容所を利用するは經驗休息を兼ねて有用のことゝ存じ候

右に對し伯國當路者の慰藉などは當方としては問題と致し居らず、惡意の結果でなきことは當然なれば當方としては凡て善意を以て之に對する外はない。信濃熊本の兩縣からは見舞も送つて居り、外務省とも交涉して必要ならば救濟もしようとの了解も出來て居る遭難者には氣の毒だけれども災難は災難で關係者が出來るだけの手段を盡すの外はないのである。友人は複線だから衝突は可笑いと云ふが複線だつて衝突はイクラでもするのである。パウルの夜行の方に死傷者のなかつたことは當方としては喜んで居る、日本人が死傷したからお向ふにも死傷者がなければ承知出來ないと云ふ理由はない死傷は數の少なきを以て喜びとせねばならぬ。又、當方では之れを國際問頭だとは毛頭考へて居らない。又、

サントスらかアリアンサへ特別列車を仕立てたことに對しては、アリアンサ理事の努力と計畫とに贊成し居るし、又、一度衝突したからとて、今後も出來るならば、特別列車にしたいと思ふてゐる。汽車の衝突が惡いと云ふならば、マニラ丸を神戶港で一週間クイ止めて四月一日に延發させた發頭人の私が一番惡いと云ふことになるが、私は氣の毒だとは思ふがマニラ丸を一週間延發し其乘客の乘つた列車が不幸にして衝突したからと云ふて私は道德上の罪惡だとは思はない。

三、入植者と幹事

「小生は大體に於てアリアンサを以て良好なる試練の植民地と認居候處先住者五百名中に大分不平不滿進んでは攻擊の聲を放つもの少なからず幹事は之れに對して辯明し反駁すといふ有樣にて各一理あれども改良發展の爲めには何の役にも立たざる事と存候須らく改良統一に向つて實行を急がれ度く希望仕り候今の儘にて放任すれば互に惡口の言ひ合ひにて耻を國の內外に暴しアリアンサ建設の體面に對しても相濟まざることゝ考へられ候

世界何れの所にも不平不滿はあることであるから、アリアンサにも不平不滿は、幹事にもあれば入植者にもあることゝ思ふ。正直に告白すれば、私自身にも幾多の不平不滿があるのである。さりながら、要は、お互の立場に立つて萬事を善意に解釋するより外はないのである。入植者の幹事に對して不平のある者は、先づ其不平を誰より先きに幹事に話して見るがよい。そして幹事の立場から其不平を考へて見るがよい。又、幹事も入植者に對し不平があらば、其本人に面と向つて話して見るがよい、そしてお互に善意に解釋をして行くより外に、又、多くの場合に公共に對しては個人が犧牲になるより外に、一村を圓滿に發育させる方法はないのである。

四、アリアンサのコンミツシヨン

「アリアンサは劣等植民地にして他に幾多上等にして安價なる土地ありしに拘らずアリアンサを買收したるは關係者がミランダ氏より口錢を貰ふが爲め外ならずアリアンサ五千五百町步買取りの節は八十コントスの口錢を貰ひ何人か分配したる更に第二第三アリアンサ買收の節は約二割の口錢を貰ひたる筈なるが其行末ぞ如何」

これは御念の入つた問題である。アリアンサを劣等だと斷言する者は先づノロエステ線に於てアリアンサ以上の所がドコにあるかを提示せねばなりませぬ。亦、アリアンサよりよい所で安價の所がありと云ふ者は、ドコにイクラのものがあつたかと云ふことを提示せねばなりませぬ。ブラジルに於て土地の世話をする者が口錢を取るのは當然である、何もミランダ氏丈けが口錢を支拂ふのではない誰でも支拂ふのである。林田氏はミランダ氏との契約があつて若干の口錢を取つたであらう、それを取つたつて何が惡いのですか。アリアンサにせよ第二第三にせよ、協會では土地と價格とを査定して、よいと決定すれば其價で購入するのである。地主と協會との間に立つて口錢が取れるならばイクラ取つても協會ではカマワないのである。アリアンサ第一は私がミランダ氏と交渉して購入し、第二第三は多羅間氏がミランダ氏と交渉して購入したものである。永田や多羅間や輪湖がコンミツションを取る人物であるか否は、一切を世評に一任する。私は自分を辯明する程の必要を認めないのである。又、アリアンサが劣等であるか否、其買收價格が不相當に高かつたかどうか、それはアリアンサに居住して居る者で、サンポーロ州のせめてはノロエステ線丈けでも實見した者の知る所であらう。

五、アリアンサの設備に就て

「これは可なり立入りたる惡口なれども要するにかゝる事柄迄引合に出して惡口を述ぶるは畢竟現在の設備並に機關が建設の理想と豫定とに相反し移住者の期待を裏切り取敢へず手近の幹事を攻撃し延て建設者並に關係者迄怨恨を以て攻撃するに外ならずと考へられ候。協會と云ひ幹事と云ふも神佛にあらず徒に反駁辯明をこれ事とせず豫定の如く進行を得ざる理由を公表しドシドシ改良せられんことを切望仕候」

私にはウソもカクシもないから正直に告白を致しますがアリアンサ移住地建設の當初に於て一戸の入植者が何程の資金を準備すべきやと云ふ事が第一の問題であつたそれで輪湖北原兩氏及び其他の實驗家の說を參考として立案したのである。其立案の基礎となつた者は(イ)三人家族のブラジルに於ける勞働能率(ロ)ブラジルに於ける一段當り農作物の生産量(ハ)ブラジルに於ける農産物の平均相場(ニ)日伯替爲相場の變動等であつた。此イロハニの四要項の内で私の間違ふた點はイである、輪湖北原兩氏の計算した勞働能率はブラジルで二三年の試練を經た人々を標準としたのに實際の入植者は此試練を經て居なかつた事である、從つてアリアンサ入植者の勞働能率が低く、多少一段當りの生産量にも關係し且、ブラジルに三四十年來の不景氣が襲來し、又、時に一圓が二ミル七百五十レースと云ふ氣狂ひ相場を生じた爲め、入植者の準備した金が不足を來たしたのである。又、中には協會で要求した丈けの資金も準備出來ずに行つたらどうかなるだらうと云ふ位に出發した者もある。甚には荷物を船に乘せて船賃の出來なかつた者があり、神戸で百圓きり金のなかつた者もある位であつた。さればとてこれ等の人々の渡航を中止させる事も出來ないと云ふ有樣であつた。其結果は入植者に必需品を協會のアルマゼンで貸して行かねばならなくなつた。其金額は時に二百コント乃至三百コントに達したのである。協會としては公約したる設備をしたいのは山々である、しかも此設備に金をつかへば入植者は餓死するの外はないのである。第一第二年の入植者を餓死させてアリアンサをどうするか。それならば協會で資金の工夫をしたらどうだと云ふ。協會では出來る丈けの借金をして居り政府にも御依頼を致し全力を盡して出來る丈けのことはやつたのであるしかもどうすることも出來ないのであつた。當初入植の人々が設備がないと云ふて不平を云ふならば、彼は先づアルマゼンに借金を支拂はねばならぬ。中にはアルマゼンに借金のない者もあらうが、移住地の大局から見れば金のある人から無い人の爲めに融通して貰ふの外はないではないが、不平を云ふ者が理事の立場に立つたら一體どうする積りであるか

六、會計の公表

「昨年末を以て建設せらる可き學校病院の如き外務省の補助と伯國政府の補助百五十コントすら貰ひ居るに拘らず今以て影も形もなきのみならず何時建設の豫定すら公表せられざるが如き(A)
五十キロ米突所在の製材所はアリアンサ開拓以來製材料を支拂はざる故に閉所したりと云ふが如き(B)
賣店の賣掛金が一文も取れず幹事は預り金と差引ても尙未收金が增す計りにて將に破産に瀕すと云ふが如き(C)
第二アリアンサの信濃協會の賣店は出張所を設け現金に非らざれば賣らずと宣言し一般の不安を增し居るが如き(D)

渡航補助金は預りたる儘未だ曾て渡したることなしと云ふが如き(E)
幹事はリオデシヤネイロに迄出張して先づ現金預け入れを勸誘し一旦預けたら最後返して貰へぬと云ふが如き(F)
預金の大部分は直營地の經營に消費せられ居るものゝ如し(G)」

アリアンサ移住地の會計は、協會の代議員會に於て豫算を立て決算を審査承認し機關雜誌「海の外」にて公表することになつて居て之れは協會の一般會計と同樣である其以前にはアリアンサ會計公表の必要も機關もないのであるが、協會としてはそれ以前の印刷物でも機會ある每に公表をして居るのであるから、協會々員は每年一回此報告に接する筈である。

A、アリアンサがブラジル國政府から補助金を下附されたと云ふことはない。外務省から設備費として百三十二コントスの補助金を受けて居るが、これは現金を受領したのは最近のことである、十五年度の補助金が協會の手に渡るのは早くて八九月時に依ると十六年の三四月になることさへある。現金が手に入つて設計をして工事に着手するには相當の時間を要する。本部に於て苦心して作つた金は、入植者の必要品として貸附せねばならぬ事情であつては、設備の後れるも誠に止むを得ないのである。それは協會が無能だと云ふならば、其そしりは私が受けます。

B、五十キロの製材所がアリアンサで金を拂はないから閉所したとは考へられない、一体アノ製材所はアリアンサの建設などは度外に置いて建てられた旨である。

C、アルマゼンの掛賣りが取れないのは事項前述の通りである。この金が拂へる樣になればよいのであるが。アリアンサの會計を公表するとすれば其大部分はアルアゼンの金を支拂はぬ人名の公表となるのである、公表すれば金が拂へると云ふではなし、入植者の恥になる樣なことはなるべくせぬがよいのではなようか。

D、第二の賣店は信濃と鳥取と相談の上現金賣りにしたのである。本年の四月からの渡航者は以前の人々より資金を十分に準備して居る筈であるから、現金でも買へるのである。協會では現金で買ひ得る樣にして置いて現金で賣ろうと云ふのである。

E、渡航補助金は內務省と相談して最良の方法に於て渡すことになつて居る。アリアンサに於ては現金で渡されるより入植者の必需品となつてアルアゼンとの計算で差引かれる結果になると思ふのである、此點もよく承知して貰ひたい。

F、幹事がリオへ迎に行つた際に入植者の所持金を預ることは入植者の爲めによい事だと思ふて居る。

G、既に前述の如く協會としてはアルマゼンを通して入植者に二三萬圓の金を貸して居る位であるから、入植者から預つた金を直營地の經營につかう樣なことのありやう筈はないのである。補助金や預り金が入植者の要する金より多ければ、アルマゼンは入植者への貸し勘定にはありません。第一期の入植者の準備金が不足したことが入植者の苦しい最大源因である。これに對しては私共も責任があるから、協會でアルマゼンを通して、金の融通を入植者にして居り、又理事達は、入植者の內の比較的金の餘裕のある者の金を、金がなくて困つて居る者の爲めに責任を負ふて融通して居るのである。それが何で不安であり何で不平であるか。諸氏は會計の公表を云々するが、其實際を公表したらは初期の入植者達の內で金の不足した者の借金調をする樣なものではなかろうか。

七、組合機關の不備

「アリアンサは組合組織によりて運轉せらるべきは堂々と宣言せられ居るに拘らず今以て組合などは形もなく(A)生産物は多少に拘らず一文の金にも爲らずと云ふ次第にこれは大問題に考へられ候(B)
協會の特色は此點に存し候假令宣言には明記せられずとも暗々裡に他の群小營利植民地の上に超然たる特色として移住者の皆期待し來たれる所と存し候而して事實は之れに反し既に二農年に達する人も今以て一錢の收入なく支出一點張と云ふ點が不平不滿の眞原因と存候(C)
自作者は多少の瘦我慢の手前もあれども小作者に至つては收入が全部の目的に外ならず既に二年に達して無收入とあらば不平もあるべく不安もあるべく從つて新移住者をして益不安ならしむるものと考へられ候(D)
幹事は之れに對し移住者の手腕の未熟と資金の不足とあげ協會の揭げたる收支豫算の正確を力說せられたれどもそれも一應御尤千万にて今後は出發以前に未熟の腕前を資金にて補ふ樣御指示を願度(E)

同時に速に組合機關を設け十分懇切に指導せられ度く而して後收支思ふ通りに行かずとも之れは協會の責任にあらず今の儘にて移住者のみをせむるは大に不當と考へられ候（F）

A、組合を早くつくつて移住地を入植者の手に引渡したい切望は私は持つて居る。又、協會としてもアリアンサを永久に支配して行かうなどとは毛頭考へて居りません一日も早く立派な村に仕上げたいのである。但し、協會がアリアンサを安心して入植者の組合に引渡すに對しては相等に責任を感じて居る（イ）入植者の經濟狀態が順調になり一村經營の經費を負擔し得る樣になること（ロ）入植者の大部分が組合組織にある程度の訓練を有する樣になること（ハ）村中の有識者が一村を經營して行く爲めにブラジルに於いて必要なる指導者的訓練を經ること（ニ）一村に一氣質の善良なる發芽をなすこと等である。開設次第少なくとも三年、中にして五年、後れれば七年を要するであろうぞ

B、生產物の金にならぬことは、組合の出來ない爲めでも、現在の理事に手腕がない爲めでもない前にしば〳〵書いた通りブラジルの不景氣の爲めである。これは忍耐して時の來たるを待つの外はあるまい。

C、入植以來二年になるが一文も金にならぬとは受け取れぬ言ひ分である。野菜も食ふた筈であり米も食ふた筈であり珈琲も生長して居る筈である。由來農業は現金として殘るより目に見へない所に富が殘つて行くのである。それを見ずして現金が取れないからと云ふて悲觀してはならぬ、況んやブラジルの大不景氣の際中に於て徒に悲觀してはなりませぬ。

D、小作者が二年の間收入がないので不安に感ずるのは止むを得ないことであるが、今日に於ては私は只隱忍努力せられんことを祈るの外はないのである、世界の不況を人類の手ではどうすることも出來ないのである。諸氏がブラジルに行かず日本に居つたとした所で此不況では如何ともすることは出來ないのである。

E、幹事は何にも入植者の手腕の未熟と資金の不足を責めはしないだろうと思ふ、自身勝手の事計り云ふて、徒らに幹事丈けが惡い樣なことを云へば輪湖君でも北原君でも腹を立てるに無理はありません、昭和二年四月以後の渡航者には以前の者よりも多くの資金の準備をして貰いました。此金額は外務省でもこれならよかろうと云ひアリアンサへ行つて來た者もこれ丈けあれば十分ですと云ふ丈けの準備をして貰ひましたから、イクラか緩和されようと思ふ。

F、協會としては入植者が組合を組織してやつてくれることを喜ぶのであるが、入植者側から云へば金もいり時間も費さねばならぬのである。アルマゼン會計が不明ならば、入植者から三四の有志が理事を手傳ふて此總勘定の手傳をしてくれたらどうだろうか。又、測量が間に行はなかつたら、理事の割當てを一ケ月も待つて居らずに、進んで測量の手傳をしてくれたらばどうであろうか。理事は手が足らずに困つて居るのだから、好意ある手傳を拒絶する筈はないと存じます。

八、雜　件

「近來內外の視察が絕えずアリアンサを訪問し半好奇的に半冷笑的に見物致居候が本日も海興會社員二名來訪それとなくイグアペ植民地の優良なるをほのめかし居候が吾等も多少の敵愾心あり速にアリアンサの改良を鞭韃せられんことを希望して止まざる次第に有之候（A）

申す迄もなく小生は不平論には贊成せず飽迄も改良を主張する次第に有之惡口や辯明に過ごす時代に非ずと存じ候B出來る限り速に豫定又は豫定以上の施設を整へ然る後これにても不滿の輩あらば退去を命じても宜しかる可くと存じ候へ共何分右の現狀にては不平惡口を增す一方にて殊に昨日の入植者の第二アリサンサの一隊は汽車の衝突にて意氣沮喪せるのみならず所持金誠に少額にて到底無事なるを得ざるべく（C）

加之信濃鳥取の寄會政治にて必ず會計の爭を生ずべく遠からず一大不平を惹起すべしと豫想仕り候願くは今の內に改善の第一步に着手せられ度く出來得べくんば不偏不當最公平なる理解ある人格者をアリアンサに派遣して實況を調査せられ度く切望仕り候（D）

健康に就てはイグアペ上塚兩植民地に劣り設備に至りては兩植民地に比較にならぬ程劣る次第に有之候（E）

假令物質的には劣るとも精神的に統一でもあれば將來の樂もあるべきも段々不平を增す樣にては（F）

貧弱にして不安なる小作者はぽつ〳〵ピリギー、プロミツソン等に轉任を試むるものも有之（G）

協會の資金を增集し土地の擴張よりは內部の改良充實者に貸附金の準備をなすこと（H）

組立家屋を協會にて販賣すること（I）

應急策としては一地區の單位を五アルケールに縮め可成多數の移住者を渡航せしむること（J）

地代は必ず金額を拂込ましむること（K）

既住者にして土地代拂込の確信なきものを整理すること（L）

A、私もイグアペの惡口を申したれば、海興社員がアリアンサに來て惡口を申されても更に異存を感ぜず、只、入植者が兩方の眞相を承知せられんことを切望する次第なり、輪湖氏北原氏光座寺君皆イグアツペのことは私よりもよく知り居れり、我れ今亦何をか云んやである。

B、アリアンサの設備がイクアペや上塚植民地に及ばさるは當然である。アリアンサは原始林にして之れ等の設備を入植者と協會との協力に依つて創設して行く所に私は新移住地の價値を認めるのである。學校病院の完備した所に住みたければ本鄕臺は理想の天地である。イグアペ入植者は其小學校建設の敷地さへ與へられなかつた。且、學校の建設には相當の勞力奉仕をせねばならなかつた。私が始めて上塚植民地を訪ふた日曜日に此植民地の青年達は學校の門の柱を山から引き出して居た。アリアンサ入植の各位は、其小學校の爲めに果して何程の奉仕をなし、青年會諸氏は小學校の門の柱を山から伐り出したるや?。又、此種の設備は一切を協會からやつて貰ふ積りで、協會がそれをやらぬと云ふて徒に不平を云ふて居る積りなりや、石戶君を見給へ何等の不平を云はずして爲すべき所をなし盡すべき所を盡して居るではないか。

B、我が友人は不平論者にあらず、眞にアリアンサの將來を憂いて此通信を送つてくれたことはよく承知して居る。君の通信を基礎として永々と書き續けて居るのも君の通信を辯駁しようと云ふ考へでないことはよく御了恕を願ひたい。

C、アリアンサから不平の輩を退去させろなどと悲しい事では建設者の精神ではありません。アリアンサに於ては土地代の支拂へぬ樣な貧弱な家族も近隣の人に助けられて安住し得ねばなりません。不幸にして其妻を失ひ、其夫を失ひ其父を失ひたる悲しき人々も隣人に助けられ慰められて安住の土地とならねばなりませぬ。アリアンサでは隣の者をナマケ者だと云ふて惡口してはなりません其ナマケ者の畑に行つて働いてやつて、其ナマケ者を働き者に改造する場所とならねばなりません。アリアンサはノンダクレが禁酒する所となり、罪人が悔い改めて善人となる所でなくてはなりませんこれがアリアンサ設立者の理想である、入植者も理事者もよく此點を了解して貰はねばならぬ。況んや汽車衝突して悲しんで居る者に對し「鐵道會社の見舞金が少ない」とか『協會で宜しく見てやらねばならぬ」とか云ふ前に、先づ自らの財囊を空にして貰いたいのである。

D、第二アリアンサの信濃と鳥取との協同經營に對しては私も一種の不安を持つて居る。然しながら全然會計が別になつて居る、然し其他は兩方の代表者が善人であるから協調して行けると信じて居る、又、飽く迄も協調に努力せねばならぬと心得て居る。

アリアンサの經營は目下の所信州本國で其局に當つて居る者に西澤太一郞君がある、東京では私が仕事をして居る、アリアンサには輪湖、北原の兩氏がある、其間を聯絡して居るものは只「信」の一字である。此四人の間の「信」が破壞されれば、アリアンサは土崩である。見に行くとすれば私が行くか西澤君が行くであらう、私は西澤君をアリアンサ見に行つて貰いたいと思ふて居る、明年あたりは實現されるであろう。

E、イグアツペでも上塚植民地でも死ぬ者は死ぬ、設備の事は前に云ふたから繰りかへさぬ。

F、私はアリアンサで不平不滿の人の數が增加して居ると思ふて居らぬ。不平の者もあろうが感謝して居る者も相當にある。年月を經るに經つて輪湖氏や北原氏を理解する者が增加するに相違ない、又、協會が移住地を經營して居る苦心に對し同情と理解とを有する者が增加するに相違ない、アリアンサ入植者は我國の海外移住者中に於ては少なくとも第一位にある人々である、輪湖北原兩君は熱心なる善人である。日本に於ける協會の事業も年と共に餘力を生じ今年は移住地經營の最難局は通過したと考へらるる、此三者が互に理解の出來ない筈はないと私は確信して居る。我友の通信は少しく悲觀的に傾き過ぎて居る樣にも考へらるる。

G、アリアンサの小作が不安で外へ行かうと思ふ者は相當の手續をなして行つて見るがよい、併し思慮ある者はアリアンサを退去せぬであらう、間作はアリアンサが安ければビリグイも安いのだ。プロミツソンが四年で珈琲がなれはアリアンサでも四年である。何を苦しんでアリアンサを退去するであらうぞ。

H、協會が移住地の新購入をしなければアリアンサの充實が出來ると考へるのは、經營の眞相を知らぬ者の云ふことである。新移住地購入に要する資金よりも、之れを處分することに依つて得らるる金の方が多いのである。從つて第一アリアンサを充實しようとすれば、新移住地をいよ〳〵多く購入せねばならぬのである、況んや信濃協會では第一の五千五百町歩が終つたから之れが完全迄六七年間も仕事を延ばして居る譯には參りませぬ。協會の資を增集しろとあるが、一體ドコから金の增集が出來るのですか？

I、組立家屋も協會で販賣の方法がつけば勿論やりませう、問題は資金の如何にある四月一日に神戸を出帆した者に對する渡航補助金は內務省から七月二十八日の今日迄まだ下附になりません、替爲關係の具合も惡くなるし汽車は衝突するし、入植者の山伐り代金必需品の爲めにアリアンサ理事の苦心は目の前に見へて居る、けれども下附されないものをどうすることも出來ないじやないか。

J、アリアンサ入植者が困つても一地區を五アルケールに縮少することには反對する。三人家族の理想的面積は十五アルケールとされて居る、今の十アルケールが既に少ないのだそれをどうして五アルケールに出來るものかブラジルに行つて五反百姓の還元が出來るものか、暫らく忍耐せよ。場合に依りては食はずしても汝の二十反町歩を死守せよ。

K、土地全額拂込は勵行して居る。富山の如きは全部全額を拂込まして居るが、年賦にすれば自作で行ける者を一時拂にさせて小作にすることは永田の生きて居る間は出來ない相談である。友の通信は主義としてはよいが實行は不可能である。

L、入植者で土地代の拂へない者の土地を整理する場合もあるが、主義としては隣家の者がより合つて補助して仕拂の出來る樣にして貰いたいのである、相互扶助はアリアンサの標語の一つであらねばならぬ。

九、幹事及海の外の編者として

アリアンサ在住の諸子に告げたい。アリアンサ在住の諸子から多くの場合明るき側の通信が多く來るのである。これは勿論幹事として嬉しい事には相違ないが、常に樂觀的の方面丈けの通信では滿足することは出來ない。今回の如き寧ろ悲觀的材料を滿載したる通信は非常に有益のものであるから、在留者諸氏は遠慮なく其見る所聞く所思ふ所を通信して貰いたいのである。明暗兩面の通信を綜合することに依つて始めて最良なる判斷が出來るのである。

「海の外」は天下の公器である、私人の私見や一派の考へに依つて左右さるべきものではない。從つて編者の立場として私自身は不偏不黨であるから、通信は其積りで取扱ふて居る。輪湖北原の兩氏に對して敬愛の念を有すると共に、アリアンサ入植者一同に對しても亦敬愛の純情を持つて居る。移住地の經營者側とか入植者側とか云ふ考へは私にはない。皆一視同仁である。

アリアンサ移住地の經營は、天下の廣居に居て行つて居る、一點の暗き所もなければやましい所もない、角から角までたち割つて誰の目の前にでもさらけ出して耻かしいと思ふ所ないのである。故に此編に於ては山載せる悲觀的材料を其儘に殆んど字句の訂正をせずして掲載した併し必要なる說明を加ふるの止むを得ざるを感じた次第である。

× ×

「珈琲よりも人を作れ」これはアリアンサに入植する一友人に神戸の船の上で與へた標語である。

「金よりも愛を土臺とせよ」これは今回改めてアリアンサ入植諸子に與ふる第二の標語である。（昭和二年七月廿七日）

レヂストロの信州人（三）

宮下琢磨

イグアッペの訪問

二月廿三日は朝早く起きて、萬端の用意をし、午前八時半に出發した、會社用のランチに乘りてリベーラ川を下る、今日は天氣もよく氣分も淸々して居り、昨日のやうに尻のいたくなる心配もないので、風光が一層よく感ずる。

水は平らかでさながら湖水の如く、兩岸の欝蒼たる樹木は、鮮に影ひたし、深き森林は世界の果までも續くかと思はれて、恍として風光の美に魅せられる。

今は增水の方であると云ふがそれでも場所により水面から土手の上までは三メートルや五メートルはある、處が一旦洪水となると此の森林の間を船で行けるやうになると云ふから驚く。

コンモリとした林が續くうちに、とある川の隈の木影に一艘のカノワ（丸木船）が繫いである、此處にも亦人の住めるとおぼしくて、無人の山中跫音を聞くが如く、言ひ知れぬなつかしさを感ずる、赤松總領事一首を得たとて予の手帳にしるす

こゝにまた部落あるらし川の岸に
カーワ一艘つながれてあり

前の金つかふべき途つきてより、筋目が通ふて居ると笑ふ。

桂植民地

岸邊に村の人が出て迎へて居る、今日はイグアッペの方を急ぐので、一寸上つて製材所などを觀、明日歸りに學校の方で一同に會ふことゝしてこゝを出發す、船は下に下にと下る、川の幅は益廣くなり、山も近く見える、卯の花のやうな眞白な花が、一面雪のやうに咲きこぼれ綠樹は水面に被いかぶさり、涼風に木の葉がそよいで居る、此の綠蔭を傳つて、土人の夫婦とおぼしく、男は櫓をあやつり、女は棹を手にして悠々と漕ぎ上つて行く、正に一幅の好畫題赤松子僕の手帳に書く

白き花咲きてこぼるゝ綠蔭
土人の夫婦カーワ漕ぎ行く

イグアッペに近くなると山も段々近く見え瀨も益淺くなる、河口は廣いが直ぐに海に接して居る譯ではない、前面には長い嶋が橫はつて居て風波を防いで居る、これで水深が可成り深くでもあれば結構であるが、リベーラ川の砂が年々堆積して、今は一面眞菰草のやうなものが生へて居る、丁度潮來出嶋の水鄕でも聯想させるやうな光景である、此の河口が年々淺くなると云ふことが、港としてのイグアッペの生命を年々に縮めて行くことになる、況んやサントス、チユキヤ線が通じてからは益其の影がうすくなつて行くのは止むを得ない、

河口に近くなる頃に、川下の方から、一艘のランチが威勢よく上つて來た、是れは市長や郡會議員を乘せた船で、帝國總領事赤松祐之閣下の初巡視を迎への船であつた。此の船が水先案内となつて、淺瀨に乘り上げぬやうに、曲折してパードレ、ロマと名づけられる棧橋の處につけた。

× × ×

棧橋には市役所の役人や郡會議員が十數名迎ひに出て居られ、こゝで一々一同に紹介があつてそれから一先づオテル、セントラルに落ちつき市役所を訪問し、街を一巡すると云ふ順序である、

イグアッペの街は古るめかしい、古典的な匂ひのする靜かな町である、ホテルに行つて見ても暗い部屋で、石造と來て居るから中世期頃の面影がある、此の靜かな平和の街の空氣をかき亂したのは、吾々一行の物々しい行列である。內外人合せて十有九人小さな街の大通りを練り步いたので、商店の主人も番頭もおカミさんも娘も表に出て見て居る、子供は後からついて來る、街を步いてノツソ、セニヨール、ド、イグアツペ寺に參詣をした、舊敎の古い寺であるので正面の何十尺かの高い處に金色サンランたる聖母マリヤの聖像が奉安してあつて、其の前に香華や燈明などの飾り、聖徒の畫像などが立ち並んで居るのは、日本の御寺にお參りした感じがする。

僧侶は特別待遇のツモリか、段々高い段々を案內して行くと、聖母の立てる高壇の處に出た、聖像は下から仰いでこそ紫雲たなびく心地して有り難くもあるが、高壇

に登りつめて、背くらべなどして見ては一向有り難くないものである。

領事の招待會

此夜總領事は市長や郡會議員、政黨員市役所書記で其の重なる顔ぶれは

市長　アシリーノ、セルブロ、ダリンニヤ
郡會議長　ジヨゼー、デ。サンタンナ、ヘレーナ
副議長　セバチオン、ヘレーナ、デ。モライス
議員　パウロ、バレーロス
　ジヨアキン、サンタンナ、デ、モライス
　ジヨゼー、ユルデホンゾ、デ、リーマ
海軍大尉　ワルデミロ、ホルテス

などで未た何とか云ふ連中もあつたと思ふが此の夜の晩餐會は演説づくめで、信州の青年會などのやうに、一言なかるべからずと云ふ態度で、吾れもわれもときかぬ氣でやる、演説の大要は隣席に居た日置剛氏によりて大要承はつたのであるが、日本大官の始めての訪問を光榮とすると云ふ意味を述べるものあり、イグアツペも日本人の勤勉なる手によりて開發されて行くのを讃美感謝するものもあり、或は永々とイグアツペの歴史を語るものもあつた、兎に角ブラジル人は辭を婉曲に言ひ廻したり、音樂的な聲を出して聽衆に感動を與へることに非常に興味を持ちて居るやうである。

皆が散解した後で　白鳥氏からむかしレヂストロ創設當時青柳郁太郎氏が　古めかした石作りの此のホテルで恐ろしく襲來する蚊を拂ひ乍ら此の土地の有力者と交渉をして居つて當時の苦心談などきゝ、此の夜は疲れても居り安らかな眠に入る。

二月廿四日

朝六時に起きる、顔を洗ひ一同コーヒーを啜つて居ると市長郡會議長がやつて來る、船が七時に出ると云ふので直に波止場に行く郡會議員連がやつて來て互に挨拶をかはす、波は靜かで眞菰草の茂つて居る處はどうしても潮來を聯想せしむる水鄕である、監督官の連中は各所で寫眞をとる、自分も二三枚カメラに收める。

七時を少し過ぎる頃、愈ボートは靜かに眞菰草生ふる間を淺瀨に乘り上げぬやうにカタカタ音を立てゝ動き出す、先方の河岸を見ると、昨日案内をして呉れた殊勝氣な坊さんが今朝は衣の袖をズツトまくし上げて、手には

一尺七八寸の魚をブラ下げて、黑衣の裾を地に引きづるやうにして通るのを見た、其の黑衣と殊勝らしき顔と、手に提げた生魚とが、妙な對照をして可笑しかつた。

郡會議員の連中はイツ迄もイツ迄も、帽子を振つた見送つて居た。

朝風はやゝ寒く外套を吹く……

×　×　×

朝霧はだん／＼晴れて、天氣はよくなる、船は進んで行くと昨日は心なしに通ふたが、眞菰草の間に白くかきつばたのやうな花が見える、「あやめ咲くとはしほらしや」の感を深うする。

水は平らで恰も鏡の如く、樹の一本一本葉一ツ一ツ迄が鮮かに水に映る、川の曲りくねつて居る處へ來ると、上流も見えず下流も見えず、池が小さな湖を行くやうな氣持ちである。

午前十一に桂植民地につく

ランチは直ぐ學校の下にと繋がれた、河岸には村の人が皆集まつて居る、學校には日章旗とブラジルの國旗と交叉してたてゝある、兒童は日本人とブラジルのと交りて總人數五十餘名、其の周圍には村の人がとりまいて手には國旗をもつて居る。

先づ歡迎の歌を歌ふて校庭で迎へた。

教室に這入つてからは君が代とブラジルの國歌を歌ふた總領事は起ちて此の村の人は會社の借金は皆濟になつて居ると云ふ事から、大に其の勤勉努力を賞讃し、外觀の設備は貧弱であるが、其の内容に至りては大に整備して居るのは嬉しい、どうか最も古き植民地として充分良き模範を示して貰ひ度いと云ふ話をした。

次は監督官で一場の希望演説をし、其の次に江越技師は土壤の改善に「フエジヨン、デ、ポルコ」と云ふ豆科植物の有利なこと、排水の利についての話があつて村民總代が謝辭を述べて閉會。

二三十間離れた處に、別に一軒のクラブ風の建物がある、こゝで机を凹字形に並べて歡迎會があつた、此の席上で自分は海外協會の一員として、最も古く最初に出來た由緒ある此の植民地に對し一場の挨拶をし希望を述べた。皆な非常に喜びビール瓶を捧げて厚意を表して呉れるのであつた、そして出懸けには諸君は海外協會の萬歳を祝して呉れた、自分も衷心此の植民地の發展を祝した。

午後一時三十分船で出發した、女教師二人は同船して日本人の居る部落迄來て船から上がつた。

波の平かな川を安々上つて行く、何處の巴であつたか所謂ベーラ富士が見える、日本人は圓錐形の山が見えると無上に嬉しがる。

萬里の異邦に住む身には　富士の面影を聯想さるゝ此の山によりて、どの位慰安を與へらるゝかわからない。

だん／＼夕暮近くなる、夕暮の雲の鮮かなことは金色に又赤く輝き　夫れが水面に反映する處は天地只金色に包まれて此の世のものとしも思はれぬ程の美觀である。日が沒すると、靄モヤが漸次天地を靑め暗き影がだんだん深くなる、今迄家があるとも思はなかつた森林に忽然燈火が見える。

それが河水に映じ永く尾を洩く、白鳥氏の話に船が通れば目じるしの爲めに庭で焚火をするか、又は燈火を軒に持ち出して吊すか、或は手で振り廻はす、船でもラツパを吹いて相呼應し敬意を表するさうである。

船は八時にレジストロに着く。

（續く）

玖馬へ安着

△所要四十二日

宮坂救治
埴科郡埴生村

謹啓

御配慮を蒙り厚く感謝致します。横濱は五月十日安洋丸にて出帆六月八日マンサニヨに上陸してメキシコを横斷鐵道によりました。幸ひに同船者の厄介にて無事、否遊びながら十八日ベラ、クルーズに出て、二十二日目的港ハバナに着きました。ハバナでは五日間遊んで二十七日兄の所に落ち附き七月一日より製糖會社の園丁として働いてゐます。

叔父及び兄と共に居りまし、日本人も多數居りますから少しも寂漠を感じません。他事ながら御休心下さい

安洋丸にてはキユーバ行き十數人ありましたが、メキシコ通過は二人のみで全部パナマ運河通過でした。パナマ通過は見せ金なしで出來るさうであるが移民局に收容せらるゝ束縛があるさうである。手續きも簡單だそうです。メキシコ通過とパナマ通過は日數に於いて全く同じである。私の乘つた船がたゞ二時間ばかり早くハバナに入港致しました。では不取敢まで禮御（七月三十日着信）

母國通信

拓植省設置案

北方、南方、移民の三局を置く

拓殖省設置案は六日の行政審議幹事會議了されたので七日午前十時より開會の審議會總會に付議されることゝなつたが幹事會原案は全文左の通りである

拓殖省設置要綱

一、拓殖省を設置し各朝鮮、台灣關東州、南洋群嶋および南滿洲における鐵道付屬地に關する事務、南滿洲鐵道株式會社に關する事務、移植民事務、拓殖事業の指導奬勵に關する事務を掌らしむること

二、拓殖大臣の所管事務の執行に必要なる限度において領事館を指揮監督すること

三、移植民事務および拓殖事業の指導奬勵に關する事務に從業せしむるため外國重要の地に拓殖省職員を駐在せしむること

四、前號の職員はなるべく領事館付を命ずること

五、拓殖省設置に伴ひ內閣拓殖局を廢し外務省および內務省社會局の權限および定員を相當變更すること

六、鐵道大臣の南滿洲鐵道株式會社監督權はこれを廢すること

七、樺太はこれを內務省の所管に移すこと

拓殖省官制案

第一條　拓殖大臣は朝鮮台灣關東州および南洋群島に關する事務南滿洲における鐵道線路の取締事務、南滿洲鐵道株式會社に關する事務、移植民に關する事務並に拓殖事業の指導奬勵に關する事務を管理す但し外交に關する事務についてはこの限りにあらず

第二條　拓殖省に左の三局を置く
北方局、南方局、移民局

第三條　北方局においては左の事務を掌る
一、朝鮮に關する事務
二、關東州に關する事務
三、南滿洲における鐵道線路の取締事務
四、南滿洲鐵道株式會社に關する事務

第四條　南方局においては左の事務を掌る

一、台灣に關する事務

二、南洋群嶋にする事務

第五條　移民局においては移植民に關する事務および拓植事業の指導奬勵に關する事務を掌る

拓殖省職員

		親任	勅任	奏任	判任
大臣		一			
政務次官			一		
次官			一		
參與官			一		
官房	秘書官			一	
	書記官			二	
	屬技手				
	通譯生				二〇
北方局	局長		一		
	書記官			三	
	事務官			三	
	技師			二	
	屬技手				二〇
北方局	局長		一		
	書記官			三	
	事務官			三	
	技師			二	
	屬技手				二〇
南方局	局長		一		
	書記官			三	
	事務官			三	
	技師			二	
	屬技手				二〇
移民局	局長		一		
	書記官			二	
	事務官			二	
	技師			四	
	屬技手				二〇
外國駐在	書記官			五	
	事務官			五	
	技師			五	
	屬技手				三〇
	通譯生				
計		一	六	四三	一一〇

權限問題が最難關

七日の行政審議會に付議された別項拓植省設置案は大體の要項に止まるものでありいよ〳〵設置する事の根本方針が決定すればその上で改めて

一、拓殖大臣と植民地長官との權限問題

二、植民地長官の律令、政令の制定公布に關する權限

三、各植民地を包含する常設委員會を拓殖省內に設置

四、現在の拓殖局廢止に關する件

五、樺太廳を內務省の所管に移す事

六、その他三局內に設くる各課の數、その職務配當その他に關する詳細なる規定を含む官制案の作成

七、豫算槪算の作成

等の具體的問題について考究する事となるのであるが右の內もつとも難問題視されてゐる植民地長官と拓殖大臣との權限問題、植民地內における律令政令の制定公布に關する權限等については幹事會の意見では必ずしもこれ等の事項に觸れずとも拓殖省を設置してその政務上の機能を發揮する余地はあるとの事である。然し當日は總會で可決するか否か不明で來月上旬頃までに閣議を通過すれば樞密院に付議し百萬圓乃至百二十萬圓の豫算を計上する方針であるけれども樞密院においても權限問題を中心に相當議論が出る模樣で拓殖省新設の實現は尙大なる疑問がある

新締約國になる

南阿聯邦

排日運動の根據地と云はれてゐたアフリカ英領南阿聯邦は親日家ヘルツオーグ氏首相就任以來排日氣分は益々緩和され來つたが此の程聯邦は大英帝國から外交權を付與され外務省の成立を見たのでこれを好機に我が外務當局では通商條約締結を交渉せしめる事になつた。同聯邦との條約成立の曉には聯邦の唯一の生產業たるダイヤモンドの採屈鑛業に投資することができ、自然移民の新天地が開拓されるのでその成行は注目されてゐる。

試驗地獄を救ふ

入學試驗廢止案

文部省では從來の試驗制度が學生をして暗記記憶の學習にのみ走らしめかつ上級學校の入學試驗のため常に下級學校の敎育內容が混亂され入學準備敎育に墮する傾向あり一方試驗地獄救濟の聲が漸やく猛烈になり重大なる社會問題たらんとしてゐるに鑑み今春來協議を重ねて試驗改正案要綱を發表した

內親王殿下御誕生

お慶びに充つ赤坂離宮

皇后陛下には今春來御芽出度き御兆候にてわたらせられ國を擧げて陛下の御健康と御安產を念じ來つたがその慶びの日はついに來て十日午前四時四十二分安々と御分べん遊ばされ玉の如き內親王殿下御誕生あらせれた御母子ともに極めて御健全にて御經過御順調にわたらせらる、內親王御誕生を報ずる號砲は初秋の空高くとどろき、全帝國の津々浦々まで慶びの聲は響きわたつた、宮內省では卽刻官報をもつて公式に發表した。

文　壇

芥川氏自殺

小說家芥川龍之介氏は七月二十日午前七時東京市外の自邸において睡眠藥を多量に飮んで自殺を遂げた。同氏の自殺は二年前から決してゐたもので最近は强度の神經衰弱であり、先頃文壇の知友宇野浩二氏が發狂して王子腦病院に入院した事せきばくたる人生觀と家庭的の複雜なる憂苦が伴ひ死を思ふたことであらうと云はれてゐる。最近は菊池寬氏と共同で小學生全集を監修し改造や文藝春秋等にほとんど執筆して多忙なる文筆生活にいそしんでゐた。

同氏は京橋生れ大正四年東大英文科卒業で今年三十六才である。家庭にはふみ子夫人(二八)長男比呂志(八才)次男多加志(六才)三男也寸志(三才)の三兒がある。遺書は長文の「ある舊友へ送る手記」があつた。

世界第一の人口增加

昨年度の帝國內地における人口動態はさきにその槪數を發表したが今回の公表によると、出生總數二百十万四千四百五人(男百八万七百九十三人女百三万二千六百十一人男女不詳一人)死亡總數百十六万七百三十四人で差引九十四万三千六百七十一人の增加を示し前年の八十七万五千三百八十五人に較べて六万八千餘人の自然增加である。

本年一月から三月まで

卅八万人增加

近來出生、死亡の差增による人口の自然增加が著しく世の注目を引くにいたつたが本年一月乃至三月の動靜について內閣統計局の發行によれば左の如くである

出生　七〇八九三六

死亡　三二五二四八

差增　三八三六八八

で前年同期に比し二九〇七六人減じてゐる。

極東オリムピツクに

日本優勝す

上海で開かれた第八回極東オリムピツク大會で目ざましい活躍が報ぜられ優勝の榮譽を擔うた我が選手一行百五十餘名は獲得した天皇賜盃を捧持し父秩宮殿下下賜の大日章旗を舷側高く秋風にはためかせながら六日神戶に無事に歸つた。

熊本縣下の大暴風

死傷者壹千名

十二日午前十時より熊本縣沿岸各郡市に風水被害あり死者六百餘名行方不明四百の見込で家屋倒壞流失一千八百戶、浸水三千戶、浸水田畑二萬三千餘町步、船舶流失三十七隻、等總損害見積二千萬圓を超えると。暴風雨潮害は飽託郡宇土郡、玉名郡の三郡が最も被害甚大であつた。

長崎縣南高來郡も著しき被害あり遭難船舶五六隻に達した

橫濱、東京方面にも突風襲來して被害各地に起つた。

義捐金

今回の慘狀に對し各種團体は義捐金の募集に着手したが海外協會中央會及び本會は海外在留者留守宅の被害に對し金五百圓を取敢ず熊本海外協會を通じて送つた。

第二皇女御名

新內親王樣には十六日お七夜の佳き日を迎へさせられ御父陛下には御しん筆の名記を新宮樣に賜う「久宮祐子(ヒサノミヤサチコ)」と御命名になつた

信州記事

縣議選擧と關係諸事項

今秋、全國を通じて(五、六縣を除く)行はるべき縣會議員改選につき各地方共とりどりの話があるが本縣は九月二十七日選擧期日を以て六日付縣報號外をもつて告示せられた。主なる事項をあぐれば左の如し

選擧委員および事務員數(候補者一人當りの數)西筑摩南安曇、埴科三郡は二十人、他の郡市は十五人

選擧事務所(候補者一人當りの數)西筑摩南安曇埴科三郡は三ケ所、他の郡市は二ケ所

運動費(候補者一人當りの最高限度)

南佐久	三〇二六圓二〇錢
北佐久	三九〇九・八〇
小縣	三三七八・八〇
諏訪	二二七九・七六
上伊那	三〇二一・七〇
下伊那	二九五四・九六
西筑摩	四七二九・六〇
東筑摩	三八五一・八〇
南安曇	五〇五九・六〇
北安曇	二六七四・〇〇
更級	三四三二・二〇
埴科	四六一二・四〇
上高井	二三三八・八〇
下高井	二七三七・六六
上水內	三〇六一・〇六
下水內	二九九〇・〇〇
長野	二四三四・四〇
松本	一九七四・四〇
上田	二五五二・八〇

告示されるのは右の外に選擧長および開票所管理者の氏名であるがなほ參考のため各郡市における

一人平均得票(卽ち當選安全圈)は

南佐	七五六五	北佐	九七七四
小縣	八四四七	諏訪	五六九九
上伊	七五五四	下伊	七三八七
西筑	一一八二四	東筑	九六二九
南安	一二六四九	北安	六六八五
更級	八五八〇	埴科	一一五三一
上高	五八五二	下高	六八四三
上水	七六五三	下水	七四七五
長野	六〇八八	松本	四九三六
上田	六三八二	平均	七六二一

供託金沒收の限度一割の棄權ありと假定すれば左の數以下の得票の場合、その候補者は供託金を沒收される（概算）

南佐	六八〇票	北佐	八八〇票
小縣	七一〇票	諏訪	五一三票
上伊	六七五票	下伊	六六四票
西筑	一、〇六四票	東筑	八六六票
南安	一、一三六票	北安	六〇〇票
更級	七七二票	埴科	一、〇三七票
上高	五〇〇票	下高	六一五票
上水	六八八票	下水	六七二票
長野	五四七票	松本	四四四票
上田	五七四票		

開票期日　△二十八日　長野、松本、上田の三市、南佐久、北佐久、小縣、諏訪、上伊那、南安曇、東諏筑、埴科上高井、下高井、下水内の十一郡△二十九日下伊那、上水内、西筑摩、北安曇更級の五郡

縣議有權者數

總數卅三萬五千餘名

縣會議員選擧有權者は三十三萬五千三百三十六人と確定し六日告示されるが各郡市別は左の通り

南佐久	一五、一三一
北佐久	一九、五四九
小縣	二五、三四一
諏訪	二八、四九七
上伊那	三〇、二一七
下伊那	三六、九三七
西筑摩	一一、八二四
東筑摩	二八、八八九
南安曇	一二、六四九
北安曇	一三、三七〇
更級	一七、一六一
埴科	一一、五三一
上高井	一一、六九四
下高井	一三、六八七
上水内	二三、九五八
下水内	七、四七五
長野	一二、一七二
松本	九、八七二
上田	六、三八二

候補者一覽

縣會議員の總選擧に打つて出た候補者は二十日午後十二時をもつて締切つたところ七十六名となり新選擧法に定むる無投票區として長野市がかい當したので火花を散らす激戰は二市十六郡七十四名によつて行はれる。各黨派別は

政友會　三市十四郡　二十七名
民政黨　三市十五郡　二十六名
社會民衆黨　三郡　三名
勞働農民黨　三郡　三名
無所屬　一市十二郡　十七名

の色分けとなり更に無所屬を洗ふと

政友系　五名
民政系　四名
その他　八名

となる各郡市から出そろつた確定候補者は次の如くである

◇南佐久郡　定員二名
井出今朝平　四八　酒造　政友新
小池捨松　六四　醫師　民政新
淺沼信太郎　五一　農　民政再

◇北佐久郡　定員二名
高山郷三　三八　農　政友新
森泉三代太　六一　會社員　民政新
小山邦太郎　三九　製絲　中立再

◇小縣郡　定員五名
山本莊一郎　五一　農　政友再
宮下周　三三　官吏　中立新
兒玉衛一　四五　釀造　民政新
遠藤用次郎　六〇　農　民政新

◇諏訪郡　定員五名
林七六　五二　釀造　政友再
宮坂作衛　四一　吳服　政友再
細川玖瑱　四六　農　政友再
丸茂文六　四一　製絲　政友再
五味染八　四五　寒天　民政新
今井梧樓　三六　農　中立新
平島安久　三四　農　中立新
飯田寶治　三〇　映畫製作　勞農新
山岡清　三五　無職　民衆新

◇伊那郡　定員四名
三澤喜芳　四〇　農　政友再
山田織太郎　五五　農　政友再
瀬戸嘉市　四四　農　民政再
下島平治　四七　農　民政再
野溝勝　三〇　獸醫　民衆新
宮下留七　四六　農　中立新

◇下伊那郡　定員五名
高田茂　六五　政友再
平野桑四郎　六四　政友再
吉川亮夫　四二　政友新
北原阿智之助　六一　民政新
遠山方景　五二　民政新
大平齡郎　五一　銀行業　中立新
久保田勇一　三〇　農　勞農新

◇西筑摩郡　定員一名
小野秀一　四一　會社員　政友再
白金俊雄　四四　醫師　民政新

◇東筑摩郡　定員三名
上條信　四四　農　政友再
宮川良治　五〇　農　政友再
百瀬渡　五四　農　民政再
小澤正人　四六　農　民政再
寄藤嘉眞　五七　農　中立新

◇南安曇郡　定員一名
三村惣平　五一　農　中立新
藤森馨　四二　銀行業　中立新
宮坂哲洲　三〇　商　中立新

◇北安曇郡　定員二名
遠藤八志路　五三　農　政友新
内山竹一郎　六〇　農　民政再
平林伍應　三七　請負　中立新

◇更級郡　定員二名
宮下文夫　三五　辯護士　政友新
北村甚兵衛　三六　農　政友新
山崎暢夫　三九　農　民政再
倉石忠雄　二八　繭糸商　中立新

◇埴科郡　定員二名
山崎幸助　六〇　農　政友新
新村寅治郎　六二　農　民政新
酒井利喜作　五〇　會社員　中立新
塩入豊治　四九　農　勞農新

◇上高井郡　定員二名
柄澤五一郎　六一　農　政友新
田中邦次　四五　農　民政再
本藤恒松　三三　酒造　民衆新

◇下高井郡　定員二名
竹内宇内　四九　農　政友再
青木賢一郎　四七　農　民政新
土屋惠治　五九　農　民政新

頓所實治　四七　農　中立新

◇上水内郡　定員二名
和田久助　五四　醫師　政友新
藤本政吉　四六　新聞記者　政友新
池田長治　六三　無業　民政新
宮尾袈裟理　四三　農　民政新
和田豊作　四五　農　中立新

◇下水内郡　定員一名
藤巻一二　四二　醫師　民政新
木下一郎　四四　農　中立新

◇長野市　定員二名
田中彌助　四五　會社員　政友再
宮澤左源次　五一　無業　民政再

◇松本市　定員二名
百瀬興政　六〇　醫師　政友新
岩附修一郎　五五　醫師　民政新
吉野勝六　四二　辯護士　中立新
中島聰司　四七　新聞記者　中立新

◇上田市　定員一名
瀧澤一郎　四〇　蠶種商　政友新
伊藤傳兵衛　六〇　肥料商　民政新

現内閣排撃に氣勢を揚る

民政北信支部大會

民政黨北信支部發會式は八月二十八日長野市藏春閣に開催來會者二千名で小林直次郎氏開會の辭を述べ座長に小坂順造氏を推し規約を議し、役員には支部長に五明濟五郎氏專任幹事に斎掛正一宮澤佐源治兩氏を指名しな所屬縣會議員全部を幹事とし評議員各郡市五名づつを舉げ宣言決議を付議す

決　儀（甲）

一、現内閣は外交においてその機宜を過り財界救濟に關しては何等の對策なく徒らに空虚なる宣傳を事とし益々國民生活の基礎を危ふからしむこれ現内閣の重大なる責任なりと認む

二、現内閣は專ら地方問題を利用して黨勢擴張に腐心し綱紀のたい廢その極に達すこれ實に立憲政治をと毒するの甚だしきものなりと認む

三、吾人は國家民衆の福利を增進するため更に新興勢力をきう合しもつて我黨政策の遂行を期す

四、普選の第一歩たる府縣會議員の改選に際しその選擧の公正を期するため選擧取締に關する現政府の行動を監視しいやしくも不當不法の行爲ありたる場合はあくまでもその非違をきう彈す

五、縣民の總意を縣會に反映せしむるため我黨候補者の當選を必期す

決　議（乙）

一、鐵道信越線の改善を要望し上信、上松、長北各鐵道の速成を期す

二、信州大學設置の實現を期す

三、上信越國境國立公園設置の速成を期す

四、千曲川改修工事の速成を期す

の各項を決定、山本達雄、若槻禮次郎兩氏の祝辭に次ぎ床次竹二郎氏の發聲で萬歳を三唱して散會引續き政談演説會を開いた

山の宮樣

日本アルプス逆縦走

秩父宮殿下には八月二十一日より北アルプスの難險穗高岳御縱走の第一日を踏せられ、嶋々から岳川澤に御登山一枚岩の難所を御踏破與、西、兩穗高の中央大キレットからロッククライミングを遊ばされロープを使ひ天狗岩を登山。ジャンダームをからんで奥穗高の頂上を極みられて二十九日無事壯擧を終へらせられた。

殿下には本場仕込みの御健脚を持たせられ供の一同も殿下の御元氣には感服してゐた。御望みのロッククライミングは時間のため中止せられた由

突如岡谷に罷業起る

山一林組製糸の爭議

八月三十日岡谷に我が國製糸業界最初の大規模な爭議が岡谷林組製糸工場（代表林今朝太郎氏）に起つた。爭議の經過は日を重ねるに從がつて惡化しつゝ既に二旬に及ばんとしてゐるが更らに解決の曙光を見ずして事態益々急を告げてゐるもの如くである。今日までの大略經過を新聞紙の報道に基づいて綜合して見るに

待遇改善を叫ぶ

諏訪合同勞働組合は山一林組の待遇施設等が甚しく惡く及び組合加人壓迫等につき七項にわたる嘆願書を林組代表林今朝太郎氏に提出したが言下に突き返して内容も見ぬ有樣に交渉委員は再び依賴したが前同樣拒絶されたので工場主の態度は明かに我々に對し挑戰して來たものである以上開き直つて策戰をこらすべしと此處に全日本製糸勞働組合日本勞働總同盟、信州交通勞働組合等がけつ起して表面的に爭議に入る手筈を整へた。

尙右製糸爭議が急轉直下するに至つた原因はそれと知つた工場側が二十七日午後四時頃現在同工場再繰部主任として十七年間勤續してゐる山岡增美氏をとらへ今回の紛爭の主謀者と目し自決を迫つたに端を發したものである。

一千職工怠業

爭議團は直ちに岡谷目貫に本部を置き、二十八日臨時大會後密議を凝らしその結果斷然ストライキを決行する旨を決議した、爭議團では各方面に報告すると同時に資金調達に着手し、一方工場における約一千名の組合員は就業中であるが怠業氣分漲り、嵐の前の靜けさを示してゐる。又工場側では「これ以上のことは何とも回答致しかねる若し不服で同盟罷業に出るも致し方ない」と云ふて女工が履よう契約が一ケ年限りであること、爭議團が軍資金な

き事等からたかをくゝつてゐる。

罷業團殺氣立つ

應援團ぞく〳〵乘込む

山一林組では女工怠業に移つるや就業に復歸せぬ者には淸算の上速かに退場せよとの意味を發表するや罷業團は殺氣立つて惡資本家の不法を鳴らし一歩も工場を退かずと對策をねつてゐる。又一方關東同盟東京聯合會執行委員池善二、前綠同志會松岡眞太郎、信州交通勞働新村覺衛の三氏外數名の鬪士が三十一日岡谷に乘込んで來た會社側の必死の切崩し運動も効果なく罷業男女工は結束あくまで固い模樣である。

兩者相對し持久戰に入る

深刻化した岡谷林組の爭議は以外に進展して全製糸工場の同情罷業が突發するやと推意せられ既に同所七八工場の勞働組合員が罷業參加を申出づる有樣である。友誼團体からは同情金がぞく〳〵集りつゝ總同盟からは千二百圓の寄附あり氣勢をあげつゝある。

一方所管警察署では縣下各署から應援巡査約六十名が來援し嚴重に警戒してゐる。

尙罷業女工の病氣を工場看護婦が手當を斷り警官が爭議團に壓迫すると云ふのでひ難の聲が高い樣である。

退場拒絕に
對策を練る林組

その後の岡谷林組勞働爭議は近く日時を決めるから荷物を持つて退場せよとの會社側の宣告に對し爭議團ではこれを拒絕したので林組では二日夜來最高幹部會を開きこれに對する處置につき徹夜協議したが結果は絕對祕密に付し平靜を見てやがて發表するに至るらしいがたゞ注目すべき重役林重氏が

「疲れ切つた何とかうまく解決する方法を見出したいものです先方の言分も二項より四項（組合に關して）を除いては無理がないと考へる…」と遂に譲涉の口ふんをもらして居ることの點について千余名に對する解雇は本意でないとくり返し辯明してゐる。

悲壯の氣に包まる爭議團

斯くて爭議は二週間を經た十二日に至り會社は立退きを迫つても罷業者は寄宿舍を出でず萬策こゝに盡きたとして十二日糧食を限り斷然糧食を斷つことに決し炊事場、食堂は午前八時限り閉鎖の貼出しをなした。

爭議團本部では直ちに東京、大坂其他へ「一千名の罷業職工糧食を絕たる」の祕電を飛ばし東京の自由法曹團に對して來岡を通報した尙會社側は人道を無視し人間扱ひにしてくれぬとあればこの上寄宿舍に朋輩を殘して置くこと一層不安であるとし二十坪のバラックを急設して收容した。爭議狀況視察の法博德田德三氏は爭議惡化の責任者は官憲と語つてゐた。

殘るは七百五十名

十三日會社が全く最後の手段に出でたので罷業職工中には動搖するものあ

り十二日夜に至つて第二工場組合幹部高橋德平は自ら女工を說得裏切りを行つたため同工場の二百餘名は脫退歸鄕今日まで組合員にあらず賃錢を受取つて歸つたものなど合すると約三百七八十名となり爭議團本部では全然結束を誓つてゐるもの七百五十名と發表してゐる

最後まで戰ふ

爭議は勞働爭議の域を超えて社會問題として論爭されるに至り愈々重大問題となつて來たがこれまで爭議團を支持後援して來た關東同盟會では今後爭議一切を引受けて直接爭議の表面に立ち正義人道の爲め頑迷なる會社と最後迄鬪かふことに決し十四日朝同盟會の會計係藤原伊之助氏が來岡して持久戰の準備を整へて居る

會社側の宣傳却つて藪蛇

罵倒から同情を失ふ

山一林組では非人道的にも工場の糧食を斷絕或は放逐して今後爭議と會社とは關係ない素振をしているが、十四日村の旁々へ及組合員諸君に又舊從業員諸君へと題して勞働組合を欺滿組合非人道勞働運動煽動者と罵倒した宣傳ビラを配布し一般の同情を求めんとしたが却て反感を買ひ不利の結果を招致した模樣である（九月十五日）

名刹盛傳寺燒失

九月四日午後九時過ぎ頃長野市三輪押鐘の名刹盛傳寺不動尊堂から發火し本堂に燃え移り間口十間半奥行八間の本堂及び庫裏を全燒して十時四十分鎭火した、損害は約十五万圓であると云ふ同寺は安政年間のもので「押鐘の不動さん」として有名で國寶に準ずる珍寶であつたと。

軍隊慰問の町村長代表團

長野縣下各市町村長二十餘名より成る第十四師團滿洲駐剳部隊慰問團は八月卅日夜京城着、南大門通りの大東館（長野縣人茅野氏經營）その他に分宿し城內を視察したが京城に於ける長野縣人會（會長、朝鮮殖産銀行頭取有賀光豊氏）は其歡迎會を卅一日夜大東舘に催した急の催しで出席者は二十名に過ぎなかつたが横田仁川府尹は特に仁川より出席し東大門警察署長加藤好晴警視（上田市）京城府立順化病院長加々見鐵太郎氏（諏訪郡落合村）茶商北原佐代重氏（諏訪郡出身）京城月報相談役理事兼主筆丸山幹治氏（埴科郡清野村）等にて先づ丸山氏挨拶を述べ慰問團代表として小里松本市長及び同じく來賓北海道大學敎授西村眞琴博士の謝辭ありそれより主客の自己紹介あり主人側には長きは二十年短きも數年に於ける奮鬪の思出を語り小里市長は朝鮮に於ける感想を述べ歡をつくして九時散會

松本上げ土七戸燒失

十日午後七時近く松本市の目貫き上げ土町時計商浦野薰覺方より出火して紅蓮天を焦しつゝ八時近く鎭火した附近は市役所、稅務署、劇場等あり大雜沓を極めた。

協會記事

海外視察組合

ぞく〳〵設立さる

協會の本年度事業中最も活動の目醒ましきものは海外視察組合で總がかりになつて設立を宣傳してゐるのでその成績は頗る良好で既に發表された組合もあるが順を追ふて示せば左の如くである。

上水內郡信濃尻村組合
組合長　池田亥之助
青山喜太郎
池田顯一
酒井宗治
佐藤重晶
高橋徹郎
外谷作藏
藤本多市
町田太吉
小日向文雄

池田萬作
酒井學
佐藤市太郎

上水內郡三水村組合
組合長　小林三右衛門
大川榮一
春日原孜賀造
大川芨芳
荒川貞治
宮崎岩次郎
丸山昇
高野鉄治
山下國治
相澤信藏

更級郡篠ノ井町組合
組合長　瀧澤豊馬
傳田藏重
越川廣
大日方祐三郎
瀧澤敏

伊藤博三
富田喜代志
東福寺徹
高澤石衛
淺井貞雄
曾根川元衞
曾根川千治郎
柳澤松治郎
杉原政信
田崎一郎
內山太郎
瀧澤浩

更級郡川中島村組合
組合長　川島和三郎
丸田豊治
坂口一郎
五味武由
內村玄三
酒井讓助
山崎正

丸田直太郎
小出重基
北島武雄

更級海外視察組合
組合長　宮入源之助
酒井三郎
青木秀夫
小河原對治
中村庄右衛門
神林求
鹿田與吉郎
瀧澤國弘
平林傳藏
西澤近雄
柄澤褒作
內田楯男
青木保
塚田博
掛川良平

下水內郡豊井村組合
組合長　宮澤伊助
神田賢一

町井勘兵衛
北山良三
清野幸之助
清野助治
小林茂一郎
清野茂
町井道
神田一二
林英一
神田秀濟
丸山寅治

下高井郡上木島村組合
組合長　山田由三郎
關正勝
石川源藏
仲山安五郎
須野原義盛
森繁基
石川三郎
小松義房
森昌夫
森次郎

丸山藤作
森琢郎
勝川一重
森祐治郎
栗林健太郎
外山敬一

正誤

前號六十三號口繪中左記正誤す

前相談役　落合慶四郎氏
前幹事　蜂須賀善亮氏
相談役　地方課長白石喜太郎氏
各郡市支部長（北佐久郡と三市を除く）は前支部長とす上水內郡支部長田口泰藏氏
六頁　大正十五年度縣費補助金は五〇〇圓

釜山長野縣人
會員追加

上田市出身　慶尙南道廳內
視學　阿部吉助

八、九月のアリアンサ渡航者

八月十七日神戸出帆もんてびでお丸乘船者は
石川縣能美郡苗代村　木本保三人
長野縣上伊那郡飯嶋村奥田まち一人で
東京支部の眞中氏が見送つた。尚九月二十二日ハワイ丸には左記乘船者あり
京都市　伊藤德三郎二人
永田幹事見送りの筈である。

新會員（自七月二十一日至九月十五日）

東京市外野方町日新學寮	小山嵩
岡山縣眞庭郡川東村	松井貞治
同	太田宗一
同	太田薫一
岡山縣上道郡角山村	根岸高治
宇都宮騎兵第十八聯隊十中隊	加藤末喜
東京府北豊島郡三鷹村	百瀬四郎
神戸市生田町	中條美治
名古屋市愛知物産會社内	安原金一
岡山縣都窪郡菅生村	室山數喜太
北佐久郡三岡村	藤澤元助
上田市上木町	西澤菊雄
西筑摩郡上松町	下村三郎
諏訪郡永明村塚	竹村竹之助
埴科郡南條村	宮原和三郎
下高井郡上木島村	小松泰作
同	山崎一學
諏訪郡四賀村飯嶋	岩波藤治
上伊那郡伊那村栗林	吉瀬政義
北佐久郡志賀村	並木和男
上伊那郡飯嶋村	堀越學而
上水内郡淺川村	田中清治郎
同	石坂作左エ門
同	小林喜一
同	宮澤藤八
同	高橋熊治郎
同	押田眞三
同	原田源八
同	荒井市五郎
上水内郡若槻村	西村保
同	宮下廣次
同	八木泰助

上水内郡神郷村	柄澤いう
同	高津米治
同	堀越長四郎
同	矢嶋義二

會費領收（自七月二十日至九月十五日）

一金貳圓也	本年度分	河合次郎殿
一金貳圓也	同	小山嵩殿
一金貳圓也	同	藤澤元助殿
一金壹百圓也	特別會員費	福澤泰江殿
一金貳圓也	本年度分	村越きよゑ殿
一金貳圓也	同	百瀬四郎殿
一金拾圓也	大正十四年度分	田中邦治殿
一金貳圓也	本年度分	根岸高治殿
一金貳圓也	同	加藤末喜殿
一金四圓也	大正十五年度 昭和二年度分	藍葉万藏殿
一金貳圓也	本年度分	下村三郎殿
一金貳圓也	同	眞山嘉助殿
一金貳圓也	同	依田乙一殿
一金貳圓也	同	中條美治殿
一金貳圓也	同	鈴木暢幸殿
一金貳圓也	同	橋本菊雄殿
一金貳圓也	同	藤田小太郎殿
一金貳圓也	同	竹村竹之助殿
一金貳圓也	本年度分	眞弓吉雄殿
一金貳圓也	同	宮原和三郎殿
一金貳圓也	同	西村六郎殿
一金參拾四圓也	本年度分	更級視察組合殿
一金貳圓也	同	岩波藤治殿
一金貳圓也	同	安原金一殿
一金貳圓也	同	小松泰作殿
一金四圓也	昭和二年三年度分	堀越學而殿
一金參圓也	昭和二年度分	三浦鍋太郎殿
一金四圓也	昭和二三年度分	藤澤定司殿
一金貳圓也	本年度分	室山數喜太殿
一金貳圓也	同	武地誠一殿
一金貳圓也	同	西村保殿
一金拾圓也	大正十五年度分	小林義敏殿
一金拾圓也	同	高橋省殿
一金貳圓也	同	柳橋透殿
一金貳圓也	同	宮下清三郎殿
一金貳圓也	同	土屋丑太郎殿
一金貳圓也	同	小林一夫殿

一金貳圓也	同	花岡省助殿
一金貳圓也	大正十五年度分	花岡寅八殿
一金貳圓也	同	北澤觀次郎殿
一金貳圓也	同	土屋輪籬殿
一金貳圓也	同	高野末太郎殿
一金貳圓也	同	淸水一郎殿
一金貳圓也	本年度分	矢嶋義二殿

海外ヨリ

一金貳拾圓也	在瑞典	畑良太郎殿
一金拾圓五拾五錢也	在カナダ	小林傳兵衛殿
一金貳拾圓也	在ダバオ	野口運之進殿
一金五圓也	在加州	今井敬一殿
一金百四拾六圓九拾八錢也	米國南加支部長	浦田毛佐太郎殿
一金貳圓也	在フイリツピン	外谷善藏殿
一金拾圓也	在ブラジル	矢崎節夫殿

在外者訪會

○野口運之進氏　大正六年渡比以來十年一日の如く奮闘した同氏は七月二十八日神戸入港の三嶋丸で郷里更級郡共和村に歸つた。歸國の目的は妻帶で迎妻次第最近便船で再び渡比せらるゝ由。八月四日訪會

○今井敬一氏　埴科郡中之條村北米合衆國に布教してゐるが更らに最近便船にて渡米のため旅券下附手續きに七月十五日訪會。

○坂口波治氏　朝鮮釜山に旅館經營。今回母堂病氣のため見舞歸國して七月二十七日訪會せり。上高井郡川田村出身

○靑木福逸氏　紐育のプリンストン神學校に在學。再渡米につき八月二十日訪門。東筑摩郡小野村出身で明治四十五年渡航である。

○近藤良和氏　上水内郡三水村で比嶋から七月下旬神戸上陸郷土訪門。

○米澤武平氏　一ケ年半の世界一週漫遊旅行をおへて歸朝した松本商業學校長の同氏は歐州から南米に廻つて大西洋を北上米國に訪れたのである。ブラジルではアリアンサで種々世話になつたとあつて八月八日本會を訪れる。

編輯雜記

○前號の記念號は本會の内容の大体を知る上に極めて好箇なものであるとなし各方面から注文依頼がある。未だ余部が多少あるやうであるから希望者は申出でられたい。

○アリアンサはとかく種々の批評が試みられてゐる。我々は責任のある批評を得たいと思ふてゐるが今回一通信を受けて驚ろいた。かくまでアリアンサは疑惑の中にあるならばこれに對する抗辯は大切である。不安の中に我々が生きねばならぬと云ふ事は禁物である。まして根據のない愚論や、ともすれば嫉みの樣な惡宣傳に乘せられては一番迷惑するのは移住者各自である。アリアンサ建設の理想に猛進するものは皆我が黨員である。

○招補省が出來ると云ふので大臣が一人ふへた。拓殖の政策遂行よりも誰を大臣の椅子にすへるかと云ふ方が六ツかしいでは折角の一省獨立も無意味である。

○「淸き一票、明るき日本」普選標語である今回の縣議戰で政黨の各勢力が分野されて次ぎの内閣は何處へ行くて。二大政黨は政黨發達の當然の道行であると云ふ、が新興勢力を持つ無産黨はあなどれない潜勢力があると云はれてゐる。

○選擧權を與へられた者の中には普選がそんなに恐ろしいものなら棄權すと云ふて選擧取締を感違いしてゐる。普選は未だ早いとは云はないが政治智識の注入が何より早くやりたい。

○稻作は豐作どころかとんだ不作であるとおどろいてゐる。秋蠶も違蠶が多くて大變の騒ぎである。歸朝したばかりの花婿は「かへつて來て見たら不作や違猛の話ばかりで左になつた」と云ふのも無理はない。

○十五夜お月樣を何十年振りでよく拜んだとお月見黨が喜んで姨捨山から歸つて來た月月に月見る月はかはらねど今月今夜の月は一度しか見る事が出來ないそうだ。

（九月十日）

○編者は多忙であるとはどの雜誌でも云ふてゐる常陰語である。我が社も又忙中忙である相變らずの活動を喜んでゐる。

寄稿歡迎

海の外社

海の外

定價

	内地	外國
一部	廿錢	廿仙
半ケ年	一圓十錢	一弗十仙
一ケ年	二圓廿錢	二弗廿仙
送料共		

注意
△御註文は凡て前金に申受く
△廣告料は御照會次第詳細通知致します
△御拂込は振替に依らるゝが最も便利です

昭和二年九月二十五日
編輯人　永田稠
發行兼印刷人　西澤太一郎
長野市南縣町
印刷所　信濃毎日新聞社
長野市長野縣廳内
發行所　海の外社
振替口座長野二一四〇番　信濃海外協會

各汽船會社專屬元扱

日本郵船會社
大阪商船會社
グラー汽船會社
加奈陀汽船會社
アドミラル汽船會社
南洋郵船會社

日本力行會、信濃、廣島、和歌山
福岡、熊本、沖繩 各縣海外協會 指定旅館

海外渡航乗客荷物取扱所

今泉旅館

本店 神戸市海岸通六丁目三番邸
電話元町三三一番

支店 神戸市榮町通五丁目六八番邸
振替大阪三五四一〇番

各縣海外協會
日本力行會 指定旅館

海外渡航乗船
領事館手續
貨物通關取扱

高谷旅館本店

本店 神戸市榮町六丁目
神戸市郵便局私書函八四〇番
電話元町八五四番、一七三七番

支店 神戸市宇治川楠橋東詰
電話元町六六六番

海外渡航取扱所

◎東洋一の理想的設備を有する神戸港へ！
◎旅館は誠實にして信用のある神戸舘へ！

各縣海外協會
日本力行會 指定旅館

神戸館本店

神戸市榮町六丁目廿一番邸
電話元町八六一番
振替口座大阪一四二三八番

支店 神戸市海岸通四丁目(中税關前)
電話三ノ宮二一三六番

◎本店へハ神戸驛、支店へハ三ノ宮驛下車御便利

信濃海外協會篇 (四六版布製美本函入) 頁數三百餘頁 定價二圓(送料共) 海外送料二十八錢

最新刊

南米ブラジルアリアンサ移住地の建設

題字と寫眞

貴族院議員 今井五介氏、鐵道大臣 小川平吉閣下、司法大臣 原嘉道閣下
前長野縣知事 岡田忠彦閣下、本間利雄閣下、梅谷光貞閣下、高橋守雄閣下

本會關係各名士、役員、アリアンサ移住地、出資者各位
三十數葉、アリアンサ移住地地圖添付

本書はありあんさ移住地建設經過二ケ年を中心とした信濃海外協會の略歴である。全日本に偉大なる海外發展運動の實際化を捲き起したるアリアンサ移住地の建設の記録は收めて本書にある。本書はそれだけで十分であつたが加ふるに本會設立當時から移住地建設の今日迄に至る各方面關係の名士の題字、寫眞を掲げた就中長野縣下の有識者諸賢の寫眞は海外各地にある本縣人のために何かの機會を與へたものである。

實は信濃海外協會の略歴であるがこれは長野縣下の海外發展歴史であらう。長野縣の海外發展は信濃海外協會設立と共に一新生面を開いたものと見て差支へはなからう。

尚本書には重要なる記事があるそれは海外移住組合法である。別に說明する必要はないが本問題については朝野の人々が多年論議せられたる我が海外移住策の一策の結晶である事を附記しておく。本書は各方面から殺倒の注文があるが 殊に海外各地にある本縣人の希望に滿ちるため豫定の册子が保存してあるから海外の諸君はなるべく早く注文をして貰ひたい。出來得れば在住附近の數人と纒めて吳れゝば至極好都合である。

長野縣廳内 信濃海外協會
(振替)長野二一四〇番

昭和二年九月二十五日發行（毎月一回發行）
大正十一年四月廿六日第三種郵便物認可

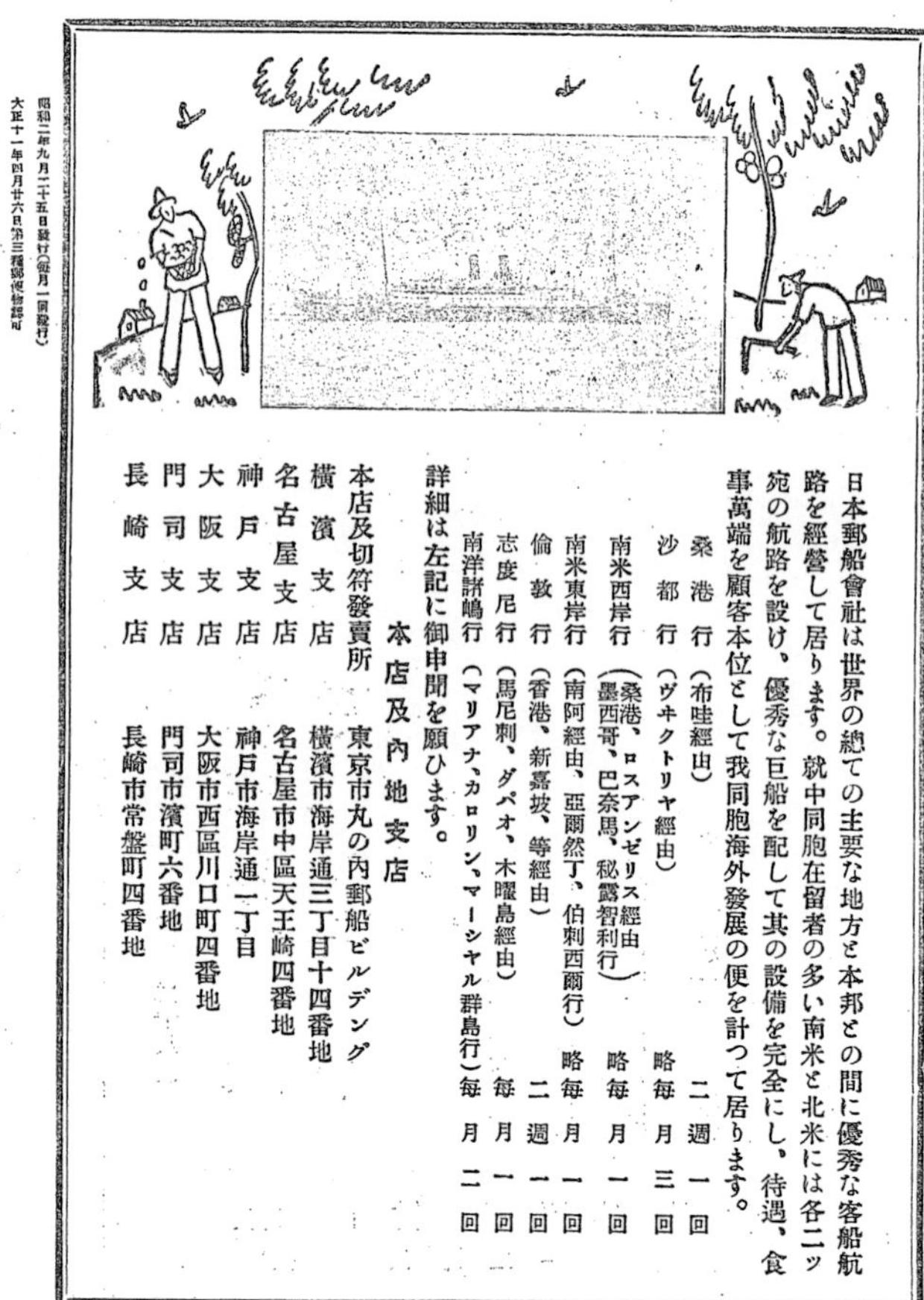

信濃海外協會
海の外社發行

第六五号

目　次（第六十五號）

エドモンストン市長
松平欣次郎氏（四十二才）
（海の外六十二號二十六頁參照）

實れる珈琲

笹澤新氏一家と蒔き付け四ケ年六ケ月の珈琲
此の位のコーヒー樹で六株に五斗のコーヒー實（皮付き）が穫れる

アリアンサの寫眞

アリアンサの女丈夫は男に負けずに仕事する

播種後一ケ年半のコーヒーの株

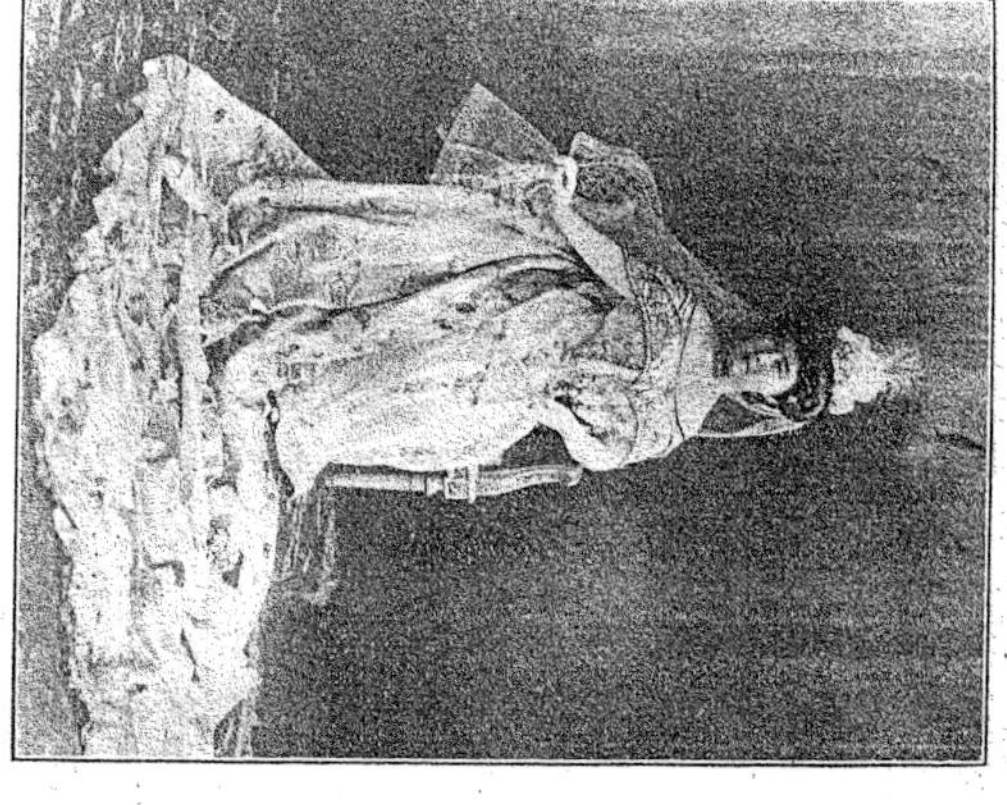

前駐伯特命全權公使
畑良太郎氏夫妻

海の外

第六十五號

昭和二年

十月號

郷黨的親睦

懷鄕の念湧くところに鄕黨的親睦が自然に成立することは敢て不思議ではないだらう。我運命を開拓し世界人類の共榮共存のために奮鬪する在外者が、思ひ一度過去に走らばそこには懷鄕の心的境地が展開せられる。そして鄕黨的の親しみと睦しみが交叉して來るに相違ないだらう。

これが勢ひ在外の鄕關係知人に及んで相集ひ、相語り、相親しみ、相奮まして協力となり生活の向上發達を計る。

理論に超し利害に越して此の精神的結合は卽ち鄕黨的親睦の自然であるであらう。

在外先輩と聯絡し縣民海外發展に指導誘掖し後援せしむるの途を開くにおいて此の鄕黨的親睦の善用は極めて大切な事柄である。

先づ在外先輩諸君の鄕黨的親睦に組織と統一と聯絡の三つに一鞭を打ちたい。

移住國の通有性を知るが大切

ブラジル人は感情が強い
移民の根本精神を極めろ

前駐伯特命全權公使　畑良太郎

妻も邦人慰問に

我國の面積人口食料其他の關係より邦人の海外移住を奬勵するの必要なること並に南米の大國ブラジルが其の移住地として先づ第一に指を屈す可きものなることは今、玆に之れを詳述するの要なかるべきである。

私は大正二年同國に赴任して大正六年歸朝致し在任中は屢サンポウロ州に出掛けてリベーラ河を下り、イグアーペに來り桂植民地及レジストロを中心とする當時尙創業中であつた五萬町步を限度とする植民地又は日本人の雇はれてゐる諸方の珈琲園も視察し、此の視察に際しては邦人慰問の意味にて妻をも同伴致した。

邦人發展の望あるミナス州へも行き當時ブラジルに關し相當知識を持つてゐたが何分旣に十數年前の事であり此舊知識では最早種々の判斷をする事は面倒である。然し在任中、同國に於いて經驗した事等に就いて今日に於いても參考の資ともなる事を申述ぶれば

ブラジル人の通有性

で今日に於ても變りがない、又在任中に相當根底深き排日が起りたる事等は世間に知られてゐないし、その問題も耳新らしい事であらう。人心の同じからざるは各自顏面の如くあると云はれてゐるが一國民の通有性なるものもその通りである、歐洲人には歐洲人の通有性があり、向じ歐洲人でもゼルマン系の歐洲人と羅甸系の歐洲人との間に相違の點がある亞細亞人にても日本人と支那人では非常の相違の通有性を發見する。同じ日本人でも薩人には薩人、信州人には信州人の通有性がある。

私は獨乙に在勤すること前後七年であつたが獨乙人とブラジル人の通有性には非常の相違がある事實を發見した。ゼルマン系たる獨乙人は理智に長じ、羅甸系たるブラジル人には感情に富んでゐる。外交官たるものは其在任國の通有性を知悉してゐる必要は勿論であるが外交官でなくとも其の國に在住する者は其國人の通有性を知る事は極めて大切な事柄であるに相違ない。

ブラジル人の通有性に就いては次回に詳しく述ぶることとしてブラジルに關係するのみならず一般に我移民政策上考慮しなければならぬ問題は多々あるが

在外邦人の敎育及指導の根本精神

も重要なる一事である。例へば

一、移住者の兒童敎育は如何にすべきか、徹頭徹尾純日本式とし單にブラジルの國語と地理を加ふる位の程度とすべきか

二、移民を送る本國は可成丈け移民として、ブラジルに歸化せしめず永代大和魂を完全に保持する樣の方法を講ずべきや又は可成ブラジルに歸化を奬勵すべきや若くは全然自由に放任すべきや

一、日本人は同化する人種なりや同化する人種なりとするも同化せざる樣に方法を講ずるや又は反對に可成く同化する

樣の方法を講ずべきや

一、精神丈けは純日本式とするも外形のことは全然同化せしむる方法を講ずべきや

一、又は國家に忠實なる日本人の精神を永遠に失はずブラジルの國籍を獲得したる以上曾て日本に對して有したる愛國心をブラジル國家に對する愛國心となり日本人の祖先とするブラジル人はブラジル國民中最も忠實なる愛國者なりと稱讃せられ、進んで聯邦又は各州の大統領並に名譽職又は樞要なる地位を日本系ブラジル人にて把持する樣になし、此等日本系ブラジル人は日本に對し、單に同情を有する位の程度にても日本としては滿足すべきや

等で此根本問題を研究せず、單に移民をして送るのみにては將來或ひは根底深き排日の不幸も惹起するの虞なきにあらざる可くと思ふ。此等大方針を確定して然る後、移民の根本的具体案樹立が必要である。

共の他移民の風俗習慣はどこまでも之れを支持して、恰も西洋人が東洋に來りて生活するが如きするか若くは移住國の風俗習慣をよく討究してそれに馴ひそれに順化する樣努めねばならぬか、移住者の訓練指導において、その講究しおく可き事は實に多々あるが此等の問題についてはいづれ卑見を述べて見たいと思ふてゐる。

私が初めて「海の外」を拜見したのは瑞典在勤中であつて海外協會なるものが四面環らすに海でない、山の信州に創立せられたることは如何に我長野縣人が進取の氣象に富んでゐるやの顯著なる發現である。小にしては長野縣人の海外發展を圖り大にしては國家の進運に貢献せられ機關誌を發行せられて努力する事は時世に適合したる美擧である。當時私は此の企圖に對し創めたる諸君並に縣當局と先覺者諸君に對し深甚なる敬意を禁ずる能はざる次弟であつた。然る所私は瑞典の在勤中は同國の外諸威、丁抹、芬蘭の三國を兼轄して居り、所謂東奔西走してゐたのみならず新興國芬蘭と條約締結の交渉を命ぜられ暇なく幸ひに模範的條約の調印に運び其後歸朝退官して心身靜養中であつた。今日私は宮中錦鷄間司候と稱する名譽職である（因みに同氏は本縣北佐久郡畑八村の出身である。）

海外雄飛は吾人の使命也

世界の日本男兒として 近く渡伯に際して

海外移住組合聯合會 專務理事　梅谷光貞

我國が人口食糧問題のために行き詰まらんとして朝野一般の注意を惹きつゝあることは後れたりと雖も爲さゞるに優ること萬々である。而して政府は之が對策としては人口食糧問題の調査委員會を組織したり。又海外移住組合法等を制定して具体的方法により之が解決を試みむとしつゝあるは誠に慶賀に堪へない。

元より此の重大なる問題の解決には種々の方面より之を求め得べきも海外の發展に依るべきは其の最も重要且つ意義あることゝ思はるゝのである。信濃海外協會は全國に率先して南米ブラジルに移住地を設定し着々として其の成功を收めつゝあることは愉快に堪へない。今回の海外移住組合法制定の如きも信濃海外協會の南米に於ける犧牲的努力が共誘因となしたるは一點の疑なき所である。

由來信州は我國の中原に位し、高山大嶽に圍まれ、其間に成育せる信州健兒は自ら剛健潤達の精神に富み進取敢爲の氣象を有してゐる。海外雄飛の先驅者たりつゝある亦是なりと云ふべきである。

我輩は近日移住組合聯合會の用務を帶びて渡伯の途に上る豫定であるが親しくアリアンサに於ける信州健兒の活動を始め共他日本人の發展の實況を視察して如何に我同胞諸子が萬里の異域に惡戰苦鬪しつゝ日本男兒の眞本領を發揮しつゝあるを見むことを樂しみつゝある。

日本男兒は今や我日本の日本男兒にあらずして世界の日本男兒である。世界を已れの活動舞台として、世界の平和の爲めに世界人類の幸福のために犧牲的精神を以て一大奮鬪を試みなければならぬ。

世界における未開拓の地を開拓するが如きは吾人の一大使命である。而して昭和の聖代は當さに吾人の海外雄飛の絕好機會である。

我輩は我國民が擧國一致以て此の大方針に向つて勇往邁進せむことを希望して止まざるものである。

梅谷專務渡伯

本稿筆者の梅谷光貞氏は海外移住組合聯合會の本年度豫定計畫に從ひて十月二十六日神戸解纜のラプラタ丸に便乘して四万町步の土地買收のためブラジル國に向ふ事になつた。

同聯合會は本年設立の八縣（三重・岡山・鹿兒嶋・福岡・山口・廣嶋・和歌山・愛媛）の移住組合に各五千町步宛を拂ひ渡し各移住組合では三ヶ年間に二百家族宛千六百家族を移住させて小植民地の建設をなすものである。

移住地には販賣部、購買部を設けて生產物の共同販賣を行ひ、建物材料、農業用機械器具、各日用品、種苗等の移住者一切の生活必需品に不足なからしめ、移住者宿泊所（一時移住者を宿泊せしむ）學校・病院・農業倉庫等を施設して其他精米・製粉所・製材所・煉瓦工場・共同乾燥場等を建設するのであると。

梅谷氏は我國海外移住の劃時代的の事業に先鞭を打つものである。此の重要なる使命を帶びて土地の選定、購入の手續きを了へ區劃整理、病院、學校、道路の新設等の基礎的企畫にあたり水陸兩路、靈肉共健かにして邦家のため其重任を完濟されんことを祈る次第である。

ハバナの郊外住宅

在玖馬國　大平慶太郎

位置廣袤――氣候風土――住民及人口――產業――ハバナ煙草――貿易――玖馬の都市――玖馬沿革――コロンブス發見當時――渡來西移民の希望――悲壯の插話――英人のハバナ占領――當時の米國の態度――玖馬獨立戰――米西戰爭――米西講和

我習練艦隊淺間磐手の兩艦は遠洋航海の途に就き九月十二日玖馬ハバナ入港に際して當地の重鎭大平氏は「吳大日本帝國練習艦隊諸君」と題して同島の事情を書となし練習艦隊の諸君に贈り、同島に關する多大の興味を呼び起さしめた。本編は即ちそれである。大平氏は本縣の出身在玖既に廿有餘年同島の最先の渡來者でありその間商業に從事し我商品の扶植に努め本邦人の中堅にあり同島渡來者にして一人として同氏の世話を受けざる者なしとまで親切に指導せり內外人の尊敬の的となつてゐる。

(一)、位置及廣袤

四百餘年前コロンブスが新大陸を發見した歴史は周く知れ茲に說くの要なしと雖も最初に發見せられてコロンブスの一行を狂喜せしめたる陸地は此玖馬島なり。

玖馬は大西洋アリビアン海に於ける米國フロリダ半島の最南端キーウエスト港より僅かに百哩を距てゝ西東に横はる西印度諸嶋中の最大島で面積四万五千哩、我本國の約七割位に當れり、而して日本が南北に延長せる代りに東西に渉りて其長さ七百六十哩即ち東京より九州長崎邊位までの距離が本島の全長なり。海岸線は二千餘哩を有し沿岸處々に栗形をなせる天然の良港に富めり。

(二)、氣候土風

當島は北緯二十二度より二十三度の熱帶圏內であつて丁度我台灣と緯度を同ふし終歲霜害を知らず、隨つて草木の枯凋落葉する事なし一、二月の最低溫度六十度、平均溫度七十度此時季は寒溫適度の好時節であつて米國より避寒と飲酒等の行樂を兼ねて來遊せるものハバナ市に充滿し各ホテルは一の空室なき有樣である。今春の如きも此種の旅客が實に廿餘万に上つたと云はれ、而して七八月の盛夏の頃にても八十二度より八十四、五度を上下し我日本の如くに堪へ難き程に苦熱を感ぜず、之れ貿易風が常に吹き來ると又時々の驟雨の襲來ありて暑氣を和ぐる故なるべし。

溫帶地にありては春夏秋冬の別あれ共此の地は寧ろ春夏の二候と云ふべきで十月より三月頃までが春に當り此間を乾燥季と稱し一ケ月中に一、二回の降雨あり或は全くなき事ありて空氣も土地も乾燥し草木褐色を呈す。四月より九月頃までは夏に比して此季間を雨季と云ひ屢々降雨ありて草木青々活氣を帶べる事我初夏の如し。但し此地の雨季と云ふても我邦の梅雨の如き陰雨濛々人を脳殺する如き事なし只時に雷雨ありて數時間の後には快晴となり凉味一段なるは此地に實地に臨めるものならでは味ひ難きところなり。

(三)、住民及人口

コロンブス發見以來最先の西班牙植民地なるが故に現在の中樞人はスペイン人の子孫であつて國語は西語である其他は歐米各國人や及び黑人や支那人や黑白の混血人や凡そ世界のありとあらゆる人種を網羅せるコスモポリタン國である。されば其顏色の如きも黑白黃褐實に雜多の色彩を混合せるは他に餘り類例を見ざる珍現象なり。

人口は千九百二十年の調査に三百五十万內白人の部に入るもの七割、其餘は黑人なり、而して最も注目に價すべきは支那人十四万餘の多數が在住して各種の營業に從事し相當に好き成績を擧げ居れる事なり、元來支那人は玖馬國法に依り入國を禁止されたるに拘らず歐洲大戰中に此地の勞働者の欠乏を來し此短期中に數万の渡來ありて斯の如く多數に增加したのである。

(四)、產　業

玖馬產業の生命は砂糖なり、一ケ年の產額五百餘万噸我台灣產額の十倍に當り世界生產の三分の一を占め優に世界の糖況を左右し得べき實力を有せり、砂糖は酒と違ひ平和の商品であつて汁粉を喰ひ管を卷た例は未だ聞かず、然も砂糖は身体の疲勞を醫する功ありと科學者の話し、斯る必要品の相場が玖馬市場に依りて上下し遠き東洋の甘黨の懷中にまで影響するを思ふ時は玖馬小國なりとて之を閑却出來ぬ筈と思ふ。

最近三、四年間は値段英百斤に付僅に三弗內外を往來し極めて不振にて爲めに一般の經濟界は恰も瀕死の狀態ではあるが過ぐる歐洲大戰中は獨露の製造が杜絕し其需要玖馬市場に集中し驚くべし二十三弗に奔騰して夢の如き黃金時代を現出した事もありたり。

(六)、ハバナ煙草

砂糖に次ぐの生產品は煙草でハバナシガーの稱世界一を以て稱へられ其芳香は世の愛煙家を垂涎せしむボックのコロナ、コロナは我日本に於ては一本の小賣値段實に五圓に値す

煙草は十二月に種苗し二月三月に收獲さる其間九十日とす產出地はハバナ以西のピナル、デル、クオ州のブエルタ、アバホ產を以てハバナ煙草の本場とす元來煙草は玖馬が原產地でコロンブスが玖馬より其種を歐洲へ携帶し爾後世界に瀰蔓したと傳へらる。

砂糖と煙草とを除きては熱帶地の各果物、マホガニー及びセドロの木材、蜂密、反び海綿等の天產物ありと雖も其量は以上の二大品に雁行すべきに非ず要するに玖馬の產業は極めて簡單なり、曰く砂糖と煙草の二品を賣り之に代るに米麥の食糧品を始め其他の日常雜品は米國其他に供給を仰ぐのである、而して砂糖栽培が前項の如くに天惠に富み耕作容易なるが故に政府は輸入防止の目的にて他の農作奬勵をなすにも拘らず他の農產の起らざる所以なり現に昨今（七月中旬）甘藷一英斤の小賣値段八仙

（十六錢餘）と云う高價なるに精製せる雪白の上等砂糖は僅に五仙（十錢餘）と云ふ芋よりも低價たる珍現象を致せり。

(七)、貿　易

一千九百二十五年度の輸出入總額十三億円餘、此內譯輸出七億一千万円輸入五億七千余万円即ち輸出の輸入に超過高一億四千余万円此點我國と逆比例をなすは羨むべき狀態なり。

輸出の重なるもの

砂　糖　五億九千五百万円
煙　草　八千二百余万円
果　物　一千二百万円

其他はアルコール、銅、鉄鑛等なり

(八)、玖馬の都市

首都はハバナ市にして人口五十万、南米のブエノスアイレスとリオ市を除きては其の大きさも設備も又美觀も中南米中に冠たりと云はる。玖馬政廳の所在地で又貿易の中心地たり、市內の自動車二万五千余を數ふ以て其一斑を知るべし。

サンチヤゴ・デ・クバ市は東部の要港で人口七万を有し米西戰爭中「ホブソン」大佐が汽船メリメック號を其港口に沈めてスペイン軍を封鎖した港なり。

シエンフエゴスは南海に面せる良港にして人口八万其他マタンサス、カルデナス、マンサニヨ、等人口數万を有せる天然の良港あり。

東端のグアンタナモ港は米國の租借地で同國太西洋艦隊の根據地である。

(九)、玖馬島の沿革

千四百九十二年今より四百三十五年前當嶋がコロンブスに依て發見せられたは始めに述るが如し、而して始めて上陸した地點は東端オリエンテ州の北岸今のバラコア附近なりと云ふ、其時コロンブスは未だ曾つて見ざる最も美しき陸地だと賞べりと傳ふ。

發見當時イサベラ皇后の皇子フアンに因みてフアナ島と命名し其後インヂアン原名のクバを用ゆるに至れり。爾來コロンブスの子息デエゴ、コロンが西班牙移民三百人を伴ひ來つて植民し漸々增加して今の玖馬國を形式せり。

(十)、コロンブス發見當時の先住民

コロンブスが新大陸發見の動機は東洋印度に到達が目的なりしが偶然玖馬に逢着し東印度の一部と誤解し此地方を西印度と稱し其住民をインヂヲ又はインヂアンと號せり。

土民は他の野蠻人に通有せる殺伐獰猛の質なく極めて溫良たりしもの如く今之を證せる事實はコロンブスの日誌中に

「土民インヂアンは自已同樣に隣人を愛し彼等の會話は常に顏容微笑を帶び世界中最も愉快に且つ最も溫和たる態度なり、よし彼等は裸体なりとは雖も貴人の面前に於ても推賞すべき風格を有す云々」

とあり之等の土民は其當時百万を超へたと云はれ、西班牙人到着前は所謂武陵桃源裡に泰平を夢みたりしならんに西人來舶以來土民は盡く奴隷として牛馬同樣に酷使せられ往々死に至れるものあり、其虐待に堪へずして適々雇主の目を免れて山林に遁逃せるものは獵犬を驅つて追跡せしめ其懲罰として猛犬に噛殺せしむ、或は其虐遇を憤りて反抗せるものは一族老幼男女を問はず鏖殺せる等其殘酷なること言語に絕へ此が爲め百万の土民も西人到來後十五年にして驚くべし僅かに六万人に減じ更に三四十年後には隻影なきに至れり今日此地にインヂアン土人の存在せざるは之が故なり。

コロンンスが新陸發見に多大の幇助を與へたイサベラ皇后在世中は土民に相當の保護を加へて愛撫した由なれ共同皇后永眠後は敢て如上の慘虐を逞し終に絕滅に歸した事彼等土民の爲め痛嘆の限りなり。

(二)、悲壯の揷話

サント、ドミンゴ島より矢張り西人に壓迫されて遁れ來れるインヂオ首長ハツエと云へるは玖馬に於て同志を糾合し新來の西人に反抗したりけるが其勇武は西人をして舌を卷かしむるものありしが武器の劣れる悲しさは終に敗れて捕虜となり焚殺の刑に處せらる刑吏將に火を點ぜんとするに先ち耶蘇教僧某は聖書を捧げ神を信じ靈魂の天國に至るべきを告ぐハツエ僧に問ふて曰く「西班牙人は死して靈魂何國へ行くべきや」僧答へて「天國へ」ハツエ曰く「然らば我は寧ろ地獄に行かん」と從容死に就きたりと云ふ何ぞ其最后の悲壯なるや。

(三)、渡來せる西移民の慾望

其頃スペインより渡來せるものの中に簗を立てて砂金又は寶石を提出せしめて土人の奴隸解放を案出したものもありしが此は失敗に歸せり、元來當嶋に貴金屬や寶石

の産出は之なき故なればなり而して其頃の移民は農業の如き結果を永遠に待つが如き企業を迂遠なりとし一攫千金を夢み貴金屬の鑛山を漁りしが無は如何ともし難く失望の余り眼を轉じて墨國や秘露の發見となり一時同地方へ人心集中して玖馬は中南米と西班牙本國との貿易中繼地となれり。

(三)、英人のハバナ占領

斯の如くしてスペインは玖馬を閑却せるには非れども一時玖馬熱少しく降下せる折柄千七百六十二年英國の艦隊はハベナの堡壘を砲擊し激戰數回の後ハバナ市は英軍の爲めに占領せらる、其翌年パリーの英西會議に於て西人の手に返還せられたが西人は此苦き經驗に鑑み其當時の費用にして數千万弗に比すべき巨費と十余年の歲月を費して今のモルロ及びカバナ等の城砦を築造せり、時の西帝は其費用の余りに多大に驚きスペインより見へそうなものだと宮殿の屋上より望見したれ共固より見へざりしとの笑話を殘せり、此工事にアフリカより多くの黑奴を携へ來り工事に從事せしめたりしか衞生不備の爲め病者を續出し永く其余殃を殘せり。

(四)、當時の米國の態度

米國は玖馬が同國に近接せる地勢と其土地の豐沃なるを以て垂涎措く能はず事ある每に併合せんと試みしは一再に止まらず十八世紀の始めに一億弗を以て購買せんと西班牙へ交渉せしも西も肯ぜざるを以て更に一億二千万弗を奮發せんと申出でたれども之又成効せず終に時の大統領は宣言して玖馬嶋は獨立せしむるか又は米國に併合して其一洲になすか二者何れも行はれざる場合は西國附屬の外其他何國と雖も他の屬領たるを許さずと爾來歷世の米大統領は之方針を踏襲して終始一貫せり。

(五)、玖馬獨立戰爭

千八百二十三年西本國に反して獨立革命の萠芽を發してより千八百九十八年米國の干渉を來して米西戰爭となれるまで七十余年間は戰亂の歷史を以て充され恰ど寧日なきの狀態たりしが就中十年戰爭と稱して一八六八年より一八七八年に至る革命戰は戰爭の長引くに從ひ惨憺を極め敵味方相互間惨虐に次ぐ惨虐を報じ農牧は廢されて糧食欠乏となり牛馬鷄豚盡く喰ひつくし一個の鷄卵數弗を拂ふも得難きに至る惨狀は獨り之のみならず恐るべき黃熱病は猖獗を逞うし傷病者相次ぎ死屍道途に累々たるも之を埋沒せず恣に群鴉（アウラと稱し禿頭の鳥類、常に斃

肉を食し道路を情潔にすべきを以て保護鳥なり）の啄むに委する等其惨狀筆舌に絕へたりと云はれた。此十年戰爭のみにても西軍の損害八万五千、其軍費數億圓余に上り玖馬反軍の損害六万余に達せりと傳ふ

斯く如くに西班牙が玖馬征伐に執拗たりしは同國が南米の新領土は殘らず失ひ殘れるは獨り玖馬のみなりければ如何にもして之を保持せんとして全力を傾到した所以にて一時は二十余万の兵士を送り巨億の財を費し爲めに其國礎を危くするまでに疲弊せりと云はる。而して一方の玖馬獨立軍に在りては弱者に對する同情は何處も同じであるが特に米國に在りては如上の關係を有せるが何故か上下を擧つて反軍に同情し自から手は下さざるも紐育を策根地として密に軍資を供給せり。玖馬軍の頑强たりしも之が故にて斯くては此戰亂の底止する處を知らずと執拗の西班牙も此間の消息を看取し英國が加奈陀に於けると同様の自治を與へんと申出でたれ共時は既に遲れて玖馬の各首領は全然獨立せられざる限りは承諾せずとて依然戰亂を持續し終に米國の干渉となつた。

(六)、米西戰爭

之より先き米國は人道の爲なりとて西本國に玖馬の獨立を許すべきを數回に渉りて勸告したれども共都度同國の反感を買ひ首都マドリッド市に於ては米國の國旗を汚辱せる等人心大に沸騰せしが此事件は西政府の謝罪となりて解決せしが米國は機會あらば乘ぜんと張膽明目其機を待ちしは勿論なり。

千八百九十八年の始め米國は在留民保護の名の下に戰艦メーン號を派遣しハバナに在泊中二月十五日の夜偶然爆發沈沒して水兵二百九十餘名の死者を生ぜり、之れ米西戰爭直接の動機にして此報一度米國に傳はるや事を大袈裟に宣傳するは同國の常之れ西軍が故意に此非行を演じたるなりと曲解し新聞に演說に攻擊甚だしく直ちに臨時議會を召集して西班牙に宣戰を布告せり、玆に於て玖馬革命戰は米西戰爭と變じ始めて玖馬は負擔を輕くせり此戰爭は所謂段違ひにて勝敗の數餘りに明瞭なれば寧ろ興味の薄きを覺ゆ蓋し西軍は幾十年の遠征に困憊其極に達し米國たらずとも之に勝つは容易なればなり、況んや一方は金力無限の大國を以て地の利を得たる新鋭軍を以て之に臨む恰も大石の累卵を壓するが如し卽ち米國海軍は其の軍艦を以て玖馬の各要港を封鎖し六月にはホブソン大佐がサンチヤゴ・デ・クバの港に汽船を沈めて西軍を

封鎖して世界のレコードを作れる事前述の如し、而して常備兵數万の外二十万の義勇兵を募り玖馬に上陸して連戰連勝西軍を屈伏し媾和會議となる、此時ルーズベルト氏も從軍して勇名を擧げたり。

(七)、米西講和の結果

同年十二月西國講和委員はパリーに會合して
一、西班牙は玖馬の獨立を承認の事
一、ポートリコ島を米國に割讓の事
一、米國は二千万弗を西班牙に仕拂ひ東洋のヒリツピン全島を領有の事

重なる條件右の如くなるが長鞭も馬腹に及ばずとは東洋の事、西洋の强國は之を逆にやつて其巨腕は遠く東洋の果にまで及び我母國以上の面積を有せる比島を掌中に容れたり、之れ其敵手が積年の疲弊に來した結果に外ならざるを思へば其獲物の大なるに驚かざるを得ず、嘗ては佛國のレセツプが巴奈馬開鑿の失敗を繼承した手際と云ひ又過る歐州大戰に獨乙の力盡きて將に屈服せんとする終期に當つて戰爭に參加し一躍して世界の列國を後へに憧着たらしめたる等兎角他の疲弊に乘じて大なる獲物を收むるは米國の慣用手段と見ゆ、其れにしても米國は玖馬やポートリコを自儘に左右するは地勢上自然の數なれば東洋の我等の痛痒なしと雖も我南隣の比島を領有するに至れる共の遠望の那邊にあるやを解するに苦しむものなり諺に曰く「臥林の下に他の鼾睡を許さず」と云ふ、我領土の台灣と目眉の隣地に鼾睡せられては之れ我等の安眠妨害なり而も當時の我國の寛容晏如たりしはどうしたものか最早今日となりては如何ともなり難し千載の恨事とや云はむ。

斯くてスペインは玖馬より盡く軍隊を徹退し同時にハバナにありたるコロンブスの遺骨は西本國に携へ去れり、米國は仮政府を置きて全島を統治し其間に施政の見るべきもの鮮少ならず道路は修繕して交通の便を計り又衞生には最も力を入れて彼の恐るべき黃熱病の如きは地を掃つて絕滅せしめ嘗ては最も不健康地と稱せられた玖馬島は著名の健康地と化し永く其餘譯を蒙れる事全く米國の賜と云ふべきなり。（以下次號）

玖馬政府は綿製品、毛織物、生糸、人造絹糸の關稅率を非常に引き上げた旨公報があつた。（十月二十六日）

海外通信

コロノ生活は三ケ年以上辛棒せよ

在アニユウマス農場內

宮部福松（諏訪郡四賀村）

拜啓貴會の益々御清榮を奉賀候。每度御送付の海の外厚く御禮申上候。小生も在伯三年に相成り候故コロノ生活としての經驗も少々心得候に付今後の渡航者の爲めに一言貴會の雜誌に載せて戴き度く御願ひ申上候

私は移民として渡航し卽ち耕地でコロノとして働き、資本を作る人々の爲に「辛棒せよ」と言ふ事を申し上げ度く思ふ者である。而し新移民は左記の樣な不利不便あるをまぬがれぬを普通とする。

一、新移民は能率の上る良い珈琲園に就働する事が困難である。
二、新移民は舊日本人や外人の半分の仕事が出來ない。
三、新移民は良い間作地が貰らへない。
四、言葉が通じぬ爲め自分の意志が通じない。
五、間作地の收穫が無き爲め收穫するまで食糧品を買求しなければならない。
六、間作及副業生產物の販賣法が下手である。
七、衞生上其の他副業に適した家が貰へぬ。
八、氣候風土に順應しない故病氣に罹り易い。
九、初年度には副業たる養畜野菜等の收入が無い。

十、支配人や監督の信用がない。

右の如く記すれば新移民は入耕初年度には收入支出、同位若しくはそれ以下となる人々も澤山あるのがブラジル移民今日の實際であつて二年乃至三年なり、土台を作る事が先ず大切である。

卽ち第二年目からは前記の反對に仕事が出來て其の上に能率の上る良い畑が手に這入る故初年の二倍若しくは三倍の珈琲園の手入れが出來、一方は間作物の良く出來る畑が信用と自分の意志の通る事に依つて得られる。

故に二年目からは、自給自足で買求品は砂糖鹽パン粉其の他日用品の二、三、で濟む事になる其の結果初年に比較すると收入が二倍以上になり、支出が半減する順序となつて來る。且副業の養豚牛馬亦は野菜作りの收入が得られ、其の結果、コロノ生活は、珈琲の「手入賃を殘すか間作物及副業の收入を殘すか」と言ふ段取りに到達しはじめてコロノ生活の趣味を覺へ年と共に金は殘つて來るのである。

更に一歩進めて經濟上の研究をしたならばブラジルの耕地農業法でコロノ生活が金の殘らないと言ふ事は、特別の災難の無い限りないと私は信ずるのである。

此處に於て私達は、耕地に這つて勞働し、資本を作り將來の目的に向はんと思ふ人は少なくも同じ耕地に三年位ひは辛棒せよ、と申し度いのである。單に人々の批評を片面に信じて、毎年轉々として耕地から耕地と廻る間に、一方は腰を落ち付かせて辛棒し數年後に至つては、同渡航者同志が、數段の相違を來し、一方は既に植民に向つて斧を奮つて大事業に進むのに、一方は、漸やく辛棒する事を悟り、やつと腰を落ち付かせ、尚、金を殘し土台を作るのに二、三年を費すとせば、其の間一歩百歩の違ひを、誰しも悟るであらう。さて珈琲七千本內外位ひのコロノとして、當耕地の風聞亦は實際の資金を殘しつゝある經驗談等を次便御通知致し度いと思ふてゐる。

比島日支語廢止

フイリツピン議會は前期議會にフイリツピン大學內に東洋研究科設置に關する法案を可決したことがあつたが總督の拒否するところとなつて止んだ。ところが今度また同大學評議員會は一九二六年十二月豫算の都合もあつて日支兩語科全廢を可決した。フイリツピン人側新聞は日支兩語學習の必要を說いて評議員會の再考をうながしたが容れられず、本學期限り兩語科を全廢することになつた

私の珈琲四ケ年請負成績

—〇家內の病氣もあつたが　〇奮闘した甲斐があつた

伯國北西線驛ウニオン植民地　笹澤新（小縣郡長窪古町）

同氏は大正七年九月の渡航者である、眞面目なる植民者であるが最近コーヒー四ケ年の請負を終了してその成績を寄せて來た。詳細なる實際の數字は私等の生きた好材料である。同氏はコロノ生活に十分の經驗を持つために非常の好成績を收めてゐる。尚同植民地には本縣人七家族が活動してゐるがその消息も知りたいものである。笹澤新氏一家の御健在を祈る……記者

私は昨年九月珈琲四ケ年契約が終りましたから其の結果を御報告致します。

私の家族

は九才を頭に三人の二男一女の五人家族です。リンス驛から九基米突ガイアラ驛より五基米突の場所です。

契約條件と請負珈琲株數

契約は山切り、珈琲實蒔、家建、一井戸掘りを全部自分でやり、四ケ年の終りにコーヒ樹一株について七百レースの報酬を受け、此の間に成熟せる珈琲實を全部自分の所得になり、家は五代丈けの支拂ひを受ける事になつてゐました。

珈琲は六千四百五十四株に半アルケールの間作地が請負です。

資金

當時の一アルケールの山切り賃は二百三十釺で約二コント七百釺の資金で、珈琲植付から家建てゝ此處に移轉する迄に一コント六百七十釺程の支出を見ました。

それで四ケ年間の

收入は

第一年目

	米	豆	落花生	コモシロ	計
收量	三八〇袋	四	八	六〇カゴ	
自家用	四〇	四	八	四〇	
賣上數量	三四〇				
一袋平均相場	一二ミル、五〇〇レース				
總賣上額	四コント、二五〇ミル				四、二五四

第二年目

	米	豆	落花生	コモシロ	豚	計
收量	二六〇袋	一八	五	八〇カゴ	一六アローバ	
自家用	二〇	一	五	八〇	一〇	
賣上數量	二四〇	一七			六	
一袋平均相場	四〇ミル	四八			二五	
總賣上額	九、六〇〇ミル	八一六			一五〇	一〇、五六六

第三年目

	米	豆	落花生	コモシロ	豚	珈琲	計
收量	五一袋	一一	五	八〇カゴ	二〇アローバ	一袋	
自家用	一八	一	五	八〇	一〇	一	
賣上數量	三三	一〇			一〇		
一袋平均相場	四五ミル	一八、八〇〇レース			三六ミル		
總賣上額	一、四八五ミル	一八八ミル			三六〇ミル		二、〇三三

第四年目

	米	豆	落花生	コモシロ	豚	珈琲	計
收量	一一三	一二	一〇	七〇	一八	二三三	
自家用	一六	一	二	七〇	一一	一	
賣上數量	九七	一一	八		七	二三二	
一袋平均相場	五一	七	八		三五	三五	
總賣上額	一、四五五ミル	七七	六四		二四五	八、一二〇	九、九六一

其の他　一五〇ミル
鷄及鷄卵　一六〇
日給賃　一三〇
野菜
珈琲手入賃　四、五一六、四〇〇レース
預金利子　一、四二三、〇〇〇

が收入である

支出と生活費

第一年目　四、二七〇ミル（生活費の外入植費一、六七〇ミル日傭費六〇ミルを含む）
第二年目　九、一〇〇（生活費の外海興拂込金一、九〇〇ミル山買契約金二、四〇〇ミル要子供（三番目）病氣癒療費二、七〇〇ミルを含ム）
第三年目　四、二〇〇（生活費の外妻子病氣癒療費一、九〇〇ミルを含む）
第四年目　三、八五〇（生活費の外珈琲採取賃乾燥賃八〇〇ミル內地送金三五〇ミルを含む）

一ケ年の生活費は二、〇〇〇ミル乃至二、五〇〇ミルで、私の四ケ年目の生活費は大体次ぎの如くである。

六七〇ミル、四〇〇レース　食料費
六九五、七〇〇　衣服費
五五五、〇〇〇　交際費
三二二、七〇〇　農具日用器具費
二一七、三〇〇　醫藥費
二三九、二〇〇　雜費その他
計　二、七〇〇、三〇〇

である。

四ケ年の總收入　三三、一八九、四〇〇
四ケ年の總支出　二一、四二〇ミル
差引殘額　一一、七六九、四〇〇

卽ち私の四ケ年の收支は差引殘額の一一、七六九ミル四〇〇レース海興拂込みの一、九〇〇ミル、山買ひ契約金二、四〇〇ミル、內地送金三五〇ミルを合せた

一六コントス、四一九ミル、四〇〇レース

（邦貨換算約四千八百三十圓）

でこれが僞りのない結果です。當地の近所では好成績の方で、その收入の多かつた理由の二、三は第二年目及び第三年目における米が突飛もない高價に賣買された事と四ケ年目の珈琲が割合に多收穫であり且つ高價に賣る事が出來た事である。

第一年目は非常の苦勞で惡い雜草と戰へば、二、三年は

稍々樂である。私の家族は二、三年目に妻子の病氣に惱まされましたが、それでも他人を雇ふたのが六十ミル程支拂つたのみで奮闘して來ました。四ケ年契約も此の期間の天候、手入の如何で珈琲に大變な影響を及ぼすのである。間作は十分の出來る善い土地を選ばねば、如何に珈琲の手入や天候が甘くいつても思ふ樣な利益を上げる事が出來ないからこれは注意すべき事である。（二、六、一九）

北パラナに日本人發展

在伯カンバラ　西澤春次（埴科郡東條村）

大正七年七月長崎港出帆九月サントス上陸數年珈琲園勞働者としてモジアナ地方に在り、大正十四年當地パラナ州に入り當地の研究に餘念無之候　（六月五日）

當地も聖州モジアナ線のリベロン地方も地味同じく農園（コーヒー）計劃としては最上地帶と申され土質からは「テーラロシヤ」紫色地質にてパウダアリウ地帶と申され（エンニクの臭ひをする大樹がある）珈琲栽培最上地帶で三十年は無肥料でよいと云ふ所です。

昨年より山科禮藏氏等の資本が投じられつゝ壹萬アルケールスの地が開拓されてゐます。それはコンゴーニヤと申してゐます。

尙ラ、ンジニアには大阪の野村商會が六百アルケールスを購入して盛んに活動し、今年は三百アルケールス珈琲栽植及び製材所建設練瓦製造所も着々準備されてゐます。

野村商會の地に隣接して長野縣人數家族にて八十アルケールスを數年前に購入し今年より（今日まで不景氣にて入植を見合せてゐたが今年は稍々景氣挽回されて來た。）開拓致し度き希望であります。

北巴雞奈の開拓の後れしは聖州と州境するパラナパネーマ川によつて遮斷せられ、一方パラナ州首府クリチバよりは交通（鐵道）の便なく今より八、九年前漸く有志家が道路を開き自動車を通ずるに到りたるものである。

隅々サンパウロ州モジアナ線クラビニヨース町の附近に

耕地を所有せし一耕主バルボーザ氏が北パラナーの着目する所となり數家族を引率して此の地方に入りコーヒー栽植を試みてパラナパネーコ川に橋設せしものにて現今のバルボーザ耕地はそれである。

一九二四年サンポウロ、パラナ鐵道會社がソロカバナ線オウリンニヨース驛より起工して、バルボーザ耕地を經て、ガンバラ町に到りラ、ンジンニアに開通してゐるが數年後には更らにコンゴーニアに通ずべく工事を急いでゐる樣であります。

尙同會社は一方クリチバ市よりオウリンニヨス迄の鐵道を布設中にて昨年後頃は鐵路により聖州よりクリチバ行きが出來る事になります。

北パラナの地價は土質の關係上ノロアステ方面より、二、三割の高價を示して、カンバラ町より二十キロ位迄は一アルケールスに付き一コント乃至一コント五百ミルで賣買さられ、前記の野村商會の土地も六百ミルと聞てゐる。カンバラより二百キロの深地でも毎日自動車及荷物自動車が往復して當地は内外人の注目の的となつてゐる。

（昭利二年六月五日）

聖市附近で蔬菜栽培

在伯イタケーラ　山崎長文（更級郡上山田村）

イタケーラはセントラル線のサンパウロ市ノルテ驛から六ツ目で日本人が約三十家族許りで皆野菜作りです。大抵二、三アルケールを所有して（中には十アルケールの大規模經營もある）活動してゐるが野菜の主なるものはトマト、レポーリヨ（甘藍）バタタ（馬鈴薯）ピメントレ、ドーセ（甘ごせう）ブリエンヂエラ（茄子）等で殊にイタケーラの日本人の作るトマテは立派なものです、

此の地方の土地は一アルケールが七、八コント（二千圓）である。

收穫物はカミーニオン（貨物自動車）でサンポウロの市場に出し日曜日には驛の市に持つて行つて驛附近の外國人と相手に賣ります。此の植民地からの收穫物は毎日二台のカミーニオンでサンポウロ市に運ばれる盛況です。

セントラル沿線の日本人は大部分野菜作りでスザノ附近にも沖繩縣人が數家族モランゴ（苺）を作つてゐます。

（二、七、一九）

路傍のパイネイラよ

アリアンサ　唯紅子

あゝほんとうに見事だ。

私はコーヒー園を抜けて道へ出ると、紅い落日の光に手を翳ざして、コーヒーの稚木の列をながめた。略ぼ二尺餘りに丈の揃つたコーヒーの木は、太陽の振りまく金粉にまぶされて美くしくきらめき、素晴しい緑のクロース模樣を作つて居た。

見事だ………

と思ふ下から暗然とした氣が湧く。

こんなに美しく育てたコーヒーを、花も見ず實りも見ずに逝つた人のことを思ふと私の胸は一杯になつた。

毎日の日照りに砂ぼこりとなつた一筋道、夕餐の菜にと、コーヒー園で求めた蔥を抱へて歸る私の心は重かつた。いつしか足の運びさへ。

あゝ見える。見える。あの木が。パイネイラの木が。紅い花を咲せたパイネイラが。

あゝ一筋道に聳え立つパイネイラよ。

私は此の黄昏もお前と語ふ。

アルマゼンの前を通り、夕風にざわめくバナナの木蔭を通り抜けた時、何か知ら私は後を振りかへつて見たくなつた。

オーイ

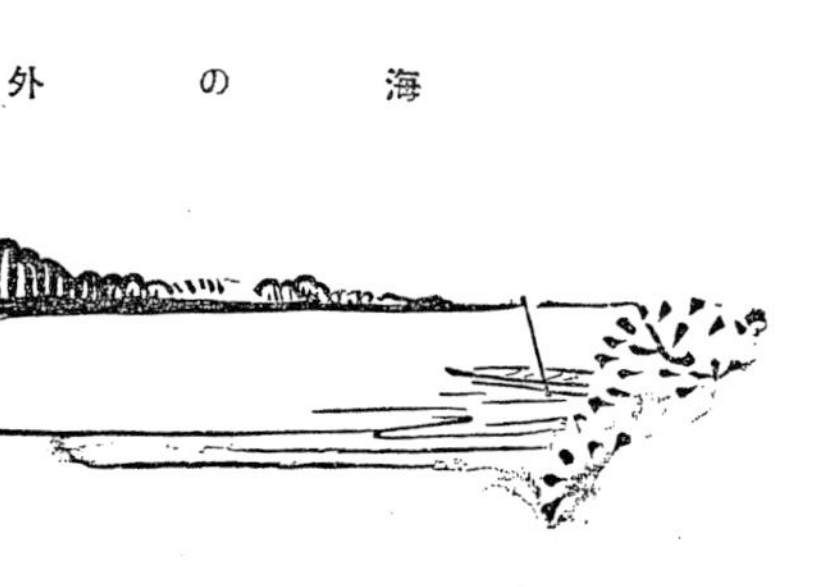

あの聲！ こう呼んで呉れたあの聲。それが判然振りかへつては見たが、誰も私を呼び止めてくれる者の影も見えない。

………

一緒にゆくから待つておくれよ。

………

私は默つて微笑みつゝ夫の近きに來るのを待つた。其處は一本のパイネイラの木蔭であつた。

ほんとうに此の木は大きな木なんですね。

あゝ まるで、女の肉体美だね。

その根下は一叢の草になつて居る。

其の腰の邊りとも思はれる處には蔦がやはらかに這ひまはりついて居る。中程から細目に延びて、幹の中途からは一本の枝も節もない。山に育つた松の樣にコンモリと梢の方で繁り合つて居る。空はコバルト色に澄み渡つて處々白雲が夢の樣に靜かに次第次第に姿をかへつゝ浮んで居る。海國の郷里を想はする樣な日だ。滴り落つる樣な緑と、太陽から走り出す金線に照りかへる艶とを持つた潤葉のこまやかさ。精一配に輝やかしい一月の空をかき抱うとして居る。

然し 貴女もやせたね

ええ。貴方も

もう大丈夫だよ。之からなんだから。今迄は創成時代であつたんだから、之から生活を

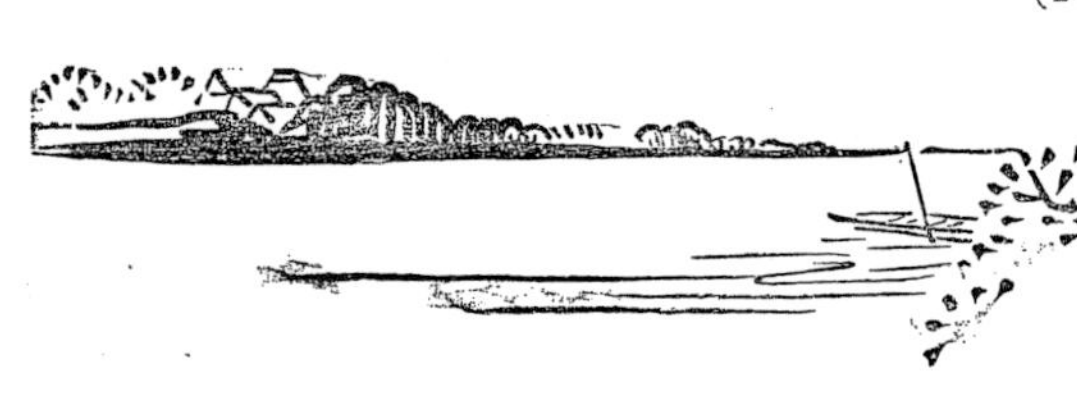

よくしてゆくよ。ほんとうに貴女にも苦勞をかけたね。

夫と妻と愛兒が、澄み渡つた空に輝く太陽の樣に晴々しい氣持ちで一筋道を歩いて行つた。

あゝ　嘗ての日のパイネイラよ。

お前の美くしさを稱えつゝ　自分等を顧みて云つた此のシンミリとした會話を聞いて居たのは、恐くお前一人であつたろう。

だが妻の勞苦をいたはつてくれた夫はあれから一月足らずで神の國へ行つてしまつた！

若き妻と子を殘して、

親子三人が共に歩いた最後の日！

あゝ思ひ出のパイネイラよ。

御覧！　私は此の夕暮の道を急がうともせず、一人で歩いて居る。私には夫も子もなくなつてしまつた。家には誰も待つてくれる者がない。私は最後の慰安者すら失つてしまつた。

あゝあの父親の大きな墓標の傍の小さな墓標の下には、天使の如くほゝえんで、人形の如く美くしく、小さな箱の中に、をとなしく寢入つてる吾子よ。もしかすると私の体も明日は夫と共に、愛兒を中に、一本の哀しき墓標となつて居るかも知れない。私は死を恐れつゝも親子三人の墓標の立ち並ぶのを見たい樣な氣がする。之が私の一家なのだから。

パイネイラよ、

私の胸の中には二本の十字架が秘められてある。この十字架を負ふて逝つた父子は在りし日に何か心に惡を抱いて居たであらうか。

その餘りに短き生命に神を疑ふ。

凡べてよき實を結ばぬ木は伐られて火に投げ入れらるゝべしとマタイ傳に記るされてある。

私は信仰の淺い者だ。天國の內容さへ、存在さへ不安でならない。

だが幸福なパイネイラよ。

數多の森林中より見出されたお前は獨り路傍に道ゆく人の歎賞をほしいまゝにして居るこれから幾拾年幾百年も此の靜かな幸福を握つてゆくことが出きる、あゝ人間の命の儚なさよ。

あゝパイネイラの秋。パイネイラの秋

花が散るよ。だがお前は又同じ世界に於て甦へる時が來る。久遠に守られて、しかも智なく、情なく、意なく、無心の生活に生きらるゝ羨やましさ。

パイネイラよ。此處は私の墓處だ。永久に離るまい。私の命の續く限り、目にお前の映ずる時は、必ずこうした追憶に胸を傷ましむるであらう。

パイネイラよ。

私は目に見ゆる幸福と云ふ物はあきらめた。

たゞ私は飢える日、渇く日のないかぎり、此處を永久の故里としたい。

私は在りし日の幻影になやみつゝ夕暮の中を歸つて行く。

（一九二七、六、一五）

母國通信

人口食糧救濟の應急策

產兒制限も認めた調査案

先きに人口食糧問題調査委員會では社會局から提出された對策案につき幹事會で協議の上更らに調査會に報告して愼重審議の上明年度より實施の方針であるがその調査書內容は左の通りである。

根本策

人口食糧問題解決の目標は人口增加の趨勢を每年百萬人として今後卅ケ年に三千萬人を激增し總人口を九千萬人と想定し是れを標的として案出したもので人口分布狀態は大正九年には農村四割八分都市五割二分の比率が大正十四年には農村四割五分都市五割五分となつて人口は漸次都市に集中する傾向ある食糧政策はこの見地から案出したものであつて食糧を充實しても逐年激增の人口を如何にして解決するか卽ち今後三十ケ年に增殖する人口約三千萬人に對して積極的方針を取つて國富を增進し增殖人口を抱擁する國策を樹立する方針である。

商工政策

一、輸出奬勵策　我國商品の諸外國に販路擴張の方策を執り、その產業は染色、化學工藝、機械諸工業で品種は絹糸、綿製品、絹製品モスリン、メリヤス、

電球電器具、硝子、陶器、帽子類等が主なるものである。

二、輸入防止策　わが國工業の保護助長策を執つて毛織物、發電機、時計、自轉車、フイルム、皮類の外國品の輸入を防遏すること。

失業政策

一、公共失業基金制度の確立　失業保險制度を設けて消極的に失業者を救濟するよりもなすべき多くの生產的事業（土木事業）を持つわが國では寧ろ積極的に失業救濟基金制度を確立し國庫から基金を市町村に交付または補給し必要に應じ市町村をして土木事業を起さしめて失業者を防止する生產事業を遂行せしむるものである、但し六大府縣都市の日傭勞働者救濟の土木事業は今後も從來通り行ふ

二、失業保險制度　は單に研究調査に止めること

三、職業紹介機關の普及改善　全國約二百の職業紹介機關を更に擴張改善し連絡疏通の方法を講ずること

移民政策

一、內地移民（イ）獨立官廳從來內地移民政策を管掌する官廳は區々にわかれ政策遂行上支障が多いからこれを統一する官廳を設くると（ロ）內地移住組合法の制定內地移住政策の振興を圖るため內地移住組合法を設けて人口稀薄な樺太、北海道、宮崎、青森岩手に集團的に移住せしめて未墾地を開拓し一面移住者の衞生交通、金融、敎育等を考慮すると（ハ）內地拓殖會社の新設內地拓殖會社を新設し土地を無償で拂下げ會社は自體で開墾事業を行ひ他面移住者に分讓して耕作の方法を執る（ニ）北海道拓殖計畫の改善現行北海道の歲入を以つて歲出を差引き剩餘金を財源とする拓殖計畫を改め財源を國庫より補給し財政計畫を改めること（ホ）樺太

移植民ニウース

伯國では

一度も病氣をしなかつた

―ビールが敎へた健康の秘法―

ブラジルの各地を滿一ケ年餘にわたり視察旅行した宮下琢磨氏は十月十二日澤山の土產鞄を携へ、寫眞器を肩にかけて長野驛頭に現はれ

「僕は未だ三十年此の事業のために活動せねばならぬ」

と眼光鋭い逆八字形の眉に微笑を浮べ忙中忙そのものゝ如く次ぎの如き怪氣焰をあげ往訪の記者を煙にまいて元氣よく乘替の列車で鄕里に向ふた。

「ブラジルでは旅行中不思議にも一度も健康を損した事がなかつたと云ふのは昨年伯國は全國にわたりマラリヤの流行した年であり僕の身体から云ふても氣候風土が變り兎角健康を害し易いのみならず僕と同船した連中には罹病で大部分苦しめられたり其の他種々の異狀を呈してひどい目に遭ふてゐた所が僕は何故か健全であつたのは別でないが毎日ビール（アルケール）を用ひてゐたからであらう。ビールが殺菌の作用に絶大の偉力を現はしたとは思はれないが旅行の各地で井水や河水を飲まないでマラリヤ等と縁を遠くしてゐたのだ。マラリヤの妙藥はビールであるとは云はないが僕には此の奴なか〳〵妙であつた」云々

低資融通を受ける

アリアンサ移住地

海外移住組合法の實施に伴ひ既存の海外に土地を有する海外協會の土地を肩替りして低資の貸付くるか否かは當初から一の懸案となつてゐたがこれが當事者側から屢々內務當局に陳情があり旁此の點につき本春の地方長官會議に於ても重要な問題として論議されたのであつた。

拓殖計畫の樹立（既報）しかして朝鮮へは未墾地方へ移住者を送つて農耕に從事せしめる外朝鮮產米計畫に伴ひ干拓事業に移住を送るが台灣、滿洲方面には農業移民を送る望みが少い

二、海外移住（イ）移民補助金交付

海外移住民を積極的に奬勵する爲ブラジルの他アルゼンチン、フイリツピン南洋方面にも移住者を奬勵しブラジルの他の移住者にも渡航費約二百圓を補給する（ロ）殖產銀行の新設海外に支店を設け低利資金を供給し移住民に事業資金の貸付貯金事務を取扱ふ（ハ）南米南洋拓殖會社の新設殖產銀行から事業資金の貸付を受け土地開墾を經營しまたは移住者に分讓の方法を執り政府の配當八分の保障をなす（ニ）移民博物館を新設して海外移民の實狀を一般國民に周知せしめ移民熱を刺戟すると（ホ）移民收容所の增設南洋方面移住者のために長崎に移民收容所を設ける（ヘ）移民保護官の設置海外における移住者の世話をするために海外移民保護官を設ける

產兒制限

人口調節のために產兒制限策を執らず唯生理的の病虛弱者の產兒制限に止めると

關係諸經費

一、移民保護官設置費（奏任十五名判任十三名）二十一萬四百三十一圓

二、海外博物館設置費が三百八萬八千九百圓

三、植民研究所設置費五萬六千百八十圓

四、移民金融會社設置利子補給費（十年計畫總額二千八百三十四萬圓）二年度分經費百四十萬圓

五、移民收容所（長崎）設置費六十二萬三千四百三十六圓

よつて內務省は明年度豫算に於て新規要求してゐる貸付金百七萬圓の約半額を振り當らるゝ事になり之等既存の現在海外に有する土地は二萬一千町步で肩替はりを受くるものは左の如くであると新聞紙上に報導された。

信濃海外移住組合　鳥取海外移住組合
熊本海外移住組合　富山海外移住組合

巴奈馬通過船舶

六月中パナマ運河通過の日本船舶は左の如し

	隻數	總噸數	積載貨物噸數（英噸）	通過料（弗）
△大西洋より太平洋へ	九	四四、五五九	四五、九八一	四一、四三〇、一〇
△太平洋より大西洋へ	五	三二、二一五	四四、六三七	一七、二五、三〇

日本品布哇輸入額

一九二七年一月より六月に至る上半期の日本品輸入額は前年同期との比較において二十四萬千四百圓の減額を示して二百五十五萬二千八百圓であつた。

六、移植民保護奬勵費二十九萬九千圓

七、移植民後援團體奬勵費三萬圓

△植民政策

今後三十年間の人口三千万人增加を見るものと推定して自給自足を基礎とする食糧品三ケ年計畫增加案

一、農產物生產增加

（イ）耕地の擴張改良經費十七億八千九百萬圓

（ロ）農產改良費三億七千四百萬圓

二、水產食糧品の增加經費二億千百萬圓

三、畜產品の增加經費二億六千九百萬圓

△移民會社

一、拓殖會社並に銀行設置費（十年計畫）

（イ）移民會社設置費二千八百萬圓來年度經費百四十萬圓南米拓殖會社設置費（二千萬圓）南洋同上（一千萬圓）北海道同上（一千萬圓）樺太同上（一千萬圓）其拂込み方法は初年度利子八朱となし二年度以降逐年利子を低減し得る（ロ）拓殖金融の爲め一銀行を作り資本金二千萬圓四分の一拂込みにて三年度より五年度迄利子八朱とし逐年利子を低減す

產兒制限を「優生」に變名

人口食料調查會では產兒制限問題の調查項目名は外部から種々の非難があるので優生運動に關する調查と名稱を變更して調查研究するにした

蘆花翁遂に逝く
秋雨淋しく伊香保に

秋雨煙る九月十八日伊香保溫泉の別邸に十五年間音信を絕つてゐた兄の蘇峰氏と淚と感激の對面に終つた蘆花德富健次郎翁は容態急變して夜十一時近く何等苦痛もなく眠る如く逝つた。

箕浦勝人翁無罪
松嶋事件の判決

大坂の松嶋遊廓移轉運動に絡まり醜狀を暴露した松嶋事件は審理すること二十ケ月にして十月十三日左の如く判決が言渡された。淸節四十年その人格

輸入額の最高は日本米の二十三萬八千七百圓であつた

役員改選

北米合衆國ロスアンゼルス市を中心とする長野縣人の本會支部の役員は左の如く本年正月改選せり

會長　浦田毛佐太郎
副會長　伊藤政十
會計　秋山英之助
幹事　伊藤寬水
評議員　青木梅作　宮島德衞　唐木保藏　小木曾讓三　茅野恒司　藤本安三郎　田中銀三郎　丸山晉五郎　入隆夫　山岸義茂　荒井久滿太　塚平九平　松島鍋人　木下斜　山崎節　丸山濟作　溝口功　堀內茂

識見をたゝへられてゐた箕浦氏は今更の如く久し振りの笑顔に「私は最初から無罪になると確信してゐた」と云ふ意味を語つてゐた。

無罪　箕浦勝人
無罪　高見之通
懲役一年六月　平渡信
無罪　今北治作
懲役六月　益田巖

因に平渡、益田の兩氏は直ちに控訴した。

駐佛石井大使歸朝

過般の三國軍縮會議を最後として三十八年の外交生活から引退する石井菊次郎氏は十一日四年振りで家族を伴ふて無事歸朝した。

同日田中首相を官邸に訪問し歸鄉の挨拶を兼ね外交問題につき種々報告する所あつた。因みに同氏は本年六十五才である

伯國大使招宴

田中外相は十日午後七時半新任ブラヂル國大使フエイトーザ氏夫妻を外相官邸に招待、初めての晚餐會を開き外務省から外務次官局長其他列席した

比嶋上院議院招待

比律賓上院議長ケゾン氏一行は十一日橫濱に來航したので德川賴貞侯は同邸に招待して晚餐會を開く筈

縣議黨派別

全國各府縣の府縣會議員選擧ば十月十二日までに二府三十七縣を終つたが各黨派別は左の如し（東京朝日新聞調查）

政友	七一四
民政	五七六
革新	七
實同	五
日農	四
日勞	三
勞農	一三
民衆	四
無所屬	一五五
地方無產	四
計	一、四八八

伯國呼寄渡航者の注意
伯國外務大臣の許可證がなければいかぬ

從來伯國の呼寄渡航者は伯國駐剳本邦領事の呼寄證明證があれば容易に旅券の查證が出來渡航に何等差支へなかつたが本年十一月以後の渡航者は十八才未滿若くは六十才以上の者及び單獨婦人は呼寄證明書と共に更らに伯國外務大臣發給の許可證がなければならぬ事になつた。且呼寄證明書及び伯國外務大臣の許可證は出港場において本邦駐剳伯國領事の旅券查證に際して提示を要する事になつた。

墨國にも先驅的本縣出身の混血第二世がゐる

米國のエドモントン市長に擧げられた上田出身の松平欣次郎氏について一度發表せらるゝや信州人の誇りとしてモウ一つ面白いローマンスがある。

交通不便な當時において水さかづきをして東海道の旅に立つた事を考へ信州の奧深い山中、日本アルプスの麓から遙か海の彼方、異境の地に大望を抱いて貴い海外の先驅者の一人となつたのは須澤某である。須澤氏は松本市附近のものでその姓名が明瞭されてゐないが最近墨國の一友人がその身元と同氏の生活について調查してゐる。今一友人の通信を見れば、「此の人は墨國婦人を三度娶つたとの事でそのいづもの婦人が皆須澤姓を名乘つてゐる。初めの婦人の息子は目下モントレオール銀行にゐるし、次の婦人の子供は今年は師範學校入學の由で成績が非常によろしい。三番目の婦人の子供は小學校に在學中であるが又成績がよく私共に日本語を以つて話してゐる。」

此の須澤氏は今は故人であるが最後は三井物產に働らいてなんでもアルゼンチン國に軍艦を賣り込み非常の手腕家であつたとの事である

信州記事

縣議當選者

政友大勝

縣議選擧の立候補者については前號報道の通りであつたが開票の結果は政友派大勝して各黨派別は

政友派　二十一名（三市十三郡）
民政派　十六名（二市十郡）
中立　七名（七郡）

となり無產政黨はいづれも一蹴されてしまつた。尙中立七名の內二三名を除いて大多數の者は政友派に走るべく豫想されてゐる。

南北久郡　定員二名

五四六三　酒造業　井出今朝平（四六）政友新
三七八四　農業　淺沼信太郎（五一）民政再
次點　三一九〇　小池捨松

北佐久郡　定員二名

七二六三　製糸業　小山邦太郎（三九）中立再
四六九四　農業　高山鄉三（三八）政友新
次點　二七七六　森泉三代太

小縣郡　定員三名

六〇〇三　農業　山本莊一郎（五一）政友再
五一六四　釀造業　兒玉衞一（四三）民政新
四五六八　官吏　宮下周（三三）中立新
次點　四三〇六　深藤用治郎

諏訪郡　定員五名

三九一一　農業　今井梧樓（三六）中立新
三七八二　釀造業　林七六（五三）政友再
三五五六　製糸業　山岡久兵衞（四九）民政再
三一三三　寒天製造　五味粂八（四五）民政新
二九四四　商業　宮坂作衞（四一）政友再

次點 二二四一細川玖琅 一五〇六平島安久
六三三 飯田實治 三六四山岡 淸

上伊那郡 定員四名
四五五四 農業 下島平治(四七)民政再
四四八二 農業 三澤喜芳(四〇)政友再
四二二〇 會社員 山田織太郎(五五)政友再
三二六二 農業 瀨戸嘉市(四四)民政再
次點 二六九二宮下留七 一四二七野澤勝

下伊那郡 定員五名
六〇六二 農業 平野榮四郎(六四)政友再
四五二一 農業 大平豁郎(五一)中立新
四三一七 酒造業 吉川亮夫(四二)政友新
三九五二 農業北原阿智之助(六〇)民政新
三八八八 農業 高田茂(六五)政友再
次點三八八五遠山芳景 一六六一久保田勇

西筑摩郡 定員一名
四五五九 會社重役 小野秀一(四一)政友再
次點 三六五二 白金俊雄

東筑摩郡 定員三名
五一三二 農業 小澤正人(四六)民政再
四九二二 新聞副社長 百瀬渡(五四)民政再
四四一九 會社重役 上條信(四四)政友再
次點三二六〇宮川良治 三一四九斎藤智嘉良

南安曇郡 定員一名
三三〇五 農業 三村惣平(五一)中立新
次點 一八五九 宮坂哲洲

北安曇郡 定員二名
三三九二 農業 遠藤八志路(五三)政友新
三二六五 農業 内山竹一郎(六〇)民政再
次點 二六六七 平林伍鹿

更級郡 定員二名
五六九二 農業 北村甚兵衛(三六)政友新
三九七一 辨護士 宮下文夫(三五)政友新
次點 三三七八山崎暢夫 一四八八倉石忠雄

埴科郡 定員一名
三九一二 農業 山崎幸助(六〇)政友新
次點三四三一新村寅治郎 八八〇鹽入豐治
七一七 酒井利喜作

上高井郡 定員二名
三五二三 農業 田中邦治(四五)民政再
二七五八 農業 柄澤五一郎(六一)政友新
次點 二二一四 本藤恒松

青島便り

當地在留者は四年振りにて故國の軍隊に接し時節柄非常に強味を感じ候へ共僅々二ケ月にして撤兵せられんとして寂寞を感じ申候。軍隊中同縣人四十余名と當地縣人會にて一同を招待し其の勞を慰問致豫定に御座候

(八月三十一日) 戸谷米保

在ダバオ長野縣人追記
△更らに二十余名

本誌五十號には小林千尋氏の第一回調査による本縣人氏名を發表したが其の後同氏より第二回調査により前回の調査漏れを報告して來た。最近當T氏の通信にもこれと略同様の報告に接したので重複を避けて左に追記する。人事の異動であるから其の後死亡歸朝その他誤記等により誤り易きにつき心當りの御注意を感謝す

下高井郡 定員二名
三七〇四 農業 青木晋一郎(四七)民政新
二九六四 農業 頓所實治(四七)中立新
次點二二六五竹内宇內 一二一 土屋惠治

上水内郡 定員三名
四五八九 新聞記者 池田長治(六二)民政新
四五四四 醫師 和田久助(五四)政友新
四四〇〇 農業 宮尾袈裟理(四三)民政新
次點二六三四藤本政吉 一三二六和田豐馬

下水内郡 定員一名
三二三五 農業 木内一郎(四四)中立新
次點 二九一九 藤巻一二

長野市 定員二名
投票省略 會社員 宮澤佐源次(五一)民政再
投票省略 會社員 田中彌助(四五)政友再

松本市 定員二名
二九〇二 醫師 岩村修一郎(五五)民政新
二三四九 醫師 百瀬與政(六〇)政友新
次點 一四四四吉野勝六 一三三三中島聰司

上田市 定員一名
二八八五 醫業 瀧澤一郎(四〇)政友新
次點 二六一〇 伊藤傳兵衛

正副議長共政友
新役員撰擧の臨時縣會

十月二十日の臨時縣會は豫定通り政友派で左の如く正副議長を獨占した

議長 高田 茂 (二十六票)
副議長 山本莊一郎 (議長指名)

因みに高田氏は當縣會の年長者であり明治四十年以來六回の縣議に當選してゐる人である。

縣參事會員は
政友六 民政四

二十一日最終の縣會は縣參の選擧で政友はその銓衡に行惱み午後十一時に至り漸やく開會して結局政友六、民政四で左の如く決定した。

政友派 宮坂 作衛 小野 秀一
瀧澤 一郎 宮下 文夫
吉川 亮夫 頓所 實治
淺沼信太郎 内山竹一郎
民政派 池田 長治 瀨戸 嘉市

藤原 儀彌 上條喜濔人 宇野 秀夫
酒井今朝藏 等々力芳治 胡桃 學三
松島 雅光 中谷芳太郎 中谷幾久夫
北澤 某 南澤新十郎 長谷川茂記
高寺 彌助 唐澤 時司 宮下 甲司
星野 義美 八島 健造 千野貞治郎
藤澤 富朝 久米井由喜永 菊池高三郎
松島 七雄 小宮山昇夫 小宮山袈裟美
近藤良和(歸朝中) 縣 政吉 山崎 義雄

御斷り

武田三三氏の移住日誌の中航海の記事につき、コロンボよりリオデジヤネイロ迄の玉稿は同氏よりリオ入港と同時に郵送したのであつたが途中紛失の疑あり未だに不着である。甚だ殘念であるが掲載の出來ない事を御了承下さい。

岡谷林組製糸の爭議
女工父兄憤慨
斷じて默視出來ぬ

山一林組が罷業職工の食を斷つた上豪雨の中にしめ出しをくれたといふ報を受けた女工父兄は早くも十三日朝爭議團本部を訪れるもの續々ありさんぐ＼にこき使つた上爭議に參加したからとて飯をもくれず雨さらしにするとは何事だ父兄としてこれを默視することは斷じて出來ないと會社に對し嚴重な抗議を申込んでゐる後工場を放逐されねずみとなつた女工五百餘名は同夜爭議團本部及び母の家に文字通りの雜魚寢をしたが何れも元氣なものでお互に工場側の取つた態度についてその不當なことの寢物語りを行ひ十三日朝は午前五時頃から目覺めてかひぐ＼しく食事の用意を行つた食器の準備が間に合はぬので掘むすびをかぢりあひいさゝかも疲れた色を見せず父兄に對して決して心配してくれるなといつた手紙を書いたりなどしてゐる

さしもの大工場
死せる如し

十三日工場從業員を全く工場から放逐してしまつた、工場は十數日に亘つて聞えた勞働歌の叫びもやんでうち建られた幾棟かの大工場は死せるが如くげきとして一さいの鳴りを靜めてゐる大門内には大テント二個を張りめぐらし三十數名の消防隊が詰めかけ事務所受付わきの廊下には依然警察官が數名詰めきつてゐる物々しさは變りない消防夫が三々伍々何時もとなくはせ廻つて居る中には一人の歸鄕女工を數人でかこんで驛まで連れて行くなど依然殺氣みなぎつてゐる。

內務省社會局へ陳情
一應聽いておくの挨拶

十五日上京した代表工女秋山たつじ石丸ふじえの兩名は附添の數人と共に社會局長岡長官を訪ひ悲憤の涙を流しながら實狀を述べたが長岡長官はこれに對し一應の事情を聽いたにすぎずして一同を引き取らせた

統制を失ふ罷業團
抗爭に矢は盡し

食道を斷たれた罷業團は益々意志強固にしてその態度を豪して遂に諏訪盆地を乘切つて問題は中央に延び關東同盟では示威運動を東京に行ふ準備が進み爭議費用一切は同盟で引受けて公正なる世人の批評に訴へた所が俄然十七日に至り爭議本部は殆んど全部檢束さ

れて種々取調べを受けた。ため遂にその統制を失ひ此處に落城の日近づくを思はせられた。尙爭議團では最後の意を決し女工等の保健上その他から見てこれ以上しひて引き止むる事は將來の策戰上にも支障があるとなし覺悟をきめたもののみを殘し他は旅費を渡して歸鄕せしめる事になつたので女工等は工場に歸り行李をまとめてゐる。

悲しき訣別に
女工達は泣く／＼悲壯な激勵

二旬に渡りあらゆる迫害悲境にあつて忍んだ二千名の罷業は遂に慘敗して續々歸鄕してゐるが至る所で悲壯な訣別の言葉が取りかはされてゐる中でも岡谷母の家にある女工に對し山梨縣農民組合幹部が悲痛なる激勵演說を行ふや女工一同は袂を顔に押しあてたまゝワツと泣き伏し悲痛な場面を見せた。

慘敗した山一林組罷業團
實質では勝とも云へる

今回の罷業に關し我製糸界に多大のショックを與へた山一林組の罷業團は慘敗の憂目に終つたがその原因の主なるものをあぐれは適當なる時機を選ばなかつた事、不景氣のドン底時代であつた事、恒久的結束準備なかつた事、特にかよわい女子を飽くまで結束させる事は余程の苦心であつた等であつたと云はれてゐるが會社側ではその目的が營利にあるにかゝわらず遂に爭議のため其の營業を中止せねばならなかつた事、從來の職工の待遇及寄宿舍の設備等は單に法規的の違犯にならざる範圍のものであつて今回の事件により、從來よりは道德的人道的にその設備が改善せられ待遇が行はれ眞に人情溫かい方法が講じられねばならぬ事を各工場主に考へさせた事は見逃がすべからざる大なるしかも重要なる勝利ではないかと一般世人が云ふてゐる。

斯くて十八日間の努力も空しく遂に一時休戰の形で罷業團の慘敗におわつた。

林組繰業開始
一段落をすんで

丁度一ケ月に渡り罷業團のために繰業を中止してゐた林組では九月二十八日より再び繰業を開始した。

縣下の勞働者
十一万を超ゆ

本縣下の製糸業就業勞働者は長野保健署の調査によれば十一万二千余名で其の他鑛業鐵工場を合すれば十一万八千人に登と、因みに此の中には縣外新潟、山梨等から來てゐる者が非常に多い

解禁期近づく
本月十五日より

本縣の禁獵の解禁期は十月十五日で縣では好獵連の希望が網八百六十余名

鐵砲四千名以上の見込みで許可證を發送した。

教育より先づパン
松筑校長會議の痛論

松本及東西筑摩の小學校長會議に實業補習教育及青年訓練所の振興充實の意見につき今日の青年には如何も進んで教育を受けんとする意氣が燃えてゐるも疲弊の極に達してゐる農村には生活の安定を缺いてゐていはゆる敎育よりも先づパンと云ふ境遇の青年が多いから此點から見て補習敎育振興を期せんとならば農村の疲弊を救濟し生活の安定を計る事が根本問題であると痛烈な意見の開陳等があつた。

縣下町村長會議

十月十日より三日間本縣各町村長會議は北佐久郡小諸町に開會した。

可愛い長野絹子孃

アメリカから來た青い眼の人形は本縣の三百余校へ配られたが今度、その學校の女兒達が一人一錢づつだしてお禮に日本の人形さんを贈る事となり七百余圓も集まつたので文部省が高嶋屋へ命じて造つた「長野絹子」の銘ある立派な人形が縣へ届いた、日傘からタンス長持までそろつたすばらしいもので十一月十日各府縣のものと一緒に出帆する豫定で十月八日より四日間縣會議事堂に送別展覽會が催された。

（寫眞は長野孃）

本縣の人口増加

大正九年第一回國勢調査の人口は百五十六万二千七百二十二人で大正十四年の第二回國勢調査では百六十二万九千二百十八人其増加數は六万六千四百九十六人で五ケ年毎に小ない更級郡の如き一郡が増へてゆく事になる。尚人口の増減したる町村を見ると縣下二三三町村が人口増加で一五〇町村が減少を示して交通不便地又は山間であると。

協會記事

海外視察組合
その後の設立

北信からシラミつぶし主義に各村に設立を見てゐる海外視察組合は既に五十餘の組合が出來、一組合は十四、五名を以て組織されて村によつて二組合が出來てゐる好成績でその後のものを示せば左の如くである。

上水內郡中郷村組合

組合長 平井泰佳
堀內善一郎
柳澤周之助
德竹千代太郎
横山亶
杉谷次三郎
小川彌右衛門
近藤義親
森友吉
神谷勳
柳澤六左衛門
田村六郎
村田庸二
横山治郎右衛門
牧野藤治郎
藤澤俊藏
町田七三郎
山本直義
町田春之助
小林與右衛門
柳澤壽
德竹伍郎
青木卷三

上水內郡若槻村組合

組合長 花岡健之助
花岡馨
平塚平八
丸山政太
八木茂
田中喜一
今井重助
小林謙一
原義丸
宮岡太郎
田中與喜太

上水內郡[illegible]鄕村組合

組合長 內山甚平
村山岡之郎
和田信一
堀越彌六
高木泰一
水上始

島津重治

更級郡八幡村組合

組合長 中澤吉郎治
下崎守
長門享
丑澤善治郎
久保田二七治
和田好安
瀧澤茂
富田ひさじ
西澤修二
宮川勝

下水內郡飯山町組合

組合長 淺山正春
島津雄三郎
山崎久雄
高橋眞
高橋市藏
村松萬吉
平井逸郎
東周二郎
東喜助
伊村榮藏

十月のアリアンサ渡航者

十月二十六日神戸解纜ラプラタ丸便船にはアリアンサ移住地渡航者は左記の三家族の豫定である

岡山縣 羽原貫一 二人
香川縣 丸高藤一 三人
香川縣 藤澤繁市 二人

同船はサントス港十二月十二日着である。

列車衝突遭難者へ義捐金
在留邦人の同情

去る五月二十五日拂曉ソロバカ驛において列車衝突して死傷者二十餘を出だせる事件は既に報道した通りであるが當時同地方の邦人間には熱誠なる援助と同情ありしが更らに聖市のホーリネス敎會（代表者物部牧師）聖州義塾（代表者小林美登利氏）力行會（代表者遠藤常八郎）の團体では一般の特志家の義捐金を募集して慰問の趣旨に叶ふやう輪湖理事の手許に贈つた。

尚聖市日本婦人の水曜會でも菓子雜誌を不幸の怪我した同胞に贈つた。

信濃海外協會を初め各關係海外協會は此の美擧に對し厚く感謝の意を表する次第である。

永田稠氏を囑託に
海聯から

海外移住組合聯合會では本會幹事であり海外協會中央會幹事である日本力行會長永田稠氏を同會の囑託に命じた尚同會は今年中に四萬町歩の土地買收を行ふべくブラジルに同會常任理事梅谷光貞氏は今月便船で彼地に向ふ事になつてゐる。

編輯雜記

○紺碧の澄んだ透明な天空！それは薄紅もだん／＼増して來る中秋の光景である。水の流れのいと清く世は哀愁そのもゝ如く人靜まりて沈思默考、とかく人生の悲哀を感ずる頃なのである。

○所がブラジルからの通信（九月二日附）ではこれから暖かくなり暑くなるとの事六月頃は降霜でカフエーもバナヽもマモンも枯れたと云ふ事である。

○梅谷氏　畑氏から玉稿を戴きました太平氏からも纒まつたものを頂戴していづれも感謝です。武田氏からはまた／＼移住地文學と見るべき大原稿を頂戴して居ります。同氏の主張によればなんでも人間はユーモアの所がなければならぬと云ふ。それで移住地にもユーモア倶樂部の設立が大急ぎであると

○海外の各地からいろ／＼の通信を拜見してゐます。是非載せねばならぬものから發表してゐます。續々と通信寄稿、投書を歡迎して居ります。

○宮下氏の「レジストロの信州人」は來月號に續稿する事にいたしました。

○人口食糧問題の調査會では具体案につき寄りより研究中でありますが研究倒れにならぬやう心配しております。

○普選により國民に試みられた縣議改選の結果政黨の抗爭は益々深刻化して地方行政自治機關までが破壞されると云はれてゐる、普選の趣意が逆になつて來る。

○海外視察組合が燎原の火の如き勢である。協會ではこれを「協會の赤化運動」と云ふてゐる設立の出來た町村から赤色で印してゐるから。

○アリアンサの小作家族を新聞で募集した所立ち處に二千通からの申込が舞ひ込んだ。篩にかけて見たら唯一人も合格者がないのでこれではとてもだめ、根本から考へ直さねばなら事が幾つも發見。

寄稿歡迎

海の外社

海の外

定價	內地	外國
一部	廿錢	廿仙
半ケ年	一圓十錢	一弗十仙
一ケ年	二圓廿錢	二弗廿仙
送料共		

注意
▲御註文は凡て前金に申受く
▲廣告料は御照會次第詳細通知致します
▲御拂込は振替に依らるゝが最も便利です

昭和二年十月二十五日
編輯人 永田稠
發行兼印刷人 西澤太一郎
印刷所 長野市南縣町 信濃每日新聞社
發行所 長野市長野縣廳內 海の外社
振替口座長野二一四〇番 信濃海外協會

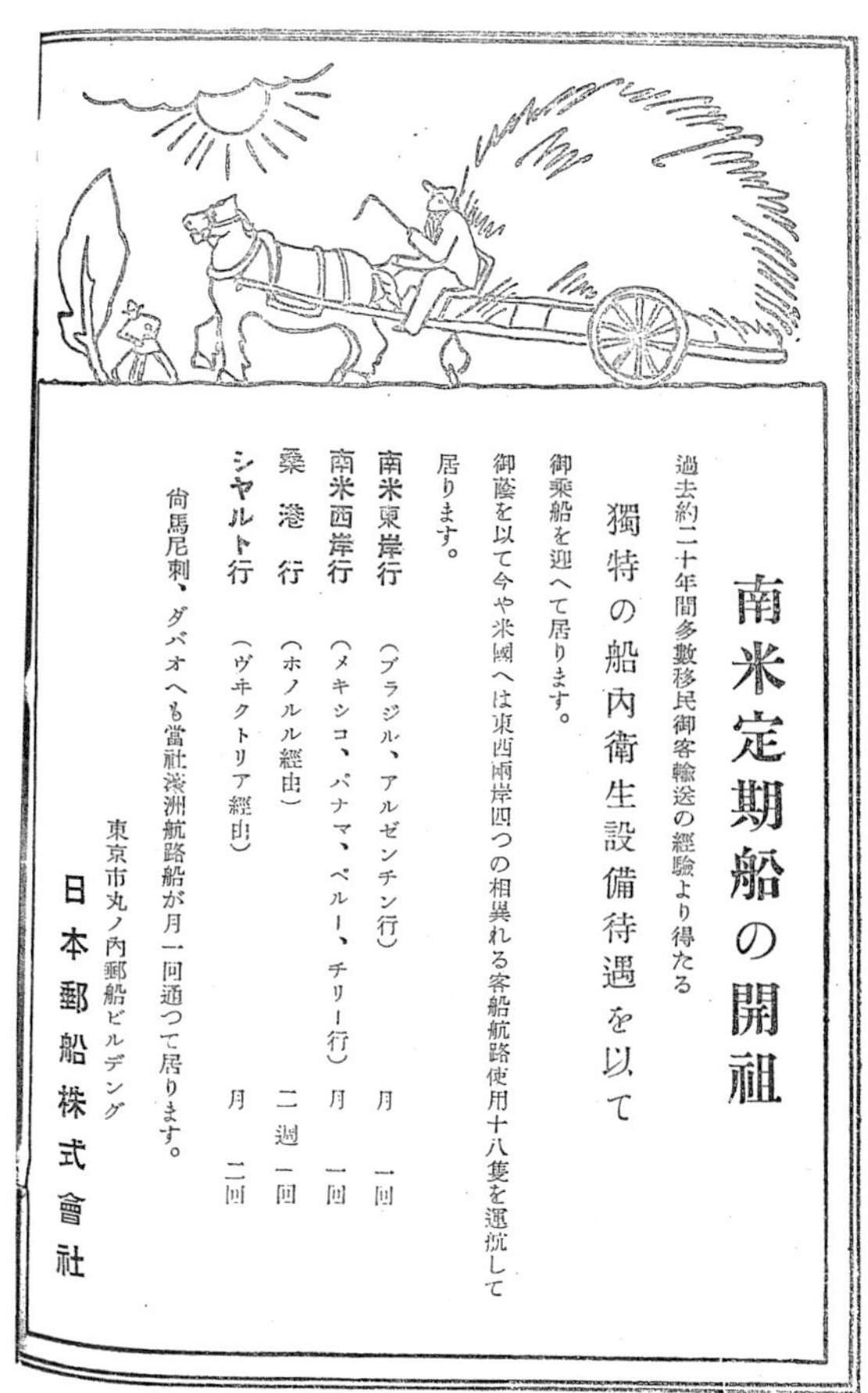

信濃海外協會
海の外社發行

大正十一年四月六日第三種郵便物認可
昭和二年十一月二十五日發行

海の外

THE UMI-NO-SOTO

第六十六號

目次

信濃海外協會海の外社

目次（第六十六號）

郷土の晩秋

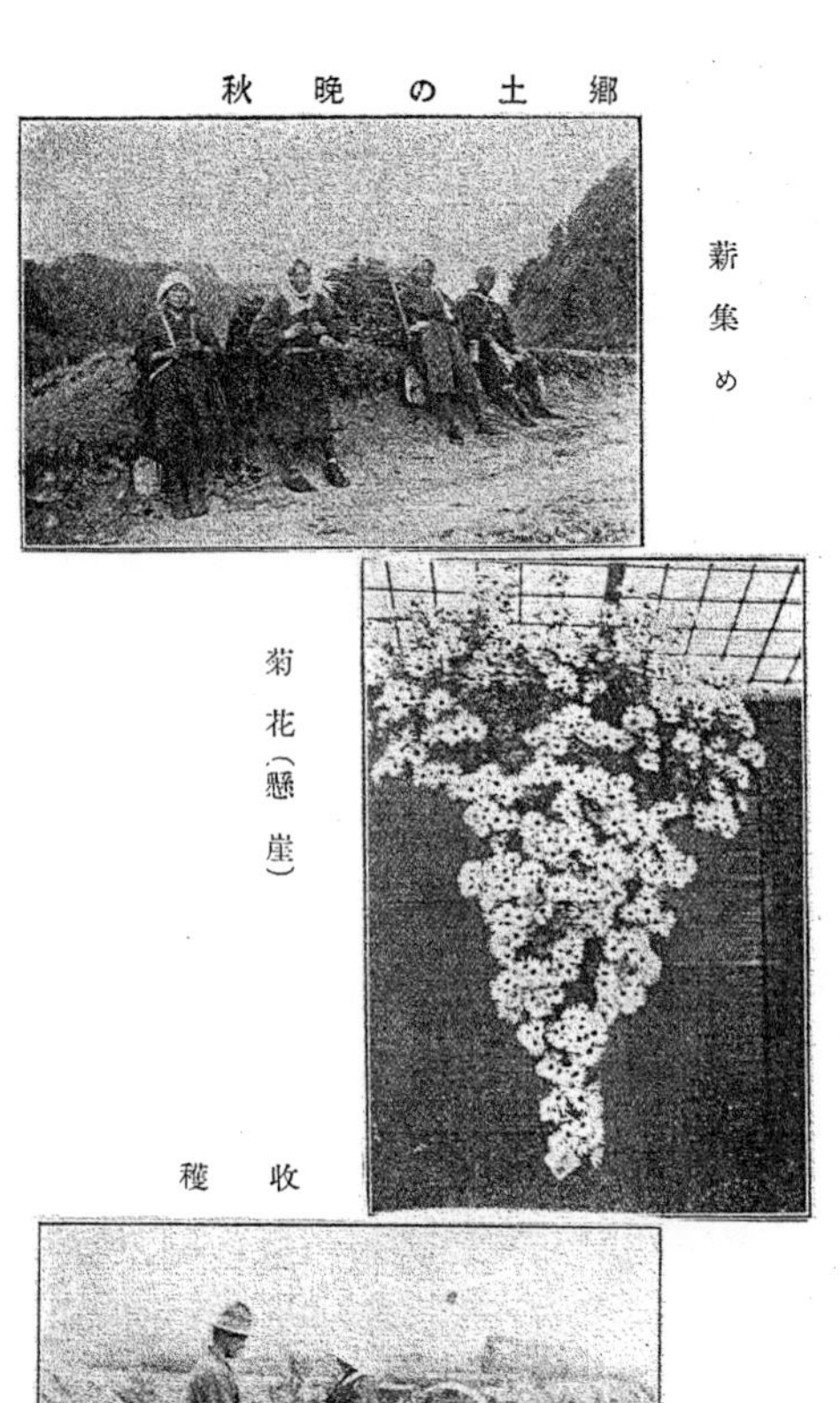

薪集め

菊花（懸崖）

收穫

レジストロの信州人

第四部小學校

信州人の集ひ

宮下延太郎氏家族

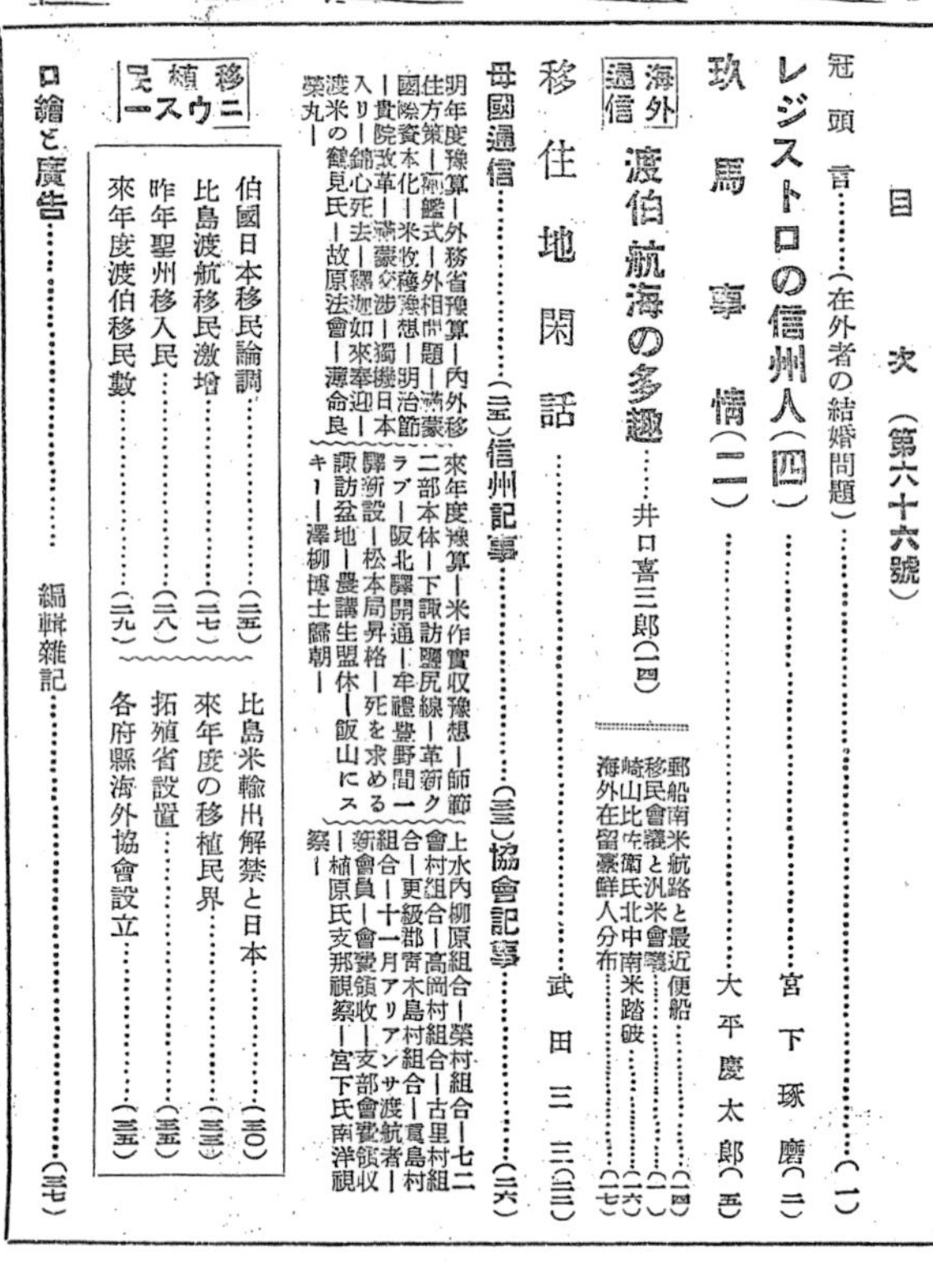

第五部小學校

海の外

（昭和二年）第六十六號（十一月）

在外者の結婚問題

「婦人の伴はざる海外移住は空である」とは既に萬人として認める所である。

我が信州先輩青年が現在比島に在留するもの百五十余人に達してゐるが妻帯せるものは僅かに二十人を算せずしかも未婚者の平均年齢は三十五歳位であると云ふ事である。

斯くの如くこれを海外各地に在留する我が先輩縣人についても同様或ひはそれ以上の事實を知るに難しくないだらう。

我等は在外者の結婚問題について常に考へ、常に憂へてその解決の具体案に腐心してゐるが更に此の問題に直面してゐる在外者諸賢の希望と方法についても名案を得たいものである。

レジストロの信州人（四）

宮下琢磨

「レヂストロ」に於ける信州人の事をかく積りであつて、話は道筋のあらましを書かうと云ふので段々長くなつてしまつた、なほ州植民地の「パリケーラ・アスー」や「セラバラ」に伺ふて、其の後で信州の諸君の處は別に訪問したのであるが、其の順序をのべて居ると大分手間がとれるから、直に本題に移ることゝする。

元來此の「レヂストロ」を急に訪問しやうと思ひ立つたのは、昔はブラジルの植民地と云へば卽ち海興の植民地「レヂストロ」言ひかへれば、「レヂストロ」卽ち「ブラジル」、「ブラジル」に行くと云へば「レヂストロ」に行くと云ふ位に考へられた事程左樣に有名であるから無論敬意を表する積りでは居たが、他に急に行つて見たくなつた理由がある。

それは信州からの通信に、日本も不景氣で困ること、殊に海外發展上最も困るのは、海興の植民地へ行つた連中が十年になつても未だ地代も拂へぬので海興から保證人に向つて支拂命令をつきつけてゐる。只さへ困つて居るのに、二人三人の借用金の請求を受けては實にビツクリ仰天の外はない、實際そんなに困つて居るのか、橫着で拂はぬのか「ブラジル」には實にコリ〳〵した。實地を觀て何とか知らせて呉れとのことであつた。

此の手紙を見た時は、非常に遺憾なことだと思ふた。そして憤慨もした。ベラボウな話だとも思ふた。

第一連れ出したは誰が連れ出した。それは海興ではないか、行け南米へ、此の世の天國現世の極樂として、日本のやうな金のない國に居て、人口はふえる、食糧はなくなる、それよりは人口稀薄で物資ゆたかな南米に行け、三年たてばこれ〳〵五年たてば二十五町歩の地主になつて旦那樣のくらしが出來ると云ふので、親類が故障を言ふたり、婆さんが泣いて止めるのを振りきつて南米までやつて來た、それが今になつて地代がまだ拂へぬ、「ブラジル」では到底拂へる見込が立たぬので、海興の說を信じて強ひてすゝめて出發させた善意なる第三者にむかつて、御前の財產を提供して、ベンシヤウしろと言ふのだ。

世の中に之れほど理窟の合はぬ仕事はないと思ふた、日本に居ては貧乏で、到底やり切れぬからブラジルに行けと言ふて、其のブラジルでは到底やり切れぬから、金のない日本に居殘りの人が、これを支辨してやらなければならぬ、それでは始めに言ふたのはウソか、ブラシルが良いと云ふたのはペテンにかけたのか。

又其の金がたとへば、お前のやうに水呑百性では、何代たつても頭が上がらぬ、おれの店に來い、ぢきに金がないなどとは何處の話かと云ふ位な身分にしてやる、何に心配はない、大船にのつた積りで居ろと言ふて、親類をナツトクさして連れて行つて、それが藝妓かひをしたとか又は店の金をつかひ込んだとかで親類辨償ならきこえて居るが、いくら働いても足りぬ、と云ふて親許にかけ合ふ、それも他所に働くならだが、農事の世話から金のとり立て一切やつて、それで始未がつかぬからどうかしろと云ふのでは、

一体責任はどつちにある、國にあるものは一萬哩の先き迄は心配出來ぬ、それがうまく行かぬからつて國に居るものに取つてかゝる、本來なら大事な息子をつまらぬことで今以つてロクな暮しも出來ぬやうなことにして申譯ないと言ふものではないか、今海外發展は國家の輿論である國民の意氣も高調に達して居る、然るに此の際に海外に行けば當人のみならず、親戚一同ヒドヒ目に遭ふ、海外發展などは考いものだ、又ウマイ事を言ふても皆ウソだ。

と斯ふ云ふ次第で法律や權利義務の問題は兎に角として、甚だ惡ひ結果をもたらすものとして憤慨したのであつた。

○　○　○

併し「レヂストロ」が夫れ程惡い處であるのか又土地は惡くはないが這入つた人が惡ひのか見ないことにはわからない兎に角行つて見やう、と云ふ譯で急に「レヂストロ」行を思ひ立つたのである。

○　○　○

それでレヂストロに於ける家族總數は五百家族で內信州人は其の數に於ても最も優勢なもので四分の一を占めてゐ

る。卽ちレヂストロ

第一部　一〇家族　　第二部　六家族
第三部　六家族　　第四部五十二家族
第五部二十六家族
桂　五家族
セッテバラス　五家族
計一一〇家族

であるから信州人の數が多いだけ、信州には利害關係が多い譯である。

中央青年會館の會合

二月廿七日總領事一行は午前八時に出發することゝなつた、そこへ松村君が來て皆なが待つて居るから、是非長野縣人の處を一巡して呉れ、今日は午後第四部の長野縣人の青年會館に皆集まることになつて居ると云ふのである、馬は松村君が心配して呉れた、今日は天氣もよい、會は午後と云ふのでさう急ぐこともない、馬上で松村君と話し乍らボクボク出懸けた。

會舘は第四部の小學校のある處で、小學校とは餘り隔たりては居らぬ、先づ小學校による小學校は既に先日御伺ひしてある一部分が中嶋君の住宅で雜貨店、一部分が學校となつて居るのは前申した通りである、中嶋君の處で饗食を頂戴して、午後三時に會舘に行く、此の建物は八間に四間位の木造の建物で、中に文庫もあり修養上の書物も大分ある當日は多くは家長方の御集りであつたやうで左の方々である。

吉原喜太郎　六川佐市　小松敬一郎
大谷政信　小松武次郎　松村榮治
內田登始雄　牛越今朝男　中島貞雄
曲尾良雄　秋山尊一郎　深澤深治
和田陸衛　宮下延太郎　青柳芳治
藤澤房吉　近藤新九郎　太田政彌
村澤和市　多賀井高次　中澤與五郎
石川文夫　村田政勝　楢本榮三郎
島田晋　金子茂作　植木吉右衞門

未だ落ちて居るかも知れぬが、多忙の際とて御許しを乞ふ

兎に角私の爲めに、遠方の處を仕事を休み態々參會されたことについて、感激の情に胸は滿たされる、殊に同縣の方何處の縣でも同じやうなものではあるが、そこが人情で何處か特別な親しみを覺える、此の日話した話は

信州人の長所短所

について說き起したやうに思ふ、話の筋道は先づ信州の歷

史について考へて見る、凡そ時勢の大變化のある時に信州から代表的の人物がこれに參加して居る、第一は政權武門に移ると云ふ時に先づ其の魁をなして京都に飛び出したのが木曾義仲である。次に永き戰國時代から天下が統一される時期、卽ち大阪落城から德川の擡頭に當りての眞田幸村、次が德川の末に於て逸早く西洋文明を唱導した佐久間象山此の三偉人の運命は不思議に似通ふた處がある、義仲は永い間信州の山の中で時期を窺ひ、兵を擧げたのは承安四年の九月で、苦辛して京都迄押し出して行つて、元曆元年の正月には粟津原で討死して居る、次に眞田幸村はこれも高野山に蟄居十數年大阪に出たのが慶長十九年翌元和元年に討死した、佐久間象山は幽閉九年京都に出たのが元治元年の三月で七月には殺された、就中佐久間象山の如きは先覺者の随一で、和蘭學により西洋醫術を研究し、種痘を始め硝藥を製し、大砲を鑄、鑛山を採掘し冶金に心をひそめ、ブドウ酒を造り、寫眞術を研究し、横濱開港を主張し、その識見一世を指導するの慨があつたが、數年後に於ける明治の文運を見るに及ばずして難に遭ふた。

信州人が着眼點のよい事も、理路明晰議論に長じて居ることも、天下に先んじて事を爲さうとする氣魄も一般に認められて居る、併し其の反面に於て包容の雅量に乏しく、衆君を集め、衆才を網羅して其の大を成すると云ふではなく、假令ば富士の裾野の廣い地盤を持ちて巍然として天表に聳ゆる如くならず、一本槍の高く天をつきさす如くである、和衷協同組織的にやつて行くとなると、他の凡人の集團にも劣る嫌然として大をなさぬうちに中途倒れてしまふ共に爭ひ共に食ひ共倒れをして仕舞ふ、これは單に信州人と云はず日本人全体の短所であるかも知れん。

曩に海外興業がブラジルに植民地をつくるに當りて、信州人が率先之れに應じた、レヂストロ四百餘家のうち百家族を占めて居るのは此の現れである。次の問題はよく難に堪へ、苦を忍び、和衷協同組織的体形を造りて着々有終の美をおさむることである。

大体以上のやうなことを述べて、各所に於て信州人はどんな人でも一角の見識があり、議論も立ち文章もかく、扨まとまつた事業となると、一致の步調がとれ惡く、組織的でなく事業的でない例をのべ、獨逸人などの植民地經營のことを話して、一致して將來の大成を期するを望むと云ふやうな話をした。

各自の感想

後で各自の感想談や述懷を聞いた、其の一二三を述べると

△悲慘な生活でないこと　故郷に永く便りでもせんと、直ぐ死んで仕舞うたか、又は悲慘な暮しでもして居るだらうとの評判だと云ふことだが、此の通りピンピンして居るから歸つたら皆んなに話して下さい。

南米へでも來て居れば金の茶釜でも落ちて居るやうに思ふて、二年立つても三年經ちても、ロクな金も送れないのなんのつてまるでうるさくて仕方がないから、手紙など國から來た時きり出さないもんだから、色々言ふて居るさうですョ、國に居つても三年や五年で何が出來るもんですかイ、

海外に居るものは、國に居る時と違ふて、異常の緊張力を以つて、各自の運命を開拓すべく、建設に努力して居る從前北米に移民として出懸けたものが、當初無理をしても若干の金を故國に送つた。海外移住が直に金がたまるやうに思ふた思想が、永く田舍の人の頭にコビリ附いて居る。だから南米に行つて未だロクな便りがないやうに云ふ、此方に來て奮闘して居る人から言へば一年一年一步一步地步を築いて居る最中に「ウチの方も未ッ子も呉れてやることになり、養蠶も思ふ程はとれず。何かと物入りが多くて困るから、お前もムダ遣ひをせずに金をおくれ」と云ふやうな手紙でも來ると、餘りの理解がなさに腹が立つ、腹が立つからツイ形容詞澤山な苦境を述べてやる。夫れでミヂメな暮しをして居るさうだ位に思はれる。

△氣樂な暮し　私は金はありませんや、金はないがスキな酒は毎日かゝした事はなし、卵は毎日鷄が生む、鷄だつて今ぢや五六十羽もありますから、イッ誰が御出下さつても御馳走は出來る、野菜も米も充分つくつてあるから毎日のくらしに事をかくやうなことはありやせん、國に居てこんな暮しをし、こんな氣樂をやつたら、どんな身代でも一年とは續きませんよ、國に居りや田畑の一町步や二町步持ちて居れば大地主だが、味噌なめて居ても役場の子守も出來ませんョ、蠶の一度も違へば直ぐ借金でやりくり算段で胸をいためて居ることを考へりや急に御大盡にならないからつて、マア氣樂な暮しと云ふ譯で、有り難いことです。

これは川中島の某老人の話、頗る樂天的な氣分で語る、何れの植民地でも、又外人の傭人としてコーヒー園に働くものでも始めの半歳や一年は、未經驗であり、手も廻りかねるので、野菜も不足、鷄もなし豚もなし、不安もあり萬事不如意であるが、落ちついて段々堅實にやつて行き成功をあせらなければ、着物に金がかゝる譯ではなし、氣候は良し、重い税金がある譯ではなし、全く氣樂の生活は出來る

と云ふこととも事實である。

▲アチラコチラ見廻しても功はなし　米の安いやうな時に綿やコーヒーの價でも良いと直ぐ首をのばして、今少し良い處でと考へるが、コヽも交通の便が惡いので今の處困つて居るが、併し新しい處に行つたからとて、なれる迄は又心配で、果して良いか惡いかわからない、私はやつぱりこゝで工夫したり改良したりして行けば相當やつて行けると思ふ、と云ふ話もあつた。

兎に角衆人稠座の場合　さう新米の人にグチを聞かせるも氣がきかぬと云ふ參酌もあつたらうが、前年米の價がよかつたが浊たか中々元氣の良い話で非常に安心した譯である。

庭前で一同の寫眞をとる、夕刻にもなつたので、共に宮下延太郎氏の宅に行つて御厄介になることにした、松村君は私とは同郡であり從全歸鄉された時は、一所に飯山へも行つて講演をしたりして舊知の間柄であり、何かと心配して呉れた、又宮下延太郎氏は此の地の會長で猛者である、小生とは同性で何かの宿緣もある譯である、毎日馬を竝べて松村君共々非常に御厄介をかけた事を感謝する。

此の夜數名の諸君が見えて葡萄酒を酌み、鷄の肉をつゝき大に快談した、レヂストロ自治問題のいきさつや、海興の當地に於けるコーヒー園經營の失敗や、事業上の問題に今少し理想や計畫のあつて欲しい事、將來は自治的に機關をつくつて產業上の振興をはかつて行かねばならぬことなどの話があつた。

諸君は十二時頃迄語りて馬にのりて歸途につく、宮下氏は吾々の爲めに長い腰掛に、板をわたして、うまい工合に臨時の寢台をこしらへ、其の上に布團を敷いて蚊張を釣つて呉れたので、工合の良い寢台が出來た、シャツヤヅボンをとるも面倒だからカラとネクタイをはづし、上衣を脫いで寢床に這入る、疲れて居たので何も知らず熟睡した。

廿八日朝五時半、松村君に起さる、細雨蕭々として降つて居る、コーヒーなど頂戴して居るうちに雨は止む、表で寫眞をとる、宮下延太郎君、松村君と馬を聯ねて大瀧生產組合の深澤深一君の處に寄る。

此處でコーヒーやパンなど頂戴す、アリアンサの輪湖君が嘗て道路監督をして居つた頃、こゝに永く逗留して居つたと云ふ話であつた、こゝの主婦が「輪湖さんは今では顏を洗ひますか」と變なことを聞くと思ふたが輪湖君の顏を洗はぬこと、湯に這入れば病氣になると云ふ話は、可成りよく普及されて居るやうである。「今は顏は毎朝洗ひ、湯にも這入る」と話した處が其ハイカラ振りに驚いて居たやうであつた。

大瀧生產組合はピンガの製造が主となつて居る、數町距たつた谷間にある。三百樽ほど昨年は出來たが、今年は今少し多量にやるやうの話であつた。

玖馬の製糖會社
小林百輝氏寄贈寫眞中より（上伊那郡飯島村出身）

玖馬事狀（二）

在玖馬　大平慶太郎

玖馬獨立―邦人渡來の由來―日本柔道の宣傳―在留邦人の現狀―松島の邦人―松島日本人增加し米人の減少―健康地玖馬―玖馬槪觀

（一）　玖馬獨立

米國は前年のパリー條約に準據して千九百二年玖馬に政權を交附し最初に撰擧せられた大統領はトーマス、エストランダ、パルマ氏で其頃よりの事情は此筆者が玖馬にあつて親しく目擊耳聞したるものなり。四年後パルマ氏の任期終りて再び改選せられしが其選擧に不正ありたりとして反對黨は痛く抗擊し終に干戈を動かし政府軍と衝突を初め反軍頗る强勢にして首府ハバナも將に反軍の手に落ちんとし人心恂々たりければ直ちに米國の干涉となり時の外務卿タフト氏は戰艦十數隻を率ひ來つて全島を威壓し米國假政府を設けてタフト氏はマグーン氏を總督として歸米せり。

マグーン氏在任三年にして島內靜謐に歸するを見て又玖馬人に政權を還附し以前反軍の將にして自由黨の首領たるミグエル將軍第二期大統領に選擧せらるミグエルの次はメノカルにして四年の後再選されメノカルの次はドクトル、

サヤ氏となり一昨年の改選に今のマチヤド將軍大統領となり以て今日に至る。

（二）　本邦人渡來の由來

筆者は明治卅六年より卅七年の春まで墨都にありて我絹物及び雜貨の販賣に從事中其當時邦人未到の玖馬市場に我商品を開拓扶植するの必要あるを感じ同年始めてハバナに來れり、之れ本邦人の此地に渡來の嚆矢なるがハバナに在住數年後ホアキンと稱せる日本の先住者あるを後にて知れり、同人は石川縣能州の出身にて邦名若佐幸太郎と云ひ其時殆んど邦語を忘れ全然玖馬人に化し日本を出でて數十年間未だ一度も鄕里へ通信せず隨て我邦とは沒交涉たりし故單に先住者と云ふ丈なれば例外と云ふべきなり、此男始めは南米アルゼンチンに渡り流れて此地に來れるなりと云ふ、嘗て志賀重昂氏來遊したとき同人を紹介したが同氏は同人に頗る興味を持ち日本のロビンソンクルーソー也とて同氏の著書世界風景論に揭載せり、惜むべきは此ロビンソン君はデッホーとは異り無筆で自己の經歷を記するの才なく又家計を治むるに拙にして末路振はず數年前に病死し面白き經歷と共に埋沒し終れり。

我等此地に渡來後數年間は適々日本輕業師などが旅かせぎに來る外本邦人の渡來は至つて稀なりしが明治四十一、二年の頃柔道の猛者前田氏來つて全島に其勇名を擧げたり。

（三）　日本柔道の宣傳

前田氏はあとより人の話によれば日本に於ても有數の大家の由にて數年間英京ロンドンにありて我柔術の普及に努めたりけるが劇場に於て廣く公衆に其術を公開するが目的を遂するに最も捷徑にして且つ收益の上よりも上乘なりとて氏の同人間に多くの異論者ありたるにも拘らず此見地を以て歐米各國を巡り多くの力者と格鬪して未だ一度も不覺を取らぢりしと云ふ强者なり、氏の如きは我政府の補助を受くるにも非ず又富豪の後援に依れるにも非ず全く裸一貫にて世界を橫行濶步せる其膽の大なる誠に嘆賞すべきなりと思ふ、氏は最後にスペインに渡り同國より此地に來りたるものにて同氏を賴りて來集せる講道館の佐竹、大野、及び伊勝等の斯道の諸豪來會し一時ハバナは柔道大家の淵叢地たりき

其當時筆者が東京の知友某へ報導した記事時事新報に揭載されたもの今篋底より探し出しければ左に其一節を揭ぐ、

（前略）渡來者中に柔道家前田光世と云へる人あり、早稻

田大學出身の由にて年齢三十才講道館嘉納氏の高弟なり數年前歐洲各國を巡りて遣回此地に來りバイレ劇場に於て斯道を演じスペイン在留中に教授した門弟ミランダと云ふ六尺有餘の大漢を相手として毎日二回乃至三回づつ始めに柔道の型を示し然る後に飛入り勝手の試合をやり候何にせよ前田の短身なるを侮り柔道こそ知らざれ腕に覺への壯漢我こそ日人を取りて名譽の榮冠を得んものと白人も黒人も群り來り其爲め觀客大入り大繁昌に御座候然るに見ると行はるるとは大違ひにて出るもの出るもの一人として小男の前田を敗るものは無之候、爰にカナリー嶋の生れにてミクエリペレスと云ふ力士ありて体量二百五十ボンド手足鉄の如く能く二百六十基（七十貫）の鉄丸を自由に上下し得べしと云ふ、嘗て伊太利の某と云ふ力士（体量三百ポンド）とハバナに於て試合ひして勝利を得て玖馬嶋中最も强者なりと自他共に許せる者に御座候此男なれば日本人を敗る事必然たるべしと万人一様に稱へ去る四日の夜に勝負有之先づペレス演場に上りてあたりを睥睨せる様恰も仁王も斯くやと思はれ候型の如く前田と握手して勝負相始め候處僅に三分間にして相負け剰へ足の筋肉を違へたるか暫く起ち得ざりし爲め觀客は卒倒したるものと誤解し大騒ぎを致候以來日本柔道の聲價愈々揚り新聞に世評に嘖々たるものにて我等まで人に强そうに思はれ肩身廣き感致候

前田氏は自ら Conde Koma と稱し其名聲は大したものにてコンデ、コマと云へば兒童も知らざるなきの有様に同氏をスペインより伴ひ來つた雇主玖馬人某は一ケ月間に十七万弗を贏ち得たりと聞く其後前田氏は一行を伴ひ周く中南米を興業し巡りて今はブラジル國パーラ市に於て柔道々場を開き同地の子弟に教授中との報今春入手せり。

（四）　在留邦人の現狀

話は横道に入つたが更に元に返り其頃墨國に暴動續發して生命財産の安定を欠きければ同地に在住せる邦人の當島へ避難し來るもの少からず、次で歐洲大戰は糖業未曾有の全盛となつて勞働者の不足を來し賃銀大いに上りければ此好機に乘じて墨國及び秘露より轉航し來るもの多數に上り筆者の知友にオランダ出身のプリンスと云ふ人我國人に頗る厚意を有し同人が「コンスタンシア」製糖場の甘蔗園部長なりしかば筆者より依頼して其頃の渡航者は重に同人の許へ送り同地に就職して然る上にて身を立てたるもの多し同人の如きは我國人の恩惠者なれば其功績を表彰するの價値ありと思ふ、元來筆者は海外移住論者であつて現に躬自ら之を實行し一家を擧げて移住し居れる位なればなるべくば

此の所信を他へも及ぼしたき考へにて此兩三年前トリニダ及びモロン製糖場等より本邦勞働者の注文を取り東京の海外興業會社と協議して昨年春までに凡そ三百名の移民を招來せり、され共昨年來糖業頗る不振にて或は就職の道なきを恐れ爾來中止中であるが少しく經濟界復活せる曉には更に又本邦移民を入れんと考へ居れり、筆者が入れた右の新來者と前住者とを合せて昨今の邦人在留者の總數は七百名內外を數へハバナ市在留のもの約六十名筆者の商店の外に商店を構ふるもの三、此外菅井某の婦人裁縫店と加藤クリーニング業は十數名の使用人を有し其成績著しく有望の業と期待さる、其他自動車の運轉手として其技倆白人を凌駕せるものあり高級の收入ありと聞く、其他は家庭や園丁として就職せるものなり、ハバナ以外の內地にある多數の邦人は皆製糖處附屬の雜業に從事し在職永き結果雇主の信賴を受け好地位を有せるもの少からず其內にて

バラグア製糖場	齋藤孝之進	福嶋縣出身
ハチボニコ　同	小林百輝	長野縣出身
ハゲヤル　同	瀨在藤治	長野縣出身
コンスタンシア同	榎本悍	新潟縣出身

等であつて其外嶋內の小都市に於て斬髮業と氷業（アイス・クリーム）製造販賣を營めるもの各數十名に達す。シエンフエゴス市には漁業に從事せるもの約三十名之が卒先者は福岡出身の別府貞治及び北崎兄弟等なり其外に邦人企業中に逸し難きは「イスラ・デ・ピノ」に於ける農園である。

（五）　松島に於ける邦人

ハバナより夕刻六時の汽車に乘じ二時間にして南海岸バタバノ港に着す、其より汽船にて翌朝七時に松嶋（イスラ・デ・ピノ）のヌエバ・ヘロナ港に着す島內に松樹繁茂するが故に松嶋と稱し約十五、六哩平方大の小嶋であつて米人の植民地なるが十余年前までは米人二千余の在住者ありしが爾來漸次減じて今は四、五百名となれり。

日本人の同嶋に入りしは今より廿年前の筆者使用人たりし沖縄出身の宮城勝太郎と宮城文八の兩人を同島米人某へ使用人として紹介して派遣したに始まる、其後テキサス州在住の西原氏方の雇人たりし高知縣人田中某が同島に渡りペッパーが同嶋の地味に適すべきを覺り同島に於て之を試作し冬期に紐育市場に供給するの有望なるに着眼し同人に依て此業を案出せらる、同人は一身の都合上歸朝し其後同業の後繼者續々輩出し幾多の成功者を出し今日の盛況となつたのである。

ペッパー栽培初期の頃は虫害や其他の故障にて幾度も失

敗を重ね或は紐育市場との連絡皆く合期せず幾多の曲折を經て經驗を積み此數年來漸く有望の曙光を認むるに至りしは喜ぶべき事なり。利に集るは人の常、此兩三年間に同嶋へ蟻集したもの今は百五十餘名に達せり古くより同業に從事し好成績を擧げ居るものの重たる人々は

吉澤　正　長野縣出身　菅原丈之進　仙台出身
山梨元吉　靜岡縣出身　加藤倉吉　福島縣出身
遠藤慶作　靜岡縣出身　岡田嶋市　廣島縣出身
半澤豊治　福嶋縣出身

此外既に成功せしもの又成功の途上にあるもの頗る多きが如し唯遺憾なるは昨年此地方のシクロンと稱する大暴風雨の襲來ありて同嶋の被害甚だしく挫折した觀あれども同嶋邦人の將來は有望と觀察さる。

（六）松島日人增加し米人減少

米人が前に數千人の多數なりしも今は減じて四、五百名となれるは既記の如し同嶋の產品は柑橘別してグレープ、フルートで其味の佳良なるは他地產に勝れりとの稱あり此外に農作は蔬菜栽培なるが由來米人の營業は生活費も邦人の其よりも幾倍に上り隨て米人の業としては收支相償はざるも之を日本人が經營すれば充分收益を得て好營業たるのである、米人が廢業して歸國するに反し日人が增加するはつまり此一事に外ならず而して米人は一般に事に淡泊にして一旦引合はぬと見るや幾千、幾萬の資を入れた營業も之を二足三文に投賣りして歸國するの狀態で之を拾ひ買ひするは我日本人の多年勞働より得たる貯蓄者である。然し此等の人々は其懷中の豊富ならざるは勿論であつて折角の好餌を取り逃す事往々あり此際我國の資本家が之等米人の棄物の出るに隨ひ買收して我勞働者をして此業に從事せしむるは我邦人發展に資するの好き方法なりと思ふ。

（七）健康地玖馬

近時の當嶋は世界中著名の健康地であつて死亡率の低位なるは次の表の如し。

玖瑪	人口千人に付一ヶ年の死亡率		十二人半
オーストラリヤ	同	同	十二人六
ウルグアイ	同	同	十三人四
米國	同	同	十五人
英國	同	同	十七人七
獨逸	同	同	十七人八
佛國	同	同	二〇人六
西班牙	同	同	二三人七

以上の如く各國と比して玖瑪が最低なるは其健康地たるを證するに餘りあり、され共過去卅餘年前は黄熱病の流行地として一般に恐られた非常の不健康地で筆者が始めて渡來の當時までは時々同病に犯さるゝものありて我等を寒心せしめしが病原研究の結果ステゴミヤと稱する蚊の媒介に依りて傳染さるゝを發見し爾來蚊の絶滅に全力を盡した結果今日の如き健康地と化せり。

島内に虎狼等の猛獸棲まず又毒蛇、毒虫なし唯蝎はあれども支那の其れの如く有毒激烈ならず。

（八）玖馬概觀

尙玖馬政府報告課のショクチ、レノ氏の「玖馬」と題する紙片より次の事項を抄譯すれば

○玖馬は良氣候と健康地とに於て世界中其比を見ず
○愉快の風景、謙遜にして友誼に厚き住民、投資に最好の天惠を有す
○日中は凊風。夜間は薫風
○道德樹の樹影を有せる自動車國道千五百哩あり
○一月の平均溫度、七十度三、七月の平均八十二度、最高九十二度、最低六十二度
○平均雨量五十四吋、冬季が乾燥、夏期は聚雨屢々あり
○人口、三百五十萬、一ヶ年の增加數七萬五千出生の死亡に超ゆる四萬（一ヶ年間）
○一ヶ年の渡來移民、三萬七千
○汽車船路三千哩、電車線四百哩
○一週間に五十餘隻の汽船が米國、玖馬間を往復す。
○甘蔗園は處女地にありては植替へを要せずして三十ヶ年栽培を續け得べし
○煙草は種苗より九十日後に收穫さる
○牧畜業の有望は恐らく玖馬に勝れる國他になかるべし
○土地の賣價は其地質と其處在地によりて差ありと雖も英加五十弗より五百弗まで
○農作の收益一英加に付百弗より四百弗（一ヶ年間）
○灌漑をなさざれば煙草も蔬菜も損失を免れざるべし
○密柑は樹齡に依りて差あり英加五十弗より五百弗の收入
○玖馬は一平方哩の住民平均七十人の割。然るにベルムダ一千人、ベルヂューム六百人ジャバ五九五人、オランダ四五四人、英國四二五人、日本三一七人、獨逸三一五人伊太利三一〇人

右は少しく誇張に過ぐるやと思はるゝの點なきに非れども以て玖馬の一斑を知るに足ると思ふ。（終り）

渡伯航海の多趣

各寄港地の思ひ出　神戸からサントスまで

在レジストロ　井口吉三郎（上伊那郡飯島村）

十九歳の青年井口君は自分の村に海外發展研究會を創めて五、六十名の同志を得た。多年研究して宿望が叶ひ遂にブラジルに飛んだいよ〱健在奮鬪を祝る。

去る四月十五日日本郵船神奈川丸にて私共南米行移民四百五十名の同志は神戸小學校中學校の生徒方々の熱烈なる見送のもとに、神戸港を出帆し希望の國ブラジルに向いました。

美しい瀬戸内海の光景を賞つゝ翌日門司に寄港し、明けて十七日、我が船は住みなれし懷しい國土を全く離れ感慨無量のもとに一路英領香港に向いました。音に名高き玄海灘も、天氣晴朗波浪なく海路比較的平穩に四月二十二日香港に到着一同上陸を許可されました。當香港は一八四三年英國が彼の阿片戰爭によりて支那から領有したのであつて、其の後英國は商業に軍事に東洋への勢力扶植の根據地とすべく築港に市街建設に鐵道道路敷設に多大なる資ををしげもなく投じただけあつて遉にすべてのものが立派に出來ています。

二十三日香港を後に魚屋助衞門の活躍したヒリッピン群島を左に、山田長政を始め海外發展の英雄が活動した、佛領印度支那やシャムを右に、はるかに三四百年の昔時の事蹟をしのび、二十九日英領シンガポールに入港しました。

シンガポールは人口四十萬の市街、馬來人と支那人が大多數をしめ白人はきはめて少なく道行くもほとんど白人を見受ぬ位であります。言語は馬來語より英語より支那語が主勢力を有し商業は支那人の獨占にかゝはる觀を呈しています。

國政は亂れ國内の統一も出來ない支那は海外在留民の保護など行きとゞかないのは當然であります。且全世界の全種族より排斥せられつゝあるにもかゝはらず斯くの如くシンガポールを始めとし南洋一帶に渡り、或はアフリカに印度に南北米に陸土の有るところ至りくまなく發展し、故國の後援なく、迫害と排斥との中にあつて、着々發展の地歩を進めつゝあるを見て、故國の現狀に思いをいたす時實に感慨無量に堪へないのでありま す。國土狹少人口過剰住するに所なく、喰ふに食なく困窮の極に達し、且年々七十有餘萬の人口を增加し、國民の海外發展は今や足下に切迫しつゝあり、政府も最近海外移植民の必要を覺醒し、移住の奬勵、在留民の保護等支那國民の幾倍かの力を到しつゝあるにもかゝはらず、海外に移住する國民僅かに二三萬に過ぎないとは國民性のしからしむるところ乎！慨嘆の外はありません。

當市に在留する日本は四千人馬來半島全部を加ふるならば七千人在住しつゝあるとの事であります。

港頭より約一里、日本人町に達す、日本人の商店料理店、女郎屋等あり、殊に女郎屋の多い事誰しも一驚するところであり、悲しむべき事であります。歐洲諸國の海外發展の先驅者は宗教家であるのに我が國の海外發展（主として南洋シベ

郵船の南米航路と最近便船

日本郵船の南米航路に二つあります。一は玆に述べようとする日本から印度洋を横斷し、南阿弗利加諸港を經て、伯剌西爾及び亞爾然丁に到るもので、南米東岸線と云つて居ります。他の一は香港を起點とし、日本内地諸港を經て、布哇桑港等に寄港し、墨西哥、巴奈馬、秘露及び智利に到るもので、南米西岸線と呼むで居ます。南米行の我が客船直航々路を初めて開いたのは日本郵船會社で、明治三十二年其第一船佐倉丸が南米移住の我邦人先驅者約八百名を秘露國に送り届けたのであります。ブラジル行客船も亦早くも明治四十五年に同胞移住者約千五百名を乘せて第一船神奈川丸を就航させました。爾來當社は今日に至るまで、獨力本航路を維持經營し、既に貳萬五千餘名の邦人をブラジルに輸送して我が同胞南米發展今日の盛況を齎すに、尠からず貢獻し得た事は、洵に欣快に堪へぬ次第であります。

尙日本から南米東岸へ往復するには、上記直航々路の外、歐洲經由又は北米經由の何れかに依る方法もあります。歐洲經由は當社の歐洲航船で馬耳塞又は倫敦に上陸し、英佛獨伊西諸國何れかの南米行汽船に乘換へます。北米經由は北米線にて桑港又はシャトルに上陸し、鐵道で紐育へ陸行し、同地から英國船又は米國船により、大西洋を南下して南米東岸に到るもので此道筋は乘換の面倒はありますが、所要日數が最も少く、横濱からブラジルへ三十六日位で行かれます。隨つてブラジル日本間の郵便物は皆紐育經由（Via New York）と指定するのであります。

尙最近便船（南米東岸線）のものをあぐれば

	若狹丸	河内丸
横濱出帆	十一月七日	十二月九日
神戸 着發	十一月十一日	十二月十三日
門司 着發	十一月十二日 十三日	十二月十四日 十五日
香港 着發	十一月十六日 十九日	十二月二十日 二十一日
新嘉坡 着發	十一月二十五日 二十七日	十二月二十七日 二十九日

リヤ滿州）が醜業婦によりて行なはれ、今猶其の跡が根絶しないのは遺憾であります。

五月一日シンガポールを出帆しアフリカ東海岸のモンバツサ・デラゴア・アルゴア・ダーバン・ポートエリサベス・等に寄港し六月一日アフリカ最南端なるケーブターンに入港・たゞちに一同上陸を許可されました。

シンガポール出帆以來一ケ月、土も踏まず海上生活をして來た移民をよろこばせて呉れました。農村に生れ、土を相手に働き成長して來た私には一ケ月土を踏まずの海上生活には可成に苦痛でありました。當市は人口二十萬黒白の混血多數をしめ日本人は僅か二三十人に過ぎません。市街は美麗に出來ていますが感の惡い所です。黒人までが日本人を見てジアパン〳〵と呼ぶのは決して良い感じはしません。

此の南アフリカ植民地をして今日あらしめた一英雄ある事を我等はわすれては成りません、英雄とは誰？セシルローズ其の人であります。彼は英本國に生れ南アフリカに來たつて鐵石の如き意志と火の如き熱誠を持つて南アフリカをして英國の國土たらしめんとし、鑛山事業より得たところの巨額なる私財を投じ頑强に反抗したブーアー人と戰ひ或はブーアー人の國土を買收しついに南加植民地を作るに至つたのであります。今彼の靈はケーブターン市の後テーブル山のフモトに靜かに眠つています。

六月三日ケーブターンを後に大西洋の波濤を越へて伯國の主府リオに寄港し、六月十六日目ざすサントスに入港しました顧みれば航程一万三千浬日程六十二日間の長い〳〵航海を無事に終へ多年憧れの國へ元氣に滿ち〳〵て上陸出來る此の身は只々神の御めぐみと感謝の外はありません。

六十有餘日杖とも柱ともたのみし神奈川丸とも今日は別れねばならぬ日が來ました、船尾には日章旗がサントス港頭を吹く風に雄々しく飜り私共の入國を祝して居ります。

モンバッサ	着 發	十二月十一日 十二日	一月十一日 十三日
デラゴアベー	着 發	十二月十六日 十九日	一月十六日 十九日
ダーバン	着 發	十二月二十日 二十二日	一月二十一日 二十三日
アルゴアベー	着 發	十二月二十三日 二十四日	一月二十三日 二十五日
ケープタウン	着 發	十二月二十六日 二十七日	一月二十七日 二十八日
サントス	着 發	一月九日 十日	二月十一日 十二日
ブエノス、アイレス	着	一月十五日	二月十五日

此中南三米踏破
崎山比佐衞氏壯擧

海外植民學校長崎山比佐衞氏は今回第二回の（第一回は大正三年踏破）北米、中米、南米の諸國を實地觀察することとなり本月二十九日日墨丸にて橫濱を出發した。因みに氏の壯擧は決死的畢生の大企圖にて多大の艱難もあるべく一路平安常に神の導き篤からん事を祈り無事歸國を祝す次第である。

一同船と別れ移民特別仕立の列車に乘つてサンボロー市の移民收容所に向いました。サントスを出づると澤山のバナ、が栽培されています、再生林あると思へばバナ、畑ありバナ、畑あると思へば再生林あり汽車にて約一時間半バナ、畑と再生林との連續が續きます、此の地は伯國第一のバナ、の產地にしてサンパーロリオ及遠くベノスアイレスまでも輸出されるのであります。サントスを發車して五時間の後收容所の構門に着きます。食べ馴れない食事と高い寢臺には充分私共を困らせました一日おくれてサントス丸の移民が來ましたので收容所の混雜は一通りではありませんでした。

六月二十日私はセツテバルス植民地行七家族の人々と共にサントスに引返しジユキヤ線に乘つて目的地のレジストロ植民地に向いました。

海外に於ける臺鮮人數
亞細亞に多く南米に皆無

世界各地に在留する朝鮮人及臺灣籍民は昨年十月現在の外務省調査によれば本邦人六十一萬八千四百二十九人に對し五十五萬四千二百四十八人で大部分が南滿に在留してゐる。內臺灣籍民は朝鮮人の約五分の一で各地の概數を示せば左表の如くである。

	朝鮮人	臺灣人
滿洲（關東廳ヲ除ク）	五三五、一四六	三
支那（滿洲ヲ除ク支那全土）	一、九三三	八、八五三
暹羅國	四	五
南亞細亞	六九	二四
南洋各島（比島ヲ含ム）	七八	六〇七
大洋洲	一	一
亞弗利加	一	一
北米合衆國本土	六四〇	一
布哇	六、三六八	一
加奈太	一	一
墨西哥	一	一
南亞弗利加	一	一
玖馬國	四	一
歐洲	三五	八
極東（北樺太ヲ含ム）	二〇〇	一
南洋諸島（南洋廳）	八九	一
計	五四四、五六六	九、六八二

移民會議と汎米會議
明年玖馬國に開催

移民問題を國際的協商によつて圓滑ならしむる目的で日、英、米、佛、獨、伊、等五十余ケ國の第二回移民會議は明春玖馬國ハバナ市に開催される事に決定して我が全權代表は駐墨公使竹本節氏の呼聲が高い。

尙明年一月からは第六回の汎米會議が同國に開かるゝ筈で米國代表は大統領クーリツヂ氏外第一流の人物が出席するとの事で南中米諸邦は驚異の眼を以て眺めてゐると云はれる。

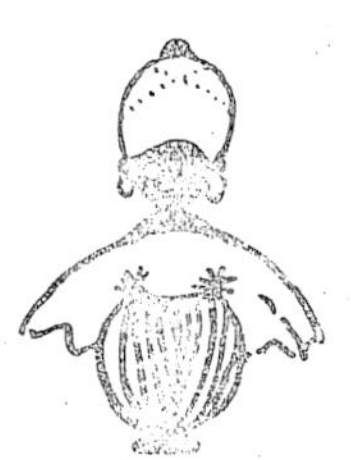

移住地閑話（一）

在アリアサン 工學士　武田三三

一、山伐り

人も爲と云ふ山伐りなるものを吾も爲て見んとて出掛ける。

頃は七月半、冬の最中であるが、夏のシヤツ一枚にヅボン、小手脛當（手袋にゲートル）宜しくあつて、額には汗留めの鉢卷、首にはブト除けの手拭、麥藁帽子を冠り、斧を擔いで出發に及ぶ。昭和の山賊、文明の野武士、吾乍ら勇氣リン〳〵乎と爲て居るが、山に到着すれば早や一寸腰が拔ける。

昔は廉破將軍　年七十に達して斗米肉十斤、馬に騎して尙用ふべきを示したが、勅使の來答する所に依れば、坐つて三度も小便を爲たとある。吾等は坐り小便を爲るには至らぬが腕が言ふ事をきかぬ、腕の力は相當有るが息が續かぬ、直徑一尺足らずの樹を半分も伐らぬ中に、ヘト〳〵になる。

今度は長さ一間の大鋸を擔ぎ出す、これなら樂である。何でも馴れ一つであるが、某氏は鋸だけで十アルケールを伐り倒し、初め笑つたブラジル人を驚かしたと言つて居つた。何と言つても山伐りは若い者の仕事である。太さ三尺もある樹は二人で一時間も掛かり、汗ダク〳〵のヘト〳〵にはなるが、空を壓す百尺の大木が悠然と傾き初める瞬間には總ての疲勞を忘れ、僅かに殘つた幹の劈ける音、遠雷の如き地響に次の勇氣を恢復する。

日本でも杣と言へば人間以外の外道として、稍々野獸性を帶びたものゝ樣に取扱はれて居るがブラジル人の樵夫はそんな事も無い樣に見受けられる。仕事は壯快でもあるが危險も伴ふ次第であつて、足の踏み場も無き樹の間で、ヅボンやシヤツの破損は朝飯前、誰の着物を見ても綴れの錦其儘、日本ならば乞食でも斯樣な着物は着て居るまい。新參の鋸はビク〳〵もので仕事を爲るから下手でもあるが怪我も爲ぬが、稍熟練の故となると能く怪我を爲る。某氏は樹の枝に顎を裂かれ前齒を折り某氏は廻轉し來る木に頭を挾まれて半死と爲つた。

協會の案內書に依れば山伐り一アルケール約五十八工としてあるが、伐木請負費は追々高くなつて今年は一アルケール四百四十ミルである。邦貨約百二十圓、假に六十八工とすれば日當二圓五十錢足らず、餘り高價とも言へまい。鋸の序に米國製の石油發動機附の山伐鋸が、四五年此方日本に輸入せられて居るが之を擔ぎ込んだら如何だらうか、など、贅澤を考へても見たが、林の中では發動機の響よりも伐木丁々たる斧の響の方が矢張り好い樣でもある。

樹木の種類は多數であるが、日本の杉檜に匹敵すべき溫帶的のものが一つも無く、圖方も無く堅いが、圖方も無く軟い奴もある。樹齡

は大約三百年にして枯死して居るが、是は自然の命數と言ふよりは風の爲に倒されるものと判定して置いた。ツマリ熱帶樹は雨の少き乾燥時機に夜露によりて生活するが爲に、根が甚淺く地表は一面の鬚根を以て被はれて居る有樣で、約三百年以上の體重を支ふる事が出來ぬものと認めらるゝ。石川理學博士の御說に依れば、日本の松茸は鬚根にのみ發芽する菌であつて、鬚根は赤松に限つて有るから松茸が出るのであると申された、さうすればブラジルの樹の樣な鬚根だらけの處に松茸の菌を蒔いて見たら如何であらうか、などゝも考へて見た。何れ閑人の想像であるからあてには爲らぬ。

所謂原始林の中に入り込んで木立の揃つて居る處を透して見るに、雜草なるものが殆ど生へて居らぬ。然るに一度山を燒いて一年も立てば雜草が目茶々々に生へて來る。曾て米國で實驗したる所に依れば、草の種子は地表を燒いても死なぬと言ふ話であるから、何れ數千年前の種子の林間に澤山殘つて居る奴が日光が良く當らぬから生へぬが山燒の後に時を得顏に生へ出す次第と考へられる。

歐洲戰役の「マルタ」の戰跡には名も知らぬ無數の草花が咲き亂れて居るそうであるが是は砲彈の爲に覆へされて、地中深く埋もれて居つた數千年前の種子が發芽したものとの話である。

樹根が吸收する水量は夥しきもので、伐木中樹の幹から流れ出す水は滴々として淚の如くである。從つて山を伐れば谷間に小川が流れ出し井戸の水は深くなる。

厄介な奴はダニと蟲である。ダニは足から匍ひ上つて身體中到る所の安全地帶に喰ひ附き小さい蟲は目と言はず鼻と言はず飛び込んで來る。口を開いて居れば咽喉の中に吸ひ込んで了ふ。夕方は殊に多く爲つて應接に遑なく旭日林頭に沒する頃呆々の體で山を引揚げて歸る。

二、冬の螢

今年に爲つてから降霜數回結氷二回有つた。斯樣な場合曉天の氣溫は無論氷點以下であるから夜具の用意は呉れ〳〵も肝要である。而して一度太陽が林の上に顏を出すや、見る〳〵氣溫は急騰する。先達寒暖計を睥んで居つたら三十分間に五度宛昇つた。無論日に因つて多少の差違はあるが、午前十時頃には九十度に達して眞夏の天候となる。夕方の氣溫が八十度位の日には無數の螢が林間に飛び交はす。小供の話に依れば、ブラジルの螢は長さ一寸位で頭から光を出し、五六匹捕へて紙袋に入れて置けばランプの代用になると人の話の又聞であるが、何分日本の田圃の樣に低く飛ばぬから捕へられぬ、從つて一寸あるか頭から光を出すかは不明であるが兎に角見事なものである。これで雪が降つたら全く螢の光窓の雪であらう。

吾等は秋の半に來て棉の樹の花の滿開を見、今は冬の半に螢を見た。何れも日本では見られぬ情景である。棉の樹は目下實を結んで百尺の梢にブラ〳〵して居るが、無論梯子も屆かず樹の幹一面に釘の樣な刺が生へて居るから登る事も出來ぬ、全く怪しからぬ樹である。が實の中の綿は獨りで落ちて來るのやら又は飛んで了ふものやら、其處迄は未だ先輩に聞いて見ぬが、自分の山に一本の綿の木が有つて之を伐り倒せば一枚の蒲團が出來ると言ふこれも子供から敎へられた話である。申す迄も無く此棉の木は喬木であつて畠に植へる綿花とは違ふ。兎に角綿の產地であり乍ら綿

が餘り安くも無く、脫脂綿の如きは圖方も無く高く、日本で買へば二十錢位の物が何圓何十錢と云ふ次第、今後自分の畠で棉花を採る迄は一年以上も掛かる事であるから、移住者は宜しく脫脂綿の綿入を五六枚持參に及び、入植後粗綿と入れ替へて夜着にでもしたら如何であらうか。

燈の光は未だランプの光に使つて見ぬが、一罐九圓の石油を三個月半で消費したから、一個月の燈火料約二圓五十錢は山林生活には一寸高過ぎる。下水の設備無き植民地には、メタン瓦斯などは最適當であらうと思ふが、是亦鉛管や鐵管が今の所不自由である。如何に原始生活とは言へ篝火や行燈ではやり切れぬ。

不自由と言へば新米移民の最も困るのは紙であらう。是は船中で經驗者の話もあつたが、日本紙は無論新聞紙迄無くなる。先住者は如何にして用を辨じて居るか、是亦一々問いても見ぬが、今後の移住者は荷造の際宜しく屑紙や古新聞紙を目茶々々に塡め込んで置くに限る、荷造の爲にも宜しく一擧兩得である。さるにしても日本の連中、吾等が古新聞紙にも窮して居るとは御承知が無いのも無理が無いが、どうせ持て餘して居る讀み粕の新聞位送つて吳れそうなものであるが、今日迄誰も送つて吳れた人が無い。何れにしても郵便が二個月も掛かる事であるから、如何なる新聞も新聞の役には立たぬ。內閣の變つた事は電報で承知したが、銀行や商店の沒落、さては閣僚の顏振などを承つたのは漸く七月半の事であつた。此間も力行會からの寄贈とあつて八月の週間朝日を同寵に及んで來たから、いらい早いと一驚して能く見れば昨年八月のものである、斯樣な次第であるから新聞に依つて一喜一憂するのが吾等の目的で無く、全く紙其物が目的である。一寸御參考迄に。

三、家の動物と山の動物

犬に猫は日本と同樣。ワン〳〵ニヤン〳〵であるが日本の連中よりは犬格に猫格（人格に對して）が有る樣である。能く人にも馴れ且職務にも勉勵する。是は樣々の理由に因る事であらうが、移住地に於ては犬も猫も拂底の爲に大事にせらるゝのと、伯國人それ自身が多年家畜を愛護し來つた結果であらうと思はれる。由來日本人殊に小供は動物を虐待して悅ぶ習慣があり、父母は一向に之を敎訓せぬ癖がある。從て犬は齒をむき出し猫は必逃げる。拙者曾てロンドンの市街の眞唯中で悠々と眠つて居る猫君を見た事があり、又グラスゴーの或家で猫を捕へて日本流に首の皮を持つてぶら下げて叱られた事がある。多年の習慣とは言へ日本人の改むべき欠點であると思ふ。數十年來日本在留の外國人の指導に依つて動物虐待防止會と言ふものが設けられて居つたが、拙者熟々按ずるに虐待を防止するとは貧弱な心掛である。何故に愛護と言はぬだらうと考へつゝあつたが、大正六七年頃と思ふ果して動物愛護會と改稱せらるゝに至つた。斯樣な事を異國人に指導せられ居るといふはチト國辱であらう。

吾等が乘つたモンテビデオ丸では、シンガポール、コロンボでは船員が多數の小鳥と猿を買ひ込んでアルゼンチンに持つて行つた。歸航には又南國特產の鳥を持つて日本に歸ると言つて居つたが、一つは長途航海の退屈凌ぎと一つは船員の副業でもあり、更には彼我國人も船の入港を待ち兼ねて珍鳥類に接するを得る次第であるから、先づ〳〵面白い商賣と見て良からう。そこで船の床屋さんも一匹の

猿を買つて每日可愛がつて居つたが、段々人にも馴れて船員船客を悅ばして居つた所、或日船客中のチビ助連が此猿を追ひ廻して、遂に海中に溺死せしめた。見て居つた大供連も多勢居つたらうが制止する人も無かつたと見ゆる。床屋怒つて曰く『自分の母は猿が好きであるから土產に買つた次第、御客であるから文句も言へず、値段の三圓は惜しくも無いが、如何に小供とは言へ綱を解いて追ひ廻すとは怪しからぬ、山の猿は海を知らぬ、可愛相に死ぬとは知らずに飛び込んだらう。大體親達の仕附けが惡い』。一語簡明吳れ〳〵も御同感至極である。

序に話は葬式に脫線するが、支那人の號泣、朝鮮人の哀號乃至日本の葬式なるものは、一寸譯の判らぬものであるまいかと思はれる。大體生存中に愛護もせず死んでから泣いたり悲しんだり乃至其形式を取るといふのが判らぬ。人情の美點とか弱點とか言へば、それ迄であるが、是等も敎育によつて改良したら如何であらうか。今度の航海でもアフリカの南端近くで死んだ小供があつた。親達は船にも醉つた結果であらうが、長らくの營養不良で船醫の見た時には最早助からぬといふ事であつて。果して早速死ぬ、いざ葬式と言ふ段になつて親達はどうしても水葬を承知せぬ、南米迄遺骸を擔いで行くなどゝ言ひ出した。譯の判らぬ美點であり弱點であると共に人の迷惑になる。死葬を南米迄擔ぐ熱心があつたら營養不良にならぬ前に醫者に見て貰つたら良からうと思ふ。更に曾て仙臺市に生徒の時分途中でさる富豪の葬式に會つた。幾千の會葬者型の如く、圖方も無き立派な棺桶に長い綱を附け、妙齡の婦人が白衣の盛裝で綱を曳いて居る。何でも十人位も綱曳が居つたらうか棺桶は無論人夫に擔がれて居り綱は裝飾に過ぎぬ。婦人は親戚の娘か或は又藝妓でも雇つて來たのか、顏には白粉の滿艦飾、お負けに淚所か色目を使つて居る。ペッ〳〵こんな奴に限つて生きて居る際には六な事をせぬ連中である。隋の煬帝が八百里の河を開いて童女に船を曳かせ、童貫蔡京の惡臣共が花石綱を徽宗皇帝に奉つたのも斯樣な筋合であつたらう。地獄に行けとばかりムカ〳〵といやになつた。そこへ行くと鍬を擔いで穴掘りに行く植民地の葬式は全く良い。自分も遠からずやつて貰はうと思ふ。

犬は夜番の爲にも豚の監視の爲にも一匹では一寸困る。少くとも二三匹、或人は十一匹を率いて居つた。猫も一匹では鼠に喰はれて了ふ、又は鼠を喰ひ飽きて捕らなくなると言ふ話である。何分非常の鼠で、收容所の如きは賣店と壁板一重であるから、鼠の先生散々御馳走を喰ひ飽き、夜分になるや否や寢床の中迄蹂躙し來つて新米移民を驚かして悅んで居る。貧弱な猫が一匹居つたが固より何の役にも立たぬ。近著の雜誌にこんな事が書いて有る。曾て日本よりの移住者が山の中に假小屋を立てるや否や鼠に襲はれ、態々市街に行つて一匹五圓で猫を買つて來たが、餘りの鼠軍に恐れを爲し如何にしても鼠を捕らぬ。はては人間の寢床にもぐり込んで助を求めると言ふ始末で大笑をしたとある。

鷄は日本と全く同樣。鷄格にも變りが無く、周章て者でコセ〳〵して居るのは矢張人間に喰はれる恐怖性の遺傳でもあらうか。殆全部が放し飼で殘飯殘肴の外は飼料を與へぬから、家の附近二町四方位を荒し廻る。野菜の如きは餘程の遠くに作らぬと皆喰はれて了ふ。卵は藪の中に產んで來るから子供が發見する外は大供には一寸分らぬ。何時の間にか雛を孵へ一打位の小供を引き連れてゾロ〳〵と藪か

ら突然出現して來るのは奇觀である。能く觀察して見るに親鷄の體重に相當する卵の數に達する迄產み續けて早速巢に附く、雨が降らうが日が輝らうが青天井の下に專心卵を抱いて居る。本能とは言ひ乍ら全く感心の至りである。此の如くして繁殖して行けば可なりの數に達し、無料の放し飼で幾らでも鷄肉料理が喰はれる筈であるが、何物か得体の分らぬ奴が連夜現はれ出でゝ雛を取つて行く親鷄の心配は全く氣の毒で彼處此處と雛を率いて塒ぐらを移動して居る。晝間稀に鳶が舞ひ下つて雛を襲擊する事があるが、見て居ると親鷄が一際高くトトゥと警戒を命ずるや、雛は忽草葉の陰に隱れて沈默する親鷄は兩翼を張り滿身の勇氣を揮つて舞ひ下つた鳶に向つて攫擊する、全く奮闘其物である。曾て一夜の中に六羽の雛を取られた親鷄が翌晚の奔走は大變である。先づ殘りの雛を引率して高さ一間程の橫木に昇つて雛を併列せしめたが、此處でも不安と見て今度は倒れた木の枝を傳はつて、高さ二間程の藪の上に陣取り、危險な一本の枝の上で六羽の雛を全部翼の中に納めて了つた。

獸に喰はれるのは大概雛だけであるが、稀に親雞の咽喉に嚙み附き又は首だけを喰ひ切つて行く何分正體を見た人が無いから分らぬが多分野鼠であるらしい。

しばらくの辛棒

以上の犬猫鷄は農家の家畜であるが、何分拂底で金を出しても賣つて吳れる人が無い。其中市街地からでも買つて貰ふより外に手を入れる方法があるまい、入植以來四ケ月であるが鷄卵を人から貰つて食つた數は無慮十一個也である。

豚に至つては頗る食ひたくもあるが何分飼ふ事も殺す事も當分手におへぬ。第一不潔である喧嘩をする。子供を產む嚙み殺す踏み殺す。始末が惡い。偶々一頭を撲殺したりとするも一度には喰ひ切れぬ。但斯樣な事を言ふのは新米達の事で、經驗家の談に依れば豚位淸潔なものは無く設備さへしてやれば糞尿も一定の場所以外には爲ぬ、能く人にも馴れ全く始末の良い動物であるとの事であるが、先づ先づ當分御免を蒙つて置く事にする。

牛は全然見掛けぬが馬は時々見受ける。ドンキー式の小馬であるが一つ買つて乘つてやらうかとも思ふが、子供の話によれば此ドンキーの奴中々狡猾で能く後足で蹴ると言ふから一寸考へて居る。何しろ馬なるものは一昨年の夏大宮から富士の二合目迄乘つたのが空前の經驗であるから是亦話にならぬ。

牛が居らぬから牛乳も無いが三十九キロの瀨氏が二頭の山羊を飼養して居る。此乳が唯一のものであらう。

山の動物で一番先に見るのは兎である。畠の中に澤山穴を掘つて棲んで居り、此間は珈琲で穴から一匹飛び出した見ると珈琲を奇麗に喰つて其中に生活して居つた此奴が繁殖したら困るだらうと思はれるが早くて中々捉まらず。話に依れば濠洲は元々兎の居らぬ處であつたが、或船員が三匹の兎を放したのが祖先で、今では年々十七萬匹(?)を捕獲するが未だに作物を荒して困るとの事である。現に畠の大根の葉などは每日々々喰つて坊主にして居る。

兎は一見溫順の樣に見ゆるが始末に行かぬ惡戲者である。曾て五匹の白兎を飼つて居つたが每日喧嘩をする。彼等の喧嘩は相向つて鬪ふに非ずして、一匹が他の尻に嚙み附いて一塊の毛を喰ひ拔くのである。所謂尻の毛を拔

くとふ言葉は兎の喧嘩から來たものと思はれる。運動場を造つてやると木の皮は皆喰つて了ふ。無暗に穴を掘つて三間も先の方からヒヨイと顏を出す。大に癪に觸つて穴を埋める、また掘るまた埋める。面倒臭くなつて其儘にして置いた所、或日便所の窓からフト見れば穴の附近に六匹の子兎がズラリと並んで耳を立てゝ日光に浴して居る。何時の間にか穴の中で子供を產んだものと見ゆる、人が行けば早速穴に逃げ込んで中々捉まらぬ。今度は穴を片端から掘り返して行つた所奧行が中中深い。一間半にして產室に達し漸く子兎を捕獲したが、坑道作業を見て覺へず感歎した次第である。先づ雌が產前になると前足で土を掘り後足の間からドン〳〵後方に土を飛ばす、雄は雌と尻合せに陣取つて前足で雌の飛ばした土を押し出す、見る〳〵中に穴の入口に山を築く。穴は地中に傾斜して表面から一尺半の深さに達すれば水平坑道となり、身体を廻轉する爲に二三個所の岐坑がある。奧行一間半にして直徑一尺位の產室があり坑道よりも二三寸高くしてあるのは雨水の浸入を防ぐものと認められた。さて產室は下部に草を一寸程布き詰め其上に雌は自分の毛を拔き取つて厚さ一寸程の毛蒲團を作り尙子供の上にも毛蒲團を掛ける乳を飮ませる時は子供を踏み殺さぬ爲に尻の方からソロ〳〵と向ひて來る。生れた子供は赤裸で毛が無く耳も無く猫の子から毛を拔いたと同樣であるが、十日位で毛が生へ耳も出て來る。且又親は產室では決して小便を爲ぬ、イヤハヤ感歎の至である。

コリ〳〵した兎

尤も是等は坑道の中で見た譯で無く其後雌を隔離して箱の中で出產せしめた時の順序である。地下約一尺半で地表の音響を避け、奧行一間半で氣溫の變化を避けて居る。此の如く感心はしたものゝ喧嘩と惡戲にも困り何時迄も兎の研究に從事する譯にも參らず、一匹一圓で買つた奴を五十錢宛で兎屋に返納した。

アンタといふ動物はサンパウロの動物園に飼つてあるそうであるが山の中から始終出て來て足跡を殘して行くが實体は見た人が無い樣である。至つて溫順な獸で無害であるといふ話である。

鹿は時々鉄砲で打たれる、谷間に近く足跡があるから水を飮みに出て來るものであらう。去る六月の或日の午後一頭の可なり大きな雄鹿が三十七キロの金竹氏の庭にフラ〳〵と出て來た。誰しも待ち設けぬ出來事である。鹿と認めるや否や六七名の人と二匹の犬で二町四方を追ひ詰め、十數挺の鉄砲と拳銃で射擊した。確に命中したらしいが中々斃れぬ。約二三十分逃げ廻つて居つたが遂に腰を折つた所を撲殺した、左大腿に一發と角に一發銃彈が當つて居つたが致命傷にはなつて居らなかつたものと見ゆる。

オンサ（豹、通稱山猫）は猛獸であるが、アリアンサが段々開けた爲に境界線內には居らぬらしい。誰も見たと言ふ人が無い。三十九キロの境界外に獨立して土地を所有する川市氏の犬が曾てオンサに嚙まれたといふ話であつたが、最近一匹は行方不明とあり一匹は致命傷を負うて歸つた。多分山猫と戰爭した結果であらうか。

林間に禽鳥は無數に居る。山伐りに順つて棲家を追ひ立てられては居るが、雉、山鳥、鳩、木ツツキ、インコの連中が始終庭先に來る。銃獵も面白いが何分中學校の實彈射擊以來の腕前であるから中々當らぬ。約十發の射擊で鳩一羽とミヽヅク一羽を仕留めた。十發二中の

割合であるが而も鳩は約二間程の距離で漸く打留め、ミ、ヅクは申す迄も無く白晝は盲目である。

犬猫雛は少しも喧嘩せず、一所に食卓の下に集まつて來る事は前便にも一寸申述べて居いた。雛が雛を育てる有樣も本誌に書いたが、さて雛が段々大きくなつて約一ケ月以上になり、親雛の翼の中に納まり切らなくなつた時の親雛の態度が見物である。今迄引率して食餌を與へて居つた雛を嘴でつゝき飛ばす。夜棲り木の上で雛が例の如く翼の下にもぐり込んで來るのを皆つゝき飛ばす。一日や二日は雛の奴が勝手が分らず、つゝかれても何でも翼の下にもぐり込んで了ひ、親雛も不承不承に抱いて寢るが、三日四日となるに及んで雛もあきらめて獨で棲り木の上に併列するが、同じ棲り木では親雛が承知せぬ。再びつゝき飛ばして下の方へ追ひやつて了ふ。鳩に三枝の禮あるかどうかは知らぬが、雛の教訓も中々感服に値する。獅子生れて三日目に母親は千仭の谷に追ひ落すとは、小楠公以來の教訓であるが、何時迄も何時迄も子供の世話をして親切であると迷信し、不良青年となつた小供に喰ひ殺されて了ふ日本の母親は、ブラジルの雛にも及ばぬとは情無い次第ではあるまいか。

滑稽倶樂部の設立

滑稽と言へば下品に聞こへ、ユーモアと言へばハイカラで上品に聞こへる樣であるが滑稽とユーモアは全く同じ氣品を有する事は史記の滑稽列傳を見ても分るのみならず、滑稽の方がユーモアよりはズツト先輩である。先輩たるの誇を有すると共に墮落の謗も免れぬ有樣であるから、滑稽が厭ならユーモアでも一向差支無い。ツマリ三味線の方が先輩であるに拘らずバイオリンの方を上品と心得へると同樣、滑稽と三味線は幇間と藝妓に專有せられた樣であるが、ユーモアとバイオリンは上品で一般的と見て良からう。東海道中膝栗毛は一寸下品であるが、海外乍らマークトエーンやジエローム、ケー、ジエロームの方が適かも知れぬ、滑稽は支那人の發明、ユーモアは歐米人の發明。而して之に匹敵すべき日本固有の言葉が無い。言葉が無いと云ふのは事實が無いのであるから、日本人はユーモアを知らぬと言ふ事になる。已むを得なければ贅呂利先生を擔ぎ出さなければならぬが、是亦一寸下品である。大觀し來れば日本國民にはユーモア氣分が非常に欠乏して居る。之が爲に昨今樣々の問題許りが雨後の竹の子の如く發生し、甲論乙駁の喧嘩許りが之に伴ひ、實行なり解決なりが其伴はぬ次第ではあるまいか、會議なり相談なりは常に四角眞面目である。究屈である。懇親の燕席ですら二次會を必要とするから、況して會議や相談の果てが物騒なるは當然であらう。凡そ必要の無い事が當然伴ふといふ事が無いから、之は科學的に考へる迄も無く何物か欠乏せる或物を求むるが爲に外ならぬ。今之をユーモアの欠乏に歸着して見たら如何であらうか。

屈原卜居の説に「滑稽突梯脂の如く」とあるから、ユーモアは運轉に必要なる油脂であると共に、會議相談乃至喧嘩口論を潤滑し乃至解決するに必要欠くべからざる或物であらう。之がドンナ物であるかは與樣も與樣も我々に知れぬから、自然に覺へる外致方無く、而して日本の社會には此ユーモアが至極僅少であるから、國民代々覺へる分量も亦極めて僅少であつた次第と思ふ。

母國通信

明年度豫算概算

十七億六千百余萬圓

豫算閣議において決定したる明年度一般會計歲出概算總額は十七億六千百四十一萬三千圓でこれを明年度の標準豫算十六億五千八百二十五萬七千圓に比較すれば一億三百十五萬六千圓の增加でありまた本年度の本豫算額十七億三千五萬八千圓に比すれば三千百三十五萬五千圓を增加し更に追加豫算を含めたる本年度の施行豫算十七億五千八百九十六萬九千圓に比較すれば二百四十四萬四千圓の增加を告げて居る。しかして十二日の閣議にて決定したる概算總額中には御大禮豫算千數百萬圓を加算して居ないから若御大禮豫算を本豫算に組いれるとせば概算總額はそれだけ增額される次第である

尙各省豫算中外務省は左の通である。

外務省

◇經常部 (單位千圓)

ペルシャ公使館新設費	一七八
領事館新設費（イルクーツク、モンバサ、サントス）	一三九
在外公館事務改善費	二五六
領事官、書記生特別任用擴張費	九二
條約編さん經費	四五
敎務官經費	一四
その他	三七

◇臨時部

ペルシャ公使館新設費	三五
領事館新設費	五〇
米佛伊大使館敷地家屋買收費	二、七四五
警察官充實費	五九八
ハルビン總領事館廳舍官舍新設費（本年度經費）	一〇〇

移植民ニュース

伯國の日本移民調論

集團と寄生蟲病で排斥される

本年一月乃至六月中日本移民に關する記事論說を見るに約三十篇にして內七篇は單純導的記事で合同通信社の東京電報の例へば海外移住組合法實施や南米企業組合のパラナー日本人植民地設置等であるが殘り二十三篇は左の如く分類される

全然贊意を表せるもの	四篇
留保附贊成說	六篇
排斥說	四篇
贊否の不明瞭のもの	九篇

而して玆に注目すべきは贊否兩論を通じて一人種又一國人集團に反對し日本移民は之を全國各方面に廣く撒布せざるべからざるとの意見が六、七回も繰返され尙日本には多種の寄生虫病あり伯國に未だ知れざる寄生虫を持ち來る虞れあり衞生より排斥せんとし若は嚴選を要すと注意されてゐることである。今一二のものをあげれば、ジョナール、ド、ブラジル紙

聯盟協會事業費補助	一〇〇
移民保護奬勵費	一、二九一
海外經濟事情調査費	一〇〇
アレクサンドリヤ廳舍新設費（本年度）	六〇
日露協會學校補助	七五
在外中等學校補助增	二〇

內外移住方策

人口部會の答申

人口食糧問題調査會の人口問題に關する政府諮問事項中內外移住方策に關する答申は左の如くである

移住拓殖は人口問題解決の上に直接多くを期待し得べからずと雖も國の內外を問はず天然資源の開發生產力の涵養企業及勞働の移動性增進の上に於て一對策たるを失はず殊に多年封建鎖國の下に置かれ土着の因襲に捉はれたる我が國民に對し內外移住の奬勵移民の保護を爲すは機宜の措置なりと認む其の方策の大要左の如し

一、海外思想の普及內外移住地事情の紹介移植民に關する研究等の爲め拓殖博物館植民研究所の常置其他相當の施設を爲す事

二、海外移住國に對し本邦事情を紹介する爲相當の施設を爲すこと

三、國內移住適地を選定し主として團體的移往を圖り移住に關する費用の輕減交通運輸の整備各種產業の開發移住組合の設立其他移住者をして移住地に定着せしむる爲め必要なる經濟的諸施設に對する補助々成の途を講ずること。

四、國外移住適地並に移住者に適する事業を調査し海外移住組合移民收容所及移植民學校等の整備增設移植民後援團體の普及發達移民保護官の新設移植民保險制度の設置移住旅費の補助移住者の社會的國家的優遇等の方途を講じ以て移住者の保護奬勵移住者の素質の向上を圖ると共に移住者をして移住地に定着せしむる爲め必要なる經濟的社會的諸施設に對する補助々成の途を講ずること

五、海外移住組合の堅實なる發達を期すると共に會社企業に依る移住地開拓の場合に於ても移住組合に準ずる施設を講ぜしめ之に對し相當助成をなすこと

六、移住者に對する金融機關の缺陷を充實すべき施設を爲すと

七、內外移植民に關する行政事務を社會政策的見地より連絡統一すべき方策を確立すること

（一月十二日）上に

「日本移民受容の可否は別問題としてパラナーにせよ又は伯國內の他の何れの地方にせよ、之に強大なる植民地を設置せしむることには吾人は極力反對せねばならぬ。著しく廣大なる領域を有する伯國が外國勞働者の協力を要するは勿論ながら多人數の集團は夫れが何人であらうと之を承引出來ぬ」云々

四月二十三日のウ、パイース紙上にベルローゾ氏（衛生醫）の寄書中

人口稀薄國が人口過剩國から溢出し來る移住者を受容するは當然で阻止を企つる如きは無用の勞であるから適當の用心を以てする限り吾人は日本人に我が國の領土と解放せねばならぬ。其の用心とは、

一、他外國民の誘入を休止せぬこと

二、日本人を一定の地方に集團せしめざること

三、日本には二十種以上の寄生蟲病があるから伯國へ向け乘船前に伯國醫に檢査せしめ伯國港到着の上更の檢査を行ふ。

八、朝鮮在住民の內外移住に關しては特に愼重なる考慮を拂ひ朝鮮に於ける產業の發達資源の開發並に朝鮮住民生活の安定に努むる等適當なる方策を講ずること

昭和第一次の觀艦式

十月三十日橫濱港外に新帝御踐祚第一次の觀艦式が行はれた百七十艘の艨艟は整列して御召艦陸奥に乘御せられて閱せられた。此の日空には八十機の飛行機が爆音勇しく五機編隊の凸梯編隊で現はれ見事空中分列式を行ひ、拜觀者は未明から山と云ふ丘と云ふ丘や海岸に押寄せ群衆殺倒して迷ひ子百四十人を出したと云ふ賑やいであつた。

專任外相問題

田中首相は十五日陸軍大演習陪觀の途中往訪の記者に外相問題につき左の如く語つた

私も首相としてまた一黨の總裁として多忙であるから適當の人があれば專任外相を置く考へではあるが列國との外交關係はこの際專任外相を置かないでもわが國のため不利益にもなりさうでないから當分私がやつて行くことにならうと思ふ

歐米の資本で我國を牽制

滿蒙の國際資本化

最近歐米の對支企業家間に今後の支那における投資地としてなるべく滿蒙地方を選ばんとする傾向が著しくなつて來た、その原因は

一、昨年來の赤化動亂のため中部および南部支那における外國人の企業が全くすたれ從來最も有望視された揚子江沿岸すら危險狀態に陷つた

二、奉天當局が日本の資本のみによるを不利とし同時に英、米、佛の資本をも誘致して滿蒙の國際資本化によつて日本の勢力を牽制せんとする方針をとりつゝあること

最近中英銀行の重役が大連に行つて滿鐵外日本實業家側に滿蒙投資について探りを入れたなどの事實は歐米の在支資本家間における右の新傾向を裏書きするも

比島渡航移民は既に

昨年を凌駕して

二千人に達せん

大正六七年の好況時代に次で大正九―十二年の不況時代を通過して近年再び好況時代を維持しつゝある、比島は昨年一月ダバオ開港以來日本郵船濠州航路船が寄港し邦人の渡航者が增加し今年は十月を以て既に昨年の渡航者を凌駕しつゝあり今年內には有に二千人を突破せんとしてゐる。尙大正八年來の渡航者數を示せば左の如くである（海興取扱）

大正八年	六七五
大正九年	一三七
大正十年	二五一
大正十一年	一一四
大正十二年	三五八
大正十三年	四六一
大正十四年	一、三五三
大正十五年	一、五八三
昭和二年十月マデ	一、五七二

右は海興取扱數であるが昨年の比島上陸日本人總數は二、九四〇人（移民二五五二人、非移民三八八人）で出國者數は一

のである。

久原氏ベルリン着

ナウエン帝通十日發　日本の特別經濟調査委員久原房之助氏およびニューヨーク總領事佐藤氏等の一行は今朝モスコーよりベルリンに來着した一行はモスコーにおいてロシア當局者と經濟的交渉を行ひ結果は良好であつたと

十三日ベルリンからパリに到着した、久原氏は十三日の日曜を利用しパリ各地を訪問したなほ一行はフランスの經濟狀態視察のため十四日より多忙の一週間を送つた

第二回旅商隊
神戸出發

商工省後援第二回旅商隊第一班と第二班はともに十日正午神戸出帆の諏訪丸で

第一班　支那、南洋、佛領インド、シヤムおよび海峽植民地方面

第二班　インド、アフリカ方面へ出發した、旅商隊はそれ〴〵わが商工業界の代表として各種實業團體より推薦をうけ派遣されるわけであるが定めし出先國の商工業者をはじめ在留邦人の非常なる歡迎を受けることであらう

米の收穫豫想
總高六千八十一萬石

十月末日現在における米第二回豫想收獲高は六千八十一萬百八十石でこれを九月二十日現在における第一回豫想收獲高に比すれば六十八萬二千六百七十石（一分一厘）の減少を示したけだし第一回豫想後の天候は概して順調だつたとはいへ九月下旬曇天多く氣温又低かつたのと地方的には降雨病害虫等の被害あつたのによるらしい

最近五ケ年間における收穫高を揭ぐれば左の通り（單位石）

大正十一年	六〇、六九三、八五一
十二年	五五、四四四、〇八九
十三年	五七、一七〇、四一三
十四年	五九、七〇三、七四四
昭和元年	五五、八二一、六三二
二年　第一回豫想收穫高	六一、四九二、八五〇
第二回豫想收獲高	六〇、八一〇、一八〇
自大正十一年至昭和元年五ケ年平均	五七、七一八、九五四

一五二人で入國超加數は一、七八八人である。尙昨年度比島内外人出入狀況を示せば左記の如くである

國籍別	上陸者數	出國者數	入（＋）出（－）超加數
米國市民	四、〇四三	三、八八〇	（＋）一六三
比島市民	六、九三三	一一、五二六	（－）四、五九三
ハワイ	二九	五	（＋）二四
支那	一七、五二六	一三、二四二	（＋）四、二八四
日本	二、九四〇	一、一五二	（＋）一、七八八
英國	七六〇	七六九	（－）九
西班牙	四四三	四一四	（＋）二九
東印度人	一一八	八八	（＋）三〇
其他	七四九	五八九	（＋）一六〇
計	三三、五四一	三一、六六五	（＋）一、八七六

一九二六年聖州移入民
日本は第四位

昨年度サンパウロ洲移入民總數は九萬六千百六十二人にして前年に比し二萬二千八百二十七人増加を示し主たる移入民の國籍別は次の如く日本は第四位を示してゐる。

國籍別	移入民數
ルーマニア	一、五四七五
葡萄牙	一、五三七六
伊太利	八、五六四
日本	七、九二八
西班牙	六、四八五
リツアニア	五、五五二

ドイツ機近く日本入り

ドイツ訪日機近く香港、上海を經て我立川飛行場に飛來するはずであるがその際鹿兒島上空を通過するので十一月十日不時着その他萬一の際の手配した。

デルマニア號は九月二十日ドイツを出發して以來五十餘日あるひは行衞不明になりあるひは墜落や不時着を重ねて難航を續けて居るもので目下印度のアラハバットに滯在中であるとの報があつたがその以後は判然とした消息がない

日本晴の明治節

わが八千万民がひとしく國民的記念日として、こゝに初めてことほぎ奉るけふ三日の明治節は、全國津々浦々行く秋の空高く澄み晴れて、一しほ大帝に御ゆかり深き菊の香に、折柄諒闇のことゝてお祭り氣分のそれはなかつたけれども、いづれも國旗をかゝげ、業を休み、極めて嚴肅のうちにことほぎ奉つた。

貴院改革起る
新國体組織

しば〳〵貴院の改革は他方面から問題されてゐたが今回貴院内部より火の手が上り研究會近衞公外五公侯爵が同會を脱會した。これに呼應して無所屬倶樂部よりも八名の侯爵が近く脱會するらしく近衞公の膝下に集つて純粹なる公侯爵新團体を組織するに決した。近衞文麿公は「私は貴族院の使命と云ふ事を考へると其本分を盡す爲研究會より脱してよりよく新團体を造つた方が最善の途であると考へ今日同志と共に脱會したのである」云々と語つてゐる。

滿蒙五鐵道敷設
滿蒙交涉

滿蒙鐵道に關する正式協定調印遷延の事情について確聞するにさきにわが當局と張作霖氏との間に成立した諒解を基礎として常交通總長代理から山本滿鐵社長に交附の

吉林、會寧間△洮南、索倫間△吉林、海龍、開原間△新邱、林西間△長春、大賚間の五線

に關する覺書はこれによつて滿鐵當局が豫算を組立て外債を起こし、計畫を進めても差支へない程度の確實性を有するものであり、かつ細目交涉も大體諒解がついてゐるので、たとひ滿蒙交涉の全局から見て、さらに芳澤公使と大元帥府の全權との間にこれが正式の調印を必要としても、現に東三省で排日運動勃發のおそれある時に際し、調印を急ぐは奉天當局としても望ましからざるところでありまた日本側でも前記の覺書を握つた以上あわてる必要もなく、これがため正式協定の調印が延びてゐる次第であると

豫算で決つた
來年の渡伯補助移民
一萬二千人

昭和三年度豫算に發表されたブラジル移民獎勵費は九十二萬圓を増加して二百八十萬圓となり七千七百五十人から一萬二千人に増加されてゐる。これを彼我兩國から觀れば現在の渡航希望者は約三倍乃至四倍に達し今年の希望申込者は來年或は再年來に到らねば希望が達せられず狀態にあり更らに伯國の移民注文需要を海興の發表する所によれば昨年十一月より今年五月末迄の注文は二千二百八十三家族に達し、之に對し實際供給した數は四百九十二家族に過ぎず、今後移民の注文は益々增加すべく年内には總數五千家族に達すべき見込であると報じてゐる。即ち一家族を五人平均とすれば五千家族の需要を滿すには今年渡伯豫定移民の三倍以上のせねばならず玆に彼我いづれより觀るも少くとも二萬五千人乃至三萬人の奬勵費を計上せねば均衡を得ぬ事になる

墨大統領訪問
わが練習艦隊員

日本練習艦淺間磐手の兩艦はアメリカ海岸の巡航を終へて十一月六日から西メキシコ諸港を訪ひ永野司令官は主なる將校を引つれてマンザニロから鐵路メキシコ市に大統領カエヘス氏を訪問目下メキシコは不安狀態にあるが旣定旅程を實行してマンザニロ港を發し南太平洋に向つた

露視察團歸國

來朝中のロシア極東政府幹部視察團第一班マモーノフ農務省長官以下七名はそれぞれ專門の視察を行ひ七日の革命十周年記念祭參列のため五日敦賀出帆の敦浦聯絡船で歸路についた。

永田錦心死去

錦心流琵琶の開祖永田武雄氏（四三）は豫て腎臟炎で治療を受けて居たが三十日死去した。同氏は東京芝に生れ十七より薩摩琵琶に趣味を有ち一躍名を斯界に馳す、屢々御前演奏の光榮に浴し、現在門下六千名を越へ斯界に於ける最大勢力である

シアム皇帝御寄贈の
釋迦如來像奉迎式

シアム皇帝から名古屋市の日暹寺に贈られた釋迦如來像の奉迎式は十一月五日東京芝增上寺で擧行された日暹兩國旗がまばゆいばかりに張りめぐらされた大殿の須彌壇の上に金色にかゞやく二尺二寸の坐像が安置され、文部、外務兩大臣、大倉男から贈られた花輪で飾られる。やがて老若男女五千名が着席すると古式に則つた儀式が順次に進み、道重大僧正の讀經、シアム公使、文部、外務兩大臣の祝辭などあつて奏樂裏に式をとぢ東京驛發で名古屋日暹寺に送られた。

比島米輸出解禁と日本

一九一九年八月以來米の輸出を禁止しゐたる比島政府は本年十一月より四箇月間輸出を解禁した。

禁止當時は比島の産米高が島內の需要を充すに足らずして、年々消費高の一割乃至二割の米を佛領印度暹羅其他の國から輸入して居たのであるが、其頃適々前記諸國に於て米の輸出禁止、又は輸出制限を行たので、比島への輸入は殆ど杜絶の姿となり、其上米穀商が地方米の買占をなし、支那方面への輸出を計つた者ある爲、唯さへ比島の在米が逼迫を告げて居る折柄とて、米價は異常に上昂し、平準値の七、八割方騰貴し喧しき食糧問題を惹起するに至り、遂に當局は之が調節策を講ぜんとし、米の輸出を禁止したのである。

比律賓に於ける今年の米價は近年になき安値を辿り、特に下半期に入りてよりは比島米一等が、一「カバン」に付七「ペソ」臺を超えず（一「カバン」は我四斗一升二合五勺に當り、米の目方にして五十七瓩五である。以下一俵と書く又一「ペソ」は一弗の半分で、我約一圓に相當する。最近に至り島內米相場が一俵に付特等七「ペソ」八〇仙、一等七「ペソ」五〇仙、二等七「ペソ」二〇仙三等六「ペソ」九〇仙、と言ふ低價を示現したので、米穀關係者は窮狀に陷り、之が主因は産米夥多による在荷過剩であるから、救濟策として米の輸出解禁を行はんことを提唱し、比島總督に對し其會て發布したる輸出禁止令の撤廢方を請願するに至た。

比島米の輸出　輸出解禁に依る比島米搬出の目的地は、日本及支那であることは言ふを俟たない。支那への輸出は姑く措き、日本への輸出如何と言ふに主として價格の問題である。

理由は詳かでないが、大正十四年に九百五擔の比島米が日本に輸入せられ、稅關に於て七千圓に評價せられて居る。右の數量と價格より見れば一擔七圓七十三錢に當り稅關の價評方法に鑑みて、該値段は日本の輸入地に於ける市價と見做すことが出來る、而して同年日本に輸入せら

米國の招聘で
渡米する鶴見氏

米國の各種大學。宗敎團體、婦人團體及び學術團體等々七十餘ケ所から招かれた新人鶴見祐輔氏は日本の立場を說く講演の旅へ十一月二日橫濱出帆のプレシデントタフト號で渡米した

「私は後藤子と露國に同行する樣に噂されて居るが、自分は太平洋問題（殊に日米を中心とする）を研究する事を終生の仕事と心得てゐる以上露國など へ同行はしません、出來る事なら來年の三月一杯米國に滯留して講演したいと思ふが何分二月中旬以後は日本で是非せねばならぬ仕事があるので、それまでには歸國する考へです

米國人が日本人から聽かんと欲するものは第一「日本が支那及び、露國に對する態度」第二「支那の南北の爭に就き日本は如何に考へ、如何に爲すか」第三は「移民法案以來米國に對して日本はどんな考へを懷いて居るか」の三點に就て私は充分說明したいと思ひます

◇

尙九月に加奈陀で又復排日決議がありましたが、それにつき加奈陀の親日代表家とも云ふべき歐洲大戰當時加奈陀軍の總指揮官だつたクリー氏から是非私に來いと云つて來ましたから、私は今回出來る限り加奈陀に長く滯留して同大將と聯絡をとり排日黨に日本の態度を說明する考へで居ります斯樣な國際的の仕事は外務省の方々よりも役人でない私の方が反つてより良き効果が得られるとも思ひます』と

故原敬氏七周年法會

故政友會總裁原敬氏七周年追弔會は政友

會主催で四日午後二時から芝增上寺で田中首相をはじめ各閣僚、黨員、各方面の名士約五百名參列して嚴かに執行された

薄命の良榮丸

遭難船に同情集る

日本漁船良榮丸は昨年十一月五日以來不明となつてゐたが十一月二日偶然米國フラシタリ沖合で米船に發見された。良榮丸は和歌山縣西村藤井晉松氏の所有であつた船底には二名のミイラが發見され食糧は一切盡きて今や死の道を急ぐより外はない悲壯の契約があり死体がバラ〳〵にありがく骨が粉碎されてゐるものから察すれば激しい爭鬪が演ぜられたらしく精神錯亂の結果人肉相食む酷道に陷つたらしいのである。尙察するに乘込員は十一名であるらしい。右の良榮丸は昨年十二月二十三日太平洋上六百海里にわたり大暴風荒れ狂ふ際米船が發見して直ちに救助の信號を發したが良榮丸の船長三木は何故かこれを斷つて唯苦鬪戰の有樣を所有漁船主藤井に報らせて呉れとの事であつたからその難航を續けて斷末魔に陷つたらしい。此の報傳へられるや米國側の同情非常に集り良榮丸の無料送還をシヤトル駐在日本領事に申込み發見した米船長は海難救助金を不幸なる漁夫遺族におくりたいと申込んでゐる。

長江一帶亂る

十一月十三日以來蕪湖附近に土匪現はれ市中に入り込み各所に放火するなど暴行いたらざるなきため市民は大恐慌である。

武漢市中混亂

唐生智の引退により武漢は完全に南京派の手に歸し平和裏に政權の授受を行はれんことを希望し市中は少からず混亂してゐる。

揚子江戰事終息

南京軍は十三日武漢軍に對する停戰命令を下し揚子江流域は戰事終息した武漢の秩序は近く回復される。

れたる英領東印度佛領東印度よりの米は夫々一擔に付平均九圓七十五錢及九圓四十二錢に評價せられて居るに徵すれば比島米の日本に於ける市價は蘭貢米よりも低く、其丈米質も劣て居るものと見做すことが出來るであらう。假に六十斤の一擔を五十五比五の比島米一俵に相當すると想定し、日本に於て一俵九圓內外の西貢米蘭貢米及八圓內外の暹羅米に對抗せむ爲に、比島米を送るとせば比島米一俵の原價は幾何であるべきであらうか、卽ち比島米の日本向輸出は比島內の米價を何れ程引上げ得べきか疑問なきを得ないのである。

日比貿易狀況　本年上半期中の日比貿易總額は一千七百四十二萬四百二十五比、內本邦よりの輸入額九百七十一萬五十三比、本邦への輸出額七百七十萬三千九百七十二比を算し、結局二百萬比の入超となり、又前年同期に比し、輸入に於て百七十六萬比の減退であるが、輸出に於て僅か三十萬比の增加を呈した爲、結局貿易總額に於て約三十四萬比の減退となつて居る。

本邦よりの輸入品中主なるものは綿製品

信州記事

一千百二十萬圓內外

本縣來年度の豫算

本縣明年度豫算は歲出の總額についてはは各課の事業が未だ確定とならぬのではつきりした數字はわからないが大體一千百二十萬圓內外に切りつめやうとして苦心して居る模樣である而してこれに對する歲入は

稅收入約　七、一〇〇、〇〇〇
稅外收入約　三、〇〇〇、〇〇〇
起債約　一、〇〇〇、〇〇〇

內外といふところでバランスをとらうとして居る模樣である若し知事が高等政策的あらはれとして例の產業道路の計畫を一般財政と切り離して豫算を計上する場合は勢ひ以上の數字に若干の相違を來たすやも知れないが一般縣民疲弊の今日各種の稅收入に對する稅率增加を來さぬ樣目下庶務課では頭を惱まして居る

米作實收豫想

第一回より四分減

十月末日現在の本縣第二回米作實收豫想は百三十七萬二千六百十五石で第一回豫想に比し五萬七千九百二十石(四分)を減じたが昨年の實收額に比し四分を增し平年作に比しては四分を減じてゐるその原因は一般に氣溫高く八月中旬風と雨が多かつたのみならず稻熱病の發生甚だしかつたものであると。

師範は二部本體に

多年本縣敎育界の問題であつた師範學校の一部と二部いづれを中心とすべきかの

を始め、石炭、鑄寸、絹製品、蔬菜類、陶磁器、セメント、硝子製品、琺瑯鐵器麥稈袋、玩具、罐等である。

又比島より本邦へ輸出せられた商品中、麻、マゲー、砂糖、木材、カントン等重要なるものとして數へられ。就中マニラ麻の如きは其額五百三十八萬九千比の巨額に達し、輸出總額の七割を占めて居る。是等主要輸出品は何れも前年同期に比し增加し、減退を示して居るのは砂糖及椰子油位のものである。日比貿易品の搭載船舶を見るに、米國船舶は四割四分六厘を占め、本邦船舶は三割二分八厘英國船は一割六分二厘、又獨逸船は四分六厘を以て、夫々米、日兩國船に次で居る。以下單に之を輸入に於て見るときは、日本船は四割三分三厘を占め米國船の三割八分七厘、英國船の一割三分五厘、獨逸船の七厘の順次である。又輸出に於ては米國船の五割三分四厘を筆頭に、英國船の二割一分一厘、獨逸船の一割と云ふ割合で日本船は僅に一割五分を運送したに過ぎない狀態である。

移植民の來年度事業

外務省の新規事業は主として在外公館の

問題は遂に二部本體論と決して明年度豫算に取りあへず一部一學級減と二部二學級增を提案する事となつたがこれによつて一部九學級二部五學級專攻科三學級編成となり、順次一部を縮小し二部を擴張する方針を示したが所要經費は一學級に對し國庫から八千五百圓の補助があるので大體縣費の追增を要しない見込である

下諏訪塩尻線

松諏電鐵に免許

鐵道省では下諏訪、塩尻、松本間の鐵道計畫に對し、曩の仙石氏時代の省線敷設案の代りに、私鐵を免許する意嚮であつたが、愈々十月二十八日附を以て伊那筑摩、信濃三電氣會社の出願にかゝる松諏急行電氣鐵道に免許の指令を發した。而して戶田由美氏等によつて競願の形であつた諏訪松本鐵道の方は鐵道省の慫慂に基づく前記三社の計畫線の合同案が不調に終つた爲めに却下となつた。幹線は省線下諏訪驛を起點とし諏訪郡長地平野兩村東筑摩郡塩尻、片丘壽芳川の各町村を經由して省線松本驛に至る十五哩六十五鎖で、又支線は塩尻町同會社驛より省線塩尻驛まで一哩四十五鎖である

信濃革新クラブ組織

長野市の縣議戰が安協運動に終始しもつとも立憲的であらねばならぬ本縣の首都が普選最初に無投票に終つたことは一部既成政黨の橫暴によるものであるとの理由で信濃革正クラブを組織し既成政黨に超越して新政治團體として沈滯せる空氣を一掃すべく新運動を起すとゝなつた、尙綱領は左の通り

一、政治の研究
一、選擧界の革正
一、地方自治の刷新

神宮スキー飯山で開く

神宮競技にはじめて加へられたスキーは全國大會の場所を新潟縣高田市付近と決定したが

新設と外交の經濟化に關するものである卽ちペルシヤ公使館新設費二十一萬三千圓はペルシヤとの通商條約締結の運びに至る模樣を見越しての豫算で領事館新設費(イルクーツク、モンバサ、サントス)十八萬九千圓領事館書記生特別任用擴張費九萬二千圓海外經濟事情調查費十萬圓はいづれも國民經濟外交の實施費に外ならぬ、これは從來はやゝもすれば外交は單に口先だけであつたがこれからは經濟的な立場からその內容を豐富にすることが必要であると進んで未開國と外交關係を取り結び原料精製品等彼我の國情に適した商品を適度に有無相通ぜんとするものである

移民保護獎勵費百二十九萬一千圓は各植民地の病院とか學校の補助倉庫ふ頭の新設と言ふ方面に使用するものであるそれから在外公館改善費二十六萬六千圓と米佛伊大使館敷地および家屋買收費二百七十四萬五千圓は外交官體面論から割りだしたものでろくな仕事も出來ないくせにダンスばかりやつて居る外交官に體面論は片腹痛いといつも實現しなかつたものだ、ところが田中

本縣の豫選は大體飯山で開く豫定で縣も昨年から繼續工事中の飯山のスキー場を本年は是非とも完成するに決しシヤンテエの下に八十間以上の滑走場を理想的斜度に改造するはずであると

阪北驛開通

中央線麻績、西條間に新設された阪北驛は來る十一月三日明治節の佳辰をトして營業開始に決定したので二十八日構內に於ける試運轉を行ふ事になつた

牟禮豐野間に一驛

鐵道省では豫て請願にかゝる中間驛の設置につき全國百七十余の出願中より六十二驛を選定し更に十四驛設置に決し、本縣にては信越線牟禮豐野間に一驛設置に決定明年以降において建築に着手すこととなつた

松本局昇格

遞信省では明年度郵便機關の增置擴張並に請願による通信機關の增置擴張費として約四十萬圓計上され內二三等郵便局の昇格に關する內松本局を一等郵便局に昇格することに決定した。

諏訪盆地に死を求める

一月以降三十六人

最近諏訪盆地に死を求める者激增して轢死溺死變死は本年一月以降十月迄に計三十六人で死神のいたづらか命を鴻毛よりよろしとする者の多いのかそれとも社會の罪かお互の胸に問いかける。

農講生の盟休問題

二旬にして解決

本縣農事試驗場に併設されてある農村の指導養成にある農事講習所生徒一同は現農事試驗場長及び不良敎諭の排斥を企てたが一同は所長より自宅謹愼命を受け端しなくも事件は擴大して縣會議員等の奔走となり縣當局も痛く論難されて徒らに生徒のみに罪を來せしめる傾向あり本縣農界の改革上唯々數問題となつた。生徒

發揮外相のお蔭がかりでやうやくものになつて霞ケ關の連中がホッと一息したとやら

× × ×

移植保護獎勵費增九十二萬圓はブラジル移民を本年度に比し四千人增加して一萬二千人を送らんとするもの海外企業移民助成費增五十三萬圓は海外移住組合によつて移民に貸付した現在の八組合を來年度は更に八組合を增加せんとするもので追加豫算には八組合の經費百八十萬圓を計上する豫定であると

拓殖省設置

豫算百萬圓計上

政府は多年の懸案である拓植省を設置することに決定し來年度豫算に追加承認を求めることになり三土藏相から右に關する經費百萬圓を計上する旨報告した。

各府縣に海外協會設立

追加豫算に三百萬圓要求

人口食糧問題解決の一策として內務外務兩省は人口食糧問題調查會特別委員會の答申案を參考に資し、その中特に急を要する左記の案件(大要)を明年度より實施

一同は本邦農業界の人格者加藤正治氏の經營する茨城縣の國民高等學校に身を寄せ一方代表の生徒は初志の貫徹のため縣會議員を歴訪して詳さに事の內容を語り遂に問題の調停に乘り出さしめた。

斯くて平野前縣議長山本縣農會副會長上條縣議等が調停に入り一と先づ生徒全部を茨城より歸鄕せしめ十三日生徒は今回の行動のみを陳謝し所長よりは自宅謹愼命令を徹回して授業を開始することになり兎に角一段落となつたがこれにより問題は表面穩かの樣であるが未だ問題の核心に觸れる事甚だ遠い觀あり或ひはこれを前提として本縣農界に精神的の一大改革が行はれんかと觀察する者も少くない樣である

澤柳博士歸朝

ブラジルから歐州を視察中であつた澤柳政太郎博士は十一月十一日關釜連絡船で歸朝した

植原參與官支那政情視察

植原外務參與官は來る廿日東京を出發し約四十日間の豫定で支那政情の視察をなすことに決定した豫定は上海から長江筋各地を經て山東に出て北京、滿州朝鮮主要市に立寄るはず

宮下幹事の南洋視察
企業と移住の二大眼目

政府は南洋方面の資源開發と移民に關する必要なる調査に先頃新嘉坡總領事中嶋淸一郎氏は上京種々打合せる所あつたが今回ジヤワ・スマトラ・セレベス・ボルネオ馬來半嶋の諸地方について視察員を派遣する事になり既に中島氏の一行は十一月十日の便船で同地方に赴いた。

これと前後して同地方の視察に計劃中であつた本會幹事宮下琢磨氏も二十四日の長崎丸で赴くことになり、シンガポールには來月九日頃到着の豫定で同地で視察員の一行と會合打ち合せの豫定であると今回の視察報告に基づく具体案は南洋資源開發に大なる期待を許さるるとの事である。

することに決定し、昭和三年度追加豫算として約三百万圓を要求することに內定した

一、植民學校を助成發達せしむるため永田氏經營の海外學校（札幌）崎山氏經營の植民學校に對し補助金の交付または增額をなす

二、全國各地に現存する十余の海外協會は早晩移住組合の組織を變更することになるので、それと同時に企業を目的とした海外協會を社會的團體に改め、大體全國各府縣に一協會の設立を奬勵し同協會に補助奬勵金を交付し海外移住組合組織の下準備をなすとともに地方海外の移住者に對しては後援團體として內外の連絡の衝に當らしめる

三、新たに常設殖産博物館を設け各地移住民の實狀を模型をもつて紹介し移民熱を鼓吹する同博物館は鐵筋コンクリート三階建敷地およそ三千坪の大建物で候補地としては東京小石川造兵廠跡が物色され、建築總額は約三千萬圓を豫算に要求するはず

また對外政策として注目すべきは植民研究所の新設で、その組織および機能は大體左の通りである

協會記事

海外視察組合設立（續き）

上水內郡柳原村組合

組合長 佐藤喜太郎
宮澤德太郎
北岡留作
坂本喜市
今井大太郎
市川善藏
上野直右エ門
榎本量平
小池幸家
西澤伊助
深澤照雄

上水內郡榮村組合

組合長 檀原賢男
宮島鶴吉
檀原薰
吉原信一
增田珍儀
和田義章
內山利男
淸水重雄
大久保武雄
小林英喜
松尾直利
笠井錦米太
淸水益次
堀內熊治
小山幸平

上水內郡七二會村組合

組合長 小林信一
溝口君太
石坂金一郎
下條茂
下條友之助
峯村福治
下條朝重
青木朝智

一、我國人の生活狀態は諸外國人に誤解されてゐるから我國人の生活の實狀をフイルムにをさめ諸外國で映寫して我國民の眞實の生活狀態を紹介しパンフレツトを配布する

二、植民地における衞生狀態殊に邦人に多い消化器傳染病などが常に問題となるのに鑑み斯界の大家を聘し植民地における衞生狀態を科學的に研究調査しまたは直接植民地に派して指導をなさしめること

三、移民圖書館を新設して通俗的には殖産博物館、科學的には植民研究所の擴張により海外思想の普及をなしかつ簡易圖書館の新設によりその趣旨を徹底せしめること

四、內務省は移民保護官を設け移民の保護、船中において移民地の實狀および風俗習慣を教示し且つ必須知識を授け移住民地では更に領事館に移民保護官を設け農業の指導奬勵に當り、または法律問題の相談に應ずるため各専門家を派遣する、また南洋方面の企業移民の便をはかるため長崎に移民收容所を設けることに內定

小池正信
溝口益美

上水內郡高岡村組合

組合長 笠井林藏
小林力造
井澤祐利
北條寛次
丸山鼎吉
井澤連
川口漸
淸水周平
戸谷訓次
平塚庄吉
富岡和兵衛
石井唯治
藤縄庄一郎
上野幸平
寺島英夫
德武寛藏
小林實
德竹榮治
金井小市郎
小山英雄

上水內郡古里村組合

組合長 小山勝太郎
藤澤専治
宮澤元助
柄澤文作
小林喜美治
米倉貞三
內堀平太郎
田原貞司郎
竹中三吉
青木源治郎
寺島保
小林茂作

更級郡青木島村組合

組合長 蟻川政治郎
伊藤新太郎
柳島慶作
柳嶋忠造
小山孚
小山逢之助
小山藤太郎
岡村初五郎
小林英一郎

宮下謙多

更級郡眞島村組合

組合長 北村儀藏
宮澤嘉左衞
北村良平
中澤貞五郎
小山光美
中澤藤太郎
吉田芳雄
北村德右ヱ門
中村柳治

支部會費領收

一金貳百圓也 米國北加 信濃海外協會殿
一金壹百圓也 伯國レヂストロ支部殿
一金五百圓也 東京支部殿

十一月のアリアンサ渡航者

十一月二十六日神戸出帆サントス丸アリアンサ移住地渡航者は左の四家族二十一名である。同船は明年一月十二日目的港サントスに入港の豫定である。（前號所載の十月便船渡航者は羽原貫一家族のみにつき訂正す）

香川縣香川郡雌雄嶋村 丸高藤一 四人
香川縣香川郡安原村 藤澤繁一 三人
新潟縣北蒲原郡中浦村 梅川誠治 八人
新潟縣北蒲原郡笹岡村 酒井重治 六人

新會員（自九月十六日至十一月十五日）

長野市南長池 岡宮利次
岡山縣苫田郡芳野村 椋代敬一郎
南佐久郡櫻井村 跡部勵夫
西筑摩上松町 上原薰
南佐久郡田口村 高橋貞之助
東京市淺草區千束町 西村誠
北佐久郡本牧村 眞田仁助
松本市日之出町中倉會社內 花岡武人
東筑摩郡島立村 淺野作雄
更級郡鹽崎村 宮本喜代雄

會費領收（自昭和二年九月十六日至昭和二年十一月二十日）

一金貳圓貳拾錢也 本年度分 岡宮利次殿
一金貳圓貳拾錢也 同 中川順平殿
一金貳圓也 同 松井貞治殿
一金貳圓也 同 太田宗一殿
一金拾四圓也 同 更級郡信里村視察組合殿
一金拾圓也 雜誌購讀料 黑河內省一郎殿
一金貳圓也 本年度分 上條定賓殿
一金貳圓也 同 北澤たか井殿
一金貳圓也 同 小林龜松殿
一金貳圓也 同 渡邊啓二郎殿
一金貳圓也 同 關義秀殿
一金參拾圓也 本年度分 更級農學校視察組合殿
一金貳圓也 本年度分 掛川良平殿
一金貳圓也 同 畔上日義殿
一金貳圓也 同 佐原正男殿
一金貳圓也 同 倉石大二郎殿
一金貳圓也 同 清水榮之助殿
一金貳圓也 同 雨宮博殿
一金貳圓也 同 關庸殿
一金貳圓也 同 西澤善十郎殿
一金貳圓也 同 荻原惠治殿
一金貳圓也 同 宮入汎省殿
一金貳圓也 同 中村熊三郎殿
一金貳圓也 本年度分 長谷部眞一殿
一金貳圓也 同 矢島進殿
一金貳圓也 同 深堀[illegible]次殿
一金貳圓也 同 中村禮三殿
一金貳圓也 同 小林英一郎殿
一金貳圓貳拾錢也 同 河西吉郎殿
一金貳圓也 同 清水友次郎殿
一金貳圓也 同 上原薰殿
一金貳圓也 同 跡部勵夫殿
一金貳圓也 同 花岡武人殿
一金參圓也 同 佐藤力夫殿
一金貳圓也 同 宮本喜代雄殿
一金拾圓拾四錢也 在倫敦 久保德美殿
一金參拾壹圓九拾貳錢也 在伯國 笹澤新殿
一金拾圓也 アリアンサ渡航者 梅川誠治殿
一金拾圓五拾五錢也 在ダバオ 上原正躬殿
一金拾圓五拾五錢也 在ダバオ 瀧澤計男殿
一金五圓也 アリアンサ渡航者 高橋武殿

編輯雜記

▲だん〳〵寒くなつて來た。又してもさむい冬を送らねばならぬとは厭のこと。然しながらはちきれる樣な緊張味で酷寒を戰へばそのさきには蕩々春風の世界を展開されてゐる。

▲宮下琢磨氏のレジストロの信州人は私共が常に不安と疑問を持つてゐた二點についてよく説明されてゐる。レジストロに居る信州人が一致團結していよ〳〵健在に活動してゐることはどれほど私共の喜びであるかわからない。尙本會の海外支部現勢につきレジストロの支部から一番早くその回答に接した事は何よりの喜びである他の諸支部からの報告と共に發表を急ひでゐる。

▲玖馬事情は本稿を以て終つた。我々の進出すべき世界の富源未開地は未だ澤山あるが玖馬もその一つである。しかも同地には大平氏の如き大先輩を持つ我々は非常に力強く思ふ次第である。

▲移住地閑話の筆者、武田氏はしば〳〵本誌に寄稿してゐるが今回大玉稿を寄せて來た。たゞ本誌の紙數の足らざるが故に十分なる頁數を提供出來ぬのが遺憾である。同氏の如き博學を以てするどい科學的の觀察が我々に不覺の內に多量の智識を與へて吳れる。

▲母國通信、信州記事中移植民關係の記事は明年度豫算編成にあたり政府より發表されたものであるがどの位の程度迄に實現出來るものなりや否やに多くの期待を持たれないと云はれてゐるが我々は不信と不確實を嘆ずることなくより以上の活動を望んでゐる。

▲拓殖省設置については本誌六十四號に逸早く報道したが政府は百萬圓の經費を追加豫算に計上することになり、明年七月より開始されることになつてゐると。

▲海外視察組合が北信四郡に設立されて今多は中信から南信の各郡町村に活動せんとしてゐる。設立された各町村について「海外視察組合設立町村巡禮記」を本誌に發表して忌憚なき感想と村柄について筆者獨特の鋒を進め合せて在外者の鄉土狀況にあてたいと考へてゐる。

▲本誌六十號冠頭言に歸朝者と題して一論を試みたが本縣の在外者が今年になつて一段と北米から南米から南洋から滿州から歸國する者が增へて來た。その多くのものは迎妻、老父母親戚慰問、展墓等で拾數年振りの歸國である。中には更らに老母を伴ひ、一家を纏めて再擧し數ケ月の後には再び新天地に活動してゐる。彼我相接近して彼の地の事情が詳らかになることは歸國者唯一の賜である。

寄稿歡迎　海の外社

海の外

定價	內地	外國
一部	廿錢	廿仙
半ヶ年	一圓十錢	一弗十仙
一ヶ年	二圓廿錢	二弗廿仙
送料共		

注意
▲御註文は凡て前金に申受く
▲廣告料は御照會次第詳細通知致します
▲御拂込は振替に依らるゝが最も便利です

昭和二年十一月二十五日
編輯人　永田稠
發行兼印刷人　西澤太一郎
印刷所　長野市南縣町　信濃每日新聞社
發行所　長野市長野縣廳內　海の外社
振替口座長野二一四〇番　信濃海外協會

日本力行會長
永田稠著

海外立志傳

四六判、四百二十頁
定價金二圓（送料金十八錢）

私は年少の頃、英雄豪傑や、知名の成功者の傳記を讀んだ後で「俺はトテモ此人の様には成れない」と失望するのであつた。ナポレオンや豐臣秀吉や西郷南洲等の傳記が私に與へた一種の悲哀は皆さうであつた。それで私は「若し私が立志傳を書く時が來たら、讀者に悲觀されない様な傳記を書き度い」と希ふて居た。今や其の希ふた時が來たのである。本書中の人々は、皆、私共と殆んど同じ境遇に生れ略同じ程度の教育を受けた者で「此位の事なら僕にも出來やう」と讀者は必ず感ずるに相違ないと思ふ。私は此傳記の内に記されたる人々が、他日ナポレオンであり、秀吉であり、南洲である事を希ふては居るが、よしんば、現在の其儘で終つたとするも後進の讀者の爲に多大の感激を與ふる筈であると考ふる者である。（序文の一節より）

第二版

南米再巡

菊版四百廿四頁、寫眞版三十頁
布製函入
定價金貳圓八拾錢（送料一冊拾八錢）

永田氏は信州の生める一異才である。嘗て南米を一週して『南米一巡』を著はし、信州に來つて信濃海外協會の組織に努力し、更に『南米信濃村建設』に關する大使命を帶びて、大正十三年五月末横濱を出帆し、布哇、北米桑港、ローサンゼルス各地に於ては海外協會支部の設立に盡力しソートレーキ市にもモルモン宗教植民の跡をたづね、デンヴア、シカゴを經て華府に至り紐育より大西洋を南下してブラジルに至り、植移住地の選定、購入、入植の準備をなし、大正十四年二月日本に歸り來り、更に信濃村大成の爲めに努力奮闘し、今や模範的にして世界に誇り得る移住地が建設されつゝある。『南米再巡』は氏が南北兩米を再巡せる記録である志を世界に有する者の一日も看過することの出來ない快著である。

長野縣廳內　信濃海外協會　振替長野二一四〇番

各汽船會社專屬元扱

日本郵船會社
大阪商船會社
ダラー汽船會社
加奈陀汽船會社
アドミラル汽船會社
南洋郵船會社

日本力行會、信濃、廣島、和歌山
福岡、熊本、沖繩　各縣海外協會　指定旅館

海外渡航乘客荷物取扱所

今泉旅館

本店　神戸市海岸通六丁目三番邸
支店　神戸市榮町通五丁目六八番邸
長電話元町三二一番
振替大阪三五四一〇番

海の外—THE UMINOSOTO
Published Monthly by the Uminosoto Sha. Nagano, Japan.

「海の外」第六十六號（昭和二年十一月）（毎月一回發行）

南米定期船の開祖

過去約二十年間多數移民御客輸送の經驗より得たる

獨特の船內衞生設備待遇を以て

御乘船を迎へて居ります。

御蔭を以て今や米國へは東西兩岸四つの相異れる客船航路使用十八隻を運航して居ります。

南米東岸行（ブラジル、アルゼンチン行）月一回
南米西岸行（メキシコ、パナマ、ペルー、チリー行）月一回
桑港行（ホノルル經由）二週一回
シヤトル行（ヴヰクトリア經由）月二回

尙馬尼剌、ダバオへも當社濠洲航船が月一回通つて居ります。

東京市丸ノ內郵船ビルデング
日本郵船株式會社

（大正十一年四月廿六日第三種郵便物認可）（昭和二年十一月廿五日發行）

信濃海外協會
海の外社發行

目次（第六十七號）

移植民ニウース

レジストロの信州人

リベーラ河畔の別れ

曲尾良雄氏宅に集りし人々

秋山君宅會合

曲尾良雄氏と其の家族

郷土の初冬（長野市郊外所見）

海の外

第六十七號　（昭和二年）（十二月）

本誌を通ずる昭和二年

昭和二年の歳末に際し本誌を通じて過去の一歳を顧る。

諒闇胸に痛みて靜かに新春を迎へ本誌は冠頭に昭和の御代と筆と執つて本誌の使命と目する所に猛進を誓つた。信濃海外協會は今年に到つて更らに一段の活躍を試み横に廣く縱に長く有、無形の二様に進出するを得た。「海の外」も今年の移植民界に筆を投じその收拾に誤らず天下の公器としてよく働らいて來た。

筆を斯界に大書するとせば第五十二帝國議會の內外關係とアリアンサの紀念會がそれに値すべく、在外先輩の連絡と近接、在外先輩の意義ある歸國者增加と訪會者は曾てみざる好成績であり、在外者の調査は尙續行中であるがいづれも進捗した。それにしても列車衝突事件は忘れ難い一事であつた。

海外視察組合が時宜に適し經濟界の不況を超越して成績の豫期を突破しつゝあるのは何よりの感喜である。

總裁以下各役員の異動から本縣出身有識者の二顧問六相談役の推薦は本協會の存位を益々高らしめたものである。

斯くして本協會は此處に六週年を終らんとし愈々面目躍如として內外相共に攜へ向上發展の途にあり益その使命を發揮せんとしてゐる。

總裁以下各役員在外各支部役員の御奮闘と、內外會員、關係各位の御盡力と御援助に深謝の外はない次第である。（二、一二、一〇）

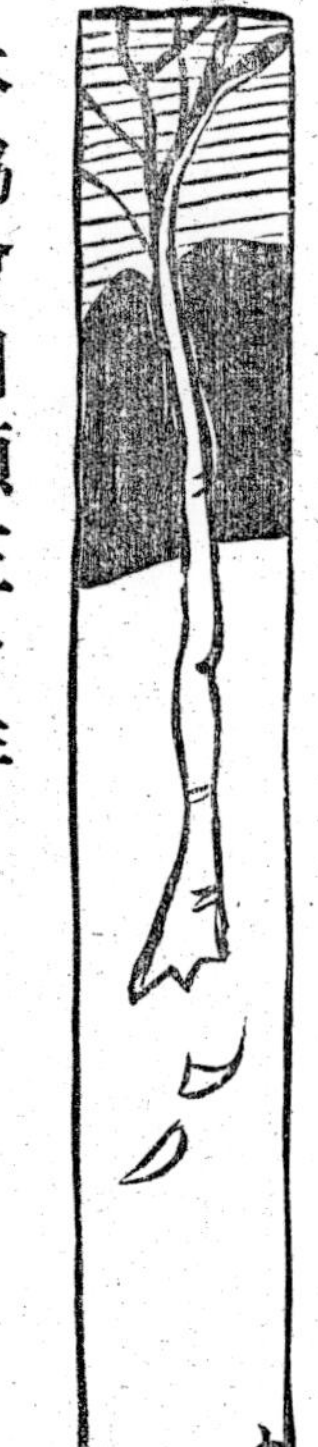

本協會回顧三ヶ年

幹事　西澤太一郎

追懷と躍進の計

昭和新政の二年も暮れに迫つた。正しき現在を、正しく如實に見つめて、その力強く正善なる第一步を、新玉の初日の光りと共に踏み出さんには、少くとも深刻なる反省と、周密なる熟慮と、新たなる旺盛の生命力の發揮とを必要とする。是れを省み、是れを審かにして、始めて新運命の開拓と、新境涯の創造とを豊かにして美しき眞生活は生れ、永劫無邊の天地と共に其の道を同じうし其則を越えず、宇宙の大道、大自然の眞生命に卽するの神人合一の境涯に入り得るのである。反省と躍進、吾等の寸時も忘るゝ事の出來ない生活である。回顧三ヶ年、百年の大計を立てんとするものである。

協會員たる者の誇り

靈と肉との一致、形と相との一体、有形無形の一致、物神の一体合一は其本質の渾和美であるはもとより完成の極である。凡そ協會の如き團体は、その會員の一人一人と協會全体との有機的系統的關係に於て、少くとも全体と部分、部分と全体の意識に於て完全なる自覺と統一のある事によつてのみ十分なる發展を望み得るものである。

我が協會の會員に於ても、未だその實を徹する事の出來なかつたのが二三年前迄の實狀であつた。國の內外に同志會員二千五百名と呼び三千有餘名と稱して、然かも尙其內面的の自覺に於て遺憾の點が少なくなかつた。

機關誌が配布される、會費のお督促が來たので海外協會は一体何處にあるのか、協會はいか樣の仕事をして居るのか、自分は海外協會の會員ではないつもりだつた、いや自分はとうに協會の會員は脫けたつもりであつたなどといふ樣な實際が所謂會員の一分子であつた。從がつて會費などは協會の創立以來納めた事がないなどの會員が幾百人とあつた事實が顧る過去の幽靈會員でもあつたのだ。然しながら時代の新運と海外發展の國家的國民的の必要とは今や其面目を一新するに至つた。

『海の外』を早く送つてくれ、發行の日を早くしてくれ、記事に南洋事情を入れてくれ、滿蒙の事情を加へてくれ、キューバもメキシコも入れてくれ、雜誌の紙數も豊富にしてくれと要求がその間に熱烈なる一個の勢力となり協會自体の必然的活動が促がされるまでに及び、會費の御催促をせずとも來年の分迄も拂ひ込む樣な眞劍な會員が大分多くなつて來た。お催告を申し上げても納入日の遲延を申し譯けないと手紙を添へて來る誠意のある會員が多くなつて來た。汽車の中でも電車の中でも自動車に乘合せても、ブラジルがどうの、やれメキシコがどうの、やれ滿蒙がどうの、麻の値がどうの貿易がどうのといふ話が多くなつた、何處の某氏はブラジルに土地を購ふた。某氏は比島ダバオの麻山を十五町步經營したとの事だ、某氏はメキシコで農園を始めた。某氏はキューバ島で果樹園を拓いて大分成功したとか言ふ會話が信州の地方的交通機關の車內で屢々耳にする事が多くなつて來た。協會の話が出ると一面識もなかつた人からいや私は始めから會員であつたとか、いや僕は一昨年から會員で機關誌を讀んで居ます只今は何處へ渡航する計畫ですとか、私は力行會の雜誌を讀んで居ますとか云ふ人が縣下の各地に隨分と多くなつて來た。そして協會員とか、力行會員とか云ふ事を名譽とし一種の誇りがましい樣な氣分になつてゐる。眞に國家の爲めに、邦家海外發展の大道の爲めに慶賀に堪えぬ所であると信ずる。更に一步を進めて、海外發展を論策し移植民施設を畫し、世界の各地に雄飛奮闘するの憂國の志士の天下隨處に現れ出ずるに至らんことを希ひ望むのである。

海外協會は金持ちや

海外協會は營利會社ではない。海外協會は商工業や農業の經營をして利益を自らあげる爲めの團体ではない、金をためたら、立派な家を造つたり、田地を買つたりして、富を造り財物を蓄へ、所謂金持になる爲めの會ではない。

我國民我民族の海外發展の運動を通して、我天稟の運命を開拓し、我環境を正善眞美の境たらしめ信と仰と利と健と强との生活たらしめ、世界の文化と人類の眞の幸福と平和とに貢献し、以て永劫無窮の天地の化育に參劃し、宇宙の大道を開鑿し、努力奮鬪、献身奉仕の同志の精神的結合であらねばならぬ。時あつては貧、時によりては富む、貧富元より會業の盛衰をなす因たるには相違なきも、海外協會の根本精神には何等の動搖をなすべきではない。

然かしながら會運惠まれざりし過去の三年は歳終年末にもあらざるに、債鬼四方より來りて、來る月も又來る月も財嚢常に空しく、機關雜誌の發行にすら事かきたる事あり、通信用の切手の購入に苦しみ、筆墨の資に窮乏したりし昔日に比すれば、今日の協會の財政は決して貧弱なるものに非らず、全國の此の種の協會に比し又廳內各種の公益團体に比して、敢て遜色なしと稱し得るであらう。

吾等は貧と富、順と逆、苦と樂の如き元より海外發展の大精神より又大道の上より、更に眼中にあらざるもの、浮雲の如く、まぼろしの如くに思ふなれども過去三年の財政に比し協會は金持ではないかとの言、あまりに腹立つ譯には行かぬ。昭和の二年を迩るに當りて我協會員三千餘名全世界に亘り協力一致、邦家海外發展の爲めに益々努力せんのみ。

協會は何處に

大正は十四年、信濃海外協會の事務所を訪ね、其の事務の引きつぎを受けんとしたる頃、廳內何處にあるやら更に知れず階上階下二巡してやつとの事で見付出した事がある。

今日電信電話郵便物なども、協會要務に訪ねる方も、事務所の發見に苦しむ人はない、汽車に乘つても、東京へ行つても大阪へ行つても、ブラジルや、メキシコや、南洋へ行つても滿蒙へ行つても、信濃海外協會の名を知つて居る人が增いて來た。希くは今後世界到る處に我協會の名を知らない者のなくなる樣に念願する。

歸朝早々協會へ

南洋に、北米に、メキシコに、滿蒙に又ブラジルに遠く異鄉萬里の地に、十數年の奮鬪をつゞけ、此懷かしき母國に、錦を飾りて、歸朝せらるゝ勇士の中、勇み踊る胸を押へつゝ萬友知己を音づれるよりも先きに、先づ協會へ足を止め、異鄉の慘逑に歸國の談に花を咲かせてから、我家へ歸らるゝと云ふ人々の多くなつた事は、實に最近二三ケ年の珍らしい難有き事實である。

協會へ訪れる町村長、視察や調査に來られるお歷々が近頃中々多い。何々縣會議員とか、何々縣社會課長とか、何々協會理事とかいふ樣な海外協會事業や狀況の視察や調査に來られる人や、ブラジルへ行きたい、比島へ行きたい、メキシコへ行きたい北米へ行きたい、ブラジルへ行きたいなどと協會へ訪ねて來られる人の多くなつて來たのには驚くばかりである。協會はいつも〳〵滿員である、室が挾くていつも困つて居る、三年前は役員が二人机が二ツ、訪ぬる人は借金取りのみといつた位であつたが、今では如何にも協會らしくなつて來た。

今後は應接係の專問が入り、說明係りが五六人もいる樣になる事であらう。

事業達成の奔走

海外の視察、調査何よりも大切な事である旅行も又趣味深い。此種の組織や計劃を望むものが多い。各町村に續々出來て來た。海外視察組合は固より此の要求に添ふ目的のものである。海外發展の講習や講演を申込む青年會や婦人會や學校が非常に增加し三年前とは雲泥の差である。邦家の爲め感謝にたへぬ。

ありあんさ移住地の回顧

關東の大震火災の後、世を擧げて經濟界の不況の折から兎に角にも地球の向側へ、信濃村（ありあんさ移住地）の建設の計劃と資金寄附募集を始めて以來十六万圓を完了したのは昨年の末である。第一回の入植者の入つたは十四年の六月現今では百三十戶八百四五十名となつた。二十五町步一家族主義で五千五百町步は十四年末に處分完了し、十五年三千二百五十町步昭和二年一月三千町步を追加して壹万貳千町步近く皆處分し完了してしまつた。

收容所、學校、醫局、製米所、製材所と色々の設計も出來施設され學校の先生となるべき男女兩師範の選拔生三名も明春二月の船で渡伯する。珈琲も實がなりバナナも熟し雞や豚も牛馬もどし〳〵殖える。文化村の基礎は出來た。

鳥取、富山、熊本の縣でも移住地が創設された。移住組合法も執行され伯國へ數千万町步購入される移住組合も續々出來る。回顧三年我が移植民界は大した進出を見たものである。

海外發展の世界網

協會本部も海外支部も基礎强固となつた。官民一致內外協力海外發展の世界網を造らん。

（了）

レジストロの信州人（五）

幹事　宮下琢磨

大瀧生産組合

大瀧生産組合は、大正九年三月砂糖製造の目的で設立されたのである、組合の諸君は

東筑摩郡波多村上赤松　深澤深一君
長野市長門町　和田陸衛君
埴科郡中之條村　中島貞雄君
小縣郡塩田村　山寺融君
更級郡川中島村　大室助治君
上水內郡朝陽村　高野實君
下高井郡高丘村　小林武次郎君

であつた。

第一期工事竣工は大正十年三月で、其の翌四月から砂糖製造に着手した譯である、之が翌十一年九月の大洪水で、苦心の結果漸く出來上がつた此の組合も、河川利用の堤防が破壞したので、經費支出の途つかず解散と云ふことになつた。

そこで前記のうち深澤深一君、和田陸衛君、中島貞雄君の外加藤吉松が加盟して、復活の相談になつて、再び工事を起し大正十三年十一月竣工を告げ　砂糖黍からピンガ製造を開始することゝなり、翌十四年一月ピンガ製造が終り、十四年六月から組織をあらため　規模も擴張した　組合員は左の諸氏である

上伊那郡長藤村　深澤深一君
東筑摩郡生坂村　和田陸衛君
　池上熊治郎君
南安曇郡安曇村　田仲益雄君
　加藤吉松君
東筑摩郡生坂村　中村識枝君

上伊那郡長藤村　伊藤實美君
東筑摩郡波多村　深澤傳君

大正十四年八月に一切の設備を了へ、直にピンガ製造に着手して、翌年一月に終つた、生産額は八十リツトル入三百樽十五年度は第一第二の二工場で六月一日からピンガ製造に着手の豫定であるとのことであつた。

深澤君が一行に加はつて時間も切迫して居るので　馬に鞭を加へて、秋山尊一郎氏の宅に向つた、此處で晝食を頂戴した。

集まつた諸君は左の方々であつた、予はブラジルに於ての養蠶の可能性のあること、サンパウロ政府の養蠶奬勵の方針施設などについて談じた。

皆同感であつた、特に秋山君などは桑苗の栽培を試みて居るやうの話であつた。

秋山氏宅に集まりし人

上伊那郡七久保村　那須野喜平君
長野市　村田政勝君
上水內郡朝陽村　高野稔君
長野市　金子繁松君
埴科郡抗瀨下村　中澤廣元君
小縣郡禰津村　花岡賢君
埴科郡雨宮村　青柳新治君

中央會舘青年の集り

今日は中央會館で青年が集まりて待ちて居ると言ふので、復た馬にのりてボツ〳〵出懸けた、中島君の處によりて休憩して居る、窓外雨しきりと降る。

前日集まつた諸君は、多くは家長の連中であつたので、今日は青年が集まつたのだと云ふ、私は「植民地建設と青年の使命」と云ふ題で、完全なる新世界を建設するについての理想を語り、これは青年諸君の努力に俟たなければならぬ、と云ふ意味で語つた。

青年は實である、青年には未來があり、希望があり活氣がある、「イグアツペ」も是れ迄は只落ちつかんが爲めの努力であり、生きんが爲めの奮鬪であつた、是れからは意義ある生活の實現であり、理想ある社會の建設である、日本人は永い間の武家政治で、門地格式などで治まつて居た國で、自ら統制ある社會を建設するなどは長所でない、アングロサクソン人種が新天地へ行けば互に自治制を以つて社會を作る、支那人は何處へ行つても、經濟的の組織ある社會を作つてしまふ、日本人は權力爭奪や孤々特立の一騎驅けの爲めに、いつも一番大事なことを忘れて居る、購買組合一ツが完全に行かぬ、イグアツペとしても小學校を了へたるものゝ教育を如何にするか、農業加工業は如何、販賣方法は如何、金融機關は如何、精神修養慰安の途は如何、凡べてが青年の双肩にかゝ

つて居る問題である。予は青年諸君に大なる望を擧げた。

雨は晴れた、庭前にて一同撮影

× × ×

此の夜は中島君の處で夕食を頂戴した、此の町に第四部の主なる諸君が下の店の方に集まつて、何かゴタ〳〵やつて居つたやうであつだが、後で聞くと學校敷地問題で地主との間に土地を寄附するとかしないとかの問題で行き違ひがあつて、話がうまく行かず有志がいろいろ心配して居たが、昨日の話で感じたので話は速に解決したと云ふて非常に喜んで其の經過などを語り御禮を言ふのであつた。此れ等の連中と十二時迄も談した。

中島君の處で グツスリよく眠る朝見ると次の板の間の上に 莫蓙を敷いて十一、二才の少年が＝ブラジルの＝寢入て居るので、私がベツトを占領したので板の間にゴロ寢をしたかと氣の毒に思ふたが、聞いて見ると知人から教育を托された少年で、此の邊では可成り富裕なる人でも家庭ではさうして寢るのださうだ。

杉ノ下君のマンヂヨカ工場

三月一日となる、今日は第五部の曲尾良雄氏の處に皆集まつて居るから、其處に行くことになつて居る、途は前に通ふた處とは違ふた山道を通るのであるが、此の道は古くからあつた道だと云ふが、隨分と荒れて居て、例の「バンブー、デ、タクワラ」と云ふ蔓竹が兩方から被ひかぶさつた處もある、此の竹に顏を切られると剃刀で切られたやうで、其の疵が容易に癒らない。

顏をきられぬやうに用心して馬の上に顏を伏せて進み行く、道は山の上から水が流れ出して居る處もあれば、泥道になつて居る處もある、馬は練れたものでどんな惡路でも嶮路でも平氣でボク〳〵と進む、一時間程行くと橋田君のマンヂヨカの畑に出る、此處は前に一寸立ち寄つた處である、橋田老人は不在であつたが、婿の杉之下君が色々マンヂヨカ製造の話などして御馳走して呉れるのであつた、マンジョカ製造は大体次のやうな計算である。

「マンジョカ」の收量

各種ノ例

	一アルケールヨリ得ル粉收量
（イ）	一〇三二袋
（ロ）	七二〇
（ハ）	四八〇
（ニ）	二四〇
（ホ）	一六八
平均	五二八

上記の例はあるも、（イ）の例の如きは特異なるもので、之れを除きて平均を見れば、ゴ一アルケールより芋七八、九六〇キログラム、紛三八七袋を る位が、普通無理のない計算であらう。

生産費（一アルケールを標準）

二五〇ミル〇〇〇	ロツサ
一六〇ミル〇〇〇	植付ケ
四八〇ミル〇〇〇	除草
五〇〇ミル〇〇〇	アランカ
四〇〇ミル〇〇〇	運賃（工場へ）
二コント八〇〇ミル〇〇〇	加工費
一コント〇〇〇ミル〇〇〇	袋代四百ケ
六〇〇ミル〇〇〇	波止場迄運賃
計 六コント一九〇ミル〇〇〇	

右は一日一人の賃銀を七ミルとし、工場は三人にて四袋を加工し得るものとして計算せるも、日により二人にて五袋を得たる日もあり、工場の設備費も幾分かづゝ償却し得らるゝ勘定である

收入

一アルケール平均　三八七袋、一袋二〇ミルで販賣するとすれば七コント七四〇ミルを得る割で

純利益　一コント五五〇ミル

勞働力三人半を持てる家族なれば、二家族共同で四アルケール半の作業が出來るとすれば一家族のものは三コント六七百ミルの收益はある工場は十袋内外の能力あるものなれば、猶一層有利であると云ふ。

「今御馳走の用意もして居るし、ユツクリ休んで行つて下さい」と杉之下君が非常の厚意です〻めてくれるのですが、先方にも大勢待つて居るのであるからと禮を述べてこゝを去る。

曲尾君の宅の會合

此處からは最早や二十分とはかゝらぬ、曲尾君の宅である、第五部の小學校にも近い。

道側に門柱の直徑一尺位なのが立つて居て扉がついて居る堂々たるものだ、これが曲尾氏の住宅の入口である。それを開いて這入つて行くと住宅迄は一町もある、其の通路には牧柵が出來て居て馬を放牧してある左手の方には小山があつて、其の下には大きな池がある、住宅一棟と外にピンガ工場がある、ピンガ工場の方に此の土地の人が集まつて居るが、不取敢晝食を御上り下さいと云ふ、魚は前の池から捕つたハヤに似たやうな肴、味噌は甘かつたのでサンパウロの店からでも取り寄せたかと聞いた處、自家で製造したのであると云ふ、米はイグアツペの上等米であるから脂氣もあり、上等である。食後に出して下さつたカステイラ、中々シヤレたものがあると思ふて聞いて見ると娘さんの御手製とのこと、總領はヂユキアの安田治平氏の運送店に居るが、近頃便りがないので心配して居る、用もあるから二三日暇をもらつて來るやうにとは母親の傳言である、親心をシミジミ感じる、＝

此の曲尾青年今はサンパウロの「擽旗氏經營の農業のブラジル」社に活動して居る＝家には小學校へ出る子供さんもある、食後に諸君に御會ひして話をした、會合は左の諸君であつた。

川浪淺君	杉之下仲吉君	中田末吉君
橋本與一郎君	武田豊三郎君	齋藤萬三郎君
中村芳美君	曲尾良雄君	中島源吾君
井ノ浦多吉君	中島省三君	翠川半之助君
吉川司馬藏君	大工原宗一郎君	南澤増衛君
大谷政信君	青木忠太郎君	

第四部小學校夜の會合

午後四時頃日脚も大分傾いたので一同の寫眞をとりボツ〳〵出懸けた、途中で丸山氏の處による、こゝで夕食の御馳走になる、二部の諸君が學校に集まりて居るとのことで直ぐに出懸けた、夜の九時頃であつた、こゝでは養蠶の話をして呉れとのことで、是迄視たところのミナスゼライスの伊太利人、ドイツ人のやり方、ノロエステ線の小林伊助氏、セントラル線の小野豊藏氏などの飼育法について話し、猶州政府の奬勵法について語つた集まつた諸君の話ではレヂストロは一般雨量は多いが、養蠶は最も有望であると思ふとのことであつた。

馬を駢べて松村君の處へ歸つて來たのが夜の一時であつた。

松村君の住居

夜晩く松村君の宅に着いたのであつたが、妻君が甲斐〳〵しく働いて、風呂など立てゝ呉れた、浴室の前には大きな竹やぶがある、其の高き綠葉を洩れて淡き月光と涼しい風とが訪れる、何とも言へん良い氣持ちだ、浴後に井戸側に行く、清冽な水が湧いて居る、直に寢台にもぐり込んで快眠を貪る。

翌朝家のまわりをまわつて見る、庭前にはバナナが茂り、トウモロコシは熟して居る。竹は始めに竹の棒を持ちて來て挿して置いたのだが、あんなに茂つて來たのだと云ふ話、家には妻君と六才の男兒、それに幼兒と甥の人であるが、手廣く農業はやつて居る、コーヒーが三千に米一アルケール半と云ふから三町七反歩餘である、其の他に組合として十町歩持ちて居る、中にはブラジル人などの小作人も居る、松村君は前途春秋に富み、仕事はこれからであるが、堅實に一歩一歩をすゝめる方だから前途頗る有望である、教育にも骨を折り文化施設にも力を盡して居るので若いが重きをなして居る。

考いて見ると君が信州へ歸つて來られた時共に滿地白皚々の雪をふんで飯山の郡役所に開かれた談話會に行つて話をしたが、今また南米のはてへ自分が押しかけて來て談話會など

に臨むなどと無量の感慨がする。

松村君と共に農場を馬で一通り廻つて見て、午前八時に出懸けた、小學校に一寸寄つて授業を觀る、晝少し前に前地ホテルに歸つて來た見送りに見えた諸君と晝食を共にし、午後五時に船にのつた、遠路態々御出下さつた、宮下延太郎君、深澤深一、中島定雄君、和田陸衞君、森牧師等の方々に特に御願を申し上ぐ。

レヂストロ概觀

話は始めにもどつて、國の人が心配してレヂストロに行つたものが皆悲風慘雨の窮境にある如く想像して居るのは誤りである、是れは始め海興の宣傳が、ブラジルと云ふ處は、氣候が良くて土地が肥えて居て行けば直ぐ二十五町歩の地主になつて、收益は年々增加し直きに百萬長者にでもなれるやうに宣傳した罪である、イヤそふ言ふてまで宣傳はしなかつたが、そふ思はせたのが良くない、そんなに簡單に行くものならば州政府が數十年前から各種の利權を與へて居る植民地が今少し順調に發達しなければならぬ筈である。只順當に勤勉にムホン氣を起さずやつて行けば本國に居るに比ぐてどの位よく產を成すかわからない、ブラジルは決してわるい處ではない、然るに今度は海興は反對に貸金督促＝それも國の保證人に對して＝を始めた、言ひかへればブラジルに對する宣傳は皆ウソだ、何年立ちても見込はないから、氣のどくだが保證人に迫るより外仕方がないと云ふ、事實上の惡宣傳を始めた、それが非常に疑惧の念を懷かしめた、海興自身の惡宣傳のほどイグアツペがわるい處ではない、相當に勤勉に着實にやつて行く人は家を立派にし畑をふやし產をなして居る、中にはサントスでロレツタ（ブンマワシの賭博）に一万五千圓位の勝負を試みて居るものもある、此の人は米を賣るとサントスに飛び出して勝負をやるのが道樂だ、これは國定忠次と違ふて、自己の生產物の收入でやるのだから、食ふに困る人には出來ない相談である。

非常の富を爲し得らるか

小人數で多額の收入を得るには、土地に非常な生產力がなくてはならぬ、此の點から見るとイグアツペの土地はいつでも半分は休ませて置いて雜木森として、夫れを燒いては普通畑地とするので、土地はブラジルとしては肥沃ではない、だから小人數で多額を生產し得るは六ツケ敷い、一家收入の大体は前號に申上げたやうの次第であるが、これを植民地全体について見ると

年次	戸數	總生産高	一戸當生産高
大正十二年	五〇二	九二八	一、八五〇
同 十三年	四七八	一、五一二	三、一六五
同 十四年	五〇二	三、一七九	六、三三三
同 十五年	五二〇	一、三七六	二、四五四

一戸當り平均高が精々二、三コントである、一コントが平均三ミル五百として一年の生産力が三コントで八百五十五圓、六コントで千七百圓これじやブラジル迄行くがものはないと言ふことになるが、課税が少くて大抵は自給自足で間に合ふし、統計以外の雜收入もあるから生活には大した日本で考へるほどの不安がない、全体バナナ十數顆で一食間に合ふ所に勤儉貯蓄の必要があるか、ブラジル人の小作人の家をのぞいて見ると、地の上に杭を四本うちてそれに繩をからげて寢台とし、御勝手には少し煮たきの道具があるばかりた、單簡明瞭を主眼とする軍隊生活でも是れ程にはいかぬだらうと思ふた、それで日曜の前に金を借りに來る、給金を前かしすれば夫婦で御馳走をすつかり整へ、日曜一日はビールを飲みブドウ酒をのみ、夜になるとダンスをして踊つておどりぬいて翌日は休み、眼をさまして見たが喰いものがないのでマンヂョカの粉（日本のコウセンの如きもの）をたべて一日くらす、こんな程度に暮らしたらどこの世界でも大した不安はあるまい、信州の犀川べりのある村で、ある男が死んだ時見たら寢台に茄の苗がはへて居たと云ふ、これは足を洗はずに寢るのでイツの間にかモツコで擔ぎ出す程の土がたまつたのださうな、併し文化向上の意義がなければ生存の價値はない。

イグアツペの生くる道

チユキアからレヂストロ迄二十八キロ汽車の開通は面倒とあつて、愈々此度は自動車道が出來ることになるらしい、さうすれば交通不便と云ふ難は除かれる、交通がよくなればサントス港から汽車でヂユキアに行き、それから自動車ならば一時間である、非常に便利になる。

私は朝鮮に略半歳を過した、朝鮮の氣候朝鮮の土地で營々苦心して居ることを考へればレヂストロは樂園である。

●米の品性が年々惡るくなり其の品種が劣り其の生産が減じても一向念頭に置かず、相變らず氣候適順地味豊沃を言ふて居ては駄目である

●甘蔗　砂糖の原料であり、ピンガと云ふショーチユーに似た酒のブラジル人に無くてはならぬ原料であるが、これもピンガ丈けで八千樽以上も生産する、これも近年はモザイコ病にあるものはシガーリーニヤにカイガラ虫にやられて居るが、こう云ふ病虫害の研究も法を講ずべきである

●農産加工　猶研究の餘地は多くある

× × ×

要るすにブラジルとて今は原始農業一點張りでは行き得られない、相當施肥、病虫害驅除加工など日本でやるやうな細心の注意で粗放農の形式を順次改良して行つたならば、レヂストロは氣候は良し、風景は良し、交通は良し眞に世界の樂土を現出することも至難ではあるまい、そんなに非觀したり心配することはないと言ふことを故國の同胞に御知らせして此の稿を終る。

余の渡航と加奈太の歴史

△建國六十年祭に際して▽

在加奈太　小　川　幸　太　郎

私は農事視察製粉研究から去る大正三年六月渡加し目的に向つて進む時、當國の現狀を觀て其の富源に驚ろき一平方哩に僅かに二人の人口密度を有し、自己の目的達成歸國するは惜むべきを感じ故國の人口增加に憂へ、食糧問題の難あるに少くとも二、三男女の一人なりとも海外に發展せしむるは急務と信じ、歸國を延期し大正五年より五名の青年（親戚者）を呼寄せて各々の活動の途を講ぜり。

秋は明治二十一年諏訪の富士見から栃木縣の那須野ケ原に父と共に移住し辛苦開拓に從事し其の經驗と精神とを以て妻子六名を殘し此處に在加十四ケ年の歳月を迎へるにあたり近く歸國の豫定にあり、妻の子女の教養に一家を守るの情に感慨禁じ能はざるの思に走る。

本年は加奈陀建國六十年記念に當り去る七月一日の加奈陀全國に大祭祝賀擧行あり、當國の歴史を見て、昔那須野ケ原の開拓に回顧し幾多の先驅的先輩のあとを忍ぶのである。

加奈陀の歴史

加奈陀の歴史は一四九七年英國冒險商人ジョン・カボットが小船マシユーに航してノヴア・スコシヤ州ケープ・ブレトン嶋に到着せるに始まる。それは日本の足利時代の末期である。佛人のジヤツク・カルチエーが一五〇〇年前後にして三度セントローレンス河を遡りて今日のモントリオルの邊まで及んでゐる。

今日の加奈陀の創設者は一般にサミエルド・シアンブランと云ふ事に認めてゐる、彼はド、モンと共に一六〇五年ポートローヤル今日のノヴア・スコシヤ州アナポリスに、一六〇八年はクエベクを開きオンタリオ州內地を探險してゐる。一六二七年には名高大僧正政治家クシエリー主唱の下に創立せる植民會社にはシアンブランは重要の地位を占めて植民より毛皮採集を目的とした移植民と共に宗教家と合せてインデヤンの教化にまで努力し定住の植民が增して來た。當時のクベツクは僅かに六十名に過ぎなかつたが今日では十萬に增加してゐる。

加奈陀建國

斯くて東部加奈陀には一八六四年クエベツクに建國會議が開催され、大加奈陀建設の決議が行はれて本國政府に該會議における協定に對してその意嚮をせまつたが未だ州內政情の不安定があり當時の參加各州にても意見一致せずしてゐたが一八六六年にはノヴア・スコシヤ州の州議會は十九對三十一、ニウ・ブランスキツク州は八對三十一の多數を以て參加となり加奈陀聯合議會は四州の代表者はプリンスエドワード嶋州及ニウ・フアウンドの不參加のまゝ英首都に赴き大加奈陀建國の實行案を協議し第一回は一八六六年で英國政府はそれに對し植民大臣カーナヴオレ卿を委員長とする小委員會を作つた。斯くて一八六七年英國上下兩院を通過五月二十二日加奈陀建國の詔書が發布せられ、初めて總督が任命され同年七月一日英領加奈陀なる一國が建立されたのである。其の當時の加奈陀はクエベツク、オンタリオ、ノーヴアスコシヤ、ニウブラレスキツクの四州を含むに過ぎなかつたが漸次西進して隣州も抱含せらるゝに及んだ。卽ち

マニトバ州	一八七〇年
ビー・シー州	一八七一年
プリンスエドワード州	一八七三年
アルバタ州	一九〇五年
サスカチワン州	一九〇五年

領土擴張

加奈陀大平洋岸の英領を主張されたるは一七七八年探險家キヤプテン・クツクが晩香坡島に上陸したのを以て初めとしてゐる。一七九二年には一白人は八人のインデアンを從がへてサカチワン州アサバスコ湖畔の毛皮買入宿場を發してロツキーの險山を冒しビー・シー州プクグラに到着し加奈陀大陸橫斷を見事遂行してゐる。

同時に中部並に西部の廣大なる地域を共の領土とする權利を得るや毛皮會社はこれに追隨してビー・シー各所に買入場を設けて益々活動してゐたがフオード・ヴアンクバアー、一八四三年にはヴクトリヤを中心に移住が增加して一八四九年

には晩香坡島は英本國直轄の植民地に編入され一八七一年には一州となり一八八六にはシー・ピー線の開通を見て東はモントリヲルから西は晩香坡まで交通機關の完備を見てゐた。

中部のルバートランドと呼ばれて居る地域は一六〇〇年探險家ヘンリーハドソンが行方不明となるや搜索に赴いたトマスバツトレが一六一二年初めて足を入れた地方で一六七〇年プリンス・ルバートの出願によりハドソン會社に下附されルバートランドと名づけられ開拓されて今日のウインペツク等が出來た。ルバートランド一帶は土人の居住地でインデヤン部落には日本語のアネサーとかオヂーサーン等があり、我々の生活様式が入つてゐるそうである。

英國政府はハドソン會社を加奈陀に百五十萬弗で讓りマニトバ州の基礎が出來た。當時のマニトバ州の內アシンボヤ、サスカチワン、アルバタ、アサバスカの四區を一九〇五年アルバタ、サスカチワンの二州に區分し獨立州となつた。

一九一二年に到りアルバタ、サスカチワンが北部に延長せらるゝや、マニトバ、オリタリオ、クベツクの二州も北進して北緯六十度に及んだ。同時に北緯六十度以北の地域はユーコン、マツケンゲー・キーチン及びフランクリンの四地方に區分しフランクリンの如きは北極洋の諸嶋を含み加奈陀の領域は北極に迄及ぶ事になつた。

而して建國當初三十三萬八千二百二十四方哩に過ぎなかつたのが現在ではその十倍大の三百七千九萬七千百八十三方哩の大面積を領するに到つたのである。

加奈陀自治

上記の如く加奈陀は廣大なる地域を領するに至たり天然資源富んで農林產物、水產鑛產物外に水力豊富にて共將來の發展は驚くべきであらう。經濟的の發展は英帝國內加奈陀の地位を益々向上するに相違ない。

一八七八年當國の施政は當國閣議の助言に從ふべき事になり一九〇七年の英植民地會議が英帝國會議と變更されて自治領の地位が一段と高められた。特に歐洲大戰後の加奈陀は事實本國と同格に近きまで進んだ。そして一九二六年の帝國議會では委員會の決議によりて一國としての地位を確保されて國際外交に關する事務までも或る程度まで認められ現に本年からは米國ワシントンに加奈陀公使館を創設されヴインセント、マツセーを駐劄せしめるにいたつた。建國六十年の加奈陀はかくして隆々たる發展振りを示しめてゐる。

政治組織

總督と上下兩院よりなり總督は任期五ケ年（年俸一萬磅）で議會の召集停會解散並議會を通過せる法案の可否の權能あ

り、建國以來の總督は次ぎの通で現在は十三人目である。

總督	就任年	首相	就任年
一、モ　ン　ク　子	一八六七	一、マクドナルド	一八六七
二、リ　ス　ガ　ー　男	一八六九	二、マッケンジー	一八七三
三、ダッフアリン伯	一八七二	三、マクドナルド	一八七八
四、ロ　ー　ン　侯	一八七八	四、ア　ボ　ッ　ト	一八九一
五、ランスダウン侯	一八八三	五、ト　ム　ソ　ン	一八九二
六、スタンリー男	一八八八	六、バ　ウ　エ　ル	一八九四
七、アバヂーン子	一八九三	七、タ　ッ　パ　ー	一八九六
八、ミ　ン　ト　ー　子	一八九八	八、ロ　ー　リ　エ　ー	一八九六
九、グ　レ　ー　子	一九〇四	九、ボ　ー　デ　ン	一九一一
十、コンノート親王	一九一一	十、ボーデン第二次	一九一七
十一、デブオンシア公	一九一六	十一、ミ　ー　エ　ン	一九二〇
十二、ビ　ン　グ　男	一九二一	十二、キ　ン　グ	一九二一
十三、ウイリンドン子	一九二六	十三、ミ　ー　エ　ル	一九二六
		十四、キ　ン　グ	一九二六

內閣は英本國と同じ組織にて閣員は上下兩院議員中より任命せられ議會に對し責任を負ひ下院の信任を失はざる間丈其任に當る閣員は首相によりて選れ大概各省の長官となるが無任所の場合もないではない建國以來の首相は右の通りである加奈陀上院は定員九十六名で終身で內閣の推薦によつて總督が任命する三十歳以上の者でなければならない下院は一九二七年に於て定員二百四十五名任期は五ケ年である各州に於ける上下兩院議員の割當ては次の通りである。

州	上院	下院
オ　ン　タ　リ　オ	二四	八二
ク　エ　ベ　ッ　ク	二四	六五
ノヴア・スコシヤ	一〇	一四
ニュ・ブランス	一〇	一一
プリンス・エドワード島	四	四
マ　ニ　ト　バ	六	一七
ビ　ー　・　シ　ー	六	一四
サ　ズ　カ　チ　ワ　ン	六	二一
ア　ル　バ　タ	六	一六
ユ　ー　コ　ン	〇	一
合　計	九六名	二四五名

建國以來六十年間に人口が其間に三百三十七萬二千から九百三十九萬に增加し國費が一千四百七萬二千から三億五千五百十八萬六千弗に增加したのでも驚くの外なく建國六十年間に人口に於て三倍歳出に於て三十五倍國富十五倍現在二百二十億弗に倍してゐる。

私は前述の如く那須原開拓と加奈陀の歷史を觀て現在アリアンサ創設に思ひ走りて興味深し今後二十ケ年のアリアンサに期待する所が多い。

次で日本人が當國の足跡を印したるは四十年前で今日までの發展を次回に述べて見たい。（終）

移住地閑話（二）

在アリアンサ工學士　武　田　三　二

七、ユーモアの定義

假に定義を下して見れば、機智有る側面觀がユーモアである。此側面觀が九十度回轉して裏面觀となれば一寸墮落して所謂滑稽となる。

ユーモアが必要であるからと言つて、向ふ見ずに濫用せぬだけの相當なる常識を伴はなければならぬ事は申す迄も無い。八ケ間敷言へば兵法と禪機を兼備するを要する次第であるが、之は單に理屈であつて多少の修養で會得する事が出來ると思ふ。今ユーモアの有無に因つて如何なる結果を生ずるかの差異を述べ立てゝ見やう。

曾て特急列車に乘つて下關に下つた時、一等車の坐席は展望車の隣室だけであるとの事で乘つて見たら其隣りの客車にも大部分の空席が有る。のみならず暖房蒸氣が不通で寒さ甚しく夜半に到底我慢が出來なくなる。厲列車ボーイに寢台を注文するが一向に埒明かぬ。而して自分等よりも後に乘つた家族連には寢台の都合を附けたらしい。少々癪に觸つて居つた際隣席に居つた五十位の風采卑しからざる人が突然怒り出した。何でも專務車掌を呼んで來いと言つたら、ボーイが車掌は三號車に居るから用事が有つたら行つて話して吳れと申した爲である。大聲叱呼罵倒して曰く、「貴樣等は一体何者であるか、抑汽車なるものは馬車の毛の生へたものである。車掌は別當ボーイは馬の前に走つて居る馬車小僧であらう、苟くも乘客を捕へて車掌の所に行けとは何事であるか　即刻車掌を呼んで來い。」

論旨御同感であり又痛快でもあつたが、ボーイは逃げて行き車掌も來ず、且又寢台の世話もして吳れなかつた事は無論である。此車掌もボーイも氣のきかぬ者共である事は勿論であるが、此乘客はツマリユーモアを知らぬ日本人であつた。之に對してユーモアを使用すれば左の通となる。（佐々木氏ユーモア十篇より）

某氏が寢台車に乘らうとして驛員に申込んだら寢台は無いと言ふ。そこで電報用紙を貰つて鉄道會社の社長に宛てゝ電文を書いた。驛員は驚いて早速都合して吳れる。愈列車に乘つたら食堂車で車掌が雛のフライを食つて居る。因て雛のフライを注文したら、あれは車掌だけに食はすのであると言ふ、早速例の筆法で雛のフライを食ふ。等々到る處であらゆる相手をへこまして了ふ。噓も方便、但濫用は困る。

日本人が喧嘩する。野次馬が寄つて來る。交番に引かれる。復議論を始める。型の如く巡査が說諭する。サッパリ感心はせぬが御互にブツ〳〵言つてペコ〳〵頭を下げて罷り下る而して今度會つたら再喧嘩してやらうと心中に決定して居る。

茲に二人の軍人が決闘を始める。突然群集の中から一人の男が飛び出して快闘運の前で頭を下げ揉み手をし乍ら御注文を願い度いと言ふ。一体何だと尋ねたら棺桶屋であると答へる、軍人は苦笑して決闘を罷める。

豫備後備の軍人は召集又は點呼を受けて集まる。舊式の聯隊區司令官が雪駄の皮を嚙む樣な訓示をする、サッパリ心塊に徹せぬ。長岡將軍が仙台の中隊長の折、兵舍の內で酒を飲む風習があつて幾ら八ケ間敷監視しても直らぬ。將軍兵を集めて訓示して曰く。「酒は幾らでも飲んで差支無いが、卒は上等兵が來たら早速酒を隱し、上等兵は下士が來たら隱し、下士は士官が來たら隱すべし」と言ふに在つた兵は自ら耻ぢて早速飲酒を罷めた。

凡そ日本の國民思想の中で　改良進步するを要するものが幾多あるであらうが、官尊民卑の思想程譯の分らぬものは有るまい。之に伴ふ階級思想がある。一面より見れば皇室の稜威仁德を損し、一面より見れば是等の思想それ自身が共產主義や無政府主義の卵である。而して共產主義や無政府主義を取締らうと言ふのであるから無理である。是等の思想さへ無くしたら共產も無政府も無くなると思ふ。

一つ豊富なる國民常識と共にユーモアを活用したら如何であらうか。曾て地方官會議で宮城縣知事が「內務省の課長輩が」と口を滑らして床次大臣より叱られた事がある。不謹愼の點から言へば成程叱られるのも當然であるが叱られても心中恐らく感心しては居なかつたらうと思ふ。是は床次さんが眞面目過ぎてユーモアが無いからと思ふ。知事は其晚二次會をやつたに違無い。曾て橫濱で屋根から火事を出した事がある、消防が來る巡査が來る、土足で家の中を步き廻つて火事の損害以上の損害を生じた。最後に警部が取調に來たからドーセ汚れた家の中であるから、土足の儘で上り下さいと申したが、警部は態々靴をぬぎ丁寧に上つて丁寧に取調べ、火の元は女中さんが焚いて居つたでせうと尋ねるから、イヤ拙者で御座ると答へて置いた。考へて見れば此警部さん中々常識とユーモアを活用して居る、拙者が失火罪に問はるれば、身分證明書には前科一犯と書かれる次第。警部さん更に常識を活用して不起訴にして吳れた。好漢健在なりや否や。

八、ユーモアの數々

茲に於て此日本人が移住して來る植民地に於ては、兎角議論許り多くて困ると言ふ評判であるから、一つ世界的常識を養成するが爲にユーモア倶樂部の設立を提唱する次第である。日本では一方官尊民卑があるかと思へば一方無禮講などゝ言ふ不都合なものがある。ツマリ窮屈と放縱の兩極端であつて中庸を失して居る次第、古老の談に依れば昔殿中に於て時々冠を脫ぎ束帶を取つて閑坐するのを無禮講と申したので、酒を喰つて裸踊り迄するのを言ふのでは無いとの事、禮を失せざる程度に於て腹の皮を緩めて置き、如何なる議論にも交涉にも腹を立てぬと言ふ規約を設ける。近來無暗に緊張と言ふ言葉が流行するが是は日本人には不向の言葉であつて寧ブラジル人の樣な老大國民に輸出した方が良からうと思ふ。大鼓の皮や鼓の皮を始終カン〳〵緊張して居つたら破裂するのが當り前であらう。

或時學校の友達が寄り集まつて閑談の折、拙者が衞生なんて不必要であると言ふ論を唱へた。無論馬鹿話であるが議論とある以上は勝敗を爭ふに墮する事は當然であるから、馬鹿と知りつゝ之を主張する所が、馬鹿の廣告馬

鹿の二乘であらう。そこで衞生不必要論の實例として吾等小供の時代の風呂屋の話を出した。公衆浴場が不衞生であるなどゝ言ふ說があるが、當時の風呂屋は舊幕時代其儘の構造で柘榴口と言ふ變な物があつて、浴槽の中は眞暗、大体清潔も不潔も無い。流し場の溝には小便をするに極まつて居つた。而して拙者は入浴の度每に玩具を持參して浴槽の湯を掬つては飲み掬つては飲んだが、今以て無病健全、御覽の通り聰明であると申した。友達の一人が、それもそうであらうが、大体君が風呂屋の湯なんかを飲まなければ、モット聰明になつて居るに違無いとの批評で、議論は大笑の下に終つたが、此際若し友人がユーモリストで無く、風呂の湯なんか飲んだから君の樣な阿呆が出來たんであると申したら、恐らく絕交に及んで居つたかも知れぬ。

九、ユーモア黨の皮肉

曾て修學旅行の折箱根の宿屋に泊つた。數百の學生が三人五人と團を成して無駄話の最中今の九州大學教授の某が何か頻に論じて居つた。一團の中へ、信州の住人某が飛び込んで行つて突然與太を飛ばした。教授君大に怒つて信州に喰つて掛り、人が眞面目な話をして居る所にフザけた與太を飛ばすとは怪しからぬとあつて一坐白け渡つて了つた。今後ユーモアを解せぬ者は大學教授に採用せぬ事も必要と思はれる。遺憾乍ら信州は滿州に行つて病氣になり、其他の與太連も意氣甚だ擧つて居らぬが、教授君初め所謂眞面目連は大概勅任官や何かになつて居る。

神戶は成金の巢窟である。戰時中連日連夜の宴會で客も主人も病氣になる。成金も貧乏人が見た程樂なものでは無い、必要條件の一つとして如何程飲んでも食つても夜深しをしても、最後迄踏み止まらなければ駄目である。拙者は此點一つで成金に任命の辭令を頂下げにした。最後の五分間は何もナポーレオンに限つた兵法では無いのである。而して或者は一ケ月の間に三十二回の宴會を見事に片附けて見事に成金となつた、多くの連中は申す迄も無く神經衰弱になり胃病になり腸病になる山海の珍味を目の前に睥んで嘔吐を催し、さては神經興奮し來つて喧嘩でも何でもやりたくなる。或者が何かの話で頻に憤慨のメートルを上げて、ケケ怪しからんと管を卷いて居るが一寸相手になる者が無い、其處へ中年の藝妓が來合せて、ホンマにケシクリからん事だすな、と申したので憤慨も何もケシ飛んで了ふ。會議の果が宴會となり宴會の果が二次會となるは、單に酒や肴許りでは無い樣である。

十、ユーモアの無い日本婦人

日本婦人がユーモアを解せぬ間は藝妓と申す專門家が無くならぬであらう。彼等が妙齡の女子であるからと言つて頻に貴夫人共が燒餠を販賣して居るが、其貴婦人の風采が多く鏡を藝妓に採つて居るのは暫く措くとしても、其藝妓の最繁昌するのは妙齡以上の中年乃至五六十才の梅干婆であるのを見ても分るであらう。貴婦人が何も藝妓なんかを冷眼視したり惡罵したりする必要はあるまい。同胞姉妹を救はんと欲せば宜しくユーモアを解すれば足るのである。尙西洋婦人は日本の藝妓位のユーモアは大概心得て居る上に、日本貴婦人よりはズット常識がある事を申し加へて置く。拙者サイベリヤ旅行の際、さる貴夫人と一所に白耳義のリエジ迄行つた事がある。此貴夫人は女子大學を卒業した富豪の娘で、今度成金の夫人となつて新婚旅行である。結

婚早々家憲を設けて亭主を取締つた條々に、歸宅の時間を一定する事、土曜日には何する事、日曜には外出無用の事、宴會には承諾を求むる事等々があつた。而してビラ〲と日本服でサイベリヤを押し通したは宜しとするも、人を見下した風采は餘り素養があるとは見受けられぬ。何れ憲法違反で亭主を裁判するであらうと心配した。所で或藩士は毎日殿中より歸宅して玄關に入るや否や、出迎へた細君の横面をグワンと張り付ける。毎日の事であるが何の事やら分らぬ、無論聞いて見れば分るであらうがそこは昔の日本婦人であるから、先づ內省を先にして亭主の裁判は後廻しとした、考へて見るに亭主氣が狂つても居らぬ様子、これは公務多端の爲にムシヤ苦シヤして歸るから、何でも家の中で一番先に出て來るものを毆れば氣が濟むであらうと考へた。そこで次の日から人形を携へて玄關に出迎へ、早速亭主の鼻の先へ突き出すと、果して亭主が張り飛ばした。必しも女房の顔面で無くとも差支無かつた次第。此亭主が完全なる常識の持合せがあつたかどうかは別問題であるが、女房がユーモアを持合せて居つた事は確であり、憲法貴夫人の方はユーモアを解して居らぬ事は確であらう。

十一、大にユーモアを

何故に日本人がユーモアを持合せて居らぬかは、一概には言へぬが一つは漢學の餘弊と思ふ。漢學といふよりは漢學者の弊であらう。司馬遷が折角正史に迄滑稽列傳を書いてあるに拘らず、何でもカンでもカン〲、ガグ〲チン〲プン〲許りを奬勵した結果である。吾等十才位の小供の節、まだチョン髷が澤山生きて居つたと同時に、舊幕の遺風たる朝稽古なるものがあつて、夜が明けるや否や大學中庸を擔いで走り出す、何の爲に大學中庸を擔いで走つて行くのかそんな事は無論考へて居らぬ。其時の先生は目下百二十歳位の――無論生きては居るまい――北條先生と言つて藍綬寶章を賜はつた漢學者であるが、吾等小僧を捕へて大學の治國平天下を説く事惇々乎たり悖々乎たりであつた。聞いて居る奴等は無論判る筈が無く、後へ後へと列を作つて前の奴の尻をつゝく、鼻糞を發掘すると言ふ次第。或時一等水兵となつた某が硝子瓶を玩具にして居つたのを先生に見附かつたから大變である。當時硝子と言へばランプのホヤ位のものでサイダーとか香水など〻言ふ不都合なものは無論無く、餘程の金持でも無ければ硝子瓶などは見られぬ。ガラスとも通稱して居つたが舊名ギヤマンともビードロとも申して居つた。先生より見れば無論ギヤマン、ビードロの異端外道である。忽ち顔色を變じて瓶を取上げ滿身の嫌惡を顔面筋に表はした。コココンナ物ヲ……と言ふや硝子瓶を手で押しつぶそうとするが中々つぶれぬ所が面白かつた。先生或は史記の滑稽列傳だけを讀まなかつたかも知れぬ。斯の如く何でもカンカンでも圓轉を欠いたのは漢學者の弊である。孔子様は無論そんな事を奬勵して居らぬのみならず、其弊や絞とチヤンと豫言して居る。元々日本人は豐富なるユーモアを所有して居つた事は、萬葉集の惡口交換の歌を見ても分り、轉じては狂歌川柳となり一口話となつて德川文學を賑はして居るが、漢學より外に動きの取れなかつた武士階級が、心中は兎に角表面だけを四角張つた結果が今日の有様であると思ふ。二十年來其反動として生溫き西洋文學が流行し、更に進んではダラシ無き西洋思想を歡迎するに至つたのも理由があると思ふ。一轉して再漢學を復興すべしなど〻

も申して居るがそれも良からう、但西洋悉くダラシなきやと言へばさに非ず、漢學悉く金鐵なりやと言へばさに非ず、ウツカリして西洋以上にダラシ無き支那の稗史小説でも歡迎したら、それこそ東西のダラシ無き粹を集め込んで了ふだらう。昨今ソロソロ其氣分もある様であるが、其邊は文部大臣に內務大臣に御任せ致して罷下らう。

十二、高天原と瑞穗の國

久米博士の御説に依れば、天孫民族は南の方から支那廣東の沿岸に上陸して奧地に進入せんと試みたが、吳越の戰で道通ぜず、更に船に乘つて一路鹿兒島に上陸した。日向の高千穗の峰と言ふのは日向國の高千穗山に非して、薩摩の双上山の事であるとの話であるが、一体南方の國とは何處であらうか。更に又天子と言はずして天孫と言ふのは如何なる譯であらうか、玆に閑人の想像を逞うして見やうと思ふ。

今吾等の居るアリアンサの三十九キロの横道に二ツの谷が有つて　チョロ〲水が流れて居るが、往昔可なりの河が流れて居つた事は河床の砂の輻員で明確に判る。河の沿岸と謂めらるゝ地帶の傾斜地から盛に土器が發掘せられて居るが、素燒の模様や何かゞ日本の鹿兒島縣宮崎縣から發掘せらるゝ土器と同様であるとの見立である。兎に角土器が出る以上は先住者が居つた事は確實であり、ビリギー附近からも出るといふ話であり、バラナ州からは石器も出るそうである。そこで南米人と日本人とは酷似して居るとは豫ての話でもあり、何と無く好感を有する點等より一足飛びに推定して、吾等の祖先は南米中部より日本に移住したものと想像して見たら如何であつうか。當時二三千餘年の昔、インカ帝國か何か優秀民族に追ひ立てられ、人口食糧問題も發生した結果、道を東に求めてアフリカの南端を經、一路移住地を求めて九州に上陸したのが天孫民族であり、一族郞等を率いて海路一万二千浬を突破するに幾月幾年を要したであらうか、長途の征路に天子は沒くなられた事は、恰も神武天皇の御兄命が九州より東征の際に沒くなられたと同様の次第では無かつたらうか。そこで天孫に詔して豐葦原の瑞穗の國は、代々吾子孫の知し召す處と宣せられたものと思つて居る。瑞穗の國とあるからには、米を常食として居つたものと考へられ、高天原と言ふからには高原地帶から移住し來つた意味であらうと思ふ。果して然らば吾等は今や祖先の故國に逆戻りして來た譯であつて、瑞穗の國とは必しも日本帝國のみを指す意味で無く、米を産する處あらば何處でも構はぬ譯であり、豐葦原とは豐なる有史以來の原始林と言ふ意味と見れば、今のザンパウロ州は正に豐葦原であり且瑞穗の國である。何等の肥料無しに一町歩から四十俵の米が取れる。瘠せ枯れた島國から此豐葦原に移住するのが則天孫に賜はつた遺詔の精神であらうと存ぜられる。とすれば移住は建國の精神と愛國の精神の發露であり、日本の郷土に膠着して國を愛した積で居るのは大間違でもあらう。

諾册二尊天の浮橋に立ち、天の茅鉾を以て滄冥を探り、潮水滴りてオノコロ島が出來たとあるのは、ヤレ何の事であるカンの事である。オノコロ島とは淡路島である、イヤ淡路本島では無く鳴門の傍にある小さい島であるなど〻説明が段々小規模になつて居るが、祖先の時代は斯様なケチ臭き有様では無かつた事は久米博士も説かれて居つた様であるが、熟々按ずるに天の浮橋とはアフリカの喜望峰

であり、オノコロ島とは日本全土であり、大八洲とは地球上の大陸全部を指すものであると思ふ。大陸浮動説に依れば陸地の厚さは約二百里であり、比重六乃至七の熔岩の上にフラ〲と浮いて居るのであり、南北兩米大陸はアフリカと歐州大陸に喰附いて居つたのがフラ〲と離れて太西洋が出來たのであると言ふ。我祖先は最近の間氷期に移住を思ひ立つてケープタウンのテーブル山か何かに休息し、氣候や潮流を按じて東へ北へと進み進んで、廣東から鹿兒島に上陸した次第である。何分神祕的の暗示時代であるから如何なる旅裝を整へて如何なる船に乘つて來たかサツパリ判らぬが、凡そ便利とか不便利とか、大とか小とか、遠とか近とかは悉く時代の思想に過ぎぬ。所謂二十世記文明の利器を以てして、オベリスクが出來ぬ、ピラミッドが出來ぬ、如何なる戰爭も成言斯汗の遠征にかなはぬ。六千噸の船に乘つて二ケ月の航海を爲すのに臆するのも、德川時代に東海道中を以て世界の旅行と心得、更に進んでは吉原島原の遊里に於て二百メートルの距離を歩いて天下の道中と心得るのも、萎縮し果てた時代思想に外ならぬ。」

十三、建國の精神

人口食糧問題は人口と食糧を如何に科學的に檢討しても片附かぬ。坐して顏許り磨いても別嬪とならぬと同様であらう。曰く婦人問題、勞働問題、何問題、カニ問題、是等は問題の問題に非して枝葉に過ぎぬ。根本の第一義は曰く建國の精神である。

此の如く觀來れば遺詔は誠に有難いもので、國民一日も忘るべからざるものであるが、科學に心醉したる文明教育の結果、本体を忘却して局部だけを治療せんと試みつゝあるものが昨今の社會問題である、論ずる迄も無く片附く筈が無い。米が足らぬ事が判つて居乍ら食はなければならぬと言ふのは譯の分らぬ骨頂である。凡ての社會問題は此譯の分らぬ骨頂から發生して居るに拘らず、之を解決せんと努力し或は努力したかの如き商賣に依つて米を喰つて居る專門家が澤山有り、此專門家を養成するが爲に國費を以て學校を設けて居るに至ては譯の分らぬ三乘であらう。

人口食糧問題は移民に依つてのみ片附けるのは不可能であるから、內外相待つて初めて解決せられなければならぬ。米が不足とあらば食はぬに限る、三度食ふが爲に內亂を起すよりは二度にして平和を求めた方が增しと思ふ。一つ減食令を發布したら如何であらうか、先づ是から片附けて行かなければ總ての社會問題は片附くまい。

法律は國民須知の規矩準繩であるべきに拘らず數千條の條文を倂べてある。高等教育を受けた國民にも一向判らず、條文の飜譯專門家として年々數千の學校卒業者を作つて居る。而して此連中が一番米を喰ふのであるから始末が惡い。病氣は醫者や藥で直らぬ事を一番能く知つて居るのは醫者である。而して直らぬ醫藥を高價に賣つて米を喰つて居る。先づ減食令の次に法律家と醫者を處分すれば社會問題は大半片附くであらう。否全部解決するかも知れぬ。婦人問題の如きに至つては全部法律と醫術の影坊師に過ぎぬ。人間としての覺醒なき連中が譯の分らぬ權利を主張して見たり、局部の治療に依つて病氣が直ると心得て見たり、何れもヒステリーの精神病者である。而して此精神病者を澤山製造し之を繰つて米を喰ふ者が法律家に醫者である。勞働問題も亦御同様、資本家などに嚙み附いて居るのは、魔法に因つて戸惑ひさせられて居る

外ならぬ。

斯の如くにして吾等は法治國民であり醫治國民であり、故に文明國民であると言ふ。果して然らば吾等は野蠻國民たるを希望する。

遮莫、インカ帝國民は太陽を崇拜したと言ふから、或は天照大神の御親戚かも知れぬ。シンガポールの隣のジヨホール王國にモスクと稱する寺とも附かず教會とも附かぬ建物があつて、ガランとした建物の中に坊主の昇る教壇が有るだけで何の神佛も祭つて無い。話に依れば本尊は太陽であるから、格別何も設ける必要は無いとの事である。或は想ふにインカ民族が東征の際此處に上陸して信仰を傳へて置いたのかも知れぬ。

日蓮主義に從へば法華經の止まる處に一天四海妙法に歸せんと言ふ。而して法華經は日本に止まつて居る事になつて居るから、一天四海は我皇室の稜威仁德に歸するであらう。今日の場合猶太教の様な迷信や軍國主義では妙法が行はれぬ。妙法は天祖の遺詔である。佛壽無量と景運天壤と無窮とは同じ事柄である。國が狹くなつたら瑞穗國を求めて移住せよ、米が足らなくなつたら減食せよ。外に在ては四海同胞の信念を忘れず、內に在てはあらゆる精神病を直し、內外共に体せよ建國の精神を。

十四、教育と婦人問題

吾等が中學の生徒の折には頻に「ヘルバルト」の教育主義と云ふのが流行して居つたが、今日に於ては「ヘルバルト」は紙屑屋に隱居したと見へて「ペスタロッチ」が相續して居る。一体「ペスタロッチ」は何時頃の人かと聞いて見るに百年程前に生きて居つたと言ふから、吾等の中學時代にも百歳以上に達して居つたらうに、何故に名乘りを揚げなかつたらうか。昨年東海散士の遺著佳人の奇遇が出版せられた時、或文士が百年にもならぬ書物をさも古典らしく出版するとは間違つて居る、とか評したが爲に本の賣れ行きが惡くなつたと言つて、東海散士の遺族から損害の訴訟を起した。さすれば大概百年位になれば古典になる。從つて世に現れても差支無い譯と見へる。此意味合に於て「ペスタロッチ」が漸く昨今出現に及んだものである。成程、然るにしても孔孟の古典が三千年來隱居せぬのに「ヘルバルト」が三十年位で隱居するとは遠慮過ぎて居る様であるが、昔孝經の古典がまだ若かつた時、壁の中に隱れて居つたと言ふ先例もあるから、之も必しも異例ではあるまい。

「ヘルバルト」も「ペスタロッチ」も何れ西洋人であらうが、一度も日本に來たと言ふ話を聞かぬ。而して是等の人々が日本の教育を掌つて居るとすれば餘程の適任者と見へる。適任者とあれば致し方も無いが、教育の勅語を拜するに、「斯ノ道ハ皇祖皇宗ノ遺訓ニシテ子孫臣民ノ遵守スベキ所」と仰せられてある。既に遺訓があつて國民皆遵守して居るのに、尙且これ以外に何か必要欠くべからざる物件を西洋人が發明して居る次第であらうか、更に勅語を拜するに、「之ヲ古今ニ通ジテ謬ラズ之ヲ中外ニ施シテ悖ラズ」と仰せられてある。然すれば古典も新典も無く西洋人も東洋人も要らぬ筈である。要するに外道であらう。

大西洋四日間で横斷の計畫

ニューヨークの資本團は米英佛間の大西洋急行汽船航路を開始する計畫を樹てた。右は二萬噸級速力二十五海里より三十五海里の快速船十隻を新造し毎月一回仕立てゝ四日間で大西洋横斷せんとするものであるこれが實現するにおいては海運界に大革命を與へるものとして成行を注目されてゐる。

母國通信

御大禮豫算決定

總額一千六百八十万圓

大藏省議は來秋行はるゝ大禮費豫算に關し審議左の通り決定し大禮準備費は昭和二年度追加豫算にその他は昭和三年度本豫算に組込むことになつた。

大禮費	九百八十二萬圓
大禮準備費	三十八萬圓
施設費	六百五拾八萬圓
合計	千六百七十八萬圓

米國議會に

大統領教書

米國議會にクーリッチ大統領は教書を朗讀したが國費節約を力說し內治外交問題中關係の內左の如く說いた。

外國出兵 米國の外國干涉は單に自國民の生命財產の保護以外の目的をもつてするものではない、メキシコにおける石油係爭問題も兩國の友好關係を傷つくる事なくして圓滿に解決し得らるゝと思ふ、米國議會はフイリツピンの歲入監査を行ひ議會からは二ケ年に一回づつ調査委員をフイリツピンに派遣する事にしたら如何かと考へる。

支那政局 政府は支那在住米國人の生命財產を保護する必要上やむを得ず支那に海軍および陸戰隊を派遣したが幸ひ銃火を用ふるに至らずして完全に米國民の生命を保護する事が出來た、たゞし一地方において非常なる財產上の損害を蒙つた事は甚だ遺憾の次第といはねばならない、米國政府としては支那在住米國人の保護に努むると同時にこの際進んで支那國民の幸福を增進する目的のために援助を與へんとするいづれの國家とも歡んで提携する考である、支那は過去現在を通じて常に親愛なる友邦であるからその國步かん難の時代において米國が特に考慮を拂ふ事は寧ろ當然であると信ずる。

移植民ニュース

日墨醫術協定廢棄

尙今年中有效

本年四月二十六日を以て十ケ年の協定期限滿了の日墨醫術自由開業協定は本誌六十一號に報導せし如く墨國側の廢棄通告により尙一ケ年間の猶豫期を限り有效と認め該協定は廢棄せらるる事になつた。而してその有效期間は昭和三年五月十九日限りである。右廢棄に伴ふて目下開業中の醫師には多大なる不利益あり吾外務當局は墨國政府に交涉を重ねたる結果從來本協定に基いて公認開業せる者は期間後と雖も同樣の資格により開業を繼續し得られる事になつたが今年の猶豫期間中に開業したるものは明年五月十九日限り改らためて墨國法令の免許を確認せざる限り公認開業特權を喪失するものである。從來右に關し本協定に基づき開業したる醫師は當然協定失效後も開業出來得るものゝ如く解釋してゐたが今日新たに其の權利を認られ且猶豫期

比島問題 フイリツピン島の統治權は現在九割八分位同島土着民の手中にあるものと看て差支へない同島における島民自治政策の擴張はフイリツピン人が自ら米國議會が同島のため制定したる憲法の規定を十分に實行せんとする同島民の希望と能力を發揮する事によつて促進されると思ふ。

山梨大將の

就任に疑念を抱く

齋藤總督の辭職に伴ふ後任問題は非常に重大視されてゐたが後任が山梨大將に決定した事は非常に以外な感を以つて向へられ最初同大將起用報が傳はるや貴族間に非常に不評を被り中央政界での評判も芳しくないので同氏の就任六ケ敷いものと見られて居たが後任總督に決定したので大きな衝動を與へて居る鮮內の識者間に同氏が最も疑念を抱いて居るのはその背後に利權屋が策動しその黨勢流入をせはせぬかとの事でもある斯ては折角處理付いた產業開發の前途に黑い影を殘しはせぬかと見られてゐる尙親任式は九日赤坂御所に於て行はれた。

東京市長辭職

大破亂の市會議

政黨政派に關係して政府の替る每にその運命にある東京市長の辭職の問題については今市會に醜惡なる流血事件まで突發して市長の不任案上程につき西久保市長は頑として聞かず市政善政上に猛往邁進の決意を有してかゝる市會解散を申請してゐたが却つて却下となつたので遂に市長の辭職の止むなきに至り聲明書を發表して痛く現市會の政黨爭を難詰し將來の市政に幸あれと懇望して辭表を出した、これと同時に三助役も辭表を出し市長の後任下馬評には多論異論が取り交されてゐるが政黨を超越した者を物色に有力視されてゐる。

滿鐵豫算

支出二億百五十萬圓

昭和三年度の滿鐵の豫算は關東廳の認可を受け發表されたのによれば收入總額二億三千六百萬圓、支出總額二億百五十萬圓差引利益金三千四百五十萬圓にして前

間中開業にしたる者は其の權利が獲得出來ぬ事になつた。右により墨國に醫師開業せる者（齒科醫、藥劑師、產婆、獸醫を含む）は昨年十月現在において約百名に登つてゐるが墨國醫師で日本に開業してゐる者は皆無であると。

無名の一靑年が

一大植民地の計畫

十一月二十三日頃都下新聞は三段抜き初號活字を以つて左の樣な耳よりな記事を報導し國民に尠らざる感動を與へた。

南米ブラジル、アマゾンス州を貫流する大アマゾン河のもつとも豐ぜうな中域の處女地を中心に我無名の一靑年と一事業家が協力、同州政府より千四百萬町步にわたる廣大なる土地の租借權を得て大植民地計畫を實現しようとする近來の痛快事がある――靑年は神戶高商出の栗津金六氏（三五）事業家は麻布狸穴の請負事業者山西源三郞氏、その肝いりは現大藏省祕書官上塚司氏である。

栗津氏は十四年前神戶高商卒業後上塚氏の勸めで雄圖を抱いて獨身ブラジルに渡り以來植民地建設に努力し一昨年頃からは頻り

年同期に比して收入は八百萬圓支出は六百五十萬圓利益金百五十萬圓に增加して居るしかして本年度事業費は文化施設費を節減して企業方面を增加する方針を立て合計三千四百六十萬圓（前年度より三百十萬圓增加）を計上して尙收入內譯は鐵道一億一千七百五十萬圓、港灣千百三十萬圓、鑛山八千三百二十萬圓、製鐵八百七十萬圓、地方部五百八十萬圓、收入利息八百萬圓、雜收入百四十萬圓である

米債に滿鐵失配か

支那側の反對で

滿鐵は外債三千萬ドル募集に米國に交涉中であつたが俄然支那側より猛烈な反對起り遂に失配に來したと噂されてゐる。尙米國で不可能であれば英國で起債しても差支へない次第の策を持つてゐると

直訴兵判決

懲役一年

今秋美濃地方に行はれた陸軍特別大演習觀兵式において步兵第六十八聯隊（岐阜）の二等卒北原泰作は陛下が御閲兵のため御馬首を同隊前に進まれし時突如列より二三步進み出で軍隊內における水平社同人の差別撤去を上奏した事件は軍法會議に審理中請願違反として懲役一ケ年の判決言渡しがあつた。右言渡しに對し上告を申出であり直ちに事件は高等軍法會議に移された。

休銀預金の支拂

漸次整理開業

未曾有の經濟界混亂中に沒落したる各種銀行はその後救濟整理に奔走中であつたが漸次整理開業の緖についてゐる。尙松方侯の十五銀行は侯爵の私財提供に刺激され重役連もだまりかね政府の援助と共に曙光をみつゝある。

米墨油田訴訟判決

米國側勝訴

昨年七月一日をもつて實施せられたメキシコの新油田土地法に關連してメキシコ政府とアメリカ人經營のメキシコ石油會社との間に石油採堀權取消訴訟が起りメキシコ大審院において審理中であつたが

と上塚氏を通じて母國の資本家を求めつゝあつた偶々山西氏が集積した財の凡てをブラジル開拓の資本にしようとする痛快な決心をしてブラジルに渡航した際上塚氏の紹介で栗津氏と會見したのが機緣となつて協力大植民地の計畫を樹つるに至つたものであるかくてその後アマゾナス州を選んで同州政府と交涉を重ねた結果遂に前記千四百萬町步にわたる地域の租借權を獲得する至つたもので、

今回兩氏が得た租借權の內容はアマゾン河の中域にまたがつて五百六十九萬町步、四百九十萬町步、四百十三萬町步の三ケ所計約千四百萬町步の地域の租借權でたゞ一會社につきその範圍のうちからいづれの場所にも百萬町步を選んで開拓すべき選擇權を付されてゐる。從つて全部で百萬町步を單位とする十四會社の建設が可能なわけで、

この土地は絕好のゴムの產地の外コーヒー、米等にも適し山西氏は先頃契約書を携へて歸朝し上塚祕書官に打ち合はせ同氏も贊成し今後同氏が肝いりで政府民間に說いて南米の別天地に我が國の發展策を講ずるとゝなつた。

右につゐては上塚祕書官は語る

現在植民地としてもつとも適當なのはブラ

遂にメキシコ政府側に不利の判決が下された。

卽ちメキシコ產業商業勞働省がメキシカン石油會社に對して一旦許可した石油採堀權を取消す命令を發したのに對し石油會社側より提起した命令無効の訴訟は大審院判事會議の結果全員一致でこれを是認したのである。

大平洋橫斷飛行

我領土最終地點決定

大平洋橫斷飛行の我領土最終飛行場地點について調査中であつたが北海道根室市を去る西南方二キロメートルに決定し、飛行の好適地である。尙着陸地點と目されてゐる米國シヤトルのサンドポイント飛行場調査と各地氣象台を研究するため海軍松永中佐が渡米する豫定で成功を期する四勇士は各種準備訓練講習のため霞ケ浦航空隊に入つた。

外國貿易（十二月中旬）

入超に轉ず

本旬に於ける主要港十三港の對外貿易額は差引入超五百十六萬六千圓を示し前旬に比し輸出百三萬七千圓を減じ輸入に於て九百七十二萬五千圓を增加した而して一月以降の累計額は入超一億六千八百四十九萬三千圓で前年同期に比し入超一億六千九十五萬二千圓の減少である。而して本旬に於て入超に轉換したる原因は生絲綿絲絹織物の輸出は比較的不振であつたに對し棉花の輸入が激增し先旬に比し五百三十萬圓の激增を示した爲であると

インド方面へ

外米逆輸出

內地市場に對する政府の外米拂下は全く失敗に終つたが五十萬石の內地米買上に當りさて國立倉庫に收容し得ず民間倉庫を利用した位であるから近く次回の買上を控へて一層管理外米を國外に整理賣却する必要を感じ賣込を畫策したその結果最近に至り外米輸入地のインドを主として天津、滿洲南洋方面にわたりて約五六萬ぶくろの賣込み成立し轉送されてゐる賣込數量と直段とは祕密に付せられてゐるが大量先の政府の拂下決定直

ジルで從來南部のサンパウロ方面には我が植民は盛んであつたが北のもつとも豐かなアマゾン河の流域にはまだ手を染めて居なかつた、今度栗津山西兩氏の計畫はその意味から痛快である、私ももとから植民政策に趣味をもつて居たので十數年前學校時代は大分ブラジル熱にうかされ栗津君にすゝめて南米へ行かれたものである、山西氏は昨年南米へ渡る決心をして丁度私の從弟がブラジル南部を開拓してゐるので紹介狀を賴みに來た時ふと栗津君の事を話したのが機緣で山西氏渡米後栗津君に會見して今度の計畫が成つたもので私は今後この計畫達成のために出來るだけ努力する積りです

滿洲の奧地で

日本綿糸排斥

鐵嶺は滿洲奧地における重要なる綿糸輸入市場で靑島糸を中心として上海糸日本內地綿糸等が相當巨額に輸入されて居るが鐵嶺稅捐局は十一日付をもつて同地に輸入される日本綿糸および遼陽の日本人關係の滿洲紡績會社製品に對するせう塩稅を四倍以上十倍に引上げる旨發表したので同地綿糸布界に大恐慌を來したこの大增稅は同地綿糸布界に大影響をおよぼすのみならずこは最近隘々と成績を擧げ

即ち六圓見當なるもインド方面では競争が行れてゐるのでこれより若干安いらしい上海方面は從來の滯貨が二十萬嚢内外に約半減したが尚賣込みは困難でドイツ方面のそれも期待する程有望でないから大量の賣却整理は容易でない模様である

踏破五萬マイル

獨青年旅行家來る

七年間に世界の隅から隅まで至るところの風光や人情風俗を視察して居るドイツの青年旅行家カール・マルデンス君(二九)は一九二三年六月一日故鄕キールを發しオーストリヤ、スイスを振りだしに歐洲各國をへン歷しエヂプト、アラビヤその他アジアの諸國を經て南米に渡りさらに北米を極め來朝したもので、

今日まで二十五ケ國旅程五萬マイルを踏破したといつて居るこの間テントを張つて草に臥しあるひは木の根本に眠り具さに辛苦をなめアフリカや小アジヤ諸國では旅行家らしいのが飢餓に倒れミイラのやうになつて居る悲慘な狀態を見たりあるひは毒蛇や猛獸に襲はれたりして危險は多かつたが幸ひ頑健で旅行を續けて珍らしい寫眞を撮ること七千枚に上りそれを賣つて旅費の一部にしたり新聞雜誌に冒險旅行記を寄せて原稿料をかせいで來たものである彼は獨、英、佛、伊、西その他六ケ國に語通ずる天才でこれから日本各地に半ケ年かかつて視察し支那フイリツピン、印度に渡りシベリヤに入つてロシアを訪れ一九三〇年諸國しその旅行記をドイツで出版して各國の事情を紹介し國と國との友誼增進を計ると語つて居た

答禮人形十行安着

盛んな國民的歡迎

平和の使者として「日の國」から「星の國」へ旅立つた黑い眼々は振袖姿のミスジヤパンはじめ可愛らしい人形答禮使五十八個は十一月二十五日桑港着全米の人氣を集めつゝ米國民の熱誠なる歡迎が各所に行はれる筈でクリスマス前後紐育着と直ぐにワシントンに乘込み米大統領を始め官民の公式歡迎を濟ましてそれら使節は幾組かに別れ各州歷訪の旅に上る豫定であると。

信州記事

今縣會に盛返へす

移廳案提出

明治十二年縣會の開設當時から數度問題となりその都度流血の慘事をひき起した移廳論が再び實際の問題として今縣會に現はれ郡役所廢止後縣廳が縣の北部にあるため直接問題縣民の受くる不便多大なるを理由とし諏訪郡選出の縣會議員五味染八氏は近日縣廳を松本市に移す意見書を正式に提出するに決した

もちろんこれは單に意見書であつて縣廳の位置は內務大臣が指定する權限內に置かれ縣會自體は實行力を持たぬのであるがもし縣會が意見書を可決するに至れば北信地方は警廢事件に數倍する熱度をもつて反對運動に出づる事も想像に難からずたゞ縣政運用の簡便を期する純理的立場からは松本に縣廳移轉に反對出來ぬだけ一層問題は微妙となるものであつて五味氏の投ずる一石が如何に大きい波紋となるか注目すべきものがある。

滿鮮地方視察に

靑年を選拔派遣

本縣は人口食糧政策の大眼目から本縣人の海外發展を促す前提として將來日本人の發展すべき最も手近な滿鮮地方に靑年團代表を同地方に視察せしめることに決し今縣會にその補助費を計上してゐる。視察旅行を此の靑年に求めたるは從來まで屢々滿鮮方面に進出すべき聲が高められてゐるにかゝはらずその實績が上らぬのは將來もつとも希望に滿つ靑年等に同地方の實情を知悉せぬ事であるとの見解で今回の企圖は意義ある來年度新規事業の一として目されてゐる。因に旅行團は十名位を以て組織し約三週間の日程で明春から夏期の適期に決行される模様である。

て來た奉天紡紗廠が自已の製品の販路を擴張するため奉天官憲を動かし日貨排斥を決行するものとして日本側は重大視してゐるがいづれ一悶着は免れないであらう。

北支の形勢

再び危急

田中首相は十二月一日白川陸相を官邸に招致し、最近陸軍側に達した支那の情報を聽取し種々協議した支那の戰況については駐在武官より確報がないが奉天軍は不利の立場にあるもの〻如く馮玉祥氏は閻錫山氏と連けいし直魯聯軍に對し全線にわたり攻勢をとり曹州歸德を占領し石家莊方面にある奉軍の背後をつき徐州方面に進出せんとしてゐるものの如く見えるがこの情勢は先に我國が山東に派兵したる當時の如き事態を再びくり返すのでこの方面の形勢を注視する事とした。

拓殖省設置の

準備委員會

拓殖省の設置に關しては既に豫算にもその經費を計上し來年七月から實施する事になつてゐる事は本誌の前號所載の如くであるが政府では近く拓殖省設置に關する準備委員會を設けて同省の官制その他の具體案を作成せしむる事になり二十五日の閣議で右委員會設置の件を付議決定した。

領事の二重監督

絕對に反對

拓殖省設置問題に對して外務當局は行政審議會立案當初から多大の注目を拂ひその對策につき研究を重ねてゐたがいよ〳〵政府が行政審議會決定の要綱に基きこれが準備委員會を設け拓殖省の組織並びにこれに伴ふ官制の改正を作成せしむること〻なつたので外務省としての態度を二十五日午前本省會議室で關係當局の會議を開いて決定した。

即ち行政審議會決定の要綱によれば移民事務は一切拓殖省の所管となるのみならず拓殖大臣は所管事務執行の必要に應じ領事を指揮監督することになつてゐるが外務所管の移民事務を拓殖省に移すはやむを得ざるとするも領事が二重に拓殖大臣の指揮監督に服すといふ事は外務省にとつてはかなりの大問題である殊に南滿洲における領事が移民事務以外常に一切の事務について拓殖大臣の指揮監督に服する事は却つて現在以上の弊害を伴ふのであると。

移民の膳立

婦人海外協會成る

問題の農講所

突如、休業を發表

縣民に大衝動を與へた縣立農事講習所問題は本誌の前號所載の通りであつたが其後も頻りに學校側及生徒側は不氣味な沈默を守り爾來志摩所長は殆ど學校には顏も出さず只管自宅に引籠つて居たが突如八日に至り生徒一同に一日の休校をする旨命じ同時に黑澤主任敎諭を自宅に招致し何事か打合せ協議する所あつた一方生徒側は此理由の分らぬ亂暴な休校に憤慨し抗議を申込み受持敎諭も休校の理由も知らず手持無沙汰となり茲に又々隱かならざる形勢を生み學校對生徒間の溝は益々深まり盟休騷動再燃の兆候となつた。

早くも二十餘件

天候不良や霜害から

縣內の小作爭議は南安曇郡高家村(小作人百名地主二十名)北佐久郡白根村(小作人八十名地主十七名)上水內郡高岡村(農民組合全部)長野市大字芹田(小作人二十名)の四ケ所に續發し現在では累計二十餘件に達したが右四件は田畑に關するもので稻熱病と二百十日以後の天候不良並に霜害を理由として二割乃至四割の小作料減免を要求してをり地主もこれを容認しないのは明かであるから既に爭議の形式に入つて居る。

篠井桑合併進む

更級郡篠の井町と桑村の合併問題につき通明小學校で桑村の有志三十餘名懇談の結果大體贊成を得たので會區。御幣川區では住民大會を開く事になつたが橫田區は既に贊成し合併の機運は熟して居るので四月の年度始めまでには實現の可能性あると見られてゐる。

東筑の滯納

東筑摩郡內の縣稅滯納者は益々增加する一方で先月末には六千戶に上つたので有賀駐在員が每日數戶づつの差押へ處分をなしたが差押へた物件がいづれも貧弱な家財道具で公賣に付しても買人がないので持て餘してゐる。

極貧者に救濟金

本縣では財界不況のため特に本年の冬季に限り極貧者救助の目的をもつて救濟金を配付することに決し各町村長と方面委員等の申告を待つて八百二十六人の相當者へ三千五十八圓を交付する豫定である

海軍少將に進級

縣出身の岡本郁男氏

十二月一日付で海軍少將に進級第一水雷戰隊司令官に榮轉した比叡艦長岡本郁男少將は鎌倉に十餘年も住んで第二の故鄕であるといふが少將は上水內郡柵村生れで艦政本部から昨年比叡艦長となつた人である家族は長男の郁子生(一七)さんをはじめ次男の直樹(一四)さん三男の佐喜男(一三)さん四男廣路(一一才)さん長女の正子(一〇)さんの五人のお子さんを相手に文子夫人はいつもお庭の手入に忙しいと。

北長電鐵敷設認可

西山部一帶發展

長野市丸山市長羽田助役兩氏を代表者として昨年來出願運動中であつた長野市と北安曇郡北城村間北長電鐵株式會社は十一月十六日敷設許可の通知があつた。

同鐵道は最初長北鐵道といふ汽車軌道の計畫であつたが北長と改めて電氣軌道にすることになつたもので資本金四百萬圓延長二十五マイルである。

山小屋に

縣から補助金

本縣では登山者の便を計るため南アルプス仙ケ丈岳と三伏峠の中央と北アルプス鹿嶋槍と爺岳の中間五龍岳の中腹の岩室を新設する豫定だつたが經費緊縮のため明年中に實現不可能となりやむなく現在ある十五ケ所の岩室に對し年額百圓づゝ補助し設備の充實を計ることに決した

これは本年最初の試みで近年は冬期もスキー登山が增加するので山小屋は一年間引續き經營を要するものあるにつきその設備の如何は人命にも影響するので縣でも今後特にこの方面へ注意する方針である

川中島合戰の

跡を葬ふ

伯信十五代の孫上杉家の當主憲章伯は謙

婦人の海外移民を目的とする日本婦人海外協會といふものが婦人の手によつて作られ十二月九日午後二時から丸之內商工奬勵館で發會式を擧げ會衆七十名外相代理、內相代理の祝辭等あつた。この會は多年南米に活動してゐた龍田松枝(五二)女史の主唱によるもので數年前歸朝以來同會設立の運動を起して居たが今回理事長として松平俊子さん、理事に吉岡、守屋ガントレツト恒子、嘉悅、岡田、竹內、龍田の各女史、內田伯令妹鈴木さん等が選ばれ幹事に原法相夫人、水野文相夫人、天野たき子さん、顧問は本野久子さん、下田歌子さん山脇房子さん等の陣立である。

事業としては第一に內地及び移民地(主としてブラジル)に婦人ホームを造ることで現在ブラジルにゐる約六萬の日本人のうち、男六人に對して女は僅かに一の割合であるが男のみでは片手落の移民で眞の意味をなさないので、堅實な婦人を送るために婦人ホームで豫備知識を與へる、第二は移民地に病院を設けて安住の地とし、なほ學校、圖書館、敎會の設置等漸次行ふ計畫で發會と同時に全國に移民婦人を募集するはずである。

醜業婦救濟に

新嘉坡に婦人ホーム

シンガポールで去る九月營業禁止を受けた我醜業婦人百餘名を救濟する爲め基督敎婦人矯風會の守屋女史は當時同地に出張して實狀を具に視察去月歸國じたが、今度愈々此れ等婦人の救濟に着手することになり、先づ同地に婦人ホームを新設して收容しこれを半永久的の救濟事業となす事に決定した、よつて直接その任に當る人として、東京婦人ホーム幹事三輪まさの女史が同會から特派される事となり、八日神戶出帆の崎丸で單身赴任に就い。

カ州の邦人土地所有に

また大恐慌

カ州ツノマ郡地方裁判所檢事カール・バーナード氏は同郡大陪審官の指令に基き同郡內に六エイカーの農地を所有する日本人藤田某を相手取つて土地回收の訴訟を地方裁判所に提起した、起訴の理由は日本人の土地所有を禁止するカ州外人土地所有禁止法違反といふにある、藤田氏は一九二三年右の土地をその子女四名の名義で買込んだものであるが起訴者側ではその買入方法の裏を潛つたまん着手段によつたものであると稱して居る尙これを機會として他の日本人土地所有者に對しても續々同樣の訴訟が提起される模様である

信公三百五十年法要執行のため越後高田城跡春日山林泉寺に趣く途中長野市に立寄つた善光寺は川中嶋合戰と深い關係があり謙信の位牌は現に大勸進にあるので伯は十一月十日善光寺參詣の上ぼ提寺とは別にこゝで法要を營み川中嶋戰跡の更級郡八幡原にゆき自分で描いた佛像四萬八千體を千曲川に流して戰死者のために川施我鬼をなし更に甲州方の將山本勘助の墓に詣で夕方高田に向つた。

善光寺院坊の
腐敗を取締れ

善光寺の院坊の寺院生活に對しては世間に兎角のうはさが絕え間ない折柄十一月八日午後長野署に一通の投書が舞ひ込んだそれは愛知縣知多郡立田村の某が善光寺第三講代表者として先月下旬善光寺に參詣し某寺に宿泊したところ夜になつての寺院生活には僧りよとしてあるまじき數々の行爲があつたといふ。

殿樣議員
長野へ煙花見物

長野市の惠比壽講の煙花見物に來た貴族院議員連は青木子他二十名で同日午後四時から青雲亭で小林暢氏の招待宴に臨み七時から萬佳亭に席を移してゆつくり煙花を見るといふ趣向で二尺玉の六本他數百に餘る煙火に歡を盡した。

諒闇明けの天長節に
上田市營の開場式

上田市營運動場の開場式は明春四月廿九日の天長節を期し陸上競技場野球場とも同時に盛大に擧行することに決定、市では運動場完成後は新に體育協會を設立し運動場の經營を委ねる方針でこれが設立準備委員會では四月上旬までに會員の募集を終り勝俣市長を會長として運動場の開場式當日に發會式を擧行する豫定で、

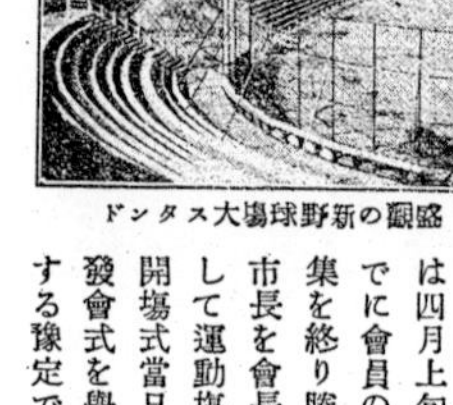
盛觀の新野球場大スタンド

體育協會側では開場式當日野球場は東京から大學チームを招いて模範試合を行ひ陸上競技場は上田市縣合青年會の第四回陸上競技大會を開催すべく準備中である

上田市西部の
發展策を練る

上田市の東部が次第と發展するに反し西部は日に衰へ昔日のおもかげを留めぬ狀態となつたのでその發展策につき研究中であつたが西部を貫通する上田溫泉電氣會社の東北延長線開通並に西部に設置の市營運動場の完成を機會にその發展をはかることゝし同會社で將來東北鎌原停車場を擴張して上田北驛とする計畫あるを幸ひその實現を促進せしめこの西驛を西部の中心地とすべく西部有力者は當局でも盡力せられたき旨を陳情した。

渡らずの橋開通

連絡道路が出來ぬため渡らず橋と呼ばれた國道屋代篠の井間、千曲川に架設した篠の井橋もこの二十二日開通式を行ふたが長さ二百六十四間、幅十八尺、連絡道路二十二町四十一間幅二十四尺工事費は六十二萬餘圓の豫定であつたが五十五萬四十餘圓ですんだ、十二年十二月起工してほとんど滿四年を要してゐる當日は午後一時屋代町側の橋詰で擧行し篠の井町で祝賀會を催した

大屋眞田線完成

小縣郡殿城、本原、長の三ケ村を結ぶ縣道大屋眞田線は大正十二年から四ケ年計畫で工事中であつたが完成を見たので四日午前十時から長村小學校で三ケ村聯合の完成祝賀式を擧行

醫學研究に
酒井氏渡歐

更級郡篠の井町に產科婦人科を專門に開業してゐる酒井醫師は今回東京帝大病院藤卷博士の斡旋で獨逸へ留學し極力伯林大學付屬研究室で二ケ年の豫定を以つて醫術を研究する由であるが來る二月中旬頃家族は東京へ引纏め單獨で渡航する由尙同氏は本會特別出資會員の三百圓寄附者で社會的事業に非常の理解者である

密入國の廉で
邦人送還さる

十一月二十日橫濱入港のプレシデント・マヂソン號で鹿兒島縣濱崎吉藏(三七)が米國移民官から送還されて來た、彼がアメリカに密入國した動機は我國の海外移民が考へなければならぬ物語りがある。

○

吉藏は今から七年前正式な手續をふんで旅券の下付を受けカナダに至り木材會社に雇はれ月百四五十ドルをかせぎ生活費を除いても每月七八十ドルから百ドルまで殘してゐたものであるが、當時日本人勞働者は白人勞働者から侮べつ排斥されてゐたので白人勞働者と同樣な勞働團體に加盟することになり千九百二十四年一月ヴアンクーヴアーに日本人勞働團體民衆社を組織しその民衆社はカナダI・W・Wに加盟し八時間勞働を嚴守することになつた。

○

ところが從來無制限に働いてゐたときよりも月收半減し每月の貯金もできなくなり折角異國に働きに來ても金が殘らんでは駄目だと吉藏はカナダに見切をつけアメリカに密入國を企て同年二月大雪の日にカスケード山の谷ポイント・ロバートの險を冐して米國にいりあらしの夜をついて或る日本人の農家に宿を求めその後シヤトルに出て木材會社に雇はれて今日に至つたが先日同僚と喧嘩しアメリカ官憲の取調を受けた結果密入國者と判明したものである。

巡回講習會

日本力行會では今冬期間長野縣下に巡回講習會を開く事になり第一回を一月初旬長野市を振出しに各市郡一個所宛巡回するに決した。講習の趣意は日本人は橫に地球の隅々まで縱には神の世界まで發展せねばならぬとして講習者と講師が五日間の自炊と寢食を共にしてシンミリと考究すると云ふので內容は海外事情、渡航法、キリスト教大意で自己紹介雄辯會懇談會等あり講師は永田會長宮尾幹事外數名である。尙講習會場所と期日はその都度發表するが決定の分左の如し。

一月八日―十二日　上水內農學校
一月八日―十二日　更級農學校
一月十三日―十七日　小縣郡(交涉中)
一月十八日―二十二日　北佐久郡本牧村望月公會場

朝鮮と滿蒙の概況
━━滿鮮視察の手引━━ 視察旅行の時期と日程

世運は日一日と進んで行きます。狹い郷土に同胞相鬩ぐは因襲の生活です。我等は廣い天地に大きく息して暮さねばなりません。一歩踏み出せば滿鮮の地があります。其處には天惠無盡の事業と廣汎無限の商品販路とが我等の智と財の輸入を待つて居ます。我等は神詣うで寺參りの域を脫し旅を大陸に向けませう。旅は見聞を汎むる最善の手段です。滿鮮は遠い處ではありません。僅か旬餘の日子で鮮滿めぐりの旅行が試みられます。本協會の海外視察組合はその活動いよ/\隆盛を加へ既に或る一組合の如きは貯金額二百數十餘圓に達し組合員數も叉五百餘名以上に達し海外諸地方の視察旅行を氣運も漸く熟せんとして居ります。此の際にあたり此等の諸地方に關する說明を試みるは誠に盛喜にたへない次第であります。

滿蒙の話

滿洲 といへば、一般交通機關の發達した今日、旣に滿蒙の實際を知つた人も、近頃は大分殖えて來た樣であるから、いま時**馬賊の話** でもあるまいと思ふが、まだ/\多くの人は滿洲といへば、スグ馬賊を聯想し、從て一概に滿洲はこわい所、無味荒寥な所、大變寒い所位に想像してゐる人が多い樣であるが**現在の滿洲** は交通機關も整ひ、隨所に日本內地以上の文化都

市が出來、警備に必要な日本の軍隊も駐屯しいろ/\の產業が發達しつゝある實情であるから、從つてそんな方面に馬賊など居樣筈がない、尤も普通の泥棒强盜の類なら**東京や大阪** のまん中にもある樣に、之はドコも同じだが、ホントウの馬賊などいふのは、まづ滿洲でも餘程の邊鄙か、山奧へでも行かねば見られないのである、それから滿洲はヒドク寒い所だとひと頃よく**さぞや滿洲は冷めたかろ** と唱はれたものであるが、なる程滿洲は日本より寒いには寒い、けれども大陸は空氣が乾燥してゐるから、寒暖計の零下何度といふ割合には、からだにコタへない、そして滿洲には**滿洲の防寒法** がチヤンと出來てゐて、家の中など極寒でも七十度位に暖められるやうになつてゐる、現に滿洲にゐる二萬人からの日本人の子供が、みんな寒中でも平氣で休みなしに學校へ通つてゐる位で、寒さは少しも恐れることはない

滿蒙の廣さ 滿洲が六萬四千方里、東部內蒙古が一萬方里、一寸日本內地の三倍、ソレに人口が僅に二千四百萬、日本の三分の一もない、マダ耕せる土地が一千萬町步から殘つてゐる

沃野千里の大陸 日本では關東平野が一番廣い、武藏野はお月樣が草から出て草に入ると誇つてゐるが、日中は秩父連山や、筑波などの山々も見えるし、快晴の日には富士が見える程度の平原である、そこに行くと、滿蒙の自然は大きい、太陽が地平線から出て、地平線に入る見渡す限り茫茫として平野の果てる所天と合し一望千里まるで陸の海である、ソコにはアナタ方が、朝夕滿洲のものとは

朝鮮の話

朝鮮 を未だ見ぬ國として想像して居る人々は、山も、川も、野も凡て今でも荒廢そのもの、樣な狀態に放棄されてゐる未開の地と考へてゐる樣であるが、之等の人が一度朝鮮の土地を踏んだならば、よくもこんなに內地化されたかと驚きの眼を放つ位で、朝鮮を未開の地文明人の住むべからざる土地と考へられたのは旣に過去の夢である。

朝鮮は乾ける國である そこは、環境なり傳統なり國民性を別にして今日に及んでゐる丈に、濕れる國の者には驚異に値する幾多のものをもつてゐる。「住みかへて住むべき土地は乾ける國とぞ思ふ」誰でも云ふ事だが、朝鮮に三年住んだら內地なぞに住めないと言ふ。朝鮮の風景と言へば、寂寞そのもの、樣に思はれてゐるが、世界に其の奇と雄大とを誇るに足る**金剛山** を初めとして、嘗つては咲き誇つた新羅、高麗、百濟の文化の跡其他至る處名所舊跡に乏しくない。朝鮮滿洲と云へば一般に寒い國を聯想する樣であるが、南部地方は內地の福井地方に同じく、中部は信濃地方に、また北部は函館地方と殆ど變らない。殊に**三寒四溫** と言つて、三四日每に寒暖交替する爲に、甚だ凌ぎ易い。

朝鮮全土の面積は 一萬四千三百十二方里、略內地の本州に異ならない、其處には朝鮮人約千八百萬人に對し、內地人僅に四十萬人である、それでどうしても新同胞を導き敎へ、彼等の間に伍して**內鮮同化共昌共學**の理想を實現することが出來やうか。

この廣い土地 は農業と言ひ、水產と言ひ、林業と言ひ、相當天惠に富んでゐるのだが、唯資本と勞力の足らない爲に未だ開發せられないものが多い、されば內地資本家諸君は、朝鮮開發に向つて一考されん事を希望する。

米は半島の主要產物 の隨一で、其產額年一千五百萬石內外、輸移出高三百五十萬石餘に達し、始政當時に比し前者に於て約五割、後者に於て約七倍の增加を示してゐる、其耕地は水田百五十五萬町步、田二百八十四萬町步、火田十四萬町步で、耕地となし得る未墾地はまだ/\ある。朝鮮總督府は此點に着眼して、產米增殖

知らずに召上つてゐる豆腐、おみその原料

大豆二千萬石 世界中で出來る大豆の凡そ七割が出來る、其他粟三千萬石、高粱三千六百萬石、小麥、麻、煙草、野菜、果物など何でも豐富に出來る、米も二百萬石とれて、マダマダ年々增加しつゝある、山からは鐵、石炭、殊に

撫順炭鑛九億噸 いま年額六百五十萬噸から掘つてゐるが、今後二百年は大丈夫、炭質も中々よろしい、ソレに有名な露天掘は、誰しも見てビツクリするので只地面の上土を剝取つて、大きな池の樣な所から順々に石炭を取り出してゐる、又

流す筏の鴨綠江 をはじめ、滿洲一帶には木材が凡そ五十億尺あつて、關東大震災のときも、澤山輸送されたのである、斯樣に滿蒙は野に山に富が充ち滿ちてゐる。

この豐富な原料と滅法安い勞力 を利用して、年々製油、製粉釀造、製糖、製紙、紡績、機械等いろ〳〵の工業が續々起りつゝある。資本家の欲する條件全部は、滿蒙に於て始めて具備してゐるといふべきである。

賢明なる資本家諸君 日本内地の起業は既に行詰つてゐる今日、國家の前途を考へられるならば、一日も早く此方面に正しき理解を有たるべきである。

滿蒙の開發 は人口問題、食糧問題の爲、吾々大和民族の存立上、是非必要なことであると共に、又實に

日滿共存共榮 進んでは、世界人類の福祉增進に貢獻するもので、今日迄吾々日本人の努力經營は如何に滿蒙の文化を促進せしめたか、如何に世界物資の需給を增進せしめたか、ソシテそれがみんな計畫を樹て耕地の擴張と改良に努めてゐる、これが完成の曉には日本の食糧問題人口問題が解決せらるゝことであらう。

其他麥の八百五萬石 大豆の四百五十三萬石等、皆豐富に出來る、而も綿の栽培は風土に適し、極北の一部を除いては到る處に栽培され、今や年產額は一億一千八百七十萬斤に上つてゐる、煙草果實蠶等も亦、朝鮮の風土に適してゐる主要產物である。

人蔘 は古來高麗人蔘と稱して不老長壽の靈藥として世界的名聲を博してゐる特產物であることは普く知られてゐる。

赤い禿頭の山 この言葉は眞に朝鮮を聯想せしめる程、朝鮮は、世界にも類の少い山國だのに、舊慣の爲に亂伐され全然荒廢されてゐたのだが今や、全く面目を一新し、木のない山はない位で森林面積が一千五百八十八萬町步全土の約七割一分を占めてゐる、然し林業は國境の大森林を除いて利用期にあるといふより保護期にあると言うてよい。

金、銀、銅、鐵 等の金屬は言ふまでもなく、大理石、花崗岩などの石材も半島には可なり豐富に埋藏されてゐるし、石炭も平壤の無烟炭を初め、咸鏡、會寧方面には豐富な埋藏量を持つて居る。

海產 としては明太魚、鯖、鰮、鰊、鱈等は其の主たるもので、皆樣の夕食の膳を賑はす魚類か、朝鮮近海から送られると聞けば、知らない人は驚くであらう。朝鮮產と言へば大阪住吉の名物大蛤も、神戶名產の牛肉も、支那甘栗と銘うつ栗味の栗も、其多くが朝鮮から送られてゐるのである。この樣に、內地の人々は日常知らず識らずに、朝鮮の產物を數多く使つてゐるから驚く。

そこには人口と食糧の問題 を解決すべき鍵があるのではないか、やがて冷靜な瞳に立ち返つた時、その眞實の眼をたがはず鮮滿の上に注ぐことを忘れないで戴きたい。

中華民國人にも、又歐米人にも均しく利益せしめてゐるのである。

滿鐵會社 はこゝに六億圓に近き投資をして、鐵道、水運、港灣、倉庫、ホテル、炭鑛、製鐵ソレカラ八千萬坪の附屬地に、都市の經營乃ち上下水道、道路、公園、圖書館、消防、屠獸場、病院、學校は幼稚園から大學までを設けて、向產業の助長奬勵についても、出來るだけの便宜を圖る等、專ら滿洲の開發文化に努力してゐるので、中華民國人も續々我文化施設を利用する爲、滿鐵附屬地に來住しつゝあるのである。

鮮滿旅行略圖

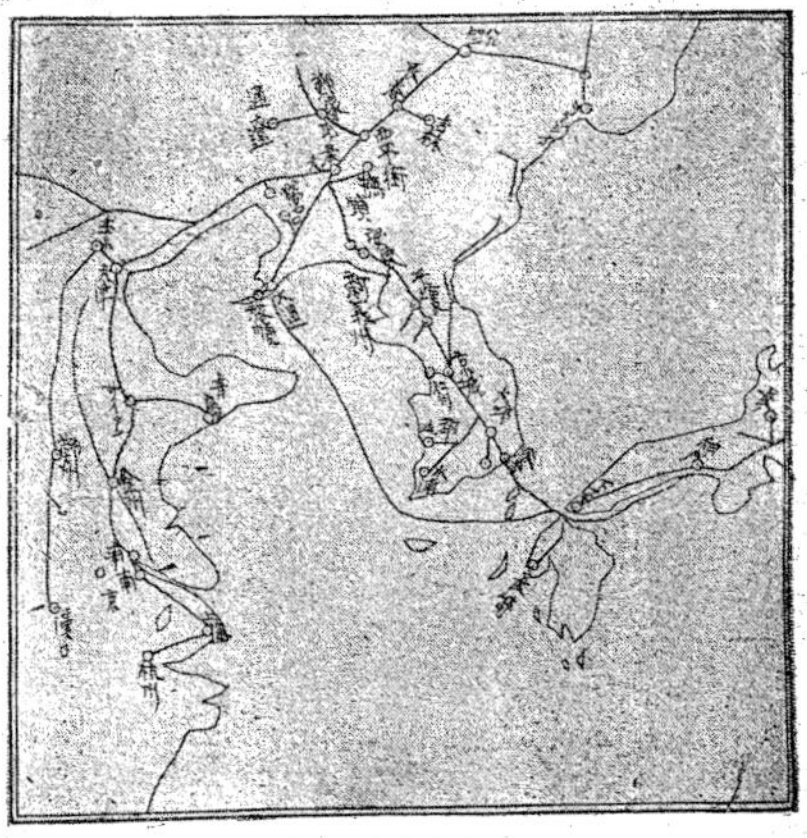

旅行季節

春 四月の發芽（多寒）五月の開花、六月の新綠（間寒、薄外套、夏著）の候は多少塵埃と風が伴ふが旅行季節として良好である。

夏 七、八兩月は雨季に入るが大陸氣候の關係から內地に見るが如き連日の細雨又は鬱陶しき事殆んどなく從つて洋傘の必要を殆んど認めない。暑さも處に依りては相當酷しいが一般に內地と大差なく殊に朝夕は薰風絕えず吹いて極めて凌ぎ易い。暑中休暇利用者は勿論濃綠の滿蒙の男性的爽快に接せんとするものは此季を逸してはならぬ（夏仕度、レインコート持參便利）

秋 九月下旬より十月一杯（間寒、薄外套）、暑からず寒からず所謂滿洲晴れで連日澄み亙る天空は內地に見られぬ現象で旅行季節として最も望ましき時である。

冬 十一月より翌年三月迄（多寒厚外套）は結氷期で奧地は零下二三十度の酷を聞くが、防寒設備到る處完備してゐて何等驚くには當らないばかりか、此の季節は滿蒙特產出廻期に入り市況活潑、大豆、豆粕等各驛に山積殺到しその壯觀は想像を許さざるものがあつて、此の頃の旅行を回避しては眞の滿蒙は覗へぬ處である。

二十一日間滿鮮哈爾濱周遊旅程 （滿鐵案內記による）

第一日 夜下關行急行列車にて東京出發車中寢臺宿泊

第二日 朝大阪著發同夜下關驛著直ちに關釜連絡船に乘船（乘船の際稅關檢査があります）、船中宿泊

第三日 朝釜山上陸市內見物後京城著奉天行普通列車にて出發（車窓より沿道風光展望）、同夜京城著宿泊

第四日 京城市內見物（美術品製作所、景福宮、パゴダ公園、商品陳列館、博物館、動植物園）、宿泊

第五日 京城市內及郊外見物（南山公園、龍山市街、漢江、清凉里）或は午後仁川見物同夜京城發奉天行列車に乘車、車中寢臺宿泊

第六日 早朝平壤著市內見物（瑞氣公園、乙密臺、牡丹臺、箕子廟、浮碧樓、練光亭、大同門）、午後發列車にて奉天に向ふ、車中寢臺宿泊（途中安東驛構內にて稅關の檢査がありますから必ず立會はねばなりません、又同驛で時計を一時間遲らせる事）

第七日 早朝奉天著馬車を傭つて市內及郊外見物（新市街、北陵城內、滿洲醫科大學）（北陵拜觀には支那官憲發給の許可證を要するから豫め日本領事館を經て其の手續をせねばなりませぬ）

第八日 朝奉天發列車にて撫順著、各炭坑見察（大山坑、東鄕坑、モンド瓦斯工場、露天掘）、夕刻撫順發列車にて奉天著、宿泊

第九日 朝奉天發長春行列車に乘車午後四平街著此處にて鄭家屯行列車に乘換へ夕刻鄭家屯著宿泊

第十日 午前中市街見物午後鄭家屯發列車にて四平街へ、同夕刻四平街著長春行急行列車に乘換へ同夜長春著宿泊

第十一日 長春市街及城內見物（新市街、伊通河）、午後發東支鐵道列車にて哈爾濱へ、同夜哈爾濱著宿泊

第十二日 市內見物（新市街、東支鐵道廳、チューリン商會埠頭區、商品陳列館、市場、公園、松花江、傅家甸）、同夜南行列車にて哈爾濱發車中宿泊（東支鐵道時刻は滿洲時刻より廿六分早し）

第十三日 早朝長春著南行滿鐵急行列車に乘換へ同朝公主嶺著農事試驗場、市街觀察、午後發列車にて更に南下、夜湯崗子著湯崗子溫泉旅館宿泊

第十四日 朝湯崗子發正午大石橋乘換へ營口著約三時間市內觀察（遼河、新市街、東亞煙草會社、天后宮、牛家屯、居留地）、午後營口發大石橋乘換にて南下同夜大連著宿泊

第十五日 大連市內見物（埠頭、露西亞町、西公園、老虎灘）、宿泊

第十六日 朝大連發列車にて旅順著案內者及馬車を傭ひ各戰蹟觀察（白玉山表忠塔、記念品陳列館、各戰蹟、博物館、新舊市街）、夕刻列車にて大連著宿泊

第十七日 大連市內及郊外見物（電氣遊園、中央試驗所、小崗子支那市街、沙河口工場、星ケ浦）、宿泊

第十八日 午前十時出帆定期船にて內地に向ふ、船中宿泊

第十九日 洋上、船中宿泊

第二十日 午後下關上陸（稅關の檢査があります、

第二十一日 朝大阪著發（車窓より沿道眺望）

旅費概算 （但し下關發より歸著迄）

	一等	二等	三等	學生
旅費總額（汽車、宿泊、馬車食費を含む）	圓 四三九、五〇	圓 三二四、六二	圓 一九三、五九	圓 一三六、五五
二十人以上團體一人當り旅費		圓 二四七、七八	圓 一五〇、七三	圓 一〇八、四四

（團體の場合は豫め都合がつかぬ事があります）

協會記事

海中副會長井上氏就任

新陣營樹立で活動

大正十二年一月東京に組織された海外協會中央會は久しく欠員中の副會長選擧に會長を一任してあつたが今回海外興業株式會社井上雅二氏の就任を見た。同會は各府縣海外協會の聯絡統一を計り海外發展の如き重大な問題を一地方のみの問題として取扱ふべきものでないと蹶起され既成の海外協會は全部これが連絡を保持してゐる。現在の海外協會は信濃外十五で現に他の數縣にも設立發會の機運が熟してゐる。尙同會役員の顏振れは總裁故大木遠吉伯の死後未だ推薦を見ず會長は今五介氏副會長は津崎尙武氏と今回の井上雅二氏井で相設役、理事は聯合各府縣海外協會より三名又は二名を推薦する事になつてゐる。

アリアンサ自治會

自治制施行一ヶ年を經た該自治會は會規に基づき總會開催の上會長以下役員の改選あり尙移住地の敎育、衞生、會計、產業、交通等竝に自治會の內容充實を計りその機能を完うからしむるため會則の改正に關する建議あり監時委員會を設立して右の諸事項について協議制定を計る事になつた。

會長 瀨下登

副會長 石戶義一

委員 一區六名宛（六區より選擧）

ア移住地各種全集輸送

アリアンサ移住地の文化事業中圖書館創設は智識啓發上最も緊急を要する問題であるが本會は今回その前提として本邦出版界に一大革命をもたらせる全集物の出版を好機として約十數種の全集を集めて第一回の輸送を十一月便船サントス丸に托送した。因みに今回の分は各全集を通し第一回配本から五六回までので次回の輸送は明春四月頃であらう。

十二月アリアンサ渡航者

十二月二十四日神戶解纜のマニラ丸移住地渡航者は左の二家族八名で同船は明春二月十四日目的港サントス着の豫定である。

長野縣小縣郡長窪新町 高橋武 六人

靜岡縣加茂郡下田町 石川定吉 二人

昭和二年中アリアンサ

渡航者家族人員數

本協會分のアリアンサ入植者中橫濱神戶兩港よりの渡航者は十二月分を合せて五十六家族二百六十餘名で割戴渡航回數は十三回であつた。

海外視察組合設立（續き）

上水內郡朝陽村組合

組合長 藤澤梅治

福澤勝熊

小出茂一郎

松山勝三郎

藤倉芳雄

今井多市

高野良右衞門

竹内長平
本藤彌市郎
長田元應
篠原太一

上水内郡日里村組合

組合長 新井武二郎
酒井八作
德嵩嘉政
岩下宗吾治
兒嶋千濱
松田近雄
寺島狝男
松本一馬
大内元
寺島一市郎
山野井治三郎

上水内郡水内村組合

組合長 清水嘉一郎
中澤惣市郎
北原長雄
山本慶司

田中次郎
戸矢崎裕親
高木隣司
壚入邦太郎
塚田一朗
壚入一幸
宮崎厚美

上水内郡津和村組合

組合長 宮尾安治
大田貢
宮尾義三郎
西澤茂之
酒井清繁
宮尾忠考
牛澤幸榮
壚入武
宮澤孝義
大久保量平

下水内郡外様村組合

組合長 足立千代吉
今清水、清之助

服部七衛
栗岩孟雄
鈴木杢右衛門
足立寅藏
栗岩讓作
北澤郁三
清水豊作
春日清造

下水内郡柳原村組合

組合長 丸山藤吉
高橋榮作
堀内庄之助
小湊三藏
高柳林三郎
丸山喜右衛門
渡邊萬吉
手塚平吉
月岡義策
清水佐内

上水内郡古里村組合

（追加） 青木長四郎
淺川耕平

編輯雜記

▲歳末に際し毎年その功罪を追究されるのであるが、本誌についてもそれとなくいろいろ考へさせられる事がある。

▲本誌は本協會の機關誌として忠實であり常に筆の公正を誤らざる事において無爲無策の責には何等の痛撃を感ぜぬではないが未だ十分なる機能を發揮する點において幾多の遺憾を持ち合はすのである。これは編輯同人ばかりでなく本誌を手にする者の抱く感である。

▲けれども過去三年はその幾分でもと心掛けて來たので本誌は只今において以前に勝る數々の興味を與へる事が出來た。しかしそれは本誌の向上發達の一前提に過ぎぬものであるから同人は更らに精勵の誓に約してゐる。

▲海外の甲地から「海の外は新聞紙の切抜き羅列で結構である」と注告し、乙地からは「僕等の地方の事柄は少しも載せぬ」と苦言し、内地會員からは「海外の事情をウンと澤山載せて」等と要求して來てゐる。いづれも有難い御言葉であり、誠意あり御注告に同人は焦眉の方策に胸を痛めてゐる。熱心と眞面目の御苦言に對し、熱烈なる御希望は同人の御尤の事であると存じよく承知してゐる所であるが、さてそれならばと、いろいろ考へるが事の實行には幾多の難關ありその障壁を突破する事においてより以上の精力が必要とされてゐる。此の點において大方諸賢に御訴へ、ひたすら御援助をより一層御願ひ致したいと存ずる次第である。

▲本稿を以て「レジストロの信州人」は完結した永々の御執筆を會員讀者と共に深謝する。只今、筆者は南洋の方面に遊ぶと聞くので近々に新鮮な玉稿が誌上を賑はす筈と存ずる

▲海外各地から續々原稿（通信）を頂戴してゐるが紙面狹隘に止むなく次號に割愛したのが尠くない。御寄稿の御芳情に厚くお禮すると共に相變ず御通信を願ひます。

▲本號は本年の終刊である。慌しい歳晩に再び年頭に顧み過ぎ方行く末に交々の感興がわいてくる。

▲では内外會員讀者諸賢、本年はこれで御免下さい。新年號の第六十八號は新裝を凝して御斯待に添ふ樣、御目にかゝりたい。（宮本）

寄稿歡迎

△題材隨意 心に感じ、眼に映じ、耳にきゝたる雜文にて結構

海の外社

海の外

定價	内地	外國
一部	廿錢	廿仙
半ヶ年	一圓十錢	一弗十仙
一ヶ年	二圓廿錢	二弗廿仙

送料共

注意
▲御註文は凡て前金に申受く
▲廣告料は御照會次第詳細通知致します
▲御拂込は振替に依らるゝが最も便利さす

昭和二年十二月二十五日
編輯人 永田稠
發行兼印刷人 西澤太一郎
長野市南縣町
印刷所 信濃毎日新聞社
長野市長野縣廳内
發行所 海の外社
振替口座長野二一四〇番 信濃海外協會

海の外—THE UMINOSOTO
Published Monthly by the Uminosoto Sha. Nagano, Japan.

「海の外」第六十七號（昭和二年十二月）（毎月一回發行）

（大正十一年四月廿六日第三種郵便物認可）（昭和二年十一月廿五日發行）

信濃海外協會
海の外社發行

一九二八（昭和三）年　海の外　第六八号～第七八号

目　次　（第六十八號）

慰安激勵希望の言葉
—海外の信州人諸賢へ—

本縣關係諸名士

海の外
THE UMI-NO-SOTO

第六十八號
昭和三年一月

目次

信濃海外協會海の外社

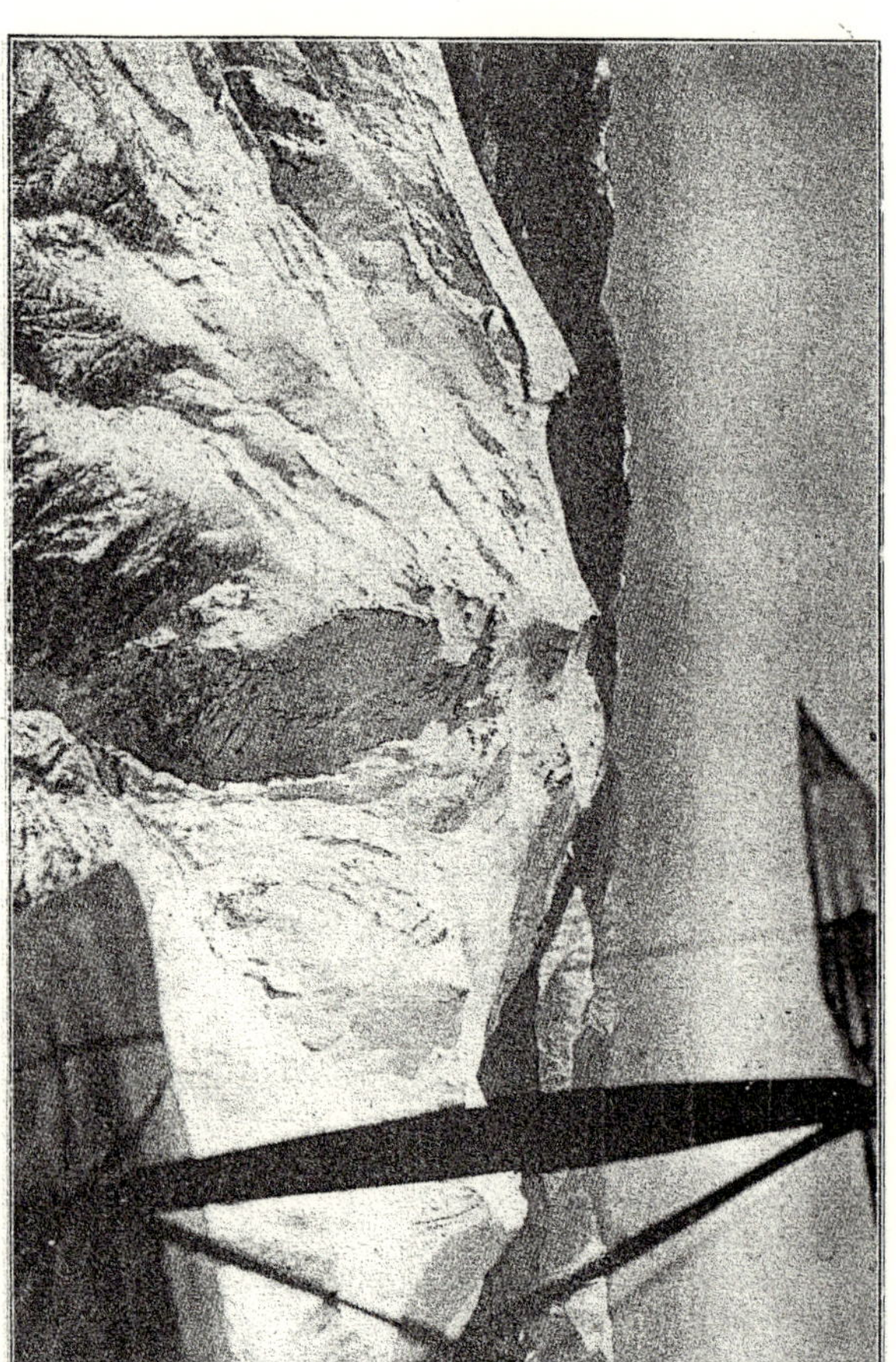

日本アルプス（穗高）の靈峰（飛行機上より）

ブラジル師範學校留學生

アリアンサ移住地小學校教育に任ずる教師は日本の師範學校卒業後更らに伯國の師範學校に所定の科目を卒ふべく二月便船に雄々しく鹏島立つ豫定である

向って
右、兩角貫一（諏訪郡永明村）
左、淸水明雄（北佐久郡川邊村）
下、長田イサム（諏訪郡豐平村）

海の外

（昭和三年）第六十八號（一月）

回暦戊辰

昭和三年は明治元年の回暦戊辰である事は人のよく知る所である。今我等は此の光榮ある昭和三年を迎へて感激措く能はざるのである。

我日本が最近六十年間の國運隆盛は遂に五大強國から世界の三大強國まで累進せしめたのである。

明治の戊辰は三百年鎖國の迷夢から世界の舞臺に乘出だしめ、そして最早世界の舞臺に立ち後れたにもかゝわらず國と國民は萬難を排して新日本建設の生みの苦しみをしたのであつた事は明治、大正の記錄がよく說明してゐる。

我等は六十年後の現代日本が世界の三大强國の一つに數へられてゐる事を慶賀する次第であるが密かに眞實の日本を凝視する時尙且つ內に外に憂慮する諸問題の數多くある事を遺憾とするものである。

我々の先輩が明治の戊辰に絕大な感激と抱負とをもつて當時の國難に處した如く今我々は昭和の戊辰にその遺志を繼承されてゐる。

昭和の日本は國內的にも國際的にも多事多難である秋我等は先づその年頭に際し六十年前の戊辰に精神を立ち返らしめ、更らにさらに我々に指し示されたる使命に一路驀進せん事を誓ふのである。（三〇一〇三）

海外の信州人諸賢に

本縣關係各位の熱誠にあまる
慰安、激勵、希望の言葉

萬里の異鄕に奮鬪する我縣民諸子には異民族と接觸して信州健兒の面目を失はず、のみならず日本人としての襟度を守り常に民族競爭の第一線にあり或ひは排日の渦中に身を投じ尙奮鬪を續け居り若くは千古斧鉞を知らざる大原始林中に開拓の斧を振ひ新文化新社會建設に身を挺して活動し何れも國情と風習と言語の異なる地に想像も及ばざる苦痛を忍びつゝ萬難を排して困難と鬪ひよく初志の貫徹に努力しつゝあり此等の諸子に對し更らに故國より慰安と激勵の言葉をおくりて聲援し海外發展の眞使命に對していろ〳〵の希望を述べ與へて益々鄕黨的親睦の親密を計り健實なる縣民海外發展の途に盡さんと、本縣出身の知名なる有識者と共に本縣關係者よりの感激と熱誠にあまる言葉を次ぎに贈りたいのである—（到着順）

海外の同胞諸君

學務部長 本會相談役　福島繁三

私は信濃海外協會の役員の一人として遙かに南米アリアンサの我が移住地に居られる同胞諸君に一言申上げる機會を得た事を誠に光榮に存じます。

諸君は故國を離れて幾萬里の異鄕に大自然の中に抱擁せられ

つゝ無限の沃野に絕大の力を振つて開拓の强き鋤を打込まれて居ることゝ存じます。端しなき森林原野に何時しか道を通じ車を通じ樹木は伐採され土地は耕作せられ日一日と自然を征服しつゝある諸君の雄々しき姿を偲ぶ時故國の青年は胸の血潮の高なるを禁じ得ないのであります。自由の天地無限の寶庫に對して隨意に駛足を伸ばされることを羨ましく考へるものでありま す。さはあれ、諸君の日々のお骨折りと勞苦は如何程であるか時々望鄕の念の禁じ得ぬ時もあることゝ遙かに拜察する次第であります。

而して諸君の今日やつて行かれることは故國幾萬の青年に取つて好箇の模範であり羅針であることを考ふる時は衷心から感謝せざるを得ないのであります。

現今國內に於いては農村振興の聲が非常に高く多數の人により多種多樣な振興策は硏究せられ實施されて居ります、然し必しも振興の實績は擧らないのでめります、それも其の筈であります。如何にしても此の人口に對する耕地の不足であることは補ふことが出來ないのであります。可なりの傾斜地まで拓いて畑となし干拓や開墾をやつて見ましてもどうしても此の耕地面積の不足は補はれませぬ。集約に集約を重ね、土地を幾重に利用する道を講じて見てもある程度のものです本縣の如き蠶業を主とした農業組織に於いては幾分農家の收入は增大して居ります然し霜害や凍害、遊作や生糸の下落と云ふ樣な事柄が引續きましては等しく行詰りを感ぜざるを得ませぬ、一面農村生活に於ける慾望の增加は無限なるものがありまして、遲々として增加する生產は到底此の無限の慾望を滿足することが出來ず農村の前途に對して不安の念を禁じ得ぬ狀態であります。

農村の青年は相率ゐて農村を去り、都會に集中する傾向であります、識者はこれを以つて不健全なる徵候として農村荒廢の一大原因として居ります。然し、矢張り根本的に農村に於ける農耕地の不足はこれ等多數の青年をして充分に駛足を伸ばさしむるの餘地がないのであります。相率えて、職を都會に求めさうして幾多の失業者の群が都會に集合して居る樣な狀態でありまして同胞の海外發展と云ふことは急務中の急務と考へられて居ります。

こんな狀態でありますから青年の海外渡航を希望致します者の數は日に增加して居ります、又眞に自己の汗によつて生活し腕によつて衣食し勤勞することを樂む目的を以つて組織せられて居る學校や團体か漸次增加して行く傾向であります。海外事情を硏究し移植民に關する學科を授けることが各地の實業學校で考へられて來て居ります、若し只今計畫せられつゝあります各府縣の海外移住組合の事業が發展しまして渡航に關する充分の準備が爲される樣になりますれば必ずや、諸君の後を追ふて渡航するものは非常な數に及ぶことゝ存じます。既に御承知のことゝ存じますが本年度に於いて八つの府縣が海外移住組合を組織してブラジルに各五千町步の移住地經營を計畫して居ります。

來年度にも更らに八つの府縣によつて移住組合が計畫せられる事になつて居ります。夫れは既に出來た本縣外三縣の移住地も矢張り移住組合を作つて經營することゝなります、都合廿府縣の組合が今明年中に出來て十萬町步の土地を經營し數年內に四千家族の人々の渡航を見ます樣な豫想になつて居るのであります。

これ等の人々に對して諸君は眞の草分けであり案內者であり先驅者であり羅針りある譯なのであります。諸君の貴き經驗は後より來るべき者に對して直ちに取つて以つて活模範となるのであります。全體のものが成功するか否かも一つに諸君の實績如何によると申しても差支ないのであります。願くは先驅者としての活模範を示され度いのであります。

前に申述べた樣に故國では一般に海外の事情に注意して居る次第なのでありますから願くは諸君の日常のすべての出來事等を出來る限り通信せらるゝことを切望致します。諸君は珍らしからぬ事柄でありましても御地の事情を知らむと努めて居るものに取つては好箇の資料であるのであります。

御地の狀況を大多數の人に出來るだけ速に知らしむることは實に急務中の急務であつて且多數の人々の渴望して居る處なのであります。

願くは折々諸君の消息を寄せられむことを願ひ終りに臨みまして諸君の御健康と御繁榮を祈つて止みません。

海外の皆樣へ

△思ひ出づるままを▽

本縣地方課長
本會顧問　白石喜太郎

瑞雲のたなびく昭和三年の正月となつた、長くも諒闇の憂き雲はれた新御代の初日に、全く山色新たに御稜威を拜してゐる穗高も鎗も眞白の姿に初日を戴いた崇高さは何とも言はれぬ。昭和の新時代正に輝き初めた感がする。

○

屠蘇の香も尙さめぬに議會は解散となり來る二月二十日に所謂普選第一回の總選擧とあつて擧國大意氣込みである。が內政の一大革新が實現すると同時に亦この新時代に擧國海外發展に一時期を劃せねばならぬと私共は心してゐる次第である。

年々七十萬、八十萬といふ增加しつゝある人口は誠に心强さであるが同時に東海孤嶋をのみ活動の天地と心得ねばならぬやうな祖先の血をうけて生れることは哀しみでなくてはならぬ。

何處の國民でも其の國の增加人口の一割や二割は海外へ發展してゐるが、ひとり我國は數に於て非常に少い感がする。是れは主として

海外發展思想の不足
海外發展助力機關の不備

とに原因してゐると思はれる。

○

偶々單身數千浬を渡つて大に雄飛しやうと企てゝも暫くのうちに、弧客の被る懷郷病に梟せられたり、子供の敎養や病氣治療機關の欠陷等から、大望を抱き乍ら歸國せねばならぬやうなことが屢々あつたのである。然るに今や海外移住組合を以て團體的に移住することも出來教育、療養等の不便もとり除かれた、のみならず之に先つて信州男兒の意氣を示すべき信濃海外協會も成立したのであつた。

先覺者を驚かした此の先鞭的の企劃によつて、アリアンサ移住地も建設されたのであつたがさてまだ遺憾なのは國內に在る同胞である、あまりに海外智識を欠いてゐるやうな氣さへしてならぬ。

○

海外に在る諸賢よ、

諸賢等が始めて日本の海を離れて富士の山を仰ぎ見た心細さと今日の出發者の心强さとは非常な相違もあらうし且つ之等は先輩諸賢の賜と感謝してゐます。

さりながら、おそる〳〵も故國を出た後進健男兒に對しては更に一層の御教導と御眷顧を賜りたいものである。と同時に國內に在るあまりに無知識の吾々同胞に對して海外事情を時々御報導願ひたいものである。

めでたい年のはじめに諸賢の前途を祝し御健鬪を祈つて年始の挨拶にする。

在外同胞を後援せよ

警察部長
本會相談役　土屋耕二

一九二四年八月頃歐洲からの旅を北米合衆國に立ち寄つた私は、丁度排日移民法の實施直後にあつたので、埴原駐米大使の所謂「グレブ・コンセクエンス」なる熟語を中心として兩國の與論沸騰し渦卷き返して日米國交の危機をはらんだ該問題に異樣の興味をもつと共に最初から外遊の一プログラムであつた日本移民の實狀を研究せんとする視察慾にそゝられながら紐育から加州に出た。當時加州は我同胞の活躍の天地であるのではあつたが此問題のために在留同胞は非常の興奮と落膽との顏色に沈んで居る氣の毒な狀態を看過すことが出來ないのであつた。

滯在旬餘出來るだけの時間と機會とを利用して我同胞に接しその努力の跡を訪ねたとき加州が世界の樂園といはるゝほどの今日の隆盛の一班は我同胞の辛酸なる苦戰奮鬪の賜である事を知り米國人自身も識者も相當之を承知してゐるに拘らず主として勞働問題經濟問題であらうが不法にも彼等は加州から日本人を排斥せむとする排日土地法を提出した、のは遺憾千萬といはねばならぬ。

が私は斯くの如き壓迫と迫害との下にありながらも我同胞の發展の豫想外に素晴らしいのに驚き且祝福措く能はざる次第であつた。排日は人種問題でもあり經濟問題でもあるが一面に於て我民族の海外發展の前途に偉大な期待を有ち得るといふ保證を與へたものといひ得るであらう。日本人が開拓者として相當の能力を有し、植民的事業に大なる自信を持ち得ることが加州の我同胞の今日迄の活躍振りを見れば十分肯定し得るのである。裸一貫で祖國を飛び出した我々の先輩がさしたる故國の援助もないのみならず却つて迫害と困難との多い異郷萬里の地にありて大農場を經營し、大市場の覇を握り妻子と共にのび〳〵した愉快な生活をなしつゝある事は到底故國に跼蹐する人々の思ひ及ばざる所であつて、しかも移住地の生活が男性的であ

り、創造の生活であるだけに故國に於ける如き因襲にとらはれて小さい天地に蝸牛角上の爭ひをなしつゝ尊い人生を消磨したといふが如きことなく、潑溂たる身體を持して進みつゝあるのである。こうした我同胞の海外生活の實況を故國の人々に見せたならばと思つたのである。

それから海外發展策について痛感したものゝ一つは國家の爲め自己の爲め萬里の波濤を越へて海外に移住したものに對する祖國民の後援の必要といふことである。國家の外交による移民の保護といふこと以外に祖國はその海外の同胞に對し更に物質的、經濟的に其の援助をなすべきであらうといふことである。我々郷國に居る人々がかなり誤謬に陷つて居りはせぬかといふことは海外發展の成功は郷國の「送金」にありと判斷してゐる事である。海外への勇士を送りて日本に殘留せる彼らの親族故舊郷黨が動もすれば、それらの勇士の汗の結晶たる貯蓄の送金を迫り、搾り取るが如き態度にのみ出づるが如きことを移住成功者の一人がしみ〴〵と歎いて居たことを直接聽いた私は思はず眼底の濕ふを感じたのであつた。と同時にむしろ故國から大資本を在外同胞に融通して同胞の事業經濟を助成することは彼らの成功を促進し、確乎たる地步を彼地に占めしめ壓迫や迫害に對する抵抗力と持久力とを有せしむる所以であつて邦人の根强い地盤を作らしめねばならぬと思ふ。かゝることによつて移住者をしてその地に永住し骨を埋める決心を有せしめ、子孫のために國家の爲に新らしい社會を造る眞實の植民的活動が出來るやうになし得るのである。これがためには、國家も自治體も更に一層組織と統一化された移植民獎勵保護事業の活動を促がし從來よりも一步を進んだ援助を在外の同胞に與へ同胞の活動發展に寄與することを心がくる必要ありと信ずる。蒔かぬ種は生へぬ。吾らは先づその根本を培はねばならぬ。（談）

先驅者の人格が

△新社會建設の一要素▽

內務部長
本會相談役　原田惟織

我が國の現狀は國民の移植民政策の遂行に官民一致の努力をせねばならぬ事は云ふまでもない事であり、政府は先きに人口

食料問題調査會に諮問してこれが對策案につき答申せしめ、或ひは海外移住組合法の實施により極力國民の海外發展に保護奬勵の方法をとり、更らに資本の海外投資をも併行せしめて人的海外發展と經濟的海外發展に一鞭を打ち、民間には移植民團體の活動いよ〳〵旺盛となり官民共に努力してゐる事は慶賀に堪へぬ所である。

然し私は國民の植民的開拓の第一線に立つて新らしい社會を生み出そうとする先驅者の 腦裡に深く考へ込んでおいて 貰はねばならぬ事がある。それは世界の植民帝國の興亡の歴史を繙き、近くは日本の植民地を尋ねるとゞに誰しもが感じる事なのである。

私は北海道の天地に、しばらく植民地生活を經驗して道内の植民地——村落的部落——を視察し、常に頭にうかんでゐたのは植民地の如き新らしい社會を創る上に第一に考へ、且つ最も重要なる要素は植民地建設者——先驅者——の理想であり人格であると云ふ事であつた。これによつてのみ植民地は榮へ、理想の新社會が建設されるのであると云ふ事である。如何に植民的發展に具備する經濟的條件があらうとも社會的施設が十分であらうとも若しもその中に先驅者の理想が空虚であり、不純であり、人格的發露がないならば遂にその植民地は墜落をしその社會は滅亡の外はないのである。そして北海道においてすらも此等の點につき觀取する事が出來るので我同胞が世界の未開の新天新地にあつて、あらゆる困難と苦痛に戰ひ、民族的競爭場裡にあつて働らく時同胞の一人一人がよく自覺して居らねばならぬ事である。

私は此の點について常に憂慮する一人であるが、幸ひにして賢明なる我が信州の諸君には一つの杞憂である事を喜んでゐる。それは南米にアリアンサ移住地が建設されてその發展が頗る順調である共に範を天下に示し我が國海外發展史上に一大エポックを描きつゝある事である。と云ふのは此の移住地建設には頭初よりその中樞をなすものに人格を中心とせる信州出身の人によつて犧牲的努力を拂ふ精神に支持されてゐるからで誠に感激にたへぬ次第である。

由來信州は山高くして水清く、清廉潔白の人材を輩出する事天下に聽へてゐる。しかし海外の在住同胞間にも常に我が信州人が中堅になつて同胞の指導的立場にあり啓發運動の一線にある事を耳にして非常なる喜びに溢れるものである。

希ふくば自重自愛、我民族の發展と共に移住地社會の繁榮のために益々活動して世界人類和平の大局に向ふて奮鬪されん事を遥るかに祈つてやまない。

△　△　△　△

椰子の葉茂る

南洋の思ひ出

△敗軍の將は兵を談らず▽

信濃日日新聞主筆　小笠原幸彦

□

大正七年の夏、燃ゆる様な希望を抱き、長崎港から商船アフリカ丸に乘つて、海外移住の鹿嶋立ちをしました。私の目的地は椰子の葉茂る比律賓群嶋のミンダナオ州ダバオと云ふ米領の南洋植民地、尤も移民とは云ひ乍ら一等船客でしたから、十二指腸虫の檢便をされる様な事もなく、無事一週間の航海を終へて、東洋の眞珠港と誇稱するマニラ市へ上陸しました。

□

それからミンダナオへは、群島廻りの小汽船に乘り替へて、約十日余り航海せねばならなかつたのですが此小汽船は、途中の嶋々へ寄港しますので、恰度我が瀬戸内海の旅と同じく、仲々趣味深いトリツプでした而してマニラ港からは、テニスの世界的撰手三上八四郎君と同導しましたので、到る處で州知事や有力者の歡迎を受けました。彼地では運動が非常に盛ですから日本の大官などより運動家の方が遙に優遇されるのです然し其三上君が、ダバオへ着いて間もなく、落馬が原因で急死したので、私が喪主になつて南洋の海底深く水葬したのは、氣の毒な奇緣でした。

□

其頃ダバオには、約一萬人の日本人が移住して、マニラ麻や椰子の栽培に從事して居りまして、一時仲々勢ひが好く、太田興業會社の如きは數萬町歩の耕地を支配して居ましたが、間もなく歐州大戰後の大反動にやられて、僅かの間に續々歸國者が殖へ、大正九年には約三千人に減少しました。尤も米國政府では、例の排日を目的とした土地所有禁止法を發布したりした爲前途

の希望がなくなつたのです。

□

其れに日本移民の欠點は、金の儲かる時は、儲けた金を本國へ送金して終ひ、事業資金に投ずる者がまれでありますから。一朝不景氣になつて、金が儲からぬとなると、忽ち金融難に陥り、果ては悲觀して歸國する氣になるのです。殊に、日本人の爲の銀行は、唯一の正金銀行がある丈ですが、其正金銀行は所謂爲替銀行でして、本國への送金は取扱ふが、事業資金の融通はして呉れません。故に内地でもそうですが、大資本を要する海外の事業家は、先づ金融難に苦しめられ、思ふ様な活動をする事が出來ずに、前途有望なる事業でも見す〳〵放抛せねばならぬのは殘念です。

□

長野縣人の移住者は、約三百人余り居りましたが、余り成功者はありませんでした。然し醫師とか會社員とか多少知識階級の仕事に從事して居りましたので、人數の尠い割合には勢力もあり、在留民の爲に貢献もしました。死んだ土屋窓外君（上田出身）などは、事業を雇人任せにして日本人會の爲に活動して居ました位です。私は約二年在留しましたが、遂に旗を捲いて歸國しました。そう云ふ譯ですから、思ひ出話ならまだ澤山ありますが、敗軍の將は兵を談ぜずで、移住者を激勵する様な立派な事は申し兼ねます。

南洋ダバオ耕地に於ける小笠原幸彦

海外渡航の許可と

旅券の下付に就て

長野縣保安課長　赤羽九市

海の外社よりの御注文により海外渡航の許可と、旅券下付に就て、極く大体の模様を述べて渡航者の御理解を願ひたいと思ふ。

先づ海外旅行の許可と、旅券の下付とは如何なる區別があるかと云ふに、海外渡航の許可と云ふのは、移民保護法に依つて移民に屬して用ゆるのであつて、卽移民とは勞働に從事する目的にて、外國に渡航する者でこれは行政府たる地方長官の許可を受けなければ、渡航出來ないのである、例へば農業勞働のために、伯利西爾なり比律賓なりへ渡航するのは、何れもこの許可に依るのである。

次に旅券の下付と云ふのは、外國旅券規則に依て、外國へ旅行する者に對して、外務大臣が旅券を下付することである、故に前に述べた移民は海外渡航の許可と之の旅券の下付との兩者の手續をしなければならないのである、然し願書は普通兩者の意味を兼ねたもの一通で足りるのである。移民でないもの卽外國へ視察とか研究とかの爲に旅行する者は、所謂非移民と稱して旅券の下付さへ受ければよいと云ふわけである、一般は移民より非移民の方が、旅行中の手續や取扱は比較的簡單なのが常である、旅券は外務大臣が發給するのであるが、下付の願出は地方長官に對して爲すのであつて、外務大臣は豫め地方長官に旅券を送付してあるから、實際は地方長官が下付する結果になるのである。

斯様に海外渡航の許可及旅券の下付は、何れも地方長官が扱ふのであるから、縣廳限りで簡單に取扱へるが如く思へるけれども、其の取扱手續は極めて複雜多岐に亘て居るのである、それは移民は勿論外國への旅行は何れも國際間の關係が深いので、其の取扱手續も一般的に定めた方針にのみよることの事來ない事情が生じて來るのである、一例を擧げれば帝國に在る外

國領事の交迭によつて後任の領事は必ずしも前任者の方針によらない事等である。故に國際關係の衝に當る外務省は、常に取扱方針を各地方長官に通牒して、間違のない樣にしてゐるのであるが、それぱかりでは尚國際の圓滑が期せられない事が生ずるので、從來よりの取扱は地方長官獨自の見解で許可なり下付の出來るものを一々限定して、其の外のものは總て外務省へ關係書類を一切送付して協議をするのである。そうすれば外務省はよく審査し場合によつては行先の國に在る帝國領事にまで照會した上許否の意見を定めて地方長官に回答し、地方長官は其の意見に從て取扱はねばならないのである。

それならば、どう云ふものが地方長官限りで取扱へるかと云ふに、これも行先の國によつて一々異なつてゐるのであるから詳しく述べることは不可能であるが、例へば大体非移民の旅券下付と移民の中の一部だけは渡航の許可が出來るのである、そして移民の旅券は行先の國に依て、地方長官の渡航の許可と共に下付する場合もあるが、大体は移民の旅券は出發港の地方長官か、他の長官に許可した後航許可證に依て發給するのである。

かく本件の取扱は一部を除いた外は色々に複綜してゐるから、これを決定するまでには相當の日時を要するのである、即その願を受けた所轄の警察署で詳細に調査した上縣廳へ送り、縣廳ではこれを審査した後前に述べた區別に依て一部を除いた外は、外務省へ協議して其の回答を受けた上決定するのであるから、この種類のものは、願書を完備してゐても普通二十日前後の日數を要するから、況や願書が整はなかつたり又は願書の形式を整つても渡航目的がはつきりしなかつたり其の他事實の記載でなかつたりすれば、一層日子を要するばかりでなく、場合に依ては許可にならないのである。尚米領への渡航は糞便の檢査を要するからどの日子をも見なければならない、よく願書を出して十五日も二十日も經つが許可にならぬのは不都合であるなどと云ふことを聞いてゐるがそれは以上述べた處によつて諒解されると思ふ、一体海外發展は勿論結構なことであつて殊に我國の立場から申せば、手續を簡單にしてどし〳〵外國へ行ける方法を採りたいのは山々であるから、外國相手の仕事はそうは行かないから、せめて取扱なりを敏速にやつて可成出願者の便宜を計てゐるのであるから前に述べたやうに日子のかゝるのも漫然と書類を止めて置くのではないことを申して置きたい、實に願書を出す場合は縣廳なり又は最寄の警察署へ就て詳細に手續を聞いて、出發迄には相當の期間を見込んだ上に出す樣にして貰たいと思ふ。（了）

經濟的海外發展

國際經濟戰士を表彰せよ

三井物產常務　安川雄之助

如何なる大國民といへども國民の生活必需品をことごとく國内に求め得ざると同時に國内のみを市場として居てはその國の產業は直に行詰まるから國民生活の向上發達を計るためには是非共廣く海外に勢力を伸張しなければならぬ。それには大別して二つの方法がある第一には輸出貿易を振興する事、第二には他國の資源を利用し國際貿易を隆盛にして國際收入の增大を期する事がこれである輸出の振興は既に朝野の與論をなし種々の對策も攻究されて居るがこれにより年々輸出超過を續け得るやうにする事は我國情において寧ろ不可能に近い。

△

そこで第二の方法たる貿易外の收入增加を計つて貿易入超の欠を補ひ更に國富の增進を期することが益重要性を加へる譯である最近における我國貿易額は輸出入を合せ四十數億圓であるが世界の貿易總額に比すれば僅その百分の五にも達しない如何に國際貿易市場の廣大であるかはこれによつてうかがひ知られやう我國の貿易に直接關係の無い外國間の貿易に從事する事は敢

府の獎勵よろしきを得さへすれば本邦商人の信用と技術次第で如何樣にも開拓し得られるのであつて人種的偏見をもつて排斥せられるおそれも無ければ又特別の課税を徴せられる不安も無い自由の競爭舞台である。ひとり貿易商のみならず海運業者も保險業者も爲替銀行も相率ひてこの國際市場に乘出で活躍する機運を作らなければならぬ、これと同時に滿洲における採油業、上海における紡績業、南洋におけるゴム栽培業、又はスエス以西における航海業等の如く我國の資本と技術を海外に投じて直接に外國の資源に開發する事業を獎勵する事も極めて必要である。

△

然らば經濟的海外發展の具體的獎勵策如何といふに

一、國民の生活、興味を國際化する事

二、各種の實業學校に外國貿易又は外國事情に精通する者を教諭又は講師として招聘する事

三、外務省の施設を充實し、領事館を增設し、商務官および工

務官を增加しこれに實業の經驗ある者を採用する事

四、移民のみならず海外渡航者を獎勵する事、殊に青年有爲の士を選んで海外事情に精通せしむる事

五、航海業を獎勵し、船員を養成する事

六、國外における本邦商社の收益に對し、海外において課税せられたるものには國内の所得税を免除する事

七、海外に引續き相當の長年月在住して正業に從事し直間接に國家に貢獻せる者には官職に服したると同樣國家として恩給その他の名譽表彰の制度を設くる事

等がもつとも適切であると思ふ。

△

獎勵のために物質的援助をなすにしても特定の會社なり事業に對して助成金を與へたり配當保證をする等の事は却て弊害を伴ひ易い成るべく一般的性質のもので例へば本邦商人の活動する方向を示すとか路を拓くとか舞台を作るとかいふ基礎的支出に對し使用すべきであつて、即ち前提諸方策の遂行に充當するのが妥當である。然しながら根本において精神的獎勵方法が講ぜられなくては單に物質的の援助だけでは效果が薄い現に英國において海外植民地の成功者を遇するに優族稱號を與ふる如く海外に出でゝ國際經濟戰の第一線に活動し國富增進のために努力する者を對して社會的名譽を表彰する事にしたならば恐らく國民の進取的氣象を皷舞する事になるであらう。由來我民族は國民性として海外發展に適する素質を持つて居るからこれが獎勵策宜しきを得れば顯著なる成果を收め得らるべくこれにより人口食糧問題も徹底的解決を計る事が出來ると確信して居る新春を迎へて一年の計でなく百年の計を立てゝ國運の興隆に資したいと思ふ。（朝日新聞）

在外者調査は

在外公館

在バタビヤ　半田積善

蘭領印度在住長野縣人調査の件早速御回答可申上の處領事館並に小生執務時間の都合もあり旁雜務に取紛れ今日迄延引恐縮に存候最近機會を得當地總領事館に照會仕候處館備付の登錄カードによれば判明す可きも登錄漏れのもの多數有之べきに付（バタビヤ在住者にても子女出生の爲餘儀無くせられ登錄する有樣に候間地方在住者は想像の外にと存候）書式作成の上管轄内二十餘の日本人會に照會すること最便利なる方法に候處領事館としては貴會より直接公式に依賴あらば整理上好都合の由說明有之候に就ては何卒バタビヤ並にスラバヤ領事館に直接御出狀被成下度折角の御手紙何等御役に立不申眞に遺憾に候へど右樣の次第に付不惡御了承賜度候　（昭和二年十月三日）

昨年度の國際收支推算

△貿易外受取超過を差引き一億七千萬圓不足▽

正金銀行頭取　兒玉謙次

昭和二年の經濟界は、實に色々波亂に富んだ年であつた殊にその上半季は誠に慘たんたる狀態であつて幸に下半季に入つてから次第に整理の緒についたがまだ〳〵安心は中々出來ない一方海外市場の形勢は隣國支那には内亂相つぎ、我輸出品の賣行を著しく妨害し支那關東州香港三方面向け昨年の輸出額總計は一昨年に比し九千萬圓近くの大減退を錄せる狀況であつたし、また英領印度、ジヤワを始めその他東洋、南洋の諸國もその產出する原料の主なるはけ口たる歐洲諸國の不況に累はされ、これ又一體に沈滯の狀態を示し、南米諸國又同一の運命の下にあつた、たゞ北米合衆國のみは相當繁榮に經過したが、その繁昌の割には物價の騰貴率甚だ少かつた、從て他國からの輸入品は安いなら買はうが、高ければ御免蒙るといふ態度を取つたのである、現に我生糸の如き、その輸出量は、一昨年の四十四萬三千俵に對し、昨年は五十二三萬俵に上り、その九割四五分は、米國の買ひ取る所となつたが、同國の買取振りは生糸の安い間だけ買ひ進むものゝ少し高くなると直ぐ買ひ控へるといふ有樣であつた、從て生糸の輸出金額においては、八萬俵近くの數量增しに對し、却て二百萬圓程の減退を錄せることゝなつた。

昨年の貿易

この如く昨年の内外經濟界は、誠に面白からぬ狀態にあつた、殊に我國の狀態は、外國に較べて一層險惡のものがあつたので、その狀勢は當然我對外貿易に反映し、一昨年の輸出廿億四千四百七十萬圓、輸入二十三億七千七百五十萬圓、總計四十四億二千二百二十萬圓に對し、昨年分は（十二月二十八日付主税局關税課の發表によれば同月廿五日までにて）輸出十九億六千四百萬圓、輸入二十一億三千四百萬圓、總額四十億九千八百萬圓となり、輸出額において八千萬圓余、輸入において二億四千三百萬圓余、總額において三億二千四百萬圓余の、いづれも減額を示したのである、輸出の減退は支那方面のみにおいても、前述の通り九千萬圓近くの激減があつたためであつて、輸出額の減じた商品の主なるものは、綿糸、綿織物を最とし、この二項目だけで約七千萬圓の激減を示して居る、一方輸入減をじや

く起した大原因は、綿花の輸入金額が數量の增加に拘らず、相場の低落によつて、前年より一億三千萬圓を激減したのと、內地不景氣の深酷化に連れ、一般雜品類の輸入控とが行はれたためと、認め得らるゝのである。

かく貿易總額から見た昨年の我對外取引成績は、一昨年分に比し入超額は三億三千二百八十萬圓に對し、昨年は一億七千萬圓となり、これに臺灣、朝鮮の入超推算一億圓を加ふるも、その總額は二億七千萬圓に過ぎず、昨年の臺灣朝鮮を込めた入超總額、四億四千五百萬圓に比し、實に一億七千五百萬圓の激減に當り、入超額の上では著しき好成績に終つたといはれ得るのである。

然らば貿易額以外の國際收支狀態は、果してどうであつたか

貿易外收入

まづ最初に經常收入から始めると、第一に昨年の本邦人の海外事業收益は、支那、滿洲、南洋その他を込め、その總額は一昨年分より幾分低下し、約一億圓と推算出來る、第二は本邦人の海外投資收益その他であるが、支那借欵額に對する受入利子は、前年同樣甚だ振はず、かつその投資物に對する受入額も僅少に過ぎなかつたのが、次の支出の項目中に述ふる通り、下半季にいり本邦外債に對する新投資が相當額に達しこの方面から新收入を得ることが出來たため、總額においては前年とさしたる變化のない結果に終り得た樣である、卽ち同額を前年と同樣の一千萬圓と計上する。第三の項目として海運關係純收入は如何かと見るに、實際の計算は中々困難であるが、その純收入は前年より幾分好化し、約一億一千万圓に達した樣諒解出來る。第四に推算を試みたのは海外出かせぎ人仕送金並に持歸金であるが、昨年は前年に比しやゝ不成績に終つた樣に見受けらるゝ卽ちこれを三千五百万圓と計算する、第五に試算したのは外國人の內地消費であるが、昨年上半季中我國に渡來した外國人の數は官報所載によれば一万三千三百五十八人と發表されて居るから、昨年一年間には恐く二万人を超過したことゝ思はるゝので、これを考慮にいれて彼等の內地消費額を前年同樣四千万圓と計上することゝした、第六番目として保險關係收入を色々取調べて見たのであるが、昨年中にはこれといふ取り立てた保險關係の出來事もなかつた代り世界的不況に伴ふ本邦商社の海外活躍振の衰退に連れ保險收入も前年より減退し、再保險等の支出勘定を引去つた跡は寧ろ支出額が幾分超過して居るだらうとのことである。もつとも同支拂超過額も大した額でもないのであるから、昨年の保險關係の出入は互に平均したものとして、零と見なすこととする以上は六項目の經常收入總額は、二億九千五百万圓と推算出來るこの外に臨時收入の項目として外債關係受取額がある、昨年中に募集せられた外債は、東京市債、日本電力信越電力の三つを數へ得べく總額三千七百五十六萬ドルに上つたはずである、又昨年は前內閣時代において四月十三日まで正貨現送が行はれたのであるが、同額は一千八百萬ドルに上り、時の爲替相場で換算すると約三千七百万圓程となるので

ある、更に昭和二年中政府在外正貨減少額も又臨時收入側へ加算せねばならぬが、政府の在外正貨額發表は、昨年九月末が最近分となつてあつて、昨年中における實際の減少額を詳細に知ることは出來ないが、色々試算の結果、前述正貨額以外に、約六千万圓程の減少が起つたはずと諒解出來る、卽ち臨時收入の三項目合計一億六千九百万圓を經常收入の二億九千五百万圓に加へると、昨年中の貿易外收入總額が、四億六千四百万圓に達したことゝなるのである

貿易外支出

然らばこれに對する貿易外支出方面はどうかといふに、經常支出中の大項目たる外債利拂並に償還基金として、一億三千四百萬圓の巨額を計上せねばならぬ樣である、次に本邦人の海外消費額は例年より減額して、三千五百萬圓と推算出來る、それから官廳關係海外普通經費並に作業用材料品代價として、昨年分も前年同樣六千万圓程度を計上して大過ないと思はれる外國人の本邦事業收益および投資物利子配當額も毎年少からぬ額に上るところであるが、昨年は我國に未曾有の金融恐慌が發生した關係上、これ等の收入額も例年に比し減額したはずである、勿論正確の數字を計上することは困難であるが、同項目の下に昨年の支出額を二千四百万圓と推算する

以上昨年中の經常支出として計上する額、總計二億五千三百萬圓に達する譯であるが、この外に昨年だけに起つた臨時支出として第一に本邦人の海外新投資又は本邦外債買戻額を考慮せねばならない昨年下半期にいり發生したいわゆる資金へん在は本邦外債に對する投資熱を喚起し、この方面に投資せられた額は、一時一億二三千万圓に達し、昨年秋季に起つた對外爲替低落は、これ等投資用回金に負ふ所すこぶる多いとさへいはれて居る程である、もつともその後賣戾額も相當あつたため、差引純投資額としての昨年支出額は、七八千萬圓見當に減じたとのことである、第二の臨時支出として昨年は興業銀行債券償還の四千六百萬圓を加へ、臨時支出合計は、一億一千六百萬圓となるが、これに前述の經常支出額たる二億五千三百萬圓を合すると、昨年貿易外の支出總額が、三億六千九百万圓となり、これを貿易外收入總額から引去ると、殘り九千五百万圓が卽ち昨年中における貿易外純受取超過額となるのである

以上昨年中の貿易外收支推算額が大過なきものであるならば、同額だけは貿易入超過額たる二億七千万圓から引去ることが出來るのである、卽ち昨年の我國際收支勘定は、約一億七千万圓の不足を生ずる結果となつたのである、併しこの位の不足額なれば、貿易統計相違より生ずる差額でどうやらそのつじ褄が合せ得らるゝ樣である。

さりながら昨年の國際收支がどうやら收支均衡を得たといつても、決して滿足の成績に終つたとは認め得られないのである、我國際收支の改善が實現され、同勘定が眞實の受取超過基調の下に置かれる日の、一日も早く到來せんことを切望に堪へない。（朝日新聞）

移植民地教育の重大性

第二世をして新文化創造に向はしむ

清水明雄

人口食糧問題がやかましくなつた今日、一部識者間に今やこの問題は國民的重大問題として現代社會に起る百事万々の難問題の殆んど全部が共の根本に於てこの問題に根ざして居ると云ふ事が解り、漸次是が解决策に苦心せらるゝ樣になつた事は寧ろ當然の事であらう。先づそれが解决策として消極的な產兒制限問題が有り積極的な農村振興策、商工業立國策有り內外移植民の問題がある、然し乍ら現今年々百萬人近くの人口增加に對して僅かに、一萬有余と云ふ貧弱な海外發展者しか示し得ない現今の海外發展問題が尙且最も重要にして急務なる事が論ぜらるに至つたのは日本邦土が將來の國民生活を保證するに余りに貧弱で有る事を物語るもので同時に我國民の世界的發展と移植民の眞義とを暗示するものではなからうか。然し乍らこの問題は極めて一部分の人によつてのみ考へられ、尙且國民の大部分は腕を拱いて何等の思慮をも用ひないのが現代一般教育の欠陷より起る國民の未覺醒を物語り國民の海外に對する無智を證明するものである。されば廣い海外を知りそれに對する正當なる知識を得る事は是又最も重大な事柄で有り日本民族發展の一歩である。

元來移民は棄民の如く、廢民の如く考へられ殆んど等閑に附せられて居た、從つてその重要性や大使命やに至つては毛髮だにも考へられなかつたのである、移民は實に將來の日本、將來の世界を背に負ふ重大な地位に有る。

狹い日本に住み狹い文化の中に生活し尙且得々として居るが現今日本人の一般で有る、ひと度眞の日本を知り更に眼を開いて廣く世界に視線を向くる時我等は徒に腕を拱いて居る時で無い、萬里波濤の大海の彼方に世界の新文明は起り生長して居る事を認めるのである、そこには創造性に富んだ意氣と覇氣に充ちた人々がおどつて居る東西兩文明以上の新文明が人跡未踏の原始林の中に創造されなければならないのである、千古斧鉞の處女林の中に、剛健、博愛、進取に充ちた忠實な移植民の原始生活の中に、世界の新文化が創造さるべく待ち構へられて居る。それによつて狹い本土の人口問題のみならず、世界の先驅

者として世界の平和は保たれ、日本民族は軈て世界に開放されるのである教育の方針も海外發展の眞義もそこに生ずる事ではないか。げにその中に生れその中に育つた人その眞に世界人としての價値を持ち得るではないか、移植民にはかくも重大なる責務と使命とが有る、將來の日本帝國の興亡と世界の平和は移植民の掌中に有らねばならぬ、實に彼等は世界開拓のキー（鍵）である、然るに國民はかゝる重大なる意義と性質とを知らざるのみか移植民の多くも又深き反省も考慮もたぬのである、よし又新天地を建設したるにせよ、その第二世は尙殆んど無學のまゝ生長して行く有樣である、ことに教育の絕對的必要が生ずるのである。

移植民地の教育は善良な移植民の統禦者であり指導機關で有らねばならぬ、されば移植民教育は移植民全体を決定し將來の日本、將來の世界を決定するものと云はねばならぬ、我國移民が加奈陀にハワイに北米に至るところ排斥を受けたのも一面には又大いに教育に依存して居るでは有るまいか、從つて我國海外發展の成敗如何も實にここに基すると云つても過言ではあるまい、移植民に人間の必要なる事は又これによる事であらう。

ひるがへつて近時最も多く我移民の志すブラジルの教育狀態を見る時に實に慨然たるものがある、僅かに三〇有余の日本人小學校が有り而も學齡兒童七八千の中就學出來るものは一千人位である、されば一定の教育方針完全なる教育施設も無い事は勿論無學のまゝに第二世が生長して行く狀態で有る、これこそは眞に一大問題である、

移植民地教育の必要は上述の如くで而もその使命の重大さや口言では云いつくせぬところで有る

偉大なる世界の新文化（それは原始生活の中に多くの異人種を知り、創造性に富んだ若人によつて造られるもので有るが）の創造者たる、日本民族の先驅者たる、世界平和の創造者たるべき責務ある大使命あるブラジル移植民の根本たる教育の一端に貧弱な自分が加はる事が出來る事を嬉ぶと同時に縷々たる希望と歡嬉が大海、大山の彼方に横はる事を思ひ絕大な使命と責任觀にうたれるのである。

—出帆準備中にて—

（二十三頁よりつゞく）

協會と移住組合を設立す可く極力縣下にて運動致し居り候森氏の此の運動には當ロサンゼルスに福島海外協會設立の當初役員に當選せざりし一味の者の故意の反對運動が故國の同縣下に迄その手を伸ばし居る由にてかなり邪魔になり居る由承り居候永田樣の御同情と御後援は充分ある事と存じ候尙ほ貴協會にしても直接間接に御援助爲し得る事あらば然る可く御力添の程切に願上候（以下略）

（十月十四日）

學徒の墨國旅行雜感

△前途のある未知の國▽
△在墨日本人の將來？▽

デンバア學窓にて　荒井貞雄

昨年以來計畫して居つた私の墨國旅行は去る八月二十四日當地デンバアを立ち、エルパソ線を經て歸りには墨都からタンピコに出て、ラレド線をとつて九月十四日旅行の目的を易々と達し、無事歸りました。

× × ×

エルバフ線とラレド線とは全く會社が違ふ程、すべてが違つてゐます。そしてどちらかと云ふとラレド線の方が安心も出來るし、英語も到る處で通じよし、經費も少し安い（殊に食費）様な氣がしました。プルマンは墨國人が少いので殆んど米國人の爲めに設けられた様な氣分がしました。

× × ×

國境の移民局では子供の遊戯の校で學校の在學證明を持つて居りましたので、局長と云ふ人、僕の將來が宗教界の人と見込んでか將來日米兩國の平和の戰士として活動されん事を望むなどゝ云ふて、握手を强ひられたのは少々意外でした。桑港などと比較して雲泥の差です。

× × ×

墨都では御紹介下さつた永淵兄にも逢ひました。仲々やつて居られる様子でした。猶、僕の中學時代の同級生田中久兄にも遭ひ、兩兄の御骨折りでメキシコ首府に居られる所謂信州人とも支那飯を共にして親しく面々の活動振りや、墨國に對する色々の御意見なぞを聞いて大變面白くもあり有益でありました。これは貴兄の御叮嚀なる御紹介狀の賜と思ひます厚く御禮申あげます。

僕が三週間の旅行に依つて得た私の印象或ひは感想の様なものを極く短く書いて見ませう。

× × ×

文化の程度が米國より一世紀遲れてゐる

當米國から行つた僕に先づ最初に意外に感じたのはその文化程度の如何にも低い事であつた。殆んど百五十年おくれてゐると云ふ様な觀察であり、何故ならば熱帶地の故もありますが、謂所墨國土人と云ふ人種はアメリカン、インデアンなぞよりは遙かに原始的な様です。然しそれだけ將來のある未知國だとも云はれませう。

米國の屬國の樣な感　物爭と矛盾の多い國

表面は獨立共和國ですが內狀は全く屬國の樣です。これは墨都、タンピコ等を訪ふ人には誰でも一目瞭然と感じます。殆んど十中の九迄が外國の資本によつて國が呼吸もし、活動もして居ると云ふ事です。而かも行政は土人とスパニシの間に出來た墨國人に依つて司られる故、全く矛盾のそれです。故に社會全体が矛盾の競爭場裡の樣に思われて、信用なぞと云ふシヤレタ要素は少しも認められぬ故一寸、旅行者として來た人には實に不愉快な場所です。それでも「住めば、都」と云ふ事は此處でも味はれ相です。

企業を持つ外國資本家には非常の好機會

外國資本の事を少し考へて見ると、國家全体が先づ想像されます。日本なぞの外國の金と云ふのは日本國家が借りて來たもので使用者は政府です。政府が儲けた時、元金と利子を拂へば殘るものは全部日本國家の所有です。然るに墨國の金と云ふのは外國人が主に墨國以外の處から資本を持つて來て、外國人が安い土地の勞働者と豐富な自然とから利を得て、その利を他の國に迄り、又は事業を擴めると云ふにあり。然かも此の種の外國人、主に英、米、佛、獨等の人が國產の八九割を占めて居ると云ふのですから、國家には大した影響はない事になります。

國民生活に關係して來るものは輸入品に重税を背し、國民日常の必需品を製產せざる故國民の大多數である下層民が向上する何等の機會が無く、中層民がなく高層民は生活費の高い爲め、俸給などの樣なものが非常に高くなると云ふ事になります。

未だ問題でない在墨日本人

私の眼に映じた在墨の日本人は現在の處、殆んど問題でないと思ひました。その一つの理由は全部の日本人で三千や四千では何等の勢力もありません。其の次の理由は若し公使館の觀察が正しければ、又過去の歷史に照しても農業においては殆んど失敗の跡の樣です只、將來あると考へるのは、他の外國人がやつて來た樣な資本を持つて來て、細心な注意を拂つて商業と云ふ事になるでせう。この意味において今日本で用意して居る力行會の都留兄の計畫なぞは見込あると思ひます勿論將來の墨國の產業發展は驚くべき結果を招來すると思ひますから農業にしても或ひはこれに關係した事業に日本人が遠大の計畫とこれに對する多少の犧牲を拂ふだけの覺悟で進む限りはその悲觀するの必要もないし大いに前途ある事であるとも考へられます。

少數日本人の目立つ事柄

少數の日本人の間に最も目立つて感ずる事は子供の教育の事を全く考へてゐない樣な墨國婦人と可なり多くの家庭を持つて

居る事です。必要に迫られての事だと云へばそれまでの事ですがこれは可なり研究して見る餘地がある樣です。モウ一つ目立つて感ずる事はこの少數日本人の中にも、過去二十年間孜々として健實に努力した結果があらわれて、其の土地に於いても人々から尊敬され、愛される立派な日本家庭のある事です。

「私はモウ此處で死ぬ覺悟です。又多くの私共の子供は日本人の血を受けて居る事を無上の光榮と自覺して居ります。そして彼等は此處の人々と共に此の國の將來に處して行くのです」との老人の重い口調を聞くと、何んなり共此の家庭を敬愛しない氣分では居られません。

再渡米の運動後援會

排日移民法撤廢に
米國再渡航者奮起

一九二四年の米國移民法案は我同胞の多年の辛苦經營に依つて礎き上げたる經濟的發展の根礎を覆へして所謂排日移民法として兩國間には重大なる結果を招來した事は未だ記憶に新らたなる所であるが尙それ以外に當時歸國せしおり再渡米者の歸米の機會を失して今尙東西相隔てゝ妻子眷族が不安なる生活してゐる者が數千人に登る現狀にありこれが人道上より極めて不合理なるもので歸米出來ぬ主なる理由は、米國移民法にすれば明かに米國に居住權が有するにかゝわらず駐日米國領事の證券査證には一もなく二もなく査證が拒絕され其の事必しずも不公平なる取扱ひがないとも限らず泣き寢りにあるは事實にあり未だ一人として旅券査證拒絕の取消申請の正式手續をした者がないのは甚だ遺憾であるとなし今回前米國移民局通譯官岡島金彌氏の歸朝を機會にこれが運動を起こして此の人々のために其目的を達成せしめ、ひいては該移民法の撤廢若くは改訂に在米各地の日本人會の贊助後援を求め尙本問題に多大の同情を有する有力米人を動かしに米國當事者に交涉する事になり米國再渡航者後援會を組織して全國的に活動する事になつた。因みに岡島氏は一月下旬渡米につきそれまでに再渡米の申請申込書を纏めて本運動の實際に入らうと云ふのである。

別項により米國再渡者後援會の再渡航希望者は至急申請の申込みの必要あり本協會に其の旨申出でられたく申込書に諸要事項記入の上、同會に送付せられたい。

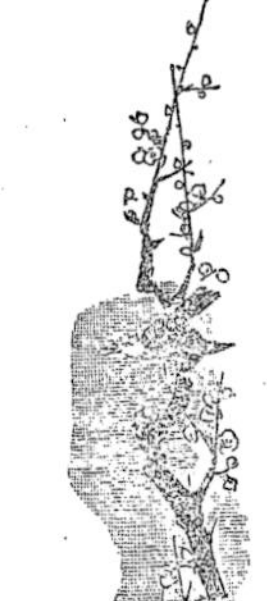

北米のアリアンサ組

ブラジル研究會理事　林誠三郎

陳者先日御送附下され候如く小林英俊氏の御注文による貴協會よる御發送の南米ブラジルアリアンサ移住地の建設アリアンサ移住地建設紀念號各四部何れも正に落手致し多大の興味を以て精讀致し居り候のみならずブラジル研究會の幹部及び土地購入希望者の間にも讀ませてアリアンサに關する知識を豐富に致させ益々確信と希望とを持たしむるに甚大なる力となり厚く感謝致し居り候御手數を煩はし候段厚く御禮申上候小林君も改めて御禮申上可く候

當ブラジル研究會も着々健實に進み居り感謝致し居り候當地にはブラジルに私設殖民を創立してその土地賣りを宣傳し居る一團あり（中略）吾々會員は何等の動様も不安を感ぜずアリアンサは信濃海外協會の經營による故にその植民地としての成功を確信し大船に乘りし心持にて洋々たる希望に充ちて將來のために日夜樂しく努力と準備とを致し居り候

今度の普選に福岡縣より立候補せんとて先日歸朝せる芦刈未喜と申す早稻田出身の當地日米新聞記者たりし人は南米を一巡し來り詳しくその視察談を聞き忌憚なき各地の批評を承り候が「アリアンサだけは必ず成功すると確信する他の理由を陳べなくてもあの輪湖、北原の兩理事の人格を以てしては必ず成功する、若し成功しない事あるとすればそれは不可抗力によりてのみだ自分もあの兩理事の人格と努力振りには涙を以て感激させられた」と公開演說に於て申され候もとより何人も此の兩理事を信じ居り候ものゝ、此の評を聞いて益々意を强ふ致し申候今回さんとす丸にてアリアンサの生嶋薫、渡邊武の兩氏が歸國の途をサンピドロ港に寄泊せられしを迎へてブラジル研究會には歡迎會を催しアリアンサの實況と手を取る如く承る事を得て一層その確信と希望とを高められ大いに歡び居り申候

當研究會員にして未だアリアンサ入植せざる二十七人の土地所有者及當會員にて引受けたる土地の殘部を一括して分讓せられたるに付き當地會員は非常に喜び居り將來アリアンサの一角に相隣接して居住し得る事を何よりの樂しみに致し居り將來アリアンサ文化に貢献し得る一つの力とならんとして今より協力致し居り申候土地一括分讓の爲渡伯せる本會森田幹事はその後赤松總領事と南部諸州を巡視しベノスアイレスより歸り一層彼の事情が明かになる事と期待致され候。前本會幹事し福嶋縣の森喜代一氏は同縣に海外

（十九頁へ續く）

伯國の姉より故國の妹へ

壓し花が誘ふ春の追想

在アニウマス農場にて

遠く異郷にある姉に故國にある妹が心からの交情に厚い手紙を送つた。至純に溢るばかりの姉妹が如何に共々に慰め合ひ、勵まし、温かい至情が流れてゐる事だろう。

千惠様

なつかしきお手紙を六月十七日有難く拜見致しました私共みんなで喜んで拜見致し皆々様にも御變りのなき趣き何よりの結構の事に存じてゐます。

私共も元氣でコーヒー園に出てコーヒー實のちぎりに忙しくあります。私共の處にも冬が訪れました、でも大した變りはなく朝夕だけが寒い位で晝はやはり暑いのです。數日前に霜が降りまして御地の十一月頃の寒さでした。マアこれが一年中で一番寒い時なんでせう。マアこうした時節にも珈琲の花が咲いてゐるので冬に花が咲くなんて、ほんとうに面白いでせうネ、花は白いやさしい可愛らしいのです。貴女のお好きのバナヽも只今澤山、房になつてゐます。採つて直ぐ食べるのでなく二週間位暖かい場所において軟かになるのを待つて食べるのでおいしくあります。近い所でしたら早速大きなバナヽを差し上げたいのですが、たゞお話ばかりではほんとうにつまらないのネ先日は海外興業會社でブラジルの日本人活動狀態を撮影して皆様にお見せするべく私共の農場にも來ましたそして私共がその寫眞の中に入りましたから多分その內には貴女の地方にも上映されるる事と存じます。私のおぼつかない。格構にお笑ひ下さい。

千惠様からいろ／＼の壓し花を頂戴してなつかしい郷里の思ひ出に耽ります。眞心から送つて下さつた壓し花が私をして郷里の春の野原に誘ひ出します。のどかな日和のよい春がしのばれてなりません。木枯しの風吹き荒ぶ立木からの育み行く緑、それから蜂や蝶を誘ひ集ふ花が咲く郷里の春がなんとも云へぬ心地が私の頭を去來してゐます。柳にみどりの育み生く春風漂ふ春の姿が私は一番好きでした。

然しその樂しい春も過ぎて農家は忙しい田植から蠶とまぐるしい生活を續けられてゐるのでせう。そして暑い夏から立つ涼しさに又も收穫に多忙なのでせう全く一年位夢の樣です。

私共の農場にも新らしい日本人が増加して來ましただん／＼私共の知人がふへるのです。何卒千惠さまより御兩親樣に宜しく傳へて下さい。同封なのはコーヒーの葉と花です。ではお身大切に

さよなら

六月二十一日　まさ惠より

住めば都よ!!

△氣持のよい鑛山町生活▽
△見捨難い養蠶業の前途▽

墨國サカテカス州フレスニーヨ　堀田金一

永い首府の貧乏生活に倦きて遙るか北方のサカテカスに來て見ると矢張り四年餘りも住みなれた華かな首府が懷かしい、然し來て見ると此處も又住めば都である。フレスニーヨは案外な裕張な處で生活費も首府よりはズット安いのは驚かざるを得ない。

此のフレスニーヨ町は言はゞ鑛山町で日本の足尾鑛山町にでも行つた感じである。停車場からは九キロの距離にあるが鑛山會社の軌道によつて更らに不便を感じない。

鑛山町だけに鑛山勞働者の慰安を求むべきものが遺憾なく設備されてゐる過ぎる程である。然しそうかと云ふて荒れすさんだ低級勞働者の弊風を見る事の出來ぬは日本あたりの鑛山町と比較にならぬもので流石は米國人經營の整備に驚嘆するのである、演藝館、劇場等が完備されてゐる。球場等も兼設されてゐる。

鑛山町に果樹園があり、花園があり、遊牧場等があると聞けば變に思ふかも知れぬは其處は前申した如くの米國人の經營法である。それがしかも會社の經營であつて會社が副業的にやる營利經營ではなく、社員に新鮮な果物を安價に供給して生活のユトリを幾分でも與へ樣と云ふのだ。勿論此のフレスニーヨの鑛山町は一万餘の鑛山勞働者が働らいてゐるから其の家族と僅かの商人を合せて四五万の小さい都會であつて私の勤めてゐるアシエンダ・デ・コンパニアの會社が此の都會を作つてゐるのである。

大きな果樹園が三個所あつてリンゴ、アンズ、シルヘラ、ズラズノ、ウバ、メンブリーヨ等の果樹で加州からの取寄せである、オランダ純粹種の乳牛が六十頭山羊が千三百餘頭が遊牧されてゐる。花園は首府にもある草花、バラ等で造庭されてゐる。私は此の果樹園と花園と遊牧場の總監督であり技術員でもある。毎日見て廻つてゐるが廻り足りないでゐる。

此處は墨土であるには相違ないが事實は米土である樣である。私は全く米國に住んでゐる樣な氣がしてゐる。それは私に惡い感じを與へるのではなく實に住み心地のよい氣持のよい生活が出來るので加州あたりの排日が此處では少しも解し得ぬのである。

若い米婦人が短かい絹の着物で花摘みに來る度に、ヤングボーイだのグットボーイだのと呼んで未だ子供の樣に見られてゐるのは閉口だがギャツプ等と言はな

い。私は日本人であり黄色人種であるにも關はらず米人の內では極めてウケがよいのであるにおどろいてゐる。

此處の會社は八時間勞働である。午後五時過ぎには各家のベレタナが開かれ公園の散步に薄化粧の娘さん達に三々五々の男女が涼をとつてゐる。ピアノの音、ヂヤーズの音がもれてゐるのはメキシコにおけるプエブロの情景とも言ふべきであるが墨都よりは又一種特趣の別天地である。與へられた此の時間は私の讀書と散步に思ふぞんぶんである。

墨都の八月は此處の八月に比較すれば地獄ではないかと思はれる位に此處は實に氣溫のよい所であるのを發見した。此の八月の氣候がこんなならば一年の氣溫はおして知るべしである。そこで私の考へは養蠶企業に及んだ。私の專門的立場から見た此處は氣溫、地勢、水質、土壤（桑樹）等から申し分のない場所である。又此處に來ると胃病者が全快するのは水がソーダ七〇%を含有してゐるからであるがこれを繭質、絹質から云ふても見逃がす事の出來ぬ事實である。若し日本より此の方面の視察者があれば幸ひと待ちわびてゐる。私にしても此の方面の研究には餘念がない。

此處の鑛山は亞鉛山である。私は三四年此處で働らく積りである。無論月給取りで平々凡々と暮らすのは惜しいと考へてゐるから何か把持する機會に期を見てゐるだけである。

此處もまんざら捨てたものでない事を申し上げて無沙汰の第一信にかへる次第。末筆に兄の幸福を祈りつゝ――（廿、二）

右の通信は在外青年間の友情に溢れた强い連鎖が流れてゐるのを發見する。受信のN氏が何かの參考にもと送つて吳れたのである。

「海」禮讃

波に起臥した追憶

芳水生

○

永い間海を家として西に東に流浪の旅を續けて來た私は海に對する親しみの情甚だ切なるものあるを知るのである。一望千里の青海原、渺茫涯しなき太平洋に於て清爽極りなき大氣を心行くまで呼吸する時吾が氣宇の自ら雄大となり胸中壯圖の湧然たるを覺ゆるのである。白鷗靜かに飛むで宛然綸の如く澄み切つた海面を望み見る時、俗塵を離れて其處には些の煩悶なく苦惱なく一抹の陰影だになき光風霽月の境地を見出す事ができる。時に魚族の群れ鯨の集ひ、飛魚の幾万と數しれず飛翔する壯觀、流氷の間にまに出沒するアザラシの姿態、或ひはまた波を彩る朝暾、烈日、夕照の變化、金波銀鱗を碎くる月夜の情調こそ航海者獨占の美と謂ふべきであろう。

海は實に美の極致である、二見ケ浦の日の出は海によつて讃美せられ、安藝の宮島は潮滿ちて朱塗の廻廊之に映じ光彩陸離あだかも龍宮を髣髴せしむべき狀態を呈したる時に於てこそ名實共に日本三景であると謂はれてゐる、遙紺碧の波打ち霰む水平線の彼方端麗なる富士の秀嶺を船の甲板から仰ぎ見た時程いゝ知れぬ奥床しさを感じた事がない。

○

嘗ては波に起き波に臥した私は海より受けたる教訓も亦尠少ならざるを知るのである、今試に其二、三を摘記して御參考に供したい。

見渡す限り洋々と漣を描いてゐる波は平和を標榜してゐる、渺たる扁舟に身を托して尚大洋を航海し得るのである、庭園の池の如く靜かなるのは海本來の姿なのであるが偶々暴風雨の襲來に依つて奮然狂瀾怒濤を呈し万噸の巨船も其逆鱗に觸るれば瞬く裡に覆沒せしめられるのである、吾等は平和を愛好せざるべからず然れ共常に實力の養成を忘るべからず。

あらゆる動物を懷ろに抱擁し陸上の嫌忌する汚物を快く受け入れて何等の不平をも洩さざるは度量の宏大無邊なる所以であろう。

浪打際に立つて見よ膨湃たる波濤が寄せては返してゐる奇岩怪石に衝突して屈せず、眞砂連なる濱邊を舐めて撓まず雨の晨雪の夕べしかも終日終夜間斷なき活動を持續してゐる。

幾千年の古へより昭和の今日まで其精神を象徴すべき藍色は毫も變化する所なく斷じて他色の浸潤を許さざるは吾々の志操をより堅實ならしめ輕擧妄動を戒しむるに外ならない。

其の本土を一歩出づるに早くも舟行の便を籍らざるべからざる四面環海の島國に生れ乍ら船を億劫がるといふ事は何たる皮肉な事であろう。海外發展の遲々として進まざるのは國民の海に對する理解なき事其主たる原因であろう。

雄大なる海洋の美を知らず小規模の箱庭的名所に隨喜渇仰し、蝸牛角上に蹈蹐して自ら思想の偏狭固陋なるを能へざる人士よ、須らく神秘的なる大自然に親しむべく心掛けよ、絕大無限なる心的境地を見出だす事であろう。

第一は滿蒙、シベリヤ

第二、第三は南洋、南米に研究

村松薫

貴協會に於ては年を重ねると共に愈御發展の趣我鄕土信州の爲將又日本帝國の爲大慶至極に存居候過日は又「バタビヤ」總領事館氣付小生宛に海の外第六十五號一部御惠贈下されたる處最近當地に於て領收するを得誠に有難く玆に紙上を以て厚く御禮申述候右は早速多大の興味を以て讀了致したる次第に有之候小生は大正九年以來昨夏迄海外に暮し殊に最近三ケ年は「バタビヤ」總領事館に勤務罷在りたる者とて自然邦人の經濟的海外發展移植民等の問題にも觸るゝの機會を得從つて貴協會の風評も耳にし又其使命には常に同感し居る者に有之候小生は最近の內地の事情には比較的通じ居らざる者なるも貴協會が本邦に於て最も組織的に活動せられ居り且つ實績を擧げられつゝある事は夙々紙上等にて承知致居候國家の現狀は貴協會の如き邦人の海外發展の航路標識を要するや切にして國家百年の大計も亦其善導の如何に依つて分るもの多々有之事と存ぜられ候

尙小生の希望としては貴協會が主力を盡され居るは南米殊に伯剌爾にあるが如く拜察さるる次第なるも本邦の經濟發展の第一線は先づ滿蒙、シベリア、北支、第二線は南米、第三線は南洋殊に蘭領印度即爪哇、「スマトラ」、「ボルネオ」各島と云はれ居る今日第一及第三線方面の御研究も亦必要かと存ぜられ候に依り此方面への御指導にも手を延ばされ以て御使命の万全を期せられん事を祈つて渇まざる次第に有之候

敬具

遠洋航海で縣人に歡迎される樂しさ

—現役海軍士官の縣人出身名—

田中一

信濃海外協會「海の外」の隆盛と共に海外にある本縣への强固なる御發展を祈つて居ります私等海軍々人は時々海外の在留民に接する機會があり中にも士官は遠洋航海で一通り外國を訪ねてなつかしい在留邦人の歡迎を受けその印象は終生忘れる事が出來ないでしよう日本を遠く離れて働いてゐる邦人を見る每に心强さと未だ〳〵發展努力しなければならん事を痛切に感じた時もありました中にも縣人の有力な人等に歡待された時程打解けて愉快な事はありませんでした氣心の合つた縣人が互に和衷協同して仕事に勵む事程故鄕を離れてゐる者に取つてためになる事はありません「海の外」を見る度に信州からもこんなよい雜誌が出て居るんだ賴もしいと思つてついこんな事を書きましたが御參考迄に縣人海軍士官の名簿を書いて差上げます終に縣人の海外發展を祈ります。

長野縣出身現役海軍士官（兵科）名簿

第一遣外艦隊司令官	少將	宇川濟
技研	同	宮坂助次郎
第一水雷戰隊司令官	同	岡本郁男
英大使館武官	大佐	塩澤幸一
橫鎭附	同	高橋雄三郎
間宮特務艦長	同	藤澤宅雄
橫鎭附	同	國枝三郎
吳工廠砲熕實驗部長	同	粟野原謙三
橫工廠檢査官	大佐	合葉庄司
海軍省人事局第一課長	同	小林宗之助
軍令部參謀兼海軍艦政本部技術會議々員	中佐	降幡敏
橫鎭附	同	細萱戊四郎
佐鎭參謀	同	清水光美
軍務局	同	小島謙太郎
火藥廠	同	甘利恒雄
水路部	同	粟林今朝吉
軍令部參謀	中佐	久佐田久晴
吳港務部	同	丸山良雄
佐工廠造兵部	同	福澤哲四郎
軍令部參謀	同	藤森清一朗
技研	同	宇佐美治作
六潛水隊司令	同	春日篤
敎育局	同	青柳宗重
伊號五十二潛水艦長	同	堀江吉正
大和運用長	少佐	日台虎治
山風驅逐艦長	同	金子豊吉
敎育局	少佐	大島乾四郎
山城副砲長	少佐	丸茂邦則
艦本出仕	同	池內正方
五戰隊司令部附	同	丸山茂富
春日敎官	同	中村正雄
榛名航海長	同	岩下鯱
二艦隊參謀	同	金子繁治
神通航海長兼分隊長	同	有賀武夫

吳工廠電氣部	同	北澤直吉
洲埼航海長	同	小林正市
大學甲種學生	少佐	中澤佐
球磨水雷長	大尉	澁谷紫郎
水校敎官	同	宮下賴永
神通水雷長	同	古村啓藏
古鷹分隊長	同	遠藤實
大學甲種學生	同	富岡定俊
霞浦空分隊長	同	加藤唯雄
三十號驅逐艦水雷長	同	有賀幸作
第二潛水戰隊司令部附	同	小西行惠
那珂通信長	同	柳澤藏之助
楠乘組	大尉	久保田智
霞空分隊長	同	岸良好
二十一號驅逐艦水雷長	同	宮坂義登
佐空隊附	同	堀江朝茂
佐空隊附	同	松村建次
韓崎分隊長	同	丸山湜
霞空隊敎官	同	平林長元
水校高學生	同	遠藤滋
霞空隊分隊長	同	西嶋綾夫
三號驅航海長	同	寺嶋昌善
霞浦空隊附	大尉	粟野原仁志
那珂分隊長	同	高島鉄郎
高崎分隊長	同	奧村三郎
矢風航海長	同	牧內忠雄
砲校講習員	中尉	石城英夫
一遣司令部附	同	友野林治
汐風航海長	同	土橋藻實
柏乘組	同	井出作治郎
淺間乘組	同	清水道敎
三號驅乘組	同	守屋節司
五號驅乘組	同	川井勝
一遣司令部附	同	唐木和也
古鷹乘組	同	唐木信政
鳥風乘組	同	月岡寅重
三號掃海艇乘組	同	山下達喜
霞空飛行學生	同	須田佳三
羽風乘組	同	出浦完
長門乘組	同	土橋賴實
砲校講習員	同	小木曾憲三
二十八驅逐附	同	宮下亮
二驅逐附	同	高木恒三
水校學生	同	里見五郎
砲校講習員	少尉	鈴木四郎
同	少尉	田中一
同	同	濱勇治
水校講習員	同	藤森正巳

計八十二名

外に機關科、軍醫科、主計科

在秘露邦人間に 生活改善期成同盟會生る

南米ペルー國には一萬の同胞が活躍してゐるが此の同胞の啓發運動には種々の團體があつて活動してゐる最近の報道によると當國里馬市を中心として秘露全在留民を網羅せんとする生活改善期成同盟會が組織されその第一着手として「時は金なり」「虛禮は僞善なり」の二項目をかゝげて同胞の向上發展を計ると云ふ誠に意義ある運動が行はれてゐる。

先づ我が村から救へ

塩澤守逸

謹んで新年をお祝ひ申上げます

扨而唐突なれ共申述べます

今般御協會にて發せられたるブラジル殖民ポスターに依り私も亦胸の躍動を禁じ得ない者です先年約十年程前岸本氏の幻燈において彼のブラジル殖民渡航者の實況など拜見したのです其の頃は未だ小學校を卒業直後であつたけれ共必ず自分はブラジル渡航を決行し實現しようと小さき胸にも其の理想を描いたのです

然し過古を追憶し現在自分が覇持せる持論に竝ぶれば殆んど其れは一つの空想であつたかの樣に思惟されるのです何等の社會的事象も國家的觀念も未だ認識し得ず從つて斯くする事が自分の使命だとか實務であるが如き觀念は輕薄であつた事は當時の餘りに架空的な一攫千金的な功名心に駈られて居た事に依つて自ら過古をあざけるのです

然し自分が現實に佇んでそして深く人生觀を或は政治、經濟、敎育、人口、食糧、の諸問題或は社會問題等に通繞して見る時如何にしてか吾國の現時の諸問題が依つて持つて國家的危險地帶に在るかを深憂せざるを得ないのであります

一國家の發揚は國家總動員にあらねばならぬ然る時社會構成分子なる各人が今猶現狀巽持を續行何等の打開策もなく唯々『なんとかなるだらふ』等と時代的迷蒙安協を重ねて居たならば國家の將來は眞に恐るべき時態に轉倒せざらんやと思ふのです

此處に先づ一例として吾村の現狀を列記せば之は又實に恐るべき發展と云ふか或は言を變へれば生活難社會惡が埋伏して居るのです

現在吾村の人口は六千五百人戶數千二百戶（內商業百戶位）なる農村なのです然るに面積は五百六十町步（〇三六方里）と言はれて居ます何と驚くべき事實でせう勿論此の中から各宅地山林原野荒地等は未牧地として減算しなければならぬ此の上に小學校の增築運動場擴張新設道路等の村の發展に伴ふて農國の唯一無二の生活資源は漸減費消して了ふのです然るが故に現在の一家耕地面積は僅々平均五六反にして殆んど養蠶業が本業なのです幸天惠なるか養蠶鄕としては好適なので辛うじて米作より

は反當り收益も多收なる事に多少の望を抱いて居る位のもので す如何にして比の村の現狀を打運すべきでありませうか土地の峽あいなのに比して人口は遠慮なくどん／＼增へます峽い土地に大勢の人間此の有餘る人間は他に新生面を得なければなりません

五反や六反の土地に其の一家の全生命を托するは實に不安定であり且困貧のどん底に低迷は免れ得ない事では有りませんか其の過半數は小作人です幸なるかな私の家でも其の一部員です生活の苦痛は餘りに舐めつくして居ます

如何なる勞働にも体軀と信念を持つて居ます興身興家何ぞ不可能事でせう

私は夢は見て居ません彼地に於て數年間に數万の富有者となるを望むのではないのですあく迄私は現實に直面して其處に自己の生る使命を感じるのです人口稠密なる所より地味肥沃にして人口稀薄なる所に移住するは歷史の敎ふる所です

渡航者中稍々もすれば懷鄉病に駈られて中途歸國する者等あるやに伺ひますが如何なる理由ですか

私は愈々渡航熱が充滿して居ます就いてはポスターにては彼地の詳細を知り得る事は出來ません若し御協會にブラジル渡航案內の如き書ありますなら是非お知らせ下さるかお送り下さい先は亂筆にて所見と希望を申述べお願ひ申入る次第であります

二伸

序にお願いしますが先年（七、八年前）ですが私の村からブラジルに渡航されましたそれは私（二五歲より）二つ歲上の田中正勝君なのです

田中君の住所及身邊お解りになるならば是非お知らせを願ひいたいのです

何卒お願ひいたします

月刊雜誌 信州及信州人（紹介）

內外信州人の聯絡を圖り親睦と發展を計る目的で「信州人愛鄉會」が長野市に生れた。同會では雜誌「信州及信州人」を月刊發行して鄉土の自然產業社會時事等一切の事件問題に筆を提へて誌上に掲載し信州の消息を知悉せしむるもので每月百數十頁の大册にして異鄉にある縣人のためには好箇のものである、講讀料は一年分五圓（郵稅共）で希望者（海外在住者に限り）の便宜上本協會で取次ぐ故、送金申込められたい。

（長野市櫻枝町一四四　信州人愛鄉會）

（移　轉）

新　東京市丸ノ內仲拾參號館

國　際　聯　盟　協　會

舊　東京市芝公園六號地

母國通信

畏し明治神宮の賑ひ
參拜者六十萬突破

諒闇明け最初の新春もうらゝかやな正月日和から元日の明治神宮は早朝から異常な賑はひを呈し昨年の哀痛にみなぎり渡る人波に比して今年は玉砂利を踏む足音も高らかに一日中の參拜總數六十萬を突破して昨年の四十萬に比し一倍半のみならず神宮建造以來元日における最高レコードであつた。

惠方の觀音樣
淺草界猥の賑ひ

惠方參りの淺草觀音樣は身動きもならぬ參詣者で流石に新進の正月振りを見せて今年はより運を引きあてようと押し合ふ人込みの中でおみくじを引いてゐるのも初春らしい。淺草の活動寫眞街は何んといつても押すな／＼の盛況、どの館も大低滿員ですばらしい景氣である。

秩父宮妃殿下として
松平節子孃御婚約勅許

かねて秩父宮妃殿下として第一候補に擧げられた現駐米大使松平恒雄氏長女節子姬はいよ／＼御內定の確實を報ぜられるや全國民は我がことの樣に喜び申上げ尙米國內においても非常の評判となつてゐたが一月十九日御婚約の儀勅許あらせられ目出度御成立した。

松平氏は白虎隊で有名な會津藩主松平容保氏の四男であつて大正十四年春特命全權大使に親任せられたるものである。

秩父宮の御婚儀は新秋九月初旬ともれ承り、節子孃は五月中に父君の賜暇歸朝と一緒に大使夫妻、正子孃と共に歸朝する豫定であるやに承る。

軍艦春日の
新鬼ヶ島征伐

横須賀軍港所屬の練習艦春日はこの世の鬼ヶ島征伐に出かけると云ふので桃太郎ならぬ若い士官連が出動の日を待構てゐる―といふのは支那香港沖にある孤島バースペーヤは支那海賊團の根據地で近海を荒し回つてゐる巣窟なのである。同艦は一月二十四日横須賀を出港上海、香港、マニラ、馬公、基隆の各地約六千マイルの濱洋航海をして三月廿五日歸港の豫定でその途中前記鬼ヶ島に上陸した場合には金、銀、さんご、あや、錦をえんやえんやで軍艦に積んで引揚げ樣と云ふ譯。

移植民ニュース

マニラ麻に强敵出現
好評のスマトラ麻

船舶用綱索材料として需要多く、又最近製紙原料として世界各市場に重用せられてゐるマニラ麻は比律賓島の重要なる生產品であり比島經濟上に重大なる役割を負ふてゐるが南洋スマトラ、瓜哇、ボルネオ地方にもこれが產出に努力された結果遂にマニラ麻の敵對品となつて世界最好顧客たる紐育市場に肩を竝べて現れた。紐育市場におけるマストラ麻は意外に頗る好評を博して既にマニラ麻を壓迫しつゝある形勢にありそれがためマニラ麻は需要漸やく減退し相場は一体に弱氣を呈し依然として漸落を辿りつゝある模樣で比島政府當局はこれに對し米國市場を始め、海外市場におけるマニラ麻が壓倒せらるゝ樣な事は斷然ないと豪語してゐるも事實はマストラ麻の出現以來マニラ麻は常に不振を續けてゐる事實に鑑みれば將來のマニラ麻は到底樂觀を許さゞる現場にあり識者は是等事品に極力對抗し以て、マニラの聲價を挽回すると共に優良品の增產と相俟つて下級品の輸出を防止せねばならぬと頻りに當業の奮起を促してゐる

解散！總選擧の
既成無產兩黨好取組

休會明けの近付くと共に各無產黨本部は總選擧準備で頓に緊張し立候補地並に顔觸れの選定を始め本部員總出で大活動を始めたが總選擧の曉には既成政黨の巨頭と無產黨の大立物との正面衝突が各地にありたとへば東京第一區に於ける鳩山翰長と社會民衆黨の黨首安部磯雄氏、兵庫縣第一區に於ける砂田農林參與官と日本勞農黨の賀川豊彦氏、香川第二區に於ける三土藏相と勞働農民黨黨首大山郁夫氏の如きその激戰振りが今から興味を以て注目されて居る殊に神戸市三千名の理髮業組合から參與官に出世のお祝ひに大禮服を贈られた砂田參與官は川崎造船所その他神戸市の勞働者階級に地盤を有する賀川豊彦氏の立候補は最も苦手であり又香川縣は勞農黨全盛の地で同黨が如何に强固な地盤を有するかは昨秋の府縣會議員選擧に二人の當選者を出した事でも知り得べく而して三土藏相の地盤たる同縣第二區から同黨の大山郁夫氏が出る事は大向うをうならせる好取組といはなければならぬ斯くて既成政黨中の大者でも意外な所で無產黨のために背負投げを食ふ者もあるべく言論戰に或はポスター戰に火の出るやうな激戰は近來にない見物である

御大禮日取
正式に決る

御大禮日

一、一月十七日午前十時賢所皇靈殿神殿に期日報告の儀

一、同日午後二時神宮、神武天皇山陵並に前帝四代山陵（大正明治孝明仁孝）に勅使發遣の儀此儀には特に首相列席す

一、十九日神宮奉幣の儀

一、同日神武天皇山陵並に前帝四代山陵奉幣の儀

一、二月五日齋田點定の儀（悠紀主基兩田決定）

一、八月中旬大甞宮地鎭祭

一、八月中旬名古屋離宮賢所假殿地鎭祭

一、八月中旬悠紀主基兩齋田齋場地鎭祭

一、九月中旬兩田拔穗前一日大祓及拔穗の儀

一、十月中旬兩田新穀供納式

一、十一月六日京都行幸啓の儀（名古屋離宮御一泊）

一、十一月七日賢所春興殿に渡御の儀

一、十一月十日卽位禮當日皇靈殿神殿に奉告の儀

賢所大前の儀（午前八時より同午前十一時三十分に至る）

紫宸殿の儀（午後一時三十分より同四時三十分に至る）

一、十一月十一日卽位禮後一日賢所御神樂の儀

一、十一月十二日神宮、皇靈殿神殿並に官國幣社へ勅使發遣の儀

大甞祭前二日御契及大祓の儀

一、十一月十三日大甞祭前一日鎭魂の儀

一、十一月十四日大甞祭當日神宮に奉幣當日神宮に奉幣の儀、皇靈殿、神殿に奉幣の儀、賢所大前供饌の儀、大甞宮の儀（午後四時二十分より翌十五日午前五時に至る悠紀殿、主基殿、供饌殿の儀）

一、十一月十六日卽位禮及び大甞祭御大饗第一日の儀（正午より）

一、十一月十七日大饗第二日の儀（午後六時より）大饗夜宴の儀（午後九時より）

一、十一月二十日、二十一日卽位禮及び大甞祭後神宮親謁の儀

一、十一月二十三日神武天皇山陵に親謁の儀

一、十一月二十四日仁孝、孝明天皇山陵親謁の儀

一、十一月二十五日明治天皇御陵親謁の

成案を見た移植民奬勵策
追加豫算三百萬圓六大事業

海外移民の奬勵對策に關しては人口食糧問題調査會において根本的施設計畫について種々考究中であつたが今回左の如き施設に伴なふ小經費約百萬圓を追加豫算として計上今議會に內務省から提出して贊助をはかることになつた

（單位千圓）

一、移民研究所　移民の科學的研究移民地における衞生狀態その他活動フィルムを以て邦人の生活狀態を外國に紹介して誤解を解く爲の機關（五六）

二、移民收容所設置　南洋方面に渡航するものを一時收容のため長崎に設置する（六二三）

三、移民保護官　移民の渡航する場合船中に保護官を便乘せしめて移民地の知識を與へしめ移植民地では領事館に之を設け農業の指導奬勵に當り法律問題の相談に應ずる爲否專門家を派遣す、奏任官五名判任官十三名（二一四）

四、移植民博物館設置　移民思想涵養の一助として移民の狀況を模型に表して一般人の參考に供するため常設的の博物館を東京小石川砲兵工廠跡に設置する事（三、〇八九本年度百三十萬圓）

五、移民補助金の範圍擴張　ブラジル渡航以外の移民に對しても渡航費を交付する事（二九九）

六、移民後援團體の奬勵　移民組合が肩替りしない海外協會は移民協會と改め後援團體として一般に移民熱の普及鼓吹に努めしめ尙從來設置なき府縣にも設置せしめこれに補助金を配付する事（三〇）

植民地開發力說
內地以外の人口對策

人口食糧問題調査會人口部小委員會は一、內地以外の諸地方における人口對策に關する答申案起草に關し種々意見を交換した結石大體左の如き主旨に基く答申案を作成することに意見一致した。

答申案要綱

內地以外の諸地方における人口對策を講ずる所以は直接その地に移植民をなさんとす

儀
一、十一月二十六日東京に還行啓の儀
一、十一月二十七日賢所溫明殿に還御の儀
一、十一月二十八日賢所御神樂の儀
一、十一月二十九日大正天皇山陵に親謁の儀
一、十一月三十日皇靈殿、神殿に親謁の儀

御大典に歸國する九十六翁
日本人移民の元祖

【ホノルル電通十二日發】 明治元年日本最初の移民としてハワイに來た百五十餘名のうち現存せる石井仙太郎翁（九十六歲）は六十三年目で來る七月中出發歸國し御大典を拜觀するさうである

ハワイ通の第一人者たる芝ジマパンタイムス社長の話を聞くと『石井は知つてゐます然し私の知つてゐる石井は九十歲位ですから電文の石井君とは違ひませう電報にあるその石井君は第一回の移民らしく思はれる

□

即ち第一回の移民は當事獨立王國なるハワイのアーウイン駐日公使と井上馨外相との間に締結された移民條約によつて東京横濱等から送られた血氣盛りの四五十名であつた

□

ハワイではこの第一回を元年者と呼んでゐるが元年者で今生存してゐるのは僅四人位で石井君はその四人のうちの一人であらうと思ふ元年者の四人は隨分澤山のニユースをもつてゐることであらう

□

ハワイ王國は日本と親密にせんとてキング・カラカワが日本に渡來し日本の皇室からお婿さんを迎へるため運動したといふ當時であるハワイには有名な安藤太郎君が總領事として駐在してゐた時だ

□

生存の四人の元年者のうちで面白いのは小澤君でこの人は生粹の江戸ッ子であつた、息子は彼地における日本人として最初の辯護士となり、娘のおいとさんは米人の判事の家にもらはれて行つたが當時横濱正金から派遣されてゐる今西兼二君と戀に陷り遂に天下晴れて今西夫人となつたが彼嶋でおいとさんといへば有名なもので日布國交のくさびであつた

□

三年程前池上町の今西本邸で世を去つたといふ話もある、いづれにしても元年者の歸國することは面白いことです』

るものに非ずしてその地方の資源を開發し産業を發達せしめ食糧品および原料品の生産を增進しよつてもつて內地の經濟發展を促進しこれによつて內地人口の緩和を計らんとする主旨に出でたるものである、然してその具體的對策として考ふべきことは

一、朝鮮、台灣、樺太、關東州、南洋の各植民地、租借地委任統治地の開發就中朝鮮の産米計畫樺太の拓殖計畫の促進を講ずること

一、滿蒙については商租權問題の解決を計り土地關係を明確ならしむると共に資金供給機關を充實し尙日支提携して産業の開發に當ること

一、南洋方面では移植民の保護副業の奬勵産業の研究機關の充實を企圖すること

着々具體化した滿鐵滿蒙開發策

山本滿鐵社長は最近滿鐵各種事業の積極的大擴張計畫を立て目下大連に開催の重役會議の進行と共にこれら諸案は着々と具體化して來た即ち撫順のオイルシエール事業は最初の計畫を二倍として五萬トン計畫となりたる一方撫順炭は能率增進の結果同一設備をもつて豫

矢繼早に來る
母國見學團

昨年ハワイ生れの男女學生が日本見學に來て好成績を擧げたので今年もハワイ同胞の母國見學團の來朝する向多く既に郵船會社に對し乘船申込みをしたものに堺七藏氏主催の赤十字大會出席者五十名が八月頃、佛教青年會主催の青年母國觀光團三十名が六月頃、日本人會長岩永智一氏主催の御大典見學團五十名が八月頃又ハワイ、ハイスクール男女學生三十名が暑中休暇を利用して來朝する事になつた

政府の在外正貨高
一億三千万圓の減額

我國の在外正貨は歐洲大戰開始當時（政府保有分）僅一千二百餘萬圓に過ぎなかつたが歐洲戰爭以來我國の産業は空前の發展を見るに至り古來入超一點張りの我國の對外貿易はために出超國と化するに至つて空前の成金國となつたのであつて在外正貨政府の大正九年度末には實に三億九千八百四十六萬圓となり戰前に比して三十三四倍に激增するに至つた然し歐洲戰爭終了により元の入超國に逆轉しその入超決濟資金に充當するために在外正貨も年一年減少する一方となり前內閣が數回在內正貨を現送補塡したに拘らず昨年十二月末には一億三千五百餘萬圓となつて最高の大正九年に比すると約三分の一に減少し今や一ケ年の貿易入超額の決濟資金にすら大なる不足を見んとするに至つた大藏省の最近調査による昨年十一月末在外正貨高內容は次ぎの通り（單位

定の六百五十萬トンが百五十萬トンを增加し年八百万トンの大出炭を得るに至つたが更に十一日の重役會議において滿鐵のがんといはれた鞍山製鐵の大擴張計畫が確定し現在の三百トン爐二基の內一基が使用不能となる關係もあるが即ち百トン爐一基を增設し本案かたゞ增産計畫の第一歩とすることに決定、直に工事に取かゝることに確定した、增産計畫は五十萬トン計畫を目標とするも取敢ず現在の二十萬トンを十五萬トン增加し三十五萬トンとする見込みである、右の外山本滿鐵社長の肥料自給の國策を滿洲において確定し田中首相のいはゆる肥料の公平なる分配に資すべく次ぎの如き二大肥料會社計畫を立て近く發表し得る程度に進行してゐると

一、山本社長が山本農相より農村振興計畫に伴つてしようようされた肥料供給策即ち鞍山製鐵所の副産物たる硫安工場を擴張し硫安會社を設立すること

一、もつとも進歩せる空中窒素のパテントを買收し太子河沿岸に産する石灰と安價の勞銀および電力を利用して石灰窒素肥料會社を設立すること

もつとも一說にはこは山本系の日本窒素會社救濟策だといはれてゐるが山本社長はこの實

千圓）

英國大藏省證券	五八、二八二
在外指定預金（英貨）	三二、八八七
米國大藏省證券	二〇、六二五
米國自由公債	二、〇二六
在外指定預金（米貨）	二一、九一五
計	一三五、四七七

東京市長市來氏受諾

一月六日の東京市會は單記無記名による市長選擧を行つた

七十五票　市來乙彥
十票　秋山定輔

即ち市來氏が大多數をもつて當選した、小島入山正副議長は直に市來氏の承認を求むべく會見交渉のため七日會見市長就任の承認を求めた、

米國でのわが活劇俳優

米國映畵界の日本人の新進活劇俳優として賣だして居るメトロゴールドウインの中村幸吉君（二六）が一月五日横濱着のコレヤ丸で歸朝した同君は震災直後渡米しハリウツド俳優學校に入り一年半の研究を了へメトロゴールドウインに入つて活俳優となり「スパニツシユ鏡馬」「スエーデンの街」に出演して昨冬同社を退いて專ら創作した映畵脚本「東春の旅」「移民の母」を攜へて歸朝日本の映畵會社の後援で日米兩國を舞台に撮影創作したいとの願望を懷いて來たものである。

『もしこの願望が屆いたらこの十一月再び渡米しかねて契約して來たユニバーサルに入社したいと思つてゐます、現在ハリウツドの日本人スターとして賣りだして居るのは女優の市岡とし子さん（二六）第二のジヤツキークーガンと呼ばれて居るゼーアー靑山（一〇）と不肖私の三人です、早川雪洲氏は映畵界から退いた形であり上山草人氏は我々の先輩だが華々しさを失つたやうです聲樂舞踊の人では蠻府のグランドオペラに加盟して居る南部高根夫人です』と語つてゐた。

全滿鮮人大會

支那官憲の壓迫問題を主題として全滿朝鮮人大會は一月九日來吉林を除く各地代表三十八名により豫備會議に次ぎ本會議に移つたが

一、各地の情況に應じ自由に支那へ歸化
二、無條件で全部歸化
三、支那歸化は絕對不可

の三派に意見分れて議論沸騰し、無條件歸化

現に相當確信を持つてゐるものと見られて居る山本社長はこの外更に阪神大連間の快速船の就航および大連を中心とする航路の擴張整備を考慮してゐるが一方社會政策も考慮し電燈料および石炭の直下を計畫し十日の重役會議の結果

（一）電力の使用量に應ずる料金の制定を圖つて市民の負擔輕減に資し商工業の助成にかゝる一方（二）現在各地一律たる料金制度を改め生産費に應じ各地共妥當の料金を決定することに決した

漁業問題の轉換を
後藤子に依賴

後藤子は一月十日モスコー出發歸國の豫定であつたが六日日本外務省より來電あり十まで更に四日間滯在を延期することにした、その內容は將に決定せられんとする漁業權問題につき、日本の漁業家側が外務省を通じ更に日本に有利なる形に變更せんことを後藤子に依賴したものらしく後藤子の目的は左樣な具體的問題に觸れないつもりらしいが外移省よりの依賴であるゆゑこの四日間にある程度までの諒解を希望するやうな交渉はするだらうと考へられる

を主張する安東、大連兩代表と奉天、長春代表間に遂に大亂鬪を演じ大會は目下紛擾中である、然し代表多數は無條件歸化に傾き日本官憲の保護賴むに足らず歸化して支那官憲に賴らうとの主張有力である

朝鮮人の歸化强要

支那官憲の鮮人壓迫は依然とし繼續され傳家佃居住鮮人四百名を戶別調査して支那に歸化してゐないものは居住權なしと立退きを命じ歸化を强要してゐる事實あり、彼は支那側のこの壓迫に堪へかね續々ハルビン市內にのがれてゐるがその大多數はその日暮しの貧困者なので實に悲慘を極めてゐる

四勇士の引續き猛練習

太平洋橫斷飛行の四飛行士は舊冬十二月二十四日より冬期休暇にて歸省中であつたが四日の休暇明けと共に基礎訓練第二次計畫にいり一三式艦上攻擊機二台の整備完成の上夜間飛中長距離各飛行の猛練習を始めてゐる

尙四飛行士はいよ／＼この正月の訓練を始めれば引續き猛練習に精進し夏の出發まで再び歸省出來ないらしくこの休暇中家族や知己に名殘をつげて引揚げたと。

昨年の財界史

一月

△神戶豆粕取引所設立認可 △日露森林協約調印 十日

二月

△東京大阪の預金協定加盟銀行で預金利子五厘引下決定 一日
△外米關稅免除案閣議で決定 十二日

三月

△震手案衆議院本會議に上程され議場混亂す 三日
△震手案衆議院本會議通過 四日
△正金銀行對米爲替相場引上げ、一躍四十九ドルを拔く △北丹後地方に大地震あり鐵道、電信、電話不通 △日本銀行公定步合を引さぐ、商業手形二厘方國債擔保貸出は一厘方特に商業手形優遇の趣旨 八日
△片岡藏相下院で東京渡邊銀行の破綻を言明問題を起す 十四日
△東京渡邊銀行休業 十五日
△東京市の外債二千萬ドルニユーヨークにおいて成立す 十八日
△中井銀行休業す 十九日
△中澤、村井、八十四、左右田、東京、中野の諸銀行休業し金融界の不安ます／＼濃厚

シベリア移民好望
後藤久原兩氏の非公式交渉で

一月十七日ハルビンに着いたトロヤノフスキー新駐日大使の口ぶりによれば後藤氏、久原氏とモスコー當路との非公式交渉によつて日本人のシベリア日本移民問題が良好なる關係に向ひつゝある模樣で、モスコー政府の日本移民歡迎の根據は左の點にある

一、日本の人口增加は年々百萬に達し日本當局は人口食糧問題の解決に惱んでゐる、ロシアが日本と滿蒙、シベリア、支那問題につき協定するにはまづ日本移民問題に對し同情するとが政策の基調である

二、日本はフランスに對しインド支那における移民問題を提議したがフランスは人種的見地よりこの日本の提議を拒絕した

三、然るにソヴエート・ロシアは人種問題につき何等の偏見を有せずかつ極東露領は廣ばくたる未開拓地である

四、日本に讓渡した北サガレンその他沿海州における利權の成績は概ね良好で何等危くすべき點なし

五、從つて極東日本の投資を利權の形式外においても歡迎しかつ日本移民のため土地利

となる日銀は非常貸出をなし首相は關係大臣と對策を協議す　二十二日
▲震手案貴院本會議を通過す　二十三日
▲昭和二年度總豫算案貴院を通過す　二十四日

四月

▲日露森林契約正式調印終了二日
▲台銀整理調査會官制公布され最初の委員會開催　五日
▲台銀救濟案閣議決定　十三日
▲台銀救濟に關する樞府精査委員會開催、痛烈な質問　十四日
▲台銀救濟の緊急勅令樞府で否決され若槻內閣總辭職　十七日
▲台灣銀行近江銀行休業、十八日
▲田中義一男に組閣の大命降下　十九日
田中內閣成立、高橋是清氏藏相就任　二十日
▲十五銀行、泰昌銀行休業し銀行取付盛、財界極度に混亂 ▲政府は財界救濟のため支拂延期勅令の公布と臨時議會召集に決定 ▲全國銀行信託等金融機關は一せいに二十二、三兩日臨時休業に決定　二十一日
▲臨時議會召集詔書公布 ▲樞府で支拂延期の緊急勅令案可決、即日公布さる ▲日銀兌換券發行高二十三億餘圓に達す　二十二日
▲日銀は臨時休業後の開店に當り取引の有無に拘らず各銀行に非常貸出を聲明　二十四日
▲休業明けの財界は各地とも平穩 ▲紡績聯合會が操短を決議　二十六日

五月

▲臨時議會(第五十三回)召集日
▲財界安定に關する二法案は修正および希望條件つきで貴衆兩院を通過　八日
▲臨時議會閉院式擧行 ▲日銀特別融通審査會の役員發表され初審査會開會 ▲休業中の台銀內外各支店開業　九日
▲日本銀行總裁市來乙彥氏辭任、井上準之助氏就任決定　十日
▲六十五銀行、泰昌銀行開業　十二日
▲モラトリアム明け、各地財界平靜　十四日
▲人口昨年より百万人增加せる旨內閣から發表　十九日
▲英政府對露斷交の通牒を交付　二十七日

六月

▲高橋藏相引退し大藏大臣に三土忠造氏親任　二日
▲日英米三國の海軍々縮會議ジュネーヴに開かる　二十日

權を日本に提供して差支なし大體右の根據によつて日本との接近を策しつゝあるをもつて現在勞農當局の日露親善の叫びは從來にない力をもつてゐる、尙朝鮮人問題も解決する沿海州水田利權ももちろんこのうちに包含されてゐるやうである

日本の投資は石油鑛へ
後藤子强調す

「モスコー電通十二日發」『ソヴエート政府治下における經濟的文化的生活は相當注目すべきものだと一般に觀察者の報告するところであるが印象はそれらの觀察者の傳ふるところよりももつと好い』と後藤子は本日合同通信員との會見においてロシアの印象を物語つた子は言葉を續けて

『日本資本をロシアに投ずる事特に石油鑛調査に投資する事は有望である、余は職業的政治家ではないが歸國の上は日露關係の增進にベストを盡す覺悟であるもつともたゞ今の所では兩國の關係のどの方面がもつとも好く進展する見込があるかは豫斷する事は出來ないが然し兩國共に眞面目な意圖をもつて事を運べばその結果は期してまつべきである

▲預金部から三千萬圓融資する川崎救濟案閣議で決す　二十四日

七月

▲川崎銀行と第百銀行の合併調印さる　二十七日
▲郵便貯金利子片落ち實施　一日
▲田中首相閣議において川崎救濟を斷念せる旨報告　五日
▲山東方面急變の報あり田中首相は濟南派兵を上奏して靑島派遣軍を出動せしむ　六日
▲人口食糧問題調査會官制および會長委員發表せらる　七日
▲山東第二次出兵決行 ▲政府が川崎救濟打切りを聲明　八日
▲預金部委員會で郵便貯金臨時增加額二億四千萬圓の運用計畫決定す　十三日
▲台灣銀行調査會で整理案決定　十四日
▲川崎造船所工場を閉鎖建造中の軍艦六隻海軍省に引繼　十八日
▲日獨通商條約調印せらる　廿日
▲台銀整理案株主會承認　廿六日

八月

▲軍縮會議遂に三國共同宣言を發表して決裂閉會 ▲ニューヨーク準備銀行利下　四日
▲米穀委員會で內地米百萬石以內買上決定　九日
▲外米關稅復活勅令公布　十二日
▲佛獨通商條約調印　十七日

九月

蠶絲救濟金五千萬圓融通閣議で決定　二日
▲預金部委員會で養蠶應急資金貸付と地方還元資金決定　六日

十月

▲預金協定銀行預金利下を決定し八日より實施定約甲種五厘下乙種二厘以下その他は甲乙共に一厘下げ ▲日本銀行公定步合引下各一厘方十日より實施の旨發表す　八日
▲臨時閣議で既定經費の節約くり延べ三千三百萬圓と決定　十三日
▲紡績聯合會で操短擴張明年四月まで二割二厘を決議す ▲昭和銀行および帝國蠶絲會社創立總會　二十九日

十一月

▲新米五十萬石買上發表　九日
▲地租委讓は一年延期昭和五年度から實施し自作農地法案再考に閣議決定　十日

十二月

▲昭和三年度豫算案閣議で決す
休業銀行の預金通帳擔保に預金支拂の便法決す　一日

子は本日ソヴエートのボーイスカウト團いはゆる「赤色先鋒軍」の本營を訪れ日本少年團を代表してあいさつをなしアルバムを贈呈した

滿蒙木材の開發陳情運動

「新義州特電」木材關稅引上問題につき滿洲側はつとに反對を聲明し更に米材の輸入防止に伴ふ滿蒙材の內地輸出は滿蒙開發の我國策に順應するものであるとし東上中の滿洲當業者代表は陳情運動に努めてゐるが前途樂觀を許さぬ狀態にある。しかし滿蒙の森林面積二千九百萬町步立木積蓄量九十億積と稱せらるゝ森林地帶の開發によりこれ等の滿蒙材を以て米材に代ゆることは本邦木材の供給不足を補ひ滿蒙の資源を開發するものであるとの見地から七日東上した鴨綠江採木公司內藤理事長は滿洲材が優越の地位にあることを關係方面に說きその開發に努める事となつた

コスタリカ對日
貿易關係の展開

コスタリカ國サンホセ市に於て著名なる銀行家。アドリアン。エリアドは最近の新聞に日本はコスタリカ市場に興味を有すと云ふ標題で左記の如き要領を發表した。

▲生絲操短決定　五日
▲十五銀行單獨整理案決定　六日
▲左右田銀行小口預金支拂を開始　七日
村井、中井、中澤三休業銀行の小口預金支拂開始 ▲八十四銀行の整理案成る　八日
▲國際汽船整理案閣議で決定　十三日
▲新米第二次買上(百萬石以內)發表 ▲十五銀行整理案發表あかぢ貯蓄銀行任意解散に決す　十五日
▲イタリー金爲替本位制採用　二十一日
▲東電東力合併(九株對十株)成立調印　二十四日
▲八十四銀行小口預金支拂開始　二十八日
▲近江銀行の震災手形決定　二十九日

議會遂に解散
施政演說終了と共に

第五十四議會はかねて豫期せられた通り解散の氣分漲りつゝ一月二十一日再開され恒例により田中首相の內外政施方針に關する演說並に外相、藏相の所管事項に對する演說ありたるが、右三演說の終了後直ちに衆議院は解散を命ぜられた。現內閣は右演說後反對黨よりの峻烈なる肉迫的質問する事を豫想し前議會において田中首相の珍答辯に失敗せるにおそれ未だ戰はざる前において此の擧に出でたるは現內閣の最も卑怯なる態度であると痛く攻擊されてゐる。

解散に次ぐ普選
國民試練の二月二十日

いよ〳〵議會解散と共に此處に久しく國民一般の渴望する普選選擧が實施される事になり全國一齊に立候補の宣言と共に選擧戰が開始された、各地に激烈なる逐鹿が行はれるが國民の政治均行公使の實績が如何に此の選擧において現はれるか今や國民はその試練の目前に立たせられ世界の各國の注目となつてゐる。因みに此の重要なる國民的試練の投票は全國一樣に二月二十日決定してゐる。

言論戰に入り
ポスター戰開始

目捷に迫つた衆議院選擧は今や火蓋を切つて立候補の宣言と共に二千圓の供託金を添へて文字通りの言論戰が開始され矢繼早に演說が行はれて會場となる劇場、小學校等の大建物は既に二十數回の連日連夜の申込もあると云ふ。尙これと同時にポスターも各自立候補の立場によつて種々と考案されたものが選擧民に「淸き一票を」と哀訴嘆願してゐる。

最近日本は中米市場開拓に異常の熱意を持に至た、昨年は旅商隊を當國に派遣したが彼等は數週間滯留して市場を悉に研究した結果る好印象を得た

大平洋岸に豊富なる建築用材、硬材は輸て日本に向け輸出せらるゝであらう。日本は此種の木材を遠く倫敦市場より仰で居るが、運賃が高い爲日本に於て頗る高價について居る。

日本の最大汽船會社たる日本郵船會社は、現在桑港ラインを經營して居るが、更に政府の援助を得て活動舞臺を中米沿擴張し、プンタアレナ港を寄港地とするに內定してゐる由プンタアレナ港の築港工事が完成せば、積荷は便宜となり、亦當國大平洋方面の發展は著しきものがあらう云々。(エラルド紙より)

邦人の歸化申請却下
カナダ國務省は反對意見

バンクーヴァにおける日本人數名が合法の條件を具備してカナダ政府に歸化を申請したるに對しバンクーヴァ裁判所判事グランド氏が昨日同化不能の理由の下にこの申請を却下し大問題を引き起したがこれについてカナダ國務省當局は左の如く語つた

信州記事

もはや、解散を待つばかり
逐日緊張の縣下政情

議會解散が余議なき形勢となり本縣內の選擧界は逐日緊張しつゝあるが消息通の掛け直なき觀測を總合するに大體縣內の逐鹿界は目下のところ次の情勢に置かれてゐる

△第一區　(長野他五郡定員三名)山本愼平(政)松本忠雄(民)兩氏の再起は動かぬところでこの他に小坂順造(民)春日善之助(政)(春日俊文氏の弟)兩氏の出場もほゞ確定的であるから政民各二名を擁立し他の割り込みを許さぬ程度の激戰を演ずるであらう

△第二區　(上田市他四郡定員三名)再起確定は篠原和市氏(政)のみで內務大臣祕書官の威をかり奮戰するに對して春日俊文(政)山邊常重(民)兩氏は出馬に內定し小山邦太郎(中立)氏も大勢順應主義からやむなく擔ぎあげらるべくよつてこの區も政民二名づつの對戰となるであらう

△第三區　(諏訪郡伊那三郡定員四名)小川平吉(政)樋口秀雄　(民)戶田由美(民)三氏の再起確實なるに對して平野桑四郎、原田次郎(在東京)兩氏が政友會より出馬しなほ民政派も早稻田大學教授宮澤胤男氏を推して政民各三名づゝを戰陣へ送り別に諏訪の小口重太郎氏も專ら小川鐵相の地盤を荒すべく乘り出す模樣あり一說には原田氏に代るに伊那電鐵の社長伊原五郎兵衞氏いでんとも傳へられるがいづれにしても縣內第一の激戰地で右に加ふるに無產黨から野溝勝(民衆)藤森成吉(勞農)兩氏の割り込みも確定してゐるから四名の

「バンクーヴァ裁判所判事グランド氏の日本人歸化申請却下は權限を越えカナダ歸化法に違反したものである元來カナダ歸化法は同化の如何につき人種を問ふものでなく、歸化條件としては何人種たるを論ぜずにたゞ過去九ケ年中五ケ年以上英帝國內に居住ししかして一ケ年以上カナダに居留し、性質善良にして、英語又は佛語の知識を有し將來英帝國內に居住する意思を有すれば足るのである

尙この問題について當のグランド判事は左の如く語つた

アングロサクソン人と日本人の混血により吾人は強い人種を作るを得ない、即ち吾人は兩人種の弱點のみを傳へ何等强味を增さないことになる

ニカラガ反徒依然優勢
米國增援隊續々到着

「マナグア聯合(中米ニカラガ)五日發」　襲多三十日および元日當地付近のキラリにおけるニカラガ反徒の當地駐在米國海兵隊襲擊事件はニカラガ國內に異常の緊張を起さしめ首府マナグア人心は非常に動搖して居る、サンヂノ將軍の率ゐる反軍はエル。チポテ村近に堅

定員に配するに九名の候補者がある事となる

△第四區（松本と安筑四郡定員三名）植原(政)降旗(民)畔田(新正)三氏の再起確實にしてこれに代つて上條信(政)氏八方より出馬を促されつゝあり上條氏けつ起する場合は政友二名に對し民政は降旗氏一名のみとなるので對抗上百瀨渡氏を推さんとの聲高くこの外に東京の辨護士會長たりし花村四郎氏を非政友から擁立する運動もあつてこれ又相當混戰を豫想される

右によつて現代議士の內再起するものは政友四名、民政四名中立一名の九名で起否未定のものは深井氏といふ色分けになり既に戰備を整へてゐる人々を合せれば十三名の定數に對し民政十一名、政友九名、中立一名、勞農一名、民衆一名、合計二十三名に達する見込でなほ第一區から民衆黨も本藤恒松氏一名を押し立てる事にもなれば實に二十四名の多數となるわけで普選實施の序幕戰にふさはしい活氣を呈する事となる

分縣期成同盟

移廳論よりは分縣論

昨冬の縣會中百六十万縣民の興味をそゝつた移廳問題も結局有耶無耶のうちに葬り去られてしまつたがその移廳論の口火をつけて今度は分縣論が南信の縣會議員間に持ち上がつて來た殊に上條信氏の如きは熱心な論者で目下同志の糾合に奔走しつつあり總選擧の終るを待つて松本に分縣期成同盟會を組織し早急的に分縣の實現を期さんと畫策してゐる九日松本市に顏を見せた上條縣議は「郡廢後殊に本縣の如き大縣に於いては地方自治發達の上に幾分遺憾の點を釀成しつつある又縣治の上からみるも大縣なるが故に圓滿妥當を缺く事實の幾多あるを痛感してゐるに依つて縣治上から見るも市町村自治發達の上から見るもその他交通經濟等から見るも先づ長野縣は南北二つに分縣するのが最も急務である

頗る眞面目で語つてゐた縣會議員の過半數を有して居りながら何時も隱忍自重以て縣治の圓滿に重きを置いてゐる關係から土木費を始め縣費支出は常に北信より少いといふ有樣にあり斯んな點からも一般に移廳より分縣を妥當とする聲が漸く起らんとしてゐる

早大山岳部四名慘死

北アルプスでスキー練習中

早稻田大學山岳部員一行十一名は十二月三十日北アルプス鉢木岳大澤の小屋の下方約五丁のスロープでスキー練習中物すごい吹雪の音と共に二町餘の谷一ぱいになつた雪崩が襲ひかゝり全部生埋めとなつたが六名は雪を掘つて漸く救ひ出したが殘る四名は遂に發見出來ず救助隊は數日吹雪と戰つて尚も發掘に努力したが天候險惡到底作業繼續は不可能であるので死体の發掘は雪解を待つて初夏の六月頃に着手する事になつた。尚現場は雪積二丈五六尺に達し常に雪崩が襲ふてゐる。

縣下の新聞雜誌

皆で二百廿八種

縣下に於ける昨年末の調査による新聞雜誌の總計は二百二十八種で內日刊が三十二週刊十六月刊百四十八外に無保證三十二である右の內無保證以外のものは全部政治に關係ある論說記事を掲載してゐるものである

飯島村揉む

役場位置と村長辭任で

上伊那郡飯嶋村長林譲氏は舊臘村內紛糾以來病氣にて引籠り中正月早々上京したが村役場の位置問題に舊臘二十五日協議會を開いて兩派妥協の下に村長自ら役場位置問題を撤回すること村長辭任の二案により話が纏るべき筈になつてゐたところ林氏は俄に自分の辭任すべき理由なしとはねつけたので一頓挫のまゝ越年するに至つた併しながら村內の空氣は漸次右の案により進むべき外なきに至つてゐるから右により解決を急ぐことになるであらうと

家族三名即死

飼馬一頭と共に

一月十日下水內郡飯山町字堂平地內で土砂崩壊し山麓の藤澤諏市方居宅を埋沒し家族八人が生埋付近の人々驅つけ諏市(四)母りき(六八)長女とみ(八)二女ひで(三)の四人は間もなく掘だし救助したが更に午前十時頃に至り長男幸一(二)はりの下にはさまり土砂も被らず微傷だも受けずにゐたのを救ひだした尚諏市の父徹藏(六)諏市妻なみ(四)三女ふさ(四)の三人は無殘の卽死を遂げてをり同家の飼馬一頭も壓死した

スケート練習中

氷の下に沈んで絶命

長野縣師範學校専攻科生徒上諏訪町本島伍七(二)は一月七日午前十時頃諏訪湖上でスケート練習中大かま穴（ガス湧泉いう出口）に墮落し氷の下になつたので付近に練習中の學生等が辛うじて引揚げたときは既に絶息してをり人工呼吸を行つたが遂に本年最初の犠牲者となつた

初年兵滿洲へ

面會人の混雜

松本留守聯隊へ一月十日入營した初年兵七百十七名のうち百八十九名は留守隊に居殘り五百七十四名は十四日松本驛發特別軍用列車で駐在地柳樹屯に向け出發したので十三日の留守隊は朝から面會人が營門に詰めかけ大混雜を呈して居る

諏中同盟休校の先鋒

榮達した丸茂藤平氏

復興局營地部長から岩手縣知事に抜てきされた丸茂藤平氏は諏訪郡北山村の出身前回の選擧に岐阜市長を罷めて郷黨先輩たる現鐵相小川平吉氏を向ふに廻して約百六十票の差で敗れたとはいへ老を土俵際に追ひ詰めきゆう／＼いはせたものだがその後敵役の小川鐵相のために復興局に救ひだされ今度の榮達を見たものであるこの新知事が諏訪中學(當時實科中學)生徒時代ズバ抜けた秀才であり又劍道の選手で可なり暴れたものだ。明治三十三年二月卒業を一ケ月前に控へて校長事務取扱飼某にあきたらず日本力會の永田調氏等とともにストライキの急先鋒となり諏訪郡會とも衝突した逸話がある。「諏訪中學ストライキ秘史」といふ冊子によれば彼は朱鞘の二尺三四寸の日本刀を持込みストライキ當時激憤遺る方なくストーブを眞二ツにしたため教諭に叱られていやなら廢せといはれさつさと郷里に引揚げその翌日モンペー姿で馬を引いて登校し荷物を積んで校門を去つたとの事だ。

水城大佐の遺骨

郷里へ着く

責任自殺を遂げた海軍大佐水城圭次氏の遺骨は七日松本驛着の列車で遺族に守られて到着した驛頭には出身地の市外中山村神田區の弔旗を先頭に同村の各種團体を始め、小西松本留守聯隊長、聯隊區司令部藤本中佐、外將校、縣會議員百瀨渡氏等三百餘名出迎へ同郷の百瀨縣會議員は驛頭で、大佐の遺骨を捧げて出迎への人々と共に英靈を慰める辭を述べ遺骨は中山村の實家に歸つた同村では村葬にするかどうかに付き村會議員協議會を開いた

國民學校設立を計畫

松本市の肥料商丸山岩雄氏は先年來私立國民高等學校の設立を計畫し敷地として縣立波多學院所有の山林中十一町歩を借り受ける件が六日縣から認可の內諾を得た。その內容は

小學校卒業程度で十八歳以上に限り初年度は二十名、次年度から五十名を收容し三家族舍に割り當てゝ目下茨城縣友部の國民高等學校に居る文學士和合恒雄氏を教育主任とし國史國學を主とする人格教育を施すものであると

下伊青年決議

下伊那郡青年會では九日飯田町百十七銀行ビルに新代議員の會を開き本多委員長を座長に擧げて諸般の報告の後來る三月開く縣聯合青年團提出議題として『現段階に於ける自主的青年團の活動如何』を決定し縣當局に對しその決議文並に村費補助額增額運動の件を申合せ次いで役員改選を行ひ午後五時過ぎ散會した同郡青年會はこれにより急進的傾向が維持されるものと見られてゐる

決　議　文

固な障地を設けて依然優勢を保つてゐるが米國海兵隊側にも各駐在地に續々增援隊が到着してゐる、最近米軍と反徒の衝突したヌエヴア・セゴヴイアは今の所平穩である、米國負傷兵は近く護送されるはず

カナダから駐日公使

任命說傳はる

【ロンドン聯合十日發】最近カナダ政府は諸外國に外交代表を派遣せんとしつゝある旨報ぜられてゐるが、右の報道に關し本日のタイムス紙はカナダ政府が東京駐在カナダ公使を任命するに決したといふ記事を掲げてゐる、但し右の事實に關し信證すべき筋からはいまだ何等の確報も接受されない

政府は否認

【オッタワ(カナダ)聯合十日發】カナダが日本に公使館を設置するとのうはさが最近一部に傳へられたがカナダ首相マッケンジー・キング氏は本日このうはさを否定しカナダ政府はまだ日本に公使館設置を計畫しをらずと聲明した

邦人のカトリック教歸依

精神的に慰安の少ない植民者がとかく荒れすさんだ心境に光明と慰安を與へ伯國同化への一歩を進める事において最近伯國の國教たるカトリック教に歸依する者が多くなつて來た。特に先年布伯邦人の宗教方面に活動すべく同教牧師中村長八氏の渡伯以來十一月二十日には百四十二名が洗禮を受けた。これに關しブラジル社會に大きな反響を與へ各新聞紙は筆を揃へて日本人のカトリック教化は喜ばしい傾向であると賞讃してゐる。

日加兩國に外交代表

正式に派遣發表

先きに加奈陀政府は日本に外交代表を派遣する事に對して兩國の政府とも否定してゐつたが遂に正式に派遣する事に決定發表された因みに加奈陀政府は今春五六日頃日本に先立つて外交官を駐日せしむる事に報ぜれ、日本政府よりの駐加外交官の候補者は目下現シドニー總領事德川家正氏現歐米局長堀內正昭氏が最も有力である。

昨年の移植民數

一万二千五百名突破

昭和二年中の海外興業取扱移植民數は同社の發表する處によれば左記の如く近來にない記錄を作つた。

ブラジル	九、一五〇
比律賓	一、九二〇
濠洲	三九三
秘露	[illegible]
玖馬	[illegible]
計	一、五六四

因みに昨年より千百五十七名を增加し尚海外興業以外のブラジル渡航者は九百三十四名であるから昨年の總數は一万三千を突破したと云はれてゐる。

比律賓渡航者數

二千名を越へた

昭和二年の比律賓渡航者は海興取扱のみにても一千九百二〇名にて之に他自由、呼寄、再渡航等による者を合すれば優に二千數百名に達してゐる。左に明治三十年以來の移民會社取扱の渡航者示せば

自明治三十年至大正六年	五、八五二
大正七年	二、七〇六
大正八年	[illegible]
大正九年	[illegible]
大正十年	[illegible]
大正十一年	[illegible]
大正十二年	[illegible]
大正十三年	[illegible]
大正十四年	[illegible]
大正十五年昭和元年	一、五二八
昭和二年	一、九二〇

で昨年の渡航者中五割四分强は沖繩縣人で實に一千三十九名に及んでゐる。

昨年度の府縣別

海外渡航者數

海興取扱によるブラジル、比律賓、濠洲、秘露玖馬の各府縣廳募の渡航者を示せば左の如くで尚前年との增減比較は左の通である。

府縣名	昭和二年	前年比較增(減)數
北海道	四五一	一五二
青森	三一	一四
秋田	六四	六二
山形	五	(減)一三
岩手	二一	(減)二三
宮城	七八	三一
福島	三三四	六五
栃木	八三	三三
茨城	九八	(減)四八
群馬	一三三	一〇七
埼玉	二	(減)一三
千葉	三四	二五
東京	一〇〇	(減)六四
神奈川	二八	二七
靜岡	三〇七	一七六
愛知	四四	(減)二二
三重	一五八	(減)一〇四
岐阜	一五〇	一二一
滋賀	四一	(減)一四
新潟	五四	一四
富山	六四	五四

吾々は青年の自主的立場からあらゆる行動に對する當局の干渉演說の注意休止檢束及びその他防壓に絕對反對し言論集會の自由を期す

福島高女へ資金御下賜

昨年大火で全燒した木曾福島町福島高等女學校に對し建築費のうち昭和三年度分として三萬五千圓を畏き邊から御下賜の御さたがあり杉內藏頭から本縣へ通知があつたので七日直に福島町長へ有難き思召を傳達した

西筑聯合青年研究會

西筑摩郡聯合青年團では本年度總會にかねて左記問題の研究會を開く、縣より丹澤社會教育主事臨席

一、青年會の年齡を二十五歲に徹底制限すること
一、陸上競技に出場する選手の持つ種目は一種目に限定するの可否
一、役員改選を統一するの可否
一、破綻に直面する農家經濟の現況を如意に打開すべきか
一、木曾谷展開策如何
一、青年の政治意義如何
一、普選に對し青年團の採るべき方策如何
一、公娼廢止の可否

北海道移住

昭和二年度に於ける北海道自作農移住申込の本縣人は總計三十一家族であつたが今回左記二十七家族百三十五名は移住許可となつた而して右家族は何れも三月末日までに渡道移住して春蒔準備等に着手するを要し萬一右前日渡道しないものは許可の取消を受くるとなるものである が移住者は入地後移住補助金三百圓と住宅建設補助金五十圓とを交付さるゝ筈

根室國標津郡村字上春別（十七家族）

小縣郡中塩田村　田中織藏
同　中澤源三
同　林　與吉
同　中田義忠
東筑摩郡洗馬村　本澤明雄
上伊那郡東箕輪村　村本得孝
西筑摩郡大桑村　吉村善助

石川	一七七	一四〇
福井	一一二	九三
長野	九〇	六九
山梨	一七	一七
京都	一三五	五八
奈良	二一九	六二
和歌山	四九一	(減)三一
大阪	一九四	四五
兵庫	三三三	(減)一七二
岡山	六六八	(減)一二〇
廣島	九九四	四八
山口	五九五	(減)三一
島根	二三八	一一五
鳥取	二七八	(減)一一五
鳥取	七九	一二〇
德島	四九	三
香川	二二九	一一二
高知	二五四	八一
愛媛	三二九	八九
大分	二三五	(減)九
福岡	四四五	(減)一三〇
佐賀	二五四	二七
長崎	二三六	五〇
熊本	一、〇五四	九
宮崎	一四一	一一九
鹿兒島	一二八	(減)一一七
沖繩	一、五八八	二四
計	一一、五六四	一、一五七

小縣郡別所村　田中茂
下伊那郡松尾村　今村祐次郎
西筑摩郡田立村　山崎德市
小縣郡青木村　松田嘉之吉
西筑摩郡大桑村　土屋順一
小縣郡西塩田村　齋藤慶已
同村　白倉市之助
上伊那郡朝日村　有賀貞正
同村　有賀伊三郎

同國同郡同村字春別（八家族）

西筑摩郡上松町　花川薰
諏訪郡四賀村　河西嘉治
西筑摩上松町　花川儀左衞門
東筑摩郡日向村　飯森豊
同　飯森龜一郎
更級郡力石村　田島豊茂
南安曇郡安曇村　西野力藏
埴科郡雨宮縣村　小林精

同國同郡同村字茶志骨（一家族）

上伊那郡伊那町　大野田昇太郎

釧路國阿寒郡舌辛村字ニシベツ（一家族）

小縣郡中塩田村　田中元廣

アルプス・スキー場

北安平村青年會では北日本アルプス蓮華嶽の山麓に約十万餘坪のスキー好適地を發見した紹介のために村當局、縣體育協會等の後援で數千圓を投じ新たに休憩小屋その他宿泊の準備を整へた而して十萬餘坪のスロープを持つたスキー場は名付けてアルプススキー場と發表此スキー場は至極便利なことに、信鐵大町驛に下車すれば直ちに東信電氣會社では同社專用の電車を運轉何人といはず無賃で、どし〳〵スキーの現場まで運んでくれる宿泊しやうと思へば、一日三食の一圓內外で極めて家庭的に泊めてくれるし電氣浴槽の設備も出來てゐる。現場は、大町から約一里位電車で二三十分かゝれば行くが三月末日頃まで積雪三四尺雪質はスキーに最も適してゐるが少しも危險の憂ひはない

上伊那大豪雨

上伊那郡地方は十日から十一日朝にかけて大豪雨あり各河川增水し中にも三峰川は五尺餘の增水を見伊那町金澤製材所美篶村地內に集積した材木は大部分流出し損害多大の見込

各派入亂れ混戰

白熱化した言論戰―

縣下の政情は各項の如しで大体立候補の宣告と共托金の納入もすんで、各派入亂れていづれも必勝を期してゐるが、消息通の豫想する所によれば、當選の具合は左記の如くなるのが妥當であると云はれてゐる。

民政　五　政友　五　中立　一
勞農　一　新正　一

尙第三區から出馬を噂されてゐた野溝氏（民衆）は勇退して、藤森氏を極力聲援する事になつたらしく、斯くて第三區は現內閣の副總理小川氏を向ふに廻して一騎打ちに出る縣下隨一の興味の焦點となつてゐる。

移住地閑話（三）

在アリアンサ 工學士 武田三三

十五、尾崎文相の失言問題

陽明先生は聖賢の第一義を祖述闡明したに過ぎぬ、學派など、自分で命名した譯ではあるまい。會津藩公保科正之が曾て和學を奬勵する時、藩士某君――漢儒者名前を失念したが――が明快に返答して居る。曰く臣不肖にして未だ和學なるものを承知して居り申さず、和と言ひ漢と言ひ出處が何處であらうが學問に變りが無い。宜しく學問を奬勵あつて然るべし――と言ふ意味合であつたと思ふ。此藩士が所謂陽明學派といふものであらう。明治三十四年頃であつたか、第一次大隈內閣なるものが出來て、總理大隈氏內務原氏文部尾崎氏と言ふ顔振であつたが、今は尾崎氏だけが生きて居られる。生きて居る中に申して置かぬと作り事などと言はれる恐があるから一寸申して置くが、此內閣は尾崎文相の失言問題の爲に六ケ月にして倒れた。ツマリ尾崎氏が文相であり乍ら或處で演說した時、諸君若し我日本帝國が共和政治になつた夢を見たと考へて御覽なさい、と申したのが大不敬大失言であると言ふのであつた。も一つ文相在職中に從來教科書に採用する事を禁じてあつたナポーレオン傳とスケッチブックを解禁した。從來の文部省では、ナポーレオン傳は軍國思想を鼓舞し、スケッチブックは戀愛思想を鼓舞するが故に採用罷り成らぬといふ次第であつたが學校以外で讀む事に就ては、內務省も外務省も何とも省令を出して居なかつたらしい。そこで內閣が倒れて野に下り、原、尾崎兩氏が東北の遊說に來られた時、招待して一場の講話を聞いた。尾崎氏の演題は學問の本旨といふのであつて大体に於て陽明の第一義（と御本人が申された次第では無い）であつたと思ふが文句は殆ど全部忘却した中に就て、一つだけ今に記憶して居る。曰く折角大學迄行つて卒業して大學の先生にでもなるに二十年も掛るが、先生にでもなつて毎年〳〵同じ原稿を講義して月給を貰つて居る中に、原稿は古くなつて役に立たず二十年も立たぬ中に罷めて了ふ。ツマリ仕入れた年數だけ奉公せずして退かなければならぬのは、畢竟するに大學教授の食ひ物が惡いからである、との話であつた。要するに手當を增して學究を優待すべしとの意味であつたらう。其後月給も無論增したが物價も增したが爲に、社會主義や共產主義の研究は何時でも大學教授が率先して居る。專門學校でも中等學校でも乃至小學校でも御同樣であり、就中國民教育を左右する小學校の先生が一番共產を歡迎する貧乏人である。教育勅語は一番能く暗記して居ると共に、責めて「ペスタロッチ」でも擔ぎ出して居たくなる次第であらう。尤も「ペスタロッチ」か共產が何かは拙者承知致して居らぬ。

十六、西か東か

斯くの如く「ペスタ」君を初め、思想物資共に西洋から出て來る所を見るに、西洋とは飽程良い處に違無からうと思ふ。一歩進んで西方十萬億土には極樂があるそうであるから、序に順禮して見たら如何か。天竺の三藏法師が法華經を支那に傳へた時、此經は東方の國に緣ありと申して居るが、御經だけが東方に緣あつて極樂は西方にあるとは何の事か、想ふに如來は地球の丸い事を既に御承知あつたけれ共、無明の衆生に言つて聞かせても分らぬから、御經だけは東方の安全地帶に持つて行かせたのであらう。西へ西へと行つて見れば再元の處へ還つて來る。則西方十萬億土と申すのは取りも直さず東方の事である。如來は秘密神通の力を以て、轉倒の衆生には近しと雖而も見へざらしむと御經にあるが、三千年前の印度人と吾等を一所にしては困る。一切衆生は今でも多少轉倒もして居るであらうが、責めて敎育者ともあるべき人々だけは周章てては困る。西の方ばかり睥んで眼球を飛び出させ、近眼鏡屋許り悦ばせて居らずにチト足元を詮議して見るが良い。西の方角を好きなものは敢て敎育者許りで無く、西の大關は金持であり橫綱は婦人である。而して貧乏人は東の方角を好きであるから奇妙である、ロンドンの「東端」と言へば貧民街の代名詞であり「西端」と言へば丸の內銀座を指して居るのは世界的事實であり。神戶市の東端は葺合の貧民窟、西端は西須磨の黃金窟であり。橫濱市の東端は東神奈川の漁師町で西端は磯子の別莊地であり、大阪市では――イヤ斯樣な都會を詮議する迄も無く日本の西端は龍宮城（久米博士は龍宮城は博多附近に在つたと申されて居る）東端は蝦夷であらう。浦島太郎は貧乏人の癖に乙姬などに歡迎せられたと思つたからヒドイ目に遭つて居るので、實は馬鹿にされたのである。而して其墓が今でも橫濱の東神奈川にあつて漁師共を戒めて居る「キングスレー」の「三人漁師」の詩にも西方に出漁して溺死し、御神さん達を泣かせて居る。此の如く西方は凡て鬼門であるに拘らず兎角行きたがつて困るにより、それなら十萬億土迄行つて見よとあつて、御經だけは內證で東方に保管を命ぜられた次第と思ふ。金持に婦人は罪業深くしてどうしても言ふ事を聞かぬが、責めて貧乏人だけは火鉢も不自由であらうとの事で、旭に一番早く接する東の方に生活する特權を與へられたものであらうと思ふ、全く如來秘密神通の力である。敎育者は第一着に此事實を心得ねばならぬ。吾等が西を尋ねてブラジルに來て見れば、祖先の遺跡であつた事は前申した通である。

西方が鬼門であるに拘らず、何故に金持と婦人が頭として此方角を尊重しつゝあるかに就ては、廿世紀の科學者も未だに研究の結果を發表して居らぬが、之には理由がある。由來金持と婦人は親戚であると信じて居る、而して兩方共に出シャ張り屋である事は有史以來の事實であるから討論の餘地が無い。諾册二尊の故事は固より、大國主命の夫人が出シャ張つたが爲に離婚せられ掛けた時の謝罪文が長歌の見本として殘つて居るのを見ても判る。西洋に在ては電車に乘るにも降りるにも婦人が先に立つて居る。之は科學的事實であるから可否を論じても駄目である。從つて金持が貴族院議員となるのも當然の科學的現象であらう。從つて先にさへ立てばそれで好いのであつて後の事などは考へる頭を持ち合せて居らん。今地球が西より東に廻轉しつゝあるが故に、地上の方角から言へば西の方が先であるから、何でも先に立たねば承知の出來ぬ金持と婦人が、西の方角を尊重するのは

當然の歸結であらう。其結果が旭に還く夕日に近い事などは無論何とも思はぬ。

斯の如く西を貴み來つた結果、玆に婦人問題といふ問題を發生して、社會學者の飯の種となつて居るが、一体婦人問題とはドンナ問題であらうか、何でも近時の社會問題は凡て科學的でなければ治らぬそうであるから、一つ科學的に考へて見やうと思ふ。科學的とは事實を根底とするものであるから、如何なる論說も事實を否定する事を許さぬ。而して世は現在の世であるから、有史以前も有史以後も引合に出す事は罷り成らぬ。此條件の下に婦人は三千年來子供を生み來つた。乳を飲ませ來つた。味噌は摺つても摺らなくても、兎に角內政を掌握し來つた事は事實である。

今婦人が子を產み子を育て、內政を出來るだけやりさへすれば、其外に問題と申すものは無い筈と思はれる。何故に問題が出て來るか乃至問題がある樣に迷信するか、要するに子供の產育と內政の掌握の一部或は全部を放棄するが故である。放棄して而して他を求めんとするのが婦人問題の全部であらう。即ち婦人運動社會立法の改正、選擧權乃至肉体の賣買は其實皆男子野郞に在りと奮慨してゐるが此男子野郞は誰が育てたか誰が乳を飲ませたか、少しく婦人が耻を知らばこんな事は申さぬ筈であらう。吾等野郞は婦人に侮りたいと希望せぬと同時に、婦人も亦野郞たる必要は更に無い。天下の英傑を產み自由自在に之を育て、彼等を驅使して天下の政を成さしむるもの、婦人を措て何處に有るか。子は乳を慕ふ事醍醐味に優り、成長して學窓に病めば母を思ひ、老いて死する時復た母を呼んで居る、產育に內政それ自身が法律であり選擧權であり。肉体賣買禁止である默つて居つても子供が皆やつて呉れる。要らぬと言つても子供が承知せぬであらう。

十七、婦人問題發生と婦人敎育改革

此判り切つた事實が判らぬ筈が無いが、尙且樣々問題の提灯持をせなければならぬと言ふのは、ツマリ有史以來婦人の持つて生れた欠點である。而して此欠點を押へ附け偉大なる天賦の力を發揮せしむるのが婦人敎育の原則に外ならぬ。而して、良妻賢母を養成せむが爲に全國に數百の女學校が設けられて居るに拘らず、惡妻愚母のみが澤山出て來て今更驚き了つて居るのは如何なる次第であらうか、曰く方角違ひ也である。

持つて生れた欠點を其儘にして置いて、いくら物を敎へても駄目である。聖賢の敎が炳乎として眼前に有るに拘らず、西へ西へと目玉を走せて拾ひ集めた結果が、古今東西のあらゆる欠點を具足する女學校卒業婦人である。西洋にも賢者があつて、東へ東へと目を走せて東洋の美點を內證で頂戴致し居る間に、吾等は貴重なる日本婦人を殆全部惡妻愚母化して了つた。之で國が繁昌する筈が無い。西洋の革命本部ではペロリと長い舌を出して悅んで居るに違ないと思ふ。

遲蒔乍ら婦人敎育の樣式を一變して、欠點押へ附け主義に改むるに限る、其綱領は申す迄も無く七去三從を原則とし、女四書を適當に飜譯して敎科書に採用し、下らぬ作法や茶の湯や生花やの末技を罷めて、米搗き米磨ぎ、蔬菜栽培、洗濯裁縫、乃至糞尿汲取を必須課目とし、外國語に數學に修身は之を全廢する、ツマリ敎へても覺へぬからである。修身を全廢するは全ての外などゝ申す人があつたら間違である。修身は課目それ自身であつて講釋すべき性質のものでは無からう。女學校を斯樣に改良すれば、金持乃至貴婦人は早速反對して娘を退學させ、一時生徒が減るであらうがそんな事は少しも構はぬ、此規程に反する

學校は文部大臣が許可せぬのであるから、金持貴婦人の娘は家庭敎師でも雇はなければならなくなるが、そんな娘は誰も貰はなくなるであらう、イヤ金持だけが貰ふかも知れぬ。此の如くにして富國强兵ならぬものは無からう。工業や經濟學が如何に發達しても駄目である事は、產業革命後の英國を見たら判るだらう。トラファルガー以來僅に百二十年に過ぎぬが、インゲ僧正といふ人は今後百年にして英國は滅亡するだらうなどゝ申して居る。產業や經濟にのみ依つて立國を計るから滅亡するのであつて、英國でも女學校を改めたら滅亡の心配は要らぬのであるが、東洋の樣に適當なる敎科書が無いのは氣の毒と思ふ。イヤ佛國では餘程以前に四書を女學校に採用したとか、せんとしつゝあるとか言ふ話があつたから、これは一寸油斷がならぬ樣でもある。

歐米の先輩が產業革命に困り、勞働問題に困り、何か外に學問が無からうかと頻に東洋聖賢の遺訓を尋ね、敎育勅語を拜して隨喜して居る間に、吾等は頻に產業立國能率增進に熱中し來つたが、一体精神靈魂ある人間を捕へて科學的管理法とは怪しからぬ骨頂であらう。馬の片眼を塞いで石臼を曳かせる事は出來ても、其步調や立小便迄は管理が出來まい。況んや人間に於てをやであつて、既にワシントン會議に於て勞働の賣買を禁ずべき協定をして居る今日に於て、能率增進などを有難がつて居るとは何事であるか、勞働者の肉体は勞働者の精神に依つてのみ動くのであつて、管理の思ふ通りにある筈が無い。婦人問題も亦御同樣、婦人自身の精神が婦人自身を動かし得さへすれば何も問題は無いのであつて、今の敎育は此精神を與へて呉れぬ。否精神は立派に持ち合せて居るが方角を示して呉れぬから、闇雲に狐火を追うて打突かつたり、野郞に嚙み附いて見たり、盲滅法とは此事である。呪ふべきは西の方角なる哉である。

十八、注意を要する支那古典

聖賢の敎は多數支那から舶來して居るからと言つて、支那の古典や文學を悉崇拜したのは昔の腐儒であつた。管公も遣隋使中止の建言を呈せられて居り、闇齋先生も亦此見識を主張せられた。文章は支那文學を借用して居る以上、文章軌範や、八家文や、唐詩選やを讀みたくもあり眞似たくもあるが、支那人は兎角觸を書いて困る癖がある。更に又聖賢の敎と全く反する情調を敍述して得意になつて居る習慣があるから、支那の古典はウッカリ讀まれぬ、長恨歌琵琶行などは成程流麗なる文學でもあらうが愚にも附かぬ敍情であり、明妃曲などに至つては青年の參考にならぬ。王照君が自惚れたが爲に胡婦となつて一生を終つたのは當然の幸福であり、後宮に居つても六な事をせぬのは判り切つて居る。之を胡地に追ひやつた毛延壽は寧大忠臣であるに拘らず、誅戮するとは阿呆の骨頂であらう。斯樣な次第で美人が一匹居ると直ぐに判斷を誤るのが支那人の癖である。蘇東坡が机の上で赤壁賦を製作すると、能因僧正が早速眞似して寺の中に居乍ら白川關迄旅行すると言ふ次第、管公時代には弊害絕頂に達したものであるまいか。飜つて今日の狀態も亦文部省の留學生中止を建言すべき時機では無からうか、乃木將軍が確か少將時代に、相當ハイカラ(でもあるまいが)であつたのが、一度海外視察を遂げて歸朝するや、打つて變つた謹嚴其物となられたなども同じ論法であると思ふ。

美人薄命などゝ申すのは支那人の寢言である。ツマリ出シャ張り薄命の間違で、出シャ張りト自惚れと燒餠と忿怒とは不可分のもの

であつて、如來は外面如菩薩內心如夜叉と申された。聖賢も專是等を八ヶ間敷禁ぜられ、七去三從を說かれたのは至極御尤千萬と思ふ。之に從はなければ美人でも不美人でも皆薄命となるは當り前である。クレオパトラは申す迄も無く、大同江に斬り捨てられた朝鮮の巡花、さては明妃に琵琶婦人、何れも無敎養の適例であり、呂后が燒餠を燒いて戚夫人を殺した殘虐さに至つては過激派も三舍を避けるだらう。是等の欠點さへ敎養する事が出來たら婦人の一生は安心其物であり、母性としては太陽に比すべく、女性としては嫦娥に比すべく、人間社會に欠くべからざる平和の天使となるであらうに、惡鬼夜叉の冥使として亡國の請負に從事しつゝあるとは、全く情無い話であらう。敎育としては聖賢の準繩を以て束縛し、信仰としては他力を以て本願とするに限る。佛典の勝鬘夫人や月上女、基督敎信者としてはナイテインゲールやカベル女史、是等婦人は何れも敎養と信仰に依つて太陽の如く月の如く、更には又リン乎として惰大を起たしめて居るではないか。責めて女學校の卒業生が此の如き人格を會得したりとすれば、社會問題の全部は片附いて了ふであらう。

十九、宗教は必須課目とせよ―女大明神

凡そ女學校に限らず、宗敎の宗の字も學校で敎へる事を禁ぜられて居るそうであるが、これは困つた次第である。外の學校は兎に角、女學校では宗敎を必須課目としたらよからうと思はれる。何でも學校と宗敎とを初り離して居るのは日本と佛蘭西だけであるそうであるが、嚴禁して居るのは日本だけであらう。今日婦人の無信仰狀態を見て、又社會のダラシ無き有樣を見たら、早速宗敎を女學校に課して見たら如何であらうか。

尙近來何でも古臭いものは流行しなくなつて居るが、新しいものは多くの塲合生溫い樣に感ぜられるのは癖目であらうか、尤も赤化などゝ言ふ色彩鮮明なものもあるが之は除外例であらう。例へば情操敎育と申す言葉があるが今の婦人敎育は情操などゝ言ふ生溫い言葉では治らぬ。宜しく根性敎育と申すべきものであるまいかと思ふ。ツマリ出シャ張根性、燒餠根性、自惚根性、瞋恚根性、等の腐れ根性を敎化して初めて情操に到達し得る次第であつて、男性は淸明正大の氣を擔當し、女性は纏綿綢繆の情を擔當すれば、天地の美德は悉日本の神洲に集まるであらう。何も婦人許り八ヶ間數言はずに、男性敎育も同時に或は最先に致すべきものでは無いかと申さるゝかも知れぬが、自分は左樣には思はぬ。天照大神を何故に最先に祭つてあるか。

極端に申せば女性に立派な敎養があらば男性は無敎育でも構はぬとも言へる。古より東海の姬氏國と稱せられて居るのは申す迄もなく、孟氏の母ゴルドン將軍の母とは世界的に言はれて居るが、孟子の父ゴルドンの父とは申して居らぬ。若し楠公夫人が無かつたら小楠公も無かつたらう、近くは福澤先生も出なかつたと思ふ次第である。

二十、都會生活と山林生活

東京の眞中に山林があつて多く富豪の庭園になつて居る。ツマリ稅金を低減する爲の名目で誠に怪しからぬと言ふ說もあるが、拙者按ずるに之は單に稅金を低減するが爲の目的許りで無く、實際山林と呼んで置きたい希望が伴つて居る次第では無からうかと餘計な事を考へて見る。富豪と雖吾等に較べて金が少し有ると言ふだけで同じ人間である。吾等の欲しいものは彼等も欲しいのは當り前である。

富豪であるから山林が不用であると速斷するのはチト彼等を馬鹿にし過ぎて居る。尤も山林が欲しいなら山の中に行けと言ふなら別問題であるが、其處は同じ人間であるからチト大目に見て置かぬと吾等が天下の富豪となつた時に困る。

都鄙生活の得失は屢論ぜられて居るが、之は論ずるだけ野暮である。都會の中で山林生活を爲し、山の中で都會生活をし度いと言ふのが人間の目的である。然し乍らそう勝手に爲らぬ所が社會問題であり、都會の眞中で心中ビクビクしながら山林などゝ呼び何々莊などゝ覗の看板を掲げて、藤原時代の小作人を氣取つて居る譯合と思ふ。而して何れが人間の生活に對して至當であるかと考へ來れば、先づ少くとも自分は山林生活であると思ふ。文明は墮落である事は聖書の末節にも書いてあるが、西洋人が山林生活をした事は餘り聞かぬのは、一つは東洋の樣に適當なる山林が無いからでもあらう。バイロンやニュートンなども貧乏であつた關係もあらうが、終生都會にくすぶつて居つたと共に、英國の山は牧草許りの背坊主で六な山林は一つも無い。從つて山林生活の代用として別莊が發達したものであらう。

吾等は東洋人であるから東洋の思想を傳統して居るのは不思議も無いが、老莊以來竹林の七賢に至る迄皆山林にもぐり込んで、賢者は山を愛すと立派に定義を下して居る。尤も國民全部が山にもぐり込んで炭燒きでも始めたら大變であるが、そこは智者は水を愛すと立派におだてゝ居るから大丈夫である。今の內にもぐれるだけもぐり込んで置くに限る。自分の爲にもなり人助けにもなる。而して智者は悉都會に集まつて悉神經衰弱を誇とするであらう。

丹波の鳳鳴塾長で沒くなつた市瀨先生は寬禮島田先生の門下で、カンカンの漢學者であつた。第一高等學校山口高等學校の敎授から吾等の中學校長となつたが、說く所悉孔孟一天張であるのは結構であると共に、言行更に一致して居らぬ、などゝ反抗して排斥したが拙者は其首謀者である。先生責を負うて職を辭したが、謦咳に接する事二年足らずであつたに拘らず、言々今尙耳にあるは奇妙である。曾てこんな話があつた。識見高厲の士往々にして山林に入るは宜しきも、能く能く臣子の分を沒却せぬ心得を要する。丈山石川先生の如き風格一世に高かつたが、後水尾天皇から招致せられた時「渡らじなせみの小川は淺くとも」と歌で御辭退申した如きは間違つて居る。論旨に對しては絕對拜服すべきものであるとの事であつた。由來妙なもので丈山先生に對しては餘り好感を持つて居らぬ。更に又明治大帝が副島伯に賜はつた勅諭に「鄕兎レテ山林ニ入ル」は宜しく無いとの事に、伯は恐懼して辭意を飜へした事を聞いて益々此感を深くした。從つて詩仙堂にも餘り興味を持つて居なかつたが昨春序があつて、京都一乘村の詩仙堂を尋ねて見た。何れ茅葺の堀立小屋の毛の生へた位のものと豫想して居つたが、どうして中々立派なものであつて室の數が十間もあらうといふ成金の別莊其儘である。屋敷も何千坪といふ有樣、先生餘程の金持であつたに違無い。何も貧乏でなければならぬといふ規則も無いがチト贅澤過ぎる、玆に於て好感の量が更にズット減つた。

二十一、山林生活讚禮

斯の如き見方が若し間違つて居らぬとすれば、山林生活なるものは簡素を伴はなければならぬと言ふ事になる。簡素とは人工を加へぬ自然の事であらうと思ふ。所謂富豪の輩も都會の眞中にペンキ塗りやコンクリートをゴテゴテ建てゝ見るが直ぐ嫌になる。是非山林

が欲しくなる。更に時々山に出掛けて手づかみで握飯や澤庵を食ひたくなる。こんな厄介な順序を經ずとも都會の眞中で簡素生活をしたらどうだと申しても、それは人間不可能の事柄であらう。更に又子弟を教育する爲に都會が必要なりなどゝ申す愚説も聞くが、一体子弟を教育して何にしようと言ふのであるか、無學文盲を必しも誇とはせぬが學校なるものでは文學は教へるが學問は教へぬ、學問無き文學は害あれ共益無き事は今の社會を見れば判る。寧無學なる哉山林なる哉である。近來住宅地解放説などゝ稱して、折角の富豪の山林庭園を分譲して儲けて居る様であるが之は全く惜い事と思ふ。幾分なりとも自然に接近せしめて彼等を教育する爲に、税金位は負けても山林の儘で見のがして置くに限る。日本には天があつて國民公平に所有して居るが遺憾乍ら地が無い。地の無い處に生存が出來る筈がない。他日人間が水陸兩棲動物に進化する迄は、如何にしても土地を持たなければならぬ。社會主義者は頻に土地國有を論ずるがそれも結構であらう。但一千萬町足らずの耕地を國民に共有せしめたら、一戸當り一町歩に過ぎぬ。これでは矢張やつて行けまい。兎に角一坪一錢乃至二錢で土地を賣るのは。世界中南米より外にないのであるから、先づ買へるだけ買つたら如何であらうか。凡ての問題はそれから後の話である。土地の賣物は大小幾らでもある事を附記して置く。

二十二、成　功？

吾等が職業にあり附いて出發する時、乃至は横濱神戸を出帆する時、人々は送つて來て、「折角御成功を」と言ふ。自分等も一角成功する積りであらうが、さて落着いて考へて見るに成功とはどうすれば良いのであるか。スマイルスの自助論を始め様々の立志傳や成功傳を讀んで見ても、成功者に貧乏人は無い様である。某氏奮闘十年にして借金十万圓を作るなどゝは書いては無い。そうすれば先づ金を作らなければ相濟まぬ次第であるが拙者學校で習つた本に實業家立志傳といふのがあつた。無論横文字の教科書で先生も異人であつたが餘り人格者で無かつた事だけは事實である、所で此異人の先生が開卷第一頁に於て「成功とは何ぞや」と言ふ命題に對して快刀亂麻を斷つ底の定義を下した。曰く成功とは商賣に依つて金を儲ける事である。さて又考へて見るに商賣以外では大金を儲けなくとも宜しいのか宜しく無いのかサッパリ分らぬ。立身出世といふ事柄も成功と兄弟分らしいから調べて見るに「身を立て道を行ひ以て父母を顯はすは孝の終也」と孝經にあるが、親孝行をせなければ成功に爲らぬかどうかに就てはどの本にも書いて無い。更に老子に至ては、「功成り名遂げて身退くは天の道也」と一足飛びに斷定を下して居るが、成功に就ては何も説明して居らぬ。從つて何時頃退いてよいか今以て判らぬ。

青年の理想は成功に在る事だけは明であるが、其成功が何物であるかゞ分らぬとは厄介至極である。老子ともあるべき人が成功の説明位知らなかつたとは思へぬ。これは説明致し難き筋合があつて、各人學問修業の程度に因つて自得せしむるが爲に、何も言はなかつた次第と思はれる。更に孔孟でも聖書でも佛典でも修業心得に就てのみ教へて居るが、成功其物に就ては何も書いて無い。要するに不得要領である。從つて折角御成功を頼まれた吾等は何を爲てよいか分らぬ事となる。何れ故國に報告もせなければならぬ義利合もあるから、此處で一つ考へて見る事にする。

熟々按ずるに成功といふ言葉は東洋には昔から有つても、成功其物に就て何も言つて無い事は前述の如くであつたが、二三十年此方西

洋舶來の書物に實業家金儲物語を書いてあるのを飜譯する際、誤まつて成功といふ文字を使用した次第と認める。從つて立志と言ひ成功と言へば金儲けが必伴つて居る筋合であつて、これは全然飜譯者の間違である。實業なるものは西洋でも天保時代の産業革命以來の産物であり、日本では近く日清戰爭後の産物である。金儲物語が舶來の節は日本の實業が甚幼稚で未だ成金と言ふ適切な言葉が發明せられず、已むを得ず成功と言ふ文字を當てはめたが爲に茲に百歳の間違を生じて有爲の青年の針路を迷はし來つた次第、全く以て痛恨の至である。他日成金則成功と言ふ眞理が一般に認めらるゝに至らざる限は、成功と成金は全く別物である。然らば近い親類位の所かと言ふに大に然らず、倶に天を戴かざる仇敵である。此仇敵を愛し此仇敵を抱いて眠る者、悉く身を破り家を滅し禍を社會に及ぼしつゝある。嗚乎一語の間違も亦大なりと言ふべしであつて維新以來の大間違であつた。金が仇とは昔から言つては居つたが、封建時代には少くとも金儲を以て成功とは認めなかつた。寧之を卑んで來た所に武士道の生命がある。

然らば成功とはどんな物か、先哲が教を説いて成功を説かなかつたのは呉れ〳〵も御尤である。成功は學問修業を差し置いては無い筈である。前途の成功など言ふ言葉も間違であらう。成功は毎日の足の下に在る。一日の仕事は一日の成功、一日の病氣は一日の不成功である。而して學問修業は何も學校に限つた次第ではないのみならず、今の學校なるものは如何にして不成功を爲すかを教ふるに全力を擧げて居る。專門學校以上を卒業して職を得ぬ者が、年々五割も有つたら最早澤山であらう。是等を總合して一つ成功の定義を下して見やう。

二十三、成功の定義

「身を立て道を行ひ子弟を教育するか爲に産業に從事する」を成功と言ふ。

此の如くなれば成功は誰でも出來る事柄であつて、何も周章てる必要は更に無いのであるに拘らず、身命を賭して入學試驗に及第し、卒業しては職業が無く、如何にして人を蹴倒して飯を食ふかを教ふるが如きは、全く以て地獄の餓鬼道以上の慘事である。

成功と金儲が仇敵であるならば、現在の富豪は悉不成功者であるかと言へば、そう單純には片附かぬ。此仇敵を驅使して國利民福を計り得るだけの修業が積んだら、富豪となつても差支無い。カーネギーやワナメーカーなどは先づ此種の人々であらう。岩崎三井の富豪が貴族に列して居るのは何の故か、彼等の金は全部産業に投ぜられて最早私財では無く、國利民福を計りつゝあるからである。豪奢な生活をして居ると言つて何も羨しがる必要は無い。彼等富豪それ自身は之が爲に更に滿足を感じて居らざるのみならず、どうかすると自分の金も勝手に使用する事が出來ず、あれに氣兼しこれに氣兼し食物も六々咽に通らぬ有様。國民は宜しく慰めてやつて宜しからうと思ふ。然るに往々にして勞働者から仇の様に認められて居るのは誠に御氣の毒と思ふ。貴族に列して優待せらるゝのは寧當然であらう。安田善次郎は何故に殺されたか、如何に金儲が好物なりとは言へ、人の逆境に附け込んで私腹を肥し、少しも公益を計らなかつたが爲である。其他平沼專三君や大阪の鬼權氏などが成功者でも何でも無き事は言ふ迄も無からう。

二十四、成功は飯と同樣

大体成功などゝ珍味佳肴でもある樣にワイ

〳〵騒ぎ立てるから青年が失敗するのである。成功は米の飯と同樣。珍らしくも無いが一日も離るべからざる人倫の常道である。特別の人間で無ければ出來ぬ樣な事を書き立てるから害毒を流す。大体成功談などゝ言ふものは、本人が談じた譯でも何でも無く、皆雜誌屋か本屋が本人の承諾も得ずして勝手に書いたものである。則本人は一向知らぬ事なのであるから、發憤して志を立てるは結構でもあるが、向ふ見ずに興奮してカルモチン屋の提灯持となるのは宜しく無い。依つて思ふに成功と不成功とは自覺に待つべきものであつて、容觀すべきものであるまいと思ふ。老子の所謂功成り名遂げたと思つたら、人の御機嫌などを伺つて居らずにサッサと退いて可なりである。成功とか不成功とか他人の事を痛氣に病んで居るのは餘計なオセッカイである。尙功成り名遂げるの「名遂げ」るだけは蛇足と思ふ。これあるが爲に三千年後の今日に於て宣傳と稱する疫病が發生した、老子千慮の一失であつたと思ふ。

野口博士は世界的の成功者として十年此方騒がれて居るが、御本人は何とも思つて居らぬと思ふ。博士の成功は三十年此方の事で、何處迄も南米の黄熱病だけが成功では無い。何處迄行つて成功などゝ言ふ事はあるべき筈が無く、毎日則成功である。ネルソンはトラファルガーに成功し且戰死し、乃木將軍は旅順に成功し且明治大帝に殉死したと客觀せられて居るが、何れも御本人の考とは沒交渉である。ネルソンはコッペンハーゲンの海戰後細君と離婚して死を決した。千八百五年十月二十一日トラファルガーに敵影を認め、欣然身には大禮服と勳章を着け、艦橋に立つて敵に肉薄した、幕僚が頻に勳章を脫せん事を勸めたが聽かぬ、舷々相接する十五メートルの距離から小銃で咀擊せられて居る。ネルソンの成功はトラファルガー以前であり、トラファルガーを以て身退くの處と決した次第で、決して金など儲けて居らぬ。乃木將軍に至つては旅順の凱歌に躊躇し、「恥づ吾何の顏か父老に見へん」と申されて居る。既に死を西南の役に決して、御大喪と共に身退かれた次第と思ふ。聖賢の教は古今東西に貫通して居る。尙近來成功と言ふ文字を使はぬと、雜誌も本も賣行きが惡いといふのは厄介至極な精神病である。儲けるのは本屋に醫者で、損するのは青年と國家である。

二十五、言葉は神なり

自分は聖書を三四枚讀んで記臆して居る。實は全部讀みたいのであるが何分にも文章冥晦にして流暢を欠き、ダラ〳〵として面倒臭く意味が分る前に厭になつて了ふ。原文は昔の人の書いたものであるから致し方も無いが、責めて飜譯聖書だけは國民全般に判明すべき文章で書いて貰いたいと思ふ。譯の分らぬ聖書を信者だけが有難がつて五色の襞を張り上げて居るのが能事であるまいと思ふ。佛典の飜譯も亦御同樣であつて無暗に線香臭き文字を併べて治まつて居る。眞宗聖典を見るに佛の字をブチと讀ませて居るが何と言ふ馬鹿な手數であるか、恐らく昔奥州出身の大僧生がブチと發音したのを　其儘如來の御言葉と盲信して居るのであらうが厄介千萬である。「信ぜよ救はれよ」と怒鳴り廻つて聖書や聖典を晃れて歩く、讀んで見ればサッパリ判らぬとは何の事であるか。三文小説が賣れると言ふのは言葉が賣れるのである。判らぬ言葉を誰も悅びも信仰も出來る筈が無からう。現に支那の小説は日本の駄小説以上に下等なものであるが、幾ら支那で出版され樣が日本の青年は無關心であり格別墮落もせぬ。如何に牧師

や坊主だけが有難がつても罪の子や一切衆生は平氣で居る。

德川時代の漢學者が下らぬ文字に拘泥して説を爭つて居つたのに憤慨(でもあるまいが)して陽明學派が起り、維新の大業を成すに與つて力があつたと言はれて居る。ツマリ陽明先生は孔孟の古典を現代語に飜譯して見せた次第と思ふ。宗教が墮落したと言ふ事を言ふが宗教は墮落も進歩もして居らぬ。牧師や坊主が墮落したのである。何故に墮落したか、彼等自身が宗教を知らぬからである、何故に宗教を知らぬか、ツマリ判らぬからである。

聖典を譯するにマサカ三文小説の語調を用いる譯には行かぬ、相當莊重謹嚴なる文章を案配するを要するであらうが、今の聖書の樣なノロ〳〵ヌラ〳〵式では困る。讀んで居る中に眠くなるなら有難いが馬鹿〳〵しくなるのは勿体無い話と思ふ。今の坊主が棒讀みにして御布施を儲けて居る御經なるものは佛典の漢譯であるが、支那の某皇帝が天竺の三藏法師鳩摩羅屈(?)を總裁に親任し、八百人の僧を譯官に任命して、八年か十八年かを費して出來上つたもので、全く立派なものであるが判らぬ事は事實である。一切衆生を濟度するが爲の經文が　一切衆生に判らぬ所が坊主の附け目である。聖書でも佛典でも小學校の卒業生に判る時代には宗教が役に立ち、憲法や法律が辯護士無しに判る時代には國家が法治國となるであらう。西洋だつて御同樣では無いかとも言へるが、これはチト違ふ樣である。立憲や立法の形式だけは西洋流であるが習慣が違ふ。英國には數百年來の習慣法があつて國民皆心得て居り、獨乙では最近法律を改めて一般道德と調和せしめて居る。日本の裁判所は收入印紙さへ張ればドンナ訴訟でも受附けるが、米國では常識に反する訴訟は檢事局が受附けぬ。

日本は唯一の佛教國と認められ乍ら、六な經文の譯書も無いに拘らず　オクスフォード大學出版部に於ては四十年前法華經の英譯を出版して居り、而も其譯者は獨乙人である。近時ボツ〳〵大藏經の國譯が出版せられて來たが、何分六千卷の經文全書を買つて見樣と言ふ人は何人あるであらうか。これは佛典の最大欠點であらう。寧法華經一部を平易に書いて普及せしめたら如何であらうか。學者信者に對しては聖書も佛典も横文字であらうと縱文字であらうと一向構はぬが、不學者不信者に普及せしめ樣と言ふのに今の有樣では困る。茲に萬里の海外に移住する人々も何等かの信仰の無い人はあるまい。而して船の中でも移住地でも、聖書や佛典を必携して居る人は何人あるか、必携しても始終讀む人は幾人あるか、牧師や坊主は末法の世の樣を歎くであらうが、拙者は聖書や佛典がチンプンカンで判らぬ結果に歸着する。

二十六、言葉はシンなり

ヨハネ傳に言葉は神なりとあるが、之も學者信者には分るが一般罪の子には分らぬ。因て按ずるに「神なり」の神をカミと讀まずにシンと讀んだら如何だらうか、ツマリ精神のシンである。そんな面倒臭き讀み方をする代りに、「言葉は精神也」と言つた方が早く、又は穩に言へば「言葉は心也」で良からう。要するにヨハネもダビデも吾等の親戚では無いのであるから、誰が何を言はうとそんな事はどうでも構はぬ。早く聖者の福音の意味が判りたいのである。茲に腹痛を起して七轉八倒する患者の前で、籔醫者がモーニングか何かの襟を撫でつつ、天プラ時計を出して悠然と容体を尋ねたり脈を見たりといふ有樣、成る程威嚴も莊重も不用とは言はぬが、籔牧師に籔坊主の勿体にも困る。

要するに言葉は神である。怒つて笑へず、笑

つて怒れず、嘘さへ無ければ世は天國であらう。神は天國の支店を人間に興ふる事が餘程惜しかつたと見へてイブに嘘を教へて居るのは怪しからぬ。如來は方便にのみ嘘を利用して居るが、イブの方は一生涯嘘で終始して居るから無論天國には行けず、地獄に行つて舌のカツレツを赤鬼に提供して居る。凡そ天國なるものは絶對に嘘が無いのか、又は嘘を言はぬ様に氣を附けて居るが、時々言ひたくなると下界に出張して來るのか一寸疑問である。何となれば三保の松原に天下つた天女が、亭主たる漁夫を詐つて天の羽衣を返して貰つた時「天に詐無きものを」と申して居る。而して眞赤な嘘を吐いて居る。此天女が則イブの末裔であつて嘘を吐きたくなつたが爲に、フワフワと三保の松原に天下つたのであらう。目的は嘘を吐くにあるが故に合手なんか誰でも構はぬ。漁夫蛸八の女房となつて見事に欺いたのである。馬鹿を見たのは亭主蛸八「アラ耻かしやさらばとて」天の羽衣を返してやつたのは遺憾であつた。

言葉は神也であると共に、嘘は除外例の様にも見受けらるゝが矢張嘘は通用せぬ様である。通用せぬなら嘘を言はなければ宜しかりそうなものであるが、そこはイブの子孫であるから今に至る迄遺訓を尊重して頻に嘘を吐き、而して頻に困つて居る。成程これでは天國に行けまい、此點に於て拙者は基督敎信者である 三保の松原嘘吐きの段は立派に小學校の敎科書に書いてあるのは、文部大臣と雖イブの子孫である以上は當然なる敎育方針であらう。

共產の親玉マルクスは目下日本に於て盛大に歡迎せられて居るが、既に天保時代に於て頻に宗敎を罵倒して「亞片の如し」と笑殺し去つて居る。ツマリ醉拂つて痲痺して人間としての能力を失ふといふ意味であらう。マルクスの所謂能力なるものは階級鬪爭といふものであるそうであるが、之は成程そうかも知れぬ。人間から宗敎を取り去つたら殘る物は鬪爭だけである。之は敢てマルクスの發明では無く、釋迦如來が涅槃の折に吳れ〲も申されて居る。想ふにマルクスの宗敎なるものは基督敎を指すものであらう。共產主義者が周章てマルクスを歡迎する前に一度佛敎も能く會得して見て、然る後に宗敎を云爲したら良からうと思ふ。

二十七、眞理と迷信

何故に宗敎を罵倒したかはマルクスに聞いて見なければ分らぬが、凡そ宗敎には迷信が伴ふを免れぬ。昔に溯る程迷信が多く迷信になればなる程信念が堅い。既に迷信であるから理屈では分らぬ、理屈一點張の科學ですら「眞理」と稱する證明不可能の事柄を信じて治まつて居るから、迷信も餘り惡口は言へぬ次第であるが、人類の進歩共榮の上に害のある迷信は困る。例へば猶太敎徒の迷信や基督敎徒の人種差別の迷信やが是である。マルクス時代に於ては基督敎徒が頻に墮落して有害無益の迷信に捕はれて居つた爲に、哲學を研究したマルクスは一氣呵成に宗敎なるものを罵倒し笑殺した次第と思はれる。之も時代思想で致方が無いと共に、マルクスの思想が今でも將來でも「科學的に眞理」などゝ迷信してはいかぬ。

基督敎徒の迷信史上に拭ふべからざる汚點を印して、無自覺に治まつて居るのは、人種差別の歷史であらう。英國基督敎徒が宗敎文明史の一幕として誇として居る「カンタベリー傳奇」を見るに、羅馬法王グレゴリーがまだ坊主であつた時、毎日羅馬の奴隸市場を通つて、アフリカ、アラビヤ、シシリーの黑色黄色の奴隸共を見て、奴隸商業の人道に非る事を感じもし、論じもしたが相變らず毎日見て

居つた。或日白人の子供が三人奴隸に賣られて居るのを見て、忽血脈に激動を生じた。段々商人や小供に問いて見るに、子供は山を越へ海を越へた英國の子供で、英國はまだ野蠻國（基督敎徒は信者以外を皆野蠻人と申す、無論今ではそんな事は無からう）であるとの事。さて寺に歸つたが寢ても起ても子供の顔が目に附いて　立つても居ても治まらぬ。あの様な子供の居る國を野蠻の狀態にして置くのは神様に相濟まぬ。これは一つ萬難を排して文化せなければならぬ、子供が何處に賣られたかと尋ねて見たら、佛蘭西に行つたとの事で追ひ掛けて見たが行方が分らぬ。憂心忡々モー我慢がならぬ、一日馬に乘つて羅馬を脫出し走る事三晝夜、アルプスの下に休息して居る所を捕まつた。グレゴリーは名望隆隆たる高僧であるから、市民がどうしても英國行を承知しなかつた次第、因て市民の承諾を得て、高弟オーガスティンに四十人の坊主を添へ、布敎文化の爲に英國に趣かしめた、彼等は海越へ山越へ英國ケント州に上陸し、縣王エシルバートに謁して布敎の許可を得て一寺を建てた。これがカンタベリー大僧院の開祖であり、時に紀元五百九十七年某月某日であつた。英國文化史に忘るべからざる事柄である云々。――吾等之を一讀し來つて甚怪しんだのである。成程グレゴリーは善人でもあつたらう。カンタベリーは文化史の誇でもあらうが、アフリカやシシリーの奴隸を見ても安眠が出來たグレゴリーが、英國人を見れば神經衰弱となるのは迷信である。之を誇とする英國人もチトどうかして居る。宜なる哉文明の基督敎徒が十字架をブラ下げつゝ有史以來の戰爭をして見たり、博愛を口にしつゝ有色人種を排斥して見たりしてゐる。

斯様な弱點や間隙や矛盾やらがあつたが爲にマルクスやレーニンやらが出て、グサリを荒療治をやりたくなつた次第と思ふ。彼等の主義思想は人類に共通すべきものであるとの信條であるから、日本人も人類である以上は洗禮を受けなければならぬとあつて、様々の方法で主義化せられつゝある様であるが、其の方法の一つは文學であり一つは言葉であり。而して面白半分珍らし半分に是等の文學を讀み是等の言葉を使つて居る中に、何時の間にか精神が變つて來る。言葉は神也思想也であつて、時代の言葉が時代の思想を表はす。國家も國民も敎育〲と言つて頻に思想の善導を叫んで居るが、言葉を少しも敎へぬのはどうした次第であらうか。封建時代に武士言葉と言ふものが、之は強制的に使はせたものであり、從つて精神も強制的に武士たるを得た次第である。如何に言論の自由とは言へ何とか敎育したらよからうと思ふ。本屋は悅んで新語字典などゝ言ふフザケたものを出版するといふ有様。獨乙の精神は角の生へた文字に存するといふ話。何も國粹だからと言つて、不自由を瘠我慢するのは愚であるが。

二十八、言葉

不自由なき言葉があるのをさらけ捨てゝ、下りもせぬ言落を使用する事は禁じてよからうと思ふ。國學復興の加茂先生か本居先生であつたか、豆腐といふ言葉は漢語であるから宜しく御璧と改稱すべしとの御說であつたが、之はチト頭冥過ぎる。ランプの洋燈、マッチの燐寸も餘計な手數、高等學校の入學試驗に、牛糞に就て知る所を記せといふ問題で、牛糞は支那人にして有名なる人也と書いたなどは御苦勞千萬と思ふ。而して近來の日本人殊に青年、就中青年女子の言葉は何であるか「花の日」などはまだ良しとするも「怠けデー」に「センチメンタル」言葉の尻尾は「ワ」と「ヨ」で終りを告げ「有る」「無い」の次に必？が無ければならぬ。言海を引いて見ても

斯様な言葉も符調も日本語には無い、敎科書にも書いて無い所を見ると學校で敎へる次第でも無からう。然らば何處で敎へるかと言へば曰く小說と新聞とである　而して小說と新聞は舶來乃至舶來の眞似である。有島某が如何なる文學者であつたか知らぬが、此悖德漢の小說を讃美したり、白蓮といふのは如何なる歌人か知らぬが、此破廉耻女子のウタを書かなければ雜誌が賣れぬとあり、而して學校が指導も干涉も出來ぬとあらば、高等女學校は宜しく高等藝妓學校と改稱したら良い。昨年の女學校長會議に於て性の敎育を學校ですべきや否やといふ問題を出した校長があつたが、益々以て藝妓學校長たるの資格がある。未だ子を養ふ事を知つて嫁する者は有らざる也とチャンと聖賢が敎へて居る。聖賢を待つ迄も無く、子を產んだ事の無い者に如何にして育兒を養へられるか、料理の實習は可能であるが、性や育兒の實習は出來まい。從つて講釋も不要であるのは申す迄も無い。イヤハヤ呆れた校長會議である。陸にはタンク、海には八々艦隊も必要であらうが、此現代の不可思議なる流行語則流行精神は、百台の敵の飛行機よりも恐るべきものであらうと思ふ。

國語問題は厄介な問題の一つであるが、言葉は神也の精神を加味し、單に便不便のみを主眼とせず、先づ女の言葉から改めて行つたら良からうと思ふ。恰も育兒衛生ばかり上手になつても、人倫の大道が立たなければ役に立たぬと御同様である。現代語を拜借すれば當然すぎる程當然で御坐らう。

二十九、山か海か

賴山陽は水天髣髴青一髮の詩で、山も海も吳も越も一所クタに處分して居るが、吳越は因より山と海とは大違であらう。何れが吾等に大切であるかと言へば無論山である。四面環海の日本に於てすら、海の中には一人も住んで居らぬが、八百萬町の耕地の上に六千萬人も住んで居つて頑として動かぬ人が多く、更には海の中へ移住を試むる人が無いのを見ても判る。廣東の人口は平方哩十七万人で世界一、其次が東京淺草の十三万人であるそうであるが、此割合で行つたらまだ〲日本は綽々として餘地あるが、追て千年も經つたら陸上滿員の爲め水陸兩棲の人間と進化するであらう科學者は地震や火山や爆發や、さては百八十年にして人間が百億に達して地球が滿員となるなどゝ、豫言許りして吾等凡俗を神經衰弱に陷れて居るが、何もそう心配する必要はあるまい。進化といふ便利な方法があつて人魚に爲つたり、キューピッドの様に羽が生へたり自由不在である。但一万年以上を要する事は申す迄も無い。さるにしても吾等は何と言ふ幸福であらうか、戰國時代の様な不安も感じた事が無く、舊幕時代の町人百姓の如く笠の蠹を飛ばされた事も無く、亡國の悲哀も嘗めた事が無く、皇威八紘に輝いて世界中を濶歩する事が出來る。國土が狹まかつたら移住も出來る。米が不足である位は我慢して一等米を節約するなり日本酒を禁ずるなりする位は何でもない義務であらうと思ふ。何でも飽く事許り考へて辛棒する事を知らなければバビロンの如く、又ポンペイの如く、天遣立所に至るであらう今吾等は奢澤に增長して如何に祖先が不自由なる生活や不安を嘗めて居つたかを忘れぬ爲に歷史を回想して見よう。

（つゞく）

協會記事

海中の發展計畫

諸名士を顧問に推薦

海外協會中央會では本年に入るとともに會務の大擴張を企て、これまで對内的には拓殖省の設置或は海外移住組合法の制定、對外的には主として南アメリカの經濟事情を調査し、信濃、鳥取、熊本、富山の各海外協會をしてブラジルに土地二万一千町歩を購入せしめる等相當の成績をあげて來たが年々百万人增加の人口問題が朝野にやかましく論ぜられてゐる折から海外事情の調査ないし海外發展者の指導はいよ〱重要を加へて來たので、現在中央會所屬の各府縣下の海外協會十七團体のほか本年度に新たに十四、五團体の聯合加入を求め名實ともに中央會として、各地日本人會とも聯絡をとり、南米ばかりのみでなく廣く海外諸地方へ發展を試みることとなつた、また今春の御大禮記念博覽會から海外關係のものを讓りうけ、拓殖博物館建設の前提たらしめる計畫であるが、これまで會長今井五介氏その他の出捐を仰いだ中央會の組織も、右會務の仲展にともなひ近くこれを財團法人に改めるはずで顧問も從來、澁澤榮一、子小川平吉、床次竹二郎の三氏に加へ、この程左記諸氏に依囑してそれ〲就任の承諾を得たから、本月下旬顧問及び理事初顏合せの上諸議案を審議するはずである

（順序不同）

阪谷芳郎男、白仁武、藤山雷太、山科禮藏、兒玉謙次、堀啓次郎、野村德七石塚英藏、内田定槌、田付七太、鎌田榮吉、本山彥一、渡邊千多子、青木信光子、近衛文麿公、牧野忠篤子、田健治郎男、齋藤實子、若槻禮次郎、濱口雄幸、田中義一、勝田主計、鈴木喜三郎、添田壽一、内田嘉吉

この外團琢磨、木村久壽彌太、結城豐太郎には目下交涉中である

理事は成毛基雄、白上佑吉、守屋榮夫、小平權一、本間利雄、渥美育郎、武富敏彥、梅谷光貞、岡田忠彥、山岡萬之助、井上雅二

昭和二年 移植民出版物寄贈

移植民問題が論議せられて此等に關する出版物が數多く發刊されてゐるが昨年度における本協會に寄贈せられたる册子は左記の如くある。尙本協會は近く海外發展文庫の創設の目的あり既にこれが書籍文獻を蒐集中であるが著者又は發行所より續々御寄贈の厚意に接しつゝ合せて左に記して共に深謝する次第である。

A 内地出版部（定刊物）（○印は移植民に關係なきもの）

植民（月刊） 日本植民通信者
國際時報（月二回） 外務省情報部
○信濃不二（月刊） 信濃不二社
ブラジル（月刊） 日伯協會
海の旅（月刊） 近海郵船會社
海外の日本（月刊） 海外ノ日本社
大廣島縣（月刊） 廣島縣海外協會
○岳友（月刊） 日本岳友會
職業輔導（月刊） 大阪職業輔導會
○研究會彙報（月刊） 長崎高商研究會
世界と我等（月刊） 國際聯盟協會
會報（月刊） 熊本縣海外協會
力行世界（月刊） 日本力行會
海外へ（月刊） 長崎縣海外協會
會報（月刊） 岡山縣海外協會
會報（月刊） 中央朝鮮協會
○信濃研究（月刊） 信濃研究會
對岸時報（月刊） 福井縣對岸實業協會
同仁（月刊） 同仁會
○長野縣農會報（月刊） 長野縣農會
日華學院（月刊） 日華學會學報部
南鵬（會報） 沖繩縣海外協會
鮮友（月刊） 文書傳導部
人口と移住（月刊） 大阪府社會課
移民地事情（月刊） 海外興業株式會社
海（年四回） 大阪商船株式會社
○日本魂（月刊） 日本魂社
○長野商會報（月刊） 長野商業會議所
日墨協會會報（第二號） 日墨協會
日墨協會會報（第二號） 日墨協會
南洋協會雜誌（月刊） 南洋協會

B 海外出版

大南米（週刊）ペルー 大南米社
ダバオ會報（月刊）比島 ダバオ日本人會
農業のブラジル（月刊）伯國 農事通信社
日伯新聞（週刊）伯國 日伯新聞社
メヒコ新報（週刊）墨國 メヒコ新報社
同志（月刊）伯國 在伯日本人中央同志會
墨都日本人會報（隔月）墨國 長淵鐘六
育兒法（第一編） 在ブラジル日本人同仁會
主なる小兒病（第二編） 同上
ブラジルの毒蛇に關する素人向智識（第三編） 同上
ブラジルに於ける衛生の注意（第四編） 同上
ノロエステ線トラホーム視察報告 同上
トラホーム問答（第三號） 同上
腸チブスは何うしてうつるか（第四號） 同上
マレタをどうするか（第五號） 同上
メキシコ國劃報（寫眞） 岩垂貞吉
在亞日本人會報（月刊） 在亞日本人會

C 内地出版（單行物）

アマゾン流域の話 日本秘旬亞米利加協會
移民地事業（ ） 外務省通商局
滿蒙拓殖策の研究 外務省通商局
黎明の支那 小山嵩
南船北馬 小山嵩
亞細亞とところどころ 小山嵩
旅の亞細亞 小山嵩
移植民問題講習會講演集 内務省社會局

海外思想普及の良策 鹿兒嶋縣海外協會
移住地事情（南米哥倫比亞國） 外務省通商局
海外移住講義錄（十册） 日本力行會
植民夜話 岩波書店
植民政策と民族心理 岩波書店
南洋諸島の實 實業の日本社
英領馬來事情 南洋協會
南洋ゴム栽培事情 南洋協會
現代の朝鮮 六合館
西半球を巡りて 海外興業會社

高岡醫師ア移住地へ

在ブラジル日本人同仁會醫師高岡專太郎氏は十一月一日アリアンサ移住地にマレタ及びフエリーダブラボの調査のため出張した

アリアンサ三週年

アリアンサ植民地は大正十三年十一月開設し同時に北原、座光寺の二家族が第一に入植して既に滿三週を迎へるので十一月二十日盛大なる紀念の催しがあつた。

海外視察組合設立（續き）

上水内郡大豆嶋村組合

組合長 久保田勇太郎
竹内幸松
鈴木四五十
瀧 小八郎
保谷元三郎
稻田芳雄
高池儀作
山岸千松
中村榮一
西澤恒一郎
中村都作
瀧川幸雄
町田清治
瀧 金藏
松山榮吉
中村德太郎
中野辨吉
小田内 勝
山岸義三
橋詰守善

下水内郡岡山村組合

組合長 市村忠司
宮本昌次
米持喜兵衛
田中朝治
渡邊勇七郎
藤巻國五郎
野崎芳大郎
渡邊德治
桑原英次
佐藤 聰
渡邊 亨

下水内郡太田村組合

組合長 今清水森作
竹田嶋次
高橋兵之助
宮澤藏治
福澤義夫
田中勇治
水野貫一
大口直治
水野三右衛門
石田惣之亟

會費領收（自昭和二年十一月廿一日 至昭和二年十二月廿一日）

一金參拾圓也 本年度分 下高井郡上木嶋村視察組合殿
一金貳圓也 大正十五年度分 坂井典敏殿
一金四圓也 昭和二、三年度分 西村誠殿
一金四圓也 大正十四、五年度分 黒澤泰可殿
一金貳圓也 大正十五年度分 久保田鐵三郎殿
一金貳圓也 昭和二年度分 中村晋吉殿
一金貳圓也 同 柴野卯治殿
一金貳圓也 同 鈴木辰次郎殿
一金拾圓也 同 金井清志殿
一金貳圓也 大正十五年度分 平島安久殿
一金貳圓也 同 原田佳作殿
一金貳圓也 昭和二年度分 江島力司殿
一金貳圓也 同 六川靜治殿
一金貳圓也 同 井出武喜殿
一金貳圓也 同 中嶋忠次殿
一金貳圓也 同 小松曾右衛門殿
一金拾圓也 自大正十三年至昭和三年分 青木賢治殿
一金八圓也 自大正十三年至昭和二年分 飯沼若太郎殿
一金六圓也 自大正十四年至昭和二年分 小林善一殿
一金四圓也 自大正十五年至昭和二年分 中島俊助殿
一金貳圓也 昭和二年度分 外山敬一殿
一金貳圓也 同 山崎一學殿
一金四圓也 自大正十五年至昭和二年分 酒井秀治郎殿
一金貳圓也 昭和二年度分 藤岡辰治郎殿
一金貳圓也 同 串橋豊左右殿
一金貳圓也 大正十五年度分 富井太一郎殿
一金貳圓也 同 竹井豊吉殿
一金貳圓也 同 白川精一殿
一金貳圓也 同 齋藤茂殿
一金四圓也 自大正十五年至昭和二年度分 小林雅雄殿
一金四圓也 同 清水安治殿
一金四圓也 同 小林元一郎殿
一金拾圓也 大正十五年度分 宮下友雄殿
一金貳圓也 同 長峯亥吉郎殿
一金貳圓也 同 佐原益夫殿
一金拾圓也 昭和二年度分 堀内万藏殿
一金貳圓也 同 松山原造殿
一金貳圓也 同 瀧澤市郎殿
一金貳拾圓也 自大正十五年至昭和二年度分 木内一郎殿
一金八圓也 自大正十三年至昭和二年分 木内健三殿
一金貳圓也 昭和二年度分 沼田重雄殿
一金貳圓也 同 高橋松治郎殿
一金貳圓也 同 木内戸市殿
一金貳圓也 同 飯子茂殿
一金貳圓也 同 田中敏理殿
一金貳圓也 大正十三年度分 蜂谷千晴殿

一金貳圓也 昭和二年度分 細田貞次郎殿
一金貳圓也 同 神田紋次郎殿
一金貳圓也 同 久保田正邦殿
一金貳圓也 同 大塚米作殿
一金貳圓也 大正十四年度分 嵯峨座米治郎殿
一金貳圓也 同 長田音一郎殿
一金貳圓也 同 矢嶋久治郎殿
一金四圓也 自大正十四年至大正十五年度分 高田茂殿
一金貳圓也 大正十四年分 松瀬茂里殿
一金貳圓也 同 市川圓治殿
一金貳圓也 昭和二年度分 上條良一殿
一金貳圓也 同 矢澤賴道殿
一金貳圓也 同 伴雄三郎殿
一金貳圓也 同 保崎熊藏殿
一金參拾圓也 自大正十四年至昭和二年度分 兒玉爲次郎殿
一金六圓也 同 深井功殿
一金六圓也 同 深井永吉殿

海外ヨリ

一金五圓也 在ダバオ 松島七雄殿
一金拾圓七十二錢也 在晩香坡 宮澤八郎殿
一金四圓八十二錢也 在メキシコ 玉川音作殿
一金貳拾壹圓六十八錢也 在紐育 川村吾藏殿

昭和三年第一回のアリアンサ渡航者

本協會經營のアリアンサ移住地渡航者は本年に入つて二月四日神戸出帆モンテビデオ丸を皮切りに左記四家族十八名の入植者を見た。

新潟縣北蒲原郡新發田 澁谷信吾 八人
京都市下京區耳塚通 田邊五三郎 二人
長野縣南安曇郡溫村 中村晉吉 六人
京都市下京區壬生 藤岡辰次郎 二人

尚本船は二月二十三日サントス港到着である。

移住地小學校敎員 三名伯國渡航

アリアンサ移住地小學校に赴任する事に内定してゐる本縣師範學校卒業の男子二名、女子一名にサンポウロ州の師範學校に入學すべく二月四日のモンデビデオに乘船した。因みに右の三名は伯國師範學校に三ケ年の豫定で伯國文部省所定の敎員たるの資格を獲得するのである。

編輯雜記

△昭和の三年を迎へて我々は新進氣鋭の精神に滿ち偉大なる旭日の榮光に感激されるのである。山色新たなる日東の御榮を祝していやが上の光輝あらん事を祈る次第である。

△本年は日本の國及び國民に紀念すべき二つの事柄があります。その一つは普選であり他の一つは御大典の御儀であります。明治戊辰から昭和戊辰に至る六十年間の日本は長足の進歩をして世界列國と共に國際場裡に活躍してゐる事は誠に喜ばしく、更に昭和の戊辰を一期に日東の躍進を齎し世界の平和に努力せねばなりませむ—本誌は少くともそうした意氣と理想のもとに寸筆を携へたいのであります。

△本號は信州健兒の在外諸賢に故國本縣關係各位の熱誠に溢ふるゝ御言葉をおくりたいと思ひまして各位の御執筆を煩しました。各方面から澤山の玉稿が集つてゐますから順を追いて掲載致します。これは在外者に何等かの反響が多からうと存じます。ついては在外者の諸賢からこれらに對しての御感想や御意見の御返事にもかはるべき御通信を得たいと存じてゐます。

△武田三三氏の移住地閑話は各方面で大揭釆を博してゐます。面白いと云ふばかりで濟まされなく敎へられる所が多いので「なるほど」と」合點する諸君も澤山あります。本誌は紙數僅少にして見落す事の出來ぬ有益な記事ばかりです。

謹賀新年

昭和三年元旦

信濃海外協會

役員一同

海の外

定價	內地	外國
一部	廿錢	廿仙
半ケ年	一圓十錢	一弗十仙
一ケ年	二圓廿錢	二弗廿仙
	送料共	

注意

▲御註文は凡て前金に申受く
▲廣告料は御照會次第詳細通知致します
▲御拂込は振替に依らるゝを最も便利さす

昭和三年一月二十五日

編輯人 永田稠

發行兼印刷人 西澤太一郎

印刷所 長野市南縣町 信濃每日新聞社

發行所 長野市長野縣廳內 海の外社

振替口座長野二一四〇番 信濃海外協會

海の外—THE UMINOSOTO

Published Monthly by the Uminosoto Sha. Nagano, Japan.

「海の外」第六十八號（昭和三年一月）（毎月一回發行）

（大正十一年四月廿六日第三種郵便物認可）（昭和三年一月二十五日發行）

信濃海外協會

海の外社發行

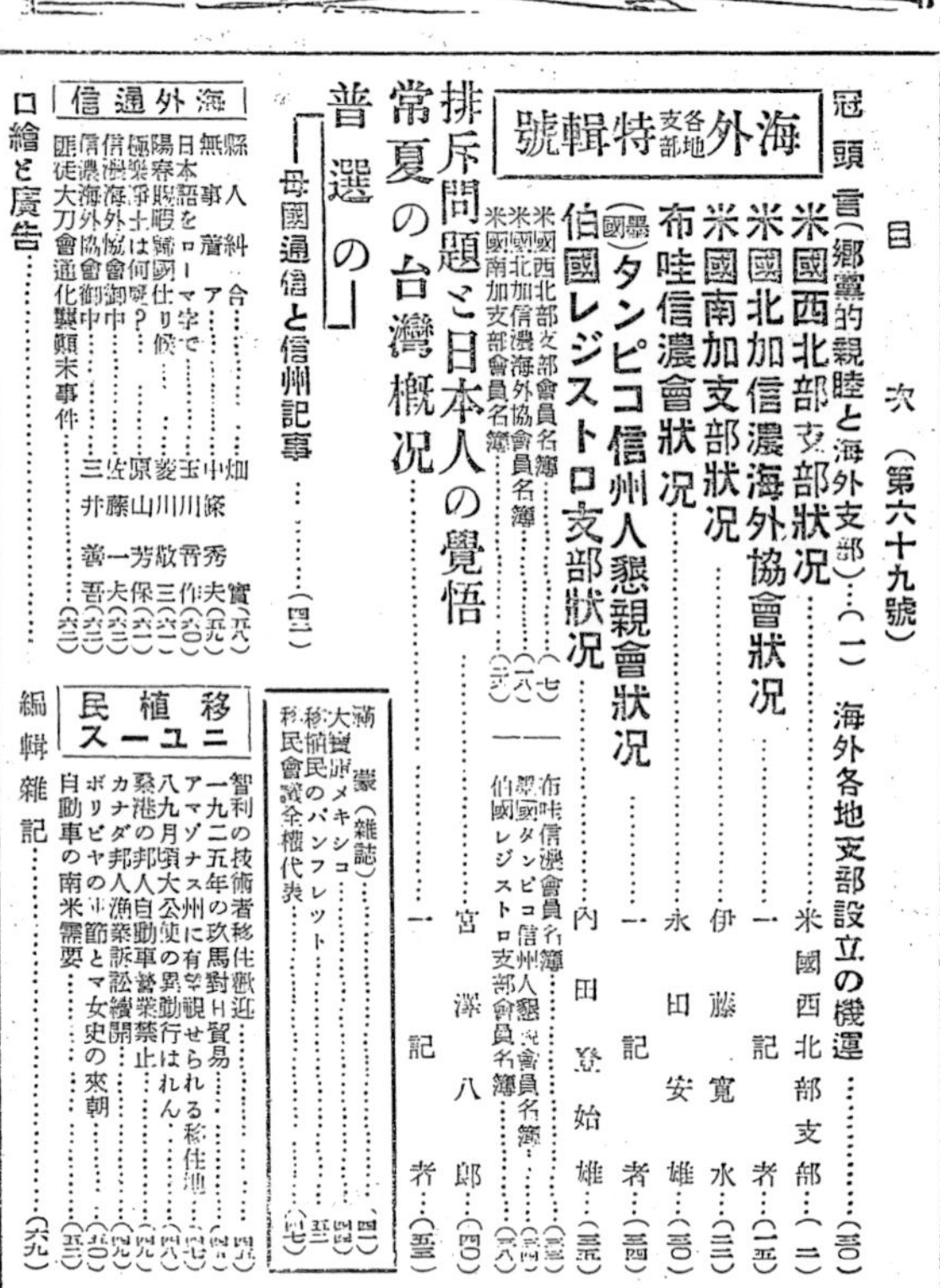

目次（第六十九號）

北加及布哇

右、桑港の中央通り
左、桑港の金門公園と博物館
中、桑港の金門灣
下右、布哇ホノルル市
下左、布哇のパイナップル現在布哇産業の第二位にあるもので一ヶ年其價格三千萬弗以上である。

米國西北部支部會員 一
同

米國西北部支部

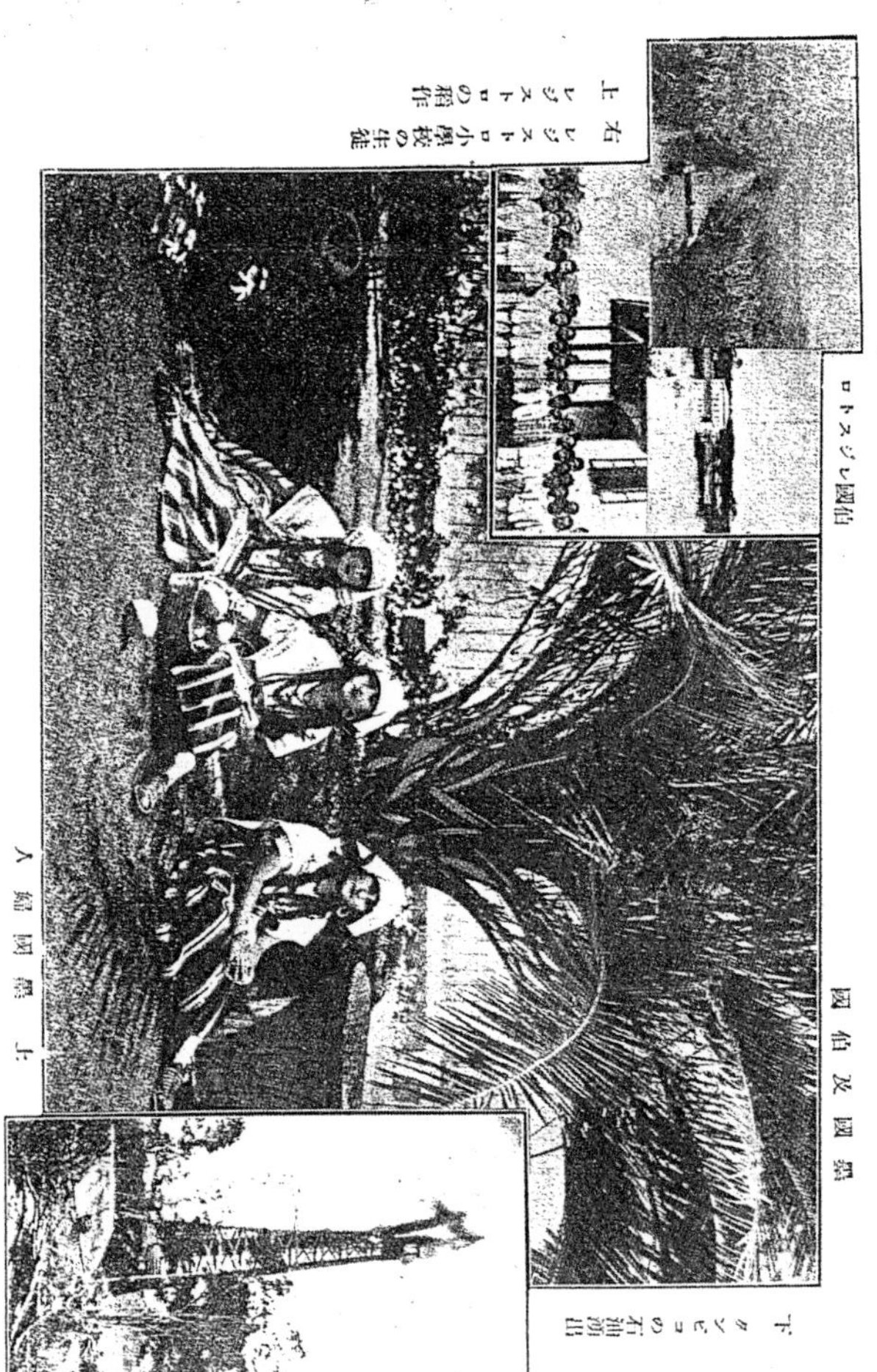

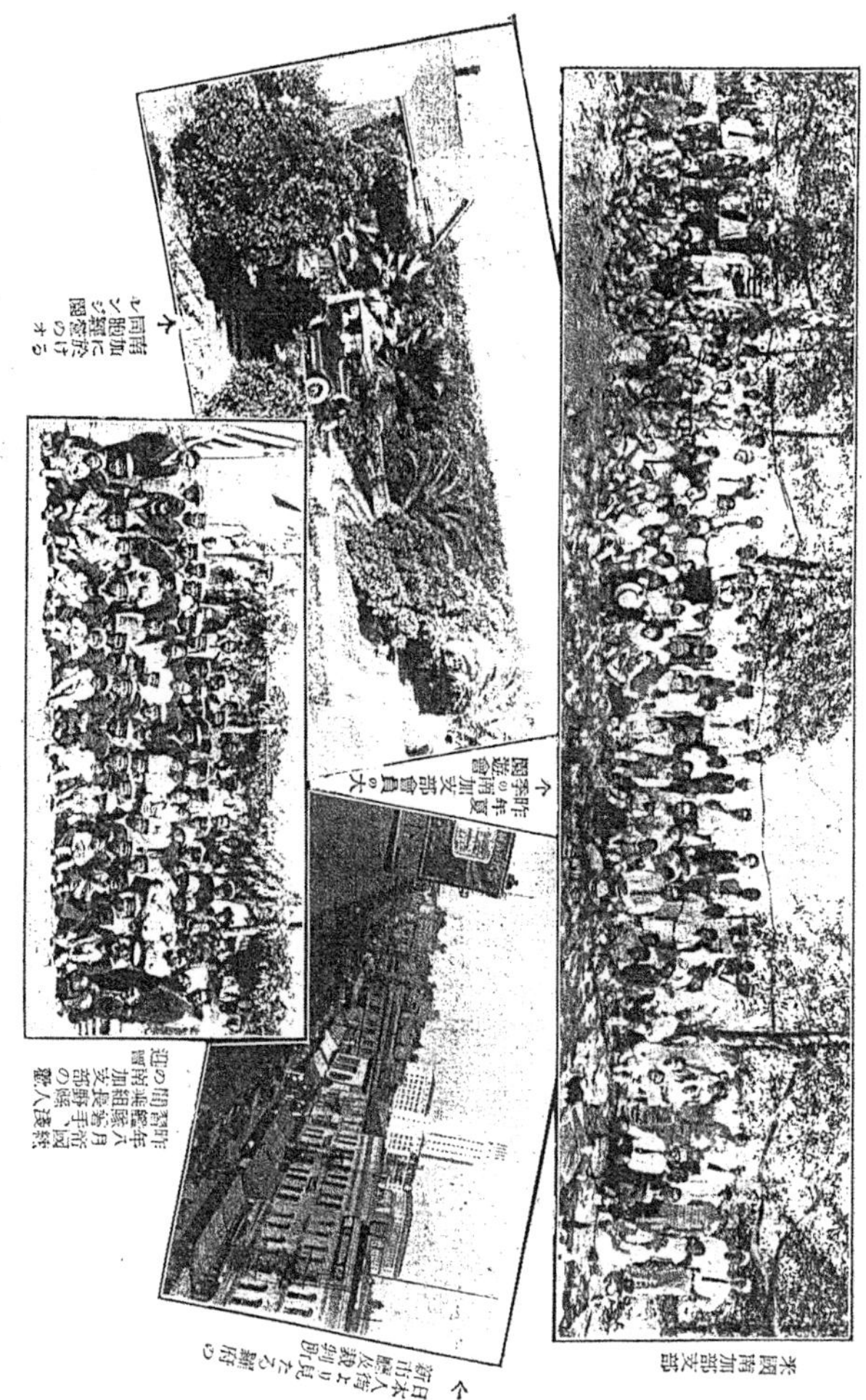

米國南加部支部

昨年夏季の南加支部會員の大園遊會

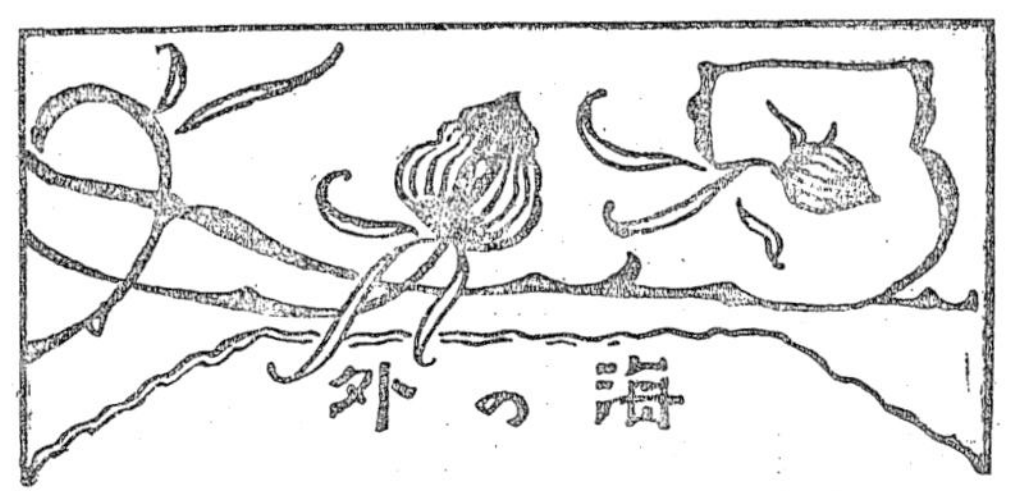

（昭和三年）第六十九號（二月）

郷黨的親睦と海外支部

誰か云ふ、信州人は皆夭狗にして人の長たらざれば退きて不平の徒となり褊狹にして人を容るの雅量なく一致團結して事を成す美風に乏しと。

果して然るか、吾等は眼を遠く海外の各地に放つて吾縣人について檢討して見るに更らに右の如き罵倒的屈辱の弄辭に敢て斷然と辨明し釋明して信州健兒の面目を躍如たらしむる幾多の活材料を掴つてゐるものである。

たれか我身に長短の性格を持たざると云ふものあるか、個人にして既に然りとすれば一郷人にして然り、一縣人にして尚然り、一國民にして更らに然り、一民族にして特に然るは多辯を要せざるなり。

吾等は郷黨先輩が個人の立場においてすらも海外の各地において義俠的行爲に在留邦人の的となり人望渴迎の中心となつて内外人の指導するの中心人物となつてゐる事は今更述べる限りにあらず、更らに團体的協力の點に到らば他縣人の追隨を許さざる模範的團体となつて常に範を天下に示してゐる事は喋々するまでもなく常に頭地を現して居る。本號に掲載してある海外各支部狀況の一端をうかがつても十分に會得する事が出來だらうと思ふのである。

されば吾信州健兒は更らに郷黨的溫情に基づく親睦においてその善用を期し益々吾縣民の海外活動を躍進せしめ内外連絡歩を一つにして範を天下に示しつゝ斯くの如き嫉惡極まる侮辱的言辭に肯定する事なく一層奮起をせねばなるまい。

（三、一、二〇）

信濃海外協會米國西北部支部狀況（報告）

（在シヤトル市）　信濃海外協會米國西北部支部

拜啓
時下向寒の候貴會益々御隆盛奉賀候　陳者九月二日附を以て御照會に相成り候當支部狀況につき諸事項左記に御報告申上候間御覽被下度候（中略）會員の活動消息等は別紙「信濃海外協會長野縣人調査」に依りて知られ度候　尚本會及び會員に關する寫眞等は別に無く毎年夏季に催するピクニック（野外運動會等）の寫眞位にて候
昭和二年十一月十五日

一、本會の名稱
最初華州信濃海外協會と稱したりしが創立一年後より現在の信濃海外協會米國西北部支部との名稱に改む。

一、設立年月日　大正十二年一月二十八日設立。

一、設立の動機と主唱者　本會設立以前には地方的の小團体ありしも在留長野縣人全部を網羅したる團体なく何かにつけ不便を感じ居たりし所から其前年即ち大正十一年故國に於て信濃海外協會の創設されしを聞き大正十二年一月五日シヤトル市に於ける長野縣出身の同志相會して同縣人の大同團結につき相談會を開く、集る者十七名、即ち此出席者一同を設立委員として信濃海外協會支部設立を決議す、

設立委員（主唱者）
山極平右衛門　山浦與十郎　木村憲司
尾羽澤義胤　井出猪仲　宮田主計
保刈陽夫　渡邊宗七郎　伊藤豊作
平林破魔雄　伊藤恒司　望月積善
望月秀一　今牧連藏　麻野爲一
名取三重　三上道光

一、設立趣意書　設立趣意書等別に無し、

一、設立經過　創立總會當時の狀況に就いて左に本會當時の記錄を再錄すれば發會式及び總會兼新年會は一月二十八日、午後二時より萬新樓（シヤトル市内）に於て擧行、伊藤豊作氏司會の下に伊東忠三郎（當時北米日本人會長、防長海外協會支部長）平林破魔雄、山極平右衛門三氏の祝辭あり次ぎに伊藤豊作

氏を議長に推し議案討議に入る。（中略）
議事終了と共に代議員九名の一般選擧を行ひたる結果左の諸氏當選す
平林破魔雄　伊藤豊作　宮田主計
三上道光　名取三重　尾羽澤義胤
小池代治郎　長谷川英人　山浦與十郎
以上代議員九名の詮衡により左の七區より代議員各三名宛を推薦す
第一區　木村憲司　山口良之助　田中正作
第二區　春原侯　原春樹　黑坂吉次郎
第三區　依田武左衛門　井出猪仲　井出憲三
第四區　渡邊宗七郎　保刈陽夫　小木曾壽三
第五區　太田留吉　荒川山壽　望月五六
第六區　今牧連藏　麻野爲一　倉田圓吉
第七區　溝口浪三郎　中田貫　伊藤賢
以上

總代議員互選の結果左の役員當選す
實行委員（定員五名）
伊藤豊作　三上直光　平林破魔雄
名取三重　春原侯
會計（定員二名）
長谷川英人　尾羽澤義胤
理事（定員二名）
宮田主計　小池代治郎

夫より新年宴會に移り、餘興委員保刈陽夫氏司會の下に平山、山田、名取令嬢等の西洋音樂片瀨氏の手品、近藤夫人、池上、井出ドクトル諸氏の日本音樂、吉川秋月の浪花節其他種々の餘興あり婦人子供の來會するもの殊に多く會衆三百餘名盛會なりき。

設立當時の會員左の如し
山口良之助、木村憲司、田中春治、森山貞雄、田中正作、河瀨孝一、西野入德、中曾根武平、大井千之、大井政子、近藤八十松、竹鼻清、中嶋靜雄、下田申司、小林慶太郎、山極平右衛門、長谷川英人、山浦與十郎、柳町森太郎、小池代治郎、瀧崎保、山極啓吾、黑坂吉次郎、淸水均、宮澤常太郎、木村武、春原侯、河西啓二、原春樹、太田正成、中村逸慶、山極信策、小林三吉、香山直濕、竹內節、村山積善、川船和夫、神津知、關利兵衛、增田傳一郎、尾澤永吉、瀧澤篤、田中豐造、小岩井榮七郎、宮坂基、井出欽一、尾羽澤義胤

井出猪仲、依田武左衛門、山下信太郎、井出憲三、並木周藏、阿部武八、依田謹一、吉村國會、渡邊熈誠、市川彦八郎、武川保平、池田倉助、臼田五一郎、中嶋昇、並木博太郎、渡邊宗七郎、宮田主計、保刈陽夫、小木曾嘉三、百瀬藤雄、高野定悳、原渡、百瀬七雄、宮田はまゑ、木戸岡昇郎、青木傳吾、海野幸軍、降旗鐵次郎、波多腰勝一、寺田誠治、大澤嘉代吉、伊藤豊作、望月積善、平林破魔雄、片瀨與市、太田留吉、橫山重義、伊藤源次郎、伊藤恒司、山口巖水、山口美智子、望月五六、青柳菊彌、平林利治、平林義明、高橋實、伊藤博一、米倉貞吾、平林基宜、黑岩滿次、勝野庄一郎、須坂美壽惠、荒川山壽、平林俊吾、平林朋信、小平綠次、山田高成、竹岡喜嗣、橫山信之、望月秀一、望月淸見、太田丑太郎、藤原正富、等々力喜多一、小松顯一、山田慶次郎、瀧澤百二、原田八郎、小林乾、嶋田義一、根津宗次、麻野爲一、關島堅、倉田圓吉、東時次、有賀太三郎、今牧連藏、伊藤本次郎、中田貫、伊藤博隆、池上榮七、田中映一、佐藤孫三、黑河內欣一、中村學一、名取三重、溝口浪三郎、三上道光、三井實、細川德柄、小町谷義雄、五味淸朝、牛山明成、牛山政成、田中稻實、秦光重
以上

一、本支部規約

第一章　總則

第一條　本會は信濃海外協會米國西北部支部と稱す
第二條　本會は北米合衆國西北部に在留する長野縣人及び本縣に關係あるものを以て組織す
第三條　本會は本部と協力して會員の福利親睦を計るを以て目的とす
第四條　本會の事務所をシアトル市に置き必要に應じ地方部を設置する事を得

第二章　會員

第五條　本會々員を普通會員及び名譽會員の二種とす
第六條　名譽會員は代議員會の決議を以て推薦す
第七條　本會々員たらんと欲する者は會員の紹介により理事に申出で其承諾を受くるものとす

第三章　代議員會

第八條　本會定期總會に於て代議員三十名を選擧し代議員會を組織す（但し代議員六名は之を一般投票に依つて公選し、殘り二十四名は次の六地方區より四名宛選出するものとす）
第一區　長野地方　長野市、更級、埴科、上下水內、上下高井
第二區　上田地方　上田市、小縣
第三區　佐久地方　南北佐久
第四區　松本地方　松本市、東西筑摩
第五區　安曇地方　南北安曇
第六區　伊那諏訪地方　上下伊那、諏訪
第九條　代議員會は本會諸般の事項を議定す
第十條　代議員會は其議定事項を執行せんが爲め役員を互選す
第十一條　代議員の任期を一ケ年とし缺員を生じたる場合は次點者を以て補欠す

第四章　役員

第十二條　本會に左の役員を置く
總務委員三名、理事二名、會計二名
第十三條　總務委員は協力して會務を總監す
第十四條　理事は本會の庶務を掌り會議に於て會務の報告を爲す
第十五條　會計は金錢出納の事を掌る
第十六條　役員の任期は代議員の任期に據る

第五章　會議

第十七條　本會は左の會議を開く
定期總會、臨時總會、代議員會、役員會
第十八條　定期總會は每年一月に開會し、事務及び會計の報告代議員の改選其他必要なる事項を協議決定す
第十九條　臨時總會は代議員會或は全會員五分の一以上の請求ありたる時之れを開會す
第二十條　役員會は隨時之れを開き代議員會は役員會の決議又は代議員五名以上の請求ありたる時之を開く
第廿一條　議長、副議長は代議員會に於て選擧し役員會に列席するものとす
第廿二條　本會の決議は出席會員過半數の協贊を得て有効とす
但し會則の修正は總會に於て出席會員三分の二以上の協贊を要す

第六章　財務

第廿三條　本會の經費は會費及び其他の收入を以て之に充つ
第廿四條　普通會員は會費として金二弗五十仙を每年會計に前納するものとす

第七章　附則

第廿五條　本會に左の帳簿を置く
記錄簿、會計簿、會員名簿
第廿六條　會員及び其家族にして不幸災難等に罹りたる者ある時は本會は適當の處置を講ずるものとす
第廿七條　本會員にて住所移動の場合は必ず新住所を本會に通知す可し

一、歷代役員と年度經費

◎大正十三年度役員
總務委員（定員三名）
平林破魔雄　名取三重　春原侯
會計（定員二名）
長谷川英人　望月五六
理事（定員二名）
宮田主計　木村憲司
議長　依田武左衛門
副議長　原春樹
註に曰はく、會則の規定により議長副議長を役員とす。

◎大正十四年度役員
總務委員（定員三名）
伊藤豊作　春原侯　平林破魔雄
會計（定員二名）
長谷川英人　太田留吉
理事（定員二名）

宮田主計　依田武左衛門

議長　原　春樹

副議長　倉田圓吉

◎大正十五年度役員

總務委員(定員三名)

伊藤豊作　原　春樹　倉田圓吉

會　計(定員二名)

望月五六　依田武左衛門

理　事(定員二名)

小池代治郎　中曾根武平

議長　川船和夫

副議長　瀧澤百二

◎昭和二年度役員

總務委員(定員三名)

平林破魔雄　原　春樹　出浦與十郎

會　計(定員二名)

望月五六　伊藤博隆

理　事(定員二名)

中曾根武平　宮田主計

議長　川船和夫

副議長　尾羽澤義胤

◎過年度豫算

大正十二年度　無し

大正十三年度　不明

大正十四年度

收入之部

一金二百弗　會費(二弗として百人分豫想)

一金五十弗　寄附金(豫想)

一金八十弗　前年度繰越金

計金三百三十弗也

支出之部

一金百弗　雜誌「海の外」代金

一金二十五弗　印刷費

一金三十弗　廣告料

一金五十弗　書記手當

一金八十弗　雜費

一金四十五弗　豫備費

計金三百三十弗也

大正十五年度

收入之部

一金百五十弗　會費(一弗五十仙として百人分豫想)

一金二十弗　特別收入

計金百七十弗也

支出之部

一金五十弗　書記手當

一金二十五弗　會報費

一金二十五弗　印刷、文具、郵税等

一金十弗　廣告料

一金三十弗　社交費

一金十五弗　會場費

一金十五弗　雜費

計金百七十弗也

昭和二年度

收入之部

一金百五十弗　會費、百人分豫想

一金百三十弗　雜收入

計金百八十弗也

支出之部

一金三十五弗　社交費

一金二十五弗　會報費

一金二十五弗　文房具

一金二十弗　會合費

一金十弗　廣告費

一金六十五弗　豫備費

計金百八十弗也

一、事業計畫　信用貯蓄組合組織を決議しあれど實現の期に至らず、又人事相談部、研究委員會等の計畫も亦信用貯蓄組合同樣實行期に入らず、研究委員會は若干名の委員を擧げ苟くも本會員の福利を增進すると認めらるゝ事は何事に依らず研究する事なり。

一、當地方邦人の足跡　當地方に日本人が足跡を印してより既に半世紀を越へ隨つて在留同胞の活動狀態も一言にして盡し難く又或るものは既に故國にも知られ居る筈なり

一、現在會員氏名

(本調査備考に歸朝とするは昭和二年二月以後に歸國したる者である。)　昭和二年十一月現在

氏　名	出身市郡町村名	職　業	家族數	渡航年月日	現住所	備　考
井出欽一	南佐久郡川上村	醫師	一名	大正七、四、一五	670 Jackson St, Seattle, Wash.	ひろ子夫人も亦女醫開業
池田倉助	南佐久郡平賀村	農產物賣買	四名	明治四一、五、一	913 Plummer St., Seattle, wash.	
中島昇	南佐久郡川上村	農業	一名	明治四一、九	201 9th Ave. So., Seattle, Wash.	
並木伯太郎	南佐久郡野澤町	藥劑師	無	大正一〇、二、二五	1236 Washigton St., Seattle, Wn.	

氏　名	出身市郡町村名	職　業	家族數	渡航年月日	現住所	備　考
並木周造	南佐久郡野澤町	洋食店業	一人	明治三八、九、二三	1201/2 Broadway, Tacoma, wash.	
尾羽澤義胤	南佐久郡平賀村	雜貨商	六名	明治四一、一一、三〇	1108 E. Fir. St., Seattl, wash.	
武川保平	南佐久郡小海村	商店員	四名	明治四〇、一〇、八	1111-Yesler Way, Seattle, Wash.	
渡邊熙誠	北佐久郡北御牧村	ホテル業	六名	明治三九、一〇	302-14th Ave. So., Seattle, Wash.	
吉村國會	北佐久郡讒島村	商店員	四名	明治四〇、五	614 Terrace St., Seattle, Wash.	
依田武左衛門	北佐久郡協和村	商業	五名	明治四一、一、一一	711-29th Ave. So., Seattle, Wash.	
依田謙一	北佐久郡小諸町	店員	四名	明治四〇、五	111-11th Ave. So., Seattle, Wash.	夫人は產婆を開業
小林いね	北佐久郡大澤村	店員	一名	大正九	114-9th Ave. So., Seattle, Wash.	
名取三重	諏訪郡富士見村	雜誌業	一人	明治四〇、三、七	1211 Main St., Seattle, Wash.	
三井實	諏訪郡富士見村	鐵道人夫長	三名	明治四〇	P. O. Box 132, Skykomish, Wash,	
牛山政成	諏訪郡玉川村	貿易業	四名	明治四〇	733 25th Ave. so. Seattle, Wash.	
細川喜史	諏訪郡富士見村	勞働	一名(妻)	明治四〇、一	P. O. Box 41, Snoqualmie Falls, Wn.	妻は日本居住
細川德柄	諏訪郡富士見村	肉店	一人	明治四四、四、二〇	700 Jackson St., Seattle, Wash.	
五味清朝	諏訪郡上諏訪町	勞働	無	明治三九、三、一	520 King St., Seattle, Wash.	
山崎五也	上伊那郡高遠町	溫室技師	三名	明治四〇	R. F.D Box 39, Port Blakeley, Wn.	Wn.はWash.と同字也
吉澤健治郎	上伊那郡富縣村	會社員	無	明治三九、一〇、二〇	1251 Main St., Seattle, Wash.	
田中映一	上伊那郡伊那町	ダイオーク	五名	明治四〇、七、一〇	2014 E. Madison St., Seattle, Wash.	目下一家を擧げて歸朝中
佐藤孫三	上伊那郡高遠町	鑄物職	三名	明治三九、五、一七	1321-21st Ave. So., Seattle, Wash.	

氏　名	出身市郡町村名	職　業	家族數	渡航年月日	現住所	備　考
酒井儀助	上伊那郡宮田村	農業	三名	明治四〇	R. #1, Box 219A, Sumner, Wash.	
伊藤博隆	上伊那郡河南村	ベーカリー	二名	大正七、八、一九	124 13th Ave., Seattle, Wash.	ベーカリーとは麵麭(パン)を製造販賣する職業
倉田圓吉	上伊那郡南箕輪村	洋服商	二名	明治三九、六	1021 1/2 Washington St., Seattle, Wn.	
黒河内欣一	上伊那郡美和村	ガーデナー	二名	明治四〇、一、二五	1002 Yeslerway, Seattle, Wash.	ガーデナーとは庭園の手入れをなす職業
中村學一	上伊那郡朝日村	店員	三人	大正一〇、七、一	1121/2 8th Ave. So., Seattle, Wash.	
中田實	上伊那郡片桐村	ホテルクラーク	二名	大正八、六、二〇	2011/2-14th Ave, Seattle, Wash.	
名和三五郎	上伊那郡手良村	勞働	無	大正五、一二、一七	G. N. R. H. Inter Bay, Seattle, Wn	
池上榮七	上伊那郡高遠町	ダイオーク	二名	明治三九、五、一七	2123 E. Union St., Seattle Wash.	
今牧連識	下伊那郡伊賀良村	齒科醫	無	大正三、七、二一	316 Meynard Ave, Seattle, Wash.	三人の子供は目下日本に在り
關島堅	下伊那郡鼎村	ホテル働き	五名	明治四〇、五、三	1224 Jackson St., Seattle, Wash.	
青木傳吾	東筑摩郡新村	勞働	六名	明治四〇	107 Broadway, Seattle, Wash.	
原渡	東筑摩郡中山村	雜貨商	三名	明治四〇、四、二五	509 Main St., Seattle, Wash.	
保刈陽夫	東筑摩郡本郷村	賣藥商	二人	明治三八	2033 Washington St., Seattle, Wn.	
川船和夫	東筑摩郡嶋内村	自働車タイヤー販賣及修繕業	五名	明治三七、五、二八	431-28th Ave. So., Seattle, Wash.	
宮田主計	東筑摩郡本郷村	雜誌業	一人	明治四〇、一、一一	506 9th Ave. So., Seattle, Wash.	
百瀬七雄	東筑摩郡山形村	ホテル業	三人	明治四〇、七	1931 1st Ave., Seattle, Wash.	
大澤嘉代吉	東筑摩郡入山邊村	家具商	四人	明治三九、一一	1119 Jackson St., Seattle, Wash.	目下一家を擧げて歸朝中
高野定惠	東筑摩郡入山邊村	寫眞師	一名	明治四〇	316 Maynard Ave., Seattle, Wash.	

氏名	本籍	職業	家族	渡航年月	住所	備考
寺田誠治	東筑摩郡松本村	貸自働車業	一名(兒童)	明治四〇、六	613 1/2 Jackson St., Seattle, Wash.	兒童は日本在住
荒川山壽	南安曇郡穗高町	洋服商	五名	明治三九、一二、一〇	2129 1st Ave., Seattle, Wash.	
藤原正富	南安曇郡西穗高村	アパートメント、旅館業	五名	明治四〇、二、六	114 11th Ave. So., Seattle, Wash.	
平林破魔雄	南安曇郡穗高町	雜貨商	三名	明治四〇、一一、三	2323 1st Ave., Seattle, Wash.	
平林甚宣	南安曇郡穗高町	洋服裁縫業	七名	明治四〇、三、六	310 5th Ave. So., Seattle, Wash.	
平林俊吾	南安曇郡穗高町	農業	五名	明治四〇、三、六	R. #2, Box 51, Kent, Wash.	
平林朋信	南安曇郡穗高町	洋服裁縫業	無	大正八、四、一	310 Washington St., Seattle, Wn.	
平林利治	南安曇郡穗高町	農業	七名	明治四〇、三、六	R. #2, Box 51, Kent, Wash.	
平林義明	南安曇郡穗高町	農業	無	大正八、三、一四	R. #2, Box 52, Kent, Wash.	
伊藤博市	南安曇郡穗高町	農業	五名	明治四四、五、八	R. #1, Box 77, Seattle Wash.	
伊藤豊作	南安曇郡穗高町	農業	二名	明治四〇、八、一〇	R. #1, Box 77, Seattle, Wash.	目下一家を擧げて歸朝中
臼井榮策	南安曇郡三田村	勞働	五名		P. O. Box 518, Whitefish, Mont.	
作藤恒司	南安曇郡穗高町	農業	四名	明治三九、一二	R. #1, Box 77, Seattle, Wash.	
岩原良平	南安曇郡島川村	勞働	無	明治四〇、二	2129-1st Ave., Seattle, Wash.	
片瀨與市	南安曇郡穗高町	ホテル業	六名	明治四〇、三、六	611 Terrace St., Seattle, Wash.	目下一家を擧げて歸朝中
勝野庄一郎	南安曇郡北穗高村	農業	四名	明治四〇、一〇	R. #2, Box 53, Kent, Wash.	
小平緣次	南安曇郡穗高町	野外勞働	無	明治四〇、二、八	114-11th Ave. So., Seattle, Wash.	
小平重雄	南安曇郡穗高町	勞働	無	大正七、六	114 11th Ave. So., Seattle, Wash.	

氏名	本籍	職業	家族	渡航年月	住所	備考
小松顯一	南安曇郡梓村	鐵道人夫長	二名	明治四〇	1414 Norman St., Seattle, Wash.	
黑岩滿次	南安曇郡北穗高村	食料品農產物商	六名	明治三九、一二、二〇	2300 E. Madison St., Seattle Wn.	
望月五六	南安曇郡穗高町	洗濯業	二人	明治四〇、三、二〇	1251 Main St., Seattle, Wash.	
望月秀一	南安曇郡穗高町	農產物取扱	六名	明治四〇、六、二〇	2822 Arthur Place, Seattle, Wash.	
望月積善	南安曇郡穗高町	グリーンハウス(溫室業)	二名	明治四〇、一一、三	R. #6, Box 308, Seattle, Wash.	目下歸朝中
朔月清見	南安曇郡北穗高村	勞働	四人	明治四〇、一	1236 Weller St., Seattle, Wash.	
根津宗次	南安曇郡穗高町	洋食店業	六名	明治四〇、五、三〇	810 Yeslerway, Seattle, Wash.	
小口連作	南安曇郡豊科町	自働車運轉手	無	明治四一、三、七	659 Jackson St., Seattle, Wash.	
太田作一	南安曇郡梓村	肉店	五名	明治二九、一	650 Empire High-way, Seattle, Wn.	
太田留吉	南安曇郡梓村	家具商	五名	明治三六、一一、六	1119 Jackson St., Seattle, Wash.	
太田丑太郎	南安曇郡梓村		五人	明治二〇	709 N. 61st St., Seattle ,Wash.	
須坂廣吉	南安曇郡穗高町	勞働	一名	大正一一、一二、二四	705-25th Ave. So., Seattle, Wash.	
須坂美壽惠	南安曇郡穗高町	洗濯業	七名	明治四〇、五、一七	1251 Main St., Seattle, Wash.	
高橋實	南安曇郡北穗高村	勞働	六名	明治四〇、三、六	724 11th Ave., Seattle, Wash.	
竹岡喜嗣	南安曇郡穗高町	農業	六名	明治四〇、五、一七	R. F. D. Box 73, Bellevue, Wash.	
瀧澤百二	北安曇郡七貴村		二人	大正九、二、一六	1617 Federal Ave. Seattle, Wash.	
矢口次男	南安曇郡有明村	養豚業	八名	明治四〇、三、二〇	Route #2, Box 7A, Tacoma, Wash.	
山田高成	南安曇郡北穗高村	飲食店	無	明治四〇、六、六	418 Maynard Ave., Seattle, Wash.	

氏名	本籍	職業	家族	渡航年月	住所	備考
横山信之	南安曇郡三田村	農產物取扱	六名	明治四〇、六、一〇	2300 E. Madison St., Seattle, Wn.	
横澤友市	南安曇郡有明村	家內勞働	無	明治四〇、三、二〇	724-11th Ave., Seattle, Wash.	
原量	小縣郡塩尻村	學生	無	大正八、一二、二五	605 1/2 Main St., Seattle, Wash	
原春樹	小縣郡塩尻村	農產物販賣	三名	明治四〇、二、二四	1605 1/2 Jackson St., Seattle, Wash	
原拾三	小縣郡塩尻村	溫室農業	無	明治四一、三、一〇	2402 E. 65th Ave., Seatt'e, Wash.	
長谷川英人	小縣郡中塩田村	銀行員	四名	明治三九、八、九	949 24th Ave. So., Seattle, Wssh.	
池田專太郎	小縣郡神川村	農產物販賣業	四名	明治四〇、一〇	1232 Weller St., Seattle, Wash.	
河西啓二	小縣郡和田村		無	明治四〇、五、六	613 Jackson St., Seattle Wash.	
香山直溫	小縣郡神科村	商業	四名	明治三九、十一	208-12th Ave. So., Seattle, Wash.	
小林三吉	小縣郡西鹽田村	農業	八名	明治三九、八、四	R. #9, Box 500, Seattle, Wash.	目下歸朝中
神津作一	小縣郡中塩田村	建築業	九名	明治三九、八、九	116 16th Ave., Seattle, Wash.	
神津知	小縣郡中鹽田村	野菜仲買商	九名	明治四〇一、一	1632 1/2 Weller St., Seattle, Wash.	
小池代治郎	上田市連歌町	ホテル業	六名	明治四〇、四、六	668 King St., Seattle, Wash.	
小池松枝	小縣郡中塩田村	店員	二名	明治四四、三、一四	216 2nd Ave. So., Seattle, Wash.	
小岩井榮七郎	小縣郡塩尻村	ダイオーク	二人一名(妻)	明治四〇、四	1429 Jackson St., Seattle, Wash.	
黑坂博	小縣郡西塩田村	果物仲買商		大正八、八	1000 Spruce St., Seattle, Wash.	妻は日本に居住
黑坂吉次郎	小縣郡西塩田村	雜貨商	八名	明治三八、七	413 11th Ave., Seattle, Wash.	
増田傳一郎	小縣郡室賀村	店員	一名	明治四〇、七	216-2nd Ave. So., Seattle, Wash.	

氏名	本籍	職業	家族	渡航年月	住所	備考
宮坂基	小縣郡縣村	自働車運轉手	一名	明治四〇	916 Dearborn St., Seattle, Wash.	
宮澤鹿之助	小縣郡西塩田村	商業	六名	明治三九、一二、二五	1717 E. Spruce St., Seattle, Wash.	
宮坂峯	小縣郡縣村	ホテル業	三名	明治四〇、一、三一	833-8th Ave. So., Seattle, Wash.	
宮澤常太郎	小縣郡泉田村	勞働	五名	明治四〇	114 9th Ave. So., Seattle, Wash.	
村山積善	小縣郡東塩田村	雜貨商	三名	明治四〇、四	1301 Remington Ct., Seattle, Wash.	
中村逸慶	小縣郡中塩田村	ダイオーク	十名	明治四〇、八	1322 E. Pike St., Seattle, Wash.	
太田正成	小縣郡神川村	鐵道人夫長	四名	明治三九、一二	1015 YeslerWay, Seattle, Wash.	
尾澤永吉	小縣郡神川村	野菜行商	十名	明治四〇、一一	1628 Weller St., Seattle, Wash.	
清水均	小縣郡塩尻村	野菜行商	七名	明治四〇、四、八	10?-21st Ave. So., Seattle, Wash.	
春原忠一	小縣郡塩尻村	洋食店業	三名	明治四〇、五	824 Washington St., Seattle, Wn.	夫人は春原裁縫女學校經營
春原儀	小縣郡塩尻村	ダイオーク	二名	明治三九	1121 Jackson St., Seattle, Wash.	
竹內節	小縣郡和村	貸自働車業	無	明治三九、一二	6135 1/2 Jackson St., Seattle, Wash.	
瀧崎保	上田市海野町	仲買業	八名	明治四〇、一、七	1411 E. Fir St., Seattle, Wash.	
瀧澤篤	小縣郡神川村	農產物販賣業	六名	明治三九、一二	1232 Weller St., Seattle, Wash.	
田中豊造	小縣郡依田村	雜貨商	二名	明治四〇、三、一五	1123 Howell St., Seattle, Wash.	
塚原巖	小縣郡神科村	自働車修理業		明治四〇、五、六	402-6th Ave. So., Seattle, Wash.	
山極啓吾	小縣郡西塩田村	農業	七名	明治三九、九、九	R. #2, Box 514, Bellevue, Wash.	
山極信策	小縣郡西鹽田村	農業	二名	明治三九、四、三〇	Route #1, Box 1, Seattle, Wash.	

山浦憲三	小縣郡神川村	勞働	無	明治四〇、四	1707 1/2 Jackson St., Seattle, Wash.	
山浦孝	小縣郡神川村	勞働	無	明治三九、四	671 Maynard Ave., Seattle, Wash.	
山浦興十郎	小縣郡神川村	農產物商	八名	明治三九、一一	1707 1/2 Jackson St., Seattle, Wash.	
柳町森太郎	小縣郡川邊村	魚問屋	七名	明治三五	703 18th Ave. So, Seattle, Wash.	
中曾根武平	更級郡力石村	ダイオーク	五名	明治四〇、五	1015 E. Pike St., Seattle, Wash.	ダイオークとは洗濯業
小林英德	更級郡大岡村	勞働	四名	明治四〇、五	612 Terrace St, Seattle, Wash.	
萩原長吉	長野市箱清水	洋食店業	五名	明治四〇	P. O. Box 583, Ketchikan, Alaska.	
木村憲司	長野市田町	領事館書記	三名	明治四〇、七、二七	1303 Washington St., Seattle, Wn.	
山口良之助	長野市上西ノ門町	ホテル業	四名		668 King St, Seattle, Wash.	
佐藤信次	下水內郡飯山町	勞働	無	明治四〇	Route #7, Box 272C, Seattle, Wn.	
小林慶太郎	下水內郡豐井村	商店員	二名	明治四〇、四、一〇	110 8th Ave. So., Seattle, Wash.	
小林城一	上水內郡三輪村	鐵道人夫長	一名	明治四〇、一、一〇	P. O. 56, Wellington, Wash.	
田中正作	上水內郡若槻村	雜貨商	五名	明治四〇、五	123 Maynard Ave., Seattle, Wash.	田中裁縫女學校經營さく子夫人
下田申司	下高井郡平岡村	ホテル業	四名	明治四〇、一〇	517 King St, Seattle, Wash.	

（米國）北加信濃海外協會狀況

―記者

> 北加からは本號編輯までに報告不備のため、止むなく、北加信濃海外協會の創立されてより今日までに到る往復通信、或いは種々の報告を參考資料として左に大略を記する事にした。したがつて調査不充分の爲め多少の誤りなきを保せず又不徹底の箇所を少からず、切に寛容を乞ふ。
> （昭和二、二、一〇）―記者―

一、名稱　北加信濃海外協會

一、設立年月日　大正十二年九月一日

一、創立の動機と主唱者

別項創立趣意の如く桑港を中心として吾等縣人によりその必要を迫まられてゐたが、時恰かも南米伯國に土地購入の目的を以て當地を旅行途次の永田幹事の滯在を好機として相談が主唱者の間に始まり、大正十二年六月十四日永田幹事の歡迎會を酒井喜多市氏宅に開き附近在留長野縣人の集會を合せて創立趣意書、規約等の起草をなしついで創立發起人を決め同年九月一日創立發起人を開いてこゝに北加信濃海外協會の誕生を見たのである。左に主唱者をあぐれば、

桑港（サンフランシスコ市）
遠藤照治　古畑八郎　片瀨多門
木下莊三　春日源司　三澤澤路
宮嶋淸衞　兩角傳　諸田鼎
野口貫一　大久保政淸　小川榮一
小川秀三郎　相馬智　酒井喜多市
龍野鉦次郎　田中常助　臼井省三
內山正雄

王府（オークランド）
青木實次　古田濱三　金澤浮世之助
北村嘉久藏　曲尾久雄　白石勇夫
蟲英夫　村松染之助　瀧澤應輔

佐市（サンノゼ市）
岡垣吉太郎

華村（ワツソンビル）
伊藤晴之　松田午三郎

須市（スタクトン）
宮坂磐　塚原正美　上田豊

櫻府（サクラメンド）
町田貞三郎

布市（フレスノ）
尾澤寧次　小澤周

ユタ
佐藤榮三郎

傳馬市（デンバー）
藤森重德

アイダホ
二木三一

一、北加信濃海外協會創立趣意

吾々お互に海外に移住して、其居住國の市民となり得ず、社會的にも生活上にも常に不安を感じつゝある者は、何うしても或る强固な團体が必要だと思はれます。

幸に吾が長野縣に於て先年海外民族發展の目的で信濃海外協會を創立し、當米國に在留する吾々にも屢々その目的に贊同を慫慂して來ました。それに現今の樣に幾多の國際問題は突發して居り、吾等同縣人が常に疏隔勝の狀態に在るのは甚だ遺憾に思はれます。それで或は偏狹かも知れませんが、どうかして强固な團体を作りたいと思ひまして、別紙の樣な規定を拵へ北加信濃海外協會と名づけ、お互に協力し合つて親交を濕め、故國の海外協會と聯絡を取り、遠大なる、そして崇高なる民族海外發展の偉業に參加したいと思ひます。

右の樣な趣意でありますから、何卒吾々民族將來の運命を懸念さるゝ皆樣は本會に入會くだされ、益々本協會をして有意義のものとされんことを切に希望します。

一、北加信濃海外協會々則

第一條　本會を北加信濃海外協會と稱し長野縣出身者を以て組織す

第二條　本會事務所を桑港市に置き必要に應じ地方に支部を設置する事を得

第三條　本會は會員相互の親睦福利の增進を計り信濃海外協會と聯絡を保ち主として海外發展に關し相互の援助をなすを以て目的とす

第四條　本會々員は會費として年額參弗を納め信濃海外協會發行機關雜誌「海の外」の配布を受くるものとす

第五條　本會に左の役員を置く

理事　十五名
　桑港　五名　王府　二名　佐市　一名
　華村　一名　須市　一名　櫻府　一名
　布市　一名　山中部三名
幹事　三名
會計　二名

第六條　理事は會員中より選擧し、幹事及會計は理事會に於て理事中より選擧す、各任期を滿一ケ年とす
理事は重要事項を協議し幹事は庶務を掌り會計は金錢の出納を掌る

第七條　定期總會、臨時總會、理事會
1　定期總會は每年一月に開き事務及會計の報告役員の改選其の他必要なる事項を決議す
2　臨時總會は理事會に於て必要と認めたる場合又は會員三分の二以上の要求により開催す
3　理事會は理事五名以上必要と認めたる場合之を開催す

第八條　本會の役員は無給とす、經費は實費を會費中より支辨し殘額は之を信濃海外協會に送附し事業を援助するものとす

第九條　本會々員にして會の名譽を毀損する時は役員會の決議に依り除名し信濃海外協會に報告す可し

以上

一、會員の募集と活動

斯くて役員の活動となり第一回の會員募集に努力した結果は桑港を中心として遠くはアイダホ、コロラド、ユタ、の諸州に渡り五十餘名の同志を得るに至つた。次で十月十六日には桑港に於て熊本、防長、和歌山、岡山、福岡の諸縣海外協會支部代表者と聯合懇親會を開催し當市にその中央會設立の議ありたるも更らに研究する事にして尙本年末南米より歸國の途にある永田幹事の意見をも加へる事にしたのである。

而して十月十八日には理事會を開き最初の幹事、會計を互選して左の如く決定した。

幹事
　小川榮一　片瀨多門　臼井省三
會計
　遠藤照治　酒井喜多市

大正十四年には日米新聞社主催の日本見學團主事として一行を引率し歸朝せる遠藤照治氏には當會の創業より主唱の一人として多大なる努力盡碎を惜まず會計として細心なる炊鎖事務に專念せられ當會の名を以て感謝狀を贈りたり。

斯くて會員は益々增加し在米同胞の根本問題に觸れていよいよ本部の企劃的事業を敷衍して在米同胞の最も力ある有意義の活動をなしつゝあり、現役員及昨年三月現在の會員氏名をあぐれば左の如くである。

一、現役員

◎理事
　桑港（五名）酒井喜多市　田中常助
　望月滋司　大久保政淸　小川榮一
　王府（二名）青木實次　北村嘉久藏
　佐市（一名）北澤武右衞門
　櫻府（一名）町田貞三郎
　ユタ州（名一）田々井昌
　コロラド州（一名）藤森德重
　華村（一名）伊藤晴之
　須市（一名）遠藤照治

アイダホ州（一名）二木二一
布市（一名）尾澤寧次

◎會計　酒井喜多市　小川榮一
◎幹事　片瀬太門　安曇穂明　臼井省三

一、會員氏名（一九二七年三月現在）

赤羽茂人	東筑摩郡里山邊村	アイダホ	Menan, Idaho.
青木實次	小縣郡東内村	王府	2603 Union St, Oaklald, Cal.
等々力利明（號安曇穂明）	南安曇郡東穂高村	桑港	2018 Bush St, San Francisco, Cal.
有賀岩吉	北安曇郡池田町	桑港	1428 Webster St, San Francisco, Cal.
遠藤照治	北安曇郡社村	須市	23 W. Washington St, Stockton, Cal.
五味重吉	諏訪郡本郷村	桑港	529 Turk St, San Francisco, Cal.
五味福平	諏訪郡永明村	コロラド	R. No. 2, Box 72, Rocky Ford, Colorado.
二木三一	南安曇郡明盛村	アイダホ	R. F. D. No. 2, Rexburg, Idaho.
藤森德重	諏訪郡湖南村	コロラド	R. F. D. No. 2, Rocky Ford, Colorado.
古畑八郎	小縣郡上田市	桑港	$1924\frac{1}{2}$ Filbert St, San Francisco,Cal.
福田小一郎	東筑摩郡嶋立村	ローダイ	114 E. Elm St, Lodi, Cal.
花村融	東筑摩郡上川手村	須市	305 S. Center St, Stockton, Cal.
平澤文吾	上伊那郡春近村	ローダイ	114 E. Elm St, Lodi, Cal.
伊藤晴之	諏訪郡中洲村	華村	105 Main St, Watsonvile, Cal.
片瀬太門	北安曇郡會染村	桑港	1044 Post St, San Francisco, Cal.
久保田その	下伊那郡龍江村	桑港	1672 Post St, San Francisco,Cal.
近藤宗助	上水内郡三水村	桑港	1604 Larkin St, San Francisco, Cal.
北澤武右工門	更級郡篠ノ井町	サンノゼ	547 Polhemus St, San Jose, Cal.
北澤儀重	更級郡篠ノ井町	サンノゼ	356 Polhemus St, San Jose, Cal.
北村嘉久藏	松本市伊勢町	王府	517 8th St, Oakland, Cal.

金澤浮世之助	上田市紺野町	王府	401 8th St, Oakland, Cal.
木下莊三	下伊那郡松尾村	サンノゼ	529 N. 6th St, San Jose,Cal.
小宮山成巳	小縣郡田中町	桑港	1605 Buchanan St, San Francisco, Cal.
小島佐士知	更級郡上山田村	ユタ	Standard Ville, Utah.
小山貫	小縣郡浦里村	ユタ	Standard Ville, Utah.
春日源司	上伊那郡美篶村	桑港	1647A Post St, San Francisco, Cal.
加藤謹四郎	下伊那郡飯田町	須市	29 E. Washington St, Stockton, Cal.
小岩井宗光	上水内郡朝陽村	ローダイ	114 E. Elm St, Lodi, Cal.
町田貞三郎	上田市川原柳	櫻府	400 L. St, Sacramento, Cal.
町田平内	上田市川原柳	櫻府	R. F. D. No. 1, Box 30, Perkins, Cal.
宮坂磐	埴科郡西條村	須市	28 W. Washington St,Stockton, Cal.
田々井昌	南安曇郡倭村	ユタ	223 W. Orchard Place Utah.
松田午三郎	北安曇郡池田町	華村	105 Main St, Watsonville, Cal.
牧彌助	上高井郡須坂町	サンノゼ	547 Polhemus St.San Jose, Cal.
丸山保	南安曇郡東穂高村	王府	4041 Maybille Ave, Oakland, Cal.
曲尾久雄	小縣郡西鹽田村	桑港	508 Larkin St, San Francisco, Cal.
曲尾衛一	同	王府	839 17th St, Oakland, Cal.
望月滋司	南安曇郡穂高町	桑港	525 Hemlock St, San Francisco, Cal.
三澤澤路	南安曇郡有明村	桑港	1602 Post St, San Francisco, Cal.
村山奈美惠	南安曇郡梓村下角	桑港	1624 Post St, San Francisco, Cal.
村松桑之助	小縣郡依田村	王府	9809 Foot Hill Blvd, Oakland, Cal.
西村彦三郎	諏訪郡豊田村	コロラド	R. F. D. No. 2, Rocky Ford, Colorado.
大久保政清	東筑摩郡島立村	桑桑	1865 Bush St, San Francisco, Cal.

小川榮一	諏訪郡富士見村	桑港	1739 Buchanan St, San Francisco, Cal.
小川重雄	埴科郡屋代町	桑港	1401 Scott St, San Francisco, Cal.
折井吉高	諏訪郡富士見村	コロラド	R. F. D. No. 3, Rocky Ford, Colorado.
太田竹太	諏訪郡上諏訪町	コロラド	R. F. D. No. 3, Rocky Ford, Cololado.
岡垣吉太郎	長野市	サンノゼ	546 N. 3rd St., San Jose, Cal.
大嶋傳藏	下伊那郡大島村	須市	29 E. Washington St, Stockton, Cal.
酒井喜多市	東筑摩郡片丘村	桑港	1684 Post St., San Francisco, Cal.
相馬智	南安曇郡東穂高村	桑港	2624 Sutter St., San Francisco, Cal.
佐藤榮三郎	北佐久郡軽井澤町	ユタ	P. O. Box 144, Garfield, Utah.
曾根宗	小縣郡神科村	王府	2715 Adelaine St, Oakland, Cal.
田中常助	下伊那郡松尾村	桑港	484 Sutter St.,San Francisco, Cal.
鳥山平藏	上伊那郡箕輪村	マテナス	500 Green St, Martinez, Cal.
塚原正美	埴科郡東條村	須市	28 W. Washington St, Stockton, Cal.
寺澤六之助	下高井郡中野町	アイダホ	Box 54, Sugar City, Idaho.
武田左文司	北安曇郡小谷村	華村	105 Main St., Watsonville, Cal.
瀧澤應輔	小縣郡鹽尻村	王府	1255 26th St, Oakland, Cal.
塚平九藏	下伊那郡上飯田村	王府	2935 Market St, Oakland, Cal.
龍野鉦次郎	小縣郡東塩田村	桑港	1701 Post St., San Francisco,Cal.
手塚彪	上田市馬場町	桑港	1428 Webster St., San Francisco, Cal.
土屋覺之助	下高井郡穂高村	マセド	R. 3, Box 81, Merced, Cal.
臼井省三	東筑摩郡麻績村	桑港	1625 Webster St, San Francisco, Cal.
上原德三郎	上田市	シカゴ	747 E. 36th St., Chicago, Ill.
上田豐	南佐久郡川上村	須市	44 S. El Dorado St., Stockton, Cal.

上原隆二	諏訪郡永明村	コロラド	R. No. 3, Box 111, Rocky Ford, Cal.
海野富之助	下高井郡日野村	華村	P. O. Box 67, Watsonville, Cal.
内山正雄	北佐久郡大井村	桑港	1719 Buchanan St., San Fracisco, Cal.
矢崎辰雄	東筑摩郡里山邊村	桑港	1550 Geary St, San Francisco, Cal.
横澤直人	北安曇郡社村	桑港	1701 Post St., San Francisco, Cal.
和田倍平	小縣郡中鹽田村	須市	28 W. Washington St., Stockton, Cal.
山崎與一郎	小縣郡青木村	王府	3122 Clermont Ave., Berkeley, Cal.
吉澤基一	下伊那郡飯田町	王府	1527 7th St, Oakland, Cal.
吉澤誠藏	下伊那郡飯田町	ペタルマ	180 Cherry St Petaluma, Cal.
尾澤寧次	諏訪郡川岸村	布市	1517 Ventura Ave., Fresno, Cal.
土屋禎一	北佐久郡北大井村	桑港	2017 Bush St., San Francisco, Cal.

住所不明

長谷川平右衛門　上田市
宮嶋立躬　東筑摩郡和田村
土屋市造　小縣郡丸子町

歸國者

五明忠一郎　更級郡西寺尾村
諸田鼎　上伊那郡美篶村
丸山吉永　松本市
野口貫一　諏訪郡金澤村
小野郁世　東筑摩郡筑摩地村
白石勇夫　上伊那郡伊那町
下平潤吉

死亡

古田濱三　東筑摩郡筑摩地村

退會

武田昌二　下高井郡平岡村

入會交渉中（其他調査中）

今井幸人　モントレー
和田喜雄　フレスノ
小林富次郎　桑港
小澤周　フレスノ
今村正雄　リビングストン
中澤義雄　桑港

信濃海外協會米國南加支部狀況（報告）

幹事　伊藤寬水

謹啓　秋冷の候貴會益々御精榮の段慶賀候御紹介の件左に御回答申上候　早速御通信申上可き處、延引致し誠に恐縮に存じ候　猶別封にて寫眞及其他御送り申上候間御參考に資せられ度く存じ候
昭和二年十二月十三日　―第一信―

一、二十年前の南加と信州健兒の足跡

南加に在留する同胞は今日こそ四萬と註せられ共二十年前には僅々二千を越へず而して我長野縣人は南加九郡に散在する者を通算して四十に過ぎざる少數であつた。されば高山長流の間に生れて北米に渡り裸一貫より大活動をなすべく勇氣滿々たる我信州の健兒等も亦時に寂寞を感ずる事ありし爲時折會合しては懷舊談上故山に遊ぶ一つには是を慰安となし他には互に協力し合ふ機會を作り喜憂禍福を共にして互に運命を開拓しやうと云ふ希望者多くなり千九百七年六月廿九日縣人有志の懇親會を開いた。

一、長野縣人會の設立

當日參集者十五名浦田氏會合の主旨を述べ一同の贊成を得て茲に卽時縣人會の設立を見たのである。是實に二十一年前の事にしてルーズベルト氏大統領の職に在り桑港には學童問題あつて日米の外交漸く繁雜に入らんとする時であつた。

現今の南加は世界の樂園として又寶庫として遍ねく世界に認められ客貨の往來頗る繁く人口も亦羅府のみにて百三十萬を算し活畫製造に就ては世界一の稱あれども二十年前には人口僅二十六萬に過ぎざる田舍町にして商工業人口等遠く桑港に及ばなかつたが偶々千九百六年四月桑港の大震災後より羅府に移住し來れる者逐年加はり我縣人も次第に增加して千九百十一年度の如きは新年宴會の出席者四十名と云ふ盛況を呈するに到つた。

一、縣人會の活動

千九百九年には貯金奬勵組合を設立して勤儉貯蓄の美風を作り同年四月には帝國練習艦隊の來港あり將兵四十九名の本縣出身者を招待して大歡迎を爲せる等少しく活動の緒に就いた、千九百十年度には在留同胞唯一の金融機關たりし日米銀行の破綻に際し本會は會員の預金證書を一括して銀行に談判をなせる

等漸く團体的行動を執るの一歩を示した。

因に日米銀行は千九百四年桑港に設立せられ同五年羅府に支店を開き營業七年に充たずして倒れ在留同胞に多大の損害を與へ更に自殺者、發狂者、自棄者等を多數出したのである。然るに殆んど時を同ふし資本も伯仲して設立したる彼のイタリー銀行は二十年後の今日實に資本金一億五千万弗と云ふ加州第一の銀行となつたのである。吾人は此事實を見る時に東方君子國と歐洲各國の植民策に就て暗然たらざるを得ない、見よ日本は只移民を國外に送り出すを以て能事足れりとし歐米は出したる移民をして自立し得る迄に是が後援を忘れない、イタリー移民の先頭は銀行家にして日本移民の旗持は勞働者である前記イタリー銀行も先頭の銀行家先づ勞働者に融通して土地を買はしめ支拂は年賦として除余の金は預金せしめ以て今日に到りたるものにして彼等現在の大成功も決して奇績にあらず同時に我帝國の先覺者の滿眼も玆にあれば勤勉なる我同胞は確にイタリー人以上の成功を見る事明らかである。今後海外に植民せんとする者に此呼吸が一番である。扨我會員は血氣旺盛の人達のみであつたが無常の風避くべくもなくし此年初めて縣人の葬儀を營だんのであつた

一、練習艦隊、並大成丸歡迎

共年の冬再び帝國練習艦隊の來航ありて例の如く歡迎、我縣人は此種の歡迎に際し常に將校のみに止めずして兵員をも一堂に招待なす事は同胞間に異彩を放つのであつた。千九百十一年には大城丸の來航あり本縣出身乘組員全部の歡迎會を催したが不幸山田運轉士の死亡ありて是が葬式と法要を營むなど殺風景なる植民地にも聊か人間味が加はつて來た。

一、土地所有禁止

千九百十三年度には在留同胞死活の問題たる土地所有權禁止法實施せられて我等は先づ排日の犧牲として兩手を斷たれたのである。玆に於てか永住の希望は半ば破れ日夜前途の方針に就て苦心する事となつた此年南加在留同胞間第一回の母國觀光團組織せられ會長浦田毛佐次郎氏夫妻は十三年振にて母國を訪問せられた

一、羅府の發展と縣人の移住

由來本縣よりは學生の渡米多く從つて渡米後も學窓に親しむ者多くして殖產興業に力を致す者は甚だ稀であつた、卽ち其當時本縣の主意として農商の人を斥け專ら學生のみを出したる關係上後日に於て我縣人が他縣人に比し財的に發展し得ざる原因にならんとは縣當局の夢想だにせざる所、時世の變遷と各人の年齢とは呑氣なる學生生活をして長くせしめ得ざる事となり自覺の時漸く來て農に商に業を起す者簇出し來りたるを以て本會に於ても各自の資金に便ならしむべく此年賴母子講を設立して事業發展に助くる事となつた、千九百十五年には桑港に大博覽會開催せられ南北の往復頗る繁く縣人の移住も亦盛んであつた千九百十六年頃には當時紅顏の學生として渡米したる會員も今では商家となり醫師となり技師となり農家となつて例の寫眞結

婚に依つて妻を呼寄せる者多く從つて各家庭も繁榮に向ひ此年初めて縣人會のピクニックを開催し百三十名の出席を見頗る盛會を呈した、本年再び帝國練習艦隊の來航あつて忘れられんとする日章旗を拜し一同感激報國の念を强めたのであつた。

一、名士來羅

羅府が年百万弗の宣傳費を以て世界に大羅府を廣告したる効果現はれて千九百十五年頃より世界名士の來羅する者漸く多くなり本年は母國より高橋、稻垣、兩博士及植原代議士等相次いで來訪せられ共に排日問題や將來の植民問題等について有益なる會談をした、千九百十七年は米國が世界大戰に參加したる年なるを以て農工商の振興著しく縣人も亦大發展の氣運に向つた、此年頃から會員間にも病氣又は死亡等の事故多くなつたので一同益々人間味を加ふると共に海外發展の爲一層結束を固くせざるべからざる事を思惟せられた、千九百十八年には大成丸同十九年には帝國練習艦隊相ついで來航あり其他母國の名士等陸續として羅府を訪ふ事となつたので日米の距離大いに短縮せられた感がある、千九百二十年には排日の魔手再び我等を見舞ひ借地權を禁止して遂に兩足を切斷せられたのである、是より先き世界大戰の影響により我縣人の商に農に事を興す者非常に多く會員全部殆んど事業家となり是より着々と其基礎を固めんとする時に當つて此無禮なる排日法の制定を見たるは吾等の非常なる落膽なりしも窮すれば通ずとの諺もあれば氣を取り直して各自の事業に精進した。千九百二十二年一月大成丸の來航あり又、澤柳、藤原、の兩博士及伊藤長七氏等十數名の縣人名士來羅せられ殆んど海外在住を忘るる程に世は狹くなつた、此年在留同胞唯一の結婚の途であつた寫眞結婚は又々排日の爲め禁止された、先には在留者として當然の權利を有するハワイ轉航を禁止せられ今は人間として生來の權利を有する結婚迄も阻止せられた、噫米國是か日本非か問題もここに到れば批判の要がない。

一、縣人會の改稱

本年八月九日片倉兼太郎氏を團長として土橋、黑澤、有賀の諸名士南米視察の途上來羅せられたるに彼り、本會は大歡迎會を開催したるに會する者五十名に及び頗る盛會を極めた、此席上各氏の講演あり殊に片倉團長より信濃海外協會の說明ありて本會の贊同を求められたるを以て青木會長は會員に贊否を協議せられたるに滿場一致入會に決し會則を縣人會々則に依り役員は縣人會役員之を重任する事とし名稱は信濃海外協會北米支部として二會併立以て一層海外發展に力を致す事に決議されたこれ實に當支部の發祥である、當夜右視察團より多大なる寄附金を頂戴し會の基本金として保存した。

一、最高幹部の任命

千九百廿三年本會は最高幹部を置く事に決し多年本會に功勞あつた浦田毛佐次郎、唐木安藏、茅野恒司、青木梅作の四氏を顧問に推選し被選擧權は有せざれども縣人會及海外協會の總ての會合に出席を乞ひ會の監督指導を賴む事にした、此年京、濱

地方大震災あつたので會員一同全幅の寄附をした。

一、排日益々猛烈

在留同胞が最後の望を囑したる收獲契約は本年春の加州議會に於て見事に禁止せられ吾等は遂に兩眼失明したのである。抑も米國の排日たるや其根本は人種問題に在れ共帝國が支那を倒しロシヤを屠り世界大戰に際して勇敢なる行爲を實感させられたるが爲排日と恐日とが混合して嫌忌病の高熱に浮かされつゝあつた所彼の京濱地方大震災は彼等米國の患者をして大いに安堵せしめたるものか千九百廿四年には遂に移民入國禁止となつて吾等は全く胴切りにせられた感があるのである。

一、南米移住唱導

千九百廿五年より廿六年に亘り南米熱漸次高まり殊に廿五年永田幹事な南米よりの歸途來羅せられたる後は本會員中、アリアンサに土地を求むる者多く當市にはブラジル研究會の設立を見る等漸く南米熱が高まつて來た、信濃海外協會北米支部設立以來我會員は北米內、カナダ、メキシコ、南米、朝鮮滿洲、北海道及樺太に到る迄常に海外發展のため又人口、及食糧問題の爲めに研究と實行とを怠らない次第である、本會の出版物としては千九百廿年長野縣人會報を發行したのみであるが近く再び會報出版の豫定である。

一、南加支部と改稱

千九百廿七年九月臨時役員會を開き信濃海外協會北米支部を信濃海外協會米國南加支部と變更した。

一、歷代の縣人會長及支部長

一九〇七年	浦田毛佐次郎	一九〇八年	浦田
一九〇九年	浦田	一九一〇年	浦田
一九一一年	浦田	一九一二年	浦田
一九一三年	浦田	一九一四年	浦田
一九一五年	唐木安藏	一九一六年	唐木
一九一七年	唐木	一九一八年	唐木
一九一九年	唐木	一九二〇年	唐木
一九二一年	唐木		
一九二二年	青木梅作（會長及支部長）		
一九二三年	藤本安三郎	一九二四年	藤本
一九二五年	藤本	一九二六年	藤本
一九二七年	浦田毛佐次郎		

一、現役員

支部長　浦田毛佐次郎　　副支部長　伊藤政十
會計　秋山英之助　　幹事　伊藤寬水

評議員
唐木保藏　青木梅作　茅野恒司
入隆夫　小木曾壽一　藤本安三郎
丸山音五郎　溝口功　丸山淸作
松嶋鍬人　田中銀三郎　荒井九万太
塚平九平　木下糾　堀內茂
山岸義茂　宮嶋淸衞　山崎節

一、現在會員氏名　（昭和二年十二月現在）

氏名	出身市郡町村名	職業	現住所
荒井能太	上田市	商	257 So Maine St. Los Angelse Cal.
青木梅作	小縣郡本原村	農業	Lomita California P. O. Box 495
秋山清美	南安曇郡有明村	養魚業金魚	Route 1, Box 31. Huntington Beach, California
赤坂壽種	上伊那郡朝日村	ホテル業	768 Wall St., Los angeles, Cal.
秋山英之助	上田市	ホテル業	1114 E. 10th St., Las angeles Cal.
茅野恒司	北安曇郡染川村	農業	R. F. D. 1, Box 95C Chula Vista, Cal.
出井永三郎	東筑摩郡里山邊村	商業	207 ½ Elm St., Long Beach, Cal.
藤本安三郎	松本市	農	452 Jackson St, L. A, Cal.
藤森政助	諏訪郡湖南村	農	250 E. 1st St., Los angeles. Cal.
古田三四郎	東筑摩郡筑摩地村	商	Lick Pier Ocean Park, Cal.
林清三郎	東筑摩郡譯村	敎師	1349 W. 35th Pleace L. A. Cal.
林敬一郎	上伊那郡伊那町		
原宮治	小縣郡縣村	商	509 N. Maine St., L. A. Cal.
平澤新吾	上伊那郡伊那町	農	112 Rose St., L. A. Cal.
長谷川恒司	松本市	農	
堀内茂	上田市	ホテル業	117 ½ E. 1st St., L. A. Cal.

氏名	出身市郡町村名	職業	現住所
平林直次	小縣郡長瀬村	農業	11305 8th Ave., Ingle wood, Cal.
濱村一雄	上田市		939 Stanford St., L. A. Cal.
平出清	諏訪郡境村	庭園業	R. F. L. 3, Box 178, Anaheim, Cal.
堀内大太郎	松本市	農	R. F. L. 1, Box 48, Santa Paula, Cal.
入隆夫	長野市	ホテル業	250 E. Fist St., L. A. Cal.
伊藤政十	上伊那郡河南村	保險業	1125 S. Nomandie Ave, L. A. Cal.
伊藤喜代次	諏訪郡玉川村		3615 Central Ave., L. A. Cal.
出野春雄	上田市		R. T. 1, Box 400 Turlock, Cal.
伊藤寛水	諏訪郡中洲村	寫眞業	338 ½ E. 1st St., L. A. Cal.
小林金之助	諏訪郡上諏訪町	商	328 ½ E. 1st. St, L. A. Cal.
上條勇	東筑摩郡朝日村		1264 W. 36th St., Las angeles. Cal.
近藤正考	松本市		836, 12th St., Sanpedro Cal.
木下紃	下伊那郡	保險	1364 W. 36th St., L. A. Cal.
唐木保藏	上伊那郡伊那町	醫師	2618 E. First St., L. A. Cal.
松島錫人	南安曇郡有明村	植木業	8424 So Western Ave., Las Angeles.
森田三樹	上田市		1641 Cosumo St., L. A. Cal.
丸山晉五郎	上田市	雜貨商	509 N. Maine St., L. A. Cal.
溝口功	上田市	庭園業	1004 Hortfoad Ave., Beverly Hill, Cal.

氏名	出身市郡町村名	職業	現住所
村松彌一	諏訪郡上諏訪町		606 E. ½ 1st St., L. A. Cal.
師岡三郎	北安曇郡會染村	農	R. F. L. 1, Box 290 Long Beach, Cal.
丸山清作	上田市	庭園業	811 E Maple St., Slendle. Cal.
中村金一	下伊那郡飯田町		26 E. Ave, 33, L. A. Cal.
大井四子惠	上田市	商	3601 W. 36th St., L. A. Cal.
小木曾壽三	松本市	ホテル業	510 Wall St., L. A. Cal.
小口清一	諏訪郡平野村	ホテル業	129E. 4th St., L. A. Cal.
大澤信郷	更級郡共和村	庭園業	2110 Pontins Ave., Sawtelle, Cal.
澁谷豊			235 Jackson St., L. A Cal.
春原順一	小縣郡本原村		250 So Spring St., L. A. Cal.
清水泰夫	諏訪郡平野村	商	449 So Broadway L. A. Cal.
鈴木勘			517 E. First St., L. A. Cal.
高山七臣	北安曇郡會染村	庭園業	402 S. Spadra St, Fulleirton Cal.
塚平九平	下伊那郡上飯田村	洋服店	217 E. 1st., St. L, A. Cal.
竹村安定	諏訪郡永明村	大正十四年南米アリアンサ移住	431 ½ Stanford Ave., L. A. Cal
田中銀三郎	諏訪郡上諏訪町	ホテル業	525 Stanford Ave., L. A. Cal.
堀橋耕作	上伊那郡富縣村	植木業	3530 So Western Ave., L. A. Cal.
矢澤足比古	下伊那郡伊賀良村	商	217 E. 1st St., Los angeles.
山岸義茂	上伊那郡美篶村		P. O. Box 31, Ocran Park, Cal.
大和元雄	諏訪郡上諏訪町		
山崎節	松本市	牧師	916 So. Mariposa Ave., L. A. Cal.
浦田毛佐郎	上田市	洋服店	133 So San pedro St., L. A. Cal.

昭和三年現役員報告

拜啓
時下寒冷之候貴會益々御發展の由奉大賀候　降て當支部も永恒的に發展致し居り候間御休心被下度候
例年により昭和三年度の總會を一月五日に開催致し役員並に評議員の改選を行ひ候間左に御報告申上候　—第二信—
一月二十二日
幹事　宮島清衛

會長（支部長）　唐木保藏
副會長（副支部長）　丸山晉五郎
會計　秋山英之助
評議員　浦田毛佐次郎　松島錫人
田中銀三郎　堀内茂
伊藤作衛門　近藤正喬
青木梅作　小川清雄
小木曾壽三　入隆夫
藤本安三郎　溝口功
大澤信郷　山岸義茂
堀橋耕作

海外各地支部設立の機運

◎加奈太　バンクーバーを中心にして加奈陀中西北部一圓とする在住本縣人及關係者を網羅するもの
◎ポートランド　米國オレゴン州ポートランドを中心に附近在住者を以て組織せんとするもの
◎ニューヨーク　米國東岸には大都市たる紐育を中心に附近都市に在住する者を網羅するもの
◎墨都　メキシコ市を中心にして當國東南地方を一圓せんとするもの
◎墨國西岸　マンサニヨより北上或は南下する地方在住者を連絡組織せんとするもの
◎リマ市　ペルー國在留本縣人を糾合して當國主都たるリマ市に設立せんとするもの
◎アルゼンチン　在亞本縣人を連絡統一せしめて亞國首府ブイノスアイレス市に設立せんとするもの
◎アリアンサ　伯國ノロエステ縣アリアンサ移住地在住及附近在住者を以て組織せんとするもの
◎リベロンプレート　伯國パウリスタ、モジヤナ兩線一帶に散住する本縣人を連絡せんとするものにして當地方中心たるリベロンプレトにおく
◎ソロカバナ　伯國ソロカバナ沿線及パラナ州東南部に在る在住者を包含せんとするもの
◎比島ダバオ　ミンダナオ島就中ダバオ在住者長野縣人を統一連絡せんとするもの
◎朝鮮、滿洲　現在の長野縣人會と連絡せんとするもの

（布哇）信濃會狀況（報告）

會長 永田安雄

> 謹啓 貴會愈々御隆昌の段奉慶賀候 陳者兼ねて御照會に預り居候當會の內容大略につき御返事申上候 實は以外に延引仕り誠に申譯無之候 御指定の事項につき左記申添へ候間御參考までに御一覧願上候
> 尙 別便にて日布時事編纂の「布哇年鑑」一部と繪ハガキ數葉御郵送申上候間御覽被下度候 敬具
> 昭和二年十一月二十日

一、名稱 信濃會

一、設立年月日 大正十五年四月二十五日

一、設立の動機と主唱者

大正十四年五月偶々曹洞宗管長代理佐々木珍龍禪師の隨行として來布せられし宮坂當宗師は縣下東筑摩郡坂北村碩光寺住職にして縣會の囑托を受け居られしを以て同縣人有志相寄り同氏の歡迎を兼ねたる晩餐會を開催の席上同師より熱誠以て縣人會設立の必要を慫慂せられ日頃吾等同志の希望せる點とも合致せし結果幸ひ此機會に於て左記十三名互に胸襟を開き熟議の上主唱者となり玆に愈々縣人會を組織する事に內定した。

主唱者氏名

永田安雄	宮坂幸高	關谷房太
二木近雄	吉澤茂	平林敏雄
小田中善信	關口仲太	山本幸平
小林政雄	清水潔	吉田精一郎
前田勘司		

一、信濃會創立趣旨大意

顧みる過去貳十年吾等縣人渡布當時に於ける各自の希望若しくは思想等は只單なる個人對社會の極めて單純なる時代なりしが逐年各自家庭を作るに從ひ漸次家庭對社會と言ふ複雜なる狀態に於かるゝに引き替へ現社會の有樣は日々に新思想文物進化の激甚に從ひて稍もすれば人心輕薄に流れ荒みつゝあり此秋に當り眞實觀を論じ又は懷舊の情緒を味ふには怎ふしても同鄉同縣人ならでは得べからず此意味に於き吾々長野縣人一同は一大家族と同樣に常に同心協力以て各自の向上發展を期さんと欲す

一、信濃會會則

第一條 本會は信濃會と稱す

第二條 本會は長野縣出身者を以て組織す

第三條 本會は會員相互の親睦便益を圖り福祉を增進せしむるを以て目的とす

第四條 本會々員は會費として毎月金廿五仙を納むること

第五條 本會の會費及基本金は何人と雖も之れが貸借を許さす

第六條 本會々員又は其の家族にして罹炎疾病等の爲め入院又は十日間以上の自宅治療者に對して見舞品を贈ること

第七條 本會々員にして罹災疾病等の爲め歸國の際は臨時役員會を開き協議の上應分の援助をなすこと

第八條 本會々員又は其の家族中不幸死亡の際は香花一束及び香典金貳弗也を贈り會員一同會葬し尙ほ葬儀萬端に就きては出來得る限り便宜を計ること
但し會員會葬の車賃は必ず各自自辨のこと

第九條 本會々員にして不時失職若くは轉職せんとする場合は會員全般に通知し出來得る限り之れが就職の便宜を計ること

第十條 本會々員にして見舞又は香典を受たる返禮は一切之れを嚴禁す

第十一條 本會に對し寄附金の依頼を受けたる場合は臨時役員會を開き其の諾否を定むること

第十二條 本會々員にして歸國の際は本會より記念品を贈る事

第十三條 本會の集會は定期總會臨時總會及役員會の三種とす
一、定期總會は毎年一月及七月と定め一月は會務會計の報告役員の改選其他必要事項を議定す
一、臨時總會は役員半數以上の要求の場合會長之れを召集す
一、役員會は必要に應じて會長之れを召集す

第十四條 本會役員は會長、副會長、會計、書記各一名宛監査二名、地方委員四名を置く
一、會長 本會を總理し每會議長たること
一、副會長 會長を補佐し會長事故ある時は之れを代理す
一、會計 本會の會計事務を掌る
一、書記 本會の記錄通信を司り一切の庶務に當る事
一、監査 本會の會計帳簿記錄等を監査す
一、地方委員A、各受持區內の會員の動靜に注意し若し事故ある時は直ちに其旨會長に通する事
B、會より凡べての通信に關する傳達事務を司ること
C、各受持區內の會員より毎月會費を徴集し會計の許まで届けること

第十五條 本會役員の選定は會員の投票により最高點者之れに任す任期は一ケ年とす、但し再選を妨げず

第十六條 本會の議事は役員の出席者過半數の決議を以て有効とす

細則

第十七條 本會の役員會は會長、副會長、會計、書記、監査を以て組織す（地方委員の出席を促がすこともあるべし）

第十八條 本會々則の修正又は追加を要する時は總會の決議を經るものとす

第十九條 本會の細則は必要に應じて役員會に於て之れを制定す

> **布哇の智識**
> 位置 日本より三千四百哩、米國より二千百哩を隔つる北大平洋の中心に當る數十の大小島嶼。
> 面積 六千四百平方哩にして四國の七千平方哩より稍小で尙本縣の四分一倍に當る。
> 人口 三十三万人で內日本人が十三万人、比律賓人が五万人である。日本人中廣島縣が三万人で四分一を占め本縣人は僅かに三百名に達せぬ
> 產業 砂糖を筆頭にパイナップル、珈琲、米が主產物で其の他熱帶獨特の果物が產出せられる。
> 水族館 大平洋の布哇は其地形上魚類の棲息頗多く漁業は盛んであるがホノルルには世界第一と稱せられる水族館がある。

一、設立發會式と現役員

其後宮坂詰宗師渡米に就き送別會開催の席上右出席有志に依り更らに協議を重ね し結果貳名の會則起草委員（宮坂幸高、前田勘司）を選び會則起草を依頼す

信濃會發會式 大正十五年四月貳拾五日擧行
出席人員數 貳十名
第一年度當選役員

會長	永田安雄
副會長	宮坂幸高
書記	吉田精一郎
會計	二木近雄
監査	山本幸平
同	前田勘司
地方委員	關谷房太
同	關口仲太
同	武藤眞喜太
同	小宮山欽吾

一、年中事業計畫と其狀況

貯蓄奬勵會設置の計畫あれども創立以來日尙淺きため未だ實現の運びに至らず
毎年初秋の候を期し家族本位のピクニックを催す

一、現在會員名簿

現在會員は左記の四十五名にて重に當ホノルヽを中心と致し居れども漸次他嶋在住中の縣人諸氏にも加入を勸誘する筈である。
現在當會手許に迄判明致し居る布哇全島の在留の吾縣人數は六十八名（會員を含み）である。

一、會員名簿

人名簿（順序ABC）

氏名	本籍	住所
武藤眞喜太	南佐久郡平賀村	南キング街アヤレーン七三
平林敏雄	東筑摩郡波多村上波	キング街郵函一一七七
岩下貞亮	長野市	モイリ、
茨木小彌太	上田市	カラカウアペニー二五三六
小林政雄	下伊那郡大下條村	モイリ、
勝山三郎	上高井郡日野村	クワキニ街
木原健次	上高井郡日野村	パラマ、ロベロレーン
小宮山欽吾	埴科郡戸倉村弐番地	イヴリーロード
小宮山謹一	埴科郡戸倉村八番地	郵函一一一三
勝山蓮	上高井郡日野村	ヌアヌ街一三四六
金子易	小縣郡殿城村赤坂	パラマ
片山肇	上高井郡井上村	パラマ
乘田	下伊那郡大下條村	パオウ谷
宮下竹次郎	小縣郡丸子町	モイリ、
百瀬和平次	東筑摩郡波多村淵東	キング街郵函一一七七
宮坂安次郎	埴科郡埴生村	クワキニ街
前田勘司	東筑摩郡山形村	郵函一二五二
宮坂幸高	埴科郡埴生村字寂蒔	カリヒ、ヒオ街二二一五五
宮本純	埴科郡西條村	ククキニ街
中村信一	北安曇郡廣津村	イヴリー
永田安雄	東筑摩郡山形村	郵函九七九二
二木近雄	松本市今町	郵函一一七七
二木勝三	松本市今町	郵函一一七七
小田中善信	小縣郡縣村田中	モイリリ
清水潔	小縣郡豊里村中吉田	モアナホテル內
關口仲太	南佐久郡中込町二三七五	モイリ、
關谷房太	上水內郡柳原村	デシヤレーン
關谷重雄	上水內郡柳原村	ヂシヤレーン
坂井看護婦	上水內郡信濃尻村	日本人病院內
土橋岩松	諏訪郡上諏訪町	マノア
高野岩吉	上水內郡朝陽村	南キング街アチヤレーン
山本幸平	北安曇郡廣津村	南キング街アロハレーン
山田芋	上水內縣島居村	イヴリー七七
吉澤茂	松本市和泉町二丁目	エルウエネ街七二〇
井口善一郎	北安曇郡廣津村	オアフ嶋カハナ
吉田精一郎	西筑摩郡福嶋町	郵函八六一
上原信篤	小縣郡	布哇嶋ク、イハエレ
名護忍亮	下伊那郡	布哇島ワイナク
篠田義雄	下伊那郡千代村	布哇嶋ヒロ市
東福寺小四郎	更級郡共和村	馬哇島ワイルク
東福寺香	更級郡共和村	馬哇島ラハイナ
瀧澤勘一	上伊那郡	ホノルル市
宮澤寛	同	ホノルル市
本澤福治	小縣郡	尾亞府嶋ワヒアワ
成澤留次	同	同

（墨國タムピコ）信州人懇親會狀況

一、梗　概

大正十四年十一月タンピコ市在住の岩垂貞吉氏より當地在住の矢島璋三氏を中心に信州人の鄉黨的親睦を計るため支部を設立する旨の通信あり、越へて翌年一月當地在住の同縣人の集合を開きタンピコ信州人懇親會と名づけ同時に本協會の趣意に參じ連絡を計る事になつたものである。

矢嶋氏は在墨既に二十年にして一意專心事業に奮闘すると共によく同胞の指導に任じ現にタンピーコ市日本人會長として名聲を謳はれてゐる。本協會が大正十一年創立せらるゝやこれを祝福して多額の寄附をなし尚これに滿足せず更らに同地に自ら進んで支部を設けるの活動をなし常に在外同胞の中心となつて指揮教導するは實に此の仁俠に富める人格の現はれと云ふべきである。

一、名　稱　　タンピコ信州人懇親會

一、創　立　　大正十四年一月二十五日

一、現會員

氏　名	出身村名	現　住　地
矢嶋璋三	上伊、伊那富村	Apartado #232 Tampico.
矢嶋義滕	上伊、伊那富村	〃　〃
藤澤善十	上伊、東箕輪村	〃　〃
高田芳鄰	東筑、新村	Call Estella Tenda El Nippon
宮本芳郎	更級、鹽崎村	% K. Kuga, Apartado 1327. Tampico.
濱龜作	諏訪、平野村	Call altamisa #114, Arente.
竹內喜久治	上水、朝陽村	Call Calsoda Blanca 62. Tampico.
中原長衞	上伊、富縣村	（死　亡）
安藤勇	上高、綿內村	% S. Yashina Aportad 282
岩垂貞吉	上伊、朝日村	Cerritos S. L. P. Mexico.

信濃海外協會　伯國レヂストロ支部狀況（報告）

支部長　內　田　登　始　雄

拜啓　五月十日、七月一日附御書、小松前理事より、廻送有之正に拜讀仕り候、本年度總會に於て小生支部長に當選就任仕り候、扨當支部も二、三年來有名無實に打過ぎ本部に對し全く恥かしき次第本年度はいさゝか面目を一新致し度考に御座候

一、五月十日附御照會の件に關しては記錄不充分にて滿足なる御回答は致し兼候へ共出來る限り調査致し候

一、七月一日附の會員名簿云々に關しては先に貴會より海興本社に御依賴の長野縣人在外名簿作成の件は本社より、イグアペ植民地事務所に廻送され更に、レヂストロ事務所の手を經て小生手元迄廻送之有候其の際調査致し、イグアペ事務所に提出致し置候も御希望に依り一通御送附申上候

一、雜誌海の外は每月出來得る限り多く御送本相願ひ度候

一、レヂストロ支部納入會費五十人分百圓は海外興業株式會社イグアペ植民地事務所の手を經て送金手續を致し置候間御受取被下度候（昭和二、九、八）

レジストロの位置

サントス港に上陸してサントス市アンナ、コスタ驛より鐵道でジユキヤに至り更らにジユキヤよりリベキラ河によつてレジストロに到着する。サントスを午前六時に出發すれば同日午後五時到着する事が出來る聖州東南に位する處である。

一、創立年月日

長野縣人會の創立　大正十一年六月二十四日

伯國レジストロ支部　大正十四年一月二十日

一、創立趣意書　別に無し

一、經　過　信濃海外協會幹事永田稠氏來植の際協會との連絡上入會を希望せられ談合の末長野縣人會として五十名分の維待會費を納入し通信を約す而して長野縣人會創立より今日に到れる經過を記述すれば、元來當地在住長野縣人間にありては年一回の新年懇親會と家長及び主婦の死亡其他罹災者に對し其都度若干の見舞金を贈りつゝありしも近年懇親會の出席並に見舞金の出金步合を見るに漸次衰退の傾向あるを認められ本年の懇親會頃より是に對する善後措置を講ずべく輿論高まり遂に組織的長野縣人會の設立を見大正十一年六月二十四日創立總會を開くに至れり

一、規　約　名義上支部なるも植民地內に於ては依然長野縣人會なれば縣人會の規約を登載す

第一條　本會は長野縣人會と稱し事務所を會長宅に置く

第二條　本會はレヂストロ植民地及其附近に在留する長野縣人を以て組織す

第三條　本會はレヂストロ及び其の附近に在留する長野縣人の交誼を結び其中堅たる地位の向上を圖り縣人間の罹災者を見舞ひ尚鄉里の後援團体との連絡通信及新入植者の便宜を計るを以て目的とす

第四條　本會に左の役員を置く

會　長　一名　　副會長　一名

理　事　四名　　委　員　各方面に一名

第五條　會計及圖書主任は理事中より互選す

會長は會務を總理し會を代表す副會長は會長を補佐し會長事故ある時は代理す、理事は重要會務に參與し且つ之を評議す、委員は各方面の會務を處理し本會の諸協議に列するものとす

會計は本會々計事務を司り圖書主任は本會圖書の保管に任ず

第六條　會長、副會長、理事、は全員の總選擧に依り委員は各方面にて選出するものとなし各任期は一ケ年とす

第七條　會費は一ケ年一人參ミルレースとす

第八條　會費は當座預金として經常費及び會員中罹災者見舞に支出し殘餘は積立つるものとす、但し理事會の協議を經るものとす

第九條　會計は常に帳簿を整理し會員の求めに應じ之れを閲覽せしむるものとす

第十條　每年七月中旬の日曜日を以て總會を開き會務及會計の報告をなし役員の改選を行ふものとす

第十一條　本會員は品行を愼み苟くも長野縣人たる休面を毀損するが如き行爲なきは勿論進んで在留同胞の模範たることを期すべし

第十二條　鄉里の後援團体及個人より寄贈せられたる書籍は本會に於て保管し會員の閲覽に供す

第十三條　第三條罹災者見舞金の程度及種類

1、會員の死亡　四〇ミルレース

2、主婦の死亡　四〇ミルレース

3、火災及傷病者は理事會の協議を經て其の金額を決定すること

第十四條　縣人新入植者ある場合は役員出張して之れを迎へ種々便宜を計るものとす

第十五條　規則の改廢は總會の決議を經るを要す

一、創立よりの支部長及役員

	大正十四年度	大正十五年度	現　在
會長	宮下延太郎	宮下延太郎	內田登始雄
副會長	內田登始雄	松村榮二	久保田安雄
理事	久保田安雄	久保田安雄	中嶋省三
同	中島貞雄	內田登始雄	曲尾良雄
同	小松敬一郎	太田政彌	吉原喜太郎
同	松村榮二	小松敬一郎	中島貞雄

一、本年度豫算

總會費	六五、〇〇〇
見舞及香奠	一五〇、〇〇〇
役員會費	一〇、〇〇〇
消耗品費	一〇、〇〇〇
豫備費	一〇、〇〇〇
計	二四五、〇〇〇

一、創立より重なる出來事（縣人會當初より）

大正十一年度　當時の會員數　三十八名

六月二十四日　規則の制定

八目二十九日　鈴木梅四郎氏の歡迎會

九月二十三日　實業團一行來植、信州より片倉、土橋、黑澤、有賀の諸氏來る

九月二十四日　右四氏の歡迎會を內田氏宅に開く

大正十二年度　會員數　四十八名

一月廿日　片倉氏一行よりの頂戴金七百ミルレースを基本金として積立

本年中見舞四件、死亡二件

大正十三年度

一月十五日　松村榮二氏歸國に付協會への傳言及送呈品豫算百ミル計上

九月十八日　海外協會幹事永田稠氏の歡迎會を第四部青年會々館に開き尚故中村國雄氏の追悼會を執行、遺族に三百ミル贈呈

九月二十二日　永田氏と談合の結果支部と命名　但し植民地內は依然長野縣人會と稱す

大正十五年度

二月二十五日　協會幹事宮下琢腑氏の歡迎會を第四部青年館に開く

本年中見舞八件、死亡二件

レヂストロ支部會員名簿（昭和二年七月現在）

會員氏名	原　籍　地
秋山粂一郎	下高井郡長丘村七瀨
青柳新治	埴科郡雨宮縣村土口
青柳芳治	同
青木忠太郎	北佐久郡南大井村御影新田
淺野利實	東筑摩郡嶋立村三三宮（歸國）
有賀德次	上伊那郡南箕輪村
淺川正賢	同　郡箕輪村三日町

大工原宗一郎　北佐久郡高瀬村
大工原佳郎　同　郡同　村横和
藤澤房吉　下高井郡長丘村厚貝
深澤深一　東筑摩郡波多村
藤原滿壽門　南安曇郡高家村
長谷川小一郎　下伊那郡鼎村鼎
花岡賢　小縣郡彌津村
林今朝士　下伊那郡龍江村
石川忠愛　長野市古牧
石川文夫　小縣郡彌津村
猪俣久美　松本市深志片端町
池上熊治郎　上伊那郡長藤村
井之浦多吉　上高井郡日瀧村
小松敬一郎　上伊那郡伊那富村
久保田安雄　更級郡小嶋田村
金子繁松　長野市栗田區稻葉
金子茂作　同
春日文藏　埴科郡屋代町屋代
倉嶋駒治　上水内郡古里村
近藤新九郎　更級郡眞嶋村川合
唐澤武雄　上伊那郡河南村
小林武治郎　下高井郡高丘村
金野幸輔　下伊那郡泰阜村

小平桑三　下伊那郡山吹村
北澤伊代吉　上伊那郡飯嶋村
木下東　下伊那郡三穗村立石
前田治三郎　上伊那郡河南村
南澤龜之亟　小縣郡神科村古里
南澤增衛　更級郡川柳村石川
曲尾良雄　小縣郡東鹽田村下郷
村澤和一　下伊那郡下條陽阜村
水上廣太　上水内郡神郷村南郷
丸山爲治　上水内郡長沼村大町
松村榮二　北安曇郡美麻村
宮下延太郎　更級郡八幡村
宮下丑藏　上伊那郡中澤
牧内忠　上伊那郡下川路
村山七郎　埴科郡屋代町屋代
村田政勝　長野市古牧西尾張
松橋勝治　長野市吉田町
松本覺次　上水内郡北小川瀬戸川
中島貞雄　埴科郡中之條
中嶋源吾　下伊那郡下條睦澤
中嶋川佐　東筑摩郡波多村
中島省三　上高井郡豊洲村小嶋
永井覺市　下高井郡高丘村

嶋田晋　埴科郡雨宮縣村生萱
下平與市　上伊那郡伊那町
鹽川常藏　北佐久郡小諸町山原
田中正勝　下伊那郡松尾村
田中益雄　東筑摩郡生坂村
田中甲子龜　上伊那郡飯嶋村田切
高野實　上水内郡朝陽村北長地
西村健重郎　上伊那郡河南村上山田
中澤與五郎　更級郡御厩村
中澤廣元　埴科郡杭瀬下村新田
那須野喜平次　上伊那郡七久保村
楢本榮三郎　上高井郡川田村中嶋
長澤信家　小縣郡富士山村
中村芳美　東筑摩郡本城村
太田政彌　上水内郡淺川村西條
大日方龜惣　長野市古牧高田
大室猶衛　更級郡川中島村
大室助治　同
大谷政信　更級郡更級村羽尾
小笠原秀雄　下伊那郡下條村
大平安　下伊那郡喬木村
六川佐市　上水内郡古里村
清水清藏　下伊那郡下川路村

嶋田鶴雄　埴科郡倉科村
高野右一郎　上水郡朝陽村
戸田今朝一郎　上伊那郡西箕近村
高井多賀治　小縣郡大門村
內田登始雄　長野市箱清水
牛越今朝男　北安曇郡會染村
海野助彌　上水内郡古里村上駒澤
吉川司馬藏　下伊那郡上郷村飯沼
吉川喜之作　下伊那郡上郷村
吉原喜太郎　更級郡大岡村
和田睦衛　長野市長門町
山寺融　小縣郡富士里村
嶋岡幸一　下伊那郡千代村
植木吉右衛門　上高井郡豊洲村小島

計九〇名

△宮下琢磨氏

南洋方面の觀察旅行に昨年十一月同地に向ふた宮下氏は十二月八日新嘉坡着直ちにジャワ島に和蘭便船にて翌九日出發し約一ケ月に渡り同島を觀察し十二月三十一日は更らにジャワよりスマトラに向ふ途中にあり新年を船中で迎へた。との最近通信があつた。

排斥問題と日本人の覺悟

桃太郎噺の禍と出稼根性絶對禁物

在加奈陀　宮澤八郎
（上水内郡若槻村出身）

內地に在る人々にとつて、排斥問題と云ふ題目丈でも餘りよい氣持ちのするものではありますまい。殊に吾々の如く海外に在つて直接其等實際問題の爲めに吾々日本人の人格なり經濟なりに少なからぬ影響を蒙るものにとつては、只簡單に排斥問題には困つたものだ位に、お茶を濁して置くわけには行かない。是非共眞劍に考慮して是れが對應策を講究しなければならないものであるそして、內地に在る人々も排斥問題の起原する根本原因に就いて對岸の火災視せずして實際問題として考慮して頂き度いのである。

日本人が排斥されると云ふ事はいろ〳〵の原因もあらうでしようが第一の根本原因は出稼根性である。私共は昔から「故郷へ錦を飾る」と云ふ古諺を云ひ聞かされて居るが是れが出稼根性を培ふ代表的言葉であると思ふ。其れと共に幼な子供時代母親の懷にお乳を樂しんで居る時分より繰返〳〵聞かされるあの桃太郎の昔話である。あれがいかに吾々日本人の海外發展上障害となつて居るか判らないのである。只白人種は自分達は優越人種と思つて吾々日本人の立派な大和民族を排斥するなどは常に正義、人道を口になしつゝある、彼等として餘りに無人道的である、日本人の眞價を知らぬからだと、內地に在る人々は憤慨なさるゝのも決して私は無理であるとは思はないが然し其根本原因には遠い昔より斯の如き教育を受け來りし結果として吾々日本人の誰彼の差別なく多少なりとも意識すると否とにかゝわらず其思想が流れて居るものと私は考へる。

其根本原因に就いて考慮せずに結果に於ける排斥問題のみを云々するのは抑も本末を顚倒して居るものといふべきものである。

其出稼根性に依つて支配されて居る海外移住者の其在留地に於いての日常の生活狀態並に對異人種との接觸等に關しては常に出稼根性を根底として出發して居るのは云ふ迄もないのである其結果として「旅の恥はかき捨て」となり壹仙でも多くもうけて壹日も早く故鄕へ錦とやらを飾り度い計りに在留地の白人達と全く相違せる思想なり生活狀態なりを墨守して居る、其思想の方法に依つて排斥されると云つたような事が常に繰り返されて居るのである。そんな事で排斥と云ふような大問題が緩和され得る望は到底ないのである。

要は出稼根性を改めるにあるのである根本原因を除去するにあるのである。左樣したならば其處から生れる思想なり日常生活狀態なりが新しいスタートを切る事になり其國の人々とよく調和して共存共榮が實際に行われるようになるのである。

殊に海外移住者は勞働階級である故には人種の差別なく勞働者としての階級意識を持つて白人勞働階級と提携して行かなければならないのである。

南米に南洋に又何れの地に移住せらるゝ諸君に故鄕を後に雄志を抱いて移住せらるゝならば須らく出稼根性などは、佛壇の中へでも置いて行き給へ、桃太郎主義は忘れ給へ、男子志を立て鄕關を出づではないか人間到る處青山ありだ、大に勇氣を皷躍して海外に雄飛せられん事を切望する次第である。特に鄕里に在る信州青年に老婆心を呈するものである。

の果として、勞働市場に於ける賃銀率も破るやうな事になり同じ勞働階級に在る白人より大なる、脅威であると感ぜらるゝようになるのである、其處で白人勞働階級、卽ち一般大衆が東洋人は我等の生活脅威者として排斥すべきである、と叫ぶのである。

玆で一寸云ひ置き度い事は白人でも、商人階級なり資本家階級には排斥などはないのである、商賣上には商賣取引さへあればよいし又資本家階級には東洋人は安賃銀で長時間忠實に働いて吳れるのであるから排斥どころか大歡迎であるのだ又排日議員だとか排日政黨だとか云ふが是れも彼等議員が政黨が是非共日本人を排斥しなければならぬと云ふ理由が見出されないのであるが其れでは何で彼等が排日を叫ぶかと云ふ事を調べて見ると彼等議員なり政黨なりの地盤に於ての一般大衆なる勞働階級が叫ぶ排日の聲を無關心に聞いて居る譯にはゆかないのである其結果として排斥を叫ぶ議員があり排斥問題に關する議案が上提さるれば政府黨と在野黨の別なく殆ど一つの質問戰さへなくて通過さると云ふ事になるのである。

吾々海外在留者の中にも幾多の先覺者がある、そして是れ等の問題に就いて考慮を拂つて居られたのであらうが米國及び加奈陀を通じて實際の對應策としては寡聞にして聞く事が出來なかつた僅に對應策らしきものを講策するのは、正面から無暗と日本人の權利を主張したやうな、結果訴訟問題を起したりして莫大な費用を浪費し其訴訟が假に勝訴に終つたとしても、又々他

新刊紹介

滿蒙　二月號（中日文化協會發行）滿蒙の文化開發と該地方在住民共同の福利を增進せしめんとする日支人提携の樞位ある中日文化協會の機關誌で滿洲、蒙古、支那本土方面に志する者の好伴侶である。購讀希望者は三箇月以上の會費（一ケ月一圓）を添へ申む事

母國通信

菊池寬氏愈々出馬
若い婦人に人氣を湧す

菊池寬氏が社會民衆黨の公認候補として東京府第一區(牛込、四谷、麹町、麻布芝)から乘りを上げる事となり二月三日午前八時半社會民衆黨より聲明書を發表したが菊池氏の立候補演說はさぞかし若い婦人が目白押しに押寄せ選擧そつちのけに人氣をわかせるであらう

久原氏出馬
山口一區より

久原房之助氏は田中首相の熱心なる勸說によりて山口縣第一區より出場する事に決意し近く本部より公認發表を待つて活動を開始する筈である

候補者全部出揃ふ
九百六十七名定員の二倍餘

第一回普通選擧の陣頭に立つ候補者の立候補届出では最終日である十三日午後十二時までに全部出揃つた其の總數は九百六十七名に達した候補者は定員の二倍餘となつた譯である更にこれを全國百二十二の選擧區に付いて見るに一區として競爭即ち普選法で初めて認めた無投票區なるものなく全國津々浦々に至るまで今や一大政戰は展開され朝野各派何れも必勝を期し努力を續けて居る最初聊か見くびられて居た無產各派が新興勢力の陰々たる背影で四十八名の候補者がくつわをならべて既成政黨の地盤に縱横に進出して居ると共に革新も又少くとも奮勢力を維持すべく奮鬪を續けて居る等選擧期日の切迫につれて競爭は益々激甚を加へて居るが何分選擧の結果を支配すべき新有權者九百餘萬人の向背が不明のため各黨共に死物狂ひに戰つて居る十三日現在までの届け出で候補者別は左の如し

民政	三四八	政友	三四八
革新	一七	實同	三〇
勞農	三九	日勞	一二
民衆	一八	日農	一一
地方無產	四	中立	一四〇
合計	九六七		

選擧公正を嚴守し
法相獨り動かず

總選擧期日は愈々切迫したが、黨外閣僚たる原法相は總選擧に對するや極めて冷淡にして勝敗如何の如きは敢て考慮せざる態度に出づるものありて、黨出身閣僚の考察する所とは甚だしき間隔存し從つて政府必勝の方針を妨ぐる結果を招くもの一再ならず原法相の態度にあきたらずとする氣勢とみに動きつゝあるが殊に鈴木內相の如く多年司法部內にあり表裏共に通曉せるものにあつては、今少しく伸縮自在の方途を講ずるも必ずしも司法權

の神聖をけがすゆえんにあらずとの見解を拘懷するもゝ如く、法相の實際政治を超越したる法律万能主義には、政府擧げて持て餘しの形勢を導きつゝある。

全國一齊投ぜられた
新日本首途の一票

國民的要望の的である普選の日は遂に現實のけふとはなつた!金による特權の障壁を打破して始めて全大衆の意思がわが憲政の上に打ち込まれる日だ、この日初春の空は全國的に高々と晴れ渡つて天もまた新日本の首途を十二分に寿むかの如くである。北は寒氣りん烈の北海道の端より南黑潮寄する九州沖繩に至るまで千三百萬民衆の意思は一票にこめられて力強く投票箱めがけて投げ込まれた、既成勢力がいかに古き牙城を死守するか新興勢力がいかに政治の舞臺へ躍進するか、國民の裁斷は今投票箱の中に降り注がれたのである。

全民衆の總意を判定する
各政黨の府縣別總得票

第一次普通選擧の總決算は普選大衆一千萬の投じた結末なるだけに特種の興味をそゝり世間に各種の問題を投てゐるが政府黨たる政友會と反對黨たる民政黨との當選議員數は不思議にもほとんど相伯仲してゐるこれがために國民の總意はいづれの政黨によく反映したかを判定すること困難なる狀態を呈することゝなつたので政局は頗る異常の動きを見せて來たしかして今回の選擧の特長として現れたる中立候補排除の傾向である、政府與黨もこの新時代の傾向を看取し得なかつたのが事實上の敗因とせられてゐる程であるが、次では實業同志會、革新黨等の當選率が豫想以上に思はしからずいづれも中立排除の餘波を蒙りたるものと見るべくこれに反して無產各政黨は一般の豫想以上に當選率を見るとゝなり一大進出の情況を示してゐる、かく中間派排斥の結果は朝野二大政黨の對立を如實に示した

一、民政黨 四、二一八、三九九票
一、政友會 四、一八五、九六三票

となりこの開き實に 三二、四三六票は民政黨の勝利を物語るものである右兩政黨に對比して新興黨無產各政黨は候補者の亂立を防ぎ得たならば更に多數の當選を見たものゝ如く卽ち

一、無產各黨 四四七、八四六票

となりこの數字を中心として今後動いて行く無產各政黨の前途は多望なることを知らせるものである

確定各派別當選者數

當選後の各政黨派別は各自黨有利に計算して發表していづれも信ずるに疑ひものがあるが大阪每日新聞の調査は嚴正中立最も信ずべきものであらう。

政友	二一七名	民政	二一八名
革新	三名	實同	四名
勞農	二名	日勞	一名
民衆	四名	日農	〇名
中立	一五名	其他	二名
合計	四六六名		

(內譯)新一六八 前二四八 元五〇

彈壓の下に大山氏落つ
悲壯な香川の敗戰

さしもに天下の視聽をひいた香川縣第二區の衆議院議員選擧も終り今は時めく大藏大臣とほこを交へて肉薄しあらゆる彈壓と束縛にあつて苦戰また苦戰血みどろになつて活動した勞農黨首大山郁夫氏はあはれその奮鬪むくいられず次點で落選の憂目を見奮鬪して戰ひ續けて來た香川縣の勞農黨はもちろん氏の運動員一同は氏を取りまいて悲憤の淚を流したが大山氏は語る

自分は最初から當落はあまり氣にしてゐなかつたがたゞ自分のためにあらゆる犧牲を拂つて戰ひ續けて來てくれた友人たちや黨員諸君に何とも申譯ないしかし今度のやうに言論を封ぜられあらゆる彈壓を受けたことは生れて始めてゞす云々。

議會開會を待たず
倒閣運動に着手す
怪文書、內相聲明等を擧げて一大民衆運動起らん

民政黨は今回の選擧の結果は政府が不當なる態度を取つたのに拘らず案外好成績を收め得るの確信がついたといふので幹部は政局の將來に大なる期待を有するに至つた樣であるが特に過般政友會本部より全國の同黨公認候補者に配布したと傳へらるゝいはゆる怪文書事件並に鈴木內相の議會中心政治否認の聲明更に普選の初頭を汚した全國的の政府の選擧干渉その他の不正行爲ありとし斷じて立憲治下において許容し得ない重大事として臨時議會開會に先だち現內閣の倒壞運動を起す方針で取りあへず選擧の結果判明次第直に本部において新代議士會を開き引續き一大民衆運動を起して輿論を喚起し倒閣の目的を達せんとの意向を有してゐる

信州記事

候補者出そろふ
届出先づ一段落

六日に至つて本縣の立候補者は正式に出揃ひ濟みとなつた譯である現下の大勢より察し先づこれ以外の立候補はあるまいと豫想されてゐる試みに候補者の一覽表を示せば左の如くである

候補者	政派	年齡	職業
第一區(定員三名)			
小坂順造	(民元)	四八	會社員
松本忠雄	(民前)	四二	農業
春日善之助	(民新)	四四	會社員
山本愼平	(政前)	五一	新聞業
第二區(定員三名)			
山邊常重	(民元)	五三	會社員
春日俊文	(政元)	五六	會社員
篠原和市	(政前)	四八	官吏
小山邦太郎	(中新)	四〇	蠶糸業
第三區(定員四名)			
樋口秀雄	(民前)	五四	著述業
戶田由美	(民前)	四三	農業
藤森成吉	(勞農新)	三七	著述業
小川平吉	(政前)	六〇	官吏
山田織太郎	(政新)	五六	農業
原田治郎	(政新)	四一	辯護士
伊原五郎兵衞	(政新)	四九	會社員
第四區(定員三名)			
植原悅二郎	(政前)	五〇	官吏
降旗元太郎	(民前)	六五	新聞社長
畔田明	(新正前)	四四	無職
上條信	(政新)	四五	會社員
百瀨渡	(民新)		新聞社員
小松雄道	(中新)	三七	僧侶
唐澤龜雄	(中新)	四〇	新聞記者

以上二十二名の候補者の平均年齡は四十八歲高齡は降旗元太郎氏の六十五歲、小川平吉氏の六十歲等、少壯は藤森成吉、

移植民ニュース

智利の製造工業振興と
特殊技術者移住歡迎

智利國政府は國內に產出する原料品を利用する內國製造工業振興のため、此種工業を經營する外國工業會社の國內設立を歡迎し又斯種工業に必要なる特種技能を有する外國移民の渡米を圖らんとしつゝあり就中製造工業中銅、石炭副產物、陶磁器類等の工業發展に努力し外國會社の全從業員の五割乃至六割までを自國より移住せしめ殘餘は智利勞働者を以て充てしむる計畫にて此等の外國移住者には智利政府は相當に保護及援助を與ふべしと云ふ。

玖馬對日貿易
一九二五年の狀況

一九二五年玖馬對外貿易額は輸入、二億九千七百三十二萬四千弗、輸出三億五千三百九

小松雄道兩氏の三十七歳小山邦太郎、唐澤龜雄兩氏四十歳等である尙職業別に見れば會社員七名、新聞社員四名、官吏三名、著述業二名、農業二名、僧侶一名、製糸業一名、辯護士一名、無職一名である

全員二十二名
貧乏籤をひくは九名

本縣からの立候補合計二十二名この內政友會十名、民政黨七名、中立三名、革新クラブ、勞働農民黨各一名づゝである候補者の出揃ひによつて選擧戰は愈本舞台に入り來る十九日までは何れも必死の活動をなすはずであるが定員十三名に對し候補者の超過すること九名即ちこれだけが落選の貧乏籤を引く譯で思へば一喜一憂の生活を當分繼續しなければならぬ立候補者二十二名中實際の新顏は第一區で政友會の春日善之助氏第二區で中立の小山邦太郎氏第三區で原田次郎、藤森成吉、山田織太郎の三氏第四區で上條氏、小松雄道の兩氏で合計七名立候補者總數の三分の一弱である

片や副總理
片や無産派闘士

諏訪平を中心として普選最初の政戰を開いて小川平吉老對藤森成吉氏の組合せこそ、全國の注目を集注する興味深き戰ひの一つであらう、一は時の內閣のいはゆる副總理をもつて自他の認む位階勳等さんとして輝く極右の領袖、一つは無産階級解放戰線の陣營內に立つ極左の若き闘士、既にこゝにコントラストの妙がある

△

創られて今や四十幾年既成政黨に——しかも高き地歩を占めて席を置く鐵相があくまでも鞏然ろう固たる組織的地盤を持つのに對して藤森氏は三無産黨その他の支持を負ふとはいへ、然し表面からのみ見る時にそれは空手空けんといつた感の深いのは爭はれぬ事實だ

△

代議士に當選すること既に六たび國勢院總裁、鐵道大臣、司法大臣等の要職つき

十八萬四千弗、再輸出百五十四萬弗、合計六億五千二百八十四萬八千弗にして輸出は輸入に比し五千六百六十五萬九千弗の超過を見たり。これを前年の輸出に比して五千八百十八萬一千弗の減少せり。此輸出貿易の不況は急激なる砂糖輸出の減退に職由す。

而して對日貿易を見れば輸入百十二萬弗、輸出百九十四萬弗合計三百六萬弗にて之れを前年に比較するに輸入に於て二十萬弗、輸出に於て百九十四萬弗を夫々増進して入超より出超の大勢に變じたり。主要輸出品は砂糖及煙草の二種類に過ぎず、主要輸入品は陶磁器、綿布帛、線製品、絹布帛、米、豆類、扇子、玩具、刷子等である。

植民思想講演
松岡好一氏を偲び

南安曇郡溫村が生んだ志士故松岡好一氏をしのび且海外發展思想普及のため溫、明盛兩村有志は二月十一日午後一時より溫明小學校に於て開會植民思想普及講演會を開き當日は日本力行會長永田稠信濃海外協會西澤幹一郎その他數氏の講演があつて後、小松溫村長より故松岡氏の紀念追悼會と共に彼の遺志を敬慕せんために有志關係者の會合を計る事に發

現在におよぶ平吉老の政治的閲歴は餘りに知られて居ることで、今回の立候補また既往よりの政治的生活の延長と見るべきであるが、藤森氏の場合はどうか、彼の語るところはさきに勞農黨が公認候補として推薦した當時記した通りだが、彼は立候補決定に際してかういつてゐる。

△

支部諸君並に本部諸君の熱烈なるおすゝめはもちろん、南信大衆黨をはじめ諸團體および個人の方々の激勵等から、人生意氣に感ず遂に起たねばならなくなつた、私は身體の許すかぎり斷然として闘ひ特殊的狀勢にある信州に無産階級の精神と地盤とを開拓しなければならない、選擧運動の第一は現在の政黨および政治組織を暴露して全民衆の自覺に眼覺めて戴くこと、そして議院の內部からも暴露による直接政治行動を行ふことだ……

△

小川老の傘下に馳せ參じて居る今井梧樓縣議は藤森氏の舊級友でその他多くの知友と、今やハツキリ敵味方となり鄕黨の大先輩に向ふに回して政戰を戰ふ彼の感慨は無量なるものがあらう、極右極左と今や戰端は開かれて居る

降積む雪を蹴つて
舌戰に驅け巡る

選擧運動はいやが上にも熱して來た十一日は未明から雪となつた、第一回の普選に我等の選擧運動を淨化せよとの偶意かも知れない時しも建國祭の目出たい日なので前途を祝福する各候補者は吹雪をついて演說會場をかけめぐり打續く舌戰に聲をからして我等がしじくを聽けとばかり雄叫びをあげ、運動員達は御大將の勝利を念じつゝ降り積む雪を蹴つて奮闘し白砂の地上に印した縱横のわだちは彼等の惡戰苦闘をまざまざと物語つてゐる。內には各選擧事務所に參謀長格の事務長がふすまを固く閉ざしたい幕の中に徐ろに計をめぐらし刻々運動員の情報を聽取し味方の足並をそろへるべくさい配を振ふと同時に敵の動靜を探り將卒に秘策

議し滿場一致を以て可決し先づ同村三村縣會議員を中心に活動する事になり目下三村氏を先頭に村有力者の間に協議計劃が行はれてゐる。尙故松岡一氏は信州の生んだ海外發展者の先驅者であり、國家的の先覺者であつた事は次號掲載の筈である。

移民會議全權代表
閣議で決定

本年三月末キューバ國に開催の第二回國際移民會議に參列派遣すべき帝國代表は二月二十五日の閣議で左の如く決定發表された

メキシコ國駐剳全權公使　青木　新

國際勞働局帝國事務所長　笠間杲雄

アマゾナ州に棉花と米
有望視せられる移住地

目下伯國滯在の海外移住組合聯合會理事長梅谷光貞氏は本年度設立した八縣の海外移住組合移住地購入に各地視察選定中で伯國何處に移住地を購入するやは大いに注目せられてゐる矢先に二十日發同國首都の電通によれば次ぎの如き記事が報導されてゐる。然しこれ

を授けて凍てつくやうな寒さも忘れてゐる、槪して各候補者は第一段の策戰を終らうとする瞬間で得票の豫想を立て第二段の策戰へ進出してゐる

縣下一帶に稀な大降雪
選擧運動者大困り

本縣下一帶に渡り十四日夜來又々降雪あり夜になり南信一帶は積雪三尺以上に及び佐久平地方二尺の積雪となり電信電話の障害多く大阪、東京、山梨方面への通信不能となり鐵道事故も中央線は小淵澤長坂間鹽尻小野間贄川の三ケ所および信越線は碓氷熊の平間で下り列車立往生となり交通途絶十五日朝に至り輕井澤、長野間は漸く折返運轉を開始した兩線とも運轉系統は極度に混亂し除雪作業のため戰場のやうな光景を呈してゐる警察電話も不通の場所多く列車の消息さへわからぬところが少くない尙總選擧期日切迫して各地に言論戰その他に猛運動中の關係者はこれがため非常な困難を呈し到るところ雪中に悲壯な光景が展開されてゐる

盛に中止を喰ふ
無産派の演說

本縣は勿論全國的にも興味を以て見られて居る第三區藤森成吉氏の政見發表乃至推薦演說會は出演が偶々注意中止に會ひ殊に甚だしいのは應援辯士の大多數が僅々數分又は十數分にして片端から中止となり言論と文書により有權者にうつたふべき普選が目茶々々に蹂躙されるといふので上諏訪の本部事務所においてもこれ以上無茶なことをすれば何とか對策を講じなければならぬと氣を揉んでゐる

立會演說は
まかりならぬ

普選の一情景として候補者に立會演說を求める者が多くなつたが、從來の例を見ると比較的微力な候補者が自分の政見を多數の人に聞かせる手段として立會演說を申込み他の候補者を利用して聽衆を集めるものが多く、また立會演說はいたづらに水かけ論に終つて各派の感情を激成

は未だ何等信ずべき筋のものでなく同氏一行の同地視察到着前に試みた想像的記事である事は本文より察して判明するもの丶如くである。

「アマゾナ州より當地に達したる報道によればブラジル移民監視察中の日本移民協會理事長梅谷光貞氏は近く當地に到着するはずで氏は日本勞働者をいれて棉花および米を栽培するため大耕地貸さげの契約をブラジル政府より得るに至るべしといふ」

八九月頃に
大公使の異動

スウェーデン公使永井松三氏は安達大使の後任としてベルギー大使に榮轉するはずであるが今回一旦歸朝の上親任せられるゝことに決し既に歸朝命令發せられシベリア經由三月初旬着するとなつた又天津總領事の後任に擬せられてゐるシャム公使林久次郎氏並にアルゼンチン公使古屋重綱氏も本省よりの歸朝命令により三月中旬歸朝するはずになる右が古屋氏は歐洲方面に轉任する模樣である右の外にルーマニア公使武者小路公共子、ギリシア公使川島信太郎氏等も近く賜暇歸朝することになり松井駐英大使、松平駐米大使もそれ〴〵五六月頃までには歸朝し尙御大典まで

するのみでなく、遂に喧騷裏に不結果を招く場合となり勝ちなので本縣は今後一切の立會演說會を許可しない方針と決し各警察署へ通牒した

晴れの新代議士
當選者氏名

第一區當選（長野市、上下水內、上下高井、更級）

二三五八三　松本忠雄（民前）

二二七〇五　小坂順造（民元）

一七〇〇〇　山本愼平（政前）

次點一四八五八　春日善之助（政新）

第二區當選（埴科、小縣、南北佐久）

一九五八〇　篠原和一（政前）

一八三三七　小山邦太郎（中新）

一八〇一四　山邊常重（民元）

次點一五三二七　春日俊文（政元）

第三區當選（諏訪、上下伊那）

一七九三四　樋口秀雄（民前）

一七四五四　小川平吉（政前）

一六〇三〇　伊原五郎兵衞（政前）

一四六八二　戸田由美（民前）

次點一一七一九　山田織太郎（政新）

六八四六　藤森成吉（勞新）

二一〇四　原田治郎（政新）

第四區當選（松本市、西筑摩、南北安曇）

一六一三三　上條信（政新）

一五〇一五　降旗元太郎（民前）

一三四〇八　植原悅二郎（政前）

次點一三二九五　百瀨渡（民前）

六一六二　畔田明（中前）

一六三六　小松雄道（中新）

六七　唐澤龜雄（中新）

かせいた各派得票
勞農は豫想の通り

總選擧の得票を政黨別に見れば次の如くである

	政友	民政
一區	三一、二五六	一八、〇一一
二區	三八、九〇二	四六、五六七
三區	四七、三六二	三二、四五八
四區	二九、五四一	二八、三〇八
計	一四七、〇六一	一二五、三四四

他に勞農六九一六、中立二六二〇二右

に賜暇歸朝を申出でる大公使相當多數に上る見込であるから八九月頃には大規模の大公使の異動が決定するものと見られてゐる

邦人自動車屋營業禁止
桑港市當局の暴擧

サンフランシスコ市の新條令で二月一日から日本人貸自動車營業鑑札不許可となり同胞タキシーは乘用を目的とする自動車の營業および操縱者たるとを得ずといふにあるがこの法律は一昨年サンフランシスコ市參事會を通過し昨年から實施されたが昨年は古い鑑札を再下付されたため問題とならず今年からは絕對に不許可となつたサンフランシスコにてタキシー業に從事する同胞は五名であるがかゝる排他的法律が今後も起つて來ては大變だといふので在留民は徹底的に解決を希望してゐる、總領事館では直に調査を開始した、原因については不明だが先年白人タキシー同盟罷業の際日本人がこれに參加しなかつた事から排斥する事になつたのだらうとの事である。

日本人側强硬抗辯
カナダ漁業公判續開

によれば政友派は民政派より二萬一千七百十七だけ優勢であるが小山氏の得票の五割が民政系のものとすれば政友派は一萬二千五百余を多く取つたに過ぎない、無產黨は豫想通り六七千票の力となつて現はれたが一般には下伊那の勞農黨がもつと團結して威力を示すと想はれてゐた

投票成績
縣議選擧より棄權少し

本縣下各市別の投票成績は次の如くでその棄權率を見ると本縣の平均一割一分四厘五毛で縣會議員選擧有權者より選擧當日現在において三萬四百余を增加してゐるに拘らず棄權率が一割四厘の低下を示したのは豫想外の好成績といふべく縣會の最高棄權率は南安曇郡の五割七分一厘であつたのに今回は西筑摩の二割四分七厘が最高に止まつてる

	常日現在有權者	棄權	棄權率	不在投票	點字投票
長野市	一三、一九七	一、二九五	九分八〇	三三	一七
埴科郡	一一、六三三	八三六	七分一八	一	六
更級郡	一七、一五〇	一、三六〇	七分九七	三	四
上高井郡	一一、九六九	一、〇六九	八分九三	〇	三
南安曇郡	一三、七三六	一、八五〇	一割四五	〇	四
下高井郡	一三、九〇一	一、四七四	一割〇五	〇	一〇
上田市	六、八三〇	六六〇	九分六六	〇	一六
小縣郡	二五、四五〇	二、三三三	九分〇三	〇	〇
諏訪郡	三〇、一八六	四、五八四	一割五一	〇	一五
上伊那郡	三〇、六九八	三、六二六	一割三三	〇	五
下伊那郡	三七、六三四	三、〇七六	八分一八	〇	一三
松本市	一一、一二六	一、八五一	一割九九	〇	一九
東筑摩郡	二八、八〇〇	三、六八五	一割四六	〇	四
下水內郡	七、四九七	七九八	一割〇六	〇	〇
上水內郡	二三、二〇二	二、四〇六	一割三七	一	三
南佐久郡	一五、四五三	一、四八四	〇割九六	〇	五
北佐久郡	二〇、〇〇三	二、三一〇	一割一〇	〇	五
北安曇郡	一三、三五七	二、一九八	一割九〇	〇	一
西筑摩郡	一二、〇七一	二、三九七	二割四七	〇	三

各投票區別 尙各選擧區毎に見れば左の通り

	有權者數	總投票數	棄權數	棄權率	不在投票	點字投票
第一區	八六、九二六	七八、五〇七	八、四〇九	〇・九六六	三七	三七
第二區	七九、三六七	七一、七四四	七、六二三	〇・九一〇	一	三三
第三區	一〇八、五一八	八七、二三二	一一、二八六	一・一四五	〇	三五
第四區	七八、一六〇	六六、一七九	一一、九八一	一、五三三	〇	三一
合計	三四二、九六一	三〇三、六六二	三九、二九九	一、一四五	三八	一三五

カナダのブリチッシユ・コロンビア州在留日本人漁業者に對する同州官憲の漁業許可證更新問題試訴事件の公判は本日も引續き當市のカナダ大審院で開廷され日本人漁業者側の辯護士はあくまで日本カナダ間の條約をたてに取り

同條約の規定により日本人も一旦カナダに歸化した上は英國人と同等の權利をもつて各方面の職業に從事する事が出來るのである然るに官憲が漁業許可證の更新規定を利用し日本人排斥の手段とするは甚だ不當ではないか

と抗議し一方官憲側の辯護士は官憲の遣口は正當であると辯疏したが同事件の判決日は未定である

ボリビヤの使節來る
始めて派遣のガーデナー氏

南米ボリビヤ共和國では今回始めて日本に政府代表を派遣することになりその初代使節としてテヤールス・エー・ガーデナー氏が二月四日未明南米から横濱入港の安洋丸で來朝した同氏は語る

現在ボリビヤでは日本の生產品メリヤス絹

新議員の年齢別
四十から六十五まで

新議員を年齢から比較すれば降旗氏の六十五歳を最高として小川鐵相の六十歳これに次ぎ、六十台は二人のみで五十台四人四十台七人となり小山氏の四十歳がもつとも若い、小川氏以下を年長順に記せば次の如し

樋口五十四、山本五十三、山邊五十三
植原五十二、伊原四十九、篠原四十八
小坂四十八、上條四十五、戸田四十三
松本四十二、小山四十

右の總平均は五十歳弱となる

供託金沒收者
本縣下で三人

供託金の沒收は有効投票數を定員で割つた一割未滿の場合に適用されるのであるから各區の沒收點は

一區 二六一六　二區 二三九一
三區 二二八〇　四區 二二五九

となりこれに達せぬ次の三氏はいづれも沒收の運命に遭ふ譯である

三區 原田 二〇九七
四區 小松 一六三六
同 唐澤 六七

感激の涙を殘し
藤森夫妻歸京す

全國注視のうちに立ち干渉壓迫と戰ひ敗れたとはいへ言論文書戰のみで七千票をかち得た勞農黨藤森成吉氏は信子夫人と共に歸京したが見送り黨員および熱心な支持者三十余名の萬歳の聲に夫妻が感激の涙で答へたのは劇的シーンであつた。出發に先立ち同氏は語る

「純情ある黨員および支持者諸君から清らかな投票を得たことは感謝の外ありませぬ現在では選擧權をもたない青年

糸布、玩具類、陶磁器、網製品、雜貨類等をチリー商人の手を經て購買消費してゐるが今後は直接日本から輸入取引し一方ボリビヤ產の鑛石類をお國に輸出したい希望を持つてゐる外交使節の交換によりいよいよ兩國の親善と貿易促進を計りたい尙同國は南米大陸の中心にあり四面海に接せざる地位にあり邦人の在住者は昨年十月現在に於て六百七十八名あり、農業、行商方面に活動してゐる

我移民の恩人
マ女史來朝す

サンフランシスコのアメリカ移民局日本語通譯として多年わが移民の世話をして來たセーラ・エー・マンレー女史が二月二日横濱入港のサイベリア丸で來朝した、同女史はニコ〳〵しながら語る

『今回移民局から三ケ月の休暇をもらつたので日本へ遊びに參りました、私は横濱で生れたのでお國が故郷なのです、五年前渡米して日本移民の通譯をしてゐましたが、その間いろ〳〵のむづかしい事件や氣の毒な人に會ひましたが、常に大した間違ひもなく過して參りました、横濱に兄がをります

諸君から大なる支持聲援を得たのは忘れられないことです」云々

選擧違反四十件
廿三日から又も大檢擧

選擧違反の檢擧は投票を行はせるため十九日以來休止し收容中のものも一旦歸宅させたが一段となつたので二十三日から再び辛らつな檢擧を全縣下にわたつて開始し、第一區の如きは名士の召喚續々たる有樣だが縣內の違反發覺したもの既に四十件を超へた現狀であるから今後も相當事件が擴大するものと見られてゐる

移植民問題パンフレツト數編

左記各編は內務省社會局が初めての企てである移植民問題講習會に於ける斯界の權威ある名士の講演を收錄せるパンレツトである。希望者は同局內、教化團体聯合會に申込まれたい。

ブラジル事情…………在ブラジル大使館一等書記官　野田良治　八錢
海外の開拓……………社會局社會部長　守屋榮夫　一〇錢
人口問題と移民………東京帝國大學教授　矢內原忠雄　一〇錢
海外に於ける邦人の活躍…………外務省書記官　石射猪太郎　八錢
東部亞細亞の情勢と邦人の發展……滿鐵東京支店長　入江海平　七錢
アマゾン河地方の事情…………鐘紡取締役　福原八郎　八錢
國際移民問題…………東京市政調査會理事長　前田多門　七錢

そこへ落着いて日本見物をしてゆきたいと思つてゐます』

米國製自動車と
南米の需要狀況

南米諸國が米國から輸入する自動車は一九二六年には六萬八千三百餘台に達してゐる。之は南米諸國の道路改善に伴ひ自動車による交通が益々便利になつたためである。南米諸國中でも亞爾然丁と伯剌西爾の兩國は米國製自動車の大顧客で兩國共に世界における米國自動車の輸入國中第五位を下らぬ程だと云ふ。南米諸國が一九二六年に於て米國から輸入した自動車數、國別を示せば左の通りである。

國名	乘客用	貨物用
アルゼンチン	二五、五五二	二、四七五
ブラジル	一六、七〇三	五、八八六
ウイグワイ	四、九七三	一、三五九
ヴエネズエラ	二、六四八	一、二一七
コロンビヤ	一、四六七	七五三
チリー	一、〇七一	一、〇〇一
ペルー	一六九	七六
コロンビヤ		
其の他	二〇〇	一〇〇

常夏の台灣概況
熱帶の景觀に接せよ！

一記者

臺灣への交通

本嶋への交通は極めて便利である、內地臺灣間航路には神戸門司基隆航路と横濱高雄航路とがあり、神戸門司基隆航路が最捷徑路である。同航路は一ケ月十二回の定期航海があり、歐米航路船に劣らぬ設備を有する六千噸乃至一萬噸級の優秀船が就航してゐる。內地臺灣間航路は大型船に由れば門司基隆間所要時間僅かに五十時間である

	汽船	噸	速力浬	一等定員	二等	三等
大型船	蓬萊丸(商船)	九五〇〇	一七	一二三	一三三	三三三
	吉野丸(郵船)	八九〇〇	一七	一四二	一〇三	五五三
	扶桑丸(商船)	九〇〇〇	一七	一二五	一〇八	五五〇
小型船	信濃丸(郵船)	六〇〇〇	一四	三六	七〇	四五〇
	因幡丸(同)	六〇〇〇	一四	三三	八八	四六〇
	笠戸丸(商船)	六〇〇〇	一四	三六	四一	四〇三

尙本年六月よりは郵船は一萬噸型高速力設備優秀の姉妹船を伊太利より購入し現在の因幡丸信濃丸に代りて內臺接近の實を擧げんとしてゐる。

〇(運賃)神戸 基隆 一等 六〇圓 同 二等 四〇圓 同 三等 二〇圓
門司 基隆 一等 五五圓 同 二等 三七圓 同 三等 一八圓

島情一斑

地勢は南北に長く約百里に亘り、東西は最廣四十里を出でず狹きは僅かに四、五里に過ぎない、中央山脈南北を縱貫して明かに東部と西部とに分ち東部は概ね急傾斜の斷崖であるが、西部は緩るく展けて廣漠たる沃野を形成してゐる。山嶽は一萬尺以上のもの四十八座に及び河川は流域長からざるも河幅大にして急流が多い。

生蕃人は現在十三万五千人であるが、理蕃のよく行はれて居る結果、教育も普及され蕃社の生活も向上し國稅を納付し居るものも不尠、また蕃人野球團すら組織され能高チームの如きは本嶋の覇者となつてゐる。

衛生設備は最も模範的に行はれ、マラリアの如きは現在殆ど跡を絕つた。

□周圍三百九十九里、面積二千三百三十二方里、人口內地人十八萬三千、本嶋人三百七十四万二千、生蕃人十三萬五千(アミ族最多く、タイヤル、サイセツト、ブヌン、ツオウ、パイワン、ヤミ族これに次ぐ)支那人其他三萬一千

【氣候】乾燥季と雨季とに分れ、南部と北部とに由てその季節が相反してゐる。卽ち十二月頃より四月頃までは北部に於ては雨期であり南部に於ては乾燥季である。又五月頃より十一月頃までは北部が乾燥季で南部は雨季となる。同じ雨期といつても南部の雨は霖雨でなく爽快なる驟雨が多いのである。氣溫はこの驟雨や海歎風の關係上盛夏と雖涼風は常に去來し內地に比しさほど高溫ではない。

	一月	四月	八月	十一月		一月	四月	八月	十一月
臺北	五九	六九	八二	四七	東京	三七	五六	七七	五〇
臺中	六〇	六八	八一	六八	神戶	四〇	五六	七九	五三
臺南	六二	七四	八一	七〇	長崎	四二	五八	七五	五四

【旅行の季節】氣候の上からいへば春四、五月の交、秋九月から十一月頃までが觀光に好適であるが、眞に南國情調にひたり龍眼、椰子、檬果等の本嶋特有の美果を味はんとするならば夏期休暇を利用することである。又朱欒、文旦、椪柑木瓜等を賞味し、製糖會社の操業を視察するには十一月頃から三月頃までが好い。

木瓜	年中	屏東附近
椪柑	十一、十二月	員林、南投
文旦	年中	麻豆
龍眼	七、八月	臺南州
そや	夏季	臺南州
西瓜	年中	臺南、新竹州

【旅裝】大體、五月より九月頃迄は夏服、十、十一月及三、四月中は合着十二月より二月まで冬期の用意が必要である、尤も冬季と雖晴天の折は溫度高く合着の必要を見ることがあり又春、秋に於ても雨天の場合などには北部に於ては厚毛のシャツ外套を必要とすることがある。

【蕃界視察】視察上何等不安はないがたゞ取締上蕃界視察には所轄郡役所の入蕃許可證を必要とする。交通の比較的便利な蕃社に角板山、烏來社、日月潭、霧社等がある。

島內の旅行

【鐵道】島內の交通は九百哩の鐵道（官設五百九十哩私設三百二十哩）と約六百哩の軌道（臺車）に由り現在殆ど不便がない。臺灣一周を試むるとするも南端高雄臺東間及東海岸の一部花蓮港蘇澳間を汽船に由るとすれば約五十時間にしてこれを行ひ得るのである。急行列車は基隆高雄間（縱貫線）晝間二往復夜間一往復運轉し食堂、寢臺、賣店の設備がある。又基隆蘇澳間（宜蘭線）、花蓮港臺東間（臺東線）には一日數回の直通列車があり蘇澳花蓮港間（一日一往復）臺東高雄間（一月六回）には聯絡の便がある。

旅客運賃一哩に付三等貳錢五厘二等四錢五厘一等六錢五厘の賃率にて算出する。乘車券通用期間は片道券二十五哩迄一日

百哩まで二日、以上百哩を増す毎に一日を加へる。往復券は片道券通用期間の二倍。

急行列車料金と寢臺車料金　急行料金は三等五十哩未滿二〇錢　百哩未滿三〇錢　二百哩未滿五〇錢　二百哩以上七〇錢で二等は三等の二倍、一等は三倍である。寢臺は一等のみで一夜に付一個七圓である。

【臺車】本嶋特有のもので現在五千臺以上あり、營業哩約六百哩、危險は殆ど無い。

【轎】鐵道臺車のなき所に於ける唯一の乘物である。一里二人一昇一圓五十錢乃至二圓

□標準賃金（大正十五年八月現在）（人力車）五丁まで十錢、（自動車）貸切一時間五圓乃至六圓、（臺車一）人押一哩十錢內外

【主要道路】東部西部兩地方の聯絡には鐵道或は汽船に由る外、陸路（イ）臺中州集々より八通關を經て花蓮港廳玉里に至る（ロ）臺中州霧社より能高山を越え花蓮港に至る（ハ）高雄州枋寮より浸水營を越えて臺東に至る三徑路がある。是等は徒歩若くは轎に由るのであるが沿道風光雄大なると途中蕃社を視察するの興味からこれ等の徑路を選ぶ旅客も尠くない。道路も椰子樹想子樹或は木麻黃を植込める道路多く潮州驛より最南端鵞鑾鼻燈臺に至る道路或は臺北より北投、草山各溫泉、淡水のゴルフリンクに至る道路の如き最も愉快なる自動車ルートの一である。阿里山登山鐵道は最近設備も改善され八千尺を約六時間で不安なく登山出來るやうになつた。また蘇澳花蓮港間道路に於けるギルマルドの大斷崖の如きは東洋第一の壯觀といはれてゐる。

【島內觀光】は一週間乃至十日でも出來るが二週間乃至三週間を適當とする。從來臺灣旅行と云へば西海岸の主要都市基隆臺北、臺中、臺南、嘉義、高雄等に過ぎなかつたが、霧社、日月潭の景勝或は製糖會社、木瓜園、靈廟媽祖（北港驛）、東洋第一の規模工事と稱せらるゝ烏山頭貯水池（番子田驛）橋子頭の泥火山、關仔嶺溫泉（後壁驛）、恒春、四重溪溫泉（潮州驛）或は角板山蕃社（桃園驛）等は見逃す可らざるところである。更に眞に臺灣氣分に親しまんとするならば寧ろ東海岸、宜蘭、花蓮港、タツキリ溪、臺東等の旅行をお勸めする。

【土產】とぼ玉、珊瑚、茶、果物（ぼんかん、ぶんたん、ざぼん、もつか、ぱいなつぷる、ばなな等）蕃產品、蛇皮細工、籐、蘭簾草製作品、ステツキ、みつせん等。

【移出入禁止品と植物檢查】內地より酒、煙草の移入が禁止され、本嶋より胡瓜、南瓜、蕃茄、莢附菜豆、虹豆、〇果、枇杷、李、桃、蒲桃、蓮霧、蕃柘榴等の移出が禁止され又柑橘類果實、西瓜其他は移出檢査を要する。

產業

【農業】本島各種の產業中、最も重要の位置を占むるものにして、明治三十五年に於ける總額は五千六百餘萬圓、耕地面積四十五萬一千甲、農民百八十九萬餘なりしが、大正十三年には總額二億五千百餘萬圓に進み耕地面積は七十八萬五千甲、之れに從ふ農民は約二百三十萬人に上りて、本嶋總人口の約五割强を占む。農產物には、米、芭蕉、甘蔗、甘藷、茶、落花生、豆、麥、胡麻、煙草、苧麻、黃麻、蜜柑、鳳梨、蔬菜、其他等あるが、就中、米以下茶に至る五種を、本嶋の五大產となすを以て之を略說すべし。

米　本島は米の栽培に敵し、島內槪ね年二回の收穫をなすを得。我が領臺以來其品質と云ひ、其耕作方法と云ひ、大に面目を改め、明治三十五年には產額二百八十二萬石（玄米）價額二千二十萬餘圓なりしが、大正十三年には產額六百餘萬石（玄米）價額一億三千七十餘萬圓に上るに至れり。

最近內地種水稻の栽培熱全島に亙りて高まり、今後も益々栽培旺盛に向はんとする機運にあり。大正十三年には、三十四萬六千餘石を產し、在來種米に比し四割乃至五割高に取引せらる。

芭蕉　强烈なる光熱に惠まれたる本島は、多種の園藝作物に好適し、恰も自然の溫室たるの感あり、就中芭蕉は本嶋青果物中第一位に在るのみならず、農產中米に亞ぐ重要品にして、明治四十二年には產額一千五十三萬餘斤なりしが、大正十三年には二億九千二百萬餘斤、輸移出額一億八千九百九十餘萬斤其價格一億二千萬圓を算す。今後販路の擴張と共に多大の進展を豫期せらる。

甘蔗　總督府に於ては、明治三十五年度を以て糖業獎勵の方針を定め、糖務局を設くるや、先づ甘蔗の品種改良に著手し、爪哇其他の海外先進糖業地より、絕えず優良蔗苗を輸入するのみならず、又島內に於て育成に成效したる實生優良品種を選出し始終改良に力を致して今日に至れり。されば其獎勵方針確立の翌年たる明治三十六年期（製糖期の一年期とは前年十一月一日より當年十月三十一日迄をいふ）には、收穫面積僅かに一萬六千五百餘甲、收穫高六億八千三百十餘萬斤に過ぎざりしものが大正十三年期には、收穫面積十二萬三千餘甲、此收穫高七十七億九千三百餘萬斤に增進せり產出は殆ど全嶋各地方よりす。

茶　主として北部の產にして、春夏秋冬に亙る。其製法に依つて烏龍茶、包種茶、紅茶、綠茶等に岐るゝも、原料は一なり。是亦總督府の奬勵に依つて、作付、收量共增加しつゝあり明治三十五年の作付面積は二萬八千三百餘甲、生產高は二千八十萬斤（粗製茶）なりしが大正十三年には作付面積は四萬七千九十甲、生產高二千六十二萬餘斤（粗製茶）に達せり。

甘藷　島內何れの地方にも產せざるなく、其重要農產たるに於て、米、甘蔗に亞ぐの位置を占む。明治三十五年の產額は五億百十六萬餘斤なりしが、大正十三年には其の產額十八億六千七百萬餘斤に增加せり。

尙大正十三年に於ける各種農產物の產額を觀るに落花生〇年產四十一萬三千石（明治三十五年は十萬八千石）、豆類の九萬六千石（五萬五千餘石―以下活孤內は明治三十五年產額數）、小麥の四千七百五十石（二萬餘行）、大麥の三千石（一千五百餘石）、胡麻の一萬二千八百石（二萬五千餘石）、黃麻の六百萬斤（百五十六萬四千餘斤）、苧麻の二百十四萬七千餘斤（百六十五萬八千餘斤）、木藍の二百二十五萬二千斤（三百八十六萬六千餘斤）、煙草の二百十四萬四千餘斤（八十二萬七千餘斤）、柑橘の二千百二十四萬五千餘斤（明治四十二年四百七十二萬五千餘斤）、鳳梨の一千百萬餘（明治四十二年一千百九十六萬二千餘斤）龍眼の一千百十萬斤（明治四十二年二千六百二十一萬一千餘斤）等なり。

畜產　牛は本嶋農業勞力の主要々素にして從つて其の飼育數大なり。

農家一戶當平均一頭を算す。牛は黃牛、水牛を主とし之が飼育率は黃牛一に對し水牛三の割合なり。水牛の大正十三年末飼育頭數は二十八萬六千七百餘頭（明治三十五年十七萬八千餘頭）、黃牛は九萬二千四百餘頭（明治三十五年七萬七千餘頭）、洋牛、印度牛及雜種牛は三千七百餘頭（明治三十五年二百八十頭）を有す。

本嶋人は養豚思想能く普及發達し、從て之が飼育盛にして農家一戶當三頭强を算し、大正十三年末飼育頭數百三十四萬千四百餘頭（明治三十五年七十七萬九千餘頭）を有す。

【工業】本嶋の工業は、未だ到底農業の如く盛なるを得ずと雖、農產加工業、釀造、土木建築材料製造竝家庭工業等は夙に相當發達の域にあり。また戰後財界の好況に乘じて續々創始せられたる機械製造業、化學工業等の新工業は、目下の不況に際しても、奮つて其試練を受けつゝあり。大正十三年に於ける此等の工產の總價額は、二億三千六百萬餘圓なり。

【鑛業】本嶋に於て許可せられたる鑛物の種類は、金、金銅金銀銅、砂金、銅、銅硫化鐵、水銀、砂鐵、石炭、亞炭、石油硫黃、燐礦の十三種にして、明治三十九年に於ける此等の鑛物の總產價額は、二百二十七萬餘圓なりしが大正十三年には一千三百三十八萬餘圓に增加せり。就中最も多きは、石炭、金銅、石油、硫黃の五種なり。

【林業】山獄が總面積の三分の二を占むる本嶋は森林に於ても頗る優秀なるものあり。然れども低地に近きものは前時代に於て林政宜しきを得ず、濫伐を恣まにせられたる結果、擧げて禿山となり、其の植林は我が領有以後のことなれば未だ言ふに足らず。されば大森林とは是迄平地人の窺ふを容さざりし高山蕃地に於て見るべきのみ。

―了―

海外通信

縣人糾合

在ポートランド信州人

在北米ポートランド市 畑　實

拜啓
貴社益々御清穆之段大慶至極に存じ候陳者左記の通り十二名に對し米貨二十四弗郵便替爲として御社海の外雜誌代として御送金申上候間御査收被下度候　敬具
昭和三年一月十七日

◎上伊那郡七久保村
ホテル業　吉澤藤雄
225―1/2 1st st. Portland oregon
◎下伊那郡伊賀良村
ホテル業　鈴木金一
193 1/2―First Portland oregon
◎上伊那郡七久保村
商店員　片桐千晴
467 Broadway st, Portland orogon
◎上伊那郡片桐村
家內勞働者　荒井竹治
245 Vista Ave Portland oregon
◎下伊那郡市田村
ホテル業　橋都四郎
2062 1/2 1st st, Portland oregon
◎上伊那郡高遠町
雜貨商　小田切柳次郎
411-Everett st, Portland oregon
◎上伊那郡伊那町
洋食店　下嶋清太郎
129―N 12nd st, Portland oregon
◎上伊那郡上片桐村
ホテル業　下眞眞錫
268 yhird st, Portland oregon
◎上伊那郡美篶村
書店、印刷所週刊オレゴン社央文堂　畑實
64―N, 4th st, Portland oregon
◎上田市
堀内巍
54―N, 3rd st Portland oregon
◎下伊那郡河野村
ホテル業　董神彦太郎
461―E morrison st, Portland oregon

(註) 尚同地方在住の本縣人を只今本部にて判明せる者をあげれば左の通りである。但し雜誌發送カードによるが故に多少の不明まぬがれず　―記者―

代田虎太郎	東條籌
佐藤一夫	平澤療一
平澤信衛	小穴浩平
伊藤賢	岡村得
平林吉三郎	井上作一
市川袈裟太郎	木内榮助
池田敏男	久保田貞雄
小池兼雄	濱村一尾
濱村孝四郎	今井末好
三浦純	岡田涓人
田中四郎	杉本康雄

無事。着ア

上陸から入植まで

―第九信―

アリアンサ　中條秀夫

無事アリアンサに着きました。もつと早く手紙を出す筈でしたがブラジル式になつた……といふより、ブラジルの山奥では書く時書く所出す所によつて大いにちがつて來ますので、遂々おそくなりましてすみません。今晩も平島様（同船の野村君の呼寄人）のうちに泊つて居り、何も持つてゐないので、この手紙さへ便箋を借りて書いてゐるやうな次第です。ブラジル、特にアリアンサは未だ未開です、只今ランプのそばで手紙を書いてゐます。今日は理事北原様（輪湖理事は主にアリアンサ外交の方）に相談に行き、青年ホームに行きアルマゼン部に働くことになりました。非常に喜んで居りますアルマゼン部（給品部）のくわしい事は追つて御通信しますが農業部と測量部との三部に分れてゐて、農業部は誰でも入れ、又測量部は冒險すぎます。アルマゼン部は皆が入りたがつてゐますが、人員に制限があり、中々入れてくれませんが、私は大阪の商店に五年半も居たのと、幸に缺員が一人ありましたので誠に都合よく、又北原様も外の者より特に見込んで入れてくれられましたことを大變幸福に思ひ喜んでゐます。農業部より面白くて、語學が覺えられます。自動車はアルマゼン部の受持です。手紙はエスタツソン、ルツサンビラ、フアラゼンダ、アリアンサで來ます。

リオ出帆後、上陸―收容所を經て、バウルーに二泊、アリアンサ入までのくわしいこと申し上げなければなりませんがどうも手紙を書くひまがありません。明日は第二收容所に歸り、カミーニヨン（貨物自動車）で手荷物を持ち、青年ホームに入る豫定です。行李布團などはまだ着きません。

アリアンサは中々痛快です。晩なんかよ自動車道にウロ〳〵してゐて度々轢殺されます。鹿も度々道を横切ります。猿も居ります。オンサ（豹）が時々出るそうです。痛快な通信を致します。お待ち下さい。　さようなら

一九二七年十二月二十日午後十一時

十二月十二日　午後サントス上陸移民列車でサンパウロ移民收容所着午後七時
同　十三日　收容所滯在午前配耕、午後荷物到着、税關整理
同　十四日　收容所滯在、税關の荷物檢査
同　十五日　午前四時收容所發車、バウルー着午後七時
同　十六日　ホテルシヤボン滯在
同　十七日　午前四時ノロエステ線バウルー發車、ルツサンビラ着午後六時
同　十八日　アリアンサ第二移住地收容所滯在赤井君（力行會大阪支部員）訪問
同　十九日　平井君（力行會大阪支部員）訪問野村君訪問（平島様宅）平島様宅宿泊
同　二十日　中央區事務所北原様訪問歸途又平島様にて宿泊

――第十信――

昨日初めてアルマゼン部の仕事をしました。誠に面白く愉快です、今日は午前六時起床約一丁ホームより離れたアルマゼン部に出る（カフエーを飲んで出る）午前九時頃角笛の合圖にホームに歸つてアルモツサ（朝食）約四五十分休憩、午後二時頃カフエーにドーナツツを食し、午後七時ジヤンタール（夕食）が始まります。

アルマゼン部は非常に樂で、その上言葉が覺えられるので非常に幸です。先づ商品名、簡單な單語よりおぼえて行きます。色々お話したい事がありますが何から話してよいか分りません、それで不審なことがありましたら、あなたからお尋ね下さい。私の知つてゐる限りなるべくくわしくお返事致します。まあボツ〳〵御通知致します。

クリスマスも近づき用意をしてゐます。仕事に追はれて手紙もゆつくり書けません。今日は之にて……。　さよなら

十二月二十三日

日本語をローマ字で

日本式のローマ字で世界に廣めん日本語

在墨　玉川晋作（上高井郡綿内村）

UMI-NO SOTO-SYA ONTYU.
Minasama gata no Kensin-teki Oisamasiki ohataraki wo Kansya itasite orimasu.
Honzitu „Mexico„ no Kane de 5En, Yubin Kawase de ookuri itasimasita kara Watakusi no Ikka nen no Kwaihi ni Oosame kudasai !
KOBAYASI-YOOTAROO SAMA. to iu Ohito wa Toti ni oraremasen.
Toti ni orimasu nagano-ken-zin wa;
Takeuchi-Komao sama.
c/o. Finca Juarez
Escuintla, Chiapas, Mesico.
Nishizawa-Toyozo Sama.
Acacoyagua, Chiapas, Mexico.
no Ohutakata ni Watakusi no 3-nin de arimasu.
Maduwa Goaisatu katagata Tytto Osirase made.
Kasiko.
Timoteo O. Tamagawa

（譯　文）

海の外社　御中

皆様方の獻身的、御いさましき御働らきを感謝致して居ります。

本日「メキシコ」の金で五圓郵便爲替で御送り致しましたから私の一ケ年の會費に御納め下さい。

小林要太郎様と云ふお人は當地に居られません。

當地に居ります長野縣人は

竹內駒雄様　メキシコ國チアーパス州エスクヰントウラ、ホワレス珈琲園

西澤豊藏様　メキシコ國チアーパス州アコクヤグア

の御二人方に私の三人であります。

先づは御挨拶旁々一寸御知らせまで

かしき

玉川晋作

陽春賜暇歸國在り候

在佛大使館　菱川敬三

拜啓、新年の詞と共に雜誌「海の外」第六十五號御寄贈被下御禮申上候

次ぎに小生儀本月廿五日巴里發米國經由にて歸朝可致途次ロスアンゼス通過の考へに付き時間もあらば在留移民の狀況視察する考へに有之候　三月末內地着の豫定に御座候へば其節事情御話可申候

尙、伊太利では年々人口が減少する其の理由は壯年者の海外移民を爲すによるものにて只今の伊太利の移民は一千六百萬人と稱され如何に盛んであるかは日本の比較する所にあらず、切に海外發展に努力あらん事を希望致す次第に御座候

（十二月二十九日）

極樂淨土は何處?

故國を去る三千哩の比島

（在ダバオ）原山芳保

昨年中は意外の御無音に打ち過ぎ誠に申譯御座なく候　海の外毎月滯りなく拜見仕り有難く御禮申上候

アリアンサ移住地も追年と共に益々御發展の域に進歩仕り、邦家のため慶賀に存じ候

何處によらず海外の永住的發展は男子に伴ふ婦人の渡航が行はれなければ到底、眞實の基礎は出來るものに御座なく候私この度の再渡航に際しては萬事萬端にわたり御指導被下尙且迎妻の問題には多大なる御配慮に預り感謝の外無之候

再渡航以來は微々たる經續事業の外に開墾六千株の麻植付けをなし尙本年度は第三の開墾植付に着手致す豫定にて寸暇もなき次第にて俗に謂ふ貧乏日間なしのそれの如くにして語るに赤面の至りに御座候麻景況は近來、少々下落の傾向にて常耕地內にて一ピコ二十圓內外を唱へ居り候新移民の渡來は素晴らしいものにて候當地は年中通しての常夏であり、四季の差別を味ふ事の出來ないのが不思議にて播種、植付は何時行つこもよろしく、げに極樂淨土とは何處?　故國を去る南方三千哩の此の地、草木鳥蟲等に至るまで故國青年の渡來を待ち居りそゞろに感じ候

當會社の同縣人は田中、山口、太田、小泉等の諸氏にて皆立派な麻持ちで無事精勵いたり居り候小生宅より二三十分にて往來出來得る近隣にて折々の訪門もいたし

居り候 當地は熊本縣人が大部分にて皆兄妹の如くいと親密に交際致し居り候。會費は本年度分を合せて御送金申上べく午末筆貴協會の御發展と御一同様の御健在を祈申上候 (正月元旦)

信濃海外協會 御中

在北米ポートランド市
佐藤一夫

拜啓仕り候貴協會御多辯の段大賀至極に存じ候

扨て毎々御恵贈被下候月刊「海の外」雜誌代に對し僅少乍ら當店内郵便支局第二十四號を經て米金五弗也御送り申上げ候間帳合願上候

右御通知まで 敬具

一月二十三日

信濃海外協會 御中

在通化分館 三井善吾

謹啓仕り候陳者時下嚴寒の候貴會愈々御隆盛の段慶賀至極に奉存候偖て昨年來より貴會御發行に係る海の外誌に御叮嚀なる御芳書を辱し謹而御厚禮申上候當時早速御禮申上ぐべき筈に有之候處新年早々匪徒大刀會の來襲に遭遇し爾來不眠不休寸暇も無之意外の欠禮仕り深く御詫申上候實は本件勃發以來最後の御奉公と決心仕り專心職務に直面致し候結果一糸紊れざる署員最善の努力と天祐とに依り幸にも任務と生命を全ふし目下稍や小康を得たる状況に有之候實に昭和三年度は砲彈飛雨の正月を迎へ永遠に記錄の一つを加へ申候就ては右欠禮の御詫労々別紙事件顚末書を稿し御報導申上候次第不惡御諒察相仰度如此御座候末筆失禮とは存候へ共此機會を利用し貴會並に御係員諸賢の御發展御健康を奉祈上候 敬具

昭和三年一月

新年早々匪徒來襲に就て

「御紋章に光り輝く初日の出」

追而過般御申越被下候貴紙の資料は僻陬の奥地何等纒りたる資料をと存候へ共何分の蒐集をと心掛け居り候へば申添候也

匪徒大刀會通化來襲事件顚末

滿洲奥地一帶には支那名物馬賊跋扈跳梁し良民に對する被害夥しきも官憲の保護充分ならず加ふるに軍費捻出に依る誅求甚しく住民は苛酷なる課税に苦しみ常に不平を押へつゝある悲慘の狀態に鑑み通化奥地の有力者相謀り客年七月頃馬賊豫防の目的を以て郷地山東省より特殊の術法を行ふ術師なるものを招聘し馬賊討伐並に住民を敎化善導すべき美名の下に大刀會なるものを組織し會員を募り術師より法術を習得せしめたり術師なるものは老師なる尊稱を受け常に大刀を負ひ呑符念呪敵に向ふときは彈丸不可侵不死身と稱し馬賊の討伐を試みたる處相當効果を收めたる爲め土地の信用を得益々發展するに至りたる關係上當該地方の官憲も又會員を馬賊討伐に利用し成績可良なりし一面山東方面の紅槍會の如く政治的に利用せられんとする弊あるを怖れ奉天首腦部の注目する所となりしが昨冬金川縣地

方に於て馬賊討伐の際戰利品分配の經緯より馬賊討伐聯防隊長通化縣警甲所長は會員六名を投獄したる爲め相互相反目し遂に武力を交えるに至れり同會は客年十二月下旬より活動を開始し巧に下層民を誘導結合して一千名を超過し何れも赤き布片を附したる長槍青龍刀長刀野銃の類を携ひ暴徒と化し本月二日愈々通化城に接近し東方數里を有する警甲隊を襲撃し隊長を生禽し武器を鹵獲し勢に乘じ四日午前十一時通化に迫せり東方高地の砲兵及散開せる官兵を撃破し四ヶ所の城門に突撃肉迫し死傷頗る多し市内の要所には放火せられ黑煙濛々通信機關又破壊せられ全市十分の三に過ぎさる城内を除き人口四萬を有する城外は遂に匪徒に占領せられたり通化分館は南門外前方十字路の脇にあり南方主戰の焦點となり兩隣は匪徒の放火に依り黑煙は天を掩ひ我分館も今や將に延燒せんとし砲彈は上空を飛び彈丸は頭上を掠め又地上に落下し危險は刻一刻と迫る中に館員は協力し在留民避難民の收容消防警戒に從事せしが市内は全く一大修羅場となり其慘狀甚し斯る狀態は四日より十日に及び其間一進一退市街戰の行はるゝこと都合八回放火十三ヶ所燒失家屋約百二三十戶匪徒の死傷約二百官兵亦百を算し市民の損害莫大なり近縣の應援保甲隊數百奉名天より二旅の來援ありしも匪徒の討伐行はれず市內は燃料食料に欠乏し全く籠城の如き狀態を繼續せしが二十四奉天總領事館より警察官十名の應援到着し在留民の避難者の一部を收容し二十六日歸奉の途に就きたり支那官憲側に於ては二十五日督軍吳後陞自ら出馬し兩三日中匪徒の根據地に出動すべき聲明を見るに至りしを以て相當効果あるべく一面漸次歸順者現はれたるを以て稍小康を得たる狀態にありと雖も匪徒は尙臨江縣及輯安縣方面に跋扈し相當優勢なるを以て減滅を見る迄には相當の時日を要するものと觀測せられつゝあり

(說明圖略す)

北澤德治氏(在ペール國)訃

上田市出身の北澤德治氏は客年十月二十九日ペルー國において病氣のため急死した。氏は明治三十五年頃の渡航で奮鬪の結果相當の蓄財を得、事業擴大に赴かんとしたが外人との權利讓渡の訴爭に遂に失敗し再び丸裸体となつたが健忍不拔の氏は又々事業隆盛に向ひ昨年陽春歸國迎妻、滯在數十日にして再渡航されいよ〳〵活動されん秋惜しくも病魔のために黃泉の客となれるは甚だ殘念である。

尙氏は本協會のために多大の援助あり去る大正十三年にはペルー國より金五拾圓の寄附をしてゐる。

謹啓 新春を迎ふるに際し、早速賀狀頂戴仕り有難く御禮申上候 尙貴下の御繁勝を祈り逝るかに謹んで御祝辭申上候 失禮乍ら誌上にて御禮まで申述べ度候

昭和三年春寒

信濃海外協會

在ダバオ 塚田久米治殿
在北米 畑實殿
在ジャワ 宮下琢磨殿
在墨國 長淵鐘六殿
在墨國 中村喜之助殿
在布哇 小山田鶴之助殿
在伯國 笹澤新殿
在マニラ 上野袈裟義殿
在佛國 菱川敬三殿
在墨國 須藤正夫殿
在墨國 モルモーショ日本人會殿
在伯國 矢崎節夫殿

—到着順—

練習艦隊四月出港

高松宮は分隊士御勤務

高松宮殿下は四月上旬横須賀軍港を出港する練習艦隊八雲の分隊士としていよ〳〵濠州航路の途に上らせられることに御決定、海軍當局と宮內省との交涉もまとまつた。

練習艦隊は六月上旬出航するのが例であるが本年は御大禮を控へそれ以前に歸國せねばならぬので二ケ月くりあげ四月出航八月下旬には歸航するはずで秩父宮の御結婚前には横須賀に着航のはずである。

横須賀四月二十三日發、鳥羽二十四日着二十六日發、上海三十日着五月二日發、基隆五日着八日發、馬公九日着十一日發香港十三日着十六日發、マニラ十九日着二十一日發、シンガポール二十八日着六月二日發、バタビヤ六月四日着七日發、スラバヤ九日着十二日發、フリーマントル二十日着二十六日發、メルボルン七月一日着六日發、ホバード八日着十一日發シドニー十四日着十九日發、ウエリントン廿五日着二十八日オークランド三十一日着八月四日發、スバ十日着十二日發、ホノルル廿四日着九月十日發、トラック十五日着十八日發、パラオ廿三日着廿五日發、德山十月三日着

八雲乘組の信州健兒

准士官下士官四十七名

今夏南洋濠洲方面に練習艦隊として遠洋航海の途に上る軍艦八雲には准士官以上三名、下士官四十四名の本縣出身者あり、海外在住本縣人は熱誠なる歡迎を各寄港地で行ふだろう。左に出

身地氏名等を示せば。

本籍地	官職	氏名
北佐久郡五郎兵衞新田村	大尉	柳澤藏之助
諏訪郡下諏訪町	主計中尉	增澤英一
上伊那郡高遠町	特務少尉	春日多喜治
上高井郡高井村	一等兵曹	藤澤五八郎
更級郡上山田村	一等機關兵曹	宮原正一
小縣郡浦里村	二等兵曹	濱嶋忠雄
小縣郡東塩田村	二等機關兵曹	金澤順七
埴科郡屋代町	三等兵曹	渡邊三郎
更級郡牧鄕村	同	竹田政市
東筑摩郡坂井村	一等水兵	竹川清一
上水内郡高岡村	同	小林周二
北佐久郡中津村	同	小林義重
上伊那郡南箕輪村	同	唐木利雄
東筑摩郡生坂村	同	平野益美
長野市芦田區	同	山口袈裟雄
東筑摩郡坂井村	一等機關兵	山本秀雄
南佐久郡榮村	同	加藤寛一
東筑摩郡笹賀村	同	草間辰男
南佐久郡榮村	同	高見澤篤治
上水内郡柏原村	同	竹内嶽二
下伊那郡上久野村	同	福與敏惠
諏訪郡下諏訪町	同	赤羽根辰三
上伊那郡美和村	一等主計兵	小松今朝則
上水内郡柵村	同	田畑平吉
更級郡西寺尾村	二等水兵	酒井袈裟美
西筑摩郡上松町	同	松原金兵衞
北佐久郡協和村	同	柳澤嘉市
南安曇郡梓村	同	林三十八
上伊那郡片桐村	同	清水義夫
下伊那郡豊丘村	同	長谷嘉太郎
北佐久郡南大井村	同	甘利松治
上高井郡井上村	同	長岡早太
上高井郡保科村	同	竹内貞雄
埴科郡寺尾村	二等機關兵	赤塩正人
松本市許町上區	同	藤原政三
北佐久郡南鄕牧村	同	依田敬一
南佐久郡中込町	同	新海武弘
北佐久郡中佐都村	二等主計兵	市村隣平
小縣郡東原村	同	櫻井義太郎
更級郡八幡村	三等水兵	藤岡貞雄
下水内郡豊井村	同	小林勇
北佐久郡春日村	同	佐藤富雄
小縣郡和村	同	山崎君意
下水内郡飯山町	同	出野源吾
南安曇郡穂高町	三等機關兵	丸山彈一
東筑摩郡坂北村	三等船匠兵	嶋田勇
上水内郡三水村	三等主計兵	清水登

合計 准士官以上 參名 下士官兵 四拾四名

尙八雲と同航する軍艦出雲は佐世保軍港の艦船なれば、長野縣人は皆無との事である。

協會記事

視察組合設立(續き)

下高井郡穗高村組合

組合長 竹原理忠治
藤原昌之助
實井 句
高木 逸
小林昌 司
小林朝 光
山崎貞 造
野口隆 三
吉越富 造
川口龍 治
嶋崎 茂

下高井郡豊郷村組合

組合長 竹井豊 吉
池田武 利
山崎英 次

下水内郡岡山村組合(追加)

河野才治郎
齋藤俊 次
富井正 平
河野米 作
宮井善 眞
片桐知 從
渡邊鐵 治

上水内郡七二會村組合(追加)

竹内彌惠治

臨時代議員會開催

移住組合設立協議

二月三日本會は代議員を召集し臨時代議員會を愛國婦人會講堂に開いた。臨時代議員會開會の目的は昨年の代議員において協議されてゐた信濃海外移住組合の設立に關して本會經營のアリアンサ移住地を移住組合に引繼ぎその引繼移管の方針が今回決定したのでこれを臨時代議員會に提出協議せしめたのである。

信濃海外移住組合設立

直ちに認可申請

別項代議員會においては福島幹事長を座長におし議事に入し永田西澤兩幹事の說明あり質疑應答の結果滿場一致を以て移管方針に可決して直ちに設立認可の申請を縣當局に提出する事にした。

右の信濃海外移住組合設立に關する事は本誌に特輯して追て發表する事になつてゐる。

新會員(自十一月十六日至一月十五日)

南安曇郡溫村 柴野仰 次
同 中村喜 吉
京都市下京區柿本町 江島力 司
小樽市稻穗町 平澤三 郎
京都市壬生高樋町 藤岡辰次郎
上水内郡若槻村 松倉小 市
和歌山縣牟婁郡七川村 串橋豊左右
松本市伊勢町 横山明 吾
下高井郡往郷村 桝原安 治
同 小林勝 隆
同 月岡史 雄
札幌市外月寒種牛場 内山 光
更級郡眞島村 荒井袈裟治
東京日本橋堀江町 堀口正 二
上伊那郡東春近村 北條芳 博

大連市若狹町 日向保 良
下高井郡穗高村 平田義 雄
上伊那郡南向村 瀬田浩 三
上高井郡須坂町 飛澤芳之助
上水内郡柵村 宮川近 太
山梨縣中巨摩郡貢川村 嶋田榮 三

會費領收(自昭和二年十二月廿一日至昭和三年一月二十日)

一金四圓也 自大正十五年至昭和二年 今清水森作殿
一金四圓也 同 竹田島 次殿
一金貳圓也 大正十五年度分 宮澤友 義殿
一金貳圓也 同 小林淺五郎殿
一金貳圓也 同 大口直 治殿
一金四圓也 自大正十五年至昭和二年分 芝原彦 十殿
一金四圓也 何 中村貞之助殿
一金四圓也 昭和二年度分 坂田太三郎殿
一金貳圓也 同 細田次 郎殿
一金拾圓也 同 藤森俊一郎殿
一金拾圓也 同 藤森 馨殿
一金拾圓也 昭和二年度 小松奥 野殿
一金貳圓也 同 後澤友一郎殿
一金貳圓也 同 丸山義 一殿
一金貳圓也 同 山田興 惠殿
一金貳圓也 同 丸山光 司殿
一金貳圓也 同 笠原好 一殿
一金貳圓也 同 笠原敢 一殿
一金貳圓也 同 山田瀧 藏殿
一金貳圓也 同 鶴井楊 藏殿
一金貳圓也 同 丸山琨 並殿
一金貳圓也 同 丸山山 司殿
一金貳圓也 同 西澤兼太郎殿
一金貳圓也 何 小林和嘉一殿
一金貳圓也 同 中澤茂 實殿
一金貳圓也 同 清水春 重殿
一金四圓也 大正十五年昭和二年度分 山本新 平殿
一金貳圓也 昭和二年度分 小林今朝一殿
一金貳圓也 同 宮坂 亮殿
一金貳圓也 同 三石圓 治殿
一金貳圓也 同 三石賢太郎殿
一金貳圓也 同 三石忠 亮殿
一金貳圓也 同 三石武 雄殿
一金貳圓也 同 三石伴 毅殿
一金貳圓也 同 三石實 治殿
一金貳圓也 同 北澤新太郎殿
一金貳圓也 同 佐藤四 郎殿
一金貳圓也 同 北島武 雄殿
一金拾圓也 同 上條富貴治殿
一金貳圓也 同 鈴木愛 藏殿
一金貳圓也 大正十五年度分 山崎梅次郎殿
一金四圓也 大正十二年度分 宮島幸 雄殿
一金貳圓也 大正十二年度分 井口 新殿
一金四圓也 大正十三年度大正十四年度分 井口柳 平殿
一金貳圓也 昭和二年度分 春原安 治殿
一金拾圓也 同 池田直 次殿
一金貳圓也 同 白井安次郎殿
一金貳圓也 同 山岸半三郎殿
一金貳圓五拾錢 購讀料 松島紋治郎殿
一金貳圓也 昭和二年度分 日向保 良殿
一金貳圓也 同 佐藤喜治郎殿
一金貳圓也 同 内海定 治殿
一金拾圓也 同 坂口七五三作殿
一金拾圓也 同 坂口兼 作殿
一金拾圓也 同 小澤智 義殿
一金拾圓也 同 武捨啓 治殿
一金拾圓也 同 三井庄次郎殿
一金拾圓也 同 小林芳太郎殿
一金拾圓也 同 瀧澤守 一殿
一金貳圓也 同 田村耕 造殿
一金貳圓也 同 吉池幹 雄殿
一金貳圓也 同 小山伊勢吉殿
一金貳圓也 同 西村清 吉殿
一金貳圓也 同 上野清 吾殿
一金貳圓也 同 金井今朝吉殿
一金貳圓貳拾錢也 購讀料 堀口正 二殿
一金貳圓也 昭和二年度分 鹽崎正 次殿
一金貳圓也 同 山岸峯 松殿
一金六圓也 自大正十四年至昭和二年度分 横山勝之助殿

一金貳圓也 大正十四年度分 藤牧鶴 人殿
一金貳圓也 大正十三年度分 堀内光 治殿
一金貳圓也 同 福島元 治殿
一金貳圓也 同 百瀬金 吾殿
一金貳圓也 同 荒井勝 一殿
一金貳圓也 同 平林伍 應殿
一金貳圓也 同 新井玉三郎殿
一金貳圓也 昭和二年度分 北條芳 博殿
一金貳圓也 大正十四年度分 市川澄 丈殿
一金拾圓也 昭和二年度分 六川己 坂殿
一金貳圓也 同 成澤佐傳次殿
一金貳圓也 同 山崎三郷治殿
一金貳圓也 同 並木和 男殿
一金貳圓也 同 濱重 雄殿
一金貳圓也 同 小海喜 市殿

海外ヨリ

一金拾圓四拾五錢也 在比島 塚田久米治殿
一金拾圓五拾八錢也 在墨國 新谷八 十殿
一金拾圓六拾壹錢也 在米國 佐藤一 夫殿
一金五拾圓九錢也 在米國 畑實殿 吉澤藤雄殿 堀内荘殿 鈴木金一殿 荒井竹治殿 橋都四郎殿 小田切柳次郎殿 下島淸次郎殿 下島直鋤殿 荒井杉三殿 鑿神彥太郎殿 片桐千晴殿

活動寫眞 ブラジル移住(全五卷)

各地公開、滿員盛況

本會經營のアリアンサ移住地の狀況を中心にしてブラジル移住宣傳映畫とした全五卷ブラジル移住は大日本教育映畫協會の手で遙々彼の地に出張し約八ヶ月の日子を費し、實寫撮影して今一月日本に持ち歸つたもので本會は早速購入してこれを縣下に公開する事になつた。話や讀書では會得しかねる處がドン〳〵映畫によつて了解されて「なるほどブラジルは」とブラジルの眞相を摑む事が出來ると云ふ名畫、既に二十數回の公開を試みて大入滿員の映寫巡禮を續けてゐる。

映寫の梗概を述ぶれば一二卷は日本を出發し各寄港地に上陸し觀光客の態度でその現狀を觀察し四十三日の航海を經てサントス港に上陸し邦人集團の聖州内を一巡しての槪略を說明する第三卷は伯國の大陸から始まりコーヒーの栽培狀態を原始林の開墾から始まりコーヒーの我々の口に飲むまでに到る過程を逐一系統的に明かにしてある。第四卷はコーヒー以外の農作物の狀況と移住者の生活狀態を詳しく述べてブラジル移住に關する一切の知識が養はれるのである。第五卷は伯國南部にある獨乙人植民地を觀察して我々も獨乙人に負けない新しい理想の植民地を建設せねばならぬと云ふ結びになつてゐる。

映寫時間は約二時間半である。

編輯雜記

▲かねて豫告甲し上げておいた海外支部の狀況について各支部から大体の報告がまとまつたので本號をそれにあてた。御繁忙にもかゝはらず夫れ〳〵報告して下さつた事に對し厚く御禮甲上ぐる次第である。

▲未だ海外の支部の二三から報告が未着でもあるし目下頻りと支部の設立に急いでゐる地方が十指を下らないのである。しかも本號には鮮滿蒙の各地方に活動してゐる吾信州健兒に關して何等報告されてないので更らに後日まとめて活動狀態を揭載したいと思ふてゐる。

▲吾信州健兒が海外至る處の地で斯くの如く相互親睦を計り團体的協力に勵んでゐるかがうかがはれ今更の如く鄕土の我々を安堵せしむるのみならず彼等が如何に異鄕の地にあつて我々の未だ會て經驗し得ない所の鄕黨的情味に唯一の途を求めてゐるかがしのばれる。

▲普選やゝともやかく叫ばれて遂に本月二十日には國民によつて審判が行はれた。政民伯仲の現勢でどちらに政權を渡しても永續きはしないと云ふ危ぶない昨今の政情、新興の無產黨が何んと云ふても既成政黨の一大痛棒である事は相違ない。中立と云ふ樣な曖昧な景色も既に時代に添はなくなつて來た。

▲お馴じみの移住地閑話は紙面の都合上次號に割愛の餘儀なきにいたつたその他貴重な記事も次號に讓らねばならなかつた事は殘念である

▲ブラジル移住と云ふ全五卷五千尺のフイルムが出來て既に縣下公開二十數に及んだ到る處滿員巡禮である。一二卷が日本から出帆して四十三日の航海寄港地を見物をしてサントスに上陸。三四卷が伯國の農業、コーヒーの耕作から米の作る方法まで手にとる樣にわかる五卷が獨乙人の理想植民地を視察して私共もあの樣な立派な植民地をつくらねばならない。と結んで拍手喝采〳〵。

▲信州は嚴寒の候、まことに寒ふござる。ブル〳〵震えてゐるが、君よ知るや南の國はお馴じみの台灣—たかさご島。熱帶の話もよからうと存じて少し述べておいた。話や讀んで見ただけで承知の出來ない人は雪の炬燵からもじり出で椰子の葉蔭に凉をむさぼる熱帶の氣分をタツプリと味ふべきだ。

▲アリアンサ移住地が海外移住組合に肩替りする事になつた。どうしてこうならねばならぬとは次號特輯の卷 (三、二〇、M生)

海の外

定價		
	内地	外國
一部	廿錢	廿仙
半ケ年	一圓十錢	一弗十仙
一ケ年	二圓廿錢	二弗廿仙
送料共		

注意
▲御註文は凡て前金に申受く
▲廣告料は御照會次第詳細通知致します
▲御拂込は振替に依らるゝが最も便利さす

昭和三年二月二十五日
編輯人 永田稠
發行兼印刷人 西澤太一郎
長野市南縣町
印刷所 信濃每日新聞社
長野市長野縣廳内
發行所 海の外社
振替口座長野二一四〇番 信濃海外協會

各汽船會社專屬元扱

日本郵船會社
大阪商船會社
ダラー汽船會社
加奈陀汽船會社
アドミラル汽船會社
南洋郵船會社

日本力行會、信濃、廣島、和歌山
福岡、熊本、沖縄 各縣海外協會 指定旅館

海外渡航乘客荷物取扱所

今泉旅館

本店 神戸市海岸通六丁目三番邸
支店 神戸市榮町通五丁目六八番邸
電話元町三二一番
振替大阪三五四一〇番

海外渡航取扱所

◎東洋一の理想的設備を有する神戸港へ！
◎旅館は誠實にして信用のある神戸館へ！

各縣海外協會
日本力行會 指定旅館

神戸市榮町六丁目廿一番邸

神戸館本店

電話元町八六一番
振替口座大阪一四二三八番

支店 神戸市海岸通四丁目（中税關前）
電話三ノ宮二一三六番

◈本店へハ神戸驛、支店へハ三ノ宮驛下車御便利

各縣海外協會
日本力行會 指定旅館

海外渡航乘船
領事館手續
貨物通關取扱

高谷旅館本店

本店 神戸市榮町六丁目
神戸市郵便局私書函八四〇番
電話元町八五四番、一七三七番

支店 神戸市宇治川楠橋東詰
電話元町六六六番

（第二版）

日本力行會長

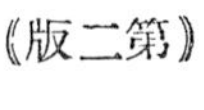

永田稠著

南米再巡

菊版四百廿餘頁・寫眞版三十頁・布製函入
定價一册金二圓八十錢・送料一册拾八錢

永田氏は信州の生める一異才である。曾て南米を一週して『南米一巡』を著はし、信州に來つて信濃海外協會の組織に努力し、更に『南米信濃村建設』に關する大使命を帶びて、大正十三年五月末横濱を出帆し、布哇、北米桑港、ローサンゼルス各地に於ては海外協會支部の設立に盡力し、ソートレーキ市にはモルモン宗教植民の跡をたづね、デンヴアー、シカゴを經て華府に至り、紐育より大西洋を南下してブラジルに至り、移住地の選定・購入・入植の準備をなし、大正十四年二月日本に歸り來り、更に信濃村大成の爲めに努力奮闘し、今や模範的にして世界に誇り得る移住地が建設されつゝある。『南米再巡』は氏が南北兩米を再巡せる記錄である。志を世界に有する者の一日も看過することの出來ない快著である。

長野縣廳內
信濃海外協會取次販賣

東京小石川區林町七十番地
日本力行會發行
振替東京一八六八番

海の外—THE UMINOSOTO
Published Monthly by the Uminosoto Sha. Nagano, Japan.

「海の外」第六十九號　（昭和三年二月）　（每月一回發行）

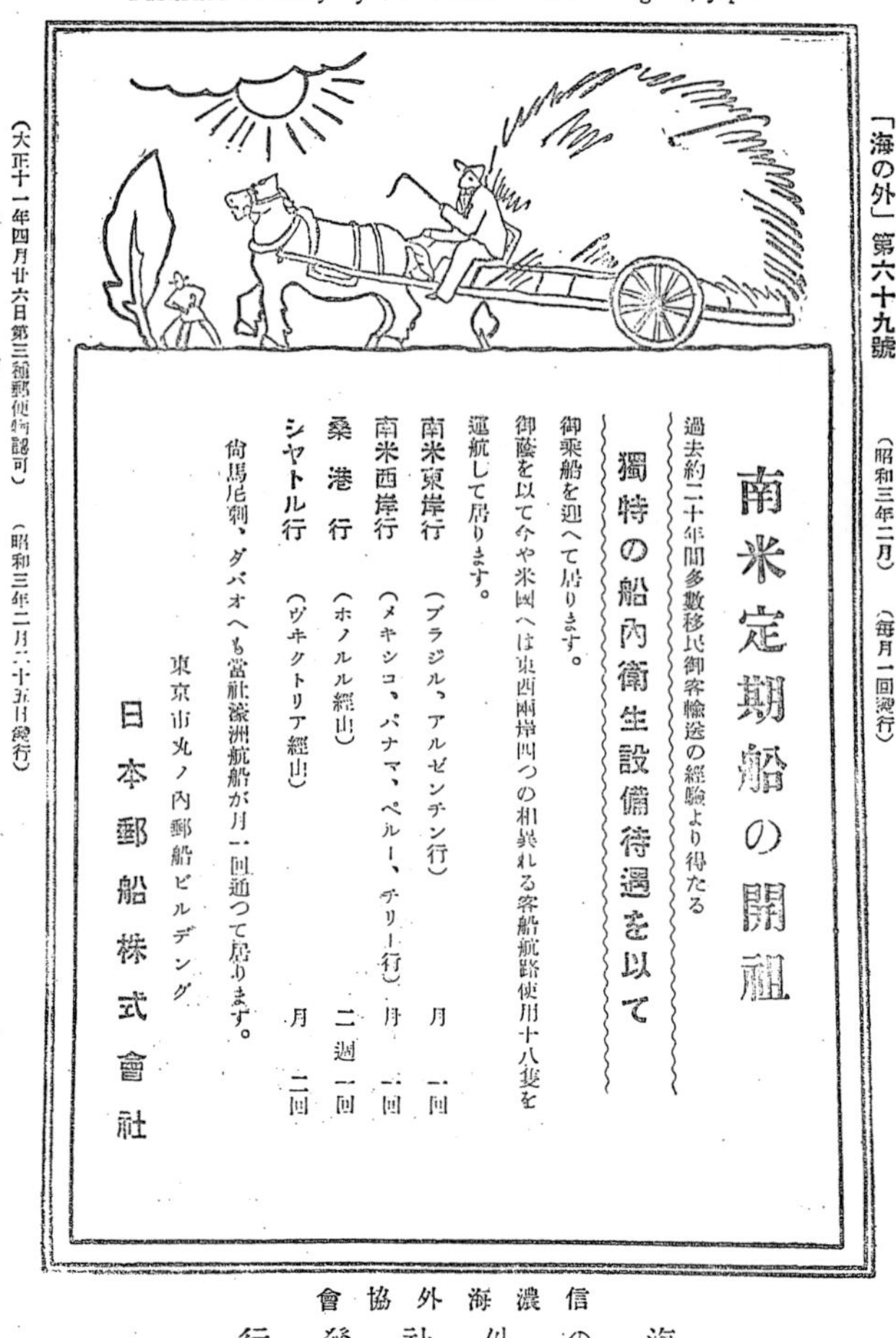

（大正十一年四月廿六日第三種郵便物認可）　（昭和三年二月二十五日發行）

信濃海外協會
海の外社發行

目次（第七十號）

（昭和三年）　第七十號　（四月）

移住の他面進出使命

移住は人を善良となすと共に一つの社會改造運動である。移住者の多くの目的は未踏の處女地に理想新社會の建設であり經濟的滿足の途を求める移住本來の通則的行爲であるがこゝに見逃がすべからざる、移住に件ふ必然の他面進出の一大使命がある。これは移住を試みた者のすべてが看破出來る事柄である。

吾等が海外發展を志してこれを發表した時、誰がこれに贊成をし援助をしてくれたか吾等が支障し痛感させられたものは資金調達や渡航準備或いは手續等の不案內などにあらずして實に親戚家庭の反對と社會の冷談なる看卑的態度であつた。

然しこれは無理はなからう、陋襲重なる傳統的の曖昧なる反對であり曾て移住を試みざる蟄居生活の委縮的境遇からの反對であるのだ、黑星の不吉が禍して若き血潮に燃へて今しも雄飛を志ざす若者の晴れの結婚が破談になり、妻の盲目的移住恐怖から愛子三兒の家庭に不和が生じ夫唱婦隨の家族制度の美風が忘却されると云ふ悲劇が起る。

こゝにおいて吾等の提唱する海外發展――移住は單なる移住地の社會建設のみでなく、今しも別れを告んとする生みの社會の改造運動でなければならない。机上の架空的改造論でなく口角泡を飛ばす議論でなくて實に實際の實行運動であるのだ。（三、二、或る問題に直面して）

英國經濟界の現況

英國にて　功力千俊

日英両國の親睦傾向

近年日本及日本人に對する知識が英國人の間に可成り廣く滲み込んで來た樣である而して英國々民の日本に對する感情は此の知識の普及と共に益々良好に向ひ日英同盟の癈棄の如きも當時の民情では已むを得なかつたであらうが今日では日本と提携の必要を痛感してゐる模樣で一部識者や新聞紙の間には日英同盟の復活若くは少しとも支那問題に就ては何等かの諒解に達し度いとの聲を聞く樣になつたされば日本に於ける輿論の推移は勿論のこと一般社會的出來事も比較的詳細に報道せられ一般人民の注意を曳いてゐる殊に過般の三國軍縮會議に於ける日本の公正な態度は非常に良い印象を與へた樣である而して政府も此の民意を反映して居り殊に支那問題に關しては褫して日本の主張を尊重し日本と協調を保つて問題を處理せんとする樣な態度を持つてゐる許りでなく一般に日英同盟が存續して居ると同樣の親睦を保つことに努めてゐる模樣である。

勿輪之は英國が自己の利害關係から打算した結果であるかも知らないが稍もすれば人種的偏見の高潮せんとする今日に於ては好ましき現象であると言はねばならぬ。

歐洲大戰前の英國經濟界

扨て現在英國に於て重要視されてゐる勞働問題、人口問題及其の他社會問題は悉く其の經濟に基礎を置くもので經濟界の好調は少くとも此等諸問題解決の一階梯である此の意味に於て英國經濟界の現況を知ることも强ち無益でもなかろうから左に其の概況に觸れて見よう。

英國が歐洲大戰前迄世界の經濟界に覇を唱へてゐたことは既に周知の事實で之は同國が鉄や石炭等の原料品を多分に有し之が利用に依つて製造工業及其の他の產業が素晴しい勢で發達したからである。

歐洲大陸諸國がナポレオン戰爭で奔命に疲れてゐる時英國は比較的自由の立場にあつたので諸國に先んじて產業革命を遂げ現代式大規模の製產に依つて廉價で市場に商品を供給することが出來從つて歐洲は勿論其他市場に對する重要供給者の地位を克ち得たのであつた故に同國の產業は主として輸出を目的とする製造工業であるのである從つて之と離るべからざる關係にある商業が原料品を豐富に有し大なる市場を控へた英國に於て製造工業の發達と相俟つて世界に優越な地位を占める樣になつたのは偶然ではない而して此の外國貿易は全國の政治的伸展に依つて保護助長せられた殊に世界各地に取得した殖民地との間の規則的交通利便の設置は同國の通商をして益々促進したのである。

斯くて英國は世界通商の中心となつて種々の經濟的利益を獨占し延て倫敦は銀行、爲替及保險等金融の中心となり遂に他國の追隨することが出來ない經濟上の地位を得ると共に十九世紀に於ける世界第一の投資國となつたのである。

打擊を受ける新競爭者と歐洲大戰

然るに歐洲大戰直前に於ては此の英國の地位も樂觀を許さない樣な情態になつて來た、商業及纖維工業は各國の未だ及ばざる處であつたが鉄及石炭の產額は獨逸及米國に凌駕され各方面に亘つて新競爭者が現はれ加ふるに同國に於ける一般製造工業の製產費は增加し貨幣の購買力は減少し爲に勞働者間の不平多く大戰開始の秋には大罷業さへ計畫されてゐる有樣であつた。

大戰の勃發が國際經濟に如何なる變化を與へたかは吾々の記憶に新なることであるが英國に於ても戰後の一時的好景氣は千九百二十年に於て形勢一轉し千九百二十一年には不況のどん底に陷つた而して其の後漸次回復の方向に向つて來てはゐるが今日尙未だ不況の域を脫せないのである卽ち戰後既に七年有餘になるが經濟界の回復は極めて遲く而も不規則で大戰の創痍は尙癒へず各方面に現はれ資本は偏在し失業者は近年百万を下つたことなく勞働の不安は益々加はつて來てゐる。

歐洲大戰の同國に與へた直接の影響は直接戰費、戰時債務、英貨購買力の減少及國際投資の收益減少等であるが此等は何れも對策が講ぜられて舊狀を回復して來たが戰前英國の重要市場であつた歐洲大陸諸國の購買力の減少と國內的には信用緊縮政策及重稅とが現在英國經濟界不況の要因であると見られてゐる。

依然として不況にある現狀

信用緊縮政策は前後二回適用せられたが其の結果經濟界は委微し物價は低落したが失業者は著しく增加した卽ち千九百二十年の際は二年間に物價は二分の一に下落したが失業者は二百万を突破し又千九百二十五年に金解禁の前提として銀行利子が五分に引き上げられた際は物價の低落は左程大ではなかつたが未だ充分恢復してゐなかつた經濟界には相當の打擊を與へたのであつた。

資本の徵收とも見らるべき重稅は英國を佛蘭西や獨逸が經驗した通貨の暴落から救ふ事は出來たが其の過重であつた事は一般に認められてゐる處である而して此の重稅は同國の貯蓄額に反映し其の額は著しく減少した卽ち貨幣の購買力を考慮に入れる時は其の減少額は每年一億五千万磅乃至二億磅に及ふと推算せられてゐる、實際租稅負擔の輕減は經濟復興の條件である。

千九百二十年頃の空景氣に浮かされた勞働者は今日の狀態に滿足せず又中流階級も疲弊してゐる許りでなく人口過剩の聲が喧しく國內を風靡してゐる。現在英國人の移住は大部分帝國領土に對するものであつて諸外國への移住は極く小部分に過ぎない之は英帝國が廣大な人口の吐け口を有し從つて現在人口の過剩も日本の如く急迫せるものではなからうが兎に角之が緩和の爲政府は移民希望者を訓練し之に補助金を與へる等移民奬勵の方法が實行せられてゐる然し餘り効果なく寧ろ近年の出生率へ減少に希望をつないでゐる模樣である。

現在英國の世界に於ける產業經濟上の地位を見るに同國は炭坑が港に近いといふ點に於て米獨より有利であるが其の採掘の組織及方法は最早舊式で而も小規模であるが爲に生產費が嵩む欠點あり且地方石油及水力の利用は石炭の重要さを減じ又鉄の如きは國內消費を滿たすに足らず年々國內消費量の三分の一は輸入に俟つ有樣であり更に從來英國商品の需要地であつた諸外國に近年製造工業が發達し來り且つ關稅の障壁は高められる等の爲頗る窮境に直面してゐるのである。

北米合衆國は此の機會に乘じて世界經濟界に優越の地位を占めんと努力してゐる爲に從來の英國の地位は他に浸されんとし外國貿易は逆調となり連年輸入超過を辿つてゐる故に同國は國家財政中から多額の豫算を割いて帝國經濟委員會及帝國市場局等を設置して其の製產品の販路開拓及經濟進展の方法を講じてゐる。

然し徐々に回復しつゝある

英國經濟界の現況は大體右の如く頗る苦境にあるのであるが今後如何に變化して行くかは英帝國の結合が如何に成り行くか歐洲大陸諸國が復興に幾何の年月を要するか將又英國の財政が如何に處理せらるゝかに依つて決せらるゝものである、豐富な天惠を有する米國が海外投資及工產業方面に於て既に英國を凌駕してゐるが商業貿易に就ては今後直ちに英國の地位を奪ひ得るとは思はれないし又金融の中心として倫敦の地位は牢固として拔くべくもあらず一方英國殖民地の發達は英帝國全体としての經濟地位を保障するものと思はれる往々勞働運動も一昨年の總罷業の苦い經驗以來資本家側とも協調の傾向が濃厚になつて來たし現政府は國產を奬勵し帝國の經濟的結合を策すると共に信用擴張の方針に出づる等恒久的の對策を進めつゝあり現に其の効果も見へ失業者も漸次減少する傾向がある點から見て同國の經濟は不遠順調になるべく英國は世界經濟界に於て依然優越の地位を維持するであらうと思はれるのである。（完）

（三、二、三）

本玉稿は在英日本大使館の功力氏から寄せられたものである。同氏は諏訪郡境村出身で、在英專ら外交事務にたづさはり活動されてゐる。本稿と共に英京倫敦を紹介する寫眞數葉を態々贈られてあるが何れの機會に本誌に揭げたい。

日支共存共榮の立場より

我同胞に直劒の覺悟を望む

在通化　三井善吾

支那の事情は新聞雜誌著書等で既に紹介されて居りますから一般の方は何れも御承知の事で今更改めて申上げる迄もないと思います殊に私は淺見且僻地に許り居ります關係上貴會の御期待に添へ得べき御答は致し兼ねますから私が實際踐見聞した二三の事柄を申述べ併せて聊か卑見を申上げて見たいと思います

（一）

御承知の如く支那は五旗族より成る民族で世界中で最も大きな國であります隨つて大局より觀察した處と小局部の事情とは餘程差異があります一例申しますと日支兩國は同文同種で地理上利害も相一致して居ります、爲めに共存共榮と云ふ標語は最も緊要であります然しながら支那人間には餘り理解されて居りません古來より支那人は外交上の辭禮は巧みでありますから表面は兎も角內心に置きましては多數は自決主義を主張して此有益なる標語は却つて迷惑の樣であります極端の人になりますと此標語に對し日本の自己擁護又は侵略の方便だ等と曲解して反感を持つて居るものさへ見受けます。

如斯誤解のあります原因は畢竟するに國情風俗習慣等の異なるに起因して居る證擄でありまして支那人は我日本人に比して勿論長所も澤山ありましようが又短所も多く邦人と絕對に相容れない點もあります先づ短所の方の主なる例を擧げますと個人主義、利己主義、忘恩性、猜疑心强きこと等でありまして公德心責任觀念に欠如し居るに不拘非常に形式を重じ且つ面從腹背の行爲多く所謂二重人格が發達して居ります。

如斯利己心、個人主義に富み責任觀念のなき關係上支那人間に於ては公共事業とか會社事業とか云ふ方面に於ては余りよい成績を得られません其一例を申上げますと私の居ります土地に電燈會社がありますが其重役は比較的誠意を以つて會社の爲めに努力して居りますがどうも欠損勝で成積が擧がりません茲に於て重役は研究の結果我邦人に經營を委任しようと計畫し株主を設き着け成立の曙光を認むるに至りましたが官憲が反對して不許可になりました其原因を探究しますと官憲は電燈不拂と云ふ欠點があり亦一般需用者側にも盗電と云ふ不都合があり一面には猜疑心の關係もありますが主として自己の利害より打算して反對を唱へたのであります。

（二）

其外支那人には面子（顔）と云ふ習慣があります當地の或る邦人商店に一人の支那使用人がありまして永年使へ慣れ且つ比較的實直の方でありましたから少し弛めて使用しますと漸次つけ上り且つよからぬ行爲が見えましたから解雇を言渡しますと其使用人は早速主人の友人を賴み折衞して貰つた結果再び容るゝ事になりましたが右使用支那人は斡旋した友人の顔を立て一歸つたとの言分でした玆で主人は遂に匙を投げ斷然解雇しました然し支那人間には此位の事は普通平氣で行はれてます。

斯ふ云ふ風でありまして支那人と提携したり屈入れたりするには輕便且つ安價の點はありますが操從することが頗る困難で是迄合辨事業は勿論單獨事業にせよ滿鐵附屬地を除いては餘り成功した人は耳にしません殊に日本人は支那人を研究しないで自己の意思通り解決し易い等と考へ物事に直面する習慣がある爲めどうも成績が良くありません最近滿鐵沿線の邦人間にも使用支那人より慘害を被る實例頻々と起りました爲め大部覺醒研究せらるゝ樣になつたのは兎に角結構な傾向だと思います。

前述の如く支那人は極めて利己主義でありますから權利觀念には非常に發達して居ります而して其反面には義務心が欠如して居りまして自衞心の强い割合に自治觀念には全く冷淡でありますす隨つて國家の向上發展は容易でありません。

是等の欠點は敎育が統一普及して居らないのと因襲の然らしむる所でありまして之を匡正することは前途遼遠であります然し支那人は一面比較的新思想に發達し傑出した人物のあるにも不拘遅々として向上しないのは全く舊套を脫しない者が多く一種の畸形兒になつたものと思はれます。

支那の如く主權の國民にある國柄に於てはもう少し國民が自覺努力しませんと益々低下し將來自繩自縛の苦境に陷るより途はありますまい然し現狀に置きましては何等自覺の徵なく官憲は暴政を布き改めず國民は内心官憲の目を掠め脫稅を事とし上下擧つて利慾に走り敗いて軍警に對する給與簿きに流れ掠奪を爲さゞれば馬賊に投するの外なく國内は内亂に内亂を重ね益々收集すべからざる狀態に迫りつゝあります支那古來よりの慣習に沒法子（仕方がない）なる語あり此一語により凡ては解決せられ居る樣に見えますが國民の内心は治安の維持不能と反抗とにより秘密結社は古來より組織せられてありまして最近に於ける重なるものを擧くれば靑紅會、紅槍會、大刀會、致公堂、白蓮會、黃槍會、俠義會、天明會、天門會、朴藍會等の各團体あり皆相當の潜勢力を有し何れも時勢に對する反抗團体なるを失

はないので時機の到來を待ち居る形勢であります目下新聞紙上に報導せられつゝある東邊方面の大刀會勃發事件も其一例でありまして本年一月三日當地來襲以來奉天主腦部に於て自ら討伐を決行して居りますが根絶は到底不可能と思はれます

（三）

支那の現狀は官民共に如斯くありまして最近國權回復熱盛なるに何等國家の治安は維持せられず敎育又遅々として振はず此儘推移せば支那は益々苦境に陷より外途はありますまい近時鐵道熱頻りに勃興して滿洲各地に敷設せられ居りますが前述の如く責任觀念薄く實蹟ば餘り見るものがない相であります又通信機關の如き却つて能率は低下して參ります私共の觀察する處に依りますれば支那は我國人と相提携せざれば發達すべからざる地位にあると同時に早晩實現の時機は到來するものと信じます然し支那自ら覺醒を待つは百年淸河を待つに等しく我國人は自ら進んで相提携すべきが善隣に對する義務と我民族の發展すべき最善の途と信じて疑はないのであります故に此目的を達成するには先づ支那及支那人を理解して直面するが策の得たるものと思はれます從來邦人の採つた經路を見ますと槪して漫然として進出した樣に思はれます爲に失敗者多く今は行詰まりの聲を聞くに至つたのであります之れは時運の然らしむる爲のみならず努力の足らなかつた結果とも思はれます支那は將來政治經濟學術殊に醫術農業鐵道の各方面に於て邦人と相提携せざれば發展の餘地なしと思はるゝ點が少くありません此機會に於て支那に發展せんとするものは啻に語學のみならず支那の事情を研究し官憲の指導資本家との連絡等の便宜を計る機關を適當の地點に設置し内外を問はず同胞協力一致して從來の面目を一新し眞劍の覺語を以つて努力しましたならば發展の餘地は未だ充分あると思はれます。

（三・三・六）

三井善吾氏は北佐久郡小沼村出身で暗雲常に低迷してゐる動乱の支那に在留邦人の保護にあたつてゐる隣邦支那は吾等の善き友であらねばならぬのに往々誤解の向きが多いのは遺憾である本玉稿は此の意味よりして好箇のものである

（新刊紹介）ブラジル移住を希望する若き友へ

現在伯國への移住の主目的は農業であり、七萬に近い在伯同胞も皆農業に從事してゐる。が然し伯國は農業方面以外には移住が出來ぬか、そして活動が不可能？而かも、在伯同胞の健全なる發達は、これ等以外の知識的方面に活動する人物が必要であり、精神的指導に任ずる人々が必要であるのみならず且つ要求されてゐるのは當然ではなからうか。

本書の著者はこれを明かにするためにその緒を見出し、これに說明してゐるもので此の方面に志す者の良參考書である（定價五拾錢札幌市外中之島住宅園北聖協會）

移住地乘替の
─信濃海外移住組合概要─

一記者

一、信濃海外移住組合設立趣意書

大正十二年信濃海外協會ガ南米ニ一移住地ヲ建設シ我國民海外發展上範ヲ天下ニ示サントスルニ當リテ國法ノ準據ス可キモノナキヲ不便トシ兎ニ角産業組合法ニ依リ信濃土地購買利用信用組合ヲ組織シテ其認可ヲ申請シタルモ産業組合法ハ其ノ一部ヲ改正スルニアラザレバ海外ニ於テ移住地ノ建設經營ヲナス能ハザルノ事情アリ止ムヲ得ズシテ信濃海外協會ハ一方ニ於テハ移住地經營ノ事業ヲ進捗セシメ一面ニ於テハ移住組合法ノ制定ニ努力シタリ。

幸ニシテ移住地經營ノ事業ニ對シテハ縣下ノ有力者ヨリ拾六万餘圓ノ寄附金ヲ得又内務外務兩省ノ助成ヲ受ケ其經營スル所ノアリアンサ移住地ハ頗ル順調ニ發達シ鳥取、富山、兩縣海外協會ハ本縣海外協會ト協力シ熊本海外協會ハ範ヲ本縣ニ取リテ各其ノ移住地ヲ經營スルニ至リ總計約二万二千町歩ノ土地ヲ購入スルニ至レリ。

移住組合法ノ制定モ幾多ノ曲折ヲ經テ昭和二年遂ニ制定セラルルニ至レリ制定セラレタル海外移住組合法ノ實施ニ當リテハ當然信濃、鳥取、富山、熊本、諸協會經營ノ移住地ハ其第一年度ニ於テ該法ニ準據シ得ラル、モノト考慮シタルニ拘ラズ遂ニ除外セラルルニ至リ他ノ三協會ト共ニ信濃海外協會ハ其移住地經營ニ對シ多大ナル不便ヲ感ズルニ至レリ。

茲ニ於テ協會ノ當路者ハ政府、海外移住組合聯合會及ビ關係協會ト數次ノ協議ヲ重ネ新タニ海外移住組合ヲ組織シ海外協會ヨリ移住地經營ニ關スル事業ヲ繼承スルニ至レリ。

信濃海外協會ノ經營セルアリアンサ移住地ノ事業ハ大体ニ於テ終末ニ近ヅキ、アリ玆ニ於テ新タニ信濃海外移住組合ヲ組織シ當初ニ於テアリアンサ移住地ノ事業ヲ繼承シテ長野縣民ノ移住地經營ニ關スル第一期ノ事業ヲ完成シ更ニ進ンデ益縣民ノ海外發展ノ事業ニ貢献スルトコロアラントス。

二、事業遂行ノ概要

一、口　數
　二〇〇　　一口　五〇圓　　計　一〇、〇〇〇圓

二、組合員
(イ)　信濃海外協會役員
(ロ)　信濃海外協會ノ出資特別會員ニシテ三百圓以上ノ出資寄附者ニシテ同會經營南米ブラジルありあんさ移住地內ニ土地ヲ所有スルモノ
(ハ)　同會ありあんさ移住地ニ土地ヲ有シ自ラ移住セザル不在地主
(ニ)　其他組合法ニヨル組合員

三、組合役職員
(イ)信濃海外協會ノ役員ヲ主トシテ組織ス
(ロ)主トシテ移住地經營ニ關係アル協會役員ヲ以テ組織ス

四、出資拂込ノ完了
二〇〇口ノ募集並ニ拂込完了ハナルベク一月中ニシテ募集ハ完了スルコト

五、組合ノ設立
(イ)發起人ノ協會關係ノ役員又ハ會員
(ロ)一月中ニ組合ノ設立ヲ完了スルコト(內務省ヘ內議ス)
(ハ)信濃海外協會ノ三百圓以上ノ出資特別會員ニシテ組合員トシテ加入スルモノニハ千圓以上ノ出資者ニハ一人ニ付一口分五〇圓三百圓出資寄附者ニハ一人ニ付一五圓五百圓ノ寄附出資者ニハ二五圓ヲ協會特別會計ヨリ助成交附ス　　三、八五四圓

六、移住地ノ經營
本年度內ニ協會移住地ノ經營ヲ引繼グコト

七、組合ノ計畫ヲ遂行スルニ當リ聯合會ヨリ借入ル、金額
(イ)組合ハ移住組合聯合會ヨリ參ケ年据置參ケ年賦ニテ金一三四、〇〇〇圓ヲ借入ルルコト但年利五分
(ロ)組合ハ借入金ヲ以テ信濃海外協會經營ノありあんさ移住地ヲ聯合會ヲ經テ讓受ケ引繼ギ當移住地ニ關スル伯國地主ナル「ロドルフオ、ノゲーラ、ダ、ローシヤ、ミランダ」氏ヘ未拂土地代ヲ皆濟スルコト

八、聯合會ヨリノ借入金償還法
組合ハ引繼ギタル移住地ノ中分讓シ得ベキ土地六〇三、五町歩分讓代ト協會分讓シタル土地代金ノ未納金一五四、一四五圓ヲ取立テテ償還スルコト

九、協會ト組合トノ引繼關係
昭和二年度中ニ引繼ギ得ルモノハナルベク早クシ年度內ニ了シ引繼ギ又ハ協定シ得ザル事項ハ漸定方針ヲトルコト

一〇、協會ヨリ引繼ギ又ハ讓受クルモノ及組合ヨリ協會ヘ支拂フベキモノハ別紙ノ通リ

一一、鳥取、富山移住組合トノ關係
組合ハありあんさ移住地八、〇〇〇町歩ノ經營ヲナス
但シ信濃海外協會ノ經營ニ屬シタル移住地ノ土地代金ノ回收並ニ入植ノ完了及ビ聯合會ニ對スル償還等ニ關シテハ當分ノ

中信濃海外移住組合ニ於テ之ヲ行フモノトス

備考、

（イ）信濃海外協會ノ經營セシあリあんさ移住地ハ第一移住地五、五〇〇町歩、第二移住地二、〇〇〇町歩、第三移住地四、二五〇町歩、合計一一、七五〇町歩ナリ

（ロ）第二ありあんさ移住地二、〇〇〇町歩ヲ鳥取海外移住組合ヘソノ所管ヲ移譲ス、細目ニ付キテハソノ協定ノ際コレヲ定ム

（ハ）第三ありあんさ移住地ノ中、富山海外移住組合ニ一、七五〇町歩所管ノ移譲ヲナス。ソノ細目ニ付キテハ協定ノ際ノ定ムル所ニヨル

三、事　業

一、金融事業

組合ハ金融部ヲ設ケ組合關係ノ移住者ニ對シ左ノ事業ヲ行フ

1、貸付部　貸付部ハ組合員又ハ其ノ家族ノ土地購入資金其ノ他移住地ニ於テ必要ナル諸資金ノ貸付ヲナス尙貸付部ハ海外ニ移住セムトスル組合員又ハ其ノ家族ノタメ國內ニ於ケル財產ノ管理又ハ處分又ハ財產ヲ擔保トスル貸付ヲナス貸付部資金ノ貸付條件ハ聯合會ヨリ借入レタル土地購入資金ノ轉貸並ニ土地購入ニ充當スル資金ノ貸付ニ付テハ三年据置三年賦年利五分トシ其ノ他ノ資金ノ貸付ニ付テハ年一割二分以內ニ於テ理事ノ定ムル所ニ依ルモノトス

2、貯金部　貯金部ハ組合員又ハ其ノ家族ヨリ貯金ノ預入ヲ受ケ貯金者ノタメ利殖ノ途ヲ講ス貯金利子ハ年七分以內ニ於テ理事ノ定ムル所ニ依ルモノトス尙貯金部ニ於テハ移住者ノタメ送金ノ便宜ヲ圖ルモノトス

二、購買事業

組合ハ移住地ニ購買部ヲ設ケ組合關係者ニ對シ左ノ事業ヲ行フ

1移住地ノ購入　組合ハ移住者ニ分讓スルタメ海外移住組合聯合會ガブラジル國サンパウロ州アラサツーバ郡內ニ所有スル「アリアンサ」移住地一一、七五〇町歩ノ一團地ヲ購入ス購入價額ハ一三四、〇〇〇圓內外ノ見込ミナリ

組合ハ右ノ土地購入費ニ充ツルタメ聯合會ヨリ借入金ヲナス借入金ハ三年据置五年賦年利五分ノ條件ヲ以テ借入シ之ガ償還財源トシテハ組合ガ移住者ニ土地六〇三町歩購入費トシテ貸付スル貸付金ノ償還金及其ノ利子並ニ先ニ信濃海外協會ガアリアンサ移住地經營中ニ分讓シタル土地代未納金一五四、一四五圓ヲ取立テ之ニ充ツ

2、移住地ノ分讓　分讓地ノ總面積ハ六〇三町歩ニシテ大体二十五町歩宛ニ區劃シ分讓スルモノトシテ一年間ニ二四家族ヲ移住セシム既ニ處分濟ノ土地一一、一四七町歩ハ昭和三年一〇五家族昭和四年一二五家族、昭和五年八七家族合計三一七家族ヲ移住セシム

移住者ニ對スル分讓價額ハ組合ガ聯合會ヨリ購入シタル價

額ニ組合ニ於テ更ニ施設シタル小區劃、道路、橋梁、排水溝其ノ他諸經費ヲ加算シ之ヲ算出スルモノニシテ二十五町歩ニ付キ凡ソ一、七五〇圓トナル見込ナリ

組合ハ移住者ニ對シ組合ヨリ購入スル土地代金ニ充當セシムルタメ土地購入費ノ貸付ヲナス、貸付金ハ三年据置、三年賦年利五分ヲ附セシム

3、日用品農具其ノ他ノ購入　尙購買部ハ移住者ノ注文ニ應シ建物及建築材料農業用機械器具、家具、種苗、日用品其ノ他總會ノ決議ヲ經タル物件ヲ購入シ移住者ニ賣却ス

三、販賣事業

組合ハ移住地ニ販賣部ヲ設ケ組合倉庫ノ設備ト相俟ツテ移住地ニ於ケル生產物ノ共同販賣ヲ行フ

四、移住地ニ於ケル諸施設

組合ハ其ノ事業資金ト必要ノ程度ニ應シ移住地ニ左記ノ諸施設ヲ逐次建設シ之ヲ移住者ニ利用セシム

1、事務所及附屬施設　移住地ニ於ケル組合事務所ハ移住地經營ノ本部タルノミナラズ移住者ト最モ密接ナル關係ヲ有スルヲ以テ組合出張事務所及其ノ舍宅ノ建設ト共ニ金融部、購買部、販賣部、簡易醫局、組合員集會所等ヲ併設ス

2、移住者宿泊所　移住者ニ對シテハ可及的迅速ニ各自ノ住宅ヲ建設セシムル豫定ナルモ移住地到着早々相當ノ住宅ヲ準備シ或ハ建築スルコト不可能ナルヲ以テ三十家族及乃至四十家族ノ移住者ヲ一時ニ收容シ得ル宿泊所ヲ建設シ指定ノ期間內止宿ノ便宜ヲ與フルコト

3、小學校　移住地ニ於ケル子弟教育ノ問題ハ移住者ノ最モ思念スル所ナルヲ以テ組合ハ初等教育機關ヲ設ケ移住者ノ子弟ノ教育ニ遺憾ナキコトヲ期ス

4、農業倉庫　農業倉庫ハ生產物ノ共同販賣機關トシテ重要ナル地位ニアルヲ以テ生產物ノ集合上至便ノ地ヲ選定シ組合倉庫ヲ建設ス

5、其他ノ施設　組合ハ移住地ニ於テ前記諸施設ノ外社寺ヲ建立シ墓地ヲ定メ或ハ幼稚園、農園、托兒所、運動場等ヲ建設スル豫定ナリ

五、移住ノ斡旋

組合ハ政府及聯合會ト聯絡ヲ保チ組合員又ハ其ノ家族ノ海外移住ニ對シ種々ノ指導ヲ與ヘ便宜ヲ圖ルモノトス、其ノ主要ナル事項左ノ如シ

1、移住者ノ選定　組合移住地ノ分讓ヲ受ケ農業ヲ經營セムトスルモノハ移住前其ノ資力經驗、技能、身体並ニ家族構成等ニ付キ相當審査ヲ要スルヲ以テ組合ハ理事ノ決定スル標準ニ依リ其ノ資格ヲ審査シ合格者ニ對シテノミ移住地ヲ分讓スル方針ナリ

2、渡航許可ノ手續　組合ハ移住地分讓ノ許可ヲ與ヘタル者ニ對シ渡航許可ノ手續其他移住準備等ニ付キ指導斡旋ヲナス

3、移民收容所收容　前項ノ移住者ニハ渡航前約十日間政府

ノ經營ニ係ル移民收容所ニ於テ移住ニ必要ナル教養並ニ衞生、檢査等ヲ受ケシム

4、船賃補助　組合ノ分讓地ニ移住スル者ニシテ政府ノ指定スル條件ヲ具備スル者ニ對シテハ渡航補助金ヲ聯合會ヲ通シテ受ケシムル豫定ナリ

六、其他ノ事業

組合ハ伯國ニ於ケル移住地ノ經營及ソレニ關聯スル事業遂行ノ外ニ尙海外移住適地ノ調査移民思想ノ普及宣傳其ノ他組合經營ノ移住地以外ノ地ニ移住セムトスル組合員又ハ其ノ家族ニ對シ移住ノ便ヲ圖ルコト

四、事業資金

總額　一、二九七、五八九円五

一、事業資金內譯

組合創立初年度ヨリ第六年度ニ至ル第一期計劃事業資金並ニ創立ヨリ十ケ年間ノ事業資金ノ主要ナルモノハ組合員ノ拂込出資金、國庫補助金及移住者ヨリ組合ニ土地代金トシテ償還スル貸付金及其ノ利子ト組合ヨリ聯合會ニ土地代金トシテ償還スル借入金及其ノ利子トノ差金ニシテ其ノ他ニ組合金融部ノ貸付金ノ利子及預金利子並ニ移住地土地管理料、移住地地區劃入植者戸數割、入植者衞生費、賦課金移住地小學校生徒授業料、並ニ商店部益金、物品運搬雜收入等トス

二、事業資金ノ處理方法

1、組合員出資金拂込年次表

一金二千圓　第一回拂込金一口ニ付金拾圓　創立當時

一金四千圓　第二回拂込金一口ニ付金貳拾圓　昭和三年七月末

一金四千圓　第三回拂込金一口ニ付金貳拾圓　昭和三年十一月末

計　金壹萬圓

2、土地購入借入金償還年次表（組合ヨリ聯合會ニ償還スル表）

3、土地購入貸付金償還年次表（全移住者ヨリ組合ニ償還スル表）

4、土地購入貸付金償還年次表（一移住者ヨリ組合ニ償還スル表）（2、3、4各表省略）

五、事業ノ執行ト豫算

組合事業ノ執行ニ伴フ豫算ノ收支關係ハ別表ニ示スガ如シ

收入豫算

科目	昭和三年	四年	五年	六年	七年	八年	計
一 出資拂込金	一〇、〇〇〇円	—円	—円	—円	—円	—円	一〇、〇〇〇
二 國庫補助金	三、七五〇	三、七五〇	三、七五〇	三、七五〇	三、七五〇	三、七五〇	二二、五〇〇
三 海外渡航準備補助金	六三、〇〇〇	七五、〇〇〇	五二、二〇〇	—	—	—	一九〇、二〇〇
四 分讓土地代金貸付金償還金	—	—	—	一四、〇〇〇	一四、〇〇〇	一四、〇〇〇	四二、〇〇〇
五 同上利子	二、一〇〇	二、一〇〇	二、一〇〇	二、一〇〇	一、四〇〇	七〇〇	一〇、五〇〇
六 金融部貸付金償還金	—	—	六、〇〇〇	六、〇〇〇	—	—	一二、〇〇〇
七 同上利子	—	九六〇	九六〇	四八〇	—	—	二、四〇〇
八 既分讓土地代金及利子拂込金	六五、四一四、五	九〇、四一四、五	二六、五五九	—	—	—	一八二、三八八、五
九 移住地土地管理料	一四、二五〇	二三、二五〇	二八、五〇〇	二八、五〇〇	二八、五〇〇	二八、五〇〇	一五一、五〇〇
一〇 移住地土地區劃賦課金	一、〇三二	一、五三二	一、八八〇	一、八八〇	一、八八〇	一、八八〇	一〇、〇八四
一一 移住地入植者戸數割賦課金	一、二九〇	一、九二五	二、三五〇	二、三五〇	二、三五〇	二、三五〇	一二、六一五
一二 同衞生費賦課金	三、〇九六	四、五九六	五、六四〇	五、六四〇	五、六四〇	五、六四〇	三〇、二五二
一三 移住地學校生徒授業料	一、八〇〇	二、六四〇	三、三六〇	三、六〇〇	三、七二〇	三、八四〇	一八、九六〇
一四 外務省補助金	七一、二五〇	五九、四六二	—	—	—	—	一三〇、七一二

	昭和三年	四年	五年	六年	七年	八年	計
一五 移住地商店部利益金	八,〇〇〇	九,〇〇〇	一三,〇〇〇	一三,〇〇〇	一三,〇〇〇	一五,〇〇〇	六六,〇〇〇
一六 物品運送料	一,五〇〇	二,〇〇〇	三,〇〇〇	三,〇〇〇	三,〇〇〇	四,〇〇〇	一六,五〇〇
一七 文部省外務省教育補助金	四,八〇〇	六,〇〇〇	七,七〇〇	七,七〇〇	七,七〇〇	七,七〇〇	四一,六〇〇
一八 雜收入	二,五〇〇	二,五〇〇	三,〇〇〇	三,〇〇〇	三,〇〇〇	四,〇〇〇	一八,〇〇〇
合計	二五三,七八二,五	二六五,一三九,五	一五八,九九九,五	九四,〇〇〇	八六,九五〇	九一,三〇〇	九七〇,三三一,五

支出豫算

科目	昭和三年	四年	五年	六年	七年	八年	計
一 聯合會出資金	三,〇〇〇	三,〇〇〇	三,〇〇〇	三,〇〇〇	三,〇〇〇	—	一五,〇〇〇
二 移住地設備費	五一,九五〇	五二,六六三	—	—	—	—	一〇四,六一三
三 道路測量井費	九,九〇〇	六,〇〇〇	六,二五〇	—	—	—	二二,一五〇
四 本部事務所費	八,六〇〇	八,六〇〇	八,六〇〇	七,〇〇〇	六,七〇〇	六,六〇〇	四六,一〇〇
五 移住地事務所費	一四,五〇〇	一三,五〇〇	一三,五〇〇	一三,五〇〇	一三,五〇〇	一三,五〇〇	八二,〇〇〇
六 同商店部費	四三,九〇〇	三三,〇〇〇	三三,一〇〇	三三,一〇〇	三三,一〇〇	三三,一〇〇	二〇八,四〇〇

	昭和三年	四年	五年	六年	七年	八年	計
七 金融部貸付金	一二,〇〇〇	—	—	—	—	—	一二,〇〇〇
八 土地購入借入金償還	—	六,七〇〇	六,七〇〇	六,七〇〇	五〇,七〇〇	四九,五〇〇	一二〇,三〇〇
九 移住地教育費	一四,九〇〇	一八,〇〇〇	一三,九〇〇	一四,六〇〇	一八,七〇〇	一八,七〇〇	九七,八〇〇
一〇 同衛生費	一四,三〇〇	一七,八〇〇	一三,〇〇〇	一三,〇〇〇	一三,〇〇〇	一三,〇〇〇	八一,一〇〇
一一 既分讓土地代殘金利子中海外協會支拂分	一三,一〇九	一七,三〇九	七,七九九	—	—	—	三八,二一七
一二 渡航準備補助金	六三,〇〇〇	七五,〇〇〇	五二,三〇〇	—	—	—	一九〇,三〇〇
一三 出資配當金	六〇〇	一,〇〇〇	一,〇〇〇	一,〇〇〇	一,〇〇〇	一,〇〇〇	五,六〇〇
一四 積立金	一,〇〇〇	一,〇〇〇	一,〇〇〇	一,〇〇〇	一,〇〇〇	一,〇〇〇	六,〇〇〇
一五 地税金	七〇〇	七〇〇	七〇〇	七〇〇	七〇〇	七〇〇	四,二〇〇
一六 自動車費	二,五〇〇	一,二五〇	一,二五〇	一,二五〇	—	—	六,二五〇
合計	二五三,〇九九	二三五,四三一	一四〇,九九九	六三,八五〇	一一〇,四〇〇	一〇六,三〇〇	八九九,九二九

六、組合ガ協會ノ移住地ヲ引繼經營ニ關スル覺書

一、アリアンサ移住地一切ノ經營ヲ組合ガ引繼ギタル場合第一

アリアンサノ協會直營地及之ヲ附屬スル一切ノ農具、農品等ハ協會ノ所有トシテ組合ハ其儘協會ニ引渡スコト

二、協會ガナスベキ小作人ノ世話ニ對シテハ地主ヨリ三〇〇乃至五〇〇ミルヲ徴收スルコトナリ居ルヲ以テ組合ガ引繼キ經營スル場合ニ於テモコレヲ繼續履行スルモノトス

但シ協會並ニ政府及移住地組合聯合會ノ意見アル場合ハ此關係者協議ノ上方法ヲ決定シテ其定ムル所ニヨリ組合ハ經營方針ヲ定ムルモノトス

三、ブラジル關係ニ於テ未明ノ事項及日本ニ於テ現在未明ノ事項ハ漸定方針ニ依ルモノトス

四、地主小作人トノ貸借關係ノ引繼ギハ大体信濃海外協會經營ノ際ノ分ヲ組合ニ於テ引繼ギ特別ノ場合ハ協會ト協力シテ其ノ整理ニ當ルモノトス

五、協會經營移住地ハ一三四、〇〇〇圓ニテ移住組合聯合會ヘ讓渡シ信濃海外移住組合ハ移住組合聯合會ヨリ共移住地ノ經營一切ヲ一三四、〇〇〇圓ノ原價ニテ讓受クルモノトス

六、移住組合ハ移住組合聯合會ヨリ移住地講入費一三四、〇〇〇圓ヲ受取リタル場合ニハ直チニ其受取リタル一三四、〇〇〇圓ヲ信濃海外協會ヘ支拂フモノトス

信濃海外協會ハ其組合ヨリ受取リタル金ニテ直チニ伯國ノ土地讓渡人ナルミランダ氏ニ土地購入代金支拂殘金全額ヲ支拂フベキモノトス

移住組合聯合會ヨリ協會ガ一三四、〇〇〇圓ヲ直接ニ受取リタル場合ニモ亦此ノ定メニ依リ協會ハ直チニ伯國ヘ土地代金支拂殘額ヲ支拂ヒ完全ニ移住地所有權ヲ確立スルコト

但シ爲替關係其他支拂ニ關スル特別ノ事情アルトキハ此限リニ非ラズ

七、移住地ノ經營ニ付テ組合ハ信濃海外協會經營中ニ定メタル一切ノ事項ハ其ノママ之ヲ繼承シテ經營スルモノトス

八、組合ハ信濃海外協會ニ於テ移住地經營中ニ定メタル入植者土地所有者並ニ移住地經營關係者並ニ役職員等一切ノ既定事項ニ付テハ其儘一切ヲ引繼ギ經營スルモノトス殊ニ其役職員從業者ハ使用者等ノ一切人事ニ關スル件ハ當分ノ間協會ト協議ノ上ニ非ザレバ之ヲ解任解雇等ヲナサザルモノトス

九、組合ハ移住地經營引繼ギ後新ニスル役職員ノ任命屆傭等ニ關シテハ組合ニ於テ適宜處理スルヲ本体トスレドモ、ナルベク人事關係其他信濃海外協會ト協議ノ上ニ於テシ組合ノ發達並ニ移住地經營上ニ付テ最善ノ處置ヲ執ルコト

十、移住組合ハ協會ヨリ引繼ギタル移住地ノ新分讓土地代四二、二四五圓並ニ協會既分讓土地代金中未納金一五四、一四五圓合計一九六、三九〇圓ノ收入及其他ノ收入ノ內ヨリ移住組合聯合會ヘノ償還金信濃海外協會ヘ支拂金其他ノ借入金等ノ償還ニ充ツルモノトス

十一、移住組合ノ收支關係並ニ其ノ收支ノ殘金等ノ處理ハ組合法ノ定ムル處ニヨリテ其年度又ハ其ノ都度處分スルモノトス

海外通信

筆まめの中條君がアリアンサの狀況を間斷なく實兄に通信してゐる。兄の美治君が獨りで見るのは惜しいとあつて來信の度ごとに當社に宛てゝ來るのが本通信である。もはや第十一信が到着して第十二信が編輯机上にやつて來てゐる。

アリアンサのお正月

西瓜を食べる正月は初めて

青年ホームにて　中條秀夫

――第十一信――

新年お目出度う御座います。

今年のお正月は暑い夏で、門松もなく全く調子狂ひ、ちつともお正月らしい氣分が致しません日本では今頃非常に寒いことでせう。西瓜を食べる正月は初めてです。それから雜煮は食べませんが餅は今朝餡餅、キナコ餅をウント食べました實に吞氣なお正月です。矢張此處へ來ると手紙を出しにくいです。二三年も手紙を出さない人がある事が合點がゆきます。その原因の第一はやはりブラジル式の生活狀態になるからでせう。

正月は三日間休みで昨日はカミーニョンで平嶋君（同船の力行會員野村君の行かれた家）を訪問、西瓜を嫌になる程食べました、今年はアリアンサは西瓜が多く、有る家は實際腐る程あります皆野生のやうで立派なのが多くあり、畑で食つた種がちらばつて次から次へと一面西瓜畑になつてしまひます。日本では西瓜作りは實際六ツケしい業に聞いてゐましたが此處では野生です。今日は整理未濟の荷物を全部整理し、又洗濯も前からたまつてゐたのを全部やつてしまひました。色々の物を十分用意して來たお蔭で何不自由なくやつてゐます。私の持つて來たのと同じ齒ブラシがこゝでは一圓ちかくします(日本で十錢のが)タオル……四ミル（一枚に付）、鉛筆一本六百レース(十五六錢）石ケン一個二ミル五百レース（三越の半打三十八錢の石鹼の方がずつと優良）併し又案外安い物もありますが、目を廻す程高い物であります。

コーヒーや砂糖はいくらでも自由に飲めます。アルマゼン部は農園部に比べて仕事は樂ですがその代り朝に早く、夕におそく又晝休みの時間も却つて急がしく日曜も一層せわしいので、定休日は月曜です。火木土は第二アルマゼン(約二里離る)に出張販賣をやりますこれもカミニョンで往復します。アリアンサの山奥でも自動車丈は發達して何處へ行くにも大抵自動車です。又協會の馬にも皆が乘ります。自動車も巧く運轉してゐます。晝間は非常に暑く日向に出れば八・九十度もありませうけれども日本のやうに蒸暑いのでなく苦痛になりません、夕方から非

常に涼しく全くよい工合に出來てゐます。

私の體の工合は大變よく日本に居た時や、船中では胃が惡く胸焼け便秘等に困りましたが、こゝへ來てから誠に身體がハキ〳〵して良好です。

昨夜は青年會の岩波樣のお宅へ檜山さんと外二人で訪問してお馳走になりました、今朝はこれから第二へ行きます。カミヨンに乘つて……。

第二の方では今日相撲があります。

自動車でルツサンピラ驛まで遊びに來ました、そうしてこの手紙を出します。

自動車は五・六十哩?程も速力を出します、非常に痛快です、歸途レモンを取つて持歸り、レモン水をして飲みます、ほんものにて實にうまいですホームより驛迄は三十七キロ半もあります

正月の休みも今日で終ります、サンパウロ市やマツトグロツソ州方面へ遊びに行つた青年も居ります。

汽車の音が聞えます。(ルツサンピラにて)

旅行中の遊子と

共に親交を暖む郷黨

北米羅市にて　菱川敬三

拜啓豫而賜暇歸朝の途中、米國ロスアンゼルス市を訪問致し候處幸ひ前長野縣地方課長松村氏及在留長野縣人宮嶋、入兩氏に面會致し本夕同地出發に際し歡待を受け申候茲に同席者と共に御通信申上げ信濃海外協會の御發展を祈申上候

二月五日夕　敬具

本日圖らずも佛國大使館理事官菱川敬三氏及松村光磨氏と御面會致し種々歐米の御話を承り且つ故郷の話も知り無上の愉快を覺え候一夕會食談笑に打ち過ぎ申候

長野市出身　入　隆夫

松村光磨

大正十一年海外協會設立の當時長野縣事務官をやつておつた者です、歐洲を廻つてアメリカに來り、巴里大使館理事官菱川敬三氏と同行、今ロスアンゼルスです。倚麗な立派な日本人街を見て日本人の大發展に驚きました長野縣人の宮島、入兩氏から多年の苦心談成功談をきいて愉快に堪へません。ロサアンゼルス市には海外渡航の日本人が政府や團体の何等の援助もなく赤手空拳あらゆる迫害に對抗して建設した海外に誇ける最も立派な日本人街があるのです

石油と活動寫眞とオレンジの國――常春の國――世界のパラダイスのロスアンゼルス――實に世界のあこがれの國ですが此處に日本人が大發展をしてゐる事は誠に愉快です。

今、宮島、入兩氏の招待で、禁酒の國で醸造された日本酒で日本食を大いに馳走になつてゐる所です。長野縣人の成功を喜び且つ將來の海外協會の大發展を祈り乍ら。

南加支部幹事　宮島清衛

突然博文堂の入隆夫君からの御招介で菱川松村兩氏に御會し、汽車の出發間際に晩餐を共にして色々と縣人の事や海外協會などのお話を致しましたが時間がないので遺憾乍らこれで筆をおきますが后便にて御知らせ致します。

北加信濃海外協會記事

理事會開會

幹事　片瀬多門

一月十六日午後六時本會山中部理事佐藤榮三郎、田々井昌爾氏の歡迎會を兼ね理事會をポスト街東洋軒に於て開會、酒井田中、降旗、小川、臼井、安曇、大久保片瀬諸氏參會す。

四角四面の儀式はスツカリ拔きとし、一同支那料理をつゝいて談論風發、柔かい所で追分宿の由來、追分節、更級蕎麥の江戸に其名を馳せし面白い話、次に協議事項に移り左の件を議し午後十一時散會せり。

(一)總會開會に關する件

(二)本年度名簿作製に關する件

(三)貯金組合設立に關する件

古屋氏歡迎會

昨年六月當桑港新世界新聞編輯長古屋敏惠氏が南米視察の途に就かるゝを好期とし、本會は特に吾アリアンサ移住地視察を委托せしが、今同同氏は約半歳の視察を終へ無事歸米せられしを以て、本會幹部は一月卅一日午后六時理事酒井氏宅に於て同氏の爲め歡迎會を開く。

席上古屋氏のアリアンサ移住地の衛生、經濟、教育、社會狀態のお話しあり、一同非常の興味を以て聞き入り、進んでアマゾン上流の實地探險の話、氏の慧敏なる觀察眼に映じた雄大の光景から、猿の話、大蛇の話、鰐の話、鳥の話、高價な材木の話、甘露のしたゝる野生果物の話純朴なる住民、人の手を待つ寶の數々、話はソレからソレに進み、話中の光景恰も卷繪物を擴げる如くに展開して、時の移るを忘れ一同スツカリ南米氣分となりて午后十一時散會す、尙氏の視察中苦心になる、一萬三千呎の活動フヒルムは、來る二月初めの講演會に於て一般の觀覽に供する由。

北米加州の 米田に肥料を用ゆる

加州の米作には是迄肥料を施こさなかつた、又施す必要も認めなかつたのであるが、過去十五年の間舊地を捨てゝ新地々々と進んで行つた結果は、さしもに廣い櫻府平原中、米作の適地廿萬乃至廿五萬英加は殆ど作り荒らされた形で、今日に於てニューランチを得ることは頗る至難の業となつた。

從て收量が年と共に減じ、現今では斯業經驗家が最善の努力と注意を拂つて耕作しても、昔日の樣に收穫を得ることが出來ない。今より十年前にはニューランチ一英加より七十サツクを上げ、二年目三年目でも五十サツクより四十サツクを上げた。然るに今日では餘程の上田でも四十サツクが關の山で、少し下ると三十、廿五サツク、更に下つて廿サツク以下の所もある。

之は要するに雜草が繁茂するのと、土地ソノものに稻の要求する要素が減少して來た結果に外ならない。故に此障害を除く爲に前者はより良く手入れをすることに於て、後者は肥料を施すことに於て、以前の樣なクラウブを得んとするのである。殊にウイロースよりウイリアムスに至る米作地は强度のアルカライがあつて他の作物に適せず、地主はドウシても肥料を施し、之を米田として用ひねばならぬ立場に居る。二三年來此地を中心として、施肥に關し研究せられし結果は頗る良好で、即ち一英加六サツク半の增收で差引九弗の利益を示して居る。故に昨年は可成の面積に施され、更に本年は多く用ゐらる模樣である。試驗の結果米田の肥料は廐肥が第一であるが。之を得難い關係から重にアモンニアム・サルフエトが用ひられ、其撒布する機械も既に發明せられて居る。其分量は普通廐肥が一英加に二千封度、アモンニアム・サルフエトが百封度とされて居る。米作家の言に依れば、加州の米田に肥料を施こし、舊地を能くテークケヤして作る樣になれば純日本米と同じいテストの米が出來ると云ふて居る。

アリアンサより

推野源之助

昨春宮崎殿の態々の御見送りを添ふし汽車遭難に際しては深甚なる御同情を以て救護の御高恩に預り殊に殘留の家族に對しては毎々御鄭重なる御慰門の數々、深く御禮申述候。

アリアンサ着以來は期待以上に安住の地を得たると同時に輪湖北原兩理事の御斡旋を拜謝し今後は只管善良なる植民にならん事を努力して以て協會に酬ふるところ有之べく努め居り候

先づは新春に際し御禮まで　頓首

(一月二日)

在墨廿年、不安はない

更級　寺澤生

私は二十年振りにて歸國致しました。二十年の永い墨國生活には失敗に失敗を重ねました。失敗の原因は墨國革命十年で折格の地盤が破壞されたのですそうかと云ふてそれならば墨國に在る邦人はお金がなくて歸へれないかと思ふのは間違いで日本に歸る位なお金は唯でも持つてゐるがどうせ文無しの生活をするなら海外の地の方が安樂であると云ふ事實からですそれなら病氣災難に遭ふたらどうすると疑ひを持つ讀者もあろうと存じますが海外の地では日本人同志が親子であり兄弟姉妹であるから血を分け肉を別けた親子よりも親切にして呉れますので何等の不安もありません。特に墨國には御承知の如く日本人の開業醫が澤山ありますし墨國人は吾等を非常に尊敬し好感を持ち親密に友情を交すのでありまして墨國婦人を妻にしてゐる邦人が澤山あります。私は家庭の事情から止むなく歸つて來ましたが老後を維持する位の金を持つて來たばかりですがこれからは永住の決心で何處に住むも同じ心持になつて海外雄飛をしてもらたいと存じます。

母國通信

御大禮記念博

櫻花にさきがけて開會

上野の大禮記念博はいよ〳〵三月廿四日上野公園に閑院宮殿下の台臨を迎ぎ華々しく開會され大正博以來の大がかりの計劃で廣い上野の公園にはち切れさうな内容と盛りあげてめでたき今秋の御大禮をことほぎ奉らうといふ大意氣込である。第一會場は機械、紡績、化學、電氣の工業各種特産品を集め各府縣出品の特産品がこぼれる樣に盛られて各館を通じ出品點數何十萬に達し我國の科學工藝農水産等の産物がもれなくしう集され、輸出もの輸入防壓品をも集めて大いに國產振興の士氣を擧げようといふのである。第二會場の呼物は朝鮮、樺太、台灣、北海道滿州の植民地館である。この各館をめぐり多數の商店や諸演藝場が賑やかな鳴物入りで景氣をつけ不忍池畔はすばらしい雜踏である。地方からの見物團体も早くも殺到を極め鐵道省は汗ダク〳〵であると云ふ。

大平洋横斷飛行の勇士

後藤勇吉氏墜落慘死

太平洋横斷飛行練習機の第二回霞ケ浦、大村間飛行は二月廿七日無事大村に到着し廿九日歸還飛行のため出發して佐賀縣藤津郡空中において機体が樹木に觸れ遂に墜落ガソリン爆發して後藤飛行士は無慘な燒死をとげた。操縦者諏訪飛行士同乘者岡村大尉の兩氏は顏面に大火傷を負ふた。

マキノキネマの 「忠臣藏」燒失

移植民ニユース

海外企業九億圓

滿鐵は第一の大物

商工省では海外企業の百四十商店に對し主として海外企業開始の年月投資額收益生產數量輸出數量ならびに價格企業の消長等につき詳細なる報告を求めて調査を進めてゐるがこのほど滿鐵その他五十余社より右報告纒まりこれによつて先づ大體本邦出商業の海外企業の狀況を知り得ることとなつたこれにより投資總額は現在のところ約九億圓(資本金ならびに社債等を含む)でこれが內譯は

滿洲　六億圓・主として滿鐵經營、事業は鐵道および鑛業である

支那　一億五千万圓、このうち八割は紡績業として鐘紡、內外綿、日本綿花、東洋綿花等經營、その他は鑛山、砂糖、毛織物、ガラス、電氣、材木等

南洋　一億圓、ゴム、茶類、麻・鑛山等にして主な經營者は三五公司、南洋ゴム、マレーゴ

京都にあるマキノプロダクションは三月六日發火して畢生の大名映「實錄忠臣藏」全三十卷の內半分を燒失してしまつた損害は八十余萬圓である

久宮殿下薨去

祐子內親王殿下には二月廿七日以來御發熱咽喉カタルにあらせられ最善をつくして御看護申上げゐたるも七日に到り更らに敗血症を御合併あらせられ遂に三月八日午前三時卅八分心藏痲痺にて薨去あらせらる。

薨去あらせられた第二皇女久宮樣祐子內親王殿下は昭和二年九月十日御誕生百八十一日の御生涯であつた。

外相官邸實業家招待

アマゾン植民計畫披露

三月二十六日外相官邸に田中外相は有力實業家を招待してかねて屢報されてゐる鐘紡の福原八郎氏の試みたアマゾン植民計劃について挨拶を述べ十ケ年間に一萬家族を收容せしむる計劃で面積六十五萬町步を一戶當廿五町步支給して主として綿花米煙草カ、オ等の栽培に從事せしめ開かん道路衞生敎育その他一切の設備を會社側で負擔しその代り會社は收穫の三分一を徵收せんとするものでこの計劃は飽くまでも民間の力で行ない政府は保護保障その他財的援助は避けたいと懇談を遂げた。

昨年渡來外人の

內地消費五千萬圓

觀光外人ならびに滯內外人が內地で使ふ金額は年々巨額に上り國際貸借上貿易外の收入として重要位置を占めてゐるが大藏省調査による昭和二年度の外人渡來數は二萬五千六百卅八人の多數に上り昭和元年に比し九百卅五名の增加を示してゐる。而して外人一人當て消費額は大体二千圓と見做して總額五千百卅萬圓となり前年より約二百萬圓の增加である。本年

ム、南亞公司、東亞公司、久原、南洋、鑛業公司等

露領　その他五千万圓、罐詰その他の水產加工品、木材等にして日魯漁業主として經營等にしてこれ等海外企業の收益總額は最少限度に見積り五千万圓は下らざる豫定である

カナダで又もや

東洋人排斥案

カナダ太平洋岸ブリチッシユ・コロンビア州においてはさき頃來あらゆる手段を用ひて日本人排斥に狂奔してゐるが、同州議會には今回又もや日英條約の一部を變更し州內に在住する日本人および支那人を本國へ送還する新規定を設けると共に東洋人のカナダ入國をます〳〵嚴重に防止せんとする東洋人排斥決議案が提出された右決議案は州政府竝に野黨側の共同提案で追つてカナダ聯邦政府へ右主旨の勸告案が送附されるはずである、なほ右決議案の具體的內容はカナダの人口に對する東洋人移民の割合を日本および支那その他東洋諸國におけるその本國人の總人口と同國內在住カナダ人との割合の程度に引下げんとするもので事實上東洋人を殆ど全部驅逐せんとするものである。

は御大典拜觀のため外人の渡來數は一段と增加すべく先帝御卽位の年の例に見ても今年は少くとも四萬を突破するであらう、尙渡來者の首位は支那人で次ぎが米人第三位が英人の順序で外人消費額の大半は黃金で埋まる米人が第一位である。

反政府氣勢俄に濃厚

野黨の不信任案は通過か

民政黨の不信任案に對して無產黨の中には之に贊成を躊躇する者ある爲に無產黨の八名の態度は必ずしも政府に不利ならざるべく觀測されて居たが無產黨共同委員會にては民政黨の不信任案に贊成する事となつた加ふるに沖繩縣選出代議士花城永渡氏又民政黨に入黨したと傳へられ一方實同とは政府の妥協なるとするも實同の四名全部政府黨に傾くものと限らず松井文太郎千葉三郎の兩氏は或は武藤會長の態度に悖るやも知れず斯の如く反政府的氣勢俄に濃厚となりたる結果政府が過般聊か樂觀して居た政局の狀勢は又々政府に不利となつたるは爭ふべからざるものがある卽ち議員四百六十六名中議長一名を除き四百六十五名中政府反對議員數は左の如くである

△反政府議員
二一八名　民政黨　一名　實同
八　名　無產黨　三　名　中立
三　名　革新黨　合　計　二三三名

△不信任案反對
二一七名　政友會　三　名　實同
八　名　中立　合　計　二二八名

△棄　權　四名
△缺　員　一名

卽ち四、五名の差を以て不信任案は通過しさうな形勢となつた。

移植民經費を拔きにした

昭和三年骨拔き實行豫算

特別議會に提出される昭和三年實行豫算は田中內閣の議會切り拔き策として重要なるしかも政爭となる樣な政策豫算を全部拔きにして今秋行はれる御大禮經費を含んだ外に僅かの追加豫算が加へられた歲入歲出總額十七億四百二拾萬圓となつ

吉林省の

日本移民排斥

吉林省長は日本の北滿進出を阻止すべく延吉道管理下の各縣知事に對し最近左のごとき訓令を發した

田中軍閥內閣は支那に對し各種の侵略的條約を締結せんとしてゐるが我吉林省はこれら條約に對し毫も服從承認すべきではない我省官民は一致團結日本の目標たる鑛山、山林および未開墾地を確保し日本をして乘ずるの機會なからしめねばならぬこれがため鑛山、山林に對して目下特殊の法規を起草中だが日本朝野の大問題たる人口食糧問題の解決の目標となつた我未開墾地に對しては十分なる警戒の下に日本の移植民政策を施すの余地なからしめねばならぬ。

卽ち速に本省未開墾地面積を調査し左の方法により開墾すべし

(一)水田適地の未開墾地は地主をして開墾せしむべし(二)地主所有の未開墾

て豫算閣議の承認を終へた。從がつて拓植省新設經費も消えてなくなり移植民保護奬勵に對する增額並びに新經費も全部削除されるに到つた。

拓植省の新設

明年七月から

本年七月より新設せらるべきであつた拓植省は議會解散となり立ち消えの姿であるのみならず特別議會にもその新設豫算を提出してゐないのであるが政府は來る通常議會に豫算の提出を試み明年七月一日より新設する事になつたと。

御婚儀日取

多分九月下旬

宮妃としての御婚儀の日の間近に迫つた松平節子姫は父君松平大使が賜暇歸朝期の六月下旬御兩親と共に四年振りで歸國され歸朝後御婚儀まで數ケ月を準備其他に當てられる爲假りの住居——澁谷松濤の鍋島侯邸所有地內松平氏邸の建築は其後侯邸內の工作所で出入大工達の手に依り建築工事が進められモウ建坪二百坪の骨組みは大半出來上り今月末には建築所に運び上棟式を上ぐるまでになつた此上は工事と邸內裝飾と庭造りさへ濟めば完成する譯で同侯爵邸の經理係りでは是非共大使歸朝前遲くも五月一杯に竣成したいと係りの者を督勵して居る。

電燈ともりて五十年

冬地の電氣記念デー

日本にアーク燈がはじめてともされてから五十年、燈火に動力に電熱にその他あらゆるものを電化しつくして世はまさに電氣の文明である。この電氣の功績をたゝへ、有難さを感じさらにます〳〵電氣によつて人生の惠みを豐かにして行かうといふので三月廿五日を期して電氣禮讃の電氣デーを催すことゝなつた。この日北は樺太から南は台灣まで各地各樣のよそほひをこらし、華やかな電氣王國の万歲

地廣大にして開墾不能の地はこれを官有に編入し編入官有地の收益はこれを公共事業費に充當す(三)水田適地の未開墾地は直隷、山東の避難移民をして開墾せしむべし(四)水田經營には經驗ある朝鮮人を利用するも差支なし

邦人に參政權附與

コロンビア州勞働黨支部が

カナダのブリチッシユ・コロンビア州議會では東洋人排斥問題が投ぜられてゐるがその排日の眞つ只中から今回特筆すべき新事實が現れて來た、それはカナダ勞働黨のブリチッシュ・コロンビア支部が年度大會でつぎの州總選擧に勞働黨候補者が掲ぐべき政綱について廿余の決議をなし、その一に日本人に參政權を與へよと明記したことである、カナダ勞働黨は勞働會議を背景とし支部は右勞働會議の構成分子たるヴアンクーヴアー勞働會議を背景と立つもので日本人勞働組合は右勞働會議に加入を許されたのである。日本人の選擧權も急速には獲得されると

は聲高らかに歌ひ交されたことである。

更らに巨船二隻增設

大阪商船南米就航船

我對伯移植民政策遂行上常に支障を來たしてゐた點は移民運送能力の低級であつた事で我政府當局は大坂商航をして年十回の命令航路として移民運送に全能力をあげせしめてゐたがこれにては年々伯國渡航者の增加に伴ひ到底現在就航船のサントス丸型三隻マニラ丸型二隻にては不足するを以て日本郵船でも每月一回の移民運送船の就航に努力してゐたが今回大坂商船ではマニラ丸型二隻の代船として大型新船を從航せしむる事に決し既に長崎三菱造船と建造契約を締結し第一船は明年十一月に第二船は昭和五年四月に竣工の豫定である。

新造船は大型ディゼル式で船舶の優秀且サービスの良好を誇りとし乘客收容數は約一千名にして從來のサントス丸型より三百名を增加割載し得るのみならず移民運送船としてその意に反せさる趣きを以て特に三等客の收容は實に九百五拾名にして三百六十名を增加收容する事が出來る。荷物も八千噸を割載し得、速力に於いてサントス型より一浬を增加して十七浬の快速を有し益々日伯兩國間の接近を計る事になり其の他各方面共最新最善の設備を施し遺憾なきを期し就航の曉は名實共に移民運送上に遺憾なきを期して從來の運送能力低減に幾分の貢獻を期待し得られると。

尙新造船の要目を簡略すれば

一、總噸數　九、四一七噸
一、積載量　容積　一〇、四〇〇噸
一、船客　一等　六〇人
　　　　　三等　九五〇人
一、速力　十七浬

× × ×

は思はれぬが勞働黨が當然これを標榜するに至つたことは非常な進展で以前は日本人、支那人を排斥した無智の反動的分子が結束して東洋人を苦しめてゐたが、日本人勞働組合は今この反動團體と戰ひ大勢は勞働組合が勝を得るものと觀測さる

外交官異動

外務省定期異動の一部は三月十六日の閣議で左のごとく決定した

特命全權公使　永井松三
特命全權大使に(ベルギー國駐劄)
總領事　吉田茂
特命全權公使に(スエーデン國駐劄)
シアム駐劄特命全權公使　林久治郎
總領事に(奉天在勤)
總領事　矢田部保吉
特命全權公使に(シアム國駐劄)

邦人渡伯廿週年記念

日伯新聞社の三大事業

顧れば明治四十一年四月廿七日は皇國移民七九二名が笠戶丸に便乘して伯國の天地に吾等の先驅者として前人未踏の原始林の開發に斧を振つたのである。かくて伯國の新天新地は

信州記事

注目をひいてゐた
警察署增設の場所

縣下の警察署增設の場所は上伊那郡伊富村・同郡高遠町・北安曇郡池田町・北佐久郡本牧村・埴科郡松代町の五ケ所と決定し輕井澤・富士見・水內・穗高の四ケ所はその選に漏れたが富士見・穗高・水內の三ケ所は現在巡査部長派出所であるのを警部補派出所に昇格して均衡を計ることになつたこれに要する費用は建築修繕費六千七百四十一圓（全部地元寄付）俸給および諸給六千五百四十二圓町費四千七百三十八圓で梅谷知事の大整理により三十二ケ所の本分署が一擧に十五警察となつたものを高橋知事によつて二十三ケ所に補整し更に今回の增設で二十八警察となつた譯である。

縣營圖書館
愈よ建築へ

長野市に建設される縣營圖書館は地元寄付金の集まりが意外に長引いた爲、勢ひ着工期がおくれてゐたが先月上旬から岡谷組の手に依つて工事が始められ近く陽春の候をまつていよ〳〵建築工事にとりかゝる手筈になつてゐるので、縣では着工前に盛大な地鎭祭をあげることゝ三月三十一日の大安日を卜して祭事を行ひ當日は縣會議員市會議員市理事者及び區長代理區長等二百餘名が參列し式後冷酒をくんで祝意を表する筈

白馬山麓に
來るオットス博士

三月二十一日ドイツロイド會社ネツカロ號でマニラ大學文科教授オットスクリヤ博士は玉子夫人と一人娘嘉代子さんと共に來朝した博士は語る『今回の來朝は大學の休暇を利用して療養かた〴〵日本文學研究の目的で赤門前上村旅館で暫らく

我同胞七万を抱容し尙陸續として來たるを迎へてゐるが當地の邦字新聞である日伯新聞社ではこの第一回移民渡伯より滿廿週年の昨年記念事業を計劃したるも先帝の諒闇のため延期して今年は二月十一日紀元節の佳辰をトし邦人庭球選手權大會、邦人青年陸上競技大會青年號特輯（三月中發刊）の三大計劃を立て盛大なる記念會を模様した。

サントス山崩れ
遭難義捐金募集

去る三月九日サントス市中にあるセラート山に突然山崩れが起こり山下の公立病院その他多數の家屋が倒壞死者數百名を出した椿事ありサントス市は我邦人の伯國上陸地であり現在約二千名の邦人が居住し又同病院には邦人の入院するもの少くないので日伯協會では日伯親善のためその友情の一端として義捐金を募集し六月上旬までに有吉大使の手を經てサントス市長に送付すべく目下奔走中である、因みに米國赤十字社は既に二万圓の救濟義捐を爲してゐると。

玖馬昭和會設立
大平慶太郎氏大奔走

由來日本人は團体的生活の協力に乏しく

休養した後、妻の實家千葉縣に赴きそれから信州白馬山麓で五月末まで滯在する豫定であると尙同船でベルリン大學植物學教授ハンスニツプ博士も來朝し來月中旬頃まで滯在して日光京都等を見物し函館に立ち寄り日本特有の植物を研究すると

結局受驗兒の此れ丈は
嘆きの地獄道へ

縣立中等學校の本年度入學志願者締切を行つた定員に達せざるは野澤中學（五名不足）飯山中學（十三名不足）下高井農業（十名不足）大町高女（一學年四名三學年二十四名不足）小諸高女（十四名不足）中野高女（卅七名不足）須坂高女（六十七名不足）長野高女專攻科（二十一名不足）諏訪高女補習科（二十一名不足）で他の學校は何れも定員より左の如く超過を示して居る

學校名	定員	志願者數
長野中學	二〇〇	三四五
上田中學	二〇〇	三九七
飯田中學	一〇〇	三〇〇
大町中學	一〇〇	一二七
伊那中學	一五〇	二二七
松本第二中	二〇〇	三三一
屋代中學	一〇〇	一八七
木曾中學	一〇〇	一〇一
小縣蠶業一部	三五〇	三九三
同 二部	三〇	八〇
上伊那農學一部	五〇	七一
同 二部	五〇	六五
木曾山林	五〇	七七
長野工業	一〇〇	二四一
佐久農	八〇	九八
更級農	八〇	九八
南安農	八〇	一四三
小諸商業	一〇〇	一一七
丸子農商	一〇〇	一二五
諏訪蠶糸	一〇〇	一六五
東筑農	八〇	一〇五
長野商業	一五〇	一九九
松本高女	二五〇	三七六
上田高女	二〇〇	三〇八
飯田高女一年	一五〇	三四七
同 三年	五〇	五三
野澤高女	一〇〇	一五七
諏訪高女	一五〇	一八三

常に個人的孤立の立場にあつて團体的行動が行はれず種々の損失を招いてゐるが玖馬共和國在留邦人間に今回玖馬昭和會なるものを設立して日玖兩國の親善を計り或ひは日本人各自の社會的生活の訓練若くは邦人相互の親睦、向上發展の途を講じて有力なる團体となすの計畫あり本縣出身の大平慶太郎氏が奔走して既に三十余名の讚成者を得てゐる。因に同國には邦人約九百名活動致し居り漸次經濟的にも地盤を開拓しつゝある折柄日玖兩國には未だ通商條約が締結されず紐育駐在本邦領事館によつて辛ふじて邦人の保護乃至は兩國の連絡が行はれてゐる頗る我當局の等閑に附し冷淡の現狀であるとなしせめてはこれらに替るべき團体的行動の必要から右の如く大平氏の活動となつてゐるものである。

第三年度の
アリアンサ移住地報告

最早滿三ケ年を經てゐるアリアンサ移住地は總面積二萬一千七百五十町歩にして開拓面積一千五百町歩珈琲植付總本數は

學校名	定員	志願者數
伊那高女一年	一〇〇	一四八
同 三年	五〇	六〇
豊科高女	一〇〇	一〇八
篠ノ井高女	一〇〇	一二一
平野高女	一〇〇	一一四
木曾高女	五〇	六一
長野師範一部	四〇	三二〇
同 二部	二〇〇	三七〇
同專攻科	七〇	七八
女子師範一部	四〇	九六
同 二部	八〇	一九七
同專攻科	三〇	一一

北佐及び東筑縣議
補缺選擧に政戰再開

小山邦太郎氏北條信氏の二名は縣議に席を有してゐたが今回の普選に鹿を追ふて見事射止めたので縣議を法律上兼ねる事が出來ぬので此處に空席が二つ出來たため知事は來る四月十四日補缺選擧を行ふ事に告示した

宮下縣議の
當選無效

更級郡選出縣會議員宮下文雄氏は大審院に於て三月二十四日上告棄却の判決があつた即ち同氏は府縣制第三十二條第五項より「選擧に關する犯罪により刑に處せられ當選無効となりたる時云々」の條項により當選無効と決定したわけであるから縣ではこの確報に接し次第三ケ月以內に再選擧の手續きを行ふ筈である

蠶糸業調査會
いよ〳〵設置

本縣では縣報を以ていよ〳〵蠶糸業調査會設置の告示を行つた其內容は本縣蠶業政策に對する萬般の諮問機關であるが委員數は最初蠶種、製糸、養蠶の各代表者二十五名官公吏中から十二名計三十七名の豫定であつたが要する委員數は其囑託及び任命を見るべき人物の數によつて決定すべきものであるから豫定員を定めて置かず約四十名內外で組織することした尙本調査會は四月一日より施行するものであるが委員の人選は目下銓衡中であるから近日中に發表の模様である

約七十萬本に達してゐる。最初のものは既に結實採收に近づきつゝあり、移住地は漸やく經濟的の地歩を進むに到つてゐる。昨年十月現在の戶數總計は一九一戶にして人口總計八二〇人で一戶平均四人強である。學齡兒童（滿六才以上滿十三才以下）は九十八名にて男子五十六名女子四十二名である。開植以來の人口自然移動は出生四十一死亡一六にしてその增加率は夥しく斯くてアリアンサは順調に發達しつゝある。尙移住地の情勢報告は六十頁のパンフレットに逐一詳細にのせてあるから希望者は二錢切手封入申込まれたい。

移民收容所
愈三月開始

神戶に新築中であつた移民收容所は此程落成したので三月十七日同港出帆のハワイ丸にて渡航するブラジル行移民を三月十日より收容開始に決定した。同收容所の收容人員は一度に六百名にして出帆前一週間より一日一人四十錢で宿泊せしむる事になつてゐる然し現在の渡伯者は

勞働代表で乘出す
米窪滿亮氏は本縣出身

太刀雄のペンネームで「海のロマンス」を書き讀書子をうならせた米窪滿亮氏は第十一回國際勞働會議に日本勞働代表として出席する事になつたが彼が我信州の產んだ立志傳中の一人である事は余り知られてゐないやうである。

明治二十一年東筑鹽尻に產聲をあげて松本中學に入る頃は家計裕かでなかつたので松本市內に自炊生活を營み折々學資の途絕えるので牛乳配達をして苦學をしてゐた。矮軀默々として勉學に營み席次七番で五年生の十二月中途で商船學校官費生として入學しその頃東京朝日新聞の懸賞論文に當選し練習艦に乘込むや紙上に「海のロマンス」を掲せその後も「マドロスの悲哀」などを物にして文名を驅はれたものである。其の後勞働問題に興味を覺えて神戶の日本海員組合に入り前回の國際勞働會に代表鈴木文治氏の顧門としてゼネバの檜舞台を踏んで歸つたその後隱忍四年遂に報ひられて晴れの勞働代表となつたのである。

海外邦人の企業助成に
金融機關設立が肝要

三月十八日横濱入港の天洋丸で賜暇歸朝した長野市出身の在佛大使館理事菱川敬三氏は二十七日本會を訪れて海外歸朝の土產話に時余を費して語る所があつたが同氏が米國經由の途次本邦人の海外活動狀況について痛感したものの一つにつき左の如く語つた。現在においても米國本土及布哇では日系市民がいくらも土地を購入する機會があるにかゝわらずこれを見逃してゐるのは全く金融の機關がない事である。即ち米人は最初所有土地の耕作に從事してゐるが一度土地瘠せ收穫物の減少を見んか直ちにこれを買却せんとしてゐる。これは彼等に土地改良の技能なく徒らに掠奪的の農業をやつて顧みざる習慣があるので、これを日本人が手を入れて耕作すれば立派な見事なる農園となる事が出來るのでしかも彼等は日本人にそういふ土地を賣らんとしてゐるのである。然るに邦人間には金融の機關がないので、此の土地を手に入れる丈けの資金の融通が出來ないでゐると云ふまことに氣の毒な狀態である。元來日本人は出稼のつもりで、一日も早く小金を貯めて歸りたいと云ふ根性があるから、永住的の仕事の計畫は出來ず從つて金融等と云ふ組織には移住者自身としても本國の資本家としても少しも注意しないのであるが今後は私が云ふまでもなく、是非共邦人の企業的計劃を達成せしむるには、確固たる金融機關を慾しいものであると感じた云々。

毎船七百名以上にて滿員の盛況であるので到底移民收容所に收容不可能であるので從前通り移民旅館も相當多忙であらうと云はれてゐる。

移民收容所
竣功式をあげた

神戶山本通り三丁目に竣功を急いでゐた移民收容所は昨年夏からその工事に着手して今回竣功して三月七日には盛大なる竣功式を擧行した。同收容所は敷地一千坪にして建坪二百五十三坪鐵筋五階建で總工費三十三萬一千圓を費したるもので完備せる九坪の部屋五十室あつて六百人を收容し得る。一階は調理室、食堂、浴室、機關室、消毒室、倉庫等二階は事務室、醫務室、藥局、檢査室、一部は三四階と共に收容室にあてられて五階は講堂にして講習其の他集合に使用せられ屋上は七十坪の運動場で神戶港を一目の間に收むる事が出來る。

海の吾等の任務は在留民の保護

——長野縣出身現役士官の人々（續き）——

海軍大佐 小林宗之助

海軍々人は御承知の通り海外巡航の機會も多く又海外在留民の保護は平時に於ける海軍の重大なる任務に有之支那各地の如く時々兵力の行使を必要とする處は勿論其の他秩序整然たる諸外國に在りても遠隔の地に於て同胞に逢ふことは誠に愉快なるのみならずお互に一種の感激に打たれる有樣は內地に居る人の想像も及ばざる程に有之在留民も軍艦の威容に接して大に心丈夫に思ふと共に奮鬪努力の決心を新たにして外國人も日本人に對して一層注意を拂ひ敬意を表するに至り從つて同胞の地位向上となり有形無形的に裨益する所少からずと被有候殊に左記諸氏は現に海外に活動し又は外國巡航の途に上らんとするものに有之候に就而は連絡の爲會誌御發送を得ば最も好都合と存じ候

利根艦長 大佐 藤澤宅雄 揚子江方面警備

八雲分隊長 大尉 柳澤藏之助 四月上旬渡比律賓馬來半島濠洲南洋諸島巡航

對島機關長機 機少佐 宮野尾光司 青島を中心とする北支那警備

神威乘組 機中尉 德田德男 北米ボルネオ方面航海

室戸主計長 主計大尉 松尾太一 同右

八雲乘組 主計中尉 增澤英一 前述ノ通

乍末筆貴會の御發展を祈り上候 敬具

三月三日

（註）本縣出身現役海軍士官名簿中本誌六十八號に田中一氏の通信により兵科に屬する者を掲載せし故重複を避けるため左記には機關科醫術科主計科造兵科に屬する人々を掲げた

機關科士官

呉鎭附	機大佐	風間豊平
橫海兵團機關長	同中佐	小田中精一郎
五十鈴機關長	同 同	猿田四郎
對馬機關長	同少佐	宮野尾光司
平壤鑛業部員	同 同	清水獎
磐手分隊長	同 同	宮下博雄
機校教官	同 同	草間昌夫
山城分隊長	同 同	御子柴隼人
待命	同大尉	西澤兄信
橫航空分隊長	同 同	鈴木師
大學校選科學生	同 同	春日武
日向分隊長	同 同	鈴木儀長
大學校機學生	同 同	赤羽龍熊
日進分隊長	同 同	村田利雄
常磐乘組	同中尉	丸山操
呂五十七號潛水艦乘組	同 同	奥田洋平
橫鎭附	同 同	栗田政喜
呂三十三號潛水艦乘組	同 同	片桐敏郎
梅乘組	同 同	櫻井太郎
機校普通科學生	同 同	丸山正雄
峯風乘組	同 同	高橋恭三
神威乘組	同 同	德田德男
伊勢乘組	同少尉	木內三郎
加古乘組	同候補生	北原千里
那珂乘組	同 同	若林龜次

醫術科士官

醫校教官	醫中佐	長田勝芳
火藥廠	同 同	中野太郎
經校軍醫長	同少佐	小林義雄
休職（佐）	同 同	甕哲夫
橫航空隊	同 同	鳳隼人
橫病院	同 同	小林賢語
軍令部出仕	同 同	神林美治
鳳翔軍醫長	醫少佐	臼井一精

主計科士官

燃料廠採炭部	主大佐	長田正義
建築局員	同中佐	加納金三郎
大村航空隊主計長	同大尉	篠田清志
佐建築部員	同 同	豊城親史
橫工廠	同 同	南川勝三郎
經校高學生		
室戸主計長	同 同	松尾太一
十五驅逐隊附	同中尉	中村貞三
十七驅逐隊主計長	同 同	窪村武志
休職（橫）	同 同	池田常一郎
二十九驅逐隊附	同 同	土屋三郎
八雲乘組	同 同	增澤英一
經校普學生	同少尉	伊丹廣
經校普學生	同少尉	下井田萬作

磐手乘組	同候補生	降幡倉雄

造兵科士官

呉工廠製鋼部長	造兵大佐	吉川晴十
火藥廠	同中佐	松岡侃躬
佐工廠	同少佐	渡邊健
呉鎭附	同大尉	矢嶋彌太郎
呉工廠	同 同	寺田秀

昭和三年 役員改選

拜啓 貴會益々御隆盛奉賀候 陳者去る一月廿九日の本會定期總會に於て今年度役員左の通り決定致し候間此段御通知申上候也

總務委員（三名） 平林磯麿雄・中曾根武平・尾羽澤義胤

理事（二名） 宮田主計（專務） 木村憲司

會計（二名） 望月五六 伊藤捷隆 以上

昭和三年二月十日

信濃海外協會 米國西北部支部

手筋易斷が導びく

日本人のローマンス

加奈陀から最近歸國した某氏は次ぎの樣はローマンスニウスをもたらして來た。それは一日本青年しかも白皙々たる日本アルプスの靈峰に育まれた本縣松本市外の信州青年で彼は大平洋岸のバンクーバー地方に勞働者として製材工場に働らいてゐたが、彼は東洋殊に發達せる易學について多少の心得を持てしば／＼これを實驗したが不思議にも的中百發百中さいふので次第に評判となり彼を訪れて運勢を判斷せんとする者が殖へて大繁昌であつた。しかも白人間にも此の事が傳へられるや知名の上流社會の婦人達も好奇心までに彼に易斷を乞ふて來る有樣となつた。こゝに妙齡の一白人娘があつた彼の女は此の地の有名の某教會名牧師の娘であつたが彼の青年を相知る樣になるや次第しだいに二人は相接近して遂に立派な戀愛を結んだ。乙女の淡い無心から冒險の極愛それは國境を越へ、人種を超越した至純の精神の交りである。理解のある娘の兩親からこの戀愛は許されて劇的話題の內に晴れの結婚式が遂にあげられたと云ふ興味ある珍らしいローマンスである。然しそれは今から十年前の出來事早や二人の愛兒が春風漂ふ家庭に生長して現在はロツキ山脈以東の加奈太中部の大都市ウエネペツクに相變らず易斷で大評判だと。

移住地閑話（四）

在アリアンサ 工學士 武田三三

二十九、山か海か（つゞき）

或大名があつた。大名は由來賢しく無い事は眞理と信ぜられて居る。此大名も亦其最たる者で、髮を結ひ剃刀を當てる時頻に頭を振る癖がある。頭を振れば剃刀が使へぬ事は大概の人は知つて居るが此大名は無論知らぬ。而して一寸でも頭に傷が附けば直に御手打を喰はせたので祖先は幾人も殺されて居る。犬公方に奈良の鹿。如何程馬鹿げて居るかは申す迄も無からう。

辻斬りに暗打ちに祖先は幾人も殺されて居る群雄割據は藤原の橫暴に憤つた野武士の跋扈であつて、兼て又食糧問題の濫觴である。百姓町人は野武士の跳梁橫行に生きた空が無く、生命を全うする爲にはあらゆる方法を取つた。今日でも商人や農夫の下目根性は遠く源を千年の昔に發して居る。全く以て氣の毒の至りで、太平記を見るに義經が平家を追うて一の谷近くに來た時、日が暮れて行動不自由となつた時辨慶を呼んで大炬火をともせと命令した。辨慶心得て候と許り早速民家に火を附けて大炬火をともしたとある。而して損害賠償の事は何も書いてないから恐らく一文も拂はなかつた事と思ふ。グズ／＼言へば直ぐ首が飛ぶだけである。

翻つて支那の狀態を觀るにイヤハヤ御話にならぬ。隋の煬帝、夏桀殷紂。幾年幾多の蒼生を苦しめたか、茲に宣和遺事に依つて宋の滅びた時の一幕を想像して見やう。徽宗皇帝の書畫と言へば今でも千五百圓位で賣買せられて居るから上手であつたものであらうが、王道は全く物に成つて居らぬ。皇帝が暗愚であるよりも姦佞の惡臣に毒せられたものと見ゆる次第、貧國弱兵、人心悉離反した。新興の元が城下に迫り徽宗欽宗の二帝と、明后朱后の二皇后を捕へて才壁の沙漠に放逐する途すがら、あらゆる凌辱を加へたが爲に、二后は間も無く豚小屋の中で病死して了ひ、徽宗皇帝は之を悲慟して失明した。更に間も無く徽宗皇帝は老齡の爲に病沒するや、屍体を棒で貫きて井戸の上に渡し、油を掛けて火を附けた。之で三人は片附いたが、當時二十二才の欽宗皇帝は中々死なぬ。そこで沙漠から燕京、燕京から何處と間斷無く引廻した年月が、竊く刎れ三十八年に及んで欽宗皇帝は六十歳に達した。何時迄生かして置く事も面倒と、或日獄舍から引出して騎射を命じた、六十才の老ぼれに騎射が出來る筈が無い。馬から落つれば又乘せる。ゴタ／＼やつて居る隙に乘じて、蒙古騎兵の一隊が突貫し來つた欽宗皇帝を踏み殺して了ふ。化して肉泥となすとあるから、馬蹄に粉碎せられた次第である。成程日本にも慘虐の歷史はあるが此樣な殘酷極まる事柄は聞いた事が無い。讀んで居つても悚然として毛髮逆立し膚に粟を生じて來る。

露國皇帝の一族も全く同樣なる虐殺を被り、ニコライスクの虐殺と言ひ、露國の過激派と元の兵とは、黑龍江畔に生息し來つた同種族の蠻人ではあるまいかと思はれる。桃源の夢に醉い來つた邦人は、一足飛に共產許り考へずに、現代の恩澤もチト考へたら良からうと思ふ。

自分は山の中に生れ半生を山の中に生立ち、後の半生を海岸に送つて來た。前半生は自然の成長、後半生は職業の爲であつた。日本一の須磨明石に舞子の濱、ちぬの浦和に和歌の浦、十餘年も見て居つたに拘らず、少しも好いと思はぬのみならず寧不快を感ずる。ツマリ職業が厭でたまらなかつたが爲に日本一の景色迄が好く見へなかつたものと思ふ。ベイロンがロンドンの群集を見て雜踏の寂莫を感じた流義であらう。之に反して山は實に好い。アリアンサの所謂山などは實際の山では無く波狀丘と稱する大波の起伏した樣な丘陵に過ぎぬが、これでも山の子分であると思へば惡く無い。既に先人の遺跡である事は申し述べたが近頃子供が土の中から琥珀を拾つて來た。瑪瑙の下等な樣な奴で火に燒けば燃へて了ふ。格別何の原料にも無らぬとせられて居つたが獨乙で塗料を製造するに成功して居り、極めて優秀であるとの事で、自分も試みた事があるが未だ結論には達して居らぬ。兎に角原料が無代であるから何かに利用せられたら頗る結構と思ふ。馬鈴薯の小さい位の大きさで、土の中に何の系統も無く不規則に存在して居るから採集に一寸厄介である。支那の雲南省、日本では岩手縣久慈郡に產する。所で本品其物は大した代物では無いが、之が產地には金礦があるらしいのが注目に値する。何も欲張る次第では無いが金が出るなら出ても一向差支ないのである。岩手縣が其一例であり、當地の隣りの州からは金も鐵も金剛石も出て居る。獨りで內證に探險して金の釜に有り附く權利は保有して居るが、廣く發表して御參考に供して置く次第である。

三十、廢佛毀釋と共產主義（一）

維新の志士が尊王攘夷を振り翳して大業を翼成し、樣々の社會政策を一氣呵成にやり捲つた中で廢佛毀釋と言ふものを斷行して居る。其結果として寺は領地を沒收せられ、神官兼務を禁ぜられて居るが、維新の當時に在ては無理も無い政策と認めらるゝ次第である。坊主共が多年の太平に馴れて如來の妙法を惡用し、一切衆生を欺いて贅澤なる生活をして居るのを見たり、又は德川幕府が坊主を利用して一門の私利を計つて居るのを見たら、維新の志士としては最先に制裁を喰はせて見たくなつたであらうと思ふ。其又結果が六十年後の今日に現はれ來つて思想の歸向統一を失つて了はうとは、尊王家も御承知が無かつたらうが、之は責めるのは一寸無理と思ふ。あの多忙の折柄ではあり、何でも目に附いたものから片附けて行かなければ治らぬ譯で、五十年六十年後の思想問題迄を討論して居る遑は無かつたと思ふ。

成程當時の坊主は墮落の骨頂に達しつゝも、一面に於ては祖先傳來の國民思想を辛くも維持して居つた。說教を聞いた民衆は祖先の回向もし墓參もしたらう。一方坊主は神官を兼ねて居つたから微弱乍ら建國の思想をも維持し來つて居る。副業としては坊主は唯一の國民教育者であり文學者であつた。此坊主を一氣呵成に叩きつけたのであるから、結果は推して知るべしであつて、御負けに神道の方迄が振はなくなつたのは、意外と言へば意外、當然と言へば當然の現象であつた。

維新の志士は極めて要領を得ては居つたが、何を申しても二十代三十代の青年で無論學者では無い。日本の佛教なるものは、印度から直輸入直譯したもので無く、傳敎弘法兩大師の力、さては闇齋先生の力に依つて、建國以來の神道を融合統一せられたる日本佛敎なるものであるのみならず、日蓮上人の開闢に依つて、國体を支持すべき唯一の根本思想である事は、恐らく知らなかつたらうと思ふ。廢佛以來三十年にして西洋人の內地雜居を許可するや、內務省か文部省かは周章てゝ布敎師を全國に派して俄かに基督敎の惡口などを學生に宣傳せしめた事があつたが、そんな時には最早追附かぬ。三十年の間に佛壞の數は段々減つて了ひ、說敎は聞いた事が無く、神官は無學で役に立たず、ハイカラといふ言葉は內地雜居と同時に全國に擴がつて今日に及び、爾來澎湃たる勢を以てハイカラ思想が無宗敎の頭を支配し來つて居る。玆に到ると廢佛毀釋は維新志士の大嫌な卑王侍夷の結果に終つた次第である。華族一代論は誰が唱へたやら誠に御尤千萬で、志士の子孫は宜しく榮爵を御辭退すべきではあるまいか。

（二）

明治十何年頃に、鹿鳴館といふものが出來て貴顯紳士淑女の社交俱樂部であり、何でも西洋で無ければいかぬとあつて、毎日か毎晩か知らぬが西洋料理を食つて踊り廻つて居ると見へ、海南將軍は「金殿煌々夜は晝の如きも、照さず寒村釆色の人と」證言せられて居るが、維新尊王の志士ともあるべきものが、南蠻紅毛の提灯持をやつたとも思へぬ。之は條約改正か何かの爲の方便でもあつたらうと思はれるが、按ずるに尊王と攘夷とを不可分のものと思つて居るのが間違の種と思ふ。社會主義家は維新の志士なんて野武士や鄕士の成れの果てがあの機會に於て政權を獲得したのであつて尊王や攘夷もあつた譯で無く、立派にマルクスの階級鬪爭を科學的に立證したんであると言つて居るが、まあそう怒るまい。君子は世と共に推し移るのみならず、一旦緩急あれば立所に豹變する甕當否權道を承知して居る事は、聖賢の敎にもある筈であるが、孔孟の徒は兎角チョン髷を尊重して困る。權變術數の親玉は蘇秦張儀であると思つて居つたら、伊太利の「マキュアベリー」と申す人が立派に之を會得して居る所を見ると、西洋には聖賢の正道は無かつたかも知れぬが、權道だけは發達して居つたものと見へる。そこで維新の志士も此筆法に據つて西洋料理を食ひ踊を習ひ、廢佛を斷行して間も無く基督敎の惡口を申すと言ふ必要も生じた筋合であつたらうから、必しも榮爵を辭退する程の事もあるまいかとも思はれる。

之を要するに攘夷の可否如何に拘らず、尊王は絕對に必要である。維新の志士は若くもあり大した科學者でも無かつたと共に、尊王と攘夷とをゴッチャに取扱つたのは間違と思ふ伊藤痴遊氏の談に依れば井上侯の如きは、鳳凰を迎へ奉るのが尊王であつて夷人館を燒き拂ふのが攘夷であると心得て居つたと申して居る。維新志士の事業は無理とも思はぬと同時に、年少氣鋭に任せて靜慮を欠き、廢佛を斷行すると共に佐幕黨を叩きつぶしたなどはやがて今日の社會思想を培養したものと思ふ。

尊王攘夷に開國佐幕と申して居るが尊王佐幕とは申さぬ所に間違も發生しトリックも含まれて居る樣に思はれる。攘夷と言ひ佐幕と言ふ要するに見解の相異であつて、誰人か尊王の可否を爭つた者があるか。然るに攘夷のみが尊王であつて、佐幕は乱臣逆賊であるとの取扱をなし來つたが爲に、忠臣は官僚に限り社會主義は平民に限るが如き迷信を發生し、社會主義と申せば必皇室に不敬を致したり宰相を殺したりせなければ結論に達せぬと考へてゐるらしい。恐なる思想の先例を示したものは則ち攘夷佐幕の迷信であつた。さすれば維新志士は矢張榮爵を御辭退した方が良い樣でもある。

明治大帝の御誓文に、廣く智識を世界に求むべきを宣せられてある。社會主義と言ひ無政府主義と言ひ共産主義と言ふ、要するに世界の一部に現在する思想なのであるから、能く調査研究もせずワイ〳〵騒ぎ立てゝはいかぬ。善惡良否は研究の上の話であつて、開國佐幕も尊王佐幕と申した方が、歷史の爲にもなると同樣に、我國民思想として宜しく尊王社會主義、尊王無政府主義、尊王共産主義たらしむべく開明敎育すべきものであつて社會とか無政府とか共産とか言へば、尊王が不倶戴天の仇敵の樣に考へなければならぬと思ふのは早〳〵大迷信であらう。

支那革命の際に梁啓超が發表した、中國建設問題を讀んで見るに、誠に御明感の御說であつて、支那が此意見に從はなかつたが爲に、ノベツマクナシ革命許り起して居る。國体は理屈に依つて成り立たぬ事は之を見ても判る。梁氏の御說によれば共和は理想であるが支那には行はれぬ共和の形式を具備する君主制を採用すべしと言ふに在つて之を虛君共和制と申して居る。他の國々が虛君引き出さうとして居る際に當つて日本人ともあるべきものが、無政府や共産の際を聞いて尊王を忘れて了ふと申すはチト周章てゝ居る。倒幕を叫んだ維新の志士は無政府主義であつたらう。廢佛を斷行し人身賣買を禁じ四民平等を說いたのは共産主義である。而して是等は尊王の旗幟の下に行はれて居る。

尊王と攘夷とは兄弟でも何でも無い事は、尊王家が直ぐ夷人を歡迎優待し過ぎて、今でも一寸困つて居るのを見ても分るが如く、尊王と廢佛とも親戚の間柄で無い事は、內地雜居の折に佛敎の坊主に基督敎の惡口を言はせて居るのを見ても判る。拙者が中學校の四年生であつたと思ふが何と言ふ馬鹿な話であるかと思つたのは坊さんは平松理英と申さる相當な佛敎家であつたが、何でも夷人は耶蘇であるから氣を附けなければならぬ。耶蘇は大工の息子であるが釋迦は皇族の太子である。父は淨飯王母は摩耶夫人、我皇室に於かせられても御黑戶に歷代の御位牌を祭られてあるのも、佛敎を尊ばれて居る證據である――何の事だ。拙者爾來耶蘇信者でも無いが坊主は全く嫌いになつた。文部省は中學校に於て科學的敎育を施し乍ら、斯樣な寢言を坊主に言はせてあらうか何であらう。大工であらうが摩耶夫人であらうが餘計な御世話であらう。現に新平民の陸軍大將もあり女郞屋の息子が理學博士にもなつて居る。文部省も周章てゝ居るが坊さんも如何に日當を貰つたからと言つて斯樣な馬鹿を申すとは怪しからぬ。宜なる哉――か何か分らぬ――其後三年にして學校では一切宗敎に關する事を申しては相成らぬと言ふ文部省令が出た。思ふに宗敎が善くも惡くもあるまい、坊主にも牧師が人間の癖に神佛の眞似をするから墮落するのであらう。味噌擂坊主にヘッポコ牧師は駄目であるが、兎角社會敎育者として耶蘇信者の方に人格者がある樣であるが辯目であらうか、

（三）

自分の見た範圍に於て耶蘇信者の說法、具体的に言へば日本の宮川先生の講演、米國青年會々長ネール博士の演說、何れも立派なもので無論釋迦の惡口などは申されて居らぬ平松師は或は文部省から頼まれたか知らぬが曾て釋宗演と申す日本一の禪僧を招待して一席の講演を御願した事があつたが、時は夏の眞中、大禪師演壇に立つて一渡り聽衆を見廻すや先づ喫煙を禁止した。やがて手拭に包んだ氷を取寄せて腕や顏を拭き廻す、背中の方から坊主に團扇で煽がせる。而して講演の要領に曰く「佛とは先覺者と申す事であつて心頭を滅却すれば火も亦冷しくなる」これ

でこれは熊八が七軒長屋の隱居から孝行の講釋を聞いた樣な次第。尤も大禪師の講演はモット長くて樣々有つた樣であるが、今自分の頭の中に殘つて居るのは是だけである。心頭を滅却すれば火も亦冷しいであらうが、滅却しなければ暑いから氷が必要である。如何にも御尤である。其後瀨田泣菫と申す御方の書いた本を見るに、大禪師熊本で講演の折にも演壇の後から聽衆に見へぬ樣に大團扇で扇がせ矢張心頭を滅却したとある。さては此坊主イヤ大禪師何時でも夏に許り講演して頻に心頭許り滅却しで居つたものと見へる。どうも佛敎の爲にも民衆敎化の爲にもならぬ樣に考へらるゝ次第である。

無政府なんて出來る仕事ではあるまい。堯舜の時代や仁德天皇の御代には、政府が無かつたかも知れぬが、何かの役所位はあつたに違無い。無政府の講釋を讀んで見ても政府を轉覆し宰相を暗殺せよとは書いて無い、ツマリ政治に對する見方であつて、無爲にして化する聖賢の理想でもあり、祭政一致の理想でもあらう。さすれば惡い事はあるまい。農勞露國無政府共産の理想革命家と雖も內閣を設けて人民委員會と申し　大臣を人民委員と申して居る。共産も平和に行はれて共存同榮の實が擧つたら大變結構であらう。結構であるから之を行ふ爲にあらゆる既成物件を破壞し、更には既成人間の大虐殺を行ふ、之は一寸困るイヤ大に困る。此既成物件なり人間なりを破壞するか爲ぬかは手段であつて、主義其物の目的ではあるまい。而して宗敎の有無に因つて此手段が左右兩翼に分るゝ次第である。

（四）

宗敎が必要なりや無用なりやは、屢論ぜられ來つたが拙者にも能く分らぬものゝ先づ有つた方が良かりそうである。此所頗不得要領の態たらくであるが、ドーセ科學的研究などゝ申しても、精神其物の解剖も出來ず、宇宙の大さも分らず、顯微鏡で原子も見へずと言ふ今日に在ては、神佛妙法大自然の實在を信じ且歎美しても良からうと思ふ。「科學は自然を征服せり焉」などゝ申し居るのは科學雜誌だけであつて、一度關東の大地震――大地震といふも人間が形容した言葉で地球より見れは一小微震に過ぎぬ――に出つ喰せると腰が拔けて方角が分らなくなつて了ふ。見た事の無い神が有るの無いのと青筋を立てゝ論じなくても良からう。ドーセ見た事の無い精神や宇宙の實在を信じて居るのであるから、神の實在を信じても無學にはならぬ。見ないから信ぜぬと言ふ懷疑派の人々も、マサカ一々自分の五臟六腑をつかみ出して見てから飯を食つて居る次第でも無からう。

右の次第に依り平和の手段を以て理想に進むのが宗敎の目的であり、之に反するものが外道である。無宗敎より見れば宗敎が既に外道であつて科學が神佛以上の正法であるから、宗敎の說く所なんか全部間違つて居ると申す何處迄行つても一致せぬ樣であるが、科學も宗敎も同じく人間の製造したものであるから所謂大自然は何も御承知が無く、尋ねて見る譯にも行かぬのであるに因つて、此處らで好い加減に協同して見たら如何であらうか。科學は宗敎を助け、宗敎は科學を取入れ、人類の福祉の爲にはあらゆる改良を採用すると共に人類の好まぬ事柄は行はぬ事にする。無政府共産は一つの主義思想であるから善くもなく惡くもないが、既成物件の破壞殺戮は人間の好まぬ所であるから罷めにする。社會政策の第一着手として宗敎を學校の正課に採用する。さすればもつと上等な社會が出來て、科學なんてそう大して尊重されなくなり、從つて一番物を知らぬ狹識の人を博士と稱する事なども無くなるであらう。

廢佛毀釋は維新の志士に依つて斷行せられた

が、此時尊王と言ふ中心思想が無く、且又勝海舟先生や西鄕南洲先生の卓見が伴はなかつたならば、明治の維新は露國の革命と同樣な結果に陷つたらう。維新の目的も革命の目的も同樣であつたに拘らず、日本に於ては萬民天日を仰いで皇威八紘に輝き、露國に於ては民心歸向する所を失つて恐怖が天地を支配し來つて居る。何と言ふ偉大なる相異であらうか、或は曰く露國の革命は本國民の希望では無く、亡國の民たる猶太人が復興運動旁々千餘年の修羅の亡執を晴らしたのであり、彼等亡國の民より見れば、日本の皇室程邪魔になるものは無い。從つて樣々の運動の一つとして共産思想を鼓吹しつゝあるのであると。或は曰くそれは穿ち過ぎたる杞憂であると。拙者は無論猶太人には近附が無いから聞いても見ぬが、何れにしても日本國民から皇宗と歷史を取去つたら、國は無くなるであらう。尊王の國民思想を以て見れば、無政府主義も共産主義も何の害も無からう。

尊王攘夷黨が尊王佐幕黨をへこまして徹底的にやり込めた。伏見鳥羽の戰既に大勢を決したが勝敗は時の運、到し方も無い次第であるが、維新後六十年の今日に至る迄、此攘夷黨の子孫が餘威を振つて居るのはチト考物であると思ふ。薩の海軍長の陸軍と申す事柄もあり、華族の數は薩は八十、長は七十、此二者を除けば皆二十以下である。これは尊王の上より見るも社會政策の上より見るも、又は老子の所謂功成り名遂げて身退くの天道より見るも、面白く無い現象と思ふ。佐幕の可否は別問題であるが攘夷黨の行つた國策は、開國黨の趣意であつた事は雲井龍雄の討薩檄の第一項に申述べてある。人口食糧問題許りで國民思想は統一せられぬのであるから、社會主義家の評論を待つ迄も無く、尊王の爲に邦家の爲にチト考へたら良からうと思ふ。佐幕黨が尊王であつた事は申す迄も無いが、中心思想が如何なる信仰を有して居るかに就て、理屈以外の一挿話がある。明治大帝東北御巡幸の砌、會津は戊辰の際の乱臣賊子とあつて俄に御巡幸を差止められて、鳳輦は福島より北に向つて進まれた。大帝は斯樣な事を仰せらるゝ筈が無い。これは薩長の徒が私怨を加へたが爲であるとの事で、人心一時に惡化した。會津藩は既に青森縣に左遷せられて居るから當時の會津とは何の關係も無い筈である。更に大正天皇東宮に在す時も同樣ある取扱をやつたが爲に、益々人心を惡化し來つたが、其後皇太后陛下親しく飯盛山の白虎隊の墳墓に行啓せらるゝに及んで、人氣一變した形跡が認めらるゝ、誠に妙なもので科學的政治學には書いて居らぬ事柄であらう。今や人心の一新を要するの秋、尊王攘夷黨の覺醒を要する時機でもあらうと思はれる。

卅一、吟詠些談

井に棲む蛙、田に鳴くみゝず、何れか歌を詠まざりけん。とあるから吾等田吾作も吟詠を談じてはならぬといふ法はあるまい。井蛙田蚓とは例であつて何でも自然であれば良いのであらう、然らば田吾作は最も自然生活に近いのであるから、最も名吟をなし得る資格がある譯であるが遺憾乍ら吾等は餘り文字を知つて居らぬのみならず歌の先生の處に行つて歌詠みの稽古などやつて居る暇も無く金も無いので從つて鴨綠江節を唸鳴りはするが歌は詠んだ事が無く、假令一つや二つ位詠んで見ても何處の雜誌にも載せては吳れず、載つても讀む奴は無く、讀んでも感心する氣も無からう。それよりは一つ歌詠みの論判で行く事にして見やうと思ふ。

天地を感動せしめ鬼神を泣かしむるものは子供の泣き聲位であらう。多少の技巧ある大供の泣き聲などは、天地鬼神所か人間だつて感動するものはあるまい。小野小町は稀代の歌

人とあるが、大体歌詠みの專門家があつて始終天地を感動せしめて居るものであらうか。熟熟按ずるにそんな事はあるべき筈が無からうと思ふ。のみならず大和歌と申して三十一文字に限るなどゝ申すのも一寸考物であらう現に連歌の開祖たる日本武尊と御家來との詠み合せ歌を見ても、三十一文字にはなつて居らぬ。土佐日記に於て貫之朝臣が笑つた町人の歌は、三十七字あつたそうであるが、之は笑ふ方が間違つて居ると思ふ。左様に笑ふから百姓町人が歌を詠まなくなつたものではあるまいか、これは一つ何とかせなければ折角の國歌が衰へて國風もすたる事になるであらう。所謂萬葉の風調は百姓町人が聞いても全く良い。如何にもスラ〳〵と自然に出て居る。「春風寒みいたづらに吹く」と聞けば如何にも春風が寒くいたづらに吹いて居る事が明瞭であつて、歌學辭典なんかを引いた形跡も語調も無い所謂歌人なるものが頻に之を眞似ては見るが、既に時代の思想が違ひ言葉が違ひ。且又人口食糧問題に直面しつゝある吾々が、如何に眞似ても萬葉の風調が出て來る筈が無いから。之は眞似なんか罷めるに限る。そこで新歌と申すものが出て來て、頻に現代思想を現代語調を以て併べて居るが、是亦吾等にサツパリ分らぬ。最自然に近き吾等に分らぬ様なものは大和歌の資格が無い次第である。さすれば大和歌は萬葉を以て終を告げ、現代思想を以てしては詠めぬものであるかも知れぬ、曾てこんな事が書いてあつた。事實談か作り事か知らぬが、東京市電の車掌が毎日電車に乘つて來る交換手を見そめた。そこで大和歌を詠んで交換手に送つた上の句に曰く、「モシモシの君は高根の松なれや」下の句は一寸失念したが交換手の返歌の下の句に、「結ぶゑにしの末かけて待て」これ亦上の句を忘れたが何とうまいものであると思ふ。彼等は失禮乍ら貧乏人であり無論歌詠みなどは習つた事が無からうが現代語でスラ〳〵とやつて居るのみならず、少しも紫インキの匂がせぬ所が妙である。或は祖先が奈良朝時代の舍人何某であつたかも知れぬが、何でも自然にスラ〳〵やりさへすれば良い譯と見へる。さすれば吾等田吾作も一つヌタつて見べイかとも思つて見るが、眞似したのでは駄目であるから何れスラ〳〵の折がある迄待つ外はあるまい。漱石先生は軍神廣瀬中佐が詩を作らなければ一層好丈夫であらうと申されたが、さては田吾作うつかり歌など詠めぬ譯であるが、これはどう言ふ譯れであらうか。八幡太郎義家の勿來の風懷、乃木將軍の吟詠は萬人等しく欽慕する所であるのに廣瀨中佐は末しと言ふ次第になるが、謂んみるに吟詠は餘技であつて人格大成の後に於てのみ價値が伴ふと申す筋合であらうと思ふ。乃木將軍が一軍に長として偉功を建て、闕下に伏奏の折には凱旋門をくゞらず「耻づ吾何の顏か父老に見へん、凱旋今日幾人か還る」と申されたが、此吟詠を讀んで轉た將軍の人格を見るのであつて、假令同じ文句でも中隊長や大隊長ではいかぬと言ふ譯になる。さすれば權兵衛輩は宜しく種蒔きに從事せなければならぬ。北齋畵譜を見ると、百姓武士が晝休みに本を讀んで居る。一刀は樹の枝に懸けてある、其處へ女房が茶を持つて來る有樣を畵いてあるが、如何に武士の成れの果でも刀を帶びて畠に出たり、晝休みに四書五經を讀むといふ筈が無い。これは繪心であつて百姓でも文武の心掛があるべき事を示したものであらう。然らば吾等も文武を兼修せなければならぬ事にある。イヤ中々忙しい次第である。

太田道灌が山吹の花を鼻の先に出されて、百姓娘に赤耻をかいた事は專ら說き傳へられて居るが、これはチト怪しい話であると思ふ。大体戰國時代の學問は武士に限られて居つた

のみならず、太田道灌ともあるべき名將が、大和歌を知らなかつたとは思へぬ。まして無學の百姓娘の方が大和歌の古典を承知して居るなどは更に怪しい次第。謂ふに道灌一行が夕立を喰つて周章てゝ百姓家に飛び込んだ所が、百姓娘は首でも斬られる事かと思つて驚いて了ひ、手に持合せた山吹の花で顏を隱し乍ら、思はず道灌の前にへタ張つたものと思ふ。文武兼備の太田將軍は之を善意に解釋し家來共に歌の故事を話して聞かせた所、無學の仲間足輕の輩が之を誤り傳へたものであると思ふ。道灌將軍に賴まれた譯では無いが一言論判して置く次第。大体白樂天の琵琶行を初め、女でさへあれば凡て有利に解釋した吟詠が多いのは、敎育上宜しからざる現象であると思ふ。之は支那人の專賣であつて、蛾眉險の詩木蘭孃の辭等何れも左樣であると思つて居つたら、西洋でも湖上の佳人と申すスバラシイ百姓娘が居るそうであるが、之は最早會つて見る必要もあるまい。山吹娘一人で澤山である。

大和歌は百姓町人の間に一向行はれて居らぬが、鴨綠江節・安來節・枯れ薄節と申すものが一世を風靡して居るのは、ツマリ吾等の自然生活に最適當して居るからであらう。ブラジルの山伐り人足が圖方も無い聲を張り上げて歌つて居るのは、何の事か吾等には分らぬが何れ鴨綠江か枯れ薄の飜譯であらうと思ふ而して是等は何れも亡國の調を帶びて居るのみならず、坊間の說に俣れば是等の歌が流行する折は、世の中が必不景氣となり必不祥事があるなどゝ申して居るが、それなら歌はなければよかりそうなものと思ふ。就中枯れ薄の先生はデアボロとか何とか怒鳴つて居るが、思ふに之はデイアボーラと言ふ獨太語の放浪といふ意味であるらしい、歌つて居る人に無意味であらうが亡國放浪の歌などはチト感心罷りならぬ次第であらう。

學校があれば校歌があり、都市があれば市歌があるが、無暗に製作するのは考物と思はれる。矢張之も自然の聲であるから、無理に懸賞募集などやつても駄目である。第一高等學校の寮歌は全く良く出來ても居り、小學校の生徒も歌つて居るが、第二第三高等學校の校歌なんて知つてる人はあるまい。早稻田の生徒が蠻聲を張り上げる校歌は、佛國のマルセイユに似て居るから早稻田は兎角革命臭くなるのであるまいかと思はれる。懸賞金なんかウツカリ出さぬ事である。

國歌は國の聲であるから各特色があると共に眞似得べきものでなからう。日本の君が代を聞けば天の岩戸以來の歷史が眼前に髣髴し來つて吾等の生命を成して居る。獨逸の國歌は大鼓の如く大砲の如く心臟に響く所を見ると矢張國の命であり、國は中々亡ぶる事はあるまい。共和の親玉佛國の歌は王室が餘程憎かつたと見へて、糞味噌に罵倒して居る所は一寸吾等に會得し兼ねる。

此の如く觀來れば、吾等は何を歌ふべきか一寸分らぬ。籔野椋中といふ百姓が東京見物の折には、「見ん事〳〵見事綠の姫松小松」を歌つて大に笑はれて居るが、吾等野武士と雖も身荷も西洋に在るのであるから、少しは國辱を辨へて責めてオルガンに共鳴する聲位は出さずば相成るまいが、讃美歌よりは御詠歌の方が先に出て來るから、うつりが惡い樣である。中學校で漢學の先生が一杯機嫌になると「坊主頭に線香立てゝ、立つか立たぬか立てゝ見る」と申す歌を敎へたが、多分唐詩選の飜譯であつて西洋向では無い。或友人がエール大學の校歌であると言つて頻に「リツトル、インデアン」と申す歌を敎へて吳れたがこんなものを歌つたらブラジル、インデアンが怒るに違無い。適當な歌が出る迄は先づ歌はぬ事にして置かう。(つゞく)

協會記事

本年第二回のア移住地渡航者

三月十七日神戸港解纜のハワイ丸にはアリアンサ移住地入植者左記六家族三十一名が本年度第二回渡航者として同移住地に鹿嶋立つた。同船は五月七日目的港サントスに到着する豫定である。

群馬縣山田郡無星田村	瀧川久五郎	五人
岡山縣眞庭郡川東村	太田宗一	八人
岡山縣眞庭郡河内村	實村幾治郎	六人
岡山縣眞庭郡川東村	松井貞治	三人
京都市下京區西九條春日町	富永榮助	五人
岐阜縣惠那村上村	熊谷好治	四人

アリアンサ青年會

定期總會役員改選

アリアンサ青年會にては一月三日定期總會を開催し事業報告、會計報告、會員の五分間演說あり役員改選の結果左記の通り當選せり。

會長 伊藤德家　副會長 小川林
文藝部長 松井黒龍　運動部長内海榮郎
會計 樋口德重

開植三週年紀念に感謝狀がアリアンサ會から贈る

大正十三年十一月二十日は北原理事が測量機械農具種子藥品等を携へ座光寺大工を從へて入植し、アリアンサ開植の最初の斧を振つた日である。かくて我がアリアンサ移住地は開設の幕が切り落されるや内外各方面に多大なるショックを與へつゝ當事者と移住者は外的に内的に幾多の困難と鬪ひ忍從し一致協力して苦難に處してとにもかくにも既に滿三週年を迎ふに到つた。

夜明けの嵐は音もなく靜りかへつてほのぼのと曙の明け行く大自然の偉大さが今しも暗黑の世界を導びきつゝある。かくの如く我移住地は今や指導的の範を示しつゝ世論を馬耳東風に聞き流して、吾等は自個の信ずる信仰のもとに何ものをも恐れる事がなくすすむ事が出來るまで到つてゐる。

アリアンサ會は將來同移住地のすべての自治の中心になるもので移住者の家長を以て組織し現在は第一アリアンサを七區に別ち各區に委員あり活動してゐるもので開植三週年の紀念日にあたり左の如き感謝を寄せて來た。

感謝狀

信濃海外協會總裁閣下並に同協會關係者各位　吾々當地移住者は入植第三週年の記念日に當り聊か祝意を表すると共に遙かに各位の御健康を祝す、思ふに協會職員並に關係者各位の宏遠なる企劃と熱誠なる經營とに依り本移住地を建設せられ吾國民當面の急務たる人口問題食糧問題に向つて國民の自決を促し根本的解決の端緒を與へられたるものと云ふべし

今や事業は順調に進み着々其効績を收めつゝありて移住者をして後顧の憂なから

しめ充分の活動を得せしめ千古未踏の大原野を化して一大植民地を形成するに至り植民思想の實行的宣傳となり國民の耳目を聳動せしめ海外發展の機運を促進せしめ各地方之れに傚はんとするや遂に地方的より國家的實行となり移住組合法の發布を見るに至り玆に國民の積極的海外發展を期する事を得るの機運を釀成し着々其進展を見るに至りたるは國家の爲め喜ぶべき現象なり謂ふべし

實に本植民地實績の成否は國家全般の志氣に及ぼす處甚大なるものあり吾人は當植民地建設に付或は精神的に或は物質的多大の努力を拂はれたる各位を模範的移住地建設の先覺者として常に敬慕する所の者なり幸に今後益々後援を垂れ本移住地の發達に盡されんと事を希ふ吾人亦誠心誠意協力一致建設終局の目的を達成せんことを期す記念日に當り一同相會し祝意を表し建設當初の歷史を追懷し各位御苦心と懇切なる御指導に對し一同を代表し謹て感謝の意を表す

敬具

昭和二年十一月二十日

ありあんさ移住地に於て

ありあんさ會長　纐下登

信濃海外協會總裁千葉了閣下
信濃海外協會關係者各位

ブラヂル移住映寫

各地公開申込殺倒

本年一月以來縣下に公開しつゝあるブラジル移住の活動寫眞は到る處大入滿員で平均九百人以上の觀衆あり海外發展の氣運を讓成しつゝある。申込も殺倒を極めてゐるが巡回公開せるものは左の如くである。

更級郡更級農學校	一月九日
上水内郡吉田農學校	一月十一日
小縣郡別所劇場	一月十四日
埴科郡南條小學校	一月十四日
北佐久郡望月繭糸會社	一月二十日
北佐久郡岩村田小學校	一月二十一日
小縣郡大門村小學校	一月二十二日
更級郡川柳小學校	一月二十四日
更級郡塩崎小學校	一月二十八日
更級郡昭和小學校	二月四日
諏訪郡永明村小學校	二月十日
南安曇郡明盛村小學校	二月十一日
長野市高田公開堂	二月十二日
上水内郡榮村小學校	二月十六日
上水内郡中鄕小學校	三月十七日
上水内郡鳥井小學校	三月十八日
上水内郡北小川小學校	三月二十二日 三月二十二日

海興神戸輸送事務所

浪花町柳ビルに移轉

伯國移民を一手に引受けて毎船多忙を極めてゐる海外興業會社の神戸輸送事務所は今回左記に移轉して一層の活動をする事になつた。

神戸市浪花町五八柳ビルデング內

宮下琢磨氏歸朝

南洋視察を無事終へて

昨年十一月南洋視察に赴いた同氏は五ケ年間の旅行を終つて二月十二日諏訪丸で無事歸朝した。旅行の實感について最近着の同氏からの通信は左の如くである

「拜啓　寒風に吹かれ乍ら揚子江を遡り諏訪丸より一書を呈し申候(中畧)百聞一見に如かずの言葉、痛切に感じ申候、南洋は瘴癘蠻雨の巢窟の如く考へ居り候へ共來り見れば日本などの及びもつかぬ程にアスハルトの完全なる道路縱横に通じ清風綠樹千里の長程、身

の疲るゝを覚へず、就中スマトラ高地の如き夏知らず、冬知らず四時百花燎亂豊沃數百里人煙稀少轉た遊子を驚嘆せしめ候（以下略）

新會員（自一月十六日 至三月十五日）

松本市筑摩　中島　勇
埴科郡屋代町　若林和夫
諏訪郡永明村　長田米吉
北安曇郡北城村森上　川原國一郎
西筑摩郡山口村　島崎　臨
比島渡航者　牛木一郎
小諸町　唐澤俊文
諏訪町宮川村　原　島平
同　川岸村　三村末男
長野市古牧　中澤貫治
上田市通歇町　磯村公治
上水内郡津和村　西澤文助
北佐久郡本牧村　内山原雄
南佐久郡北牧村　井出東一郎
長野市諏訪町　西牧　巖
上水内郡朝陽村　今井信綱
同　山田覺善光
同　藤倉英雄
同　小林幸春
同　宮澤　勵
上水内郡島井村　小林利一
同　荒井つな
同　小島きよ
上水内郡高岡村　井澤　光
上水内郡中郷村　原田行雄
上水内郡古間村　駒村利貞
上水内郡大豆島村　中村榮一
下高井郡中野町　瀧澤忠勝
長野市高田　湯田　雄
同　大澤英三
同　古牧　安藤　清
同　倉石鶴次郎
同　倉石久代

會費領收（自昭和三年一月二十一日 至昭和三年二月二十九日）

一金貳圓也　昭和三年度　内山重利殿
一金貳圓也　同　長龗辰吉殿
一金貳圓也　同　瀬田活三殿
一金貳圓也　昭和二年度　柳澤彦太郎殿
一金貳圓也　同　坂口機次郎殿
一金貳圓也　同　松尾林吉殿
一金拾圓也　同　唐澤俊文殿
一金貳圓也　大正十五年度　黑須　論殿
一金貳圓也　昭和二年度　古平佐兵衛殿
一金貳圓也　同　赤羽春雄殿
一金貳圓也　同　清水　了殿
一金貳圓也　同　白鳥修一殿
一金貳圓也　同　清水恒吉殿
一金拾圓也　同　土屋岩太郎殿
一金八圓也　自大正十三年 至昭和二年度　和田襄章殿
一金貳圓也　昭和二年度　今清水清之助殿
一金貳圓也　同　鈴木李右衛門殿
一金貳圓也　同　足立寅藏殿
一金貳圓也　同　栗岩壽作殿
一金貳圓也　同　阿部安之輔殿
一金貳圓也　同　北澤曻平殿
一金四圓也　自大正十五年 至昭和二年度　島田松造殿
一金貳圓也　昭和二年度　清水豊作殿
一金貳圓也　同　服部七衛殿
一金四圓也　自大正十五年 至昭和二年度　二木卯太郎殿
一金貳圓也　昭和二年度　足助八郎殿
一金貳圓也　大正十五年度　中島　勇殿
一金貳圓也　大正十五年度　泉　好一殿
一金貳圓也　同　今村正治殿
一金四圓也　自大正十四年 至大正十五年度　關川保治殿
一金貳圓也　昭和二年度　赤羽壽平治殿
一金貳圓也　同　大山喜九定殿
一金貳圓也　同　宮川近太殿
一金貳圓也　同　西方寅吉殿
一金四圓也　自大正十五年 至昭和二年度　關口千代松殿
一金貳圓也　昭和二年度　赤羽　茂殿

編輯雜記

▲梅一輪、一輪づつの暖かさ、一順の春風が雲深い信州の高原をかすた時は最早春のかすみの渡つた遠山の峯か北向きの陰山の谷に鹿子まだらに、吹き荒ぶ嚴寒の日を偲ばすにすぎぬ殘雪があるのみだ。他の地方では梅の花が早くに散つて櫻の花を待つと云ふが吾等の古里は今が香りのよい白い花が庭の隅にひとり微笑んでゐる。信州には梅の名所がないがやがて咲き誇る櫻と杏がある、つつじもその一つである、自然に惠まれた山國の信州はこれからだ。春の讃美の際は信州の高原で初めてきく。（三・二五）

▲若き者は此の春を見逃がしてならぬ。これこそ我等に與へられた進出すべき好時期である多季に研究したる實行は今ではないか徒らに優柔不斷であつてはならぬ。さはれ毎船の渡航者は一と月前から申込をせぬばならぬ盛況である。

▲前號の海外支部の特輯は各方面から好評を得て居ります信州人の海外活動を統一的に知るにはこれより外にないのであるがこれにては尚滿足する事が出來ぬので全信州人の海外活動を逐一計統的に知らんために目下調査を進めてゐる。尚前號編輯後レジストロ支部より詳細なる報告と寫眞が送附され米國西北部からも北加からも會報名簿等が送られて來たがいづれも間に合はなかつた事は殘念である。

▲本號には本縣出身の在外公館に勤務する方々から得難い玉稿を頂戴した。本縣人が宛然一大團体となつていづれも活動してゐる事は實に喜しい尚澤山の玉稿を頂戴して止むなく次號に割愛したものも尠くない。又身を軍籍におく本縣出身者が海軍に可成り多くある同じく海外の在留者と深い關係がある此等の方々からも澤山の玉稿を頂戴してゐる。

▲アリアンサが移住組合に肩替りするについて面倒な數字的關係があつて却々計どらない然し最早既定の事實になつてゐるからその大体が本號によつて判る筈である。

▲本誌は毎月二十五日の定期發行であつた月おくれの憾みがあるので本號より毎月一日發行と改めた。從つて三月に發行するものは休刊のやむなきに至り眞に不業蹟ではあるが會員讀者諸賢の御寛容を乞ふ次第である。

▲それと同時に海外會員讀者のために定價を改め一層の御愛讀を乞ふ事にした。これを前提として本誌は漸次改善補正を加へて名實共に吾等の機關誌にしたい。

（三・二〇、M生）

海の外（月刊）

定價表

	内地送料共	外國送料
一册	廿錢	四錢
六ケ月	一圓十錢	二十四錢
一ケ年	二圓廿錢	四十八錢
五ケ年	拾圓	二圓

御注意

△御送金は振替（長野二一四〇番）に御願ひします。
△外國よりの御送金は銀行、郵便局いづれにても確實に送金されます。
△御轉居の節は早速新舊兩御住所を御通知下さい。
△本誌へ廣告掲載御希望の方は詳細相談申上げます。

昭和三年四月一日發行

編輯人　永田稠
發行兼印刷人　西澤太一郎
印刷所　長野市南縣町　信濃毎日新聞社

發行所　長野縣廳内　海の外社
振替口座　長野二一四〇番

《第二版》　日本力行會長

永田稠著

南米再巡

菊版四百廿餘頁・寫眞版三十頁・布製函入

定價一冊金二圓八十錢・送料一冊拾八錢

永田氏は信州の生める一異才である。嘗て南米を一週して『南米一巡』を著はし、信州に來つて信濃海外協會の組織に努力し、更に『南米信濃村建設』に關する大使命を帶びて、大正十三年五月末横濱を出帆し、布哇、北米桑港、ローサンゼルス各地に於ては海外協會支部の設立に盡力し、ソートレーキ市にはモルモン宗教植民の跡をたづね、デンヴア、シカゴを經て華府に至り、紐育より大西洋を南下してブラジルに至り、移住地の選定・購入・入植の準備をなし、大正十四年二月日本に歸り來り、更に信濃村大成の爲めに努力奮鬪し、今や模範的にして世界に誇り得る移住地が建設されつゝある、『南業再巡』は氏が南北兩米を再巡せる記錄である。志を世界に有する者の一日も看過することの出來ない快著である。

長野縣廳內
信濃海外協會取次販賣

東京市外上板橋　日本力行會發行　振替東京六八八一一番

各縣海外協會
日本力行會　指定旅館

海外渡航乘船
領事館手續
貨物通關取扱

高谷旅館本店

本店　神戸市榮町六丁目
神戸市郵便局私書函八四〇番
電話元町八五四番・一七三七番

支店　神戸市宇治川楠橋東詰
電話元町六六六番

海の外—THE UMINOSOTO
Published Monthly by the Uminosoto Sha. Nagano, Japan.

「海の外」第七十號　（昭和三年四月）　（毎月一回發行）

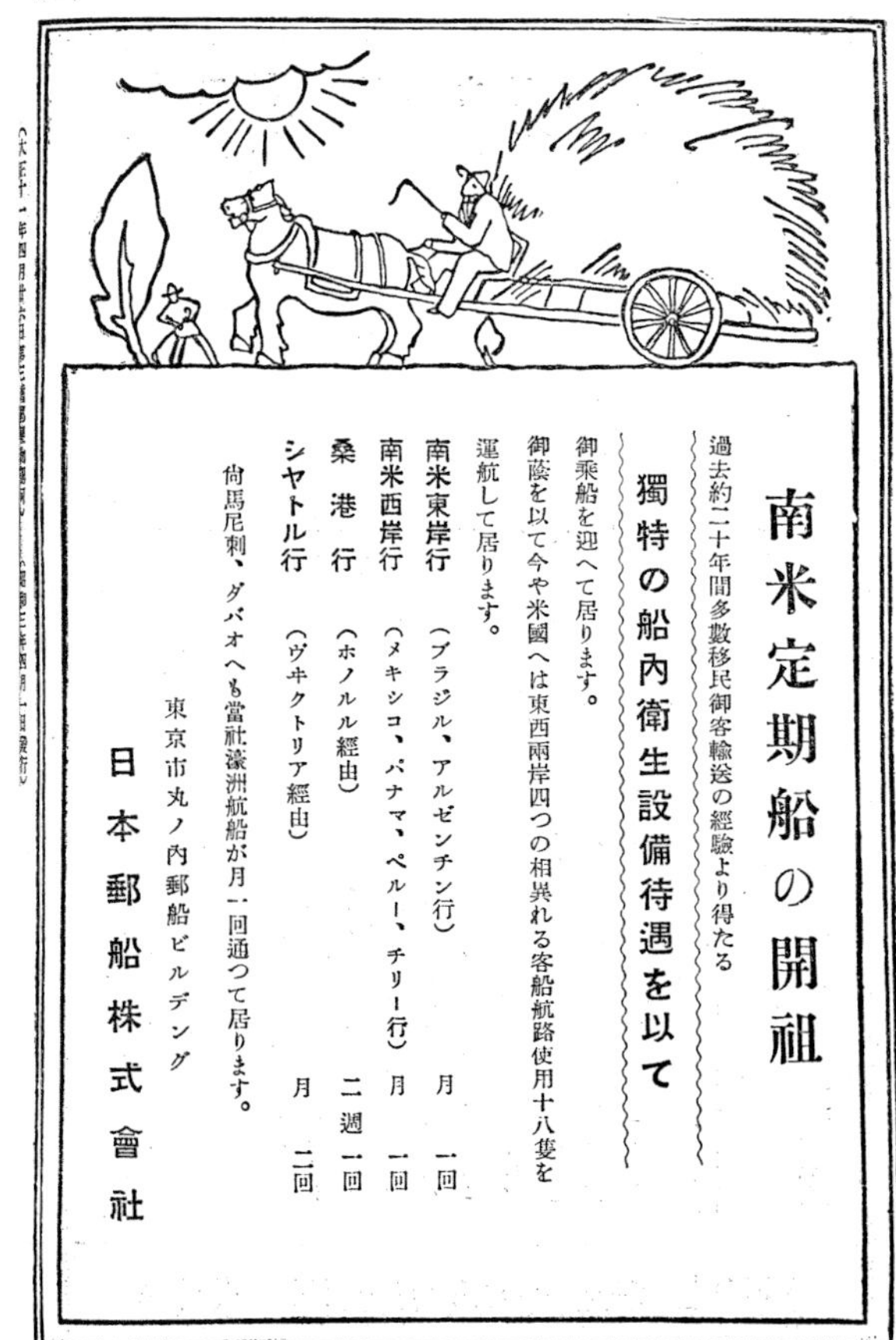

信濃海外協會
海の外社發行

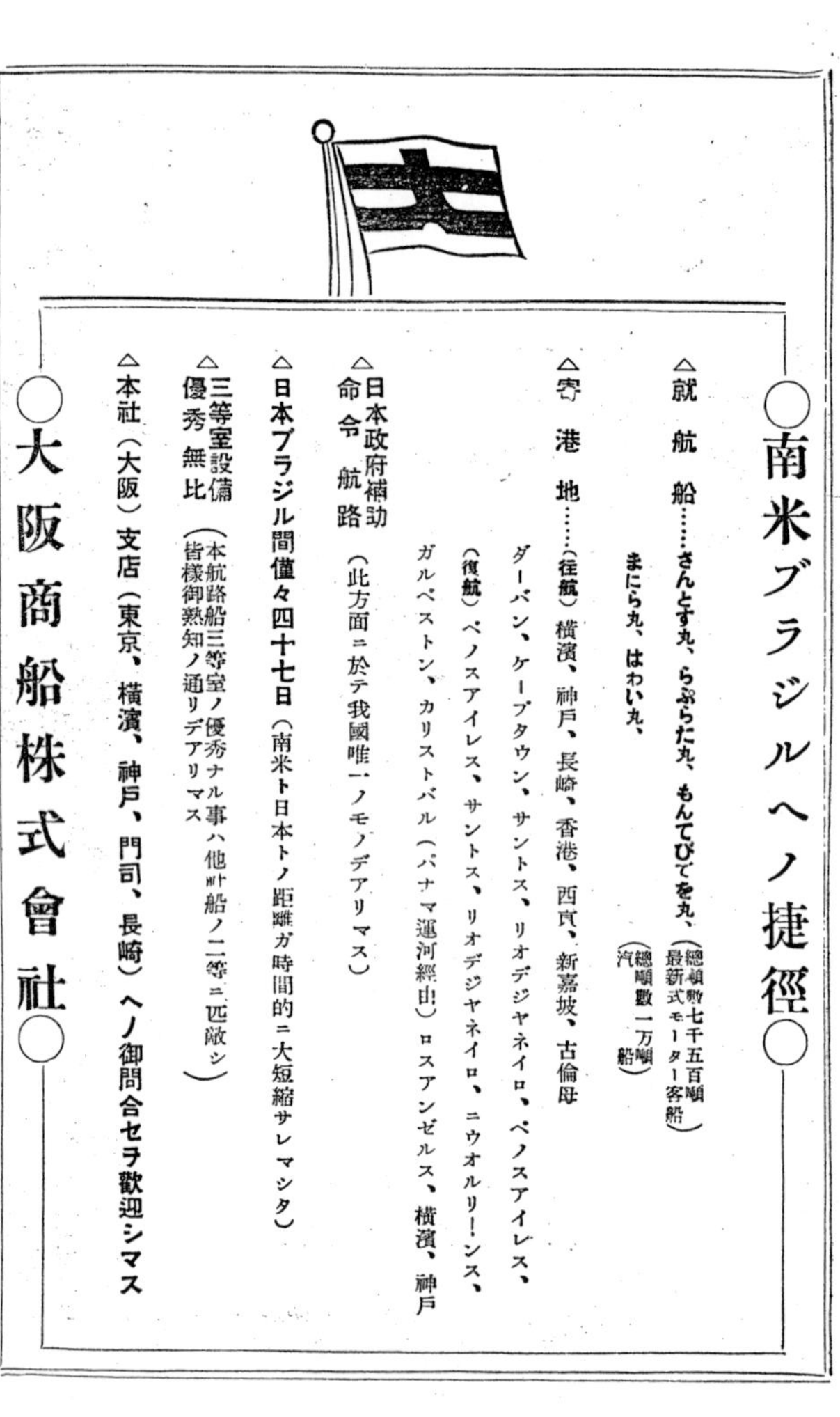
○南米ブラジルヘノ捷徑○

△就航船……さんとす丸、らぷらた丸、もんてびでを丸、（總噸數七千五百噸 最新式モーター客船）まにら丸、はわい丸、（總噸數一万噸 汽船）

△寄港地……（往航）横濱、神戸、長崎、香港、西貢、新嘉坡、古倫母 ダーバン、ケープタウン、サントス、リオデジヤネイロ、ベノスアイレス、（復航）ベノスアイレス、サントス、リオデジヤネイロ、ニウオルリーンス、ガルベストン、カリストバル（パナマ運河經由）ロスアンゼルス、横濱、神戸

△日本政府補助 命令航路（此方面ニ於テ我國唯一ノモノデアリマス）

△日本ブラジル間僅々四十七日（南米ト日本トノ距離ガ時間的ニ大短縮サレマシタ）

△三等室設備 優秀無比（本航路船三等室ノ優秀ナル事ハ他社船ノ二等ニ匹敵シ皆様御熟知ノ通リデアリマス）

△本社（大阪）支店（東京、横濱、神戸、門司、長崎）ヘノ御問合セヲ歡迎シマス

○大阪商船株式會社○

海の外

THE UMI-NO-SOTO

第七十一號

昭和三年五月

目次

信濃海外協會海の外社

櫻

上段 右 蘭領東印度の甘蔗栽培 左 バタビヤ市のバイテンゾルグ植物園
中段 右 シヤム王室飼育の象 左 蘭領東印度の煙草園
下段 右 シヤム土人の住家 左 シヤム盤谷の佛骨塔

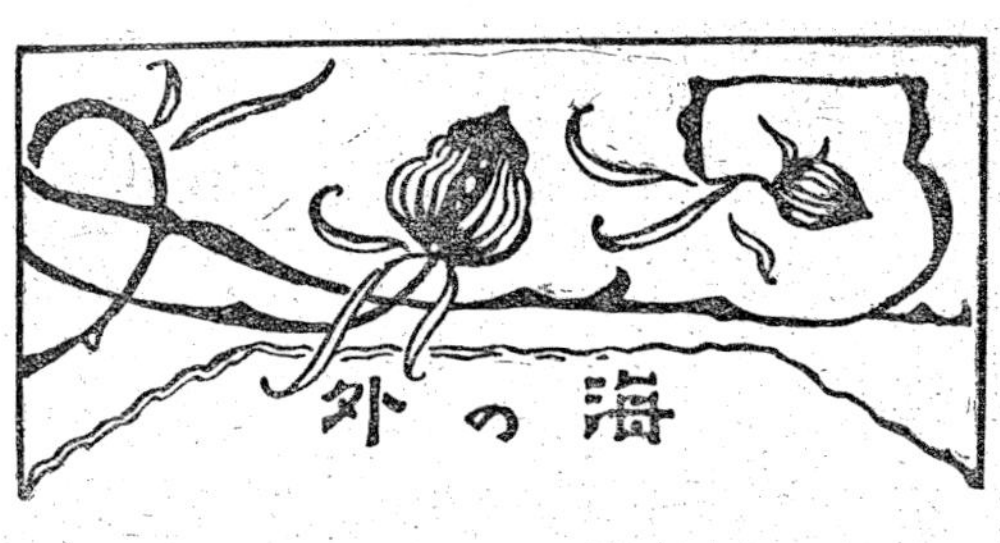

(昭和三年) 第七十一號 (五月)

我等の御大禮記念事業

今秋擧行せらるゝ御大典の御儀に際し國民は齊しく衷心より壽ぎ奉らんとこれが記念の種々計畫に企圖してゐるが吾等もこの擧國祝賀の微意を表さんがために最も意義深い好箇の適切なる事業を行はねばならない。

我國建國の祖神武天皇は實に海外發展模範者であり植民的の理想的人物に在せし事は國歷の明かなる所である由來我が祖先は三千年來悉に植民的經綸において日東の御國を世界の列强に輝やかし、しかも平和的なる植民實行については未だ汚點を見出すべき歷史のない誇りを持つてゐる。今吾等はそれを繼承して一段と植民世界經倫に躍進せばこれに過ぐる御大典に添ふべき記念事業は他にあるまいと考へる即ちその實行の具体大略を示すとすれば、

各府縣を計畫單位となす目論見で今これを本縣に當て嵌めんに各町村に廿五町歩宛の土地を所有するとし縣下約四百箇町村壹萬町歩の移住地經營を行ふのである。先づ一町村で廿五町歩當りの土地代と五ヶ年の開拓經營費を合せて五千圓を出資するそして眞面目の青年夫婦或ひは三四人の獨身青年を各々選拔して渡航せしめ土地の開拓經營をせしむる。しかも五千圓の出資は村内有力者拾名にして可、一人で年百圓の出資であるから少しも無理はない筈である。

かくて長野縣の耕地面積を增加せしむる事壹萬町歩海外發展者を出す事四百家族、更らに六ヶ年後からは年二千圓位の農産純收入が得らるゝとせば經濟的に極めて有利である。しかしてこれは單なる理論的の計畫案にあらずして正に實行するか否かの問題になつて來てゐる。

縣下各町村當局有識者と共に縣民讚同の擧手に訴ふるのみ。

一邦人の暹羅観察の一種

■何故日暹親善を計らないか■

天田一閑

一、緒言

暹羅と言へば極めて最近迄一般日本人に取つては山田長政の傳說的武勇傳と結び付けられた南洋の未開國と言ふ以外には餘り知られて居なかつた、我日本と並んで東洋に於ける尊敬す可き二大君主國の一と言ふ事すら注意せられなかつた、隣接諸國が相次て白人强國の帝國主義の犧牲となつて或は屬國となり或は併合せられ異國の旗下に甘んじて居る間に介在して毅然その獨立を保ち完全なる專政君主制の實を擧げて居る所以のものは何かその建國精神の上にその歷史の上に隣邦に優つた何物かの存在す可しと思惟せらるる點等に勿論想到するものとては無かつたのだ。

然るに最近に及んではこの暹羅も大部に邦人の間に知られるに至り邦貨の販路擴張の爲め乃至は投資事業の調査研究等の爲め內地から渡來するもの著しくその數を增加して來た。

就中昨年末東京に於ては先般暹羅に來遊した大倉男等の主唱の下に暹羅協會なるものが設立せらるるに及んでは畏くも秩父宮樣を總裁に奉戴し奉りその他今迄何等この方面との關係も無かつた樣な所謂名士連が多數同協會の會員となる等一層「シヤム」と言ふものが日本に知られる機運に向つて來た。

之は甚だ嬉しい傾向であるが人口食糧問題等と關連した南洋發展の語が頻りに人口に上る際暹羅が斯の如く邦人の注意を惹くに至る可き事は當然であつて更に一層具体的に暹羅の諸事情が研究調査せられ日暹兩國の關係が色々の方面に深くなつて行かなければならないと思ふ。

この樣な狀況に在る現在に於て吾人は以下少しく最近迄の在暹邦人の位地等を反省して見て今後吾等が日羅親交の實を致す爲めに執る可き方策態度等を討究して見たいと思ふ。

二、在暹邦人の位地

往時我御朱印船貿易の盛んだつた當時には當暹羅には何百人もの日本人が來住して大いに海國男子の氣を吐いたと言ふ頃の古い昔の事は暫く措き近來に於て在留民の數から視ても又彼等が花々しい儲け方をした點から見ても歐洲大戰中から戰后一二年の間が頂上であつた、當時は今迄當國に政治的經濟的に勢力を張つて居つた、英、佛、獨等が國を擧けて古今未曾有の國難に直面して力を極東に迄延ばすが如き餘裕とては無く地の利を得た日本商人に火事場泥棒的奇利を占むるに委せて居つた時代である、內地でも知られた相當大會社の支店出張所等も幾個も設けられ又個人經營の雜貨商等も必要以上に開設せられたのはその時代だつたのだ、然るに歐洲の天地に一朝平和の鐘が鳴り響き各交戰國は內は國力の恢復に力を盡すと共に外は漸次前の勢力範圍たりし東洋方面の諸市場に餘力を向け來るに及んでは當國に於ても一時然しも華やかに見えた邦商の勢力も恰も砂上の樓閣の如く容易に毀れ落ちて邦人商店の閉鎖するもの相次で表はれ失敗して歸國するもの亦續々出ると言ふ有樣に成つた、之は大正十一二年頃に及ぶ二三年間の著しい現象であつた。その當時の狀況は次の數字に依つても知る事が出來る。

大正八年當時の在暹邦人數

		首府盤谷	地方	計
本邦內地人	男	一五九	四一	二〇〇
	女	六〇	二二	八二
	計	二一九	六三	二八二
朝鮮人		五	—	五
臺灣人	男	一九	—	一九
	女	一	—	一
	計	二〇	—	二〇
合計		二四四	六三	三〇八

大正十三年當時の在暹邦人數

		首府盤谷	地方	計
本邦內地人	男	一四〇	三八	一七八
	女	四八	一四	六二
	計	一八八	五二	二四〇
朝鮮人		六	—	六
臺灣人	男	五五	七	六二
	女	六	—	六
	計	六一	七	六八
合計		二五五	五九	三一四

右の數字に表はれて居る樣に總數に於ては少數乍ら增加して居る、然しその增加の內容を見るに臺灣人は增加して居るが內地人に至つては大正八年乃至十三年の五ヶ年間に四十二人を減じて居る、總數二百乃至三百の上に四十二の減少は甚しい激減と言は

なければならぬ而してこの減少の個々の職業を見るに會社商店員等が大部分を占めて居る事は先に示した日本人の發展らしきものが如何に泡沫の如き力の無い根のないものであつたかが解る譯である。

之は一体何うした事か！之れには色々と入り組んだ國際經濟事情が竄した結果も有つたであらう、然し何んと言ふも當時當國に居つた邦人商人等が目前の利に幻惑せられて大所高所から日暹の經濟的接近を計る可き事を覺らず又國民の指導的立場に在る政治家等も徒らに三大國とか五大國とかの空名に誑らかされて日本と何等直接の實際的利害關係の無い歐洲の政治問題等に携る事に夢中に成つて足下の暹羅など言ふ弱小國の事に注意を向ける事を恰も恥かの如く考へた明かな心得違に原因して居るものと言はなくてはならん。

歐洲大戰中暹羅が英佛等からの有形無形の助力の手から離された當時にはその內政の上には財政的助力を又その資源開發の上には外資の流入をと言ふ工合に然る可き强國の後援を必要としたのだつた、而して我日本はその後援者の役を引受けるに最も揃へ向の位地に居つたのだ、然るに前述の様なさもしい態度を持したが爲めに實に千歲一遇の兩國接近の好機を逸し失なつたのだ。

一体日本人は「百年の長計」などと言ふ言葉を持つにも拘らず明日明後日の計をすら圖り得ない短見者流のみの寄合である。對外關係のみに就き見るも過去に於ては移民に對外經濟的經營に一として失敗ならざるは無い有様である、而して所謂南進論として南洋發展策など色々と古くから論議されて居るにも拘らず何等一つの纏つた成果をすら得て居ないのだ、南洋の唯一獨立國たる暹羅との間にも何等國交の進展をも見せない有様なのである。

暹人の對日感情——然らば以上の樣な態度を持して來た日本及日本人に對する暹羅上下の對日感情は如何と言ふに一言にして盡せば日本人が暹羅を問題にしない程度に彼も亦我に對し特殊な感情を持つ程に日本人を理解して居ない。否理解しようとしない、暹羅は地理的に言へば印度支那半嶋の中央に位して兩隣に英佛の殖民地を控へ從て過去可なり永い間之等二强國の帝國主義の無遠慮なる壓迫に直面したのみならず暹羅を舞臺とする兩國の政治的勢力爭に踏み付けられつつ不本意ながらも之を甘受せざる可らざる位地に在つた爲め要路の大官中世界の大勢に通ずるものは表面之等二大國に笑顏を向けながらも內心夫となく他に依賴す可き强大國の物色に心を勞するものも有つた、此の場合本來日本こそ英佛の勢力に抵抗す可き第三者となるを本筋としたが事實は全くこれと相反したのである。

暹人中日本を知ると稱するものに二種が有る、一は人種宗教傳說等の關係から日本は己と同一水平線に在り親しむ可しとするも、又賴むに足らずと見るもの及び他の一は日本が僅々半世紀間に物質的文明の上に異常な發達を見せたに對しその理由を講究して日本人の長所を知らんとするもの之である、然し二種の內後者に至つては實に曉天の星の如く只僅に進步的青年の間に數者を得るに過ぎないのである。

斯の如き情勢を招來した所以のものは果して奈邊にあるか、過去に於て領事裁判所の存在した當時は好ましからざる臺灣人乃至內地本邦人等が相當數在留して賭博に阿片等に關する犯罪を作つては暹羅官憲を手古づらしたものであつたが大正十三年日暹新條約と共に領事裁判所は撤廢せられ不良分子は漸くに過塞するに至り之に對する暹羅官憲の感情も幾分融和したと言ふものの猶日本に對する一般感情の良化に資するに足らなかつた、之は勿論暹羅上流人士が多く歐洲方面に留學するとか又は國內の教育制度が英國の夫れに則り主として英國顧問の方寸の下に教育方針が立てられ從つて日本が當國人の耳目に親しみ難いと言ふ樣な原因も有るかも知れない、然し主として先に述べた樣な邦人の利己的近視者眼流な態度が最も大きな原因であると言ひ得る。

三、暹羅に於ける英佛米獨の勢力と之等に對する暹人の感情

地理的に接近して居る日羅兩國の關係が前述の如き狀況に在る時遠く離れた歐洲方面の諸强大國と當國との關係は如何と言ふに日羅の夫とは全然相違したものがある。

英暹關係——英佛兩國は暹羅兩隣に各國境に接する殖民地を有し從て過去永い間暹羅を舞臺としての勢力爭が兩國の間に續けられたが歐洲大戰に依て佛國はその本國の受けた創痍が余りに大きく自然殖民地に迄十分力を盡す事不可能となり英國は之に乘じ一層當國に勢力を深めて行き更には獨逸の舊勢力をも取つて代はると言ふ具合に同國の暹羅に對する各般の勢力は何者の追從をも許さない獨自のものとなつた。

先內政方面を見るに大藏農務商務文部各省には英國の顧問を有し就中大藏省顧問の如きは暹國の財政を自由に裁量して居る、教育方面に於ても又英國人顧問の意見に依りて制度方針を立て皇族貴族の大部分は英國に留學せしめらるると言ふ狀態である。

その他稅關收稅局鐵道局內務省等にも夫々英國人の上級官吏在り內政方面の英國人勢力は牢固として拔く可らざるものがある次に產業方面に於ては當國三大物產卽ち米チーク錫に對する利拂に關しチークに就いては一八八三年に於ける英暹條約の結果チーク產地たる北部暹羅に於けるチーク林經營は英國人に限り特殊の便宜を與へられ現にチーク林經營の六大會社中四個迄は英國籍に屬し又錫に關してはその產地たる暹領馬來に於ける諸利權の英國の獨占的保證は一九〇九年の英暹條約で取極められた程で現在實際に錫鑛業に從事して居る外國人は英國人のみと言ひ得る、加之外國人が資源の調査等を爲す場合には農務商務兩名に英

人顧問が居る關係上英國人は何かに多くの利便を得ると言ふ有様である。

以上の様な情態であるから當國輸入貿易の上にも自然英國は重要な位地を占め新嘉波香港經由のものを加へれば當國輸入品の半は英國品と言つて可い、斯の如く當國に於ける英國の勢力は政治經濟の兩方面の凡てに行き亘つて居り皇室及政府は內心に若干の不滿は有らんも表面努めて之の氣嫌を損せざらん事を努め又暹人中個人的に非常な親英者も有り實際問題として暹羅は英國に依賴して立つて行くと言ふ狀態である。

佛暹關係——對暹關係に於て英國が佛國の上に出て來た一方往年國境問題等に關連して佛國に從順であつた暹羅も大戰直后對佛領印度支那の態度の上に幾分變調を來たしたが如き觀有り之に對し佛國もその舊時の勢力維持の爲め稍焦慮の氣味を示した。例へば最近改訂された新條約に關係して國境地方に關する特殊の取極を結び兩國々境地方關係に新生面を展開せんとし現に目下北方國境附近の小都市に於て佛暹兩國當局が具体的問題に關し商議を重ね居るが如きこの焦慮の結果と見られない事も無い。

斯の如く佛勢力は往時の英佛對立當時の如きもの無しと言ふも永き歷史の間に暹羅の文化方面に植付けられたものは抑々に衰へるものでは無い、例へば佛法思想が當國司法官の間に行き亘り居り或は佛人加特力教徒が當國に多くの教會學校等を設けて名利を度外視して當國文化の向上に努力して居る間に暹人子弟の間に浸透させた親佛的傾向等は頗る根強いものが有る一方佛國當局もその政府の費用を以て暹人留學生を佛國に送ると言ふ樣な努力を拂つて居るを以つて依然佛勢力は侮り難い隱然たる强さを示して居る。

米暹關係——暹羅に關し政治的に經濟的に永い歷史を有する英佛兩國に對し遲蒔ながら當國に交渉を持つに至つたものは米國である。然し彼は政治經濟方面に交渉を持つには餘りに遲蒔であつた爲め全々別途の文化的方面から兩國の關係を深めんと努力して來た。米國の右の樣な見地から出た對暹方策は其の絶大な財力を利用して文化施設の遲れた暹羅に大いに之を施すに在つた、彼はその宗教團体の手を通じて首府盤谷を初め內地主要各都市に學校教會病院を設けて暹人の生活向上を圖つた、又ロックフェラーファンデーションは熱帶病研究流行病撲滅醫事思想普及等に關し當國赤十字社を援くる所多く現に盤谷に於ける同社病院の如きは米國の援助無しには到底現在の完備を見る事を得なかつたのだ、斯るが故に暹人海外學生の醫學及衞生乃至醫事行政等の研究をなすものは凡て米國に留學すると言ふ有樣である。

又一方政治方面に就いて見れば外務省には米國顧問が居り對英佛等の錯雜した關係に對し努めて公平なる態度を持し一に暹羅の利益を擁護するに苦心するのみならず米本國も諸外國に率先して對暹舊條約を改正し治外法權を完全に抛棄して暹羅と對等の

條約を結ぶ等深く暹人の感銘を得た。

以上の如く米國は經濟的に政治的に具体的勢力とも稱するものは無いが有識暹人の精神的方面を支配する甚大なる力を持ち現在に於て暹人の正直な好感と信賴とを得て居るものは同國のみと言ひ得る。

獨暹關係——歐洲大戰前は英佛兩國に對し特殊の地位に立ち北部鐵道を足場として大いに當國に於ける勢力を展さんとしたが大戰の結果凡ゆる方面の勢力は英國の奪ふ所となり一時獨逸人は公然當國に入國するすら爲し得ない樣な狀態となつた、然れどその后大正十四年には暫定經濟條約を結び獨逸暹羅の國交舊に戻つたのみならず暹人陸軍々人方面には尙多くの親獨者有り以前の當國商業界に得た信用も復活し兩國貿易額は逐年增加し來り今后當國に如何なる程度の關係を結ぶに至るかは興味有る見物となりつつある。

以上諸外國の當國に對する態度には一貫した特殊なものが有る、例へば英國の占める經濟的勢力などは勿論その政治的關係が重大な作因となつて居るが尙チークに錫に大資本を投じて長年月の間に徐々に先づ暹羅の未開の資源を開發して暹羅側をも利する事を忘れなかつた態度の結果である、又米人が持つ暹人よりの信賴の如きは米人が全然利己的な態度を捨て一途に暹羅の文化的向上に精進したその立派な精神の成果である、卽ち共に相手の利益を忘れない、己れ何物かを得んとするならば先對者の事を先に考へる、相互利益と言ふ事が兩者の關係の基本をなして之は頗る重大な事柄なのだ、日本が同じ東洋內の獨立國であつて日本人種宗教を全然異にする白人が勝手に振る舞ふのを只指を銜へて見て居なければならないのは之の態度を忘れたからである。

玆に於て吾人は新に日暹の國交に新生面を開かうとする方策を考慮するには何うしてもその基調を平凡ながら相互利益（自分の利を度外して相手の利のみを計ると言ふ事は理想では有るが現在の個人的關係でも國際的關係でもそれは空論に成り勝ちであるから）と言ふ點に置かなければならぬ今後經濟的に幾分でも日暹の親善を圖る場合には斷じてこの精神を忘れては駄目だ、ロ先許りの日暹親善は何等の役にも立たない、又目先の小利に捉へられた小商人根性は却つて害になる。

吾人は更に實際的方策として右述の精神に立脚した經濟的及文化的の二途に亘る對暹施設を講究し度いと思ふ。（三、二、）

蘭領東印度槪觀

村松 薫

（一）蘭印の概括 知られてゐない

私が「バダビヤ」に在勤して居たのは僅かに三年足らずで、その短い間の見聞を材料として讀者諸君に同地方の事情を語らうとするのは聊か烏滸がましい次第であるが、吾々は職務の性質上常に邦人の海外發展を念慮に置いて共地方の事情を研究せねばならぬので自然多少の智識は得られる地位に在るものと信ずるのである。所で世人には「バタビヤ」が何所に在るかどういふ町であるかを知らないものが可成りあるらしい、といふのは某私立大學の校友會雜誌を送る場合その表記に中華民國爪哇嶋「バタビヤ」とあつたり之は最も悪い例であるとしても、「スマトラ」島「バタビヤ」市として郵便を同地に送つた樣な實例がザラに在るからそういふのであるが、實際「アイスランド」を知つてゐても爪哇嶋を知らぬ者があると思へる。然るにその日本との關係に於て密接なる程度は前者は到底後者の足下にも及ばぬのである。更に爪哇島、「スマトラ」島「ボルネオ」の過半「セレベス」島「ニユウギニア」の西半よりなる所謂蘭領東印度が和蘭の領土であることを知つてゐる人は猶尠いだらうと思ふ。「バタビヤ」は卽ち此の蘭領印度の首府で中央政府の所在地なのである。

和蘭本國は御承知の通り極めて小さな國で共面積は僅かに我九州と同じ位であるが、その本國に何十倍する程の廣大なる植民地を有し通商貿易も仲々盛んで裕福な國である。而して共植民地の大部分は卽ち蘭領東印度諸嶋から成つてゐるのである。私は今筆を執りつゝもどういふ順序で所謂蘭領東印度（以下略して蘭印とする）を紹介しようかと迷ふ次第であるが、極簡單にその槪觀を記述して御參考に供する次第である。

先づ蘭印を地理的に見ると、それは前記の各嶋及之に附隨する數多の小嶋の群から成つて、その位置は赤道の南北、南は十一度、北は六度に跨かり、七十三万三千六百八十一平方哩の面積（日本の總面積は二十六万七百四平方哩）を有する。而して人口は約五千万、內土人約四千八百万、白人（日本人の約五千人之に入る）約十七万殘余の約九十万は右以外の東洋人である。氣候は赤道直下若くはその近くに在るので、所謂熱帶氣候であるが、想像するが如く熱くなく、爪哇嶋の平地で年平均溫度（室內）華氏八十度山岳地方に入ると氣溫は勿論低下し或所では氷點に達すると云ふ。又「ニユウギニア」の高峯中には四時白雪を戴いてゐるものがある程である。兎に角決して凉くないが想像する程暑くないのは事實である。

（二）昔に遡る邦人の遺跡 今時の日本人と違ふ

日蘭の修好關係は、隨分古いのであるが、日本と蘭印の關係はそれよりも古く徳川幕府の初期頃迄には既に吾々の祖先が多數同方面に渡つたと信ずべき點がある。共頃の日本人は現在の樣に政府の指導、奬勵があるから海外に出るの補助金がなければ嫌だのと云つたものでなく實に大膽、勇猛であつた只惜しい事に史實の徵すべきが尠いので、殊に蘭印方面に山田長政的の人物が行つたかどうかは知るよしもないが、併し現在「バタビヤ」日本總領事館の庭前に留愛碑と稱する立派な日本人の墓石がある。之の日本人は「クリスチヤンネーム」を有する「ミハエル、ソーベー」と云ふ耶蘇教信者で、恐らく徳川幕府の耶蘇教禁令當時故國を亡命し爪哇に渡つたものらしい。和蘭人は日本と蘭印の關係を更に密接に見て居る卽ち日本、比律賓、蘭印を一連の群嶋と見做し、或學者は日本人の人種的考察よりして、日本人の祖先は南洋から北上したものであると論斷してゐる。尙蘭人某博士は「和蘭の印度征服史」中に於て十七世紀の初頭「モルツカス」群嶋（「セレベス」嶋の近くに在り）に在る「アンボン」に於て英國人は日本人と協力し、同地方蘭人の勢力を奪去らんと反亂を起したとある。

（三）我々に似た生括振り 喜怒哀樂無邪氣の土人

次に土人の人情、風俗、習慣に付いて述べ度いと思ふが前述の通りに蘭印は海上にバラ播かれた島から成り、而も其面積が廣大なる事日本の三倍もある程であるから共所に住む土人と云つても必ずしも同一人種である譯はない。私はその內でも最も文化の進んだ、從つて勢力のある特に爪哇嶋の大半に住む馬來人に付いて極簡單に述べて見ようと思ふ。

私は彼の地に在つた時土人の外的又は內的生活に付いては可成の興味を以て其觀察に怠らなかつた積りであるが、彼等のカンポン（村落）に入り仔細に彼等の風習なり生活なりを見てゐると、千年も前の日本人の生活も斯の如くではなかつたかとの感に打たれるのが常であつた。現在土人の信ずる最も勢力ある宗教は「マホメット」教であるが、「マホメット」教の入込まない前は矢張り佛教を信したもので、若し之がその儘現在に及んだならば更に／＼彼と我と相通ずるものが有りはしなかつたかと思ふ次第である。土人は至極無邪氣の氣質を有する。喜怒哀樂は直ちに面に現はし、復讐心も、反抗心も可成强いのである。更に伊達氣もあり江戶兒の樣に（之は動機の違ふ偶然の一致かも知らぬが）宵越の金錢を使はないといふ氣風もある。だから彼等は槪して貧乏である。恆產も無ければ從つて恆心もなく、延いては遊牧性も比較的强いのである。

（四）土人の樂しい正月 遊子の心を亂す歌踊

彼等の信ずる宗教上其の正月は日本ならば陽春五月頃に周つて來るのであるが正月の一ヶ月は土人等の最も贅澤を盡す時で先づその月に限り使用人は傭主に月

給一ヶ月分の前借を請求する。借りた金は後數ケ月に亘つて月給差引の形に於て分濟するので、之は彼等にとつては實に苦しいのである。苦しい事を知つても前借りしなければ濟まない。所謂正月の間は新調の爪哇更紗の腰卷を着け、活動寫眞を見たり、踊を見に行くのである。土人は男女共此の「サロン」を著ける、之は彼等にとつては最も金目のある裝身具なのである。而して一旦正月が終ると彼等の持つ所の此の最上の裝身具たるサロンや其外金鍍金したり、又は眞鍮の腕環等は早速公設質屋に運ばれ幾何かの金錢に替へられるのである。土人の大多數は農夫勞働者であるが、中には自作農で多少の地主もあれば、所謂支配階級、王樣迄もある。併し歐洲人と同等の生活を爲し交際する者は極僅少で從つて彼等は彼等自身特別の娛樂機關を有する。私が見た丈でも歌踊あり、芝居あり、人形芝居さては影繪芝居、歌劇等がある。月明の夜私はよく彼等の踊場を訪れた。踊場と云つても勿論野天で、かんてらや豆電燈が點されてゐる所の椰子や芭蕉の葉蔭で十人位の若い唄女が何の歌曲から哀調に唄ふに伴れ、いなせに男が環を作つてぐる／＼周り乍ら手振、足振面白く踊つたり、跳ねたりする。共の樣子にはそゞろに遊子の心を攪亂するものがあつた。歌謠の節廻しには御詠歌、詩吟、琵琶等を混じて引延した樣な所があり實に「センチメンタル」なものである。

（五）彼等の宗教的風習 教育に力を入れる蘭政府

土人は宗教の教義上酒類を飲まない豚肉を食はない、主食物は米飯で好んで南蠻の辛いやつを副食物として食ふ。宗教心は可成り强く、敎祖「マホメット」の生誕地たる「アラビヤ」の「メッカ」巡禮は彼等の一生の「アムビション」であり、希望である。前述のサロンを著け、其の外、頭に布を卷いたり土耳古帽を冠つたりするのも教義の爲で、その生活には「マホメット」教が實に根强く喰入つてゐる。今では宗教裁判の一部は公然と認められてゐるのである。次にその家屋は槪して至極簡單に出來て居る、竹の柱に茅の屋根とは彼等の家である。竹の見事なものが出來、從つて之を利用する所多く、天びん棒は固より、水運びの爲に節拔きの大竹を（細長い桶だ）用い、又竹帽子は土人家庭工業の重要なるもの〻一つである。教育程度は今猶甚だ幼稚であるが、和蘭政府も此の點には意を用い普通教育の普及を計つて居り、又高等教育に關しては既に工科大學あり、最近法科大學が大學に昇格する事になつた。之等大學には勿論土人も入學出來るのである。併し一般土人は大多數今猶讀書は愚か自分の年齢さへも知らぬ有樣である。尤も氣候は常夏で、植物繁茂し、勞する事割合に少くして食物にあり付ける一方、四季の別目が無いから吾々でも少し長く在住すると年を忘れる位だから土人にとつてはさもある可き事だと思ふ。

（六）土人の常用語は馬來語 邦人活躍の要訣

土人の用ふる言葉は馬來語で、外國語又は和蘭語を話し得る者は極めて僅少であるが、「ホテル」でも、鐵道でも下級にては土人を使つてゐるから旅行者は必ず馬來語の簡單な會話が出來なければ種々不便を感ずるし、向へ渡つて事業を起さうとする者は是非馬來語を習ふ必要があると思ふ。

尙將來蘭印に於て活動しようとする者は常に注意して置かねばならぬ事は、就中下記の通りである。卽ち蘭印土人は一般に邦人に對しては親しみを有し、又尊敬もするが、支那人等に比しては稍感情的であると云へる、從つて客氣に委せて之を虐使でもしようものなら飛んでもない事が持ち上がるのである。それは單に彼等の反抗心を買ふのみでなく、猶一層惡い事には彼等との紛爭を法廷に訴へて解決せんとすれば、十中の八九は此方の敗となる。法律や命令中には土人を保護する性質のものがあるし、第一その運用振りに於て已にその通りであるから如何共致し方がないのである。右の事實に付いては玆に例證を揭げたいが今は控ゆべきだと信ずる、兎に角之は獨り蘭印ばかりではないが外國に住うとするものにしては壯士風の客氣は大禁物である。

徒手空拳、裸一貫で成功しようとする心持では今や何處へ行つても駄目だが殊に蘭印では覺束ない。現在蘭印の在留する邦人は約五千あるが所謂裸一貫で渡航し今相當成功してゐる人も尠くないが、其當時と今とは時代が違つてゐる。社會の秩序が整つて來れば來る程、相當の準備の資格が要求されて居るのである。又蘭印は邦人にとつて勞働者として働く所でない、向ふには安い賃銀で日本人よりも良く働ける、强壯なる身体の所有者たる土人も居れば支那人も居る。而も爪哇嶋は仲々人口稠密で勞働者に不足なく却つて之を爪哇嶋以外の農園に契約苦力として送り出すべく苦力條例迄制定されてゐる程である。又邦人勞働者にとつては暑氣は堪え難いものであるに相違ない。一時的に堪得るとしても土人部落に入り彼等と同等の生活をしてゐる內には「マラリヤ」熱やその他の傳染病に冒されるものが可成りある實狀である。和蘭政府としても亦外國人勞働者の移入を好まないでは邦人の發展する方面は何方かと云ふにそれは通商、投資企業に限られてゐると私は思考するのである。

一体和蘭本國は國際的に中立を標榜すると共に自由貿易主義の國である、尤も之等の主義を捨てゝは存續して行けない國である。故にその領土たる蘭印としても通商、企業等に關しては世界各國に向つて門戶を開放し、機會の均等を提供してゐるのである。偶々內地工業保護の爲に一二輸入品に對し國稅定率引上げ等の事をやるとしてもそれは如何なる自由貿易主義の國でも眞に已むを得ずしてやる程度のものと云つて差支ない。

（七）日本との通商益々賑盛 資本企業は有望である

次に日本との通商關係はどうかと云ふに日露戰役以後急速の進步を爲し、貿易額の增加は眞に驚くべき程で、左表に付いて見ると其の一斑が窺はれる次第であ

	日本よりの輸入	日本への輸出	總額
大正二年	六、七六九	三五、八一二	四二、五八一
大正十三年	四七、〇八二	一二一、三五三	一六八、四三五

の如くである。(數字の單位は千「ギルダー」、「ギルダー」は我八十錢餘である)日本からの輸入品は何と云つても綿絲布陶磁器が主要で日本へ持つて來るものは砂糖、石油、護謨、錫、規尼涅「コカ」珈琲等であるが、石油、護謨の世界主要産地としての立場から見るも蘭印が日本にとつて如何に重要な土地であるかが判ると思ふ。

企業方面に付ては之又蘭印政府は孰れの國に對しても門戸を開放して、その豊富なる資源の開發を望んでゐるのである農産地を營まんには土地が必要であるが土地は七十五年を最大限として孰れの國籍を有する外國人にも租借を許すのであつて現在邦人中にも土地を借りて大規模に護謨や油椰子の栽培、其他の農業經營をやつて成功しつゝあるものがある。又近時琉球人が稍計畫的に沿岸漁業に從事しつゝあるが、幼稚な土人の漁業から見ると仲々有望で各方面の注意を喚起して居る。鑛山業中には政府自らが干與したり、又は半官的會社が之に從事してゐるものもあるが、政府としては民間鑛産物採掘に關する許可を與へ得る事となつてゐるのである。工業は盛でない蘭印は何處迄も原料品生産地である。

要するに邦人が蘭印に發展し得る見込みのある方面は上述の通り通商、農産企業方面で、從つて此の方面の發展には少なからず資本が要する次第である。猶個人として小資本を有する者の發展方面としては小賣商とか理髪業が有望である。

蘭印の概觀は先づ叙上の如きものであるが猶、蘭印が邦人の經濟發展に最も良好なる條件を具備する所以にして最後に述ぶべき事がある。現在日本の周圍を見て白人國又は白人國の領土で何處に一体日本人を他の白人と同一待遇に於て入國を許し土地を貸したりする國があるであらうか。北米合衆國、加奈陀、濠洲は全然望無しだ中米、南米にした所で何時排日を實行するかも知れぬ。獨り蘭印のみは日本人を歐米人と同格者として待遇し歐米人に與ふる程の權利は之を日本人にも與ふるのである、而も此の權利は同國法律に依つて保障されてゐる。私は此の點に付いて將來幾年かの後を思ふ、蘭印に於いても果して今の儘の方針を永續し得るかと。(終り)

執筆者紹介

天田六郎氏 埴科郡坂城町出身本名は天田六郎外務書記生として暹羅公使館に大正十五年五月以來在勤されてゐられる。

村松 薫氏 大正十三年七月バタヴィア總領事館に赴任昨年末頃から外務省電信課に轉任更級郡上山田村出身で外務書記生。天田氏とは千曲川を對峙する同郷の友である。

神戸久一氏 在伯十ヶ年文字通りの奮鬪した快男子十年前愛兒を兩親から人質に奪はれて今度兩親と共に再擧すべく故山に歸へつた滯在中は海外渡航者の相談伯國事情を話してくれる。

松尾太一氏 特務艦寄島の主計長海軍主計大尉下伊那郡龍江村出身遠洋航海では海外在留邦人と御馴じみの新進士官。

有望なバナヽ栽培

新歸朝者 小縣和田 神戸久一

ブラジルは何と云ふても珈琲の國である、然し珈琲以外に有望なるものが多くある。今まで餘り多く知られて居ない部類の有望なる農作物に就て紹介しやうと思ひ、先づバナヽ栽培の概況を調べて見る。

ブラジルが年々アルゼンチン其の他の外國から輸入する生果は頗る多額であつて逐年非常な勢で増加して居る、ブラジルにも輸出向の果實も多種あるが、就中、密柑、(ラランジヤ、バイヤ)栗(カスターニヤ)栗は主として北部ブラジル、パラー州附近やアマゾナス州等から産出する。カカオ(チヨコレートの原料にする)バナヽ等であつてバナヽの輸出先は主としてアルゼンチン國であつて、近來益々盛んに栽培移出される樣になつて將來とも有望有利な農産である。バナヽは元來熱帶植物である故に、凍害を被ることが著しいから降霜のある地方では木は出來ても實がならない、ブラジルでは殆んど全土に亘つて栽培されて居る、其滋養價については玆に述べるまでもなく優秀なるものであるが、在伯日本人は最初は珍らしいので盛んに喰ひ盛んに植付ける、植付後一年半後からは週年同一株から四時新鮮なるものが穫れるから終には飽きて小供も餘り喜んで喰べぬ樣になつて、豚や鷄の飼料にして居る。家畜の飼料としても勝れて居るは無論である。

輸出向として大規模の栽培をするには、運搬の都合上港に近い海岸附近で無ければならぬ、それでリオ。デ。ジャネイロ港附近サントス港附近がブラジル中でも輸出バナヽ栽培地として有名であつて、就中サントス港附近には日本人で本業を專門的に大規模にやつてゐる者が多數ある。

栽培地として、他の農作物、珈琲、甘蔗、米、豆等の耕作不可能の所でも立派に利用されてゐる。低濕地も排水溝を設けて利用される。勿論上地でも山地でも適する、要は成るべく積出港に近い地を選ぶ事それである、サントス港からイグアペ植民地に到る南サンパウロ鐵道沿線は右の條件を具備した好適地であつて、目下既に先住者によつて盛んに栽培されてゐる、而かも全沿線には未だ適地が豊富にあり且つ奥地方の所謂珈琲地帶よりも地價も安い。

一アルケール(我約二町五反歩)が二百ミル(我約五十圓)

位から五百ミル位で立派な土地が買求められる。そして此地帶は特殊の風土病等もなく健康地帶であつて、サントス港、サンパウロ市等に近亘離に在ると云ふ有利な點がある。此地帶は霜害の無い所であるから高地には珈琲栽培も盛んに行はれてゐる。

バナヽ以外の果實の栽培も近年盛んになりつゝある。

今後の渡航者は強て內奥地深く這入らなくも此邊に着眼する必要があらうと思ふ。

今左に一アルケールのバナヽ、新植より四ヶ年目迄の收支計算を表示すると次の通りである、四年以後の計算は四年目に準ずるも、古株と餘分の子株を取除くために一アルケール約三百ミルを多く支出する。

植付より滿一ヶ年間の費用(一アルケール)

株數	種子代	植付費	二回ノ除草	合計
一、五〇〇本	一八〇ミル	六〇〇ミル	四五〇ミル	一、二三〇ミル

「收入」	二年目	三年目	四年目
株數	一、五〇〇本	一、五〇〇本	一、五〇〇本
房數	一、五〇〇ヶ	三、〇〇〇ヶ	四、五〇〇ヶ
代價	二、二五〇ミル	四、五〇〇ミル	六、七五〇ミル
「支出」	二年目	三年目	四年目
除草	四五〇ミル	四五〇	四五〇
收穫	一五〇ミル	三〇〇	四五〇
運搬	四五〇ミル	九〇〇	一、三五〇
計	一、〇五〇	一、六五〇	二、二五〇
差引	一、二〇〇ミル	二、八五〇	四、五〇〇

即ち四年目からは一アルケールのバナヽ、畑から年々我約壹千百圓の純益を穫る計算となる、而かも右の計算は最低價格(一房ミル五百レース)の割合であつて、昨年十月頃よりは一房六ミル以上の相場である、今假りに最高最低價を平均するも、一アルケールの純益邦貨貳千五百餘圓となる。

珈琲は四五年目から收穫を見るがバナヽは一年半後から一度植へた株から八年乃至十年間連年收穫を得られ、投下資金も珈琲よりは少額で足る等の特點がある。

(二十二頁より續く)

米一キロ一ミル。砂糖一キロ、赤一ミル六〇〇レース、白一ミル八〇〇レース。タオル四ミル、(品良し)、茄子一ヶ三〇〇レース、ねぎ一把(兩手でしかとつかめる程)、二ミル、サツマ芋一キロ二〇〇レース。小豆(フエジヨンにあらず、日本の)及大豆一リツトル六〇〇レース、勞働靴二〇ミル等で野菜類などはなか〱高いです。併しこんな山奥の事とて、何も買はず濟ませますので殘さうと思へば相當殘ります、どんな風態をしてゐても誰も何とも言ひません。資本勞力があれば大變活躍し得る所です、有望な仕事は無限にあります。金利でも八分や一割は最低で二割、三割が普通。又資本を除き、只皆が共同して勞力を合してやるにもよい事業があります。手紙をいたゞくのは實に嬉しい癖に、こちらからはなか〱出すことが出來ません、惡しからず御諒解さい。

(一九二八年二月二十一日)

艦の內より觀たる海の外

—大平洋上の「極樂島」寄港—

松尾太一

鄕土！ 吾等の鄕土！ それは餘りに親しい言葉である。蒲公英、紫雲英咲く春の野に嬉々として戲れた丘、茸狩りに栗拾ひに跳び廻りたる森、灼熱の盛夏紺碧の奔流に躍りて水に游ぎたる天龍川、桑園を吹く風を呼吸して憩ひし樹蔭萬古を經たる白雪を頂く日本「アルプス」の遠山、一つとして吾等が持つ鄕土でないものではない。

この信州の山河に生ひ立ちたる人々によつて結ばれる絆、それは決して斷つたことは出來ないものである。たとへ山を越え海を越へて遠く離れたる外國にあらうとも。

余は海軍に籍を入れて未だ日は淺いが數年前練習艦隊(八雲出雲)出雲に乘組みて遠洋航海をした時を追懷し朧氣な記憶を辿つて斷片的の感想を述べやう、幸ひに外國に在る縣人諸賢の何かの慰安ともなれば望外の光榮である。

短かいヂヤケツトを着た若い三百有餘の候補生を乘せた艦隊は憧れの外國、椰樹繁る常夏の嶋「ホノルル」の埠頭に勇姿を現したのであつた。棧橋に迎へた黒山の如き在留邦人の群を見て初めて異樣の感に打たれた。其の時は涙ぐましい程の衝撃(ショック)に暫時は茫然として甲板上に釘着けされた樣に佇んで居た、この瞬間の印象(インプレッション)は未だ一度も經驗したことのないものであつた、恐らくは大部分の乘組員も同じ感激に浸つてゐたことであらう、「同胞墻に鬩げども外侮りを受けず」とか、如實に今これを初めて痛感せし吾等の胸中は想像するに難くはあるまい。間もなく兩艦は岸壁に横着けされた、舷梯は棧橋に渡され陸上と連絡して、總領事を始め知名の士は踵を銜いて兩艦を訪問された。艦務も忙しくなり織るが如き目紛ぐるしさに何時か衝撃も忘れた。それから數時間を經過して初めて外國の土を踏んだ時には更に新たなる感に打たれた。然しそれは單に奇異なる誇りをさへ覺ゆる得意の感に過ぎなかつた。當日は一渡りの儀禮にて日は暮れた、軍艦旗も劉喨たる「君が代」の奏樂裡にいと靜かに卸された、夕日は落ちて綠の丘、赤き洋館、藍色の海面も闇の帳に蔽はれ、市の灯は點された。兩艦を繞る小さい邦人の群は朝から未だ去らうともしない、如何に遠來の珍客とは言へ、物に脈き易い兒等、終日啞然として見とれてゐる幼ない姿を見た時、思はず闇然として思ひに沈むのであつた「一寸の蟲にも五分の魂」とか、吾人が在留邦人を見る時の情と異國に在りて母國を顧みた時の在留邦人の感には恐らく霄壤の差があるだらうと思つて更に自分の心に羞じたのであつた。

「スコール」の霽れ間に艦橋に立つて夕月を眺めてゐると今朝からの繁雜なる事共は走馬燈の如く腦裏に蘇つて來た。

印象深き一夜は明けた。………

翌日から在留邦人が續々兩艦を訪れて來た、當地の新聞に練習艦隊の入港記事が特筆大書されてあつたことは言ふまでもない そして乘組員の出身縣別も掲載されてゐた、來る人來る人皆一面識もない邦人ではあるが決して外國に在りてはさふは思はない。十年の知己に邂逅したやうな氣がして、何とも言へぬ懷しさを感じるのであつた。候補生室の卓を圍んで誰彼の別なく親しく母國の消息を語ることはこの上もない樂みの一つであつたことは事實である。

突然當番が名刺を余に示して、

「面會人が三人來て面會室に待つてゐます」

と言ふて來た。素より余は此の土地に知人のある覺へがない、一人は愚か三人までもある筈は勿論なかつた、それでも名刺を見たが矢張知る由もなかつた、人違ひではないかと半信半疑で兎も兎直ぐに面會室へ行つてキヨロ〳〵してゐると、向ふから

『私は只今名刺を差し上げた〇〇といふ者です』

と言ふて出た。見れば立派な紳士で美々しい洋裝をした婦人と輕快な可愛らしい洋服を着た男の子を連れた三人の親子連れであつた。一通りの紹介と挨拶が濟んで人違ひではなかつたのである。其の紳士の語る所に依つてこの未知の人は十餘年以前に當地に移住して勤勉力行、今日では相當大なる農園を經營して甘蔗、鳳梨等の栽培に從事して立派に成功せし人であると云ふことが判つた、そして同縣人であることを知るに到つた。

信州の話やら、彼の成功談より米國政府の對日政策等の話で時の移るのも知らなかつた。そしてこんなことを聽いた――當地の米人は平常は排日的態度であるが日本の軍艦が來ると急に鳴りを鎭めてしまうので邦人は軍艦の碇泊してゐる間は大道を潤歩することが出來るとか、眞珠港の米國艦隊の飛行機は邦人の耕地の上空を飛翔して示威運動をするとか、兒童の學校敎育にても

日本語の敎授時間を遞減するとか、邦人の市民權を次第に壓迫するとか云ふことを聞いて自分の事のやうにその態度を憎まずにはゐられなかつた。

更に――子供は父母よりも英語が達者で時々子供に敎へられるとか、子供は米國で生れたので、日本の歷史を知らない。「アダム」、「イブ」の神話は知つてゐるが伊弉諾、伊弉冊の二柱神の話を識らないから家庭にて敎へてやるとか、日本の歷史を敎へられてゐない子供は日本の國籍をもつてゐても母國に對する愛着がないとかいふことも聞いて憐愍の情に堪へなかつたことも記憶してゐる。

夕刻まで話をしたり艦内を案内したりしてから滿足さうに歸られた、今日これから宅へ遊びに來て呉れと幾度か勸められたが生憎當直で上陸が出來なかつたので明日伺ふことを約して別れた。

翌朝になると飄然自家用の自動車を駈つて來艦され手を曳くやうにして乘せられ日本街にある煉瓦造りの建物の前にて降ろされ下にも置かぬ歡待振りに只恐縮するばかりであつた、山海の珍味やら本島特産のバナヽ、鳳梨、パパイヤ、水瓜等も頂戴した、加之自動車にて當地の名所舊蹟を叮重に案内して走り廻つた。

「ホノルヽ」の市街を拔けて名も知らぬ熱帶植物の繁茂せる間を坦々として砥の如きアスフアルトの路を薰風に戎衣の袖を吹かせて駛る。「ヌアヌパリ」の古戰塲、「ダイヤモンド・ヘッド」の赤い丘、「オーシヤン・ビーチ」の波乘り、「ワイパフ」の耕地等宛然一圓のパノラマであり、一幅の綺である、實に米人をして「太平洋上の極樂嶋」と言はしめたるも宜なるかな今も尙忘れむとして忘れられない印象だつた、それも異國に於て同縣人とは言へ一面識のない人に心からの歡迎を享けたことは衷心感謝せずにはゐられなかつた、そして國家あり鄉土あつての吾々國民であり縣人であることを現實に會得したことをこよなく悅んだのであつた。

「ホノルヽ」に就ては初めて外國に足跡を印した關係が自分にとつては今日とても最も印象が深い、然しそれには他に理由があるやうに思はれる、といふのは恐らく「ホノルヽ」ほど心からの歡迎を受けたことは其後と雖も未だ經驗しないからである。

其の他に樂しかつたこと、珍らしかつたことは澤山あつたがそれは省く、只申し落すことの出來ないのは、一日日本街を遊歩してゐた際或日本人の店舖にて買物した時に次のやうな問答をしたことがあつたことである――

『當地に來られて何年經ちますか』

『モウ十年餘になります』

『では其の間に何度位日本に歸りましたか』

『まだ一度も歸りません』

『さうですか、では日本が戀しくはありませんか』

『イ、エ、最初の一年位は歸りたいこともありましたが今では何とも思ひません、私の知人で可成り成功して當地を引揚げて日本に歸つてゐましたが矢張り面白くなくつてまた當地に來てゐる人がありますよ、住めば都ですね』

『………』

予は此處で一寸行詰つて話題を一變した、

『ところで、何縣の人が最も多いでせうか』

『さうですね、關西方面の人が比較的多いやうです、山口縣、廣島縣、岡山縣の人が多いやうです、實は私は山口縣ですが……』

『さうですか、長野縣人は澤山居りますか』

『よくは知りませんが、長野縣の人は少いやうですよ』

『………』

此處まで話して予はハタと口を噤んで話を止めて其の店を去つたそして道々いろ〳〵なことを考へさせられつゝ、歩いて行つた。信州人には海外移住者が少い故に愛鄕心が强いといふ三段論法は成り立たない、愛鄕心といふことゝ海外移住といふことは矛盾してゐるやうに考へるが決してさうではないといふことなど考へて混合推理に陷つたが、やがて前提を誤つた詭辯に過ぎないことが判つた、そして益々信州人の海外發展を心に禱つた。………

僅か一週間ばかりの「ホノルヽ」在泊中に小さい自分の身には脊負ひきれない收穫のあつたことに獨り北叟笑むのだ。

練習艦隊出港の日は來た。………

當日は朝から棧橋は立錐の餘地なく群衆は犇々と詰めかけてゐた、その中に先日の縣人夫妻も見出されたことは言ふまでもない。「出港用意」の號音に艦内は忙しかつた、兩艦の纜索は放たれ靜かに岸壁を離れた。

旗艦より奏するロング、サインの曲に送る人も送らるゝ人も帽を振りハンケチを振つて別れを惜んだ。

予は無量の感に打たれて群衆の影が見えなくなるまで艦橋に立ち盡してゐた。

（未完）

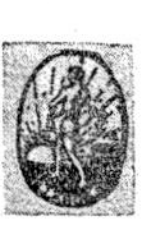

海外通信

婦人からの通信は極く少ないので一体海外の日本婦人達はどんな心持ちで働らいてゐるか、夫唱婦隨の制に倣つて内助の働らききをする二婦人から最近左の如き通信を受けとつた。彌が上の幸あれと祈る。スヰートホームに ―記者―

アメーバ赤痢を二度

只今達者で働らいて居ります

在アリアンサ 柴田たつ

御手紙有難う御座いました。母國よりの御手紙は私共にはどれ程の喜びか判りません面白く拜見致しました協會の皆々樣には御變りもなく日本帝國のために御奮鬪の事を遠く異鄕の空より深く感謝してゐます。毎月の「海の外」が待ち遠くしてなりませんもつと信州の記事を澤山のせて下さい。

勝田先生が毎日私の家の前を自動車で往復して居りますのでお手紙を待つて來て下さいました。只今カフエーの蒔付で忙しく私も毎日朝早くから夕方まで一生懸命に働らいて居ります。私は二回のアーメバ赤痢にて一回目は一ケ月も休み二回目は十四日程休みましたそんな事で仕事が遲れてなりません。勝田先生には可成り面倒をかけました。十月二十日頃住宅に移轉致しました收容所には中澤樣市岡樣花田樣が居ります遠藤樣倉持樣は暇小屋におられます。市岡樣はこの四五日中に自分の住宅に引き越されます中澤樣は南米着早々から子供が病氣になり只今は中澤樣が足を惡くして休んで居られ仕事が少しも出來ずお氣の毒でなりませんお隣りなものですから何かとお互に都合し合つて居ります中澤樣の家は六分通り出來上つて居ります。

私共の住宅はいづれも川に近いため病氣が多いと云ふので移轉說があり目下測量中であります漸やく家を立てたので移轉する事は經濟上不得策でも健康が第一ですから健康の高地を選んで居ります。當區は十三家族中七人もの死者があつて悲慘なものです大部分がアーメバ赤痢で子供老人です。私共は十二月二十五日カフエーの蒔付けを終り一休みとなります住宅地の半アルケールの米フエジョン大豆玉黍蜀野菜等も相當に生長し稻は一尺位に伸びて居ります。カフエーの間には一アルケールに機械にて二人で、二日半に蒔き落し約三寸位になつて居ります。大根白菜杓子菜蕪を蒔きましたが蟻虫のために喰はれ閉口して居ります西瓜胡瓜は最早食膳にあがつて居ります當地の野菜作は骨が折れます。日本から持參した草花はどうした事か生えず當地の草花が咲いて居りますパイナツプルマモンも大きくなつて本年の八九月は食はれるかと樂み待つて居ります。

弟の春雄が青年ホームに居りますが遊びに來ません私の病氣時

等忙しい時來て手傳つて呉れればよいのですがヤンチヤでこまりますヨ。

塚田さんは幸ひに少しの病氣もなく御夫婦にて働らいて居ります私も元氣で働らいて居ります。ほんとうに働く程愉快な生活は御座いません。氣候はそんなに心配の事はなく暑くとも一寸風が吹いたりすれば凉しいので東京に居るよりはずつと樂です○○様も御出かけになるとの御様子で今より待つて居りますもしかしたらこの手紙が着く時分に御出發かしら! ××様も視察に参る様雜誌にありましたが皆様のおいでになるまでには私共の仕事もお目にとまる様にと力の限り根かぎり働らいて居ます。夫婦きりで仕事が出來ないでゐると「何をしてゐた」かと冷かされたり笑はれたりすると面目がありませんからネ――。勝本きく子さんにお會致しました可愛いお子さんが大きくなつて居ります。岩波様のお宅にも一日遊びに参りましたよく整頓され立派に出來て居ります。

只今當地は雨期で毎日降つて居ります。夕立も澤山ありますが大風が吹いて家が倒れそうです小屋も屋根も吹き飛ばされるのですすると雷鳴で天地もくつがへる様な恐しい鳴動を致します雷の怖はい人はアリアンサに來る資格はありませんネ。

十一月二十日に開拓第三週年の記念祭があり運動會がありまして賑やかでした、日々に進展し行く植民地の姿が見えて開拓に對する興味が女ならずも深く感じられます。

まだ申上げたい事が山程御座いますが來訪の者が見えられたのでこれで失禮致します、順序もなく申上げ、御判讀下さいませ。(十二月十四日)

子を持つて親の恩を知る

忙しい家庭の生活に幸福を見出す

在アリアンサ　藤本きく子

御無沙汰致しました何んと御詫び申上げてよいかまことに濟ませんでした和が少々惡かつたものですから。ブラーボオの注射を致してゐましたが注射の後へ毒が入り切開手術を施しましたが大へんの熱でほんとうに困りました。十二月卅一日の晩から四十度三分も御座いまして正月早々とんだ心配を致しましたが只今ではお蔭様で元氣になりました。よく遊びますそんな事で遂に御無沙汰したのです。婦人倶樂部をお惠み下さいまして有難う御座いますそれに繪本を澤山に和に下さつて厚く御禮申上げます。和の喜びはどうでせう小さいお手々で抱いてよろこんで居りますの……いたゞいた繪本が大きくなつて見て喜ぶまで預つておきませう未だすぐやぶくものですから。

今日は近所の建前のお手傳です。毎日忙しい日を過ごして居りますそれが幸福だと私は感謝して居ります。藤本もよろしくと毋しておりますかはつて御禮申上げます。

コーヒーも大きくなりました近所の皆様も働らいて居りますわ

私などは家の近所の草取り位なもので子供があつてはなか〳〵仕事が出來ません和が大きくなる事ばかりが母の樂しみですの子を持つて親のありがたさが悟ります母が一人の子を育てるにどれ程の手をかけ心配をして育るか今になつて感じる時に故里の両親に感謝せずに居られません。藤本が働らいて居りますと淋しいのか「パヽイ、パヽイ」と呼んで居ります二つ三つ足を運ぶ様になりました。

同封の寫眞は私共の住家です入口のバナヽ、右にあるのがマンジヨカ傍らに愛犬(ベル)がゐります。では御禮まで御身大切に皆様にもよろしく(二月九日)

× × ×

又書かせて頂きます。何んと御禮申上げてよいか、十二日に又雜誌を頂戴致しまして、藤本もよろしく。

前便にて住宅の寫眞をお送り致しましたがこんだのは私共親子三人のですお笑い下さい和が動いたのでうまく撮れないで、今日は和が一人で撮りましたからその内にお送り致しませう。

宮本様、藤本が申して居りますの、それはお蠶の事です私共はお蠶が故里で專門であつたのでこゝでもお蠶が大變よいと聞いて居りますから早く蠶室を設けて初めたいと語り合つてゐるのです蠶具の取り揃へに困るので先日古海のお父さんの方へ賴んでおきましたからその内に來るでせうから飼育する様になつたらお知らせ致します。

こんど北山金山様が二月十四日サントス丸で日本へ歸國致しました。北山様はこんど母様を連れて再渡航されるそうです。が色々と私共の様子をお聞き下さいませ北山様は私共より三キロばかり隔れて居りますからよく私共の事を御存じですの。北山様にお願してコーヒーでも差上げたいと思ひましたが大分急がれてゐる様でしたからやめました不惡御放念下さい。

忘れて居りましたが今年はなか〳〵賑やかにクリマスが御座いました。先づは亂筆にて御めん下さい。(二月十七日)

ブラジル料理が好き

アリアンサの物價

中條秀夫

――第十二信――

拜啓。毎日〳〵手紙を書かうと思つてはゐるのですがなか〳〵書く折を與へられません。內地に居る時は「手紙なんか毎日出してやらう」と思つて居りましたが、南米へ來て見ると實際出すひまがありません。何から何まで仕やう〳〵と思ふことばかりでひまがなく、出來ません。

アルマゼン部の關係で一番先に手紙等を行囊より出して選分ける時、故鄕よりの手紙を見付けた時の心持は砂の中からダイヤモンドでも拾ひ出した様で實にうれしいです。それを歸途の自動車の上で見る時は、一日の勞を終へ自動車は森林を快走する、――幸便を讀む――といふ風で實に痛快です。現在ノロエ

ステ線は一週間に三往復、

月、水、金はバウルーの方へ

火、木、土はマツトグロツソ方面へ

の汽車があります。郵便物はこの火、木、土に來るのです。

……中略……

一日の時間割、(大略)

起床午前六時、直ぐアルゼン部に出勤、午後九時アルモツサ(朝食)十時半迄休憩、十時半より午後二時迄アルマゼン店を開く。二時よりトーマ、カフエー(中食)半時間休憩、二時半より六時半頃まで又働き、

午後七時ジヤンタール(夕食)後風呂をすまし、檜山、三浦様の家に集り、語學の練習、午後十時半頃終了、ホームに歸つて寢る。

內地に居る時よりよく疲れますが語學は實際、實地にやるのですから、爲になり、又面白いです。身体は內地に居た時より健康で、胸やけ、常習便秘も治つてしまひました。

ホームのコジネイロ(料理人、賄夫)はブラジル人ですからブラジル料理です、私はブラジル料理の方が好きです。毎日御飯よりフエジヨン(小豆の大きい様なもの)を食べてゐます、なか〳〵美味しいです。色々書き度い事が山程ありますが又次便に、皆様に宜しく。(一・二・九)

× × ×

アリアンサにも大分慣れて來ました。顏を覺へた外人はシユージヨウソンで「中條さん」と僕の名を呼ぶやうになりました。

アリアンサは流石日本人村であるので、外人の方で簡單な日本語位は使ひます、語學は相變らず毎夜缺かさずやつて居りますアルゼンで使ふ(賣る場合)等にはあまり不自由もなくやつてゆけます。青年ホームは今約十五六人の青年が居ます學校出はなか〳〵多く三分の二以上も居るでせう。けれども此處へ來ればば中學校を卒へてゐても矢張りエンシヤーダ(鍬)を引かなければなりません。却つて僕や三浦様のやうに學校を出てゐない者がアルマゼン部をやつてゐます。學校でも農學校なれば亦役立つでせう。

蟻の多いことにおどろきます。夜など家でも襲ふたなればベツドや机や壁など所構はずギツシリ詰つてしまひます。人などとても居られません。行列でも大したもので夜等知らずにうつかりしてゐればすぐ體へ這上りチク〳〵と刺し、とてもたまりません。見事なものですよ。」

栗が一本うまく生へました。其他のも少しも腐らず鉢の中で皆芽が出てゐましたが、植へて草原の中に行方不明になつたのや人にやつたりしてとう〳〵一本切りで大切にしてゐます。日本は今頃とても寒いでせう、此處にをればいつも體に感じるやうな寒い暑いがないので、氣候がよいの、惡いのと云ふやうな事は忘れてしまつて、ちつとも考へません。……中略……

次ぎにアリアンサの物價を御知らせ致します。

(十四頁下段に續く)

移民收容所の陣容

收容日割も出來て大奮闘

展望絶佳の城ケ口の白亞の五階建―これこそ常綠の彼方ブラジルの新天地に吾運命を開拓せしむる彼等のために出帆前一週間無料で宿泊せしむる國家の施設建物なのである。一室十二人づゝの室が二階十二室三階及四階は全部これにあてられて合計五十室六百人が收容出來る。

一週間は次の様な課程によつて彼等の鹿島立ちが行はれる第一日―身体檢査二日―チフス豫防注射第一回第三日―日本人の海外にある心得、ブラジル事情第四日―種痘、女子裁縫第五日―第二回注射、ブラジル事情、荷物整理第六日―家長會議ブラジル語、渡航費計算第七日―出發。

かくして一週間はあはたゞしく過ぎて次から次ぎと續く彼等のために所長以下左記の人々が一生懸命に役人肌を脱いで働らいてゐる。

所長　岡田良一

庶務係　小林圭二　田中清　後藤嘉次男　藤田榮吉　奥向勇　石川ヒサヲ

會計係　小林圭二　寺田作治　吉田長春　阪口仙一

醫務係　長嶺昇　伊藤新裕　朝倉長三　白倉愼二　須古都　荻田ちか　野々田やを

教務係　中島文軍　原梅三郎　竹本武雄　國吉政次郎

傭人　巡視五人　小使四人　火夫二人　掃除婦四人　調理婦三人　給仕一人

移民收容所の偉觀(正面)

(收容室)室内清爽にして心地のよいベット

移民收容所の評判―それはたいしたものである一週間の日子は短かいがこゝから巣立つた彼等は所長以下右の職員の心盡しの指導と世話に喜び勇んで萬里の波濤を蹴けるのである尚同所では左記の如く收容日割が出來てブラジル開拓者を心から待つて居る

所屬會社	船名	出帆日	入所日
商船	ラプラタ丸	四月廿一日	四月十四日
郵船	博多丸	五月二日	四月廿五日
商船	サントス丸	五月十九日	五月十三日
郵船	若狹丸	六月二日	五月廿六日
商船	マニラ丸	六月廿三日	六月十六日
郵船	鎌倉丸	七月十八日	七月十一日
商船	モンテビデオ丸	八月四日	七月廿八日
郵船	河内丸	八月廿四日	八月十七日
商船	ハワイ丸	九月十五日	九月八日
郵船	博多丸	九月廿九日	九月廿二日
商船	ラプラタ丸	十月廿日	十月十三日
郵船	神奈川丸	十一月二日	十月廿六日
商船	サントス丸	十一月十七日	十一月十日
郵船	若狹丸	十二月一日	十一月廿四日
商船	マニラ丸	十二月廿三日	十二月十五日

移住地閑話（五）

在アリアンサ 武田三三

卅二 社會と主義と

中學校の同窓に齋藤と申す人があつて、頻に理屈が好きで演說が好きで、而して演說の際には必社會と言ふ言葉を出すに極めて居つた何故に左樣に社會〳〵と言ふかと聞いて見たら、何でも社會と言ふ新語を使はなければ高尙で無いとの話であつた。今でこそ社會と言ふ言葉は社會にチト多過ぎる樣であるが、其當時では珍らしかつたに違無い。無論社會社會と言つて居る齋藤自身は、社會とは何の事か能く判つて居らぬのである。矢野龍溪氏が御役人の節、社會といふ事を言つたが爲に、宮內省を免職されたといふ御話もある樣であるが、今では內務省の社會局を初め府縣や都市の社會課、さては安田氏の事業に迄社會課と申すものが出來て見ると、我齋藤君は餘程の先覺者であつた次第であるが、此男一年志願兵の砌例の癖で屁理屈を併べて軍曹になぐられ、それが原因でもあるまいが死んで了つたのは哭れ〳〵も遺憾千萬である。生きて居つたら安田の社會課長位にはなれたらうにと殘念に存して居る次第である。

社會と言ふ言葉が、ハイカラと申す言葉と伯仲して發達し來つて居るのを見ると、恰も年子位の兄弟である樣でもあり、或は双生兒である樣でもある。一方に於ては主義といふ言葉も時を同うして成長して居るから、或は三つ子であるかも知れぬ。宇治の黄檗山に參詣して見ると、山門の樓上に第一義と書いた大看板を乘せてある。主義則第一義であるから主義なるものは二百年以前に支那から禪僧が舶來したものであらう。さるにしても博愛主義に實利主義、利己主義に愛他主義、社會主義に個人主義、無政府主義に共產主義、是等は悉禪僧が持つて來たものとも思はれぬ抑一つしか無いから第一義であり主義でもあらうが、斯樣に澤山主義を併べられては甚迷惑至極であつて、取捨撰擇に困つて了ふ次第。第一義といふ大看板を揭げ放しにして、何が第一義であるかを說明しなかつた隱元和尙の責任を問はなければならぬ。主義者と言へば早速警察が目の色を變へて追廻して居るが、黄檗山の大看板を其儘に致し置くとは間違であらう。其處になると孔子樣は主義は弊なる事を說破して居られ、釋迦に至ては更に三十二相を具足して初めて圓滿なるべき敎を說かれて居る所がエライと申さねばならぬ。警察が主義者を追廻すのも誠に御尤の至りと思ふ。人間の五体にしても手足胸体は無論、目鼻に口耳に至る迄、何一つ第一義的のものは無く強いて探せば盲腸の蟲様突起位のものであらう。さすれば主義者は盲腸であり主義は盲腸炎であるから、病院に入れて切つて了はなければならぬ。主義は既に弊であり且盲腸炎である以上は、共產であらうが博愛であらうが勘辨相成らぬ筈であるが、ウツカリすると博愛なんて看板を揭げると見逸して置くから命を取られるのである。禪宗の標語に「敲けよ開かれん」と申して居るが、黄檗山の謎みで

な大看板もツマリ此意味であつて「分らなければ聞きに來い」と言ふ譯であらうと思ふ。どうも禪宗は不親切で困る。

齋藤は社會が大好きであつたが、主義やハイカラは丸で知らなかつた。從て軍曹になぐられた位で相濟んで居るが、其大好きな社會ですらも何の事か判らなかつたのであるから、拙者が居つたら軍曹にもなぐられずに相濟んだ事と思ふ。御維新以前には社會なんて言はなかつた樣で其代りに社稷と申して居つた樣である。何でも太古の村民が緩急每に寄り集つて相談した堀立小屋の事を社稷と申したので、段段に祭式や婚禮も此處で行つたらうし從て何か祭らなければ具合が惡いとあつて、御神体を安置したものが神社である。今でも百姓一揆と言へば竹鎗に蓆旗を擔いで、必神社に集まつて來るのを見ても分る。社稷は堀立小屋であるから、人間の集團の事を社稷では不適當とあつて、社會と申す新語を發明したのは結構であつたが、此謂れ因緣を宮內省に御屆けするのを失念して居つたが爲に、矢野氏が免職と相成つた次第と思ふ。由來物品の發明は特許局で取扱ひ來つて居るが、言葉の發明を取扱はぬが爲に往々にして間違を生じて居る「ドロワース」に「スエータ」と申すから舶來品の事かと思へば、股引にチャン〳〵襠の事であつたりするのは、吾等天保老人の無學にも困るであらうが、高利貸の女房が「アイスクリーム」を自分の亭主と心得居るが如きは笑止千萬と申さねばならぬ。物品の發明もさる事乍ら、言葉は兒童走卒に至る迄日常必要欠くべからざる國民常識なのであるから、是非特許公報に乘せて貰はねばならぬが、舶來品が多いから外務省の係りである樣でもあり、稅金を取らなければならぬから大藏省の樣でもあり、國民思想を左右するから內務省の樣でもあり、文字を使ふ所は文部省の樣である。從つてて政府に於ても取扱決定せぬ次第でもあらうと思はれる。

百姓一揆は餘り感心も出來ぬが、社稷と言つた方が何やら中心思想がある樣である。從つて社稷と言へば別に思想を論じなくても良い樣であるが、社會と申せば思想の統一無き集團の樣に聞へるのはどう言ふ次第であらうか犬の社會や馬の社會と言つた樣な譯で、凡ての動物に共通するには都合が好いが、社會を論ずるに當ては引續き思想の有無を問はなければならぬとは厄介である。そこで「思想の統一ある人間社會」と長い言葉の代りに社稷と簡明に申した方が良かりそうなものと思ふ日本も社會と言ふ言葉を採用して以來、百姓一揆も少く無つたが、從つて神社佛閣も必要が無くなり。思想だけを切り離して專門に取扱ふ所の社會局が必要になつたが、追て食糧局が出來て家畜も亦同し取扱に均霑する事になるかも知れぬ。主義並にハイカラの產地たる歐洲に瑞西と申す國があつて、最共產の政を行つて居るそうであるが、國は富み民は榮へて居ると言ふから、何れ神社佛閣などいふ古臭い思想などは毛頭無からうと思つて居つたが、段々承つて見ると立法行政と言ふ西洋言葉こそ使つては居るが、政のやり方は全然昔の社稷其儘である。神社佛閣の持ち合せこそ無いが、何か物の相談には長老が民衆を連れて野原に出掛け、先づ第一番に祖先に祈を捧げる。さては吾等がハイカラであり主義であると思つて、神社佛閣をさらけすてゝ貰ひ込んだハイカラ、社會乃至主義と申すものは千年も二千年も前から吾等が持ち合せて居つたものに過ぎぬ。齋藤の奴軍曹になぐられたのも全く當然の至と思はれる。一般投票などと言へばハイカラに聞へるが、これも社稷に於て行はれ來つて居る事柄である。瑞西は此一般投票に依つて、私有財產を制限する法案を否決して居るが、共產國民が共產を否決す

るとは可笑しい。成功と成金とは言葉發明の間違であつた事は前に申述べて置いたが、此「社會」「共產」「無政府」など、申す言葉も發明者の間違であつて吾等には格別珍らしいものでは無く「社稷」「共存」「無爲」と申す古臭いものである事にある。言葉の發明は愈々以て特許局に登錄せなければならぬ次第であらう。斯の如く共產も無政府も一向珍らしく無いに拘らず、今頃になつて騷ぎ立てると言ふのはどうした譯であらうか、思ふに共產共物よりも階級鬪爭と言ふ勇猛壯烈なる大萬燈に眩惑したが爲であるまいか、鬪爭は何も階級の有無に拘らぬと思ふ。夫婦相鬪ひ兄弟も喧嘩する人間が、階級に限つて鬪はなければならぬと申す法はあるまい。如來は「鬪ふ勿れ」と說き共產黨は「鬪へ」と說く、尤も階級と言ふ條件附ではあるがそう甘く使ひ分けが出來るものであらうか、內村先生の御說法に、五十萬兩の金持が自分の貧乏が口惜しいと申して自殺したと言ふ事が書いてあつたが、何でも友達が百萬兩持つて居るのに較べると半分しか無いから大變貧乏であるのに憤慨した爲とある。さすれば問題は手許金の多寡では無くして、他人の懷中迄心配せなければならぬとは厄介であらう「勞農露國の新聞」といふ記事を見た事があるが世界の共產國露國に於てすら新聞記者から活版職工に至る迄、月給日給皆等差がある。平等無差別が出來たに行つたらうに、出來ぬから已むを得ず等差を設けて居る次第であらう。さすれば手許金が五十萬兩もあれば無論鬪ふ必要も自殺する必要も無く、出來るか出來ぬか判りもせぬ平等無差別の爲に、今から戰鬪を開始するも早計であらう。更に政權の獲得と申す事もあるが、是は各人の智力能力に等差がある以上、一律平等にならぬ事は申す迄も無く、從つて鬪はなければならぬと言ふ規則は設け兼ねる。結局何の爲に鬪爭しなければならぬか更に分らぬ事と相成つた。吾等貧乏人も貧乏は餘り好かぬ。出來ると明瞭に分つて居るなら一つ鬪爭を試みても構はぬが、判りもせぬものを目的として奮鬪努力する事は一寸考物と思ふ。況てや共存共榮の爲とならば申す迄も無く瑞西の如く社稷を尊んで相和せねばなるまい「マルクス」は哲學者であるから、吾等よりはズツト物識りであつたに違無いが、何分百年も昔の人である。「ペスタロッチ」と謂ひ「マルクス」と謂ひ百年前の人々が頻に現代の文明人を驚かして居るが、按ずるに當時の社會は可なり迷信に捕はれて、宗教は墮落坊主の爲に光を失ひ、正義は不正階級の爲に光を失ふと言ふ狀態に在つたが爲に、此不正迷信を打破する爲に鬪爭を叫んだものではあるまいか、さすれば之を階級鬪爭と申すのも矢張言葉發明の間違から起つて居る次第で、鬪爭の目的が不正不義の迷信にあると申すならば、先づ正義の論判を試みて、然る後吾等も襤褸を擔ぎ出すを辭せぬ次第であるが、開明の今日に於て筋道が立たぬと申す事が滅多にある筈も無く、正義の爲に鬪ふと申す事があつても、鬪爭の爲に生活すると申す法はあるまいと存ぜらるゝ次第である。

卅三 山燒

昨今は山伐りの末期で山燒の初期である。時は八月十八日、朝來天氣模樣が怪しくなつて多少の風が出て來た。雨の來る前にと諸方面に火の手が揚がる。正午暴風、午後二時頃から雨となつた。早く火を附けた處は見事に燒けたが、遲かつた處は雨の爲に不成功に終る。珈琲の爲には半燒が適當であるとか何とか申されて居るが、それはほんの標準であつて、山の方は中々言ふ事を聞いて吳れぬ。半燒丸燒は樹木を指すのでは無く、土壤を指すものであらう。理想を言へば樹木は丸燒とあつて一株一枝も殘らず、土壤の方は狐色にこげて

吳れたら結構であらうが、そんな事は一寸實現不可能と思はれる。先づ山燒の要素は人手の數と風の強さに在る。普通一アルケールの山燒に五六人を配するを要するそうであるが之に對して十人も十五人も配置して叮嚀に火を附けたら、燒ける事は無論であらう。更に強風快晴の日に風上に火を附けたら、是亦見事に燒ける事疑無しであらうが、人手も思ふ通りに行かず、強風の後には必大雨が伴つて來るから、見渡した所思ふ通りに燒けた處は少い樣である。八月十八日は多羅間領事が視察に見へて、夜分懇談會があるとの事で四十二キロの瀬下氏宅に參上したが、午後七時頃から一陣の暴風襲來し、山燒の火の子が飛んで珈琲を燒き、又收穫せる稻に火が附くと言ふ有樣。一方は火を附ける間も無く篠突く雨に洗はれて、大半燒の大生燒となり、二度燒き直しを要するこ言ふ調子で、中々甘く參つて居らぬ。

以上は科學的山燒の說明であるが、兎に角數町步の枯れ木に火を附けるのであるから、盛大に燃へる。黑烟濛々申す迄も無く、火焰は二丈位の高さに舞ひ揚る。三十分位にして黑烟は化して白烟とあり。雨の降る迄燃へ續ける。立ち枯れの大木に燃へ附いた火は、洞の中を通り拔けて頂上に達し、豪雨の中でも火の柱が立ち續いて一週間も燃へて居り、遠く之を望めば都會の電燈にさも似たり。子供が之を顧てダーバンが見へると申す。成程船の上からダーバンの夜景に接するが如くである夜景は何もダーバンに限られるのでないが、印度洋の長航海の後に見たダーバンの夜景は深く印象を殘したものであると思ふ。

さて拙者共が大鋸で伐り倒した山は、乾燥一ケ月半位になるから九月早々燒いて見やうと考へて居つた矢先に、九月一日の大降雹大雷雨大暴風となつて、降りも降つたり鳴りも鳴つたり、九月二日の百十日を越して月の半に至るもまだ止まぬ。每日〳〵の降雨雷鳴で一寸ウンザリ致したが、天氣を相手に喧嘩も出來ず、とう〳〵十七日に至つて快晴と相成つた樣子であるから、五六日乾燥の後愈々火を附けてやらうと待ち構へる。因て黃道吉日を案ずるに二十二日は佛滅で二十三日は大安とある。佛滅よりは大安が善からと存ずる次第であつたが、氣の早い人は二十一日に燒き出したのみならず、二十二日は朝來稍強風が、先驅して雨模樣となつた。此所で降られては佛滅も大安もあつた譯であるまいと、早速山燒の準備を致す。先づ炬火であるが之は三十四キロに在る野生の竹を伐つて來て、石油を詰めて炬火を造り名々持つて行く、近所の方々が應援に見へて總勢十名となり、人數は正に申分無しであるが、さて山伐りの折の小手脛當は不用とするも、大石良雄殿着用の火事裝束乃至山鹿流の陣太鼓に退けの銅鑼は如何であらうと心配致したが、若い連中は左樣な物は無用であるとの事で、シャツとヅボンの儘で出動に及ぶ。但遠く戰線外に立番して居るのであるから、日淸役黃海の海戰に於ける比叡金剛に匹敵すべき立場に在る。今の比叡金剛は世界一流の戰鬪巡洋艦であるが、日淸役當時の兩艦は鐵骨木皮の老朽艦であつて、敵の一彈を喰つて火災を起し、操縱不能とあつて戰線外に退却したのである。正午風下から黑烟火焰如法の火の手が揚がり、強風にあほられて立木の枝迄燃へ附くと言ふ次第で、全く理想的の燒け具合、約一時間にして作業を終つたが、午後四時頃から暴風襲來、餘焰に加勢すると共に灰を吹き飛ばし砂を捲き揚げ、續いて沛然たる豪雨に餘燼を滅却せしめたのは一寸遺憾でもあつたが、所謂土壤を保護した程度は理想的であり、先づ以て第一流の燒け具合であると思はれた。天佑並に加勢の御蔭であると共に、一面佛滅にも感謝せなければ

ばならぬ次第である。翌二十三日は雨が霽れて燒野を一巡して見るに、木の幹は雨中を燃へ續けて各處に烟を揚げて居る。雨の神今一晩辛棒して呉れたら大概の枝は燒けて了つたらうと見受けられた。

素人は山燒と申せば枯れ樹に火を附けて盛大に燒く事のみを想像するであらうが、山燒よりも跡片附の方が厄介である。理想的に燒けたにしても跡始末の爲に一アルケール二十人の人手を要する、燒け殘りの木の枝を整理し積み上げて燒き拂ふのであるが、山伐りと異つて今度は着物の破損と同時に、顏と手が眞黑となり眼許り光つて居る所正にブラジル土人其儘である、アリアンサの如く一兩年來山の一部が開けた處は山燒も心配を要せぬが、第二アリアンサの如き今年初めて山を伐つた處は風通が惡くて中々燒けぬ、先づ平均して一アルケールの跡始末五六十人工以上との事で山伐りよりも遥に高いものに爲つて居るから新開拓地の山燒は餘り簡單に考へぬ方が安全であらう。拙者の山はアリアンサの東端三十二キロに在つて新開の半開の半燒組である。此方は小作に御依賴してあるので自分では行つて見ぬが、山燒だけは矢張り近所の方々に御加勢を賴んでやつて貰ふ。何分山の幅員一町餘奥行七町餘とあつて入口から山伐りの終點迄亂木の間を縫つて行くのが三十分掛る。愈終點から火を附けて入口に出る迄二時間、流石の若い者連中も半死半生となつたのみならず、石川氏の飼犬は遂に出られなくなつて燒け死んで了ふと申す有樣であるから、餘り奥行の深い山では途中で新手と交代するのも安全の一法であらうと思ふ。

卅四　二百十日

二百十日は日本農家の厄日であつて、科學文明の今日でも避くるに由無く、風雨の暴れ狂ふに任せて、年々多大の損害を蒙つて居るに拘らず、未曾て二百十日問題と言ふ問題を開いた事が無い。ツマリ不可抗力と信じて居るからであり、結局天地自然の力を信じて居るからであらうと思ふ。人間界の事柄なら、人口問題でも食糧問題でも、何でもカンでも信用せぬが、自然の力となると一たまりも無く信用して多大の損害にも屈服して居る。人口食糧問題は人爲の力に依つて解決せらるゝものであらうか。又二百十日は不可抗力として屈服すべきものであらうか、是が問題の問題であつて自然と人間界を結び附くるや否やの分るゝ所であらうと思ふ。

伊香保は雷の名所であつて、英照皇太后も御困りなされたと言ふ話が德富氏の本に書いてあつたが、ツマリ伊香保は高地であるからであらうと思ふ。當移住地は海拔四五百メートルの高原であるから、平地よりはズツト雷の住家に近い譯で、ノベツ雷鳴がある。短時日の經驗であるが、多少の風が先驅して雨を連れて來る、雷鳴と共に暴風と爲ると言ふ順序で、暴風雨は極めて短時間驅け足で通つて行く、雷の嫌いな人は一寸困るであらうが、拙者ドチラカと言へば寧ろ好きである。閃電霹靂雨一過の後は、地上の萬塵を流し去つて、淸爽の氣十里に充つと言つた有樣。大陸的であり熱帶的であり、高原的であり大掃除的でもある。田尻博士の北雷と申されたのは、必しも雷鳴には無關係の樣であるが、井上侯や仙石大臣なんかはブラジルの高原に移住せられたら良からうと思ふ。雷が半日も一日も鳴り通しに鳴られては誰しも困るが、ホンの數分間全力を擧げて太鼓を鳴らして叩き破り、足を踏み外して落ちて來る所が雷の特色であらう。

時は九月一日、日本では農作物の危機であるが、當地に在ては山燒の前後播種前であるから、格別危日とも申さぬ次第であらう。午後二時木村氏が區委員改選の件を通知に來られ

て雜談中、夜前から鳴り續けの雷がまた鳴り始める。氣溫九十五度空は雨を帶びて來た。木村氏が早々歸られて間も無く、二時三十分細引の樣な雨が一平方メートルに一本位の割合で天上から落ちて來たと見る間に、細引の數は段々多くなり、更に細引は千切れて雹となつた。初は小豆位から大豆大となりウヅラ豆となり、更に大きくなつて長さ一寸二三分幅五六分厚さ二三分の大霰となつて、見る間に地上を埋めて了ふ。雹の神は之で澤山と見たか、今度は雨の係となつて覆盆車軸を流す風の神は袋の口を開けて向見ずに吹き飛ばす、電光と雷鳴は段々近くなつて、最後の太鼓を打ち破り雲を踏み外し、一町程先の畠の中の枯木に落ちた。枯木は割け飛んで十間四方に散亂する。之を最後に雷雹風雨の諸神一時に御休憩と爲る。

迅雷風烈には心變ずと申されて居るから、孔子樣は雷嫌でもあつたらし、又電氣學などは無論御承知がある筈が無い。而して開明の今日に於ても迅雷風烈には必神色を變にて居るのであるから、如何に電氣學があつても避雷針があつても矢張り駄目である。大供は家の中に小さくなり、小供は蒲團を被り、猫はもぐり込み、雛雞は凍へて動けなくなつて居る一時間以上も鳴り續け降り續けて居つたと思つて時計を見たら、正に二時四十分、氣溫は七十度に降つて居る。一般的の大被害は無かつた樣子であるが、木の葉や野菜の葉に孔が明いて枯れたものも少しは有り、胡瓜の苗は折角成長しつゝあつたが全滅に歸したのは遺憾であつた。翌九月二日は二百十日である。昨日に引續き吹く降る光ると言ふ有樣。當地の風說に從へば新月から滿月迄は雨が霽れぬさうであるが、九月十一日の滿月を通り越してもまだ吹いて居り降つて居り光つて居る。雷も斯うノベツ出張せらるゝ事は一寸願下けである。九月十四日も例に依つて風雨雷電頻に活動しつゝあつたが、午後四時頃雨の小止みに小供が庭先に避雷針が有ると言ふ。先達て見べた戸田醫學博士の視察談であつたが、日本殖民地の生活狀態は一千年以上文化の退歩であつて、世界各國の短所を集めたものであるとの事であるが、一千年以前に避雷針は無論御座らぬ、抑フランクリン氏初めて雷電中に紙鳶を飛ばしたのは百七十年位前であり更にイヤそんな事は兎に角何處に避雷針が有るかと見たら、七八間の樹の小枝の先端から青白色の火焰が出て居る、所謂「セントエルモ」の火焰であつて空中電壓がどうかする際に發生するものであるそうであるが、一寸奇觀である。暫くして段々小さくなり雷電の退却と共に滅失する。火焰とある以上は熱があるであらうが手が届かぬから確められぬ。枝の尖端が燃へぬ所を見ると或は熱が無いのかも知れぬ恰も目から出た火の如きものであらうか、餘談はさて措き過般ブラジルの螢は長さ一寸もあつて頭が光ると言ふ話を申述べて置いたが四五日以前一匹の螢を捕獲して調べて見たら成程其通り長さは一寸位、日本の油蟲然として居り、御負けに眼の下肩の上に發光体があつて而も左右一對、恰も自動車のランプと御同樣全く奇妙であると思はれた。昨年の雜誌「ブラジル」紙上であつたと思ふが、傲慢なる英國人がブラジルの旅館に泊つて、矢鱈に御國自慢をやらかすのに憤慨して、旅館の親爺が龜の子を寢床の中に入れて英國人を驚かし、それはブラジルの南京蟲で御座ると申した話があつたが、當地の南京蟲は日本と御同樣誠に少さい事は事實であると共に、螢の大きいのも事實である事を確めた次第。

（つゞく）

母國通信日誌

三月二十一日　東京醫專全燒。▲野田爭議團員の一人は二十日葉山行幸啓の御途次丸ビル前にて直訴を企つた。▲今朝東京市電は四時間停電し折柄出勤時間とあつて震災當時の大混雜を呈した。▲社會問題が擡頭して來るや社會事業体系の統一を計る事になり社會省の新設の急務であると社會事業調査會で發表。

二十二日　京都泉德寺住職の長女は全身に油をかけ自殺を計る丙午生れを苦にして。▲生活難で煙突から飛降自殺▲東京市外和田堀三百戶全燒。▲無產黨の政策も研究の必要ありと政友政務調査會で着手。▲半歲の鬪爭に疲れた野田罷業は未だ光明を見るのあてもない。

二十三日　日下ジュネーヴの國際聯盟軍縮準備委員會でロシヤ案の軍備全廢案に贊否大論戰。▲總選擧の最後の決を握る選擧訴訟當選訴訟は合せて三十件であつた。

二十四日　金澤市四十三戶燒く。▲東京府下に天然痘續發。▲遺骨を灰にして飛行機上から吹き飛ばす日本最初の珍葬式があつた。

二十五日　無産黨合同提案を各無産黨から聲明▲特別議會の議長は尾崎行雄氏を推擧する事に有力に主張さる。▲東京大阪間に高速度電車計劃が東西有力實業家によつて企圖されてゐる――連絡は六時間で出來る高速度。

二十六日　花にさきがけして上野の山を彩つた御大禮博は平均一日一萬五千人と云ふすばらしい入場者である。▲福澤桃介氏帝國を辭す。▲群馬縣佐波郡に小作問題起き憤死

二十七日　無産代議士は英國式の態度で野次は禁物と安部民衆黨主語る。▲外人旅客の懷をあてにする大ホテル計畫が丸ビル前に七階健に出來る議がある。

二十八日　特別議會の切拔は今や容易にあらず閣議深刻に對策協議。▲民衆黨は我等は全勞無産大衆の名を以て田中內閣の倒壞を期すと氣勢を擧ぐ。▲穗高スキー中慶大生遭難行方不明。

二十九日　高輪泉岳寺では義士の墓の觀覽料を一人一錢を徵收してゐるが今回（四月一日から無料となる。▲鳥人續々來訪。▲米國海軍豫算三億六千萬弗で下院通過。

三十日　慶應野球部は米國遠征の途についた。▲民政黨の倒閣懇親會では特別議會に先だち內

閣を彈劾せよと濱口總裁陣頭に立つて獅々吼した。▲中學に進まぬ子弟百萬人。

三十一日　我國食糧問題研究の大家農學博士稻垣乙丙氏急性肺炎で逝去行年六十六歲長野縣出身で東京高師盛岡高農東大農學部を歷任現に人口食糧問題調査委員であつた。▲聖上陛下は三十日澄宮殿下御同伴御乘馬にて逗子沼間の神武寺に行幸あらせられた。

四月一日　米國における排日運動は漸次して緩和されて排日紙が移民法の改論を眞面目に述べてゐる。▲中學教育に上級豫備校たるの弊を改め實業教育を加味する事に議論されてゐる。▲政友常議員會に於いて田中首相は落第した民政黨に政權は渡せないと黨員を激勵する演說を試みた。

二日　鈴木內相は勞働會議代表送別會を模樣した。▲ハワイの稻作害蟲被害防止研究に二人の技師來朝。▲東海道夜行に魔の列車再現乘客は御用心。▲白蓮夫人の許へ吉原の女が救けて下さいと逃げ込む。▲訓練を終つた大平洋橫斷飛行士霞ケ浦退隊。

三日　靑森縣で五十二歲の爺さんが總選擧で就籍し照役法にふれて徵兵檢査を受けた珍談があつた。▲御大禮豫算は一般豫算中に計上さる意向であつたが最近政局の推移、與黨の希望から分離する事に決定

四日　御大禮諸儀式中十一月十日內閣總理大臣が紫宸殿の前庭で萬歲を唱へ萬民これに和する意義深い時刻は午後正三時と內定。▲受驗地獄の壓の中から十四歲で高校入學見事合格した父は四歲の時から敎育しはじめたと。

五日　全國選拔中等校の野球大會は松本商業惜しくも第二回に和歌山中學と九―〇で敗北をなり關西學院中學部が優勝した。▲勅選議員七名の補缺は藤田謙一岡崎邦輔大平平三郎鶴澤總明大谷尊由野村德七の諸氏

六日　日獨通商航海條約は十三年振りで復活。▲日本とアフガニスタン修結條約調印。▲京大外五十九校の社會科學研究會事件公判は三十七名被告中九名の出廷で開廷十分にして閉廷。▲英國はゴム輸出撤廢聲明

七日　山本滿鐵社長は六日の閣議に三工業を主眼とする滿蒙の新經濟政策を說明して承認。▲鶴見祐輔氏等の中立議員が中立團体を作つて新政策を旗上する　▲政黨提携の地租營業收益稅は六年度より全廢となし協定成る。

八日　政友幹部連は再解散妨げあらずとして邁進すると。▲月本觀光のドル客は恐ろしい豪遊振りでたつた四人で一等車を買切り賃金一萬圓支拂ふ。▲農民組合合同遂に不調。

移植民ニュース

燭、英、米の增加に反し
日本の對支輸出激減

支那における打續く動亂と政情不安のため我國の對支借欵は昨今そのいづれも元利拂なくまた支那內地における日本人經營の諸事業もほとんど採算不引合の狀態に陷りこれに關連し我國の對支貿易は近來甚だ面白からざる趨勢にあるとて昨今財界各方面の注意を喚起するに至つた、それがため最近大藏當局はこゝ數年間の我國の對支貿易並に重要各國の對支貿易狀態につき調査したところによれば支那が一九二三年より同二六年まで各國から輸入したる貨物の輸入高並に輸入總額に對する割合は世界列强中我國はもつとも高位をしめして居るもの〻一九二五年以降はその貿易額は一分六厘方の減少を示して居る右は近年の支那動亂の影響によるものであるが我國の貿易が減退せるに拘らずドイツ、英國、米國等の輸出額が增加を示して居ることは輸出品の內容にもよるとはいへ大いに注目すべきことであつて昨今の對支貿易不振の懸念を裏書するものであるから今後なほ對支貿易には改善の餘地があるものと見られて居る

ブラジル植民計畫
民間側に難色

鐘紡が主體となつて計畫せるブラジル植民に關して先月廿六日田中外相が實業家を招待し具体案を懇談してより問題は漸く表面的となり當日澁澤子から指名せられた會社設立調査員は九日午後五時から丸之內工業クラブで第一回會合を行つた

出席者は澁澤子爵外團琢磨、木村久壽彌太結城豊太郎、白仁武、根津嘉一郎、今井五介、門野重九郎、野村德七、湯川寬吉、村田省藏、神野金之助、橋爪捨三郎、福原八郎（幹事）大橋忠一（外務省）諸氏

まづ鐘紡原案南米拓殖會社創立目論見書に付き福原幹事と他の委員との間に長時間に渡り種々の質疑應答があり結局會社を設立し植民計畫を遂行する趣旨に贊成する事になつたが何しろこの植民事業は新事業であり加へて國際的であるので更に詳細なる調査を必要とするといふ理由で從來の關係からこの事を鐘紡側に依賴しその成案を得た上で再び委員會を

九日　專任外相は特別議會終了後において久原氏を推さんとする模樣である。▲米船十三隻は四月下旬我練習艦隊答禮として櫻の日本に訪れる▲東海道十八日間歩いて東京に逃げた若い娼妓が樓主に押へられ再び泣く泣く元の廓に歸つたと云ふ哀れな話があつた。▲大平洋横斷飛行計畫が日米の競爭となつて來た。

十日　支那側は突如、滿鐵奉海兩線の運輸協定破棄のため政府は斷乎たる處置をとるべく關係各領事館へ訓電した。▲印刷局の爭議が起きて要求項目をひつさげて鳩山書記官長につめよつてゐる。▲波蘭大統領に勳一等旭日桐花大綬章を日波親善の功勞によつて御贈勳があつた。

十一日　共產黨の結社暴露全國で千餘名大檢擧▲勞働農民黨日本勞働組合評議會全日本無產靑年同盟の三團体に解散命令を發した。▲今回檢擧された日本共產黨は山形五色溫泉を根城に大正十五年以來秘密畫策してゐたものである。▲檢擧學生の多數は帝大系の在校生で世人を一驚せしめた。▲結社禁止を命しられた三團体は共產黨のいはゆる大衆團体としてその外輪にあるものとして國体を根本的に變革せしむるものであるとの見解であると。

十二日　共產黨事件から日露國交憂慮。▲勞農黨議員二名は進退除名論。▲一千軒を荒回つたラヂオ犯人捕へらる。▲滿鐵は强硬に支那側に對侍してゐる。

十三日　大山侑夫氏東京驛頭で襲擊さる▲北海道空知で百五十戸全燒。▲假裝亂舞の花の飛鳥山。▲勞農黨新黨組織に又も解散命ぜらる。▲今回の事件關係學生を取締りは大學總長。▲國際勞働會議に派遣の代表は諏訪丸で出帆

十四日　比島農大教授サ博士夫妻榮養研究のため佐伯博士の許へ來る。▲米國の非戰條約案日英伊獨の四ケ國へ提出。▲共產黨事件學生加盟問題で大學教授處分に文部省と總長との間に意見異る。▲特別議會の議長選擧に民政黨重大視

十五日　日本海の隱岐島佐渡島は北方へ移動し日本は太平洋へ押出してゐると學者が蹶起。▲五月一日のメーデーに警視廳で今から警戒。▲南京事件解決に近づく。▲不敵の二人組强盜家人十名を縛上げて銀時計强奪。

十六日　不信任案の運命について政民兩黨共的確の勝算なく中立議員に誘惑の手延る。▲共產黨事件に關して檢擧尚やまず。▲八千代生命ぐらつく背任横領約八百萬圓三十萬の契約者に影響甚大。▲十五日は花見る月の第三日曜大賑ひ

（三十九頁に續く）

開き最後の腹を定める事になつた一方鐘紡側では一兩日中横爪氏又は福原氏が武藤社長と懇談し其結果を澁澤子に通ずる事になつてゐるしかして問題の要點は鐘紡原案による會社資本金一千万圓に對し委員連中は大體五百萬圓見當を望んでゐるらしく又株式引受につき鐘紡と他の引受者との割合にも面倒なる問題が殘つてゐる樣だが何れにしても最後の決定迄には多少の難關あるは免れざる模樣である

四十ケ國移民會議開かる

殊に我靑木代表大持て

第二回國際移民會議は卅一日開會、參加國數四十ケ國で議長にフエンテ博士、名譽會議長にマカドー大統領を選擧しフエンテ博士は「移民問題の政治的方面は全然討論を避けその專門的方面に專ら注意を集注せねばならぬ」と說きアルゼンチン代表プレビヤ氏は「本會議は政治問題やまたは移民の本國問題にはふれず專ら移民の福利と分布に注意を集中しなくてはならぬ」と述べた日本代表一行はその人數最も多く二十一名に達してゐる、なほ散會に當たつて議場前の群衆は各國代表に喝采を浴びせかけたその中でも日本首席代表靑木メキシコ公使に對する喝采は同公使が今回の會議で最も重要

信州記事

白馬岳一帶を

國立公園に請願運動

北信濃保證會では先頃から白馬岳を中心として信州の戸隱始め頸城アルプスで知られる燒山、火打、妙高等のしゆん峰一帶を國立公園として設定方を請願する計畫を立てゝ居たがこれに關係ある高田、長野、富山の三市市長は北信十市市長會議に出席を機とし保勝會幹部および長野商業會議所代表者と協議の結果いよいよ運動を始めることに意見まとまり直に關係數十ケ町村の調印を求め今冬の通常議會に總理大臣および農林、內務各大臣に請願することに決定した

無產團體と提携して

電燈値下げの猛運動

上、下伊那の勞農、大衆、民衆の三無產黨並に下伊那郡靑年會、同聯合靑年會、無產靑年同盟、各勞働、農民等十三團体は今回一致して上、下伊那電燈料値下運動をする事になり需要家を加へ期成同盟會を組織し伊那電、南信電氣を始め九電燈會社に向ひ電燈料三割値下、休燈料、手數料、電球交換料の廢止を要求すべく運動を開始したが、上伊那商工會および飯田商工會議所もこれと提携して進む事になり伊那電に對しては運賃の値上を要求する事になつた。

義務教育費交付額

本縣が全國第一位

義務教育費國庫負擔法のうち特別市町村に對する交付額は六十三萬二千四百三十八圓三百二十八ケ町村でこれを前年の三十九萬六千四百五十一圓二百二十ケ町村に比すれば二十三萬五千三百八十七圓、百五十三ケ町村の激增を示し本縣は全國

の役割を演ずるとの豫期があるため殊のほか熱烈であつた今回日本代表の提案する事項は

移民の渡航手續の簡易化に關する件で近來移民の入國に際し旅券の査證、犯罪の有無ならびに健康證明書などの身元調べに關し複雜かつ苛酷の手續きがいるため速かにかゝるごたごたした手續きを除かうとするものである同會議は十七日閉會さる。

海外移住獎勵の

滿期兵救濟と海軍の計畫

海軍では滿期兵の失業救濟につき各方面と連絡をとつてゐるが、現在の社會狀態ではどうも素志の達成がむづかしいので出來るだけ南米その他海外に發展せしめる方針をとり特に海軍兵は海の生活に馴れお手のものであると共に遠洋航海等で海外の土を踏んでゐるので吾運命を開かんとするには好都合であると云ふので目下行はれてゐる呉海兵團第六回滿期講習には下士官約五百餘名に對し、海外の實情および移民の手續を詳細敎授し、自覺的に發奮せしめることになつた

邦人四十名行方不明

カリホルニアの椿事

第一の多額であるがこれは昨年霜害、干害、違蠶等の不況が連續した特別の事情に基くもので各町村とも豫期以上の多額な交付を知り大喜である。もつとも多いのは上伊那郡中澤村の五千三百七十圓および同郡中箕輪村の五千百三圓で四千圓以上を受けるものは次の十二町村である

諏訪郡富士見村、小縣郡滋野、埴科郡松城、坂城、下伊那郡喬木、大鹿、上伊那郡西箕輪、富縣、西筑摩郡福嶋、楢川、上高井郡小布施

縣議補欠選擧迫り

候補者出そろふ

北佐久郡縣議補選に出馬と決した兩澤喜平治氏は民政黨の幹部から極力斷念勸說されたため遂に斷念し當初第一候補に擬せられた布施村萩原文吉氏が大塚宗次氏の推薦によつて屆け出でた、この外佐久立憲靑年團の流れをくむ小諸町鹽川清亮氏の推薦に應じて名乘りをあげ東筑摩も北佐久も三人づつと候補者が確定した候補者顔觸れ

東筑摩郡

熊谷村司（政友新）四十二歳上條信氏推薦、農業、洗馬村長、郡會議員洗馬村出身

青柳謙治（民政新）六十九歳百瀬渡氏推薦、農業、官選戸長、坂井村出身

河野重弘（勞農新）二十七歳東京外國語學校露語科卒、自薦、前本城村實業補習學校教諭、嶋內村出身

北佐久郡

鹽川正巳（政友新）三十六歳高山永三郎氏推薦、慶大理財科卒、第一銀行員

萩原文吉（民政新）五十三歳農業、大塚宗次氏推薦、布施村出身

鹽川清兵衛（中立新）三十四歳綿糸商小山亮氏推薦、小諸町出身

北佐東筑兩郡共

政友大勝に歸す

北佐久の縣議補欠は十五日開票の結果左の如く鹽川正巳氏當選した

當選　七、一七〇　鹽川正巳
次點　六、一五二　萩原文吉
次點　九五六　鹽川清兵衛

（サクラメント帝通二十六日發）當地を貫流するアメリカン河の洪水によつて溺死者は六十二名に達して居るそのうち日本人が四十名も居る洪水の原因は連日の降雨と雪融のためおびたゞしく增水し遂に中部カリホルニア一帶に大洪水となつたのであるが溺死したと傳へられる日本人は皆牧畜農業者であつてその居宅浸水した後行方不明になつて居る避難者のうちには隨分際どいところを救はれ眞に九死に一生を得たものも多い財產および農作物の被害も甚大に上つて居るらしいがいまだ的確な數字は擧げられて居ない

明るくなつた中米の天地

移民法修正案可決

パナマ國民議會は客月二十八日一九二六年の移民法を修正せんとする政府案を第三讀會で可決した、右修正案によれば日本人および東インド人の入國を許し一九二六年の移民法にて入國を禁止された其他の外國人に對して每十年に對する入國者數を限定して移民を許す事になる尚右修正案は大統領の署名を待つて法律として發效するが原案たる一九二六年のアメリカ合衆國移民案可決と相前後して制定されたる南米最初の排日移民法であり之れは主と

東筑の開票も左の如く二千票の差で政友會の勝ちとなつた。

當選　一〇、二八三　熊谷村司
次點　八、三一五　青柳謙治
次點　三四七　河野重好

兩郡の棄權數は東筑三割二分北佐二割五分で補欠選擧だけあつて選擧氣分に油が乘らなかつたものか以外の棄權率であつた。

縣下の容疑者數十名

共產黨事件の概要

共產黨事件については本縣下でも檢擧者數十名（內起訴十名を）出たが右につき土屋警察部長は十日左の如く發表した

一、檢擧の理由　國體を變革し私有財產制度の否認を目標として社會革命を遂行せんとする秘密結社日本共產黨に加盟せんとするものあるを認知したので治安維持法違反として檢擧に着手したものである

二、檢擧着手の時およびその分子　共產黨員は主として勞農黨および全日本無產靑年同盟日本農民組合、日本勞働組合評議會等左翼的無產團体員中に存在したものと認められたので三月十五日未明同團体員中の容疑者を一せい檢束に付し證據搜査を續行した

三、搜査の結果發見した文書の中主なるもの

イ、日本共產黨の組織と政策および革命展望（日本共產黨發行のパンフレット）ロ、赤旗（日本共產黨發行機關紙）ハ、日本共產黨組織上に關する指令（日本共產黨）ニ、長野縣組織テーゼ（共產黨長野地方代表者會議發行）ホ、赤色信越（地方共產黨機關紙で信越地方委員會發行）ヘ、其他國體を變革し私有財產制度を否認せる數種の檄文印刷物多數

四、前項文書の內容　內容は矯激なる字句を用ゐ社會革命により勞働者農民獨裁の政府を樹立し共產主義社會を出現せんと企畫せる事實と表示したものである

五、日本共產黨は勞農ロシアモスコーにある第三インターナショナル（國際共產黨）の日本支部として成立し勞働者農民唯一の革命的政黨なりとして極左的各種無產團体員中勇敢精銳なる分子を信越黨員たらしめ無產階級の革命的前衛とし活躍しつゝあつたしかして中央執行委員會統制の下に全國を數地區に分ち長野縣、新潟縣を一地區として信越地方委員會を設置しあり本縣では本年一月以降三月上旬に至る間において日本共產黨の目的內容を意識

して東洋人の入國を禁止した法案だけに一般に注目されてゐたが今回の案で日本人を除外することになれば今後のパナマ並に南米諸國との關係は排日感情の緩和と共に益々親善となりわが國に多大の好感を與へたものといはれてゐる現在同國には原案實施前移民した日本人は約二百名餘で主に家內工業に從事してゐる尚この結果移民が急に增加するものとは見られぬが日本の眞價を認めたことになるから兩國の經濟的關係は相當有利に展開するであらうと見られてゐる

北滿の邦人に

又も退去を迫る

東支鐵道南部線石頭城子陶賴昭蔡家溝在留邦人は再び支那官憲よりの退去命令に接し三月十五日以後二箇月の期限內に邦人三十戸六十四名は付屬地內に退去するを餘儀なくさるゝに至つた、右事情陳情のため同地代表五名二十二日ハルビン總領事館に出頭し支那官憲との交涉開始を申出た

壓迫甚しく鮮人歸國

夥しい直隸山東移民

（奉天二十二日發聯合）奉天省臨江縣下頭道溝地方在住朝鮮農夫約二百四十名は昨年の臨江日本

して同黨に加入するもの漸く增加するに至り同黨本部および同黨信越地方委員會において發行する前記の矯激なる機關紙その他の文書を發行又は接受しあるひは同文書を極祕に同志間に配布し黨の目的趣旨を祕密裡に宣傳し大衆の革命豫行訓練方に沒頭しつゝあり

六、黨の組織並に入黨勸誘の方法極めて巧妙かつ周到で先づ黨の中央より派遣された共產黨員を派し縣內各地に一人づゝの勇敢精銳なる分子を選び巧に入黨を勸誘しがたい地方における共產黨の中心となさしめ、同人として更に部內で將來革命運動に從事する能力ありと認められるものに入黨を勸誘し黨員として推薦してゐた

七、前項矯激なる文書は多數かつ頻繁に作成散布したるもその方法は二重の封筒に變名を用ゐて郵送し直接手渡しすることなく受信者は一讀後直ちに燒却することゝなつてゐた

八、日本共產黨はその堅固なる城さいをまづ各種工場にありとし縣下各種工場に共產黨員を潛入せしめ全工場勞働者に指導勸員すべく畫策中なりしものゝ如し又その遂行には勞働者と共に農民を勸員すべく農民組合にも共產黨員を潛入せしめ一般農民の赤化を企圖し又一般農村青年に主義の宣傳を行ふべく特に青年研究大會等において青年の激化に努めたる形跡あり本年三月十七、十八日長野市に開催せる縣下青年研究大會には共產黨發行の不穩なる宣傳、印刷物を配布する計畫であつたがこれに先立ち今回の檢擧に遭遇し座折したらしい

九、衆議院議員總選擧にも本部より(總選擧方針書)なる過激文書を配付し大衆激化に努めたり

十、縣內の共產黨組織は他の地方より比較的新しく前項總選擧の時期より頓に急激に進展し來りつゝある時に對し今日の檢擧となつたのである

十一、當局では極力搜査の結果罪證明白となつたものは治警法違反として長野地方裁判所に送致し既に同檢事局で起訴されたもの十名で尙檢擧を續行中である

近づいたお花見氣分

北信地方の名所

上野の花は滿開が傳へられようとするこの頃信州でも花だよりが話題を賑はしだした小諸も高田も二十日頃からさき始め下旬から來月にまたがり滿開の豫定で、その他北信地方の花は十七、八日頃から

領事館分館設置反對事件の餘波と直隷山東の支那移民の移住の影響をうけ支那官憲が自國の移民保護救濟の手段としてます〳〵鮮農を壓迫驅逐するので本年の耕作は到底不可能と見すでに二百名は歸鮮し殘り四十名も歸鮮準備中であるとなほ滿洲に入り込む直隷山東の移住民は最近ます〳〵增加しつゝありこゝ二ヶ年間に殺到した避難民だけで優に二百万人を突破したといはれる、奉天省だけでも十五万餘うち東邊道に四万餘りに達してゐるから自然鮮農はこれら移民と競爭の立場に置かれることとなつてゐる

南洋スマトラ島に

養蠶業を經營

片倉製糸會社では南洋スマトラ島に一大農場を經營し大規模な養蠶を行ふべく二十六日神戶出帆の汽船で同會社支配人竹井覺太郞氏および經營主任たるべき前諏訪蠶糸學校實習科淸水敎諭外一名は同島に赴き實地視察をとげ具體的準備を開始することになつた同島における桑園は一年中青々とし氣候も養蠶に不適ではないとのことである。

開きはじめ廿二日の日曜から二十九日の最後の日曜までがもつとも見頃である、重なる花の名所は長野城山、上田城跡、更級の稻荷山、治田分園、姨捨の大雲寺それから長野電鐵沿線へ行つて松代城跡松代八幡神社、須坂臥龍山、小布施岩松寺、中野妙法寺觀音、上林は今まで知られないが溫泉地の櫻として相當見られてゐる、澤山はないが上水內で鬼無里の神代櫻もよく、又あんずは長野市外の安茂里と埴科雨宮附近が一番よい。

小學校長異動決定

總計百名の大多數

小學校長の異動は三十一日夜に入つて漸く全部の決定を見たが退校、榮轉、左遷等總數百名に上りそのうち退職者二十三名校長から首席訓導になつたもの五名首席訓導から校長になつたもの三十四名校長の欠員補充四名學校增加によるもの一名校長相互の轉任三十三名でその他に訓導の異動は千三百餘名に達した

御大典記念事業

何れも縣民の誠意を捧げて

御大典記念事業はほゞ各地とも決定したので縣が一まとめ農林省へ報告したが大規模なものとしては 一、縣農會の共同施設資金造成三十萬二千圓 一、產業組合支會の定額貯金 一、畜產組合聯合會の畜產共進會 一、上水內郡農會の陸稻原種圃新設

などがあるが町村について見れば埴林事業がもつとも多くて八十四件あり、二番目は貯金組合で六七ケ所ある、毛色の變つたものには臼田野澤兩町が企てる作場道路の改修、下伊那郡神稻村の鎭守の社道改修、などがあり更級郡塩崎村は献穀田を設け小縣郡長瀬村の東組農家組合四十五戶は下駄一足づゝを新調し冠婚葬祭以外は使用せずに保存する奇拔な計畫である

米作應急低資貸付

希望者は多いが無資格者

本縣で借いれた米作應急低利資金七十九万圓のうち農工銀行の手で貸つけた三十九萬圓の殘り四十萬圓は信用組合に貸つけるべく目下縣で希望額取まとめ中だが南安曇郡梓信用組合の四万五千圓を最高とし埴科郡雨宮縣村の五百圓を最低に總額は約四十一、二万圓に達してるが申込み組合の信用程度等を調査して見ると貸つけ資格のあるものは半額の廿万圓位に過ぎず、あと二十万圓は結局遊資となる譯だが縣でもこの貸付配當につき近日それ〴〵決定發表し殘額に對する處分方法について協議するはず

三十年ぶりで解決

伊賀良學校紛擾

下伊那郡伊賀良村は學校統一問題で數代の郡長の調停も効なく紛きうを重ね昨年三月末學務部長の仲裁で一旦解決したがその後再び決裂し今村村長の辭任によつて反對派の熊谷氏が村長となり今日におよんだところ先般杉原事務官の出張調停によつて和解成立し、本縣學務課並に營繕課から係員が出張、學校の建物を評價し訴願の取下、村稅滯納同盟の中止等を行ひ三十年振りに根本から解決すること

になつた

娘を殺し妻女自殺

精神病が昂じた末

下伊那郡龍江村字上川路今村春吉妻るいは九日カミソリで四女りよの咽喉をえぐつて即死させ自分は便所內で縊死を企て一旦救助されたが家人の眼をかすめ佛壇にあつたネコイラズで自殺を遂げた、同人は永らく精神病に惱み家人が監視中の兇行を演じたものである

糸平の顧問となり

一生を政治に活躍

十一日朝東京麻布龍土町の自邸で元代議士龍野周一郞氏は逝去した同氏は小縣郡塩田村の出身で明治十年來自由黨の志士として政界に活躍し演說は巧で雄辯といふよりむしろ達辯といつた方が適評であり度々中止を受けるのである時は先憂齋後樂といふ名で講談をやり經國美談等を上手にやつてのけ、その間に自分の抱負や經りんを述べてゐた明治二十八九年縣會議長となり、同三十年に代議士に選ばれたが政治に奔走したゝめ家產を失ひ次いで天下の糸平の顧問となつて再び政界に活動したが才氣發らつの人であつた

滿洲守備兵に

愛婦が慰問嚢

愛國婦人會本縣支部では第十四師團の滿洲守備兵と留守隊とに慰問ぶくろを贈る計畫で一月以來全縣の各市町村幹事部に依賴して募集中五千百個程集まつた、豫定數の八千個にはまだ足りないが渡滿中の兵士に贈るだけはあと二百個で足りるので本月中に全部取まとめ來月早々滿洲へ發送する運びで目下整理を急いでゐる尙右慰問ふくろの募集は諏訪と東筑とがもつとも成績がよかつたと

春蠶の掃立は

約八十萬枚

本縣蠶糸課の調査によれば春蠶掃立豫想は八十萬枚で昨年に比し二十五万三千八百餘枚(三割二分)を增加したが昨年は霜害によつて特に掃立が減つたのであるから八十萬枚といへば略平年の掃立量で桑の發育も氣候が適順のため大體好く春繭の初取引は七圓二三十錢見當と豫想される

大霜害の一周年

春蠶掃立期迫り霜害一周年がくるので養蠶家は今も警戒してゐるが今年の氣象について專門家の見るところによると大體に暖かく平年より三四日位氣象が進んで居るし山の雪の解け工合も早くそれ等から察して氣壓の方が惡くとも地熱のために五月十日以前は恐らく霜が來ないだらうと思はれ十日過ぎては桑の伸びがすこぶるよさうだから霜が來ても多分大した害はないと

露店の繩張り爭ひから

長野の香具師亂鬪

二十八日新潟縣柿崎町生れ當時長野市横澤町香具師內藤彌五兵衞方へ同じ仲間の新潟縣中頸城郡新井町生れ當時長野市横澤町西山正春始め同人方鈴木岩吉長野市岩石町吉澤一郞松本市清水新川渡邊敬太郞が押しかけ繩張のことから口論の上西山は九寸餘の短刀で內藤の腹胸部に瀕死の重傷を負はせ尙同居の長野孫太郞

の左肩に傷を負はせ居合せた平柳伊勢吉の右肩に輕傷を負はせ大格鬪中長野署員に捕はれ關係者一同取調中

解決は困難な青木村

小縣郡青木村の小學校增築問題に對する運動は移轉非移轉兩派でにらみ合つた結果持久戰に移り非移轉派では明年四月執行の村會議員改選期まで紛擾を持越し非移轉派の村會議員多數を當選せしめ移轉案を葬らんとする計畫を進め解決はいよ〳〵困難となつた

年一回懇話會

長野市の銀行懇和會ではニ十日過ぎ年一回の總會を開き各行から三四名づつの代表者集會金融上の時局問題につき種々協議するはずだが合同の信濃銀行は來月一日から營業を開始するので開業の上は北信の金融は相當の變化を來す見込であるためこれについても種々相談すると

公金費消妾に注ぎ込む

上水內郡淺川村產業組合長前村長の弟拜野秀次郞が組合の特別貯金八萬圓の內約五萬六千圓を數年前から勝手に費消して居たこと長野署で探知し公金費消として數日來取調べて居るが大部分は長野市權堂町に居る妾に注ぎ込んだものらしい

屋上の狂人日本刀を振ふ

長野市長門町金太郞長男前坂藤太郞は昨年中から强度の神經衰弱にかゝつてゐたが九日午後一時半頃にはかに暴れだし鈍刀の日本刀を振回し近所のものがとめると自宅の屋根に飛上り巡査がくると瓦を投げるなどと大立廻りを演じたが間もなく取押へられた

信州文藝協會創立會

田中(彌)縣會議員等はじめ上田小縣等北信の有志で計畫中の信州文藝協會は全縣下および縣外在住本縣人を會員として廣く募集することになり十二日長野市藏春閣で創立總會を開き同時に創立記念の音樂と講演の夕べを催すことになつた音樂は上野音樂學校上級生男女數十名來長し又講演は藤森成吉氏が來長した。

死體發堀は一層困難

北アルプス前穗高で遭難行方不明となつた慶應山岳部大島亮吉氏の死體發堀のため十六日登山した島島案內人組合大井庄吉外十二名は遭難現場へ向つたが一行から通信によると去る十日頃の降雪で現場は遭難當時から更に三尺の積雪を加へ發堀は一層困難を加へこの分では當分發堀は覺束ない模様であると

十七日 特別議會を前に勢揃ひの兩黨、政友は國政の衝に當る者我黨の他になしと第一黨を强調し民友は民の聲に逆ふもの必ず亡びんと倒閣の叫びを擧げる。▲鶴見祐輔氏等の新中立團体明政會と名づく。▲支那山東危急再出兵說傳はる。▲ジャワ島へ無線通信五月より開始。

十八日 東大の新人會も共產黨事件で解散され河上肇博士は辭職勸告され辭表提出。▲條件を拔きに一路倒閣の野黨協議會意氣揚る。

十九日 弘前市一千戶燒失。▲北支の形成險惡となり熊本師團に出動命令千葉鐵道中野電信兩隊軍艦春日出動準備。▲野田爭議會社側讓步

二十日 東京市內某聯隊から共產黨週類出る。▲大倉喜太郞翁重態。▲鈴木內相彈劾の決議案は明政會から提出▲普選初議會召集元田肇氏二票の差二百三十票で議長當選淸瀨一郞氏七票の差二百三十三票で當選

二十一日 民政黨所屬代議士佐藤實氏が脫黨して政友會へ、同福井甚三氏が同じく脫黨して無所屬へ、無所屬の大內暢三氏の明政會いり、更に元田、淸瀨正副議長の黨籍離脫等に伴ひ二十一日の衆議院議員の分野は、政友會二二〇名民政二一六名無產黨八名明政會七名實業同志會三名革新黨二名無所屬九名欠員一名計四六六名である。▲政府彈劾案上程の準備政雲殺氣漲ぎる

協會記事

ハワイ丸新嘉坡發後
コレラ發生直ちに引返す

三月十七日日本を出帆した南米移民船は四月一日新嘉坡發後船客にコレラ發生發見と共に新嘉坡に引返し船客を同地病院に收容と共に船内の大消毒を施行した患者中死亡者十一名本協會扱中には一名の死亡者もなかつた事は不幸中の幸ひであるが患者三名あり一日も早く全快さるゝを祈り不取敢左記の如く事件狀況及見舞狀をそれ〴〵關係親戚者に送つた。

コレラ發生事件狀況

拜啓布哇丸にコレラ發生せし事件に關し不取敢左記御通知申上候

記

一、布哇丸は三月十七日神戸を出帆し四月一日シンガポールを拔錨せり
二、コレラ患者發生せるため四月三日シンガポールに引返したり
三、死者十名の内九名は海外興業會社取扱にて他の一名は大阪にて切符を買ひたる宮原氏(?)にて海外協會の關係者にあらず
四、重症者十一名輕症者十四名あり此の大部分は海外興業會社扱にて海外協會取扱のものは信濃の分岡村縣人大田晋一(二七)大田きくの京都の宮永定朝(十)の三名丈けにて此外に木原松夫と云ふ人あるも海外協會扱にあらず
五、三等船客は全部シンガポールのセントジョン病院に隔離し船は大消毒をなしたり
六、船の出帆は未定なるも船客船員の健康の見込みつゝ次第出帆することになるべし

四月五日　信濃海外協會

見舞狀

拜啓　別紙不取敢御通知申上候通り布哇丸にコレラ發生不幸にして何某殿罹病致され候事誠に御痛嘆の次第に御座候同行の御兩親竝に御僚友の御憂慮は去ることながら日本在住の御親戚知己の御心痛も一方ならずと存じ候
此の上は只一日も早く御平癒を祈ると共に移住者各位の御自愛と一層の奮闘努力を望みて已まざる次第に御座候
先は御見舞申述度く如斯御座候　敬具

昭和三年四月五日　信濃海外協會

關係親戚何某殿

コレラ終息して
新嘉坡を無事出港

初病以來眞性患者三十四名、疑似十七名、死亡十七名を出して十八日漸やく全部退院し新患者の發生もないので二十五日再び南米へ向け出港した

海外視察組合設立（續き）

上水内郡南小川村組合
組合長　大日方直一
久保田保夫
坂井典敏
宮下好齊
小林金仁郎
小林義運
小川長吉
伊藤忠孝
福島玉藏
西澤保忠
伊藤安孝
小林久米佐

下高井郡木島村組合
組合長　山本源次郎
伊東清人
小池弘元
佐藤嗣次
浦野雄
伊東庄一郎
伊東秀夫
小野澤広輔
浦野甚〻夫
箕口德治

小縣郡室賀村組合
組合長　西澤睦次
土屋岩太郎
白鳥清一郎
土屋純
山崎增実
三ツ井順一
南波安榮
西澤融雄
古平佐兵衛
和泉民次郎

同郡大門村組合
組合長　小林元一郎
山浦源之助

同郡長久保新町
組合長　清水安治
武重袈裟之助
内田貫
清水昌吉
内田德平
小林雅雄
石川亨象
上條伽男
大澤八太郎
武重昌次
竹内忠康
小池祐和
小林繁樹
竹内禮次
大澤虎雄
竹重繁雄
丸山保重
北澤貞雄

ラプタラ丸乘船の
第三回ア移住地渡航者

四月二十一日神戸出帆のラプタラ丸はアリアンサ移住地移住者左記の外海興扱ひの七百餘名と共に滿員で出帆した。同船は六月七日サント港着の豫定である。

長野縣更級郡西寺尾村	宮尾厚	四人
長野市大字高田	湯田維	二人
長野縣下高井郡穂高村	大澤英三	二人
長野縣埴科郡南條村	小林英俊	五人
鳥取縣東伯郡旭村	宮原和三郎	一二人
長野縣東筑摩郡島立村	足立功	二人
長野縣上水内郡若槻村	中島勇	三人
京都市下京區古門前通	生田安雄	七人
福島縣西白河郡白河町	扇田善次郎	三人
福島縣岩瀬郡鏡石村	宗方三郎	三人
岩手縣稗貫郡花卷川町	柳沼久吾	六人
愛知縣知多郡富貫村	岩間昌三	七人
北海道札幌市大通	森田万三	三人
愛知縣栗郡草井村	網島弘	八人
神戸市神戸中山手通	長谷謙一	二人
長野縣西筑摩郡山口付	松本清三	五人
新潟縣中蒲原郡新津町	原彌兵衛	四人
東京府北豐島郡板橋町	井浦久造	二人
千葉縣山武郡日向村	小田多万亀	四人
	川島武夫	二人

計　十九家族　八六人

會費領收（自昭和三年三月一日 至同年三月三十一日）

一金拾圓也　昭和二年度分　清水謹治殿
一金貳圓也　同　山室彌太郎殿

一金四圓也　昭和元年昭和二年度分　宮島肇殿
一金四圓也　同　小山菊太郎殿
一金四圓也　同　上原直一郎殿
一金四圓也　同　志摩金治殿
一金拾圓也　昭和二年度分　田中喜右衛門殿
一金拾圓也　同　柄澤五一郎殿
一金貳圓也　同　小池卷太郎殿
一金貳圓也　同　田中新兵衛殿
一金貳圓也　同　福島文之助殿
一金六圓也　自大正十四年至昭和二年分　堀内朝雄殿
一金四圓也　自昭和元年至昭和二年分　安達久作殿
一金拾圓也　昭和二年分　金子行德殿
一金貳圓也　同　柴崎新一殿
一金貳圓也　同　金子萬壽殿
一金貳圓也　昭和元年分　龍野藤平殿
一金貳圓也　昭和二年分　上條愿殿
一金貳圓也　昭和二年分　常田信治殿
一金貳圓也　昭和二年度分　長田米吉殿
一金貳圓也　同　瀨下碧殿
一金貳圓也　同　牛木一郎殿
一金貳圓也　同　今井登殿
一金貳圓也　同　内山充殿
一金貳圓也　同　内山原雄殿
一金貳圓也　同　河野政三殿
一金貳圓也　同　佐藤市三殿
一金貳圓也　大正十三年分　百瀬四方市殿
一金貳圓也　大正十五年分　降旗耕一殿
一金貳圓也　同　吉田留雄殿

海外ヨリ

一金貳圓拾貳錢　在マニラ　佐野克己殿
一金拾圓五拾八錢　在布哇　中村令治殿

鮮滿旅行團

新綠滴る大陸の野に接吻せよ

かねて計劃中であつた海外視察組合の鮮滿旅行は今回左記の如く二十四日間の大旅行を決行する事になりました。本縣では縣聯合青年團より十名を選拔し、組合員中より十名以上を採用し二十名以上を以て組織します。

一、**旅行順序**　長野—下關—釜山—京城—平壤—安東—奉天—四平街—洮南—チチハル—ハルビン—長春—公主嶺—鞍陽—遼山—旅順—大連—門司—長野
一、**期日**　五月十一日頃出發、六月四日頃歸着
一、**申込期限**　組合員は四月末日までに組合長に申出で組合長より本協會に五月三日までに報告の事
一、**團費**　百五十圓也
一、**補助**　一人宛信濃海外協會より二十五圓也補助す
一、**參加決定**　參加決定者は本協會よりの通知を待つて團費の送金（長野振替三四〇番）をする事（補助金差引き）
一、**引卒者**　本協會、本縣より三名が引卒者として萬端の指導世話をしてくれる事になつてをる。
一、**各地縣人會**　鮮滿各地の縣人會と連絡をとつて團員便宜を計る。尙滿鐵諸官廳等連絡をとる。
一、**案內書**　團員には旅行日程、視察箇所、携帶品、旅行注意等の案内を書を送る。
一、**其の他**　不明の點は組合長、協會に照會の事

主催　長野縣
信濃海外協會

海外視察組合鮮滿旅行の企圖

…吾等は斯くして世界の大勢を推知し吾運命の開拓の鍵を握る…

編輯後記

●本誌は吾等の機關誌であると共に吾等の代表機關である。社會に吾等の意志を發表せんとする時に努めて公平に眞面目に誇張する所なく實直に筆を働らかしてゐる事は吾等の信條である昨今アリアンサの世論を通觀するに故意の如く惡宣傳が試みられてゐる。もとよりアリアンサ建設の途上には世の稱讚も罵倒も敢て眼中にはなかつたのである。然しこれに辯明駁論して行く事は大切であると知つてゐたが吾等は今更その姑息にして愚なる事を感じてゐる。

●前號所載のアリアンサ會よりの感謝狀の如きは或ひはこれを冠頭第一頁に特筆大書して然るべきものであつたが吾等はこれを一協會の記事として報導する程度に止めた若しこれによつてその記事が死滅するものならばそれでよい吾等の精神には何等の動搖を感ずるものでないアリアンサは最早極めて明白なる進むべき道にあるからである。たゞ移住地自体が年と共に雄辯に物語るのみである。

●鮮滿の大旅行が決行される島國から大陸の自然に接する時遊子の胸中には何が描かれるだらう、抱擁を惜しなくする亞細亞大陸の偉大さが彼等のハートにピツタリ來ればそれで十分である。

●南洋の日本民族進出論は定論の如く不可能であると思はれてゐたが此の程南洋歸りの宮下幹事がこれを反駁して大氣焰。南洋一帶の支那人は孫文の三民主義と共に到る所で排斥されてゐるからこれに替るべき者は日本人である南洋の經濟的勢力を占領すると共に人的にもその發展を劃策するのは今であると天田六郎氏の通羅の記事村松蕭氏の蘭領東印度の記事は見逃がすべからざる活文字。

●平和の戰士たる海外在留者に最も關係のある者は常備の帝國海軍々人であるとの人々の活動が計らずも海外在留者と接觸して行く事は誠に意義深い事である松尾太一氏の寄稿と共に各方面からかうした記事を寄せられたい

●母國の記事は數を多くして普偏的に報導する事にした信州記事移植民ニウースも內容を豐富にするに努めた

寄稿大歡迎　海の外社

海の外（月刊）

定價表		内地送料共 外國送料
一册	廿錢	四錢
六ケ月	一圓十錢	二十四錢
一ケ年	二圓廿錢	四十八錢
五ケ年	拾圓	二圓

御注意

△御送金は振替（長野二一四〇番）に御願ひします。
△外國よりの御送金は銀行、郵便局いづれにても確實に送金されます。
△御轉居の節は早速新舊兩御住所を御通知下さい。
△本誌へ廣告掲載御希望の方は詳細相談申上げます。

昭和三年五月一日發行

編輯人　永田稠
發行兼印刷人　西澤太一郎
印刷所　長野市南縣町 信濃毎日新聞社

發行所　長野縣廳內　海の外社
振替口座　長野二一四〇番

各縣海外協會
日本力行會　指定旅館

海外渡航乗船
領事館手續
貨物通關取扱

高谷旅館本店

本店　神戸市榮町六丁目
神戸市郵便局私書函八四〇番
電話元町 八五四番、一七三七番

支店　神戸市宇治川楠橋東詰
電話元町 六六六番

各汽船會社專屬元扱
日本郵船會社
大阪商船會社
グラー汽船會社
加奈陀汽船會社
アドミラル汽船會社
南洋郵船會社

日本力行會、信濃、廣島、和歌山
福岡、熊本、沖繩 各縣海外協會　指定旅館

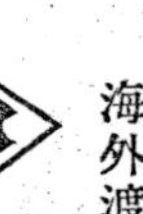

海外渡航乗客荷物取扱所

今泉旅館

本店　神戸市海岸通六丁目三番邸
支店　神戸市榮町通五丁目六八番邸
電話 元町 三二一番
振替大阪 三五四一〇番

海外渡航取扱所

◉東洋一の理想的設備を有する神戸港へ！
◉旅館は誠實にして信用のある神戸館へ！

各縣海外協會
日本力行會　指定旅館

神戸館本店

神戸市榮町六丁目廿一番邸
電話元町 八六一番
振替口座大阪 一四二三八番

支店　神戸市海岸通四丁目（中税關前）
電話三ノ宮二一三六番

◈本店へハ神戸驛、支店へハ三ノ宮驛下車御便利

（第二版）　日本力行會長
永田稠著

兩米再巡

菊版四百廿餘頁・寫眞版三十頁・布製函入
定價一册金二圓八十錢・送料一册拾八錢

永田氏は信州の生める一異才である。嘗て南米を一週して『南米一巡』を著はし、信州に來つて信濃海外協會の組織に努力し、更に『南米信濃村建設』に關する大使命を帶びて、大正十三年五月末横濱を出帆し、布哇、北米桑港、ローサンゼルス各地に於ては海外協會支部の設立に盡力し、ソートレーキ市にはモルモン宗教植民の跡をたづね、デンヴァ、シカゴを經て華府に至り、紐育より大西洋を南下してブラジルに至り、移住地の選定・購入・入植の準備をなし、大正十四年二月日本に歸り來り、更に信濃村大成の爲めに努力奮鬪し、今や模範的にして世界に誇り得る移住地が建設されつゝある。『兩米再巡』は氏が南北兩米を再巡せる記錄である。志を世界に有する者の一日も看過することの出來ない快著である。

長野縣廳內
信濃海外協會取次販賣

東京市外上板橋　日本力行會發行　振替東京六八八一番

海の外—THE UMINOSOTO
Published Monthly by the Uminosoto Sha. Nagano, Japan.

「海の外」第七十一號　（昭和三年五月）（毎月一回發行）

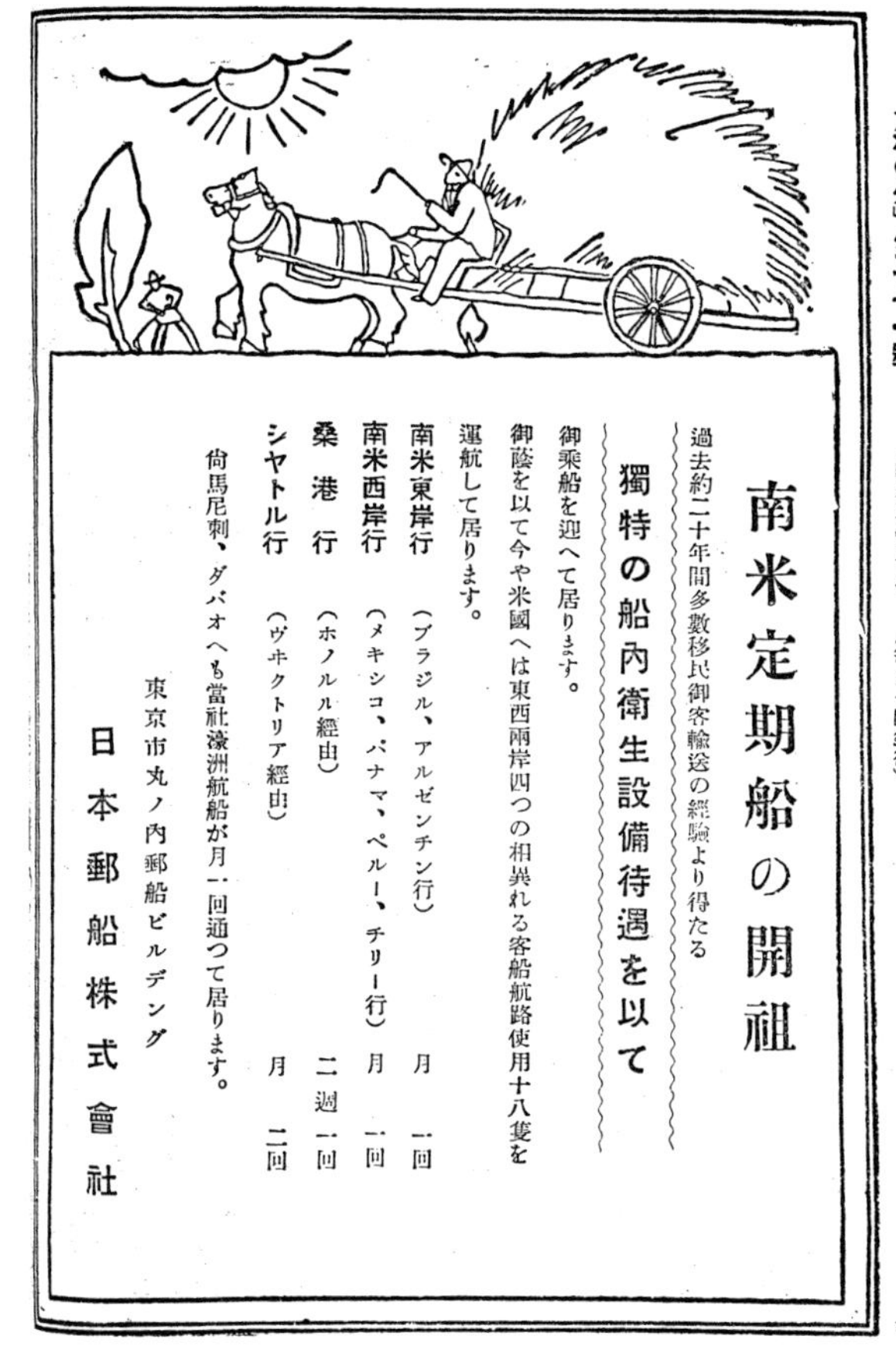

信濃海外協會
海の外社發行

ブラジル奥地の土人異風

滿鮮旅行團の訪れる滿鮮の各地

(1)釜山上陸　(2)京城市街　(3)平壤牡丹台と大同江　(4)奉天北陵　(5)撫順炭抗露天堀　(6)公主嶺農事試驗場の牧羊　(7)哈爾賓市街　(8)遼陽　(9)鞍山製鐵所　(10)旅順の表忠塔　(11)大連市街(滿鐵會社)　(12)大連出港

海の外

（昭和三年）第七十二號（六月）

旅券事務の澁滞、發給の硬化

最近兵庫縣の旅券發給に不正事件突發しそれ以來旅券事務の澁滞夥しく渡航者の心中を不安に導く事甚し、ために海外萬里の波濤を蹴る開拓者の意氣を阻喪せしむる事甚大なりときく。

これは同事件後係員の不足又は不慣のため致し方なきとするも渡航者は數日を滯在して乘船のための諸手續にとりかゝり出帆日が決定してゐるので今更旅券發給に暇とり徒らに焦慮せしむるは渡航者のために大いに同情せねばならぬ事である。假令府縣廳よりの旅券發給書類の到達が遅れてもこの時ばかりは官吏肌を脱ぎ捨て、退廳時間を度外して厚意と迅速に旅券發給の事務を急がせてもらはねばならない。

然るにそれかあらぬか旅券事務の澁滞をするのみならず旅券發給の硬化著しく移植民政策遂行上由々しき問題とせねばならぬ程に官憲の頭が石地藏式になつてゐる事である。彼等は移民の禁止國と歡迎國とを混同してかそれとも極度に神經過敏となり恰かも自己の良心に咎めあるものゝ如くに委縮してか旅券發給に硬化してゐる。

たゞそれのみでなく徒らにコトナカレ主義を振舞ふ冷淡なる態度で許可電報の宛名が「旅券係」なる一係員宛なるが故に旅券下附相罷りならぬ等と固執するが如き血と涙のない一天張りである。

彼等は自己の官吏であり相手の移民（侮蔑的に見てゐるだらう）なるを知つて共に大和民族の一員であり民族發展の先驅的使命を荷ふ日本人である事を忘れてゐるらしい。

單なる定規に囚はれず所謂官憲の冷淡と超然たる態度のそしりを受けずに共に日本民族の發展運動に棹にあらざれば我が移植民界の前途は暗黒であり官民協力の實は日暮れて道遠しの感がする。（一家七名乘船不可能に陷り失望消然せるに同情して、――五、一九）

アリアンサ移住地問題（一）

在伯國アリアンサ　芦部猪之吉

（一）緒言

我輩は素より我アリアンサ移住地に關する諸種の問題評論を、一々論理的に批判し論議する程の頭腦を持たぬ。併し乍ら近來アリアンサ問題は、餘りに八釜しく世上に論評せられて、局外者には殆んど其の眞相を捉へ難き觀がある。是に於てか我輩は母國並に海外各地に於ける、我海外協會々員を始め我移住地の建設に對して、物質的に將た精神的に援助し、協贊して吳れつゝある、天下同憂の士に向つて、當移住地現在の狀況と、比較的公正にして偏頗なしと自信ある我輩の感想一班を傳へて外は世人の疑惑を解き、同時に内には我が敬愛する所の入植者諸君の、反省奮起を促がすことは、敢て僭越にあらず、拙劣を顧みず此の一文を草したる次第である。

（二）アリアンサが問題となりたる源因

昨今アリアンサ問題が盛に論議せられる樣になつたのは、勿論母國の協會本部に於ける、アリアンサ移住奬勵の宣傳が、其の効を奏して、世人の注目を惹いたことが大なる源因であるが、當移住地が開始以來こゝに滿三年、其の第一年（本文ニ於テハカフエー植付ケ年次計算ノ便宜上、滿ヲ以テ計算スルガ故ニ協會ノ暦年計算トハ大凡一ケ年ノ相違アリ）の終りに於て戸數（伯人一戸を加へて）僅かに十四戸、人口（ソルテイロ數名ヲ加ヘテ）僅かに五十七人、カフエー蒔付面積（協會直營ヲ加ヘテ）四十七アルケレス株數五萬七千餘株なりしものが其後二ケ年を經たる今日即ち第三年の終りに於て戸數（第二、第三アリアンサ通算）百八十二戸人口七百九十九人、カフエー植付面積五百アルケレス、株數五十六萬餘株を算する程に至り共急速なる進展振りに世人が

眼をみはること、當然なりと云ふ可く、第二年より第三年にかけては視察者の來往引きも切らず理事輪湖氏の如きは、毎月一回入港の移住者出迎への爲め、サントス若くはリヲ市へ出張する十日乃至十五日を除くの外、事務所在勤時間の大半は、此等視察者の送迎に時間を消費させられる程の盛況さである。洲内各地からやつて來る、北米からもやつて來る母國からの伯國視察者は必ず當村へ立ち寄る、曩きには必ず海興のレジストロ移住地へ行つたものだが今では必ず當村へやつて來る視察者には官吏あり、新聞記者あり、學者あり政治家あり敎育家あり、實業家あり、又官民を問はず母國へ歸國するものは、土産話の種に、常村を見なければ氣がすまぬと云ふ程に、アリアンサは流行兒になつたのである、隨て群盲、象を評すると謂はゞ、聊か其倫を失するならんが、素より十人は十色、各其感ずる所の一端、其の眼に映ずる所の一點によりて、獨斷的に論評を下すのだからたまらない。

元來批評と云ふものは大に愼重にやらねばならぬことで、先年北米から視察に來られた或る大官が、伯國に於ける邦人生活を「聞いて極樂、見て地獄」と評したことが、「日米」紙に發表せられて、問題となつたことがある、勿論これはアリアンサの評論ではあるまい獨り伯國のみに限らず、人生何れの地にか地獄なからんや、大官評論の動機乃至ポリシーの那邊にあるやを知らざれども、此くの如き斷案は、正に今日海外移住奬勵の國家的大政策に阻害あるのみならず、明らかに移住國其ものをさへ、侮辱するものにあらざるか、愼むべきことにこそ。北米ロサンゼルスに於ける、ブラジル研究會數十名の會員は當移住地勞頭第一の、入植加盟者であつて、全面積七百アルケレスを所有し、既に渡伯入植せられたるもの、鎒本君等五家族あり、小作人を送りたるもの五家族あり、目下渡航の途にあるもの數家族、其大半は未だ渡航の途に就かれざれども、昨年代表員として森田三樹君が出張せられ、數十日滯在して親しく當地の眞相を調査歸米せられし故、此くの如き根據なき評論に、惑はされる樣なこと、萬々なかる可きを信ずるのであるが、批評の多くは此の類であつて、一小部分的前提から直ちに大斷案に到着するが常にして、蓋し邦人の通弊である。

（三）邦人集團移住地は伯國に對する恐威なりとの批難

現政府の如く、農商大臣に親日家リラ・カストロ氏を有し、大藏大臣に同じく親日家の巨臂オリベイラ・ボテイリヨ氏を有する當局にありては、何等排日氣分醸成の杞憂なしと雖も、先年排日案（日本人入國制限案）の下院にあらはれたる際、明らかに一般政治家並びに一般民衆の輿論は、一人種の集團植民地を建設することは、好ましからざることを表明した程であるから、

移住地經營者は大に此點を考慮せねばならぬと云ふ議論にして、伯剌西爾時報は新年號に於て大聲疾呼して、アリアンサの邦人集團主義の經營方針は、伯國人に對する一大恐威であつて、其邦人に及ぼす禍害知るべからず、在伯同胞は共に〳〵アリアンサを監視するの必要があるとまで絕叫して居る。

これは理論上に根據ある批難であつて、我等は謹んで甘受せねばならぬ、伯國人を混同して移住地を作ることは、第一伯國に對する敬禮としても、日伯文化の接觸融合、日伯親善實現の方法としても、又他日伯國に於ける邦人の社會的地位伸長の道程としても、尤も必要にして理想的方針には相違なきも、偖て之を實行する場合には、全く文字通りに言ふに易く行ふに難しであり、一年乃至數年の短期間のコローノ(小作農)位ならばいざ知らず、自作農として伯人を邦人の間に割り込み入植させることは、第一生活趣味に全然共鳴を有せざる彼等としては、到底不可能なることとなる可く、かりに何等かの恩典を與へて、彼等を誘入したりとするも、精神的に邦人と一致協同の行動を取り、理想的共同組織、經濟機關の完成乃至は自治團体の運用に何等の支障なく、參加せしめることを得るであろうか、邦人のみの移住地と雖も數年は愚か十數年の訓練を經過せざれば、理想的には行かぬものなるに、伯人若くは其他の外國人混淆の自治團体など到底覺束なきこと明白である、さればにや當移住地に於てはロツテに伯人を誘入せざれども、なるべく伯人を使用する方針を取り開始以來繼續的に山伐り、山燒き、道路、橋梁、カフエー植附け等を受負はせ今では煉瓦工場の全部、精米製材工場の建築等、年內通じて數十人を使用しつゝあり、協會直營地の傭人、商店部等にも二三乃至四五人を常用しつゝあり、事務所に於てはなるべく外人には便宜を與へる方針なれば、或る特殊なる職業に對して自然定住者も出で來ることゝ思はる。

要するに伯國政治家の問題とする所は、移住地の內容如何にあるものなる可し、彼の歐洲大戰以前に於けるサンタ・カタリーナ州の獨逸人移住地の如く全然伯國の文化に代ゆるに自國の文化を以てし、自國の敎育を施し、自國の國語を强要し一見して獨逸植民地の觀あらしめたるは、如何にも伯國の一大恐威たりしに相違なきも、我が移住地の如き面積二千アルケレス內外戶數二百戶內外、人口一千人內外の集團地にしてしかも小學校に於ては正式に伯國の義務敎育が行はれ村內には政府の要望する所のカフエー其他の生產が發達し、村民の經濟機關衞生設備が完成し、一村の秩序安寧が申し分なく維持せられ、文化的施設が整頓して、平和親愛の氣分が全村に漲り溢れるならば、何を苦んで恐威を感じ、排日を叫ぶべきぞ、況んや邦人の既成植民地に於て見るが如く、建設後數年若くは十數年の後には、知らず〳〵伯人其他各國人の雜居混淆となり、經濟生活、社會生活には人種の區別を超越するの例も少なからざることなれば、我がアリアンサと雖も永き將來には日伯人雜居親善の理想鄉實現の期待なきにしもあらず、鐵道線に遠ざかり居るだけ、それだけ其時期の遲かるべきを思ふのみ、我等は時報子の所論を待たず、邦人の集團地を理想的の經營と信ずるのではないが、唯だ建設の當初に於て確信ある混淆移住地の名案なきを遺憾に思ふ。知らず今回新たに建設せんとする海外移住組合の移住地經營に際しては、如何なる方法によりて、伯人誘入を實現せんとするか我等は其講究を切望して已まざるものである。

(四) 協會の遣り方が營利會社と全然同一なりとの非難

これは外部の批評にもあり、(伯剌西爾時報新年號藤井某アリアンサ研究の如き)又入植者中にも多數ある非難の聲であるが、アリアンサ經營難の開卷第一の問題卽ち資金の欠乏から來るのである。試みに思へ、南米移住地宣言當時の豫定は土地壹萬町步を六萬圓で購入し、二十萬圓出資の大半は經營資金に充當すると云ふのであつた。それが彼の震災で一ケ年以上後れたのと、土地代暴騰との爲めに面積半減の二千二百アルケレス(卽ち五千五百町步)が五百五十コントス(一アルケール二百五十ミル)邦貨三ミル換算で十八萬餘圓(藤井氏の換算は四ミルなる故に邦貨十四萬圓以下となり之に附屬地並に登記其他の費目を合算するも十六萬以下となる計算にして從て此差額二萬圓が疑問となり居る)を要したる故、何等施設の資金なく、更に出資を得る方法もない。加之第一年目には母國に於けるアリアンサ移住奬勵は中々に其効を奏せず、一方に於ては海興に於けるイグアツペ植民地入植者の貸附金整理が勵行せられ、殊に長野縣出身入植者に對する取立ては一層峻烈を極め、往々にして保證人をして辨償せしめたることすらありと聞いた、同時に戰亂國の樣な流言蜚語が盛に行はれ、アリアンサはマレータ地帶であり、且つフエリーダ・ブラバの本場であるとして、伯國內に於ける移住希望者を戰慄させたものだ、最初こんな事情であつた爲め、入植者に强ふるに生計費の準備を以てするなどは思ひもよらず、時としては渡航費の一部を貸し與へてさへも奬勵したものだ、それが爲め第一年並に第二年の入植者の多數は生計費の用意等は皆無若くは極めて少額にして渡航入植したもので、我輩の如きも確かに其一人である。從て入植以來アルマゼン勘定は、凡て帳面に殘り行き、雜穀其他の收入によりて、生計費の過半は補足せられるが尙若干の不足分は滿四年カフエーの收獲を見るまで、繼續するのでそれはどうすることも出來ぬのだ。

協會に於ては年々何百コントス卽ち何萬圓かの資金を累加して要求せねばならぬので第一アリアンサ十アルケレス二コントス半(三ミル換算八百三十三圓)を、一千五百圓にて分讓し第二第三アリアンサ十アルケレス三コントス(四ミル換算七百五十圓)を一千七百五十圓に分讓したるは之が爲めである、永田幹事は、海の外六十四號に於て第一アリアンサを經營する爲めに第二を購入し、更に第三を購入したるは、最初よりの計畫にして、後者を分讓處分して獲得したる利益を以て、前者を生かすの豫定なりしかの如く言明せられ居るが、我輩は協會當初の計畫は左樣ではなかりしものと信ずる。卽ち永田氏が平素主張せる理想論にありては公共團体は營利會社とは全然其趣きを異にし、從て第二アリアンサ利用など眼中に置かず、第一アリアンサ土地分讓によりて得たる若干の利益によりて、其の諸設備の完成を計らんとしたのが、豫想外の入植者貸附金等の爲めに其財源に窮したる折柄、アリアンサ宣傳の奏効は忽ちにして土地全部分讓濟となり、尙ほ土地希望者續出と云ふ盛況を眼前に控へては勢ひ心機一轉せざるを得ず、卽ち從來に於ける一般植民地經營者の慣用手段を、こゝに襲用して、第二を購ひ第三を購ひ其の利益金を、一時第一アリアンサの完成に流用することを立案せられたるにはあらざるか、非耶。しかし其れは問題ではない、當初よりの既定計劃にせよ、或は窮通的臨機の考案にせよ、今日の成り行きに於ては、同一の結果であつて、已むを得ざる處置である。從て此點は外觀に於てこそ、營利會社と同一軌道を辿るので、心なきものゝ非難を招く源因になるが、其實質に於ては素より天地雲泥の相違である、卽ち何等協會自身の利益を目的とせず入植者を本位とする援濟策であるのだ。

今第一アリアンサ自作農六十一戶につきて、入植第一年の生計費を調べて見ると、男百五十人女百〇七人計二百五十七人(一戶平均四人貳分)內譯十二歲以下及び六十歲以上の勞働無能率者と見なすべきもの六十八人(平均壹人壹分)十二歲以上六十歲以下の就働能力者百八十九人(平均三人壹分)に對し一戶平均一コント九百五十一ミル四百レース(四ミル換算邦貨四百八十七圓八十五錢)を要し、更に之を食料費と被服其他の費目とに內譯すれば、大約折半位のものとなる。第二年目からは自分で作つた米、豆其他のものを用ひ、第三年目からは鷄、豚等を用ひ、尙ほ此等製產品の販賣によりて生計費を半減し、若くは三分の一、四分の一に減ずることが出來るが、一般に主作物のカフエーに力を集中するので、間作若くは雜作地の收入は比較的少くて生計費には常に若干の不足を告げるのである。

しかし乍ら此の苦き經驗によりて、大なる敎訓を得たる協會は、第二第三の入植者に對しては少くとも一ケ年の生計費住宅建築費等を豫め準備して渡航せしめる樣にしたから、今日に於て第一を生かし、明年以後卽ち第一のカフエー收穫開始以後に於て、第一より生產する所の農產收入によりて、第二、第三の未だカフエー收穫の始まらざる、最窮乏時期を援ふことを得るは自然の順序にして、しかも相互扶助、有無相通の妙案と云ふべきである。

何れにしても協會が土地處分から生れた利益金を以て、關係移住地の設備經營に充當し、やがて移住地の完成卽ち自治團体の訓練が出來、敎育衞生の設備が出來、信用組合乃至販賣購買組合の如き精神的經濟機關が今のアリアンサ會、卽ち村民の力によりて完全に運用せられる曉に、總ての設備をアリアンサ會に引き讓り、協會自身は單に一個の法人として立つ順序であるのだから矢張り名實共に公共團体其のものであるから、何も一時の外觀相似に眩惑して論議を挾むには及ばぬことである。

(五) 入植者の樂觀と悲觀

入植者のアリアンサに到着した當初の第一印象は、勿論十人十種で各々其感想を異にするが、大体悲觀と樂觀とに岐れる。樂觀者側は豫想したより氣候が暑くなし、羽虫や毒蛇も餘り多くなし、病氣も餘りひどくなし、地味は中々肥沃で何も作れば出來る、井水は何處でも得られる、住心地のよき天然の樂土であると觀ずるので、衷心に希望の念が湧き感謝の情が溢れ、主任者輪湖北原兩氏の措置を是認し共鳴し、村の將來に對して大なる期待を抱き、氣分に落ち附きを持つて居るが、悲觀者の側は之と反對に豫想以上氣候の暑きこと、虫の多きこと、病氣の多きこと、農產物の豫想程の收得なきこと等々事每に悲觀し、入植前に研究もしたり覺悟もして來た筈の電燈電話水道等物質的文化設備のなきことさへ不足がり、自分から井戶を掘り住宅を作ることをさへ苦痛に思ひ、蚊や小虫の攻擊を極端に恐怖し、原始林內の長閑な平和な生活をさへ呪ひ、果ては理事の不公平、不親切を攻擊し、理想鄉建設の希望など思ひもよらず、或は他の植民地の更に優良なるを夢想し或は望鄉の思に私かに袖ぬらすものもなきにあらず。同じく樂觀者と雖も悉く希望に燃え感謝に滿ちたるものとは限らず、中には母國の傳統的社會の拘束や、繁文縟禮なる周圍の壓迫から解放せられて、こゝ海外の自由鄉、自儘勝手の放肆怠慢に墮落するものもあり。同じく悲觀者と雖も、悉く消極的にして不平、怨嗟、隣人を呪ひ、理事者を非難するものとは限らず、村の氣風、風習が自分の懷抱する所の理想と甚しく懸隔せるを憤慨して、不平不滿に堪へられざるもあり、此種の不平は社會的情操の發露にして、やがては村の良風振興に補益ある分子で、大に尊重すべき側である。

入植早々悲觀すること、婦人側に多く見るが、是れは婦人の性質が保守的であつて進取の氣象が乏しいから、生來自分の經過して來た母國の傳統的生活の環境を何より結構なことに思ひ、從來の傳統生活を一蹴し去りて新天地に原始的生活とも云ふ可き自給自足の生活を新たに創始すると云ふ樣な幾分冒險味を帶びた創作的趣味など、殆んど持つて居ないからである。環境の大變化に遭遇し、日常生活の心細さに全心靈が支配せられては、曾て母國に於て構想して見た新しき村の建設、日本民族の發展等の高遠の理想は、何時しか腦の片隅に蟄服してしまつて、當分の內は頭を擡げる餘裕がないのであろう。

しかし是れは一時の心理現象であつて、半歳一年と過ぎれば、すつかり新天地の創作的生活にも慣れ、且つ趣味を有つ様になり、自由の空氣中に活動する自己を發見して、自然と落ち着いて來るが、病的婦人は遂に回復せず、寂しき境遇に堪へられず、男子を慫慂して退植する様な結果になるのだ。

先頃永田幹事が海の外六十四號に於て公表せられた、友人某氏の書簡に於て、此の第一印象の悲觀者側觀察の聲が、所々に散見せられて居り、永田氏の滔々數萬言に亘る、親切なる辯明書によりて、至れり盡せりであつて、通信者の疑問否寧ろ世人の疑惑は、凡て一掃せられたこと丶思はれるが、我輩思ふに通信者自身今日に於けるアリアンサ觀は、彼の書簡當時のものとは大なる徑庭懸隔ある程それ程、變り居ること丶信ずる。これは誰人と雖も同様の心理作用であつて、第一印象が自分の豫想豫期と吻合せざる時は不平も起り悲觀もする。然し乍らタイムは問題を解決すと云ふ原則によりて、半年と過ぎ一年と經ては、さきの悲觀も悲觀せずにすむことゝあり、場合によりては樂觀に變ずることもある。例へば自分の手で井戸を堀り、煉瓦を卷き、井桁を組みて、辛ふじて朝夕の水を得ることになつた。自分の手で大きな丸太を挽き切り、之を堀り拔き、底に亞鉛板を張りて風呂桶を作り、庭隅の木蔭に据へ付けて、辛ろじて湯浴を執り得ることになつた。悲觀者には如何にも心細い原始生活だ、物質文明の逆轉であるが、樂觀者に取りては生命のある創作だ、生氣の溢れた藝術だ、偉大なる自己の認識である。古代堯舜の民は無爲にして化すと云ひ、支那二十一朝の黄金時代と呼ばれて居る、其時民謠には「日出でゝ而して耕し。日沒して而して憩ひ。自ら井堀りて而して飲む。帝力何ぞ我にあらんや」とある何と、淳朴にして僞らざる、大膽にして怖れざる偉大な原始人ではないか。

我輩は一昨年入植し、五月建築が出來てこゝに自由の脚をのばして浸り清々しき井水を汲みて飲み心ゆくばかりに原始的生活を味つて居るが、其當時の腰折歌は斯うである。

◎眼の前に樹ち並びたる原始林
庭の焚火にカフエー焙り居り
ささやかな家成りしかば移り住みて
原始林ぬち原人生活

後者は餘り概念的で言ひ表はしが足らぬから、更に詞友岩波菊二兄の入植歌二首をこゝに附記して、アリアンサ氣分の一班を同好の士に紹介せよう。

◎悉く我手に成りし此の家や
小さけれども心足らへり
◎大いなる木をくりぬきて作りたる
此の風呂桶の心地こそよけれ

今一つこゝに見逃すべからざる現象は、三年なり五年なり海外生活の經驗あるものは、比較的悲觀もせず、躊躇もせず移住地の前途を樂觀し居れども、母國より直接渡航入植したるものには、一時は悲觀的傾向が多いと云ふ事實である。即ち第一アリアンサ戸數百十四戸の内、伯國内より又は北米南洋其の他より(臺灣及び北海道よりの三戸を便宜上之に合算して)再移住したるもの、二十五戸を算する程なるを以て、其入植第一年の心情を、第二アリアンサの入植第一年の心情に比較して、より以上樂觀的であり、より以上落ち附き氣分であつた。協會に於て入植者を配置するには、最初は再移住者就中伯國農業に經驗あるものを、割り込むの方針であつたのであるが、偖て實際に當りては道路の新鑿と云ひ、山伐り山焼きと云ひ、止むを得ざる都合上、矢張り平凡に先着順に、片押しに入植させることになつたことだと思ふ。

我輩をして言はしむれば、悲觀樂觀は文字の示せる如く、全然主觀的のものであり自分自身が然か感ずるので、物其れ自身の性質が然らしむるのでないから、自分の考へ方即ち心の持ち方一つで、大概は改良し得られるのだ。即ち自身の努力奮闘によりて改良したり、一年二年と經過して居る内にタイムが教へる惰性の力によりて、そこに邦人特得の諦めと云ふものが出て來て、悲觀が悲觀でなくなり、不安が安定となるのである。風聲鶴涙に驚けば、アリアンサの前途は雲耶山耶頗る不安に堪へないのであるが、入植者通計昨年末百八十二戸であつて今日までの退植者は只だ四戸を數ふるのみ。しかも其内一戸は夫君に死別して母國に歸りたる婦人で、壹戸は未だロツテを保留しありて將來が、未定なれば、全然アリアンサを見切りて退植したるものは單に二家族あるのみなれば、矢張り悲觀し乍らも諦めるのであり、不平を言ひ乍らも落ち附くのである。無論此の附近の邦人植民地と比較研究した結果が、此の退植者の數字に表はれて來るので、理事者に於ても豫想以外の少數だと言ふて居る位である。

(六) 分譲地區の不公平と云ふ非難

これは永田幹事が細かに辯明せらた通り、當地理事者としては、出來得る限り公平を旨とするに相違ないが、動もすれば十

アルケレスの大半が高地であつて、カフエー植え付けに適する様な幸運なロツテと、其反對に大半が低濕地であつて、カフエーに不適當な様な、不幸なロツテ等がなきにしもあらずだが、然りとて一人の所有十アルケレスを、二個所に分けて交附することも出來ず、先以て土地の起伏、高低に適應して、中央道路より支線を出し、多くは此の支線に對して垂直に、各ロツテを區劃し、各ロツテをして成るべく平均に、高地と低地とを併有せしめ、若し連續せる廣き低地あらば、これは比較的大面積の地主に配當して、其高丘部分と平衡を得せしめ、甚しき低濕地若くは、瘠地は特に協會に保存し置く等、凡て細心の注意を拂ひ出來得る限り公平の區劃處分を取りたることは、實地につきて精察すれば能くわかる可く、時として前述の如きカフエー蒔附面積に、大差を見ることあれども、土地の起伏高低一様ならず、入植者の全部が凡て滿足することは、到底望むべからざることゝ思ふ。

第二アリアンサは土地劣等にして、しかも地代金高價なりとの不平の聲を聞くが、これも事實已むなきこと、熊本協會の土地一千アルケレスと雖ども之を連續したる場所に得ること能はず、鐵道新線路の市街豫定地(シンクエンタと云はれる)を挾んで、東西に跨り、其の西の一部には既に賣却濟の土地が混入し居りし爲め、之を他と換地して、辛ふじて要求を充たしたる程なりと聞く、此の如き事情にてシンクエンタより此方には、二千アルケレスは愚か、一千アルケレスの土地さへも纒めて得られず、已むを得ずして今の第二、第三を講入したるにて、價格も大正十三年に第一が一アルケール二百五十ミルのものが、二年後の大正十五年に於て、第二、第三が三百ミルを唱ふること、是亦已むを得ざる自然の騰貴と云ふべきのみ。

(七) アルゼン部に對する問題

商店部に對する普通の小言は、販賣物が法外に高いと云ふにあり、此の疑念は精密にアラサツーバの現品價格と、運搬諸費、商店給料雜費等を調査して見れば、直ぐわかること、各人が調査すること面倒なれば、村の自治制第一歩たるアリアンサ會があるから、會の事業として委員を擧げ、商店部につきて調べるなり、或はアラサツーバ乃至サンパウロに派遣して調査すれば、一目瞭然なるに、邦人の通弊として、正確に調査もなさず、唯だ獨斷的に結論のみを提げ、非難攻撃し、多數のもの之に附和雷同するなど、甚だ遺憾であると思ふ。

昨年春日領事がアリアンサの評論世上に囂々たる折柄、所謂民情視察に來られた時、領事の面前にアリアンサ役員會(正副會長、各區一人の地方委員六人とより成る)を開き理事兩氏は特に遠慮して參加せず、役員諸氏をして思ひのまゝに、不平不

滿の點を領事に開陳せしめたことがあつたが、矢張りアルマゼン部に對する例の不平の聲もあつたとのことだ。其後又多羅間領事の民情視察に來られた時は、數日間滯在各區每に一般村民をあつめ、親しく入植者の聲を聞くべき便宜を與へられ、我輩も其會合に出席したが、問題は悉く枝葉の問題に走り、何等本村經營問題の核心に觸れたものとてはなく、例の商品の高價なること貸附金利子の高率なること(年壹割二分にして我輩の如き借金階級のものには、決して高率とは思はず)等を非難し、農產物講入價格に不公平の取扱ひあること(アラサツーバの時價を標準として、購入價格を決定する故時々高低の變動あるものと思ふ)等を攻撃したる位に止まり、何等根本的の經營方針に對し、侃諤の議論を聞くこと出來ざりしは聊か物足らぬ心持ちであつた。

一時商店部の不平が高潮に達した時、協會理事はアリアンサ會に對して、商店部引き讓り説を提案した。其條件は資金を折半して、其の一半を協會で負担するから、他の一半をアリアンサ會で作りて、商店部所屬を全然アリアンサ會に移すと云ふのであつた。會に於ては議論百出、借金して一奮發するがよかろうと云ふ意見もあつたが、偖て如何にして村債を起すべきか、入植以來日尙殘くして、母國に於ける信用組合、乃至產業組合の如き、精神的共同事業の訓練がないから、資金調達に對する具体案が立たず、即ち邦人の通弊たる時期尙早と云ふ口實の下に、此の議は立消へとなつたのであるが、精神一到何事か成らざらんやで、行つて出來ぬことは決してない、行つてのけるだけの統率者其人がないのだ。否な統率者其人がなくてもよい。一致共同我が移住地完成の爲めに、奮起せようと云ふ責任觀念が各人の頭にあればよいのだ、それだけで何で行つてのける事が出來るのだ。母國傳統の依賴心によりて村の經營設備を、凡て協會にやつて貰はうと思ふから、不平不滿が絶えないのである。不平不滿は依賴心の反射映であつて、責任觀念の欠乏、結局は開拓精神の衰退不振から來る精神的缺陷である。

(以下次號)

朝鮮の風習（一）

海外觀察組合の鮮滿旅行の一行は朝鮮に五日間を費して釜山から新義州に到る沿線を旅行し、朝鮮の狀態について見聞してゐる。本稿は朝鮮總督府が內地の人々に朝鮮の風習について知らしめたい企圖のもとに編まれたものである。

一、社會階級

嚴しき四階級

朝鮮の社會組織は明治四十三年の日韓併合前までは兩班中人常民、賤民の四階級より成つて居りました。兩班とは文武の大官若くは學德高き學者を出した家筋の正しい一族でありまして、名門及官吏となるべき資格や其の他の特權を持つておりました中人は或る限定せられた官職にあつたもの〻一家で門地や教育が常民よりは、稍々高いもの、常民は農工商を業とするもの又賤民は常民の班にも入り得ない最下層のもので、白丁奴婢娼優僧侶の類がそれでありました。尙又同一階級の內にても職業に依て高下があり、年齡の老若に因つて亦差別があつたのであります。そして各階級に隨て冠婚葬祭は云ふ迄もなく衣服住居乃至は言葉の末に至るまで八釜敷い區別があり、嚴しい制裁がありました。例へば賤民の住家は瓦葺にしてはならぬとか常民は門構の家を建てたり履石に階段をつけたりしてはならぬとか、兩班は入口の正門、その兩側の建物よりも一段高く拵へても可いとか衣服についても兩班は淡青色のものを使用するか、常民以下は色物の上衣を着けてはならぬと云ふ類であります。かやうな階級制度は併合と同時に全く撤廢せられて所謂四民平等となり漸次に移風改俗の事實を見る樣になりました。何分長い間植つけられた風習なので根本的には未だなか〳〵脫けきれません殊に地方に入りますと依然たる所も尠くありません。

二、家の意味

祖先崇拜同族の團結

朝鮮で一家と云ふ言葉は內地の親類と云ふのに當りますが內容は親類と云ふよりも非常に廣汎な意味を有つて居るのであります。朝鮮では血統を同じくする者、卽ち同一祖先より出でたるものはどこまでも一家族であるとの觀念を以て一家と稱するものであります。夫故に一家とは卽ち一族のことで內地の一家卽一家庭とは意味を異にしております、又親類と云ふ範圍よりもずつと廣いのであります。隨て子孫幾十百代の後になりますと所謂家は幾千萬人を算するに至るのでありまして、現に

そうした實例は到る所に之を見るのであります。此の一家には族譜なり系圖なりがありまして、十年間なり二十年間なりに加除訂正を施されて其の一家一門の宗家に鄭重に保管せられてあります。宗家は一族尊敬の中心でありまして、其の家系の持續と祭祀を絕やさぬ樣に田畑等の基本財產をも設定してあります是れを宗田宗中財產、門中財產等と稱して宗會門會と云ふ親族會の承認を經なければ宗家と雖も自由に之を處分することが出來ない定めになつております。祖先を尊ぶことは非常なもので自分の祖先が十數代乃至數十代前の者でも皆チヤンと其の名を記憶しております。それ故祖先の祭祀は極めて鄭重なものであります祭祀には祀祭といつて祠堂で行ふものと、墓祭といつて墓地で行ふものとあります、斯る祖先崇拜心から墓地をば大切にいたします、朝鮮に來て若し禿山や荒野の中に鬱蒼たる綠林を見たならば、それは必らず某一家の墓地と定つております。一族の內に立身出生した者がありますと一家總ての名譽であるとして、之を歎び之れを誇りと致しますが夫れと共に出生した者は一族の者を扶助せねばならぬ義務を負ふのであります。そこで見も知らぬ者までが一族であると云ふ關係から頼つて來て庇護を受け樣とします。そして雙方共それを當然の事の樣に考いておりますので若しもかうして被庇護者を全然取合はない樣行動に出ますと不情者として一門一族から指彈される事になるのであります。

三、言語と應對

自他及男女間の言葉の差別年長者尊重

朝鮮では他人に對して目上の者を呼ぶには必らず敬言を用ふることになつています。反對に目下の者に對しては皆呼棄てに致します。縱令他人の子でありましても「坊ちやん」「孃ちやん」等と言ふ敬言は用へません一家の內では夫婦は對等の言葉で應酬して內地のように夫が妻に對して命令的の樣な言葉は用へませんし、一般に男は女に對しては相手が多少目下の者でありましても叮寧な言葉を使ふ習しになつています。例へば妻の兄に對しては對等の言葉を使へますが弟の妻に對しては敬語を以てするといつた樣な工合であります。之と反對に女は自分の弟の妻なり其の妻の弟なりに對しては對等語を使へます、總て自分より目上の者又は年齡の高い者に對しては、夫々の敬語を用ひるのであります。併し近年は男女學生では自分の高下などに因る言葉の差別は廢めまして互に相當叮寧な言葉を交換する樣になりました。又自分の親の親友などに對しては恰も自分の兩親に對する樣な態度で言葉遣へを叮嚀に致します。そして年長者及老人に對しては身分が卑くとも相當の敬意を表しています。自分の年より倍數以上の人に對しては之れを遇すること父の如く尊長と呼び自らを侍生と稱して居ります。又自分より十歲以上の者をば老兄と尊敬し、自らをば小弟と呼んでいます。目上の者の前では眼鏡も用ひませんし飲酒喫煙をも憚る風がありま

す。併し近來は斯した長幼有序の美風の多少は弛んで來た傾があります。

老若の尊敬する反對に幼少のものをば頗る輕んずる風があります。わけて未婚の男女は年齡の高下を問はず、一人前の待遇をしないのが例でありますから其の家の召使ですらも主人の子女未婚の者に對して呼捨にしたり命令語を遣つたりします。

四、訪問と接容

長幼序ありの應接振り

來客が自分より身分年輩共に目上の者でありますと、部屋を入口の外迄出迎へ一層目上の者ですと門口まで出て敬意を表します。客に對しては煙草を出して接待するばかりでなく茶は出しません、若し懇意の者でありますとか或は珍客でもありました場合には酒を饗應しますが、此酒は內地の茶菓の樣に極く手輕に用意せらる〻のであります。親い間柄で同一の身分年輩のものですと食事の時間には膳を出しますが夫れも一つお膳で飯と汁との外は料理は皆一つの皿に盛られてあるので主客共につつき合つて味ふのであります。酒は一つの盃で獻酬します御飯の際は主人が先づ箸を取り客の食事の終るまでは箸を置きません。

初對面の人と挨拶する時には姓名住所を告げ年齡職業暮らし向き等についての問答をします若し同姓の場合ですと其の本貫卽ち祖先の出身地を告げあいます。此の問答に依て上下の別が分りますので互に態度なり言葉遣へなりが改まつて來るのであります。他人の訪問する場合には非常に懇意にしている者或は平常出入している者の外は先づ其の家の門の入口で召使を呼ぶ主人の存否を問ふて來意を告げます。若し召使が居らぬ樣な家ですと恰もそれが居る樣な言葉を使つて先方に敬意を表するのであります、殊に主人不在の爲め已むを得ず主婦と言葉を交はさねばならぬ樣の場合には互に物を隔て〻丁度他人の取次ぎでもする樣な言葉の使ひ方を以てするのであります。

愈々部屋に通りましてから若し自分が先方と同等又は夫以上の身分年齡でありますと、主人と同列に坐りますが同等以下ですと、主人に向つて一段下手の左—右に斜めに着坐します。若し一層主人と身分の懸隔が甚しいとか或は年輩に餘程の相違のある場合ですと着座を勸められてからでなければ席に着きません坐法に特に敬意を表する場合には端坐でありますが其他は多く胡坐女ならば立膝であります。親の友人なり又同年輩の人なりの前では次の間に着座しさもなければ其の前に立起して居ります、其れは朝鮮に於ける「長幼序あり」の美風の結果であります一室の內では內地の樣に主客向ひ合て着坐する樣な事は無く同室に他人が居た場合は主人なり知人なりから紹介がなければ挨拶はさて置き禮を交す事もしません又行先きで馳走になつても平常出入する家であるとかさなくとも普通の場合ならば別に御禮を述べる樣な事は無いのであります。如上の風想などは內地とは可なりの相違でありまして或は全く正反對になつておる點もありますから互に心をしておくべき事であります。

五、服裝

地色好みは單純色冠履と附屬品

朝鮮の在來服は上衣と下衣から成立して居ります上衣は袷、綿入を（ちよこり襦衣）と云へ單は（ちよくさむ赤衫）と云へます。

何れも筒袖でありまして、長けは胴までが普通ですが婦人のは一層短くて乳房を覗せる位のものです。左襟と前身頃の胸に長い幅廣の紐が付けてありまして、右の胸脇で結んで余端をさらりと垂れるのであります。下衣は袷綿入を「はち」と云へ單を「こうい」と云へます內地の股引樣のものですが非常に寛かに拵へてあります。上は腰紐で括り裾口は足頸に纏へ「ほそん」と云へ、靴足袋の上から紐でしかと括るのであります。

周衣は襦衣の上に着る衣であります。形は筒袖の長着に似て居りますが脇入を非常に廣くし下方に到る程廣く長さは脛まであります是れも平紐でありまして、右の胸脇で結して垂れることは襦衣と變りはありません。周衣は內地の羽織に相當するのでありまして、通常禮服としては一般に認められ、外出には必らず之れを着することになつて居ります。以前は禮服の制がありましたが今日では全く廢してしまいまして喪中に哀服を着けるだけであります。

衣服の地質は木綿麻絹などで地色は下衣には多く白物を用へますが上衣と周衣とは鼠、茶水色等を用ふるものも尠くありません。一般に白色と青色とを尙ぶ樣でありますが兎に角汚れ易い不經濟な白衣を用へる事になつたのは種々の理由にも依ることでありますが今日では全く朝鮮人の共通趣味ともなつて居るのであります。併し昨今は色物の衣服が追々用へられる樣になりました。

女子は下衣の下に普通乃至三枚の細い股引を穿いて居ります。夫れは皆白地で且つ單衣でありますそして下衣の上には「ちま」を纏ふのであります裳には袷もあり單もありまして色物を用へますが他の物は必ず白地であります。又裳には紐下に澤山な襞がありまして下が「ずつと」廣りますので形態に變化の美を與へますし、時に裾をすぼめて「すらり」とした容姿に見せることも出來ます。上衣は男子のものと殆んど變りありません地質も亦同樣でありますが、色合は流石に華やかで一般に濃厚が悅れます。併し田舍では多く白地が用へられてあります周衣は男子の服裝でありましたが近年は京城其の他の都會地では女子も多季に限り着用する樣になりました。女子が外出する時には以前は「ちやんおつ長衣」と稱する被衣を以て面貌は覆ふのが習でありましたが當今では都會地などでは殆んど廢されてしまいました。併し地方へ入りますと尙ほ其の風を存しておる所もあります。冠禮を行つた男子は髮を結んで其上には「しるくはつと」にも比すべき笠（カツ）と稱する冠を戴くのであります、併し近來は斷髮をするものが增加してまいりましので都會地では冠を戴た姿等は全く見られなくなりました。ただ地方村落に入りますと悠々寛步する所の斯した裝

への大人達に多く出會ふでありませう。履物には「しん」と稱するものがあります、一種の淺い靴でありまして、底の革、緣は紅緣に彩つた布で造り裏には鋲釘を打つものであります。地方村落では大抵藁又は麻で拵へた靴を穿きます、近來ゴムで造た靴が到る處で用へられる樣になりました。雨天には木で造た船形の下駄又は革製の靴を履きます、此の下駄は頗る頑丈な原始的な格好をして居ります。

附屬品に「トス吐平」「チユモニイ襄巾」等があります。吐平は腕貫に類するもので袷綿入毛皮製等がありまして、冬期防寒用にいたしますが夏用のは籐又は馬尾を編んだもので袖口に汗を染みるのを防ぐのであります。襄巾は即ち巾着で內には金錢燐寸小刀等を入れ草匣と云ふのも紙製を刻み煙草を入るるのであります。何れも腰に吊す習へであります。此外に眼鏡入なども佩びています。女子が皆二重環の指輪を箝めているのはいづこも同じ婦人の趣味からでもあらうと思はれます。

入浴は滅多にしない上に白い衣服を常用するのですから始終洗濯しなければなりません。洗濯は衣類を一々解いて汚れは敲いて去り乾いたものは糊をつけて砧にかけて光澤をつけてそして再び縫い上げるのですから可なり手數がかゝります。

八、飲食

副食物としての漬物調味料としての唐辛

食物は米飯を主といたしますが地方によつては麥飯小豆飯等を用ひます。副食物は鳥獸魚肉及野菜等を料理したもので、醬油又は味噌で味を附けます。調理法は汁物煮付の二種ありまして油で揚たものも食べますが酢の物は一般に嗜好しません。

漬物は朝鮮の副食物中の主なるもので多く十一月に漬けます如何なる程度の生活でも二、三甕を漬けないものはありません僅かばかりの貯金を拂下げたり給料を前借りまでして、此の用意をするのであります。材料は白菜又は大根で之れに蕃椒、蒜芹、生薑及鹽漬の石首魚等入れて大きな甕に漬けるのであります。此の他牡蠣蛸明太魚等の魚類や梨栗青角等も入れます。

酒類には在來のものに火酒、藥酒濁酒がありますが近來は宴席等には清酒、洋酒等を用へる樣になりました。煙草は男女共嗜好する風があります。煙管は三尺もある長いものを用いて居りますが近頃一部には短いものを用へる樣になりました。

器皿には眞鍮製のものと陶磁器とがあります、膳は脚付の高膳で飯は匙で又副食物は眞鍮の箸を用ひますから膳の上に必らず匙と箸とが載せてあります飯は「サハル」丼に山盛にし只一腕だけで幾碗も易へることをしません、又食事の度毎に溫い飯を炊き絕對に冷飯を食べません。副食物には好みて蕃椒蒜等を加味し、調味漬物にも必らず此等の刺戟物を加へることは朝鮮料理の特徵であります。食は朝、晝、晩の三食で食後には茶を飲みますに飯を炊いた後へ釜に水を入れて溫めた所の湯を飲むのであります。朝鮮では朝飯を主としますので副食物の數も朝が一番多いのであります。

(以下次號)

二十四日間滿鮮大旅行

新綠滴る大陸の野に進出

海外視察組合の單獨決行

一行の勢揃ひ

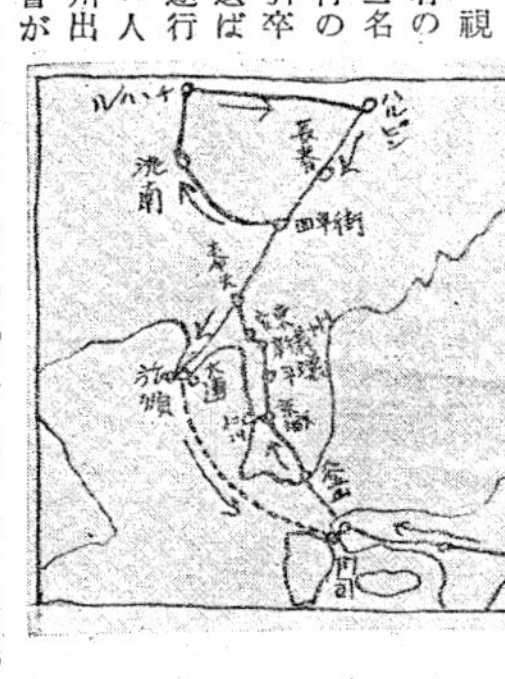

待ち憧がれてゐた滿鮮旅行の日が近づいてきた。縣聯合青年團では十名の選拔が一名の希望者もなくて遺憾ながら中止の止むなきに到つた。視察組合では希望者の內から左記の十三名が選拔されて一行の勢揃が出來た。引卒者は宮崎書記が選ばれて專心旅行の遂行に盡力し各地縣人會、諸官廳、信州出身者等に依賴照會が行はれ連絡されるにいたつた、特に動亂の打ち續く昨今の情勢から萬一の事があつては陸軍省參謀本部外務省情報部等にも旅行の如何を問合せて遺憾なきを期した。

北佐久郡岩村田町	市川多萬吉
北佐久郡本牧村	大澤市郎右衞門
諏訪郡平野村	林　益一
諏訪郡川岸村	金原惠重郞
諏訪郡平野村	林　淑輔
諏訪郡上諏訪町	北澤安右衞門
諏訪郡上諏訪町	久保田力藏
諏訪郡上諏訪町	藤森權之助
更級郡川中島村	內村玄三
上水內郡榮村	吉原信一
下高井郡平穩村	佐藤嘉市
下高井郡中野町	松崎寛雄
引卒者	宮崎袈裟義

出發は五月十四日

計劃の發表當時は十一日の豫定であつたが大連歸帆の連絡船から長野を拾四日出發すれば第二十日目の六月二日には大阪商船アメリカ丸に連絡出來るので十四日午前九時十五分の長野發名古屋行列車にて出發する事に決めた。然し二十四日間の旅程に一日を早めて十三日に出發すれば旅の疲れを恢復する上において助けとなるの希望もあつたがやはり十四日出發が適當であるとして此の日を出發日とする事になつた。

かくて二十四日間の旅行が遂行され六月六日午前五時四十三分長野歸着で大旅行の幕が無事下る事になる。但し門司上陸後は適宜解散する事にして各自の自由行動となる。

旅行日程と視察個所

第一日　五月十四日　長野出發　名古屋着直チニ夜行列車ニテ出發
第二日　十五日　下關着直チニ關釜聯絡船ニ乘船船中宿泊
第三日　十六日　釜山上陸市內見物午后十時京城着宿泊
第四日　十七日　京城見物(美術品製作所、公設商品陳列館博物館)仁川港見物　京城宿泊
第五日　十八日　京城見物(南山公園、景福宮、龍山市街漢江)奉天行夜行列車にて發車
第六日　十九日　平壤着市內見物(瑞氣公園、大同門牡丹台、乙密台、箕子廟)午后三時發安東着宿泊
第七日　廿日　安東發奉天着宿泊
第八日　廿一日　奉天發、撫順着見物(大山坑東鄕坑モンド瓦斯工場、露天堀)奉天歸着宿泊
第九日　廿二日　奉天見物(新市街北陵城內滿洲醫科大學)午后十一時發、車中宿泊
第十日　廿三日　四平街着直ニ洮南行宿泊
第十一日　廿四日　昻々溪着、見物　昻々溪驛午后八時チチハル着宿泊
第十二日　廿五日　チチハル見物　午后九時ハルビン着
第十三日　廿六日　ハルビン見物(新市街、東支鐵道廳、商品陳列館　市場(公園　松花江))午后十一時發
第十四日　廿七日　車中
第十五日　廿八日　午前六時長春着、南滿鐵道ニ乘換公主嶺午后一時着、農事試驗場、市街見物、午后八時發車中泊
第十六日　廿九日午前五時遼陽着　白塔市街見物、午后一時發、鞍山着、製鐵所市街見物　午后七時湯崗子溫泉着泊
第十七日　卅日　午前十時發、大連午後六時着泊
第十八日　卅一日　午前八時發旅順着　戰蹟視察(白玉山　表忠塔、記念品陳列館各戰蹟、博物館)夕刻大連歸着宿泊
第十九日　六月一日　大連見物(電氣遊園、中央試驗場、小崗子支那市街沙河口工場、星ヶ浦)
第二十日　二日　午前十時大連出帆(アメリカ丸)
第二十一日　三日　海上
第二十二日　四日　門司入港(適宜解散)
第二十三日　五日　車中
第二十四日　六日　午前五時四十三分長野着

一行益々意氣壯

廿日豫定の如く十三名は朝鮮を長驅して流す彼の鴨綠江に身を浮ばせて易々安東に着するを得た。同日引率者宮崎書記から左の打電があり一行は各地で大歡迎、意氣益々揚るのであつた。「安東着形勢靜査シテ北進ス御安心乞フミ」

移住地閑話（六）

在アリアンサ　武田三三

卅五　科學と文學

漱石先生の大學論を拜見するに、科學と申すのは事實の穿索であり、文學と申すのは事實に感情が加味されたものであるとの事であるが、さすれば小學校の讀本に、「牛が居ます」と書いてあるのは科學的であり、「牛が怒つて居ます」と言へば文學的となる次第と見へる。成程怒つたり笑つたりさへすれば文學的になるのであるから、それなら何も六ケ敷い事はあるまい。吾等も大に文學を論ずる資格が充分に有る譯であるが、科學には自然科學と社會科學があると同時に、文學にも高等文學に下等文學がある樣である。笑つたり怒つたりは下等文學であるらしいが、下等と申しては誰も買手が無いから、民衆文學などゝ申して居る。所謂飛んだり跳ねたり泣いたり笑つたりする文學であつて、高等文學に在ては斯樣な事が無く、何でも超然として落ち着き拂つて居らねば相成らぬ樣であるから、吾等民衆には不向であるものかも知れぬ。曾て有名な講釋師が德川公に招がれ、一門貴婦人の前で一席辯じた折に、何でも畢生の勇を揮つて飛んだり跳ねたり笑つたり怒つたりを演じて聞かせたのであつたが、貴婦人共一向に笑ひもせず怒りもせず泰然と落ち着き拂ひ、超然と濟まし込んで居る。これでは爲らぬと一段の馬力を掛けると、果ては貴婦が一人去り二人去り皆坐を立つて了ひ、先生畢生の面目を蹂みつぶして居ると、其所へ三太夫が出て來て申さるゝには、話が餘り面白可笑しくて聞いて居られぬから、もつと面白く無く落ち着いて聞いて居られる講釋をして吳れとの事であつた。民衆文學が面白いからこ言つて、滅多に上流の前に持ち出してはならぬ。そこで高等は下等に分らず、下等は高等に通ぜずとあつては甚不便であるからと言つて、中等文學が現はれ出てゝ幅をきかせて居るが中等文學では上等下等に相濟まぬから、大衆文學などゝ申立てゝ居る。そこで漱石先生の御說に從へば、高等文學は笑ひも怒りもせぬのであるから、科學と同じものであり、笑つたり泣いたりの下等文學が取りも直さず文學の本体であり、所謂中等の大衆文學は科學と文學の合ひの子と申す事になる。近頃何でも人情などは糞喰へこ言ふ科學的研究が最高等と認められて、其達人には博士と申す位を授けられて、居るから、喜怒色に表はれぬ源賴朝の如きは、さしづめ文學博士を贈らるゝ事であらうと思ふ、從つて最多く笑はせたり怒らせたりする講釋師や俳優などは、何時迄勉强しても博士にならぬ事は當然であつて、近松門左衞門氏の如きは、或は大衆文學士位の學位を贈らるゝかも知れぬ。

大阪の文樂が燒けたと聞いた吾等は、人形の首位燒けても大した國家の問題とも思つて居らぬが、クローデル大使は頻に愁傷せられたこ言ふ話であつた。文學博士が死んでも餘り

愁傷せぬ大使が、人形の首の方を尊重するとは怪しからぬ樣でもあるが、之には何か譯があるであらう。吾等が科學的〳〵と申して博士を製造し尊重して居る際に、科學的自由的革命的の本場たる佛蘭西の大使が、人形の首を尊重する。イヤ大使の尊重するのは人形の首ではあるまい、人形に依つて表さるゝ人情であり、人情を左右指導する精神であらう。更に近松文學士をして縱橫の筆を揮はしめた大衆文學の根本たる國民精神の燒失を嘆かれたものであらうと思ふ。

中江兆民居士は一代の社會主義者として、其著「理學鉤言」に於て、頻に無神論を高調して居るが、感情の發露に至つては有神論者以上のものがあつた樣である「一年有半」中にも態態文樂に越路太夫を聞きに行つて、頻に感動して居る事が書いてある。有神か無神かは吾等に判らぬが、兆民居士と雖精神の存在は確認して居る次第であつて、有神論者が見た事も無い神樣をダシに使つて、人情に反する事を言つたり行つたりして居る態度に憤慨し反抗したものであらうと思ふ。祭政一致も人情であり、共產主義も人情である。之を科學〳〵で押し通さんとしつゝある今日に當つて、クローデル大使が文樂の燒失を愁傷せられた筋合であると思ふ。既に兆民居士を感動せしめた越路太夫は、聽衆の前に一段を語る前には、必女房に語つて聞かせ　女房が感動した後で無ければ決して聽衆に語らなかつたそうであるが、一面より見れば女房は大概無神論者である。無神論者を動かすには理屈では駄目であつて、人情を動かすに限るから、從つて博士の居る間は大衆政治は甘く行かぬと申す事にもなる。既に日本は博士の大量生產國として「ジユネーブ」の國際會議にも冷かされて居るが、醫學博士の如きは一日に一人半の割合で製造せられて居り、而して病氣も死亡も數量に於ては世界各國にひけを取らぬ。ツマリ醫學博士は科學的博士であるから病氣が多からうが死亡が多からうが、そんな事には責任は無いのであつて、醫學博士に責任がある樣に考へる方が間違つて居る。

漱石先生の文學論も亦大學の科學的研究であつて、文學の人格的價値迄は說いて居られぬ樣であるが、先生それ自身は如何に科學的を尊重せぬ人格を有して居つたかは、文學博士を受理せぬ態度を見ても分る。其門下たる鈴鍋醫學士阿部文學士等何れも博士に爲つて居らぬが、吾等は博士以上の人格を認めるであらう。三好愛吉先生は一代の人格者として皇子傅育官長で沒くなられたが、曾て拙者共に倫理學を敎へられた際、人格として眞、善、美の三素を具備すべきを說かれた。其後高島平三郎先生の御說に依れば眞、善、美、聖、の四素を具備したものが人格を成すと言ふ御話であつたが、何れにしても結構であつて、科學は万象の「眞」を說くだけであるから不善も不美も問ふ所で無く、從つて人格とは沒交涉である。現下の三文文學が如何に大衆的でも如何に賣れても生命を有せざるは畢竟するに人格が無いからであらう。近松文學乃至昔の文學が今以て行はれ、更にはクローデル大使が人形の首を愁傷せられたのは、要するに勸善懲惡の標語に表はれ來れる人格の沒落を愁傷せられたものと思ふ。最近故國の新聞は德富健次郎氏の逝去を報して來たが、同氏の文學が何が故に最多く讀まれたか、更に又漱石先生の文學が何が故に今以て洛陽の紙價を高からしめて居るか、兩文豪の人と爲りを見るに一は兄弟親戚とを絕交し、一は文學博士の學位を受理せぬと言つた樣な奇行と言へば奇行もあるが、要するに是等の奇行以上に如何程不眞、不善、不美、不聖を惡んだかと言ふ人格發露の結果に外ならぬ。今は科學と金儲けの時代であるから科學者と實業家が往々にして

勳三等に敍せられて居るが、人格を維持する文豪は勳八等にも敍せられぬ、尤もオリンピヤの月桂冠の如く勳三等や八等では表彰し切れぬから何も與へぬと言へばそれも御尤の樣でもある「マコーレー」は印度帝國などは有つても無くても構はぬが「シエークスピヤ」無くしては一日も活きて行かれぬと、讃美歌同樣の言葉を以て神樣扱にして居るが、吾等百姓は科學や實業とは餘り緣故が無い方であるから、責めて人格でも向上せずば相成るまい。既に科學は知らず實業にも御緣が無く其上に人格迄無ければ取柄が無からう。古來百姓が馬鹿にされ來つたのも畢竟斯樣な譯合からであらうと思はれる。

卅六　山の幸、河の幸

拙者神道には至て不案內であるが、地鎭祭、起工式等で屢神主の祝詞を拜聽した。祝詞や宣命は長たらしくて優長で現代向では無いが何やら遠い昔の匂ひがあつて中々好いものであると思ふ。何でも祝詞の中に「甘菜、辛菜ヘツモナ」云々とあるのは山海の幸を言ふのであらう。今は文明の世の中であるから當地の樣な山奧でも石油、コンデンスミルクの樣な工業製品があるが、食糧品の大部分は申す迄も無く天產物である。米や豆の農產を初とし甘菜辛菜の野菜に次で魚獸魚介何でも喰ふ當地は海に遠いのであるから海の幸は無く、山の幸と河の幸だけであるが、先づ一年間に試食し來つたものを倂べて御覽に供する。

第一番に喰つたものは鴨に木ツヽキに山鳥である。銃彈一發が十錢位であり可なりの虛發があるから一羽二三十錢にはなるであらう。此値段に比較すれば格別美味でも無いが先づ喰はぬよりは增し位の所で、日本に居つたら無論こんなものは喰ふ氣にもなるまい。

次は大トカゲである、夏の初から此方此奴每日庭や畠に出現して來る。人には無害であるが能く雞の卵を盜み、其場で喰つた上に口に啣へて持つて行くのを見た、長さ二尺以上三尺位の奴が、ペロリ〳〵と舌を出入して居る所は一見して氣味惡き代物であるが、馴れて來ると取つて喰ひたくなる。肉は純白で蝦其儘の味、先づケープタウンの大蝦に匹敵すべきもので、こんなら每日でも喰ふ氣になるが何分無氣味な格向をして居るので餘り捕へる氣にならぬ。庭先に出て來る奴は能く人に馴れて餘り逃げず時々雞や猫と追ひつ追はれつ遊んで居るが、畠に出る連中は人を見れば非常の速度で逃げて行く、何でも目測一時間五十哩位の速度であらう半空中を飛んで行く樣に見ゆる。此奴を解剖研究したら高速度水上飛行艇位は發明が出來ると思ふ。從つて手で捕獲する事は困難で何時でも銃殺に處する。日本のトカゲと言へば毒々しき色彩を聯想するが、當地のものは白色と墨色との斑であつて一向毒々しく無い。兎に角今迄喰つた山の幸では一番の美味である。

次は鈴蛇である。トカゲ程數多く出て來ぬが一戶の山で二四や三四は捕獲して居る樣である。何分猛毒を有するから嚙まれたら大變であるが、自然の調節上幸にして此蛇の運動が其遲緩であつて容易に捕獲する事が出來る。一匹捕獲してブータンタン（サンパウロの郊外）の研究所に送つてやれば注射藥と交換して異れる仕組で、目下當地へも毒蛇輸送用の木函を配附して居る。一週間程前に早速鈴蛇の子供一匹長さ二尺程の奴を捕へて函の中に入れて置いたら死んで了つたのは殘念であつた二ケ月程前畠の中で植附をやつて居つたら直ぐ鼻の先に大鈴蛇がドグロを卷いて居る。鈴蛇の皮はトカゲ同樣墨色の斑紋を有するが全くの保護色でウツカリすると踏み附ける迄氣が附かぬ。蛇の奴も踏み附けらるゝ迄平氣で動かぬが、何でも眼は近視で耳はツンボである言ふ話である。偖右の大蛇を撲殺し頭を

ちよん斬つて調べて見たら尾端の鈴が約十箇あつた。大方十年以上の代物であらう。早速料理して喰つて見たがトカゲより遙に不味である。愈々食に窮した時でも無ければ態々捕つて食ふ程の事も無からう。食に窮すると申せば先月子供二人が赤痢に罹り、次で拙者も倒れた時は全く食に窮した。食物が無くて窮したのではなく、一は雞食の爲一は恢復期の病的作用で朝から晩迄腹が減る。食へば無論良く無いが、彼れも食ひたい是れも食ひたい何でも食ひたい。蛇やトカゲは子供は恐れて食はなかつたが、赤痢の際には遂に蛇を食ひたいと申し出したのは可笑しくもあり氣の毒でもあつた。

次は兎である。時々畠の中で撲殺又は生擒する。日本の兎と御同樣であるが、何分、肉類拂底の場所柄であるから、日本で食ふよりは遙に甘く感ずるのは當然である。

次は鹿であるが是れは餘り甘く無いと感じた捕獲したら已むを得ず食つても差支無いが態々食はうとは思はぬ。但之とても人々の思ひ〳〵腹の加減で甘いと言ふ人もある。

次はオンサであるが、拙者未だ食つた事が無い。これ亦甘かつたと言ふ人と不味かつたと言ふ人がある。先月中に神谷氏が雌一頭池永氏が雄一頭を銃殺して食つた話の又聞であるが、右の雌雄は多分夫婦であらうとの事で當分オンサの子孫も出て來ぬであらうと思はれる。

次はコチヤと申す兎と鼠の合の子である。長さ一尺位。仁木彌正の鼠其儘で皮だけが兎其儘である。一種の害獸であつて畠の作物雞を盜んで行く、先達喰つて見たが思つたよりも遙に美味で雞肉と殆ど變りが無い。

次は河の幸であるが河と言つても幅一間程のチヨロ〳〵流れに雜魚が居る。二三寸の小魚から四五寸の鯰位のものであるが子供が時々釣つて來る。煮て食つたり天プラにしたり、それでも魚は矢張魚の味がするから妙である日本は世界一の魚肉消費國であつて一人一ケ年の消費額約六貫目であるが、之に對して アルゼンチンは世界一の牛肉消費國であつて一人一ケ年の消費量三十三貫目と聞いただけでも景氣が良い。日本は鷄く切れ一人一ケ年六百匁であるが吾等は此一年間牛肉の匂もかいだ事がないのであるから贅澤は言ふべからずである。（續く）

本誌購讀申込み　在外各地に分擔

從來在外者の本誌購讀希望の方々には態々本協會まで御送金或ひは御通信を相煩し甚だ不便を相掛けて居りましたが今回その不便と手數を一掃して本誌の愛讀を一層お願ひするために海外各地の支部若しくは個人を左の如く定めました。就ましては各自最寄の所に申出で下さい。

布哇	永田安雄氏	ホノル、市
加奈陀	小川幸太郎氏	バンクーバー市
米國	米國西北部支部	シヤトル市
	北加信濃海外協會	桑港
	米國南加支部	ロスアンゼルス市
	畑　賓氏	ポートランド市
	長田武夫氏	紐育市
墨國	岩淵鐘六氏	墨都
	矢島璋三氏	タンピコ市
秘露	富岡愛之助氏	リマ市
伯國	矢崎節夫氏	アニウマス農場
	輪湖俊午郎氏	アリアンサ
亞國	河野通俗氏	ブエノスアイレス市
新嘉坡	奥田直常氏	シンガポール
比島	小池鈞夫氏	ダバオ

夏季の海の旅

—綸の國詩の郷　小笠原島めぐり—

中學生諸君のために

一記者

暑中休暇を利用して

吾等は信州人である。山水明眉は信州の誇りであり吾等はその惠まれた自然の境遇に育まれて來た。然しそれは山であり河である。吾等は山と河の外に自然の讃美を歌ふではないか、海！　これは吾等の親み且つ憧憬の名である殊更に夏は云ひしれない魅力を吾等に寄せて來る。近い所では直江津の海岸と郷津の海岸はあまりに知りすぎてゐる、海水浴もよいが海の氣分をタツプリと味ひ海洋の自然を探勝するには是非共「海の旅行」が一番である。

と云ふて吾等は學生である。永くもない休暇はいろ〳〵に利用せねばならぬし、經濟上からもそう家庭を煩する事は出來ない。それには十二三日位で至極低廉で決行される場所があればよい、それは日本を去る五百哩の大平洋上にある常綠の郷、小笠原嶋諸である。

綸の國詩の郷

島乙女の心、そのものを象徴する樣に燎爛と咲き誇る紅椿の林、そこからは哀調を帶びた島唄が微かに洩れて來る。椰子の葉蔭に綠風薫る海邊、そこには南國の情緒が湧いてゐる。凡てが南國的な情趣、バナ、樹は夢の如く、砂糖、黍畑は白い粉を吹き樂園の美觀を呈し、島は南國的な幻想曲を唄ひ、島の人々は純朴と平和との生活に惠まれ、それらを圍繞する自然は新鮮優雅にして四時綠衣を纒ふて春夏の裝ひの如く、炎熱も無く、寒冷も無く四時恒春の歡樂に醉ふ別天地——小笠原嶋は綸と詩に彩られた此の世のユートピアである。

費用少額、一校一名

吾等は贅澤の旅行は禁物である。とかく修學旅行等では自由外と放縱に流れ易くしてあるまじき行動が見受られるこれは旅行の經驗と修養に乏しいからである。

したがつて費用は長野横濱間の往復、船賃、宿泊、小使等を合

して五十圓があれば十分であるこれ以上の費用をかけたい者は吾等の仲間入りは出來ない。

組織は縣下中等學校から一名を選んで四十名位の聯合の團体旅行をすれば吾等學生としては理想的な方法である尙學校では校友會費から幾分でもの補助をして旅行見聞をいろ〳〵の機會に報告させれば尙更面白い。

かくて小笠原島の旅行は遺憾なく遂行される。（乘船は近海郵船の芝罘丸二千噸の客船で次ぎの樣な旅程が試られる。

旅程

【第一日】横濱出帆午後二時、船內宿泊。

【第二日】八丈島未明着、八丈富士（西山）八郞神社、傘松、釋迦堂藥師堂、宇喜多秀家之墓等見物、午後五時頃同地出帆

（附記）同地旅館—大脇旅館、武藏屋、東京館（宿料一泊—三圓見當）

【第三日】航海中（鳥島、靑ケ島寄港の場合あり）

【第四日】父島午前着、小笠原島廳、農事試驗場、宮の濱、旭山、扇浦等見物、同地宿泊（船內宿泊も可）

旅館—南陽館、金子館、二見館（宿料一泊—二圓五十錢—三圓）

【第五日】父島出帆、母島着（この間航海時間三時間位）石門山岩窟、桑採、乳房山等見物、同地宿泊

旅館—向陽館、野口館、（宿料一泊—二圓五十錢—三圓）

【第六日】母島午後出帆、同日父島着、島內見物、同地宿泊。（船內宿泊も可）

【第七日】植物採集、同日午後出帆。

【第八日】航海中

【第九日】八丈島着、島內見物、午後出帆

【第十日】横濱着午後。

八丈島

本島は伊豆七豆の最南端に位し東京を距る南方百七十海里北緯三十三度二分乃至九分東經百三十九度四十三分乃至五十分にして恰も土佐の南端室戸崎並に長崎縣佐世保港と緯度を同じふす。廣袤東西二里十二町南北四里周圍十五里余。人口約九千人その內男四千三百人女四千七百人、氣候溫暖四時靑綠を絕えず、極寒と雖も霜雪を見ること稀なり盛夏は海風爽氣を送りて涼し溫度は八十五度を越ゆる事尠なく又四十度を下る事稀なり。

產業中畜產殊に盛んにして畜牛多く海濱に群牛の戲むるを見る。

小笠原諸島

本島は東京を距る南方五百卌海里北緯二十七度附近に散在する大小十數個の諸島よりなり亞熱帶に屬するが黑潮が北方に流れて南方に北赤道反流が洗ふ關係上熱帶地と同じく平均六十八度になつてゐる四季を通じて草木繁茂し特種の植物多く百七十種を數へられ植物學上注目されてゐる。

父島は周圍十三里、母島は十四里その他の島々は四、五里又はそれ以下の小さいものである。

本島を歷史的に見れば文祿二年信州松本深志の城主小笠原貞賴の發見に係るを以て名とし爾來幾多の歲月を經て天保元年英米伊人布哇より父島に移住本島開發を行ふその後嘉永六年彼のペルリー我國渡來の途中寄港して行政、殖產軍事等の施設をするや端なくも本島の所屬につき英米間に紛擾を來し將に國際上重大ならんとしたが却つて本島の日本領たる事を明かにせる我が歷史上に異彩を放つた所である。

船暈時代をすぎて 明朝は香港着

—力行黨の大活動—

支那海上にて　宮尾厚

四月廿一日神戸出帆のラプラタ丸は總數九百五十三名の伯國開拓者を搭載して解纜した。同船の宮尾厚氏は第三アリアンサ理事として力行會農業練習所の總監督として全員十三名を引率し夫人愛兒（二才）を同伴してゐる。

拜啓、貴會より「一ロヘイアンゴセイコウヲイノル」の無電に接し一同感謝致居り候。本船は明朝未明香港に入港の豫定に御座候。乘船客は、

海興扱ひ、　七八一名

自由渡航者　一七二名

にて數名のアルゼンチン國行を除きては伯國行のものに有之候アリアンサ行きは、

信濃海外協會　廿家族八十五名

富山海外協會　拾貳家族五十六名

力行會農業練習所　十二名

の合計百五十三名に有之候間自由渡航の大部分はアリアンサ行にて仲々盛大なるものに候。

× × ×

神戸出帆後二三日は低氣壓に襲はれ風雨にて波濤荒く皆船暈に困却仕候。それがためか海興扱ひの廣島縣人の生後七ケ月の女兒が二十三日衰弱症にて死去し水葬仕り候。父母の心中は察するに余りあり、各室代表にてお通夜を致し二十四日午後三時船長始め一同參列鄭重なる葬式を營み候。台灣海峽に入り波鎭り一同大元氣に候。

× × ×

前船ハワイ丸は虎剌病發生のため本船は頗る神經過敏にて香港西貢新嘉坡コロンボ等は絕對に上陸不許可との事にて一同大不平に御座候。藥物の買入等も嚴禁との事で一同悲觀致し居候。コレラ發生よりはよろしからんと斷念する外無之候。

× × ×

船中行政機關として廿一日の夜ラプラタ丸家長會なるもの生れ實行機關として靑年會を組織する事に相成り候。何時も海興

移民諸君と自由渡航者との間にはよくゆかぬためか、乘船當夜より本船の移民船なる事、海興の御蔭にて移民としてブラジルに上陸出來る等の事を船長が口を極めて說かるゝに至つてはいさゝか變妙たる感に打たれ申候。

× × ×

船中敎育は力行會員にて引受け、日曜學校（神學校卒業生三名あり）小學校（經驗者數名あり）語學校（本船事務員にてポ語をよくするものなし）等可爲決定仕り候。

氣溫の測定其他の統計等も致し居り候間完成次第御參考のため御送付可申上候。

× × ×

小生は乘船後休養可致考へ居候にても却々陸にありし時より用件多く船中も飛び廻り居候幸に船暈も少なく感謝致し居り候先づは不取敢右御通知申上候。（四月二十五日）

第一次移住訓練の好適地——樺太移住募集

內地の人口食糧問題若くは社會政策見地から本邦植民地への邦人移住は極めて重要なる問題で當局と識者は常に之れが唱導を怠らないでゐたが今回樺太廳は海外協會中央會と協力し同廳直營大豊植民地へ移住者を誘入する事になり本年度は約五十戸に限り六月上旬中に同地に移住せしむる事になつた希望者へは當協會申込次第樺太移住案內書を送る。

歸朝婦人の日本觀

遠藤女史の米國土產話

在米八年振りで老母慰藉と亡父十三年忌をかねて久々で鄕里更級郡中津村にかへつた北米羅府市大正新報社長遠藤柴郞氏夫人忠子女史は五月四日本會を訪れて米國土產談に時餘を費したが同女史は歸國感想について左の如く語つた。

「私は二十年も日本で生活したのでたとへ八年位隔れて居たからと云ふて何も變つたとか妙だとか云ふ感じはない積りで横濱へ上陸致しましたが先づ驚ろいた事は服裝の事です。洋服に和服、靴に下駄、草履に高下駄と云ふマチ〳〵の服裝に全くおどろきました。

次ぎは道路の惡い事ですこれは誰もが言はれる事なのでせうが本當です一週間も歩いたらモウ修繕せねばならぬ樣ではありませんか。それから鄕里の子供が大きくなつて見違へつた事です私はメソジストのメンバーで日曜學校の子供を相手にしてゐたのですが今度歸つて會つても見忘れてゐるのですが流石に子供の方では覺えてゐて話かけるので初めて記憶をよび起こすのです」云々

母國通信日誌

（前號より續く）

四月廿二日 內相不信任案提出に明政會も同意　△大倉喜八郞翁九十二歲の長命で逝去　△野田爭議は爭議團より聲明書を出し解決に近づく　△野黨聯盟鈴木內相彈劾提出決る

廿三日 普選最初の議會開院式　△政府最後の腹解散停會總辭職等々　△武藤內務次官突如逝く　△加州で密入國日本婦人五名穀物輸送濇伏中捕はる　△花に雪降る信州以北一帶

廿四日 濟南に北伐軍浸入邦人避難我軍警備に着く　△尾崎行雄氏政治國難思想國難經濟國難に關する決議案をだして人氣を集む　△共產黨事件連座の學生七十四名　△全國に思想警察網豫算二百五十萬圓

廿五日 野黨四派再解散の暴擧に抗爭を誓ふ　△民政黨より總活的內閣不信任案を提出する意嚮　△十五銀行日銀より八千萬圓を特融して二十七日開業　△大阪每日で十四時間無着陸飛行体力試驗成功　△內相彈劾案は二三三名で通過の見込み

廿六日 十八年の日本に盡きぬ名殘りをのこしてシャム公使去る　△大禮豫算貴院可決　△怪文書事件を提げて野黨政府に肉薄す　△在留民保護の第六師團の先發隊濟南に到着

廿七日 陸軍士官學校在學の中華民國留學生國民黨に屬する二十五名は退學北伐軍に參加　△何故か民政黨議員暴漢に頻々襲はる　△本日內相彈劾案提出學堂說明　△三日間の停會奏請

廿八日 メキシコメキシカリ日本人會幹事益子氏慘殺事件の容疑者森下眞一氏は死刑宣告　△三日間の帝國議會停會の詔書下る　△政府萬策つきて停會となるこの上は總辭職か

廿九日 昭和の御代初の天長節　△陣笠議員今日からカン詰議員となる切崩し警戒に自由行動禁止院外團の猛者が護衛と監視　△安部磯雄氏チフスで帝大分院入院　△無產各派主催の現內閣打倒演說會場において警戒中の警官が新聞記者に暴行し言論を壓迫し報道の自由を奪つたと云ふで都下の各新聞社は連名嚴重抗議を內相に申込み總監の引責を迫つた

三十日 南軍益々進出濟南の形勢危急　△第六師團は濟南居留民保護の責任を果すべく出動　△墨洋丸船醫天然痘に罹り船客四百名恐慌　△ハリウツドの渇影連が東洋映畵製作に來朝一行はシャム國に赴く

移植民ニュース

滿洲東北部地方開發

吉敦鐵道開通により注目さる

額穆敦化兩縣は滿洲東北部に位して今秋開通を豫定されてゐる吉林から敦化縣城に至る吉敦鐵道と共に俄かに注目せらるゝに至つた同地方は面積約八百五十方里にして宮城靜岡兩縣に相等しく氣候は米作に適し現在支那人及び朝鮮人がこれに從事し尙陸續として敦吉鐵道沿線に移住する者夥しく一昨年は支那人四十万朝鮮人が四千人も移住したとの事である同鐵道は尙近く會寧迄延長せられる筈でこれが曉きは同地方は滿洲の產業上經濟の地位を一層高からしむべく尙滿洲物資の需給關係は會寧の築港宜しきを得ば滿鐵本線及大連旅順はその影響尠しとせずと云はれてゐる。因に中日文化協會では此の地方の內地人識者の注意を換起せしむべく殊に同地方の米作狀態につき五十餘頁のパンフレットを刊行してゐる

日玖兩國經路は

五月一日　停會三日間を狂奔して政府何等成算立たず再停會の竄獨　△强風を衝いてメーデー氣勢あぐ　△カン詰から砲彈に早替りして戰場へ足並そろへて歸京　△帝國議會は更らに四日まで三日間の停會となつた

二日　日本と佛領インド支那との通商條約交渉は本日からパリにおいて開始され日本側からは安達大使以下委員數名これに列席した　△鈴木内相辭職決意　△野黨の聯盟强固にして總辭職まで追擊を續く　△政友部分には内相の立場を同情し優遇問題が協議されてゐる

三日　鈴木内相辭表提出　△杉山次官山岡警保局長も辭職か　△民政黨は内相の自決によつて總括的不信任案に一路直進倒閣に奔走　△米國アジア艦隊來訪　△共產黨檢擧續行尙三四ヶ月かゝる見込

四日　南軍は三日濟南商埠地において派遣軍と衝突交戰尙やまず在留邦人多數慘殺された尼港事件に劣らぬ事態を生じた　△濟南方面の重大化により滿洲より一旅團急派　△内相兼任は田中首相親任式擧行

五日　天津入電によれば三日南軍に虐殺された邦人は二百八十名で我軍警備區域外居住者である　△停會明けの議會は支那問題と共に野黨から追擊又追擊　△淺草常盤館全燒

六日　最終日の議會は午後九時漸やく不信任案上程されたが明政會は馬脚をあはらし最初の態度をひるがへし民政黨は全く意氣消沈し濱口總裁の說明以外に何等の生彩を添へずかくて午後十二時に垂々として不信任案は採決に至らず議長の宣告によつて會期は終り特筆すべき普選第一次の議會は無產黨七名の活躍以外に相變らずの醜態を暴露して最終の幕を下した　△邦人殺害は天人共に許さざる暴戾にて暴兵の嚴罰要求四項を蔣氏に抗議

七日　今期議會はぬえ的の明政會に引ずられ形で二大政黨の無意氣を遺憾なく暴露したものである　△第三次出兵斷行△ノビレ少將極地へ安着

八日　濟南の日支兩軍は激戰尙休まず市街各所において衝突　△事件發生以來出兵に對し排日感情惡く益々邦人危險に陷る　△遞信省で目論見んだ千萬圓の航會社明年四月より東京上海東京大連間の航空事業を開始

九日　津浦線方面で九日夜來日支軍激戰我軍の戰死四十八名に達した　△邦人の墓地まで發きむごたらしき蠻行の跡言語絶す　△田中首相は十二日西園寺公を訪問し諒解を求めて内閣改造に着手　△南京政府日本出兵を國際聯明に持出し例によつて逆宣傳を試む　△大毎野球團マニ

米大陸通過が便利

從來日本より玖馬國渡航者は墨國經由かパナマ經由によつて四十日以上を要するのであるが米國サウザンパシヒイツクライン鐵道會社が日本郵船と連絡をとつて桑港上陸後米國鐵道によつてニューオルレアンスに出でムニソンラインの船でハバナに到るもので約二十四五日でしかも賃金は米貨百六十九弗餘で他の經路と大差がないわけで最も便利な經路であると。

埃及における

日本燐寸は前途困難

日埃貿易關係は歐洲大戰中その絶頂にあり僅かに四五年後には約六割減となり不況を示してゐるが殊に本邦の輸出品である日本燐寸は一九一六年には約三万五千箱に達したるも十年後の一九二六年には五百六五箱の僅少になつてゐる狀態である。これは大戰後歐洲各國の工業振興と共に貿易の仲長となり特に瑞典製燐寸の低廉なる競爭には打ち勝ち難く日本製燐寸の粗製と共に價格の高價のために斯くの如き慘敗を見たのである今後における本邦燐寸の輸出可能の程度は以上の欠點に顧みて本邦の當業者が餘程の自覺をして大仕掛な歐洲各國と猛烈に當國市場で競爭する覺悟が大

ラ野球協會の招聘により安藝丸にて比島に遠征

十日　只今練習艦隊に御便乘あらせらる高松宮殿下は部下の一水兵の妹が淪落の淵にある身を聞し召され給ひ宏大無邊なる殿下の御鴻恩のもとに救はれたと云ふ誠に御慈愛深い美談があつた△我飛行隊濟南空上を活躍

十一日　節子姫お迎への春洋丸十日一路米國へ向ふ桑港發は六月六日　△二三次出兵費千八百萬圓　△濟南占領　△田中内閣改造久原氏入閣説に各黨内に反對意見あり

十二日　故抱月氏の遺兒一高三年生島村秋人(二三)毒藥自殺原因不明　△米國桑港の旅館主一行十六名來朝　△大阪製モガ連にいれずみ流行愼むべし

十三日　支那南軍北進し天津北京不安　△大元帥の榮位も風前の燈火落目に向つた張作霖奉天に舞戻りか　△上海では日本商品の取引を中止せよと排斥運動

十四日　濟南城占領の十日は大激戰で松本五十聯隊のみで二十名の戰死者を出した　△五十聯隊十一中隊長小林淸大尉も戰死小川鐵相の姪婿　△蔣介石は更らに北進せよと部下を激勵　△埼玉縣熊谷の秩父鐵道工事の三百名の土工賃銀値上拒絶され竹やり日本刀で來襲形勢不安

十五日　國際聯盟の新生面を開く經濟諮問委員會十四日より開會△十四日台中における某事件に關し上山總督は直に實を負ふべく進退伺提出　△支那動亂滿洲に及ぶ恐れあり我既獲利權擁護並に居留民保護に帝國政府對策成る

十六日　顯々と起る家庭悲劇世相果して如何　△北京の不安つのり城内濱隅の地にある邦人に引上命令發せん　△日本出兵を支那米國に訴願　△京津兵は第三師團を廻し滿洲の事變防止　△内閣改造の一案は望月遞相を内相に回し久原氏を遞相に推擧

十七日　上山臺灣總督進退伺は十六日の閣議の結果一先却下　△山東方面へ派遣されてゐた滿洲駐在軍は歸還命令に接した△天津中立地帶設置して外人の保護にあてると△東京一流カフエーに醜い内情暴露女給が涙の裏面

十八日　水郷アムステレダムの初夏の十七日から第九回オリムピック大會開かる△滿洲治安のため帝國の自衛手段南北双方に覺書交付△北京の不安濃厚となり邦人續々引揚ぐ

十九日　久原氏入閣に藏相強硬反對　△札幌女子修道院に本月上旬より流感蔓延　△通商差別撤廢の新國際會議聯盟から提議　△滿洲の治安維持上奉天に更に增兵

二十日　在京六大學野球リーグ戰は明大九對〇で早大を屠ふる　△オリンピック派遣陸上選手

切である

亜、伯両國の糖業

伯國は積極亜國は消極

兩國共糖業は國產生業中第二三位にあつて重要なる役目を演じてゐるが伯國は自國消費量に比して多大の生產量を示し輸出するにかゝわらず亜國は辛じて自國生產を以て消費に償ふてゐる狀態である而して伯國は糖業に保護政策をとり栽培の指導品種の改良優良種の無料配付金融等の途を講ずる等政府當局が多大の努力を拂ふてゐるにかゝわらず亜國は放任的政策をとり從がつて亜國の糖業は到底他國と競爭するの氣慨なく寧ろ自國糖業の滅亡を促しつゝある感あり伯國は糖業者に曙光を與へんとしてゐる

レジストロの經濟發展

三益會社の創立

伯國レジストロ地方は邦人約三千人に達し同地方資源開拓は既に十數年の歷史を有し海興の經營する所であつたが最近植民者の自覺と共に經濟的發展は從來と面目を一新するに到り特に數年前より試植されつゝあつた珈琲樹の生育以外に良好なるとこれが生產諸施設の必要を感じ端又資金融通の途を講ずる等漸次

十一名決定　△久原入閣反對小泉氏脫黨騷ぎ　△秩父宮と節子姫の御婚儀日取は九月下旬と御内定と

二十一日　卅八年の永い外交官生活から隱退する松井大使歸朝　△我對滿行動に米國厚意なし　△突如午前一時半强震關東を襲ふ　△日本の覺書南北双方に誠意なく一兩日中に大衝突あらん

二十二日　野口英世博士アメリカで黃熱病で客死行年五十二歲世界的病理細菌學者　△獨乙政局は社會民主黨大勝　△水野文相辭表を提出して久原氏入閣反對　△支那動亂に國際協同防禦の折から米國は支那の歡心を買はんため國際信義を無視して裏切る

二十三日　田中首相所信斷行遂に久原氏を遞相に望月氏を内相に後任文相を切り離して親任式擧ぐ　△三土藏相は首相の口說れで辭職立消え　△兩相親任式擧行後水野文相は天皇陛下に拜謁迎付けられ有難き御言葉を拜し益々國務のために盡力せよとの御優諚を賜り留任と決す　△一閣僚の進退に聖慮を煩すとは前例がなく由々しき重大事と各方面躍起　△優諚降下問題こん龍の御袖にすがるとは輕卒も甚しいと田中首相を非難　△我が國富一千億圓一人當り一千七百圓米國の六分一　（二十四日以後次號）

會員消息

菱川敬三氏　在佛日本大使館理事官三月十八日天洋丸で横濱上陸賜暇歸朝。今度外務省會計課勤務長野市出身

小池釣夫氏　前ダバオ日本人會書記長昨年四日粉糾した同會に入り絶大なる敏腕を振つて快復整頓今回辭任小縣郡西監田村出身大正六年渡航

瀧澤計男氏　ダバオ總領事館分館在勤大正六年渡航更級郡小島田村出身

遠藤忠子女史　北米羅府市大正時報社長遠藤柴郎氏夫人大正十年渡航在米八年本年三月歸朝更級郡中津村出身

小林主計氏　ダバオ日本人會書記大正六年渡航在比十二年迎妻歸朝六月郵船再渡航上水內郡戶隱村出身

兩角喜重氏　諏訪郡平野小學校長今回八ケ月の豫定で邦人在外子弟教育視察のため長野縣及內務外務兩省から夫々囑託を受けて五月十七日横濱出帆南米船サント丸乘船。ブラジル國を振出しに南米外五ケ國中米三ケ國北米布哇を通つて明年一月下旬頃歸朝

中村良相氏　蘭領ボルネオ大正七年渡航ピーパー栽培今回迎妻歸朝六月下旬再渡航の豫定埴科郡埴生村出身

同地方の經濟的發達を促がすため海興と植民者が協力して三益株式會社を三月下旬創立する事になつた同會社は資本金最初六十コントス（約一萬五千圓）を有し株數六百株主二十名を以て第一期計畫として珈琲精製工場經營の資金にあて定疑の定むる所により更らに資本を增額して第二期計畫たる植民地内の信用事業に着手する方針なりと

歸國者激增

渡航者の約一割

伯國經濟界は四年越の不景氣が昨年末より回復して來たので在伯同胞中には財產を整理して家族を纏めて歸國するもの迎妻その他母國訪問等で歸國する者が激增し每船渡伯數の一割が歸國するとの事である。最近歸國した本縣人は左の如くである。

北山金作　四月下旬

聖州南部在留同胞數

六千二百七十二名

昨年末のサントス領事館出張所調査に依れば聖洲南部地方サントス、ジュキア鐵道方面の同胞數は左の如くであると

	男	女	計
サントス市	九九三	七五八	一、七五一
ジュキア線	—	—	一、六八四
レジストロ	一、二〇五	一、〇六〇	二、二六五
セッテバラス	二三三	一八四	四一七
桂植民地	七八	七七	一五五
總計			六、二七二

尙長野縣人はレジストロを中心に約五百餘名が在留してゐる。

信州記事

雨に惱む花かげに

產聲を擧げた女子青年團

縣聯合女子青年團發團式は四月二十二日長野市藏春閣に開かれた、この日城山公園一帶の櫻は滿開のこととてらんまんたる春に縣下の處女を集め言葉通り錦上花を添へての大賑ひを呈すると豫想されてゐたが生にく朝來の雨で人出も幾分にぶつたそれでも集まつた團員二千五百名、流石の大廣間もきつちりになり四間巾に十數間の臨時バラック式テント張りて會場をつぎ足す騷ぎ、午後一時過ぎお晝食のために雪崩れみうつて城山館の方へくる途中で五尺幅に三間の廊下は人の重みでとうとう大音響と共に墜落してしまつた幸ひ怪我人はなかつたが素晴らしい景氣である式は十時半から各郡市代議員會で規則を議定し福島學務部長の「穩健にして保守的なそしてかくあるが故にかくあるのである」といふ訓示に次で「無智より聰明へ」の宣言を決定、來賓の祝辭祝電の披露があつて約一時間で女子の會合としては本縣最初の盛會裏に終り午後は能樂その他の余興があり四時半散會した

大火災の一周年

復興した木曾福島町

木曾福嶋町が昨年五月十二日未曾有の大火災に遭難してから早くもけふで丁度一周年になる、經濟的彈力に乏しい福嶋町は當時その復興を危まれたが、慌しい息づかい息づかいのうちにどうやら復興通りはもう軒並に櫛比して火事前と變りないまでになつた、町全體からいつても九割通り復興した、しかも建築家屋はいづれも火事前よりは遥に立派になり化粧張りの建物もたゝり、街幅擴張される等全く面目を一新した然し一周年間の復興は外形の復興にしか止まつてゐないやうなので、同町は今後內容の復興へ努力すべ

里馬市中日會予算

小學校費が二万八千圓

秘露國里馬市在留邦人の組織する中央日本人會は昭和三年度豫算につき三月下旬代議員會に於いて可決したこれによると同會豫算は二萬六千圓餘で支出の主なるものは同地日本人小學校教育費一萬一千圓を筆頭に御大典奉祝費三千圓同地病院寄附金二千圓等である尙同會は日本人子弟の教育のため日本人小學校を經營しその豫算は會豫算と切離して約二萬八千圓である同校は在外指定學校の認可を得て外務省より三千圓の補助金がある事になつてゐる。本年一月の新入學生は九十九名にして全校生徒は三百名に達してゐる。尙中日會は前年度から引繼いてゐる小學校建築問題は第三回の資金募集において大体見當がついたので近く建築工事請負入札が行はれると。

故橘谷氏自殺事件に

くつとめてゐる

満開の櫻に積る雪

數十年ぶりの記錄

長野縣下は二十二、二十三兩日にかけて時ならぬ雪に見舞れ見頃の花は無殘に惱まされたがこの雪について長野測候所の調査によると平年は四月七日が信州での雪の最後で廿日過ぎの雪は大正十五年四月二十三日に約二寸積つたのが最近の記錄で以外は明治二十四年と二十六年とに何れも四月二十五日に降つたのみで十年の例外を除けば數十年振りの珍らしいレコードである尚二十二日は舊暦の三月三日に當り井伊大老の討たれた日に當ると

製糸工場に

中等程度の敎育

東筑摩郡筑摩地村組合製糸共榮社では現在使用中の工女に對し一家の主婦として恥かしからぬ中等程度の實際敎育を施すため工場內に工場女學校を開設した職員は七名で社內の幹部その他をもつて充て高等小學校卒業生を甲組とし尋常科卒業を乙粗とし取容人員約三百名である

明みへ出された

第二怪文書の內容

廿六日の衆議院本會議において民政黨の横山勝太郎氏は過般の總選擧における第二の怪文書の內容につき數縣にわたり讀み上げたが長野縣のものは左の如くである。

一　長野縣　（千葉知事發電）

第一區　〇〇〇〇は運動費十分ならざる模樣かつ民政候補〇〇〇〇、〇〇〇〇は共に優勢にして實力あり又政友候補〇〇〇〇も漸次勢力を增す情勢なるをもつて相當運動費の援助をなし一段の努力をなすに非ざれば當選を期すること困難ならむ

第二區においてはもつとも信望勢力ある中立の〇〇〇〇立候補し民政〇〇〇〇選擧區全般に渡る同派の後援あり、政友〇〇〇〇も地盤關係等より相當優勢にて目下最も苦境にあるは〇〇〇〇なるを以て運動費の十分なる援助はもち論その他の運動方についても特別の援助に因り格段の努力を要するものと認む

第三區　政友候補〇〇〇〇は選擧區の中間

伴ふ遺書問題紛糾

去る二月廿四日自宅において自殺を遂げた橘谷精館氏は在秘同胞中の先覺元老として公私共に日本人のために一方ならぬ努力を拂ひその功績は多大であつたが同氏が經營する商會の蹉跌から同胞の郷里送金　小切手の預金に責任を帶びて自殺したと傳へられ當時の邦字新聞は筆を揃へてこの事件の眞相經過等につき紙面を埋めてゐたが同氏の自殺が果して奈邊にあるやは在秘同胞の疑問としてゐる所であるがその後同氏の遺書が數通發見されて眞相が明るみへ出されると期待してゐたが端なくも當國裁判所の官憲に押收されて問題は又も與へ暗黑に導かれてゐた、のみならず何故にか未だその遺書が公表されず依然として當國官憲の手中に收つてゐるのでもはや五十日になるも一向に暗から暗への中にあり我在外公官はこれを傍觀するの態度にあり甚だ帝國の威信にも關する問題なりとして同地邦字の三新聞社アンデス時報日秘新報大南米の代表者より共同質問書を左の如き意味に山崎公使に送つたと。

故橘谷氏に關する件は在留同胞の正當なる權利擁護と將來を誤らしむるなき萬全なる策において一日も早く解決されねばならぬにか

なる上伊那郡を地盤とし同郡より前代議士民政〇〇〇立候補し兩人競訪、下伊那兩郡には政民兩派の有力なる候補者ある殊に同派の〇〇〇〇立候補により大なる打擊を受けかつ運動費豐富ならず目下の形勢にては當選覺束なきをもつて運動費其の他相當の援助を必要と認む

第四區　〇〇〇は同一地盤よりもつとも有力なる民政黨の〇〇〇〇〇、〇〇〇の立候補に因り大なる打擊を受けかつ資力十分ならざる等甚だ苦戰の狀況にあるをもつて相當の援助と一段の努力を要するものと認む

二

候補者援助の件については既報の如く就中第二區〇〇〇〇第四區〇〇〇物質上その他格段の援助をなすにおいては當選確實なるに至るものと認めらるゝをもつて最後まで特別援助すると共に共に極力奮闘するの要あるものと認む

本人の僕は

出した覺えない

第二の怪文書問題に關し二十八日出張先から歸つた千葉知事は語る

「新聞で怪文書なるもの內容を知り二つの驚きと滑けいを感じた第一は全然あんな報告を出した覺えがないことで、本人の僕が出さぬと斷言するのだからこれ程確かな話はない第二には假にあの事實があつたとしても候補者に金をやるのは違反ではなく少しも選擧法にふれないから法律論から見て價値のない問題と稱すべきものを殊更に擧を大きくして論じ司法權の發動に結びつけて政爭に供する大膽拙劣な行爲でこの二つは何よりも驚いた、唯觸紀の點から見方によつて多少の非難を被るかも知れないが選擧情勢の日報は歷代內閣とも大同小異なものであつて他の縣は知らないが僕だけは斷じて横山氏の讀上げた如き報告をださないことを明言する」

一笑に付した

霜害應急資金の

反濟を延期

昨春霜害の應急資金として借いれたものはその數三割に相當する五百萬圓を一ケ年償還の條件によつてゐるため本年七八月頃までには元利とも濟返する必要に迫られたが昨今期限延長の運動が各縣に起り借入額のもつとも多い本縣はこの中心

ゝはらず事件發生後一ケ月に達せんとするも今日未だ貴官の外交上正當なる權利を行使する能はざるは何故か

在ダバオ邦人の

御大典記念事業

比律賓群島ミンダナオ島ダバオ地方はマニラ麻の栽培が盛んで邦人約七千人が斯業に從事し逐年經濟的地盤を造りつゝあるが今秋十月の御大典に際しこれが記念事業について二つの事業が目論見されてゐる。その一つは「ダバオ邦人錄」の刊行であつてこれは既に布哇北米南米等の邦人移民地では邦人の活動狀態について却々權位のあるものを刊行して移民地の宣傳に努め一方在留邦人の狀況を一目瞭然たらしめてゐるのでダバオの如く七千人からの邦人がゐて未だその企圖のない事は甚だダバオ在留邦人の微力であるとなし御大典を好機としてダバオ邦人錄を作製し之に人名ダバオ事情最近の邦人關係各種統計等を編んでダバオ邦人の活動狀況を一般に遂一統計的に知らしむるものであるこれはダバオ日本人會の手で約一萬五千圓の經費で立派なものが出來るそうである。他の一つはダバオの邦人小學校の高等科新設である現在ダバオにはダバオ、ミンタル小學校の二つがあつて兩校は各

と目されてゐるが、大藏當局は頑として耳をかさぬのみでなく縣當局も延長運動には不贊成を唱へてゐる延期反對は產業組合內部が殊に强硬で產業組合を通じて貸付た二百萬圓だけは面目上如何にしても立派に返すべきであると主張してゐる

下伊那約六千町步

西筑百町步の霜害

下伊那郡並に西筑摩郡地方は廿五日朝の降霜害は下伊那郡桑園の七割以上に當る五千八百町步に對して五割以上の損害を與へ西筑摩郡は西數ケ村約百町步に被害をおよぼしそのうち二割は全滅となつた

今年は先づ

農蠶當りか

大變心配された本年の霜害は下伊那郡並に西筑摩郡の一部にあつただけで昨年の縣下總體的の一部に比すればいふに足らず殊に桑園の繁茂狀態は例年以上に良好である從つて養蠶家も先づ一安心し控へ目にしてゐた掃立て幾分づゝ增すことになつた殊に黄繭種の掃立て希望が多く白繭種は幾分過剩氣味であるが黄繭種の方は不足を告げ蠶種の賣買價格も自然昂騰の模樣である

一萬を越えるらしい

八十歳以上の高齢者

御大典に際し恩賜に與るべき高齢者は縣下各市町村とも調査を急ぎ本月末までには大體まとまる見込みだが、八十歳以上のものは一村少なくとも十五六人、多いのは五十名に達するものあり、全縣では一萬人を越ゆるらしく戶籍簿による調査であるから行方不明の者が割合に多いので有難い聖旨に傳達もれがあつては恐くに堪へないとあらゆる手段で調べることになつた、尙九十歳以上は今日まで八十五人あり（本報告町村百五十余）百歳を越ゆるものは東筑摩郡廣丘村白井いは百十二歳諏訪郡川岸村花岡つね百九歳の兩人である

無事にした

大霜害の記念日

去年の十二日は未曾有の大霜害に加へ木

々壹万圓に近い豫算をもち邦人兒童各々八十名を有し日比敎師八名によつて敎育に當つてゐるが最早來年度において高等科新設に迫られこれに伴ふ校舍增築の計劃である

右の二つはいづれも記念事業として好箇のものであり、是非共敢行を致したいとダバオ日本人會幹部間では繰り上げてゐる。

會館落成祝賀

ダバオ日本人會の發展

昨年十月現在のダバオ地方邦人は七千十六名で前年より千五百五十四名昨年は一昨年より千四百八十九名の逐年增加で每月約百五十名餘の平均增加をみせてゐたその割合で計算せば現在のダバオ邦人はおそらく既に八千名に近い一大邦人集團の現況であろう。この八千名に近い邦人集團の中心機關は何んといつてもダバオ日本人會で同會は會員六千名を有する當地唯一の邦人團体で昭和三年の豫算は實に七萬三千圓の膨大なる經費を持ち官民兩者の間にあつて邦人の福利增進向上發展のために活動してゐるもので在外本邦人の團体としては同會の右に出るものがない程に秩序と强固なる經濟的地盤を有するものである。同會の主なる事業の一端を述ぶるに昭和二年度事務報告を摘記すれば左の如くである。

曾福島町の大火があり縣民はのろはれた一日を過ごしなが今年の十二日は朝から梅雨時のやうな雲が低く垂れ無氣味であつたものゝ溫度は去年の零下一度三分に比べ十三度九分といふ暖かさでまづ霜の心配はなくどうやら無事に峠を越えるらしい、

死傷者五百名の外

多數の病兵をだす

濟南城攻擊に殊勳を立てた我が松本聯隊は二十一日青島發柳樹屯に歸還することになつたが濟南に駐在した十三日の間に聯隊は將卒五百名の死傷者をだした外同地方の眞夏のやうな暑熱と飲料水の欠乏から將卒中多數の病者をだし目下濟南病院に收容中との情報あり松本留守隊を始め縣民は憂色に包まれてゐる

從軍を歎願

熱情に燃ゆ信州男子

松本聯隊の將卒百八名死傷すとの報は縣民を益々緊張せしめ留守隊および司令部には每日の如く各方面から從軍希望や慰問激勵の手紙が舞込んで居るが中にも北安曇郡會染村西澤廣君の如きは小平留守隊福官あて三回にわたり一死もつて國難に當りたいと從軍歎願書を寄せその他諏訪郡中洲村藤森吉男外數名から同樣の歎願書が舞込み熱情に燃ゆる信州男兒の面目を躍如たらしめて居る

戰死とは夢のやうだ

戰死した小林大尉の夫人ゆう子（三三）さんの叔母の緣付先松本市土橋長太郎氏方を訪へば叔母うめ子さん（五三）は語る

「唯今實兄の小川鐵相からゆう子の夫が戰死したとの電報が來たところです、小林は諏訪中學の配屬敎官から隊付となり先月十九日滿洲に出發するといふのでその前日別れに來たのに戰死するとは夢のやうです、ゆう子は今年三十三歳で結婚後いまだ子供がないのです、さぞ柳樹屯で落膽してゐるでせう」

本望でせう

戰死した第十中隊一卒吉澤源市氏（二三）の實家松本市征矢野に訪へば實父乙藏氏は畑に出て留守妹德江（一七）さんは戰死の報を聞きワツト泣きだす驅つけて來た乙藏氏は流石男だけに「派遣地から動亂地に赴くとの便りが最後で

一、諸屆書及願書件數
　出生二九三件、死七五一件、呼寄證明三〇九件、再渡航證明二六九件、在留證明一、四二六件、登錄屆一、〇五四件

一、鄉里送金取扱　六十二萬六千圓

一、日本人郵便物取扱十八萬三千通、會報發行　（月刊八十頁）

一、小學校二校經營

一、活版部經營

一、日本船入港每に移民の世話、飜譯、通譯英文契約書作製、邦人間及邦人對外人間に起る事件の折衝調停は每日少くて二、三件多くて五、六件

斯くの如くして同會は活動の目覺しきもので あつて益々多忙を極め事務所も狹隘を訴ふに到つたので昨年十一月三萬圓を投じて土地を購入し一萬七千圓の經營を以て會館新築に着手し工事は進捗して本年四月を以て竣工しダバオの一角に白亞の毅然として堂々たる雄姿を現出するにいたつたかくて會館落成の祝賀は今秋十月の御大典まで延ばして御大典奉祝と共に盛大に行はれる事になつたと尙四月一日より同會の事務所は新會館に移つた。

岐阜縣移民協會生る

ブラジル移住を上映

四月十九日岐阜縣廳において縣下有力識者の官民集合し縣民の海外發展を誘液し益々移植

したせがれも皇國のために死んだのでさぞ本望でせう」と健氣に語つてゐた。

みなぎる戰時氣分と

淚ぐましい動員哀話

第三師團の出征により馬匹徵發令を受けた西筑摩郡農村にみなぎつてゐる戰時氣分と淚ぐましい動員哀話が十四日除隊した勤務演習應召兵同郡日義村平栃豐喜君から十七日留守隊へもたらされたその便りには

各農村は馬匹徵發令を受け豫想外の大騷ぎを演じて居るが同村の如きは大部分の男子は愛馬移送のため岐阜縣中澤町に出かけて留守となつたので殘りのもので每夜村內の夜警をする始末私方の馬も徵發されうまやには二歲の子馬が一頭親をさがして泣いて居るのも哀れです農繁期を前にひかへて愛馬はふたたびわが家へ歸つてくるであらうがしかしこれも御國のためです

下伊の徵發馬七百九十一頭

第三師團の下伊那における徵發馬檢查は十三日までに合格馬六百頭を決定送りだし更に十四日十五日も檢查を續行總計七百九十一頭の合格あり徵馬官は十六日歸隊した

五千圓を寄付

立志傳中の松田氏

會計檢查院勤務の上諏訪町出身松田醇二氏（三七）は一日上諏訪町長高島小學校長に御大典紀念優秀兒童奬學資金として勸業債券五百枚合計五千圓の寄付を申出たが同氏は眞に立志傳中の人で諏訪中學校を四年で中途退學以來諏訪町役場書記を勤め大正二年上京高等試驗行政科をパスして今日に至つたものでその間極度に節約した生活をなして貯蓄し得た五千圓を同町に寄付したものである

飯田町遊樂館

外二戶を燒く

十一日下伊那飯田町目拔きの下荒町通り活動常設館遊樂舘二階客席から出火し同館を全燒し隣家二戶を半燒し同六時十分鎭火した、その際消防手藤田芳夫は燒落ちたはりのため顏面を火傷した、原因は二階客席のタバコの火かららしく損害は同館のみで約五萬圓

× × ×

民思想の普及發達を計るべく滿場一致岐阜縣移民協會を設立する事に議纏まり我邦人口食糧問題解決の急務に迫られつゝある今日に於いて大いに活動する事になつた尙同夜は海外事情の紹介として信濃海外協會の活動寫眞ブラジル移住全五卷を借入れて上映涮衆に多大なるショックを與へた

長野縣人の在外者

警察の調査で徹底せん

長野縣人の海外在留者は大約七八千名と云はれてゐるがこれは本縣が明治三十二年以來旅券下付竝びに渡航許可した概數で實際は旅券下付若くは渡航許可を受けたものでも海外渡航せずにおはつた者もあり、最早渡航して歸國し又は一人で二度乃至は三度も旅券の下付を受けた者もあつて更らに此等の實數について不明なるのみならず海外で死亡せる者、又は出生せる者も勿論あるので果して信州人が現在海外の地に在留する數は幾何であるかは到底調査も不可能でありその實數を見る事は困難であるが今回縣警察部にては本縣人の海外發展者の情勢を徹底たらしめんとし調査カードを作製し各警察署に命じ町村役場海外發展殘留家族、親戚等に一々在外者の渡航國、家族數、職業、渡航年月、活動狀況等について逐一調査を進め五月末日までに縣に回答する事になつてゐる。

海外の質疑欄

▲旅券關係の事は本縣保安課で回答
▲漠然たる質問は不可、一名五問以內
▲回答急がれる時は返信料十錢切手封入
▲會員は返信料不要、質疑は質疑係へ朱記の事

問 私はN中學を來年卒業致しますが加奈陀に移民として行き度いと思ひます加奈陀行移民には汽車割引證を交付されるでせうか（長野市〇生）

答 「カナダ」移民に對しては割引證は交付されません。移民として割引證を交付されるのは南米諸國、西印度諸島、大平洋諸島（布哇及米領グアムを除く）比律賓群島、濠州、東印度諸島英領海峽植民地移民であります。

問 日本で苦學する位なら北米でやれば非常によいと聞きましたが中學卒業程度で北米に入國出來るでせうかそして苦學が出來すか。

答 北米へ移民として入國することは特種の者を除いた以外は困難であります、又非移民としても苦學の程度では不適當と思はれます、然し先方の學校へ入學して勉强をするならば先方の學校より入學證明書の送附を受けて出願すれば渡米できます。

問 中學卒業後私は直ちに學國か伯國に行きたいが單獨では渡航出來ないと聞かされてゐますが本當ですか（以上S中學 四年生）

答 渡航目的によつては必ずしも渡航出來ないことはありません、委細は最寄警察署か縣廳保安課、海外協會に就て御聞き下さい。單獨渡航の場合は呼寄證明書と云ふて渡航國在住の人から證明書を送つて貰ふれば渡航が出來ます。

問 旅券下付願書類は何處に出願するのですかそして何日位で下付されるでせうか旅券は出願官廳から下付されますか（長商、坂口生）

答 旅券下付願は知事宛にして所轄警察署へ提出するのです、旅券は移民なれば出發港の縣廳非移民なれば出願の縣廳で下付することになつてゐます何程の日數を要するかは行先の國や目的によつて一定してゐませんが可成一ケ月位前に出願するのが好都合かと思ひます、

問 長野縣に於ける旅券下附願書類について御說明下さい。（K農校 出願書類研究生）

答 一、海外旅券下附願 二、戶籍謄本、三、健康證明書、四、履歷書、五、保證人の資產證明書、六、寫眞（手札形無臺）二葉等でその他出願人によつて外に添付書類が必要でありますが即ち單獨出願者は呼寄證明書、再渡航者は在留證明書等であります。

問 旅券が下附されたら乘船しては差支へありませんか（下高 中野生）

答 旅券が下附されただけでは渡航が出來ません旅券は外務大臣が渡航國官憲に何分の保護を依賴したばかりでその官憲が承知しましたと云ふために旅券には乘船前本邦駐在彼國領事の查證が必要でありますそれがために出帆前一週間は乘船港に滯在する必要があります。然し相互兩國の協定によつて查證を要せないで渡航出來る二三の國もあります。

> **「本誌に對する不平」の聲、募集**
>
> 本誌に對する不平を正直に露骨に且つ眞面目に申述べて下さい。實は單なる不平の爲にあらずして本誌改善の叫びであり、本誌愛讀の必然的要求であるから當社はこれを一片の人氣的募集に止めずして各不平の點につき最善の努力を惜まない次第であります。そして不平根絕を期して本誌更生の門出に花々しくステートをきりたいと同人は腕に撚をかけてゐます。

誌上映畫

伯國移住宣傳の 活動實寫映畫 ブラジル移住の說明（一）

信州に南米ブラジル國が吾々の移住地として適當であると紹介せられたのは大正五、六年頃からである。その當時の信州海外發展宣傳の總本部は信濃教育會であり縣の學務課長津崎尙武氏が指揮してゐたものである。縣視學の中村國穗氏と教育會長の佐藤寅太郞氏等が表活動者となつて各村の小學校を講演して廻つてゐた日本力行會長の名義で永田稠氏も又此の時代には中村氏と連日連夜の奮鬪であつたが此處に忘れる事の出來ない人物が殘されてゐる。と云へば誰もがうなづかれる所の好漢岸本與氏である。

で大正五六年以後の海外渡航者は一人殘らず岸本氏を知つてゐる程に彼は尺寸の体軀を次ぎの村から村へと幻燈映畫の說明に走つた。彼については讀者諸君は餘りに知り過ぎる程にイロイロの笑話に記憶に新らたである故に今更述べる必要もない。兎に角岸本氏と海外在住諸君との馴染みは深い丈けに彼の功勞を諸君と共に表彰したいのである（最近の岸本氏は專門的興業に縣下を相變らず敎化宣傳映畫公開に奮鬪してゐる）

岸本氏の海外發展宣傳は大正八、九年迄續いて信州の海外發展は地を拂ふて消え失せなつてゐたのであるが世は既に幻燈映畫では滿足してゐなかつたのみならず煽動的宣傳の時期は最早古い過去の事になつてゐた。

映畫 ブラジル移住の梗概

大正十三年以來の海外協會經營のブラジル移住地の狀況は移住者からの通信や移住地幹部の報告等によつて漸次開拓達成に赴いてゐたが斷片的の感があり故國の人々を滿足せしむるには尙物足りない點が多かつた。中には報告や通信では信ずる譯にはゆかない等と云ふ者もあつてその移住地實況を寫眞に收め向ブラジル移住に關して詳細なる寫眞を宣傳的目的のもとに約一ケ年を費して實寫したものが卽ちこれである。

第一卷

日伯間の定期航路により日本を出發し、寄港地たる香港、サイゴン、シンガポール、コロンボに上陸して觀光客の態度を以てその現狀を視察しこれを撮影したものである、先づ就航船の一つである「マニラ丸」に乘船して神戶を出帆するのである。神戶を出帆する時には數百の小中女學校の生徒達が引率の先生に統轄されて手に手を日章旗と伯國旗を振つて壯圖を祝ひ、五彩のテープが幾千條となく取り交はされ、萬歲盛裡の內に靜かに港外に進むのである。尙ランチ數隻に分乘された生徒達によつて音樂隊の行軍の曲に奏されて、遠く突堤の附近まで見送られる。……

ブラジル開拓の戰士を乘せて船は斯くて五晝夜にしてホンコンに着く、

ホンコン は東洋第一の良港でイギリス領である。市街を見物して初めて異鄕の土に感激の湧き出づるものがある。こゝを出て三晝夜にして佛領印度支那の

サンゴン に着く、此の地方は米の產地で有名である。瑞穗の國で生れながら今更の如く一望千里の涯ない黃金の波に膽をつぶして上陸するサイゴンの中央市街は巴里式である。公園は既に熱帶の植物か繁つてゐる。水牛等が澤山に飼育されてゐるのを見て更らに二晝夜するとかねて馴染みに聞かされてゐたシンガポールである。熱帶であるから解ける程暑いだらうと思ふたら、とんだ間違い。一日に二回の夕立式の雨が降つて椰子の葉蔭から凉味に漂ふ冷風が吾が耳邊を見舞ふて吳れる。自動車で市內見物と洒れて公園に走る。これは又驚ろく道の兩側に生ひ繁る椰子シュロの並木椈葉樹が濃綠色に溫帶人を魅するかと思はるゝ程に肉の厚い大きい葉をソヨ〳〵と冷風に戯むれてゐる。

シンガポール は東西兩洋の關門である事は人の知る所海上交通の要路である。日本人が約一萬人居てゴム栽培や市內商業に活動してゐるが此處は何んと云ふても支那人の勢力下にある勿論イギリス領で英國は此處に東洋艦隊の根據地として東洋進出に努力してゐる。市役所の正門には偉丈夫の銅像が毅然として立つてゐる。唯知るかな、シンガポール創設者、青年ラッフイー氏である。彼は二十七才にしてボルネオに一官吏として在勤してゐたが偶々シンガポールの形勝にして且つ將來に重要の地を占むを知るや和蘭と兵火を交じて占領したのである。こゝからマラッカ海狹を航行して五晝夜餘にしてコロンボ灣に入るのである。印度の突端に位するセイロン嶋の西側にある港である。住民の多くは印度人であるセイロンの市街は倚麗であり住宅地も實に立派である印度敎と佛敎のお寺が建立されて土人はいづれも宗敎心の强い人種であるセイロン嶋は印度と共に一八〇二年英國の手に占領されて印度二億の民は祖國を奪はれ暴壓施政の下に呻吟せねばならぬ悲境にある。印度人は我等有色民族の一員である亞細亞の一友邦である印度人は日本人を東洋の盟主として信賴し敬仰してその救ひの手を求めてゐる誰かこの印度救濟のために屹然として立つ志士はないか。

セイロンは紅茶の產地であり菩提樹、榕樹の樹木が多く印度人は象を家畜として飼ひ運搬その他の仕事をしてゐるが日本人のブラジル移住者のために象の藝當を見せて樂しませ笑はせて、前篇の終りになつてゐる。

第二卷

コロンボを出て一晝夜半にして赤道を通過する。この時は船員と船客が一團となつて赤道祭が催される別に大した意味があるのではないが赤道通過の際は「赤道の神樣」から赤道通過許可の鍵を授け給はるので神樣になる人はその船中で一番數多く赤

道を通過した船員或ひは船客の中から選ばれて神様となる、船長が祭詞を誦すると赤道の神様が降臨されて鍵を下さる。これから船長は神輿を餘興場に御案内申上げて船客も船員も思ひ／＼の技巧をこらした假裝の行列が續いて餘興場では一日中面白い餘興が催されるのである。かくの如く海の生活には毎日の如くたいくつにならぬ様に陸の生活と異る事のない様に愉快に暮らしてゐるのである。朝起きて各自室の掃除が初まり洗面が終ると体操をやる朝食がすむと小憩してブラジル事情、ブラジル語、外國禮式作法等の授業があり音樂もあり娯樂の設備が陸よりも備はつてゐて運動には少しも差支へない様になつてゐる。かく航海は續くうちに寄港地があつて上陸するまるで見物旅行氣分である。

赤道を通過すると船は南半球に航行するのである。北極星が次第に遠ざかつて消え見えなくなると迎へる様にキラ／＼まばゆい南十字の星が眼前に躍り出て來る。遠る北極星に祖國に一入惜別を告げて燃ゆる希望の胸を開いてキスをおしげなくするものは彼方の憧れの國、それは一秒毎に近づいてゐる目指すブラジルの天地である。月光冴えてゐる熱帶の夜半、しかも印度洋の上の月下の自然は又格別である。燒く様に暑い印度洋の航海は確かに想像以上だけれど猛々彼方地平水線上から立ちのぼる洋上の光景は賞で得られる機會にありて賞する人の甚だ少なき佳勝の航行であるのだ。かくて航行すること十晝夜余にして亞弗利加ダーバンに着くこの地を南亞聯邦と稱し英國の領地であるが自治制を許されて獨立國である。以前一八〇六年までは和蘭の領土であつたが英國が占領したのである。極く數年前までは排日の本家本元はこの地方で上陸する事も出來ずと云ふ對日感情の悪化してゐたのであるが最早それが解けて飯食店に入つたり理髪店に行つたり、公園を散歩したりする事が出來る。ダーバンから二晝夜の所に金剛石で有名なケープタウンがあるこゝにも上陸出來てケーブル山等と云ふ佳勝の名所がある。この地方にはアフリカ土人のムーア人と云ふ人智の進まない土人がゐる。偶々英人に反抗して暴動が起きてゐるがだん／＼と奥地に追ひ拂はれてゐる。彼等は下層社會に糊口をなめて、イギリス國旗の下に平伏してゐる。この人種も實は有色民族であり民族自決を叫ぶ悲境の立場にあつて日本の人種平等差別徹廢運動には多大の期待を續けてゐるのである。

今日の南亞聯邦は面積四十七萬方哩人口七百萬人鑛産總額（金、金剛石）五千萬磅羊毛の産出は一億八千萬磅に及び濠州、新西蘭に次いで世界第三位になつてゐるこゝを今日あらしめたのはセシルローズ卿の鐵の如き自信力と火の如き勇氣とを以て南アフリカに於ける英國の地位を大磐石の上におかしめた。しかも彼は若輩にして兄と共に鑛山採掘に働きつゝ一身を南阿經營のために活動したのである。今日英國は世界五分一の領土を有し吾等に日沒なしと豪語する所以のものは斯くの如き開拓精神の青年の賜であるのだ。偉大なるセシルローズ卿の記念碑に感激を覺へて目指すブラジル國に向ふのである（以下次號三）

協會記事

昭和二年度中のア移住地

信富鳥熊四協會渡航者

昨年度即ち昭和二年四月一日より翌三年三月卅一日に到る一ケ年における信濃富山鳥取熊本の四協會取扱アリアンサ移住地渡航者は左の通りである。

	家族數	人員	十二歳以上	七歳以上	三歳以上	三歳未滿	計
信濃	七七	二七三	男九六 女八五	男二〇 女一三	男一八 女一〇	男一三 女一八	男一四七 女一二六
富山	一八	七八	男二八 女一七	男七 女二	男六 女六	男六 女六	男四七 女三一
鳥取	二五	一二六	男四一 女三六	男九 女六	男一一 女九	男六 女八	男六七 女五九
熊本	一三	一四七	男六四 女四三	男七 女七	男八 女六	男五 女七	男八四 女六三
計	一三三	六三四	男二二九 女一八一	男四三 女二八	男四三 女三一	男三〇 女三九	男三四五 女二七九

右表に示す如く總計百三十三家族六百三十四名にして信濃は大正十五年度渡航者數と略同數にて富山外二協會はいづれも昭和二年度より渡航を開始したるもので應募成績は良好であつた。

サントス丸乘船の

第四回ア移住地渡航者

五月十九日神戸出帆のサントス丸はアリアンサ移住地渡航者八家族卅九名を乘船せしめて解纜したが内信濃扱ひは左の如くである。尚同船には海外自由等九百名に近い移住者を乘せてゐた因み同船は七月五日サントス入港の豫定である

長野縣上水内郡若槻村　生田宣次　二人
北海道天鹽郡中川村　遠藤德榮　十人
岐阜縣稻葉郡各務村　長縄辰吉　三人
新潟縣中蒲郡新津村　井浦久造　二人
長野縣埴科郡南條村　宮原大八郎　一人

各町村設立の
海外視察組合（續き）

下高井郡平穩村第一組合

組合長　兒玉峯三郎
宮崎通知
佐藤嘉市
兒玉雄松
湯本喜四郎
西澤寅藏
西山平四郎
小林民作
小林小治郎
兒玉才助

下高井郡日野村組合

組合長　浦野良貞
小林芳造
中山明孝
望月定之助
小島金一郎
小林惣助
小林馨介
阿部鶴藏
海野賢一郎
小林仲藏

下高井郡平野村組合

組合長　原彌太郎
山田莊左衛門
上原光幸
土屋現勳

山田齡兒
山田三雄
田中藤市郎
小林傳作
山田忠男
竹内一良

下高井郡中野町第一組合

聯合組合長　小林治雄
近山覺重
小林定次郎
堀内知次郎
藤澤健夫
町田一郎
小林長
野口廉平
柴草清治
峰島慈忍

中野町第二組合

組合長　土屋幸助
酒井謹治
土屋庸三郎
小林万治郎
綿貫一郎
吉谷藤太郎

中野町第三組合

組合長　高木勝秀
山本泰見
小山富美
丸山勘兵衛
小林指司
關信雄
高橋健郎
鈴木靜壽
宮澤豊江
竹前健之丞
清水善一郎
高橋正司
德武彌太郎
松島平八郎
望月金次
瀧澤忠勝

小縣郡武石村組合

組合長　池内寛治
瀧澤周治
瀧澤好景
橋詰久
柳澤賢次郎
柳澤泰
北澤常市

小縣郡西内村

組合長　清住吟一
北澤敬次郎
北澤進一郎
清澤光躬
清住一藏
伊藤宗太郎
小池梅吉
瀧澤芳邦
池内若人
柳澤武
竹内万之助
伏見寛泰
島田環
伏見傳平
池内憲
瀧澤浩
齋藤寛吾
今井和利
小林登
荻原一次
中村光明
齋藤芳邦
池田庄平
今井壽左衛門
齋藤益吉
池内淺一郎

信濃海外協會規約抄錄

一、本會ハ信濃海外協會ト稱シ本部ヲ長野市ニ支部ヲ必要ニ應シ内外各地ニ置ク
二、本會ハ縣民ノ縣外發展ニ關スル諸般ノ事項ヲ調査研究シ其ノ發展資スルヲ以テ目的トス
三、本會ハ前條ノ目的ヲ達スル爲必要ニ應シ左ノ事業ヲ行フ
イ、縣民縣外發展ノ方法ニ關シ立案ヲナス事
ロ、發展地ニ就キ調査ヲナシ其ノ結果ヲ紹介スル事
ハ、在外縣民ト聯絡ヲ計リ指導後援ヲナス事
ニ、海外投資ノ研究ヲナシ之ヲ發表スル事
ホ、海外發展ニ必要ナル人材ヲ養成スル事
ヘ、雜誌其ノ他ノ出版物ヲ利用シ若クハ自ラ發刊シ又隨時講演會ヲ開ク事
ト、海外發展ニ關スル各種參考品及統計ヲ蒐集スル事
チ、本會ト共通ノ目的ヲ有スル他ノ機關ト聯絡ヲナス事
リ、前各項ノ目的ヲ遂行スル爲臨機本會ノ代表者調査員等ヲ内外樞要ノ地ニ派出スル事
ヌ、會員ニハ「海の外」毎月寄贈ス
ル、其ノ他本會ノ目的ヲ達スルニ必要ト認ムル事項
四、本會ノ會員ハ名譽會員特別會員維持會員普通會員ノ四種トス
イ、名譽會員ハ代議員會ノ決議ヲ經テ總裁之ヲ推薦ス
ロ、特別會員ハ一時金百圓以上ヲ醵出スルモノトス
ハ、維持會員ハ會費年額金拾圓ヲ十ケ年間醵出スルモノトス
ニ、普通會員ハ年額金貳圓ヲ十ケ年間又ハ一時金拾六圓以上ヲ醵出スルモノトス
會費ヲ滿一ケ年以上滯納スル者ハ會員ノ資格ヲ失フモノトス
五、本會現在役員ハ左ノ如シ
總裁　千葉了
副總裁　平野桑四郎　佐藤寅太郎
顧問　小川平吉　今井五介　原嘉道
相談役　伊澤多喜男　田中無事生　土屋耕二　福島繁三　降旗元太郎　越壽三郎　小里頼永　片倉兼太郎　福澤泰江　小林暢　山岡萬之助　工藤善助　樋口秀雄　植原悅二郎　山本愼平　松本忠雄　白石喜太郎　高田茂

海の外（月刊）（一册廿錢）

定價表

	内地送料共	外國送料
一册	廿錢	四錢
六ケ月	一圓十錢	二十四錢
一ケ年	二圓廿錢	四十八錢
五ケ年	拾圓	二圓

御注意
△御送金は振替（長野二一四〇番）に御願ひします。
△外國よりの御送金は銀行、郵便局いづれにても確實に送金されます。
△御轉居の節は早速新舊兩御住所を御通知下さい。
△本誌へ廣告掲載御希望の方は詳細相談申上げます。

昭和三年六月一日發行
編輯人　永田稠
發行人兼印刷人　西澤太一郎
印刷所　長野市南縣町　信濃毎日新聞社
發行所　長野縣廳内　海の外社
振替口座　長野二一四〇番

各縣海外協會
日本力行會　**指定旅館**

海外渡航乘船
領事館手續
貨物通關取扱

高谷旅館本店

本店　神戸市榮町六丁目
神戸市郵便局私書函八四〇番
電話元町　八五四番、一七三七番

支店　神戸市宇治川楠橋東詰
電話元町　六六六番

各汽船會社專屬元扱
日本郵船會社
大阪商船會社
ダラー汽船會社
加奈陀汽船會社
アドミラル汽船會社
南洋郵船會社

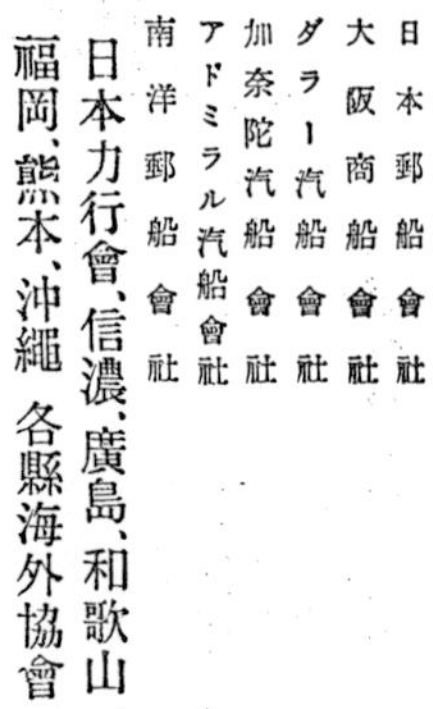

日本力行會、信濃、廣島、和歌山
福岡、熊本、沖縄　各縣海外協會　**指定旅館**

海外渡航乘客荷物取扱所

今泉旅館

本店　神戸市海岸通六丁目三番邸
支店　神戸市榮町通五丁目六八番邸
長 電話　元町　三二一番
振替大阪　三五四一〇番

海外渡航取扱所

●東洋一の理想的設備を有する神戸港へ！
●旅館は誠實にして信用のある神戸館へ！

各縣海外協會
日本力行會　**指定旅館**

神戸市榮町六丁目廿一番邸

神戸館本店

電話元町　八六一番
振替口座大阪一四二三八番

支店　神戸市海岸通四丁目（中税關前）
電話三ノ宮二一三六番

◈本店へハ神戸驛、支店へハ三ノ宮驛下車御便利

（新刊）

海外發展準備研究書

お奬めして差支へない良參考書

永田稠著	海外立志傳	四六版四四頁寫眞六頁　定價二圓　送料六錢
永田稠著	改訂八版 新渡航法	四六版五一四頁寫眞廿頁　定價二圓　送料六錢
野田良治著	ブラジル人國記	四六版六五二頁寫眞百數十葉　定價二圓八十錢　送料十四錢
高岡能雄著	ブラジル移民研究	菊版四〇二頁總布製　定價三圓五拾錢　送料十八錢
瀧釻太郎著	大寶庫メキシコ	菊判七六五頁寫眞三百數十葉　定價七圓五拾錢　送料三十六錢
芝原耕平著	我等のアルゼンチン	四六版三五〇頁寫眞二十數葉　定價二圓　送料十錢
吉田梧郎著	南洋諸島の富	四六版三〇四頁地圖入　定價壹圓五錢　送料十八錢
正木吉右衛門著	南隣の友邦比律賓	菊判三四頁地圖寫眞入　定價三十錢　送料二錢
商工省商務局	比律賓の現狀	菊判二九三頁地圖寫眞入　定價一圓五十錢　送料十八錢
梶川半三郎著	東亞之大富源 現代の朝鮮	四六版六三八頁地圖入　定價三圓五拾錢　送料二十四錢
高柳保太郎著	滿蒙の情勢	定價壹圓五拾錢　送料六錢
中島文重著	初等ブラジル語獨習書	四六版二七四頁總布製　定價一圓五拾錢　送料十八錢
大武和三郎著	葡和辭典、和葡辭典	定價各五圓　送料十八錢
日本力行會編	海外移住講義錄（全十冊）	定價一冊一圓　十冊十圓　送料四錢
雜誌（月刊）	植民・ブラジル・南洋協會雜誌・滿蒙・海外の日本・東洋・海外	

海の外—THE UMINOSOTO
Published Monthly by the Uminosoto Sha. Nagano, Japan.

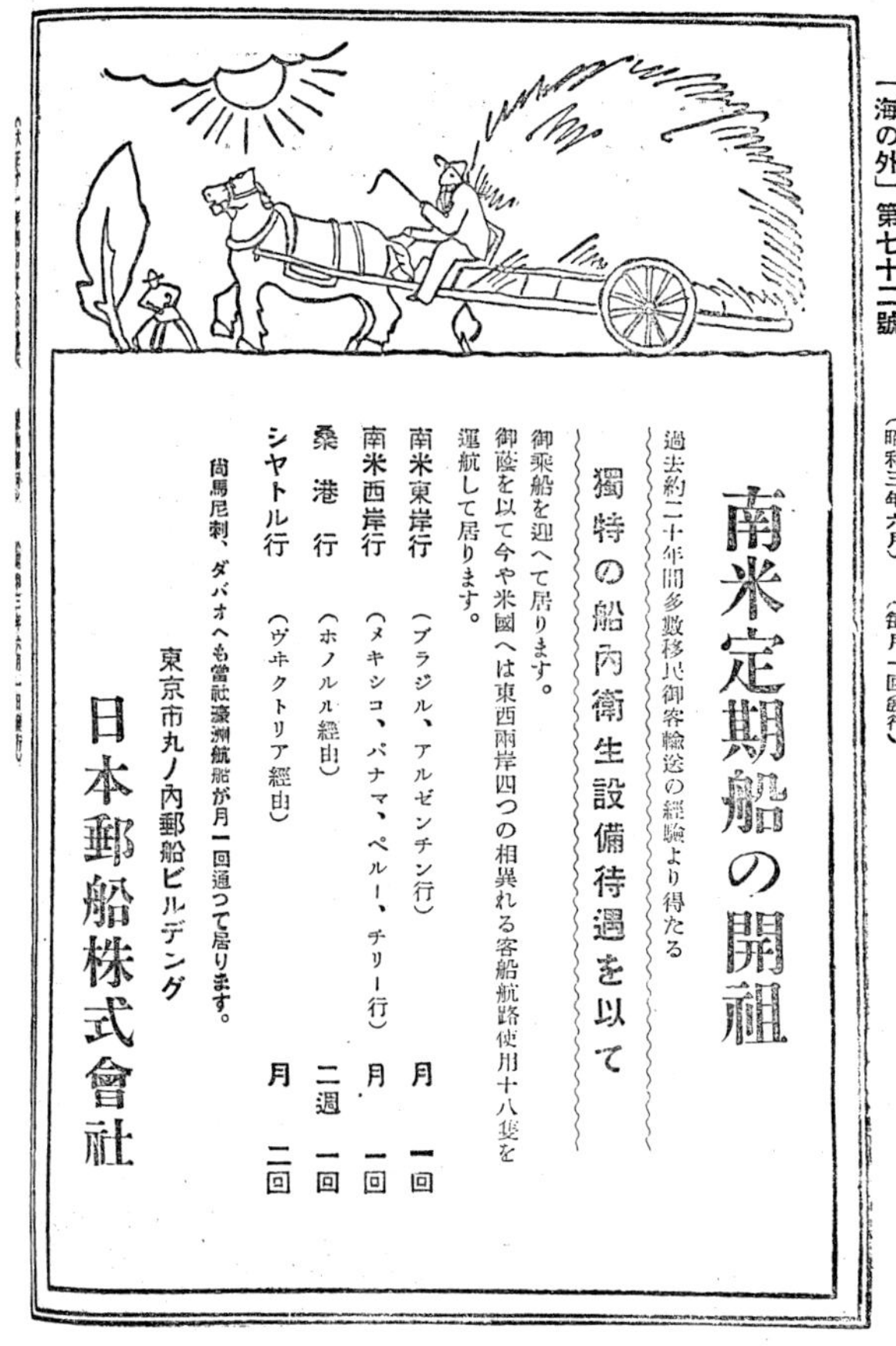

「海の外」第七十二號（昭和三年六月）（毎月一回發行）

信濃海外協會
海の外社發行

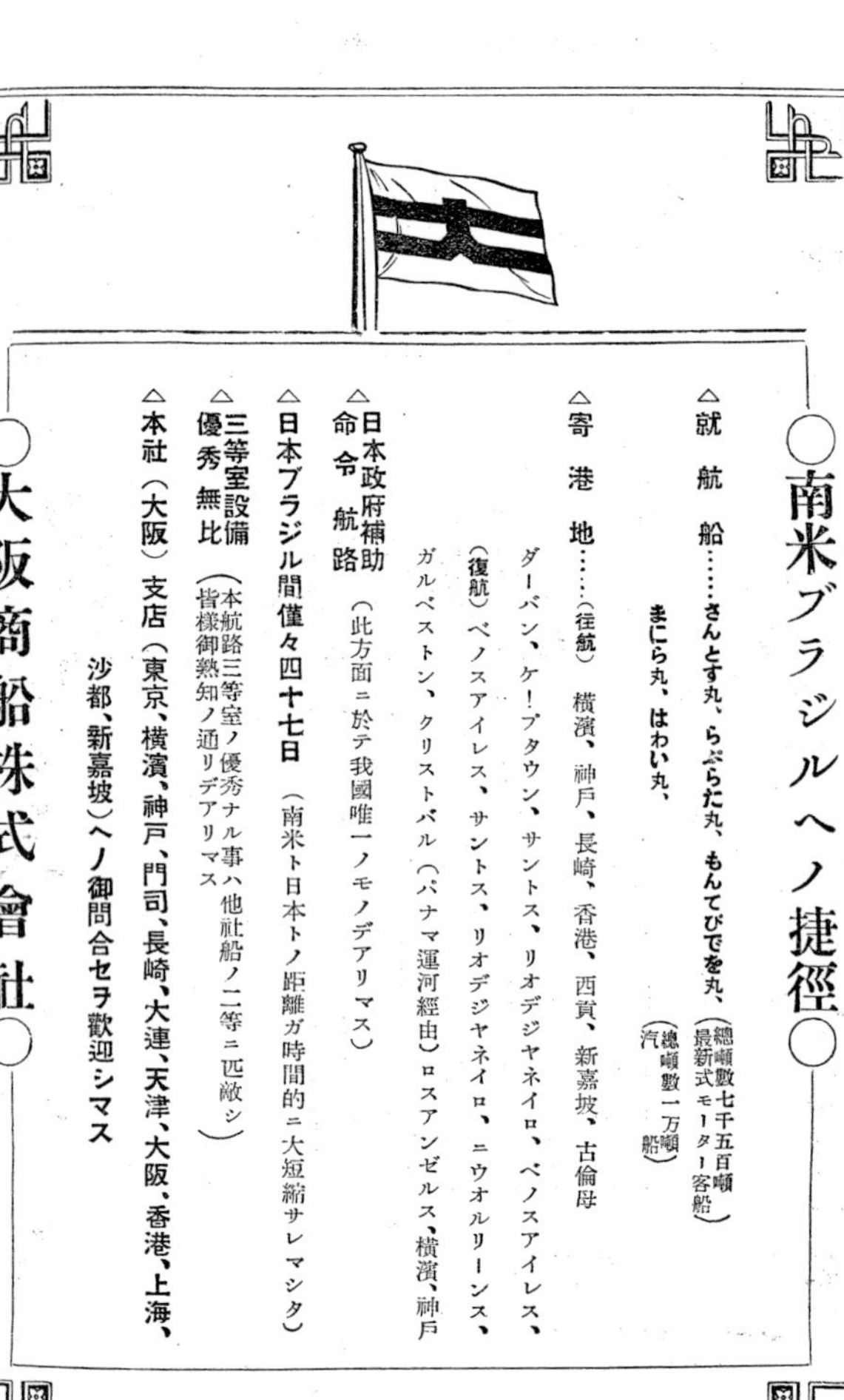

レジストロ支部會員（昭和二年七月臨時總會　大室氏宅ニテ）

寫眞說明
向つて右より
（後列）中島理事、太田委員、西村氏、海野氏、山寺氏、中村氏、池上氏、長澤氏、者日氏、中澤（與）氏、小林氏、村田委員、秋山氏、井之浦氏
（中列）植木氏、藤澤氏、石倉氏、大工原氏、深澤氏、内田支部長、大室氏、鹽川委員
（前列）吉原理事、曲尾氏、石川氏、和田氏、大室委員、中澤氏、淺川氏、牛越氏、久保田副支部長、田中（益）氏、大室氏、近藤氏、馬上にあるは花岡氏

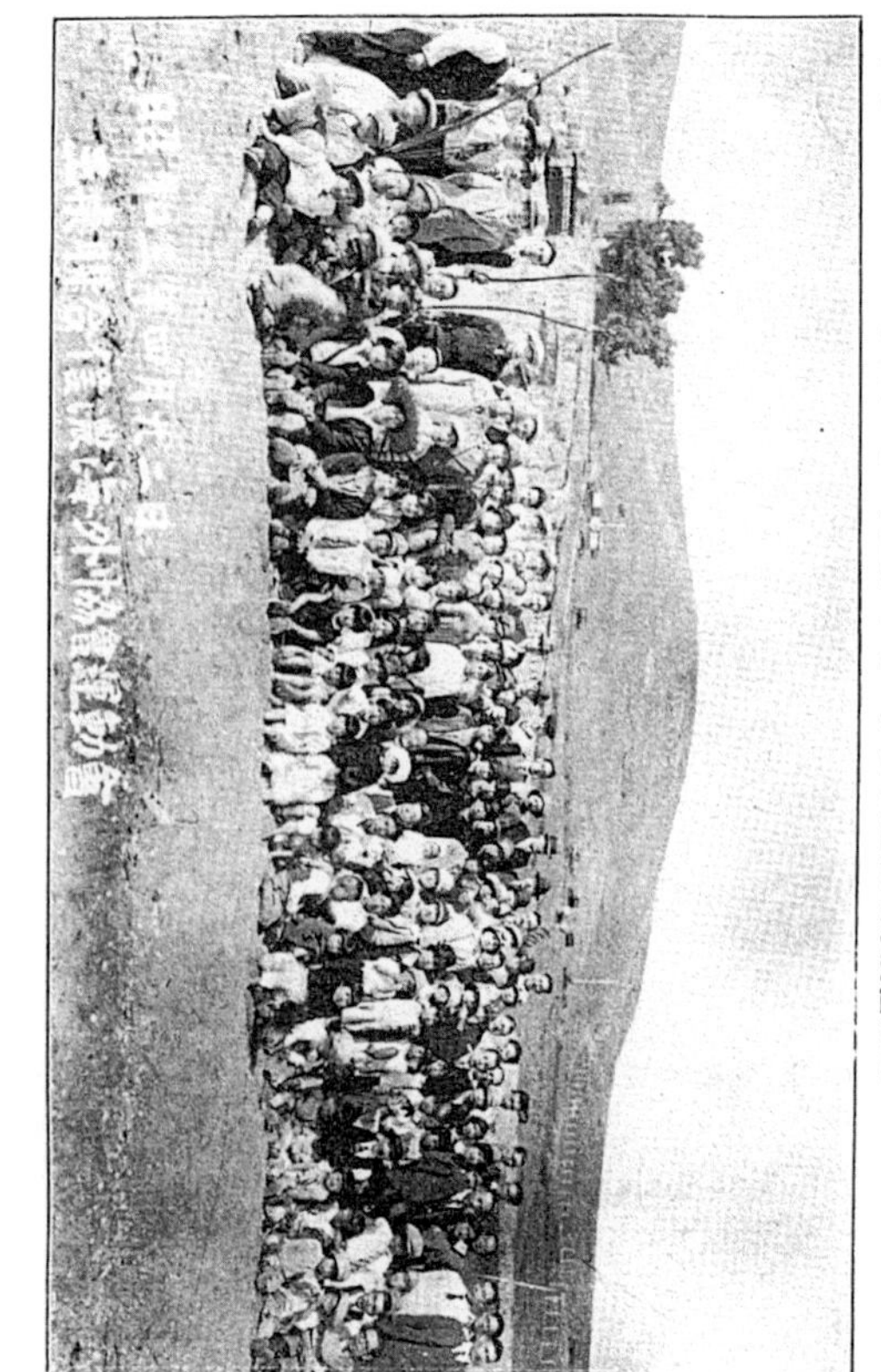

北加信濃海外協會のピクニツク（五月二十六日着）（本文十一頁参照）

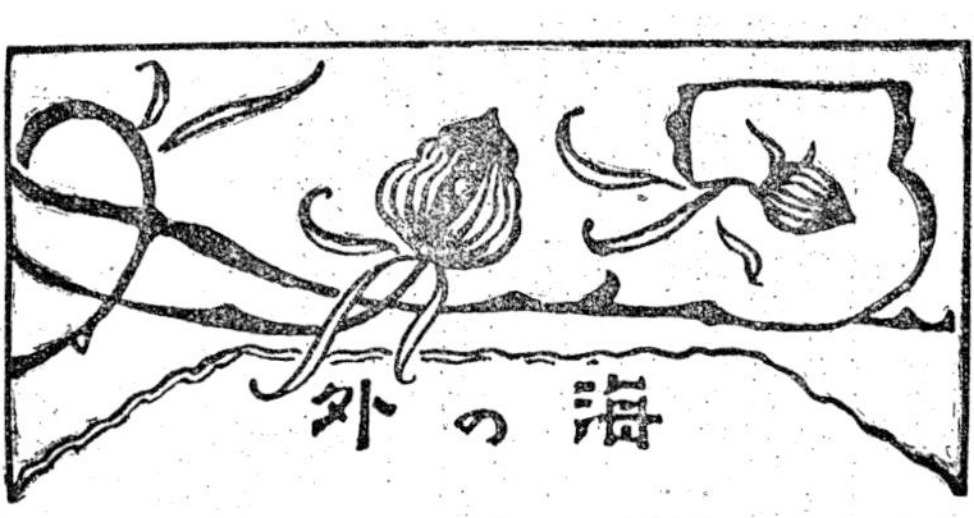

（昭和三年）第七十三號（七月）

人外魔境とは何事ぞ

五月南米便船の渡伯者を見送るべく神戸の移民收容所に出向いた節、渡伯者の妻の一人が次ぎの樣な尋ねを云ふて來た。

「本當ですか？、私共の往かんとするブラジルでアマゾン地方は猛獸毒蛇が棲息してとても人間の住める處ではない樣に書かれてありますが、しかも恐ろしい大蛇人を吞まんとする悲壯の插繪にいたつては。それにしても只今政府や有力者がアマゾン開發に頗る力瘤を入れてゐる折柄なんと予盾な事なんでせう。」

この恐怖と戰慄を抱かした記事は雜誌報國を以て自ら任ずる雄辯會講談社の「キング」五六月號から連載の冒險探險記である。

冒險のための冒險探險記事であるから何もとがめる譯ではないがアマゾンとは昨今邦人發展地、未開の寶庫として開拓的先驅者の血を湧かし憧憬の的となつてゐる名であるにかゝはらず、雜誌を以て國に報はんとする『キング』の一片に人外魔境とあるは甚だ穩當でない。

今や國民海外發展は我國難打開の最善なる解決方法である。雜誌報國の雜誌中から斯くの如き舞文典筆は心外で眞に國家のために憂ふべき事であると云はねばならぬ。特に海外發展の如き國家的事業には國民上下一致してその遂行に支障來たさざる樣少くとも國民指導の立場にあるべき筈のペン執る人々の十分なる自重を欲しいものである。

かねて痛々しい記事であるとは存じてゐたが渡伯者の一人から右の樣な疑問を發せられたので『キング』編輯者に苦言。（宮本生）

アリアンサ移住地問題（二）

在アリアンサ　芦部猪之吉

（八）精米其他の工場、學校、病院等諸設備の不進行に對する非難

移住地建設の當初宣言したる諸般の設備が、三年後の今日未だ完成せぬのであるから、入植者の豫期豫想を裏切りたるの非難攻擊は如何にも尤もなることながら、前述の如き土地購入價格の大相違、其他の偶發せる諸種の事情によりて、施設延期の已むなきに至りしが、昨年來外務省の補助工業奬勵費、醫局小學校補助費等の下付あり目下頻りに進行中であるが、醫務保健のことは一日も之を忽にすること能はざるを以て、一昨年即ち第二年に於て前後二回アラサツバより伯人ドクトルを迎へて入植者一般の健康診斷を實行し、後半期には聖市より笹田ドクトルを招きて醫局を開き、昨年即ち第三年には、主任勝田正通氏の渡伯あり熱心其の任務に盡くされ居るが、何分にも區域廣きに亘り、移住地初期の病氣マレータ其他の患者多數にして却々に手廻はり兼ねるの感あり、我聖は一般入植者と共に、更に一名の増員を希望して已まざる次第である。現在人口七百九十九人、入植以來の死亡者十六名は比較的多數ではない（醫局の開始後れたる割合に）病院の建設は入植者一同の大に希望する所であるが、目下の狀態に於て村民の負擔し能はざるを遺憾に思ふ教育問題に至りては、移住地の如き母國の文化に遠かり行く境遇にありては殊更其重要さを增すので、理想鄉建設の根本的精神が全くこゝにありと云ふべき程に重大であるが、理事者としては先づ以て入植者の生活を援はざるべからず、如何にも衷心苦辛慘憺と云ふ可し。幸にして敬虔熱誠なるクリスチアン松井黑龍君石戸君木村君夫妻等あり、中央部に數十名の兒童をあつめて日曜學校を開き、更に遠距離（四十二キロ）に於ては、同じく力行會員樋田陽莊君の努力によりて、十二名の兒童が教育せられ、（通計四十八名、全村の學齡兒童數五十四名）尙ほ第二アリアンサに於ては是亦力行會員佐藤信二君の努力によりて十數名の兒童が教育せられつゝあるが我等は一日も早く、伯國政府より派遣せらるゝ伯人教師によりて、邦人兒童が正式に伯國教育を施され、同時に邦人教師によりて過渡時代に於ける中等教育乃至青年補習教靑が行はれ、將來アリアンサを雙肩に荷ふて立つ青年、並にブラジル國市民として當國に活動する第二世の養成とを心から希望して已まざる次第なり。

此等教育機關と云ひ、精米製材工場と云ひ、病院と云ひ、協會經營の移住地なるが故に、其の創設を協會に希望すること、一應の道理ありと雖も、協會の事務多端にして、施設緩慢なりとせば、其緩慢を責むる代はりに、入植者一同が奮然蹶起せば必ずや成効のより速かなるものあるべしと思ふ。

公共團体の名に於て、建設せらるゝ移住地は我アリアンサを以て、嚆矢とするから、我等入植者は、何處までも協會當初の宣言を言質として、諸般の設備に對して傳統的依頼心を離れることが出來ざる現狀であるが、邦人既成植民地の凡てを通觀して、果して何の感あるべきぞ、上塚氏のプロミツソン及びリンスの如き近きはビリグイ植民地の如き、其他邦人集團地到る處小學校を設け、不完全ながらも伯國義務教育を施し居るにあらずや。

苟くも理想鄉の建設と云ふ、大なる犧牲を拂はねばならぬ、大なる努力を注がねばならぬ、曩きに永田幹事はアリアンサ移住地の洗禮と稱する題下に我等入植者の親愛、協力を諄々として誨へられて居る、今我等入植者が母國の傳統的社會制から全然解放せられたのみであつて、何等創建的努力もなく革新的緊張氣分もなく漫然として新しき村の完成を思はゞ恰かも是れ木に登りて魚を求むるの類、求むる所のものは得られずして、母國傳來の靈的貧弱なる生活繼續に終りはせぬだろうか。

協會にやつて貰ひたき物質的並に教育的組織機關の進行を責めると同時に、入植者自身の生命であり責務である所の、精神的生活卽ち心靈的ロツテの開拓が、殆んど着手せられて居らぬと云ふ位に、等閑にせられて居ることを忘れてはならぬ、第一に當村の家長全部を網羅し、唯一の行政機關とも云ふ可きアリアンサ會の共同自治的訓練を始めとし、當村良風作振方法、青年志氣養成、青年補習教育法、婦人會其他婦人教育法等新しき村として特に研究し考案し實現せなければならぬ問題が山ほどある、我が敬愛する村民諸君奮起一番村完成のために努力邁進せようではないか。

（九）結論＝移住地經營は入植者の自力によりて完成すべきこと

以上論理的の條理も順序もなく、唯だ我アリアンサに就きての論評や批難を、見聞のまゝに書き列ねて、それについて自分の感想其儘を述べて見たのであるが、振り返つて見ると「餘りに多く海外協會の肩を持ち、又理事者輪湖北原兩氏の爲めに辯護した

樣に見えるかも知れぬ。しかし乍らこれは寧ろ人情自然の發露であつて、我輩は當初より此の如き理想的移住地を海外協會が計畫して呉れたことを大々的感謝と思つて居る。一昨年在外十年の玖馬からやつて來て、移住地開始後一ケ年半、ロツテ第九號地に入植したのであるが、自分が前に豫想したよりも地味、地勢、住心地等すべてが、ずつと好適地でありカフエーが既に五萬以上も植付けてあり、食料品の販賣、必要品の配給等完全に行屆き、何等の不平も不足も悲觀もなく、否寧ろ感謝あるのみであつた。先以て協會に感謝し、同時に理事者兩君の勤勉で誠實熱心なるに感謝し、我等入植以前、アリアンサが未だ山のものか海のものか、分らぬと評せられた時代に、入植したる先輩十數戸（ロツテ入植八戸、協會コローノ四戸）の人々に對しても感謝し先驅者としての敬意を表するのである。一昨年は我輩のロツテを筆初めとして、第一アリアンサの殆ど全部が滿員となり、昨年は第一の殘部へ數家族と、第二アリアンサの五十五家族入植したのであるが、後から後からと入植して來た人々の中には、動もすれば若干の行違ひ又は已むを得ざる不公平等に對して、大なる不平、不滿を訴へ、時として怨嗟の聲を放つものさへもある由を聞き我輩は其人々の餘りに我利妄執の强きに憤慨したこともあり、他人の功績努力に對して感謝し讃美し能はざるものは如何にも憐れなる精神的不具者であるとさへ思つて見たことも度々ある。

前述地區配當の不平等、其他個人々々の打算から見て物質上の幸、不幸は若干あるけれども、之を以て直ちに理事の不公平不誠實に歸することは不當である。又移住地完成の根本的責任は、寧ろ協會ではなくて、移住者自身である。少くも協會と入植者と相協力して諸般の設備を完成すべきであつて、凡てを協會に讓り、入植者は手を懷にして、其進行の緩慢を責め、唯だ不平不滿を訴ふる如きは如何にも卑劣であつて、如何にも氣慨なき極みである。理事者は好んで緩慢なるにあらず、一日も早く此等一應の設備を終り、アリアンサ會へ事業を引讓ることを希望し居るに違ひない、我輩をして詭辯學派のデイレンマ論法を用ひしめば、協會理事者にして傑出せる人格技倆ありとせんか、諸君は宜しく敬服尊崇して其の成効を待つべきであり、若し彼等にして傑出せる人格技倆なしとせんか、諸君は宜しく助力後援して其の成効を祈るべきてはないか。何れにしても理事者は我等と同一の目的地に向ひて歩みつゝある我等の同行者である。アリアンサ村建設の同じ大道を前進しつゝある我等の案内者であるのだ。理事者の經營に對して攻擊非難すべき理由は寸毫もなくて援助贊同すべき理由は十分あるではないか。

我輩は先頃直ぐ隣りの熊本協會の移住地と、當アリアンサ移住地と何等の連絡も協力も行はれて居らぬ由を聞きてはこれが邦人の短處で如何にもにが〳〵しきことに思ひて、新体短歌を作つて見たが、今其歌を共まゝ茲に持ち出して我が敬愛する村民諸君の反省を促がしたいと思ふ。

○現し世に理想の郷を建つと云ふ
同じ心の民族等の、事々に爭ひ物々にいさかふ

○弱きもの團体らざれば强くならず
此の國にある民族等の、徒らに强くして團結りかねつ

○此の國に理想の村を作るてふ
我が民族等よ弱くあれよ、神の御前に平伏す心に

支那古代の經世家は倉廩充ちて禮節を知り、衣食足りて榮辱を知ると云ふてあり、我邦今日の政治家でも、まこと之を至言なりとして感服して居る向もあるが、これは支那春秋戰國時代、本邦の群雄割據時代富國强兵を以て、唯一の經國策とした時代のことであつて今此の新しき村の建設には適用すべき信條にはならぬ元來人間有福のときは却て緊張味を缺くが、困窮時代には意力緊張し思想に眞劍味を有つことは、誰しも經驗する所だ。試に思へ我等入植者は入植以來如何なる困窮を味ひたるか、如何なる苦痛を忍び、如何なる努力を捧げたであろうか、アリアンサ建設の大事業に向つて、如何なる犧牲を拂つたであろうか昨年五月の汽車遭難事件は、恐くは他に類例なき程に悲慘なる犧牲であつた。入植早々新妻の病死、良人の病死、親子の永別、夫婦の死別、一家の離散等何れか涙の種ならざるべきぞ。實にや先驅者の墓によりて、移住地は一歩一歩に完成せられ行くのである。併しながら靜かに思へ、此等悲慘なる犧牲は、最も重大なるものなれども、主として外來的不可抗力によりて、餘儀なくせられたものであつて、我等入植者が有意的に即ち自發的に、自ら進んで捧げたる苦痛、努力、忍耐、克己犧牲に何々を數ふべきであろうか。我輩は幸か不幸か未だ以て、入植者が眞に苦痛と云ふ程の苦痛、努力と云ふ程の努力、犧牲と云ふ程の犧牲を拂ひたることを見聞せず、若干は協會が入植者の生活を保護して呉れた好意に甘まへ、入植者の安定を保證後援して呉れた恩惠に狎れたと云ふことも源因するであろう兎に角、村一般の雰圍氣が餘りに緊張味を缺き、餘りに眞劍味を缺いて居る。渡航の途すがら、太西洋の荒波にすつかりと洗ひ流すべくありし所の、母國傳統の悪質國民性とも稱す可き、即ち理想郷建設の毒素たる依頼心、虚榮心、利己心等を此の白紙同樣の處女地に、運び入れること如何にも無謀であり愚劣の極である、今此等の毒素を細かに分折して見ると、依頼心には失望、悲觀、不平、怨恨等の危險分子を含み、虚榮心には大慨、彼の淺薄卑劣なる名譽慾、權勢慾、優越感、尊大、自惚、排他、侮蔑之等凡て社會の存立を危くする要素を含み利己心には分拆して見るまでもなく一目瞭然、理想郷建

設に最も大害ある、物質的所有多寡（例へばカフエー株數の多少を比較するが如き）の馬鹿々々しき競爭、詐僞（見本と相違せる農産品を共同販賣に混入するが如き）破壞（村内區内の申し合せに違反し又は共同費用の負擔を逃れんとする如き）等の悪分子を含み居りて、此等の分子は移住地の建設に百害こそあれ寸毫の益なしだ。我等は依頼心の代りに自治、協同の精神を振ひ起し、虚榮心、權勢慾の代りに思想慾、信仰心を深くし、利己心、競爭慾の代りに、自他共存の觀念、慈悲博愛克己忍辱の道徳的人格を養ひ、今までの如くに協會を依頼せず、村民一同の努力によりて、立派な學校も建て、病院も完備し、諸工場も引き受ける。信用組合、乃至販賣購買組合も設立し運用すると云ふ樣に、進取の氣、剛建の風を振興すべきである。

我輩は我アリアンサ移住地の最も神聖にして、最も靈驗著しかるべき洗禮は、此際數萬の村債を起して、設備を完成すると云ふ樣な、最も眞面目な事業によりて村内人心の統一、且つは自治協同精神の訓練を徹底的に行ふことが最も機宜に適し條理に叶ふ方案であると思ふ。古來國亂れて忠臣あらはれ、家貧ふして孝子出づと云ふ諺があるが、然り天下泰平の時は忠臣も世に知られず富豪の家にありては孝子も目に立たず、蓋しそれ程の努力も苦辛も犧牲も、拂はずに濟むからである。我等の境遇も亦然り、今後五六年を過ぎカフエーの收獲、毎一戸三四百俵乃至五六百俵を計へ、諸般の負擔に何等困難を感ぜざる時期が來たならば、各人の出資することが何等苦痛にも努力にもならず、從て有意義の犧牲にも試練にもならぬのである。即ち今日の如き最も窮困時代には、比較的眞劍味あり緊張味があつて、自治精神の振興訓練には尤も適すれども、各人富有に向ふ時は、知らず識らずの間に放肆、驕慢、尊大、破壞等賤しむべき野性が擡頭して來るから、甚だ纏りが付きにくいものだ。

故に我輩は此際起債の如き革新的方法によりて、一方自治の訓練、人心の緊張をはかると同時に、他の一方協會依頼的卑屈根性を破棄し、村民自己の偉大なる自己認識の上に、學校、病院を建て産業組合を設け村民一同虚心坦懷、寸毫の利己も排他も虚榮も競爭もなく、適材を適所に任用し、凡ての機關を生命ある可く運用し、擧村の人心をして常に〳〵清新ならしめ、謂ふ所の建國の意氣が磅礴として村内に滿ち、人類相愛の雰圍氣が洋々として村内に溢れる樣であつて慾しいものだと常に希望して居る。

さきに永田幹事がアリアンサ入植者に送るの書第一の趣旨によりて試みた、新短歌一首を結論として、一先づこゝに擱筆する。

新しき村を建てむと民族等の
山を拓きてカフエー植うる、同じ心は村を育めよ

（終）

朝鮮の風習（二）

一、家庭　親の權力―子の孝養

朝鮮では、祖父母、曾祖母から孫、曾孫に至るまで、多數の家族が戸主を中心として同一家屋内に住してをります。隨つて其幾組もの夫婦が同居生活を營んでゐる譯であります。これは、隱居や別家の制度がないので親元に長く居るためと、早婚の關係に由るのであります。家庭に於ては、親たるものが絶對の權力を有つて居て、家族の者は無條件の服從を守つて居るのであります。

朝鮮では儒教の感化が可なり徹底して居りまする結果孝の德が最も重んぜられて居ります。親を尊敬し、孝養を盡してその心を安んずることに力め、子たるものは日夜孝養に心掛け父母の命令には絶對に服從し、苟も違背してはならぬといふことが幼時から深く强く腦裡に刻まれてあるので、父母に對する日常の行爲も不時の場合も至れり盡せりであります。例へば、晨省昏定の禮といつて、朝夕必ず叮嚀に挨拶を述べその出入には送迎の禮を缺きません。子たるものが旅行、仕官する場合には先づ父母の許諾を受け、外出する時には行先を明にし歸れば必ず之を告げます。父母の命令に口答へしたり反抗したりするやうなことの無いのは勿論、父母の行爲には決して是非を挾みません。ですから、兩親の蔭口をするやうな者さへも見受けられないのであります。

食膳に向つては父母に先だつて箸を執りません、父母の食事の終るまでは侍立又侍座して行儀を崩すやうなこともありません。又父母の前では煙草や酒を絶對に喫飲いたしません。或時朝鮮人の親子が打揃つて懇意な内地人を訪問しました、主人は珍客とばかりに、煙草酒等出して歡待しましたが、如何に强いても子息の方は飲みも食ひもいたしませんで、非常に迷惑顔であつたといふことを聞きましたが、これは飲めないのでもなく又主人へ遠慮したのでもありません、實は吾が親へ遠慮したのであります。子に娶つた嫁は專ら父母の孝養に務めますので、夫のためといふよりも寧ろ親のために貰つたやうな觀がありま

す。ですから、旅行其の他の事由で暫く家を空けるやうな場合にも、兩親を殘して夫婦揃つて出掛けることなどは滅多になくいつも嫁だけは家に殘つて留守役に當るのが例であります、若しも不幸にして父母が病に罹らうものならば日夜側を離れず看護に懇切を盡すは勿論、危篤に瀕すやうな場合には、自ら指を割いて鮮血を飲ましめるとか、寒中に氷を砕いて鯉を捕へて羞めるとかいふやうな支那の二十四孝そのまゝの事例が今日も尚乏しくないのであります。父母が亡くなりますと喪に服しますがこの喪期の間は自ら罪人と呼んで人に接することを避け、外出には布扇及方笠をかぶつて顏を隱すのであります。

二、男女の別　內外制—家庭の女子

朝鮮では「男女別あり」といふことが嚴格に守られて居ります。でありますから、夫婦の間柄でありましても、下層の者でない限りは、居間に內外の區別を設け、男は表の方に、女は內の方に、各々部屋を別にしてあります。女の居る方を內房と稱し、表の方とは塀等で區切られてありまして、表の方から直接に覗はれないやうになつて居ります。若し內房に婦人の來客などある場合には、家族の一員たる男子でも、尙遠慮して近寄らぬやうに注意を拂ひます。又親族の者でも極めて近い間柄の者以外は、內房から呼込まれない以上は決して內には入りませんし一般に婦人は、見も知らぬ男に對しては、顏を見られることさへも耻辱としてゐる位ですから、如何に主人と懇意な友人でありましても、之と言葉を交したりすることなどはなく、若し已むを得ざる場合には、如何にも迷惑さうに、他所々々しい態度で、極めて無愛僧に應對するのであります。或る內地人が一日懇意な朝鮮人の宅を訪ねてゆきました、ところが、生憎く不在でしたので、要件を某の妻君に言傳しやうとして內房の方へ言葉をかけました爲めに、遂に友人から交際を絕たれたといふ例があります。

女子は十二三歲になりますと表には姿を見せません。又親の監督が嚴重でありまして、假令下層階級のものでも娘一人で出歩くといふやうなことはありません。そんな次第で、處女を冒した男子は非常に排斥を受けるのみならず、其の女を引受けねばならぬといふやうな制裁もあるのであります、かやうな理由から婦人は餘り外出することなく、多く家內に蟄居してゐるのであります。勿論朝鮮の家庭では、一日三度の食事は必ず其の都度炊ぐことになつてをりまして、冷えたものは決して食べませぬし、それに、衣服が汚れ易い白地でありまするのと、一つ縫ひといふ面倒な仕方でありますから、家庭內に於ける斯うした炊事、洗濯、裁縫の仕事に日夕忙殺されて、實際上からも餘り出歩くことが出來ないのであります。以前には、婦人が外出する場合、親戚や知人を訪問するときには、中流以上ですと乘物で先方の內房まで乘付けにして、全然姿を見せなかつたものです。さうでないものは、被衣で顏を覆ふて、眼ばかり出して往來したものであります。しかしこのやうな風習も、近來妙齡の女子が學校に通ひ始めてからは段々と廢れて來まして、往

時のやうな家庭蟄居も少くなり、今日では被衣姿の婦人などは稀に見る位であります。たゞ併し、男子に對する態度だけは以前と左まで變りがありません。といふのは、男子に馴々しい言葉をかけるような擧動は今も尙娼婦のしわざにひとしいとの觀念に支配されて之を賤視してゐるからであります。かやうなわけで、自分の良人に對してさへも無愛憎な態度をとるのであります。

三、婚儀と葬禮

結婚は冠婚葬禮中の隨一として重大視されて居ります。月下氷人が男家と女家との間に往來して婚談が纒りますと、男家では花婿の生年月日時を書いた「四柱」と云ふものを女家に送りますと結婚の吉日をトしてこれを男家に報じます。男家でもその日の吉凶を相して結婚の前日に「納釆」の遣り取りをします。この納釆はつまり結婚申込と之に對する承諾證書のやうなもので、これで婚約が出來たのであります。ですからこれを取交してから破約の出來ないことは勿論、儀式を擧行しない前でも一方で死んだ場合には喪に服したり、女子は寡婦として取扱はれるのであります。

儀式は先づ花婿の方から馬とか轎に乘つて女家に行き持參した雁（普通は木彫のもの）を前にして花嫁の兩親や親類に花嫁と末長く階老の誓言を述べます、これを「奠雁」と申します。それがすむと花婿は一旦自分の家に歸る、と今度は花嫁の方から男家に轎で乘りつけ、花婿の父母に酒を上り、祠堂で祖先の位牌に禮拜して實家に歸ります。それから花婿は再び女家に行き共夜は花嫁と共に寢につきます、かくて三日を女家に過した新郎は新婦を伴つて家に歸るのであります。

從來の結婚は全く兩家の父母の取り決めで、當事者の意見は少しも認めない慣はしでした。父母の命に依つて定められたのであるから之に從ふのが當然とされて居たのであります。ですから夫婦になつて見てから嫌な人と一緒になつたと思つても不幸の譏みを恐れて耐え忍ぶといふ譯であります。

結婚が父母だけの間に決定される事も從來早婚の風のある朝鮮では無理もない事かも知れません。近頃は段々早婚が少くなつて來ましたが、それでも普通學校（小學校と同等）の生徒中に妻あり子ある者が現在少くない樣であります、といふのは女子が嫁します年齡は大抵十七八歲からでそれ以上のものは殆んどないのですが、男子の方は十三四歲乃至十一二歲で新郎となるものが多いのであります。妻は年頃であるのに夫はまだ遊び盛りの兒童であるところから時に夫殺しなど云ふ事件が起る事があります。

結婚の前に男子は冠禮、女子は笄禮と云ふものを擧げます。これは今まで垂れてゐた辨髮を結髮にし、男子はその上に冠をかぶり、女子は結髮に笄を挿す式で、此の式を擧げるといづれも一人前の男女になつたことになるのであります。即ちその出

來は成年を表はす爲めの成年式であつたのですが、近來は結婚式の前行儀式として擧げられて居るやうであります。

藥石と祈禱がその效なく死期が迫つて參りますと、淸水若くは重湯を匙で飲ませ、やがて息を引き取るや死者の手足を整頓し、この室に猫を入れないやうに注意します。死後五六時間經つてから「招魂」と云ふ事をやります。それは死者の平生着て居た着物を持つて屋上とか高い處に登り「何某何日何時に別世す」とその着物を打ち振りながら三度呼びます。それからこの着物を死體の上にかけるのですが、これは死者のあることを告げると共に、死者の靈魂を呼び戾す式だと云ふことです。

招魂が濟むと七つの茶碗に御飯を盛りその前に一足宛の草鞋を添えます。これは幽界から死者の靈魂を引取りに來る使者の接待する意味で「使者飯」と云ひます。

次で「小歛」と云つて、死體の手足や顏を香水で拭き、七つの「無窮珠」を口の中に入れ男子は「額帽」と云つて白紙を額り貼り、女子は白粉で化粧し、衣を着更へさせ、手袋を、足には黑の鞋を穿かせ「七星板」と云ふ板の上に仰臥させます。喪主や親戚の者が「成服」と云つて喪服を着けましてから「大歛」の式を擧げます、これは死體に「壽衣」と云ふ新調の袷を着せ、その上を十二ヶ所麻で縛り、長方形の寢棺に納めるのであります。

かくて三日、五日、七日と云ふやうに死亡してから奇數日の日に出棺しますが、それまでは毎日朝晩「上食」と云つて生前好きであつた食べ物を添へ、喪主や親戚は「哭」をします。この哭は死者に對し悲しみの意を表はすのであります。さて出棺になりますと酒果を供へ香を焚いて哭をやります、これを「奠」と申します。愈棺から出る時、葬列には女子は、その夫以外從はぬことになつて居りますから、棺に取りすがつて泣き悲しみます。葬輿は「輿丁」と云ふ人夫にかつがれ、その前後に喪主親戚知己並に「方相師」「哭婢」などが附き、銘旗其他の儀具を列ねて葬列をつくります。葬送の途次輿丁と哭婢とは振鈴に和して哀音の哭聲を放ちますが、出棺時の愁歎もこの哀哭も死者に對する一つの禮になつて居るのであります。

前以て選定してある墓地に着きますと永袂式をあげて埋棺します。朝鮮では殆んど悉く土葬で火葬は極めて稀であります。

埋棺が濟むと、位牌を持ち返り、これを家の祠堂に祭ります。この位牌は栗の木で作るもので、小祥（一年忌）「大祥」（三年忌）間は祠堂で祭り、五代目になりますと墓地に埋めてしまいます

喪服は家族、親戚がその親疎の如何に依つて三年乃至三ヶ月之を着けるので、その服にも麻とか木綿とか、その地質、縫方に可なり複雜な區別があります。

四　住　居（男女有別の構造と間取）

家屋は木造の平家でありまして外壁の土と石とを混じて塗り門壁は土だけで塗り室內は紙を張つてあります屋根は普通に瓦葺瓦でありますが地方に依ては石又は木皮で葺く處もあります殆んど如何なる家でも溫突の一間位を有せぬものはありません

溫突は床下に數條の火坑を築き其の上に板石を並べて床とし其の床の上を土で塗つて平にし更に其の上に幾重にも油紙を張て絕對に煙を洩るゝを防いでありますタ方に少量の燃料の焚口に投じて置きますと火氣が火坑を通して煙突に逃れて行きます際に石床を暖めて終夜屋內をして程好き溫度を保たしめる裝置になつて居ります頗る經濟的なそして衞生的な採暖法であります

家屋の構造間取りは外舍と內舍とに區別することが出來ます外舍は中門の外にあるのが普通でありまして之を舍廊と云へます男子の居室でありまして又客室にも充て傍らに婢僕の居室もあります內舍は中門の內に有まして內庭を控いて居ります婦人の居室の在るところでその傍には厨房（或は物置）などがあります、かやうに男女の區別を嚴にせる構造なのでありますから、女子は自然外來の男子に面接せぬのみならず、家族のものでも男子は女子の室に入りませんし女子も亦男子の室を窺ふことをせぬのであります。併し近來は大分に開放的になりました。

內舍の內には板間の一室があります、之を大廳又は廳事といひまして、主に食事の用意夏時の食事、女子の裁縫、或は慶弔の儀式を行ふ所となつてをります。

祠堂は先祖四代までの神主（位牌）を安置する所でありまして、別棟又は別室に設けるのが正式でありますが、近來はだん〳〵と簡略にする傾向になつてまゐりました。

以上は間取の槪要でありますが、兩班の階級又は富者になりますと、中々に複雜で房數なども非常に多いのであります。これは朝鮮は內地よりも一層大家族主義で、一家の內に幾夫婦も同居してをりますと、食客の多いのを誇とするとで隨つて奴婢も自然多數なのとで、これに充つる、それ〳〵の室を要するからであります。（終り）

北加信海協
大運動會

冬が去つて春が來た。四圍の眺めが全く陽氣となつて來た。永らくの懸案だつた北加信海協の大運動會が遂に四月廿二日リツチモンド海岸に催された快晴、會する者二百五十餘名競技十數番弓術釣魚寶探し等々。小供を交へた婦人連の寶探し量り切れない大魚の生捕へ樂むことの忙しさ。かくて午後六時目出度散會、當日の號外左の如し。

（口繪參照）

號　外

第一號　場所は波靜かなるリツチモンド海岸、時は盛春、空に雲なく地平線上翠碧を遮るものなし、見よ光に輝く我鄉男子の顏せ。見よ胡蝶の輕身に眞似ふ婦人の姿。見よ嬉々たる子供の神の姿を。溢れんとする喜悅は是より歡樂の泉となつて湧き上る

第二號　世界の耳目を聳動する世界のチャンピョンと信海協選手の競技。

努めよ吾鄉の戰士！。振へ吾鄉の士！

第三號　淸淨の白砂、穩波の寄する所、嬉々たる天童の遊戲、見よ。其天眞爛熳の風姿を、是より旗取競爭！

兩角喜重氏の
—在外邦人子弟教育視察—
▲南北両米を主として▼

南北兩米大陸には約三十万余の我同胞が民族發展の先驅的使命を荷ふて活躍してゐるが、此等同胞の所謂子弟の教育こそ將來の同胞盛衰に重大なる役目を持つものでその教育方針の根本問題は在外者父兄及び母國識者の留意する點である。

今回本縣諏訪郡平野小學校長兩角喜重氏は三十年間の永い兒童教育經驗と抱負とより在外子弟教育狀態を視察すべく從來の歐米諸國視察と全然その目的を異にして在外邦人の在住多き前記南北兩米大陸に約拾ケ月の豫定で視察旅行する事になり先づ南米移民船に割乘して船中移民兒童教育狀態よりみるべく去る五月便船のサントス丸に乘船した。

同氏は明治卅四年の十八回目本縣師範學校卒業で諏訪郡北大塩村小學校訓導として赴任翌年玉川北山富士見の各校を歷任して四十二年湖南小學校長に榮轉大正七年北安曇郡視學に任じ更級郡に轉じ十年現在の平野小學校長に戻り本年四月奏任待遇に遇せられ高祿百八十圓本縣隨一の小學校長で教育界にある事足掛二十八年の教育家、諏訪郡北山村出身である。

同氏の旅行豫定を示せば左の通りである。

五月十七日　橫濱出帆
五月十九日　神戸出帆
五月廿七日　香港發
六月　一日　新嘉坡發
六月　七日　コロンボ發
六月　廿日　ダーバン發
六月廿四日　ケープタウン發
七月　五日　サントス着
七月廿日迄　聖州北西線方面視察
七月廿五日　リオ方面へ
八月　五日　聖市附近
八月　十日　ブエノスアイレス
八月廿日頃迄　アルゼンチナ視察
九月廿五日頃迄　智利視察
九月　卅日　バルパライソ發
十月四日頃　秘露國
十月　九日　パナマ
十月十二日　キューバ
十月十八日—廿五日　紐育
十月廿八日　ボストン
十月卅一日　ワシントン
十一月三日　シカゴ
十一月七—十二日　ローサンゼルス
十一月廿日　メキシコ
十一月廿五日　中加、フレスノ
十一月卅日　北加、サクラメント
十二月一—十日　桑港
十二月十七日　布哇
十二月廿七日　日本（橫濱着）

但し約二ケ月半の日子を右旅行日程に隨時加へて翌年二月上旬までに歸國する餘裕を存してゐる。

第二回 國際移民會議に就いて

西班牙國馬德里市日本公使館書記官　荒井金太

同會議に出席する事になつてゐる荒井氏の通信である。西班牙在勤前まではメキシコ以南の中南米諸國の入移民諸國に二十年間我移民の發展に活動せる外交官である。同氏は一昨年ペルー國から現任地に轉任を本省から命ぜられるや在秘邦人は在留民大會を開いて留任決議文を本省に打電し奔走したといふ程に信望厚い外交官で將來を屬望されてゐる因みに同氏は本縣上田市の出身である

一月十三日附玖瑪國「ハバナ」市よりの新聞電報は、左記を通信してゐる。第二回國際移民會議は、去年三月三十一日を以つて、「當ハバナ」市に開催せらるゝことゝなつた。

第一回の會議は

第一回國際移民會議は、一九二四年五月伊國羅馬市に於て開催せられたのであるが、該會議は、一九二一年中同じく羅馬市に於て、出移民諸國の代表者間に催され、且つ移民問題の如き重要事件の解決に對する、最初の國際的努力として知られたる、移民に關する「テリニカル」會議の結果である。

第一回國際移民會議は、歐州より三十個國、米大陸より二十個國、亞細亞より六個國、亞弗利加より一個國及太洋洲より二個國、計五十九個國の代表者が參列した。

羅馬の會議は、移民問題に關して利害關係を有する、各國民及其政府に取りて、極めて重要なる事件に鞅掌した。而して該會議の最終の總會に於て、第二回國際移民會議は、入移民國中の一國に於て開催することを議決したが、會期と會議國との決定は將來に留保された。而して第二回會議に對する準備は、第一回會議の幹部の委員會に之を附託した。此の準備委員會は、第一回會議議長伊國移民總監全權大使『ジュセップ、デ、ミケリス』氏司會の下に、一九二五年十二月七日羅馬に開かれ、其第三回の會合に於て滿場一致、第二回國際移民會議を『ハバナ』市に開催することを決定し、玖瑪共和國の承諾を得た。

第二回國際移民會議には、世界六十個國の參列を招誘した。卽ち歐米各國の全部と、亞細亞、亞弗利加及太洋洲の主要國とである。而して會議の議事は、左記五分科會に分擔せしむることゝなつた。

會議の內容

第一分科會、出移民の輸送、保護、衞生及檢疫に關する件。

第二分科會、出發前、旅行中及上陸の際に於ける、出移民に對する幇助、共助、保險及相互救濟に關する件

第三分科會、入移民國の勞働者の需要に應して、入移民を制限按配する事項に關する件、並に各國の出移民事務と入移民事務との聯絡共助に關する件。

第四分科會、移民條約に關する一般的原則並に是れに關聯する各種問題に關する件。

第五分科會、羅馬國際移民會議の決議事項の再審査、並に其執行方に關する件。

以上五分科會の事務は、總て議題三十九件より成り、中十七件は玖瑪國政府の提案に係り、主として社會及衛生の見地よりする入移民問題に關係して居るものである。（以上一月十四日馬府「リブラル」紙掲載）

他の何種類の會議よりも忌やな會議

國際聯盟の各種會合杯も、大戰後歐州に發生した、雜多の事件が方付いて、愈々歐洲各國が、日本も是迄、米國杯とは違ひ、各種歐洲の事件に鞅掌して吳れた厚意に酬ゆる義務だと云ふので、支那事件殊に滿蒙問題なぞに關係して來る迄は、先づ日本の代表に取りて、比較的樂なものだと一般に觀察されてゐるが移民會議の『社會及衛生の見地よりする入移民問題』とか『入移民國の勞働者の需要に應し入移民を制限按配する問題』等を討議する場合の日本の立場は、四面楚歌の感ありて、洵に同情に値するものと豫想される。（終り）

尋人

家長氏名	鈴木長治
家族人員	四人（子供二人）
本籍	長野市三輪（舊三輪村）上松
住所（大正七年頃）	Rua mooa 26 Sao Paulo（伯國）
最後の手紙	大正七年十一月發（實父宛）
航渡年月日	明治四十三年五月四日旅順丸神戸出帆
職業	渡伯二ケ年は珈琲園就耕、大正七年頃まで聖市外にて建築大工として勞働せる由

說明　本人は本籍にて小學校教員を就職し渡伯移民第二回の明治四十三年に渡航し前記の如く珈琲園に就耕してゐたが二ケ年にして聖市に出で市外發展につれて建築大工として活動し大正七年頃まで毎年二、三回の通信を實父に宛てたるも同年十一月實父宛手紙には新築工事漸次少なく不景氣にて仕事がなくて困るとの悲觀的通信を最後にして足掛十ケ年の今日に至るまで一回の通信もなく實父からは毎年二、三回通信するも或る時は名宛人配達不能なる故を以て返送あり或る時はそのまゝの事もあり消息全く皆無、生死不明の狀態である。

郷里にある實父は既に八十二歲の高齡にあり家政困難の際に出生せる長治氏の長女を實父に托して最早十九才になりひたすら在伯家族の消息を待ちつゝあり。

前記の如き事情にあり同人の現住所について多少なりとも御存じの方は大至急當協會まで御一報願ひたし。

—異彩を放てる—

國際二大會議
全米、移民兩會議の概況

在玖馬　今村廣美（下伊那郡市田村）

拜啓貴會益々御隆盛に趣き候段深く奉賀候、毎月有益極まる記事に埋もれし雜誌海の外御送附に預り有難く拜讀仕り居り候、さて當地には昨今世界的注目の大會議開催され申し候。就いては博識なる先輩諸賢數多の在留の事故、既に貴會へも其の結果御報告の事に存じ候へども淺薄なる自分の目に映じたる所と大略記し、御參考まで認め申し度候

全米會議

幾多の民族によりて構成せられ居る新世界アメリカ南北の兩大陸、及びカリビアン海に散在せる二十一ケ國の精神的融和結合並びに其の文化の向上發展を期せる、第六回汎アメリカ國際會議が兼ねて計畫通り去る壹月十六日當市ナシオナル劇場に開かれた。多年ラテン系アメリカ諸國に對し民族的融和を缺き居りし北米合衆國は、今會議を絕好の機會とし諸國と固き握手を交換し排アングロの感情を和げかつ莫大なる資本の投入によりて他國內に經營せる產業の自國に有利なる發達を遂げさしむ可く、大統領クーリッヂ氏は遙々當市に來り右會議の開會式に臨み、新世界の歷史より、說き初め國土の大小國力の强弱を問はず、同等同權視を主張せる友愛的の大演說を試み諸國代表より絕大なる稱讚を受けて、同會議に一層の重みをなして歸國した。

會議の概況

翌日本會議をハバナ大學內に移し、次後、汎亞米利加、國際公法、國際私法、交通問題、經濟問題、學術、社會問題、提案撰擇部等の八委員會に分離し、約一ケ月余り數十に余る提案の審議を續行した。各國代表者中には世界的名聲を博せる國際學者多々現はれ、何れも必生の才智をしぼりつゝ討論に討論を重ね、數多名案の決議採用あり、其の一部を擧ぐれば、汎アメリカン協會の活動增進、革命戰に關せる亡命客、逃亡艦船の所置、港灣の閉鎖、公海の中立、國境守備、大陸貫通河川の航行法、市民權及び國籍問題、全米縱貫鐵道並に大道路速成計畫、全米商用航空法の制定、鐵道並に海運の聯絡運賃の協定、全米衞生法の制定、優生學、人種改良學の問題等にて、米大陸內に於ける隣國間に存在する移民制限撤廢案、及び他國內政問題に關し武力干涉禁止案等は北米合衆國の反對あり、ラテン諸國は熱狂の態度となりしも、中米及びカリビアン海內弱少國の北米側に加勢するあり、遂ひに決議に至らず北米の橫暴をののしりしまゝ流產となり終る、大略右

會議の結果を判定すれば新世界の文化向上に資する効果に大なりしも、アングロ對ラテンの民族的融合は依然として胸襟を開くにいたらず、何となく奥齒に物の狹まりたる觀あり、メキシコ代表の如き歸國後曰く「汎アメリカ主義なる語は詩人の夢なり、其の實現の日や何時ぞや」とか世界の日進月歩民族の對立を考ふる、民族的結合を痛切に思ふ時我等東洋民族としてアジアを一圓とせる大亞細亜民族を網羅して、全アジア民族會議を東洋の一隅に開催され、東洋民族の益々擡頭を計られん事を遠き西半球より熱望してやまざる次第である。

移民會議

全米國際會議終結に次き幾ばくもなく、去る參月卅一日より第二回國際移民會議又當ハバナ大學內に開かる。地球表面に散在せる數十ケ國より右會議に參與する諸國四十有余ケ國人類進化歷史上に見逃し能はざるもつとも重大なる、人類の地上移動問題を討議す可く、故國日本よりも駐墨寄木公使を頭に專門家、名士等十七名の代表を送り今會議に參加せり。

同日四十有余の國旗朝風に飜る壯嚴なる大石段の奥上、同大學の大講堂に於て各國代表並に當國上流、知識階級多數の席上、今會議名譽議長たる當國大統領マチャード將軍は簡單なる開會の辭を述べ大統領に代り當國稀代の大雄辯家國務卿マルテイネス、オルテハス氏の堂々數萬言に渡る大演說を以て、意義深き第二回移民會議開始さる。本會議に移り當國大學教授ドクトル、サンチエデフエンテを議長に推し、五ケの委員會に分離し愈々眞劍に諸國より提出せる議案の研究審議に移り、今會議に目覺しき利き役者は先づ玖瑪、イタリー、フランス、ポートランド、ルーマニア、チエツコスロバツク、日本等の代表者と觀察されてゐた、

日本の痛手

玖瑪代表は先づ會議に臨み、移民問題に關し大々的の宣言をなし人類の地上移動を自然の趨勢と認め、此の當然なるを論ずると共に、移民の撰擇に就き新世界入移民國の社會的完全な發展を期する爲め、出移民國既住民の体質的、道德的の見地より移住民の受諾を主張し、移民問題をして全く國際間の政治的會議の如く觀き政治的色彩を帶びざる全然技術的專門會議目的たる、今會議に違反せる擧に、出で次いで後記の四議案提出、日本代表は各自が本會議に極力此の第二、三、四案取り消しに努力せしも、遂ひに十四對四票の差を以て敗れしは遺憾であつた。

會議の概要

各委員會提案の審議大略終了後、十六日より本會議を開き委員會より廻送の議案探決をなす、

第一委員會より廻送の議案（玖瑪國原案）十三ケ條全員一致可決す

一、移民乘船前に於けるチブス豫防注射及び種痘の勵行、二、移民局に於ける細菌試驗、三、犬類の乘船前に於ける狂犬病豫防注射、四、移民の海陸輸送に關する特別の規定、五、移民輸送に從事する列車並に船舶に積み込む可き用水に關する取り締り規定、六、旅客及び獸類の場所分離、七、移住者に關する通報規定、八、移民並に衣類携帶品の消毒、九、移民の上陸地に於ける必要事項通報なし得る資格ある通譯官の設置、十、航海中に於ける妊婦に對する特別手當規定十一、上陸拒絕移民の歸國を安全ならしむる方法、十二、未成年者單獨旅行（又は渡航）に關する規定、十三、移民の醫術的に撰擇機關の設置等。

第二委員會より廻送の議案（玖瑪國原案）を本會議にて可決す次の五分科なり。

一、移住者に對する醫療規定、二、移住者雇傭又は就働周旋機關及び貯蓄機關の保護、三、移住者の團結機關設置、四、移住者の爲めに學校設立、五、公私團体並に移民保護に關する規定等。

第三委員會より廻送の各國提出の議案朗讀後本會議を閉ぢ翌十七日午前引き續き本會議に入る、多大の討論を經て左の各條可決。

先づ佛國提出案たる移民の職業的撰擇、國境通過勞働者取り締り規定、他國に於ける語學及び商工業の習慣獲得の爲めに勞働者の國際交換。次に伊太利提出案たる公人及び私人組織團体による移民收容並に就職取り扱ひ規定、二國間に於ける未開地開拓に關する移植民特別協約、移民乘船前に於ける出移民國入移民國間に於ける移民上陸後入國可能を期する協定等、玖瑪提出の密入國者防止に關する手段、好ましからざる不良分子の入國豫防手段、移住者携帶旅券に同人の素質並に活動意志能力等の記入規定、日本提出の移住者の旅券檢閱單純化、並に査證料金の徵収規定、ポートランド提出の、入移民國に於ける勞働者必要無必要狀態に關して移民入國制限を行ふ時、出移民國既住者の家族に是を適用せざる事、出入移民兩國に於て法規の發布を行ひ其の効力を生ぜしむるまでに其れを防止又は制限の手段を取り得る樣一定理由的期間を設くる事、玖瑪提出の移住を容易からしむる爲め又は是を防止せんが爲め出入移民兩國よりの眞實又は虛僞の報道を修正又は抑制せんが爲めに必要なる手段を設くるの規定等なり。

日本の恐怖

第四委員會には既記の玖瑪提出、人種改良學優生學上より見たる勝手極まる次の四案あり、本會議に於ける最も、我が代表の苦鬪せし所と思はる、是も議論の未可決す。

一、移民法制定の主意

1、移住來住總ての國家は自國の農工業省に國際的見地に鑑み立法府に於て各自適應せる移民法の制定を行ふ。

2、第三回國際移民會議開會準備委員は各關係國の意志を基礎として國際移民法の起草の任に當るものとす。

3、前記委員は今日まで多少の効果を認め來りし國際聯盟勞働事務所及びローマ國際勞働局に依賴して直接又は間接に追從し移民に關する件を研究するものとす。

4、前記委員は生物學研究機關たる汎亞米利加協會の優生學人種改良學事務所の所置を承諾す可きもの。

次にフランス提案、外國勞働者職務上間々隣接國、生國等に轉換移働に關する取り締り規定、玖瑪提出外國在住者及び其の家族等の在住國に於ける民事上の諸手續簡易、ポートランド提出勞働保險勞働保護等の法規適用を自國勞働者外來勞働者同等に取り扱ふ件、社會事業勞働者保護等に於て外來者を自國民同樣に扱ふ法を適用すること、イタリー提出時々住所轉換（住國）の外來勞働者に對する保險の恩惠受領に關し取る可き必要手段等とす。

續いて第五委員會決議は第三回國際移民會議をスペイン首府マドリーに開催の件可決す。

本會議終了に至り玖瑪代表は第二回移民會議に當れる移民問題の宣言を撤廢する由を說べ本會議議長より各國代表連に向ひ厚き感謝の演說に次ぎ一二代表の短演說あり世界的注目の第二回國際移民會議は四月十七日午後七時十五分を以て目出度く終決を遂げたり。

日本の努力

此の重大なる世界的會議に列せる我が代表の暗中飛躍見る可きものあり殊にスペインマドリー公使館付荒井一等書記官の如き其の流暢なる西語の深き素養を以て各所に異彩を放ち就中玖瑪地理協會に於ける「大日本及び其の理想」と題する大講演の如きは日本宣傳上實に効果驂しく又代表諸氏に對顏の機會なかりしき當地新聞紙上にて聊か乍らもその活躍の一部を知り得たるは幸ひなり。（了）

移植民教育に留意して文部省

全國農學校長會に諮問

移植民運動の徹底を期するには現在の教育機關を網羅して移植民教育を施すにありとし文部省はこれが努力に大車輪であるが先きには各府縣の移植民教育の實情を調査し若くはこれが希望を聽取して大いに移植民教育に力瘤を入れ文部當局の空氣を一新轉せんものとしてゐる。更らに五月十九日東京に於て開催せられたる全國農學校長會に對し當局より移植民教育に關する諮問を掲示せるあり農學校自休の立場より答申をしたが今その全文を示せば左記の通りである
尙昭和四年新規事業には移植民教育奬勵施設費として五萬圓を計上する事になつた。

答申案

一、先ツ中央部ニ移植民學校ヲ新設シ漸次全國樞要ノ地ニ之カ設置ヲ奬勵スルコト　但其ノ入學資格ハ農學校卒業ヲ本體トスルコト

二、移植民教育ヲ目的トスル既設ノ學校ニ對シテハ其ノ內容ヲ充實シ其ノ入學ヲ奬勵スルタメ國庫補助ノ方法ヲ講セラレタキ事

三、各道府縣ニ新設學校ノ設置ヲ容易ナラシムルタメ國庫ヨリ奬勵金ヲ交付セラレタキ事

四、土地ノ狀況ニヨリテハ實業學校ニ移植民教育上必須ナル學科目ヲ加課シ更ニ移植民教育ニ資スルタメ植民科研究科專修科等ノ特別ナル一科ヲ設クルコト

五、海外ニ於テ實地見習ヲ目的トスル練習所ヲ設置シ之ニ對シテハ相當國庫補助ノ途ヲ講セラレタキコト

六、海外在住者ノタメニ適當ナル方法ヲ講シテ其ノ子弟ノ教育ニ遺憾ナカラシムルコト

七、移植民ノ保健ニ關シテハ移植民地開業醫ノ養成ニ努ムルコト

八、移植民ノ目的ヲ達成スルタメ女子教育ニ於テモ特ニ海外思想ノ養成ニ努ムルコト

九、移植民教育ノ資料ニ關シテハ文部省ニ於テ之カ蒐集頒布ノ方法ヲ講セラレタキコト

十、移植民教育ニ當ルヘキ教員養成ニ關シテ適當ノ方法ヲ講セラレタキコト

十一、實業學校長若クハ教員ヲ海外視察員トシ派遣セラレタキコト

十二、小學校用教科書ニハ移植民ノ思想ヲ涵養スベキ資料ヲ相當加味セラレタキコト

十三、移植民ノ思想ヲ涵養スルタメ師範教育其他一般中等教育等ニ於テモ相當考慮セラレタキコト

種々認定議決された

代議員會（議事報告）

御大典記念移住地建設具体化さる

六月九日本協會の代議員は縣廳正廳に於いて千葉總裁以下役員代議員を合せて三十餘名出席し、千葉總裁の開會の挨拶に次いで別項の如く永田西澤兩幹事の昭和二年度事業經過及成績について說明あり昭和二年度普通特別兩會計決算の承認を得、更らに昭和三年度の事業計畫及び豫算について質疑應答の後原案可決された。

昭和二年度事業成績

一、會員整理並新會員の募集

（イ）、會員の整理

大正十一年本會創立以來の會員はその數二千餘名に達し海外發展の宣傳全國に範たるブラジル移住地の經營等に大に盡力せられたれども既に星霜七ケ年各種の事情により新會員の更新を必要とするに至りたれば其謝意を表すると共にこれが整理に着手せり。尙此會員にして更に繼續會員たらんとする者には新に設立しつゝある海外視察組合員たる本會々員に入會方を依賴せり此種の會員五八名に及べり。

（ロ）、在外會員の增加

本會の益々隆盛なるにつれて海外在住者の間の聯絡も又頗る良好なる成績を示し在外會員の增加を示すに至りたるは本會のため誠に喜びに堪へざる所なり

（ハ）、女子會員の新募集

海外發展の上に於て女子の會員の募集と其の指導と啓發とは極めて重要なる事なるを以て縣內女子同窓會、婦人會、女子補習學校等に於て講話をなし此機運の促進につとめ新會員九名を得たり將來一層政府及縣當局市町村各種學校等の盡力を得て大に其目的の達成に努力せんとす。

（ニ）、新會員募集數

前年は二三五名なりしも本年は一八三名を得たり。

二、海外視察組合の設立並海外視察

本會は前年度より海外思想の皷吹、海外事情の視察調査、海外渡航の實際的啓發指導、勤倹貯蓄の精神の涵養、海外發展の金融機關の基礎設立、移住組合法の活用、海外各種の事業

の企業等を目的とせる海外視察組合なるものを各村に設立し縣内約四〇〇組合、五、〇〇〇名の組合員と八〇万圓の貯金とをなす計畫なり

然るに此計畫たるや其趣旨目的頗る海外發展の施設とし又縣民の期待に添ふ所となり各村到る處に設立を見、既に、一、〇〇〇名に達せり、昭和三年五月中には其組合員の渡外視察の第一回として滿鮮方面の調査視察を實施せんとす。本會は益々此方面に力を注ぎ所期計畫の完成を計らんとす。

三、出資特別會員の募集

本會特別會員にして現在のアリアンサ移住地の地主たらんとする希望者のために、參百圓出資寄附、土地一アルケール提供の出資特別會員を縣下に二〇〇口募集の計畫なりし所縣内到る所に於て大歡迎を受け續々申込を得忽ち四〇口に達したり然るに本會南米アリアンサ現在移住地經營は海外移住組合へ乗替へ引き繼ぐ關係上政府當局の不在地主整理希望の向もあり既募集四〇口のみに止めたり然れども此出資特別會員の募集は我國海外發展のため最も適切緊要なる施設なるを以て本會は又改めて新計畫の下にその完成を計らんとす

四、役員並組合員の海外視察

(イ)本會役員の海外視察調査は最も大切なる事なるを以て年々繼續せんとし本年度は前年ブラジル調査歸朝せし宮下幹事、更に滿洲朝鮮、南洋の視察調査に趣き有益なる結果を得たり。

(ロ)小笠原嶋視察調査のためパンフレット配布をなし本會書記下調査をなせり。

(ハ)本會指導の視察組合員は其の第一回の視察調査を朝鮮、滿洲方面に行はんとし着々其の準備に力め昭和三年五月中に實施の運びに迄進歩せり。

五、講習會の開會

日本力行會との聯合講習

海外移住を希望する青年男女、海外發展の宣傳並に指導者養成のために東京日本力行會と協力して縣内主要の場所に於て一週間の講習會を開きアリアンサ移住地の狀態、海外事情の講話、移住地入植の方法及一般海外渡航法の指導、宗教的訓練等をなし大なる好成績を收めたり。

講師

力行會長永田稠、同幹事宮尾厚、沖野喜賢、十川計一、鶴見太郎、西澤信濃海外協會幹事、主催地の農學校長及教諭、地方名望家、北米歸國者湯田継氏ブラジル歸國者神戸久一氏等在外歸朝者の有力者にして講習會は寢食を共にし實地に個人的指導をなすを目的として全縣内より優良なる者を選拔採用し一ケ所十人内外とせり。

會場	期間	人員
上水内農學校	五日間	一一人
更級農學校	五日間	一〇人
小縣郡別所公會堂	五日間	七人
北佐久郡望月公會堂	五日間	七人
諏訪郡永明公會堂	五日間	五人
松本市實業學校	五日間	八人

本講習終了者にして既に海外渡航をなしたるもの、アリアンサ移住地に入植したるもの數名に及べり。此成績に鑑み昭和三年度内各郡全部にわたり又は町村聯合の區域にて開催する見込みなり

六、海外發展者並志望者の指導

(イ)、アリアンサ移住地入植者の指導

アリアンサ移住地へ入植希望者には土地分讓の周旋、自作及小作人の入植心得、渡航法移住地の衛生、開墾法、移住地事情を知らしめ又一般海外各地への渡航希望者の爲めにも適切なる指導啓發をなせり

(ロ)、一般渡航指導による發展者

メキシコ		一〇名
キューバ		三名
南洋方面		二〇名
北米方面		一五名
ブラジル一般各地		四〇名
アリアンサ移住地	自作	四一戸 一九八人
	小作	一六戸 七五人
	合計	五七戸 二七三人

(ハ)、出發港に於ける指導

神戸横濱の乘船港へは毎月アリアンサ入植者及一般海外渡航者のために本會役員出張して旅券査證荷物の發送、身体檢査、收容所入所手續その他乘船渡航に關する一切の指導をなし海外發展並に移住地に關する諸般の講話諸注意等をなし大に精神的に鼓舞激勵せり尙又總裁よりは出帆船毎に祝電を發して大いにその行を壯ならしめたり。

本縣一般渡航者、熊本、鳥取、富山等のアリアンサ移住地入植者、海外一般渡航者の指導は海外協會中央會、富山、鳥取熊本等の海外協會、日伯協會等と相提携聯絡をとれり。

(ニ)、來訪せる海外發展志望者の個人指導

本會事務所及東京支部事務所に於て海外發展の目的を以て來訪する者、海外發展者の家族、知己、友人等にして海外在留者への各種の照會、物品、書籍の送附狀況調査等を依頼するもの若しくは海外への呼寄、求婚希望その斡旋等を申込み來れる者多數なるに鑑み本會は誠意その希望に應ずべく迅速正確切に右の指導と便宜とを計り發展者の郷里にあるもの〻慰藉と一般關係者のために其指導をなせり。

本部事務所にて應接指導せる者

ブラジル	一二二名	メキシコ	七名
南洋	二二名	キューバ	四名
其他	五〇名	合計	二一五名

海外渡航者又は再渡航者、在外縣人のために婚姻に付き諸種の斡旋をなせるもの

八件　十四名

(ホ)、海外發展通信指導

海外發展志望者にして本會へ通信にて海外事情、渡航手續、その他在外者調、在外者への通信、物品送届方法等各種の事

項に付きその指導を依頼し來れる者頗る多く本會は此等の人々のために一々詳細懇切なる通信にて返書を送り或は印刷物、書籍、雜誌等を送り大ひにその便宜を計り又その思想の鼓吹指導等をなせり。

其の數左の如し

長野本部扱	三、二七〇人	五、五八一通
東京支部扱	二、二五〇人	三、八〇〇通
合計	五、五二〇人	九、三八一通

七、海外發展に關する宣傳及講習

(イ)、各種學校又は公共團体に對する講演宣傳

縣内小學校其他に於て移住地經營狀況、本會事業並に一般海外發展に關する講演をなせり。

小學校	一五	中等學校	五
實業補習學校	三	青年會	五
婦人會	四	同窓會	二
軍人會	二		

(ロ)、講演會開催

昭和二年七月長野市藏春閣に於て前ブラジル特命全權大使田付七太閣下を聘しブラジル事情に付ての講演會を開催し數時間に亘る有益なる講演あり本會役員、會員多數と中學校、農學校、高等女學校、實業教員養成所生徒、外一般聽講者數千人參集、本縣海外發展空前の盛會なりき。

各所何れも熱誠溢る〻聽講者を以て充され多きは八百名に達したることあり。

(ハ)、講演會の講師

本會役員の外、在外公館よりの歸朝者、南洋フイリッピン、南米、北米等世界各地よりの歸國者、海外視察者等の中その識見人格の優越せる人士を招聘せり。

(ニ)、上水内郡教化聯合會との聯絡

上水内郡の教化團と聯絡して郡内數ケ所の講習會に於て其期間中海外發展の科目をおきその思想普及宣傳に努めたり。

上水内郡	朝陽小學校内	男女	二五〇餘名
同	芋井小學校内	同	三六〇餘名
同	日里小學校内	同	一五〇餘名
同	中郷小學校内	同	三四〇餘名

(ホ)、活動寫眞による海外發展並に本會アリアンサ移住地の宣傳

本會南米ブラジル、アリアンサ移住地は創設以來四星霜着々進捗して實に全國に模範たるに至り今や内外人の視察調査者續々としてアリアンサに行くに至れり此移住地建設事情を普く縣下各地を始め天下一般に周知せしむるために全六卷四七〇〇呎のフイルムを作製し新式機械購入の上昭和三年一月内務外務省等政府の要路に試寫公開して好評を博したるを始めとし縣下各地に於て映寫し傍ら海外發展の講演をなし大にその思想鼓吹の功を收めたり尙岐阜縣を始め他府縣廳へ貸與して此機運を增進せり。

開催種別		人員	講演回數
小學校	六ケ所	三、五〇〇人	六
中等學校、實業學校	二ケ所	一、五〇〇人	二
青年會、同窓會	四ケ所	二、七〇〇人	四
市町村	四ケ所	三、〇〇〇人	四
本會々員	五ケ所	四、六〇〇人	五
其他	二ケ所	八〇〇人	二
合計	二三ケ所	一六、一〇〇人	二三回

(へ)、視察組合員指導

海外視察組合員には特に小笠原、滿洲、朝鮮、臺灣、樺太等の事情に關する印刷物を希望により配布し又講演會、講習會出席を奬め大ひにその指導啓發に努めたり。

八、海外發展に關する著書、雜誌、印刷物の配布斡旋

(イ)、著書又は印刷物の配布

南米ブラジル、アリアンサ移住地の建設　一、〇〇〇部(一部貳圓)

アリアンサ移住地建設に關して盡力せられたる政府、縣當局各縣知事、協會關係者、出資者、役員その他移住地建設に功績ありたる者に寄贈せり。

右の外會員、役員、市町村、各種學校、青年會、婦人會、軍人會、海外視察組合、一般希望者等に配布したる主なるもの左の如し。

信濃海外協會概況(其の三)	四、〇〇〇部
アリアンサ移住地の經過	三、七〇〇部
ブラジル移住者募集ポスター	二、五〇〇部
アリアンサ移住地請負耕作要覽	三、〇〇〇部
アリアンサ移住地地圖	三、〇〇〇部
信濃海外移住組合要覽	一、〇〇〇部
海外視察組合設立趣旨書並規約	二、〇〇〇部
南米アリアンサ移住地報告(昭和二年九月三十日現在)	一、〇〇〇部

(ロ)、著書、雜誌、印刷物の紹介

移植民關係書籍、雜誌、印刷物の書名、發行所著者、及內容梗槪等を會員並に一般公衆に紹介す

謄寫印刷物配布	六、〇〇〇部
移植民關係書籍雜誌紹介	一、〇〇〇部
海外調査に關する案内	四、〇〇〇部

(ハ)、著書、印刷物の取次斡旋

南米一巡、兩米再巡、海外立志傳、新渡航法	三〇〇部
海外發展修養訓	一〇〇部
大阪商船、日本郵船會社の渡航案內	三五〇部
ブラジル人國記	五部
滿蒙	二〇部
朝鮮	三〇部
滿鐵會社發行各種印刷物	五〇〇部

其他　北海道、樺太、小笠原、臺灣等に關する著書、雜誌等希望者に配布せり

九、機關雜誌の刊行

本會機關雜誌「海の外」は會員及購讀者の增加に伴ひ發行部數每月二、九〇〇部より三、〇〇〇部を刊行配布するの盛況となれり、

會員配布	二、二〇〇部
縣下公益團体其他へ寄贈	四三〇部
對外的各種團体へ寄贈	五〇部
大學校圖書館縣下中等農學校へ寄贈	五〇部

十、標本の蒐集

海外に於ける特産品、繪はがき標本其他一般公衆の參考資料となるべき物を在外者、海外歸朝者、アリアンサ移住地理事等より寄贈を受け又はその蒐集に力め、動、植物標本百餘點を得たり。

十一、海外發展文庫開設

本年度より海外的各種文獻並に移植民關係著書、雜誌、印刷物等を廣く蒐集し海外發展文庫を開設して大いに其思想啓發に努めたり、

其主なるものを擧ぐれば

書籍名	著者
世界地理精義(上、中、下)	小林房太郎
日本國勢圖會	矢野恒太
最近世界地圖	三省堂編
旅の亞細亞	亞細亞學生會編
學生の見たるアメリカ	學生海外見學團編
黎明の支那	亞細亞學生會編
蘭領印度商法	南洋協會編
南洋の回教	瀬川龜
ハルマヘイラ島生活	江川俊治
領內南洋誌	島田昌三
ロブスタ珈琲	南洋協會編
蘭領東印度土地法	南洋協會編
植民及移民の見方	松岡正男
植民夜話	東郷實
植民改策と民族心理	同
植民原論	永井柳太郎
新渡航法	永田稠
海外移住講義錄	日本力行會編
東亞の大富源現代の朝鮮	梶川半三郎
滿洲に於ける日本及日本人	高柳保太郎
滿蒙の情勢	同
南洋叢談	藤山雷太
南洋諸島の富	吉田稻郎
英領馬來事情	南洋協會編
比律賓の現狀	商工省商務局
南洋の護謨栽培事業	南洋協會編
大寶庫メキシコ	瀧釟太郎
北米遊說記	鶴見祐輔
ラテン亞米利加富源	日本ラテンアメリカ協會編
南米及墨西哥の富源	松尾晉次郎

ブラジル	山崎芳藏
世界の大寶庫新南米	野田良治
ブラジル人國記	同
南米の寶國ブラジル	竹澤太一
ブラジル移民研究	高岡熊雄
南米一巡	永田稠
南米再巡	同
南米の理想郷	田中誠之助
西半球を巡りて	井上雅二
南米の大農牧國アルゼンチン	大島喜一
移民地事情自一卷至十五卷	外務省通商局
伯國の金儲け	古川大斧
植民地としてのブラジル	河田嗣郎

雜誌パンフレットの部

內地出版

植民(月刊)	日本植民通信者
國際時報(月二回)	外務省情報部
南船北馬	亞細亞學生會
ブラジル(月刊)	日伯協會
海の旅(月刊)	近海郵船會社
海外の日本(月刊)	海ノ外日本社
大廣島縣(月刊)	廣島縣海外協會
植民地便覽	內閣拓殖局
職業輔導(月刊)	大阪職業輔導會
世界と我等(月刊)	國際聯盟協會
會報(月刊)	熊本縣海外協會
力行世界(月刊)	日本力行會
海外へ(月刊)	長崎縣海外協會
會報(月刊)	岡山縣海外協會
會報(月刊)	中央朝鮮協會
滿蒙拓殖策研究	外務省通商局
對岸時報(月刊)	福井縣對岸實業協會
アマゾン流域の話	日本羅甸亞米利加協會
滿蒙拓殖策の研究	外務省通商局
海外思想普及の良策	鹿兒島縣海外協會
移植民問題講習會講演集	內務省社會局
南鵬(會報)	沖繩縣海外協會
鮮友(月刊)	文書傳導部
人口と移住(月刊)	大阪府社會課
移民地事情(月刊)	海外興業株式會社
海(年四回)	大阪商船株式會社
アルゼンチン事情	外務省通信局
南米ボリビア事情	同
ブラジル事情(四卷)	同
コロンビア事情	同
智利事情	同
伯國ニ於ケル棉栽培	同
在伯本邦移植民事情	同
アマゾン河流域植民計畫事情	同
中南米諸國移植民法規	同

日墨協會會報(第一號)	日墨協會
日墨協會會報(第二號)	日墨協會
南洋協會雜誌(月刊)	南洋協會

海外出版

大南米(週刊)ペルー	大南米社
ダバオ會報(月刊)	ダバオ日本人會
農業のブラジル(月刊)伯國	農事通信社
日伯新聞(週刊)伯國	日伯新聞社
メヒコ新報(週刊)墨國	メヒコ新報社
同志(月刊)伯國	在伯日本人中央同志會
墨都日本人會報(隔月)墨國	長淵鐘六
育兒法(第一編)	在ブラジル日本人同仁會
主なる小兒病(第二編)	同上
ブラジルの毒蛇に關する素人向智識(第三編)	同上
ブラジルに於ける衞生の注意(第四編)	同上
ノロエステ線トラホーム視察報告	同上
トラホーム問答 第三號	同上
腸チブスはどうしてうつるか(第四號)	同上
マレタをどうするか(第五號)	同上
メキシコ國畫報(寫眞)	岩垂貞吉
在亞日本人會報(月刊)	在亞日本人會

十二、アリアンサ入植遭難者病沒者追悼法會

七月二十日善光寺に於てアリアンサ移住地に於ける病沒者並に五月アリアンサ移住地入植者列車衝突事件の遭難死者追悼法會を營み千葉總裁以下相談役代議員前駐伯田付大使遺族關係者等列席して大勸進大僧正水尾寂曉師代理外僧侶多數にて盛大なる法養を營みたり。

十三、海外各地支部の連絡について

在外者連絡の最高機關

海外各地に在住してゐる本縣人の活動狀況乃至は現在の住所については吾々が是非共知らねばならぬ場合においてそのよるべき機關なく如何なる方法にせばよろしきやに痛く當惑してゐた問題であつた。海外協會はこの難問題には重要なる使命が勿論あつたので本會は在外信州人との連絡において創立の頭初より可成りの努力を拂ふて來たものである。

本會は海外にある鄕里の親族から「その後、前との居場所も變つたとの事であり餘り面白くもないと見えて二三年更らに便りがない」と云ふ樣な在外者の消息についてしば〳〵調査を依賴され照會を受けたが最早本會には本縣人の海外在住者動靜について殆んど不明の者がない程に調査と連絡が出來て、在外者の個人情況が直ちに通信によつて本人から回答あるまでになつて來た。したがつて今迄の樣に「本人から便りがないから此方から通信する事が出來ず三年も放つておいた。」と云ふ事がなくなつてゐる筈である。

こゝにおいて海外本縣人との距離が益々著しく近接し彼我の連絡が思ふ存分に出來、旣に架空的の安否想像の必要がな

いまでに到つてゐる。本會はその意味よりして在外者との連絡において最高機關の鍵を握つてゐる。

在外信州健兒

異鄕の地に奮鬪を續ける吾信州人には鄕黨的親睦が自然に成立されて長野縣人會となり或ひは本協會支部となつて團体的の活動が行はれる。そして相互の親交を溫め各自の向上發展を計り益々親睦中心に鄕土の山河に懷述の情を交はすのである。それがために次ぎの樣な模樣しが每年行はれて鄕里にある吾々の想像の及ばぬ圓滿なる團体的行動が行はれ一致協力鼓舞激勵的の奮鬪生活の中にも愉快な樂しい集會があり眞に鄕黨の親善が實現されてゐる。

一、春季或ひは秋季家族慰安の野外大運動會、新年宴會
一、會員の日常生活改善上必要なる協議會合
一、母國名士の來訪の歡迎會及講演會
一、遠洋航海艦隊乘組長野縣出身軍人の歡迎會、慰問、見物案內等
一、出生、結婚等の祝意、病氣災難等の見舞、死亡の弔意等の行爲
一、歸國或ひは轉居等による送別、見送り、餞別、新渡來の出迎へ指導等
一、貯蓄組合、硏究會、圖書館等の設立

海外各地支部

現在の本會支部關係にあるものは左記の如くであるが支部のなき地方は個人關係において連絡が出來てゐる。のみならず本縣人の在住增加と共に支部の設立も見るに到るであろう。

一、米國西北部支部(米國ワシントン州シヤトル市)
一、米國南加支部(米國加州ロスアンゼルス市)
一、北加信濃海外協會(米國加州桑港)
一、布哇信濃會(布哇ホノル、市)連絡交涉中
一、墨都支部(墨國メキシコ市)
一、タンピコ信州人懇親會(墨國タンピコ市)
一、伯國レジストロ支部(伯國聖州レジストロ)
一、伯國アリアンサ支部(伯國アリアンサ移住地)

海外支部設立の機運

一、バンクーバー(加奈陀國バンクーバー)
一、ポートランド(米國オレゴン州ポートランド)
一、ニューヨーク(米國ニューヨーク市)
一、墨國西海岸(墨國マンサニヨ市)
一、ペルー(ペルー國リマ市)
一、アルゼンチン(アルゼンチン國ブイノスアイレス市)
一、ソベロンプレート(伯國リベロレンプレート)
一、ソロカバナ(伯國ソロカバナ)
一、比嶋ダバオ(比律賓島ダバオ)
一、朝鮮、滿洲、現在の長野縣人會と連絡する

十四、現在役員氏名

總裁　千葉了
副總裁　平野桑四郎
同　佐藤寅太郎
顧問　小川平吉
同　今井五介
同　原嘉道
同　伊澤多喜男
同　岡田忠彦
同　本間利雄
同　梅谷光貞
同　高橋守雄
相談役　田中無事生
同　泊武治
同　小西竹次郎
同　降旗元太郎
同　越壽三郎
同　片倉兼太郎
同　小里賴永
同　福澤泰江
同　小林暢
同　工藤善助
同　山岡万之助
同　樋口秀雄
同　菱川敬三
同　山本愼平
同　松本忠雄
同　植原悦治郎
同　高田茂
同　白石喜太郎
會計監督　鹽野崎一
幹事長　小西竹次郎
幹事　沼越正巳
同　西澤太一郎
同　永田稠
同　宮下琢磨
同　高野忠衛
同　輪湖俊午郎
同　北原地價造
書記　坪內忠治
同　宮本乙巳
同　宮崎袈裟義
同　高津榮
囑託　松村悟
同　栗林藤松
同　關庸

○各郡市選出代議員氏名

南佐久郡 臼田町　小林亥吉

大澤村　木內定一
北佐久郡 岩村田町　支部長 市川多萬吉
小諸町　大塚宗次
岩村田町　市川多牧
中佐都村　荻原丈次
小縣郡 殿城村　柴崎新一
和田村　羽田貞義
諏訪郡 上諏訪町　宮坂作衛
平野村　小口善重
同　笠原房吉
上伊那郡 赤穗村　福澤泰江
小野村　宇治光治
下伊那郡 千代村　大平豁郎
飯田町　平野桑四郎
上飯田村　高田茂
西筑摩郡 福島町　伊藤淳
同　小野秀一
王瀧村　瀧龜松
東筑摩郡
芳川村　中村暇作
新村　上條信
中川手村　倉科多策
南安曇郡 豊科町　藤森聰
同　岡村政雄
島川村　黑岩重雄
北安曇郡 大町　平林秀吾
同　福島幸重
同　高橋正義
更級郡 篠ノ井町　宮崎萬平
共和村　寺澤種二郎
篠ノ井町　山岸市治郎
埴科郡 松代町　矢澤賴道
杭瀨下村　田中佳年
坂城町　市川澄丈
上高井郡 井上村　坂本重雄
須坂町　田中邦治
下高井郡 科野村　湯本敬三
同　須藤謙治

平岡村　山田市之丞
上水內郡 大豆島村　轟小八郎
朝陽村　松山勝三郎
下水內郡 飯山町　牧野長藏
常盤村　木內一郎
柳原村　丸山藤吉
長野市　丸山拼三郎
松本市　小里賴永
上田市　勝俣英吉郎
瀧澤助右衛門
有川仙之助

海外各地支部役員氏名

一、信濃海外協會米國西北部支部（本年三月着信）

總務委員
平林破魔雄　中曾根武平　尾羽澤義胤
理事
宮田主計（專務）　木村靈司
會計
望月五六　伊藤博匯

一、北加信濃海外協會（本年三月着信）

理事
桑港　酒井喜多市　田中常助　望月滋司　大久保正清
小川榮一
王府　青木寶次　北村嘉久藏
佐市　北澤武右衛門
櫻府　町田貞三郎
ユタ州　田々井昌
コロラド州　藤森德重
華村　伊藤晴之
須市　遠藤照治
アイダホ州　二木三一
布市　尾澤寧次
會計
酒井喜多市　小川榮一
幹事
片瀨多門　安曇穗明　臼井省三

一、信濃海外協會南加支部（本年二月着信）

會長　唐木保藏
副會長　丸山晋五郎
會計　秋山英之助
幹事　宮島清衛
評議員　浦田毛佐次郎　田中銀三郎
伊藤作衛門　青木梅作

松島鋤人　堀內茂
近藤正喬　小川清雄
小木曾壽三　入　隆夫
藤本安三郎　溝口功
大澤信鄉　山岸義茂
埋橋耕作

一、（墨國）タンピコ信州人懇親會
會長　矢島璋三

一、信濃海外協會伯國レジストロ支部（本年三月着信）
會長　內田登始雄
副會長　久保田安雄
理事　中島貞雄　曲尾良雄
吉原喜太郎　中島省三

地方委員　有賀德次　中島川佐
久保田安雄　中島貞雄
太田政彌　村田政勝
海野助彌　大室孫衛
鹽川常藏　中島源吾
牧內忠　戸田今朝一郎

昭和二年度普通會計收支決算表（承認）

收入合計　金壹萬五千九百壹圓壹錢也
支出合計　金八千八百五拾貳圓四錢也
差引殘額　金七千四拾八圓九拾七錢也　昭和三年度へ繰越

收入內譯　（△ハ減ヲ示ス）

科目	決算額	豫算額	增減	附記
第一款 會費	六、四一六、三三円	四二、一三〇、〇〇円	△三五、七一三、六八	會費收入少ナカリシニヨル
一、內地會員會費	一、三八三、五〇	二、二五〇、〇〇	△八六六、五〇	
二、海外會員會費	八二一、八三	一、九〇〇、〇〇	△一、〇七八、一七	
三、新募集會員費	九五、〇〇	七〇〇、〇〇	△六〇五、〇〇	
四、海外視察組合員會費	一九六、〇〇	八四〇、〇〇	△六四四、〇〇	
五、同新募集會費	—	六、四四〇、〇〇	△六、四四〇、〇〇	
六、出資特別會員會費	三、九三〇、〇〇	三〇、〇〇〇、〇〇	△二六、〇七〇、〇〇	

第二款 寄附金	一〇、〇〇	二、五〇〇、〇〇	△二、四九〇、〇〇	寄附金收入少ナカリシニヨル
一、寄附金	一〇、〇〇	二、五〇〇、〇〇	△二、四九〇、〇〇	
第三款 補助金	二、〇〇〇、〇〇	三、〇〇〇、〇〇	△一、〇〇〇、〇〇	
一、縣費補助金	一、〇〇〇、〇〇	一、五〇〇、〇〇	△五〇〇、〇〇	
一、國庫補助金	一、〇〇〇、〇〇	一、五〇〇、〇〇	△五〇〇、〇〇	
第四款 雜收入	六五七、二一	二、八八〇、〇〇	△二、二二二、七九	
一、過年度會費	一六七、八〇	一、八四〇、〇〇	△一、六七二、二〇	
二、雜誌賣却代	二七、九二	八〇、〇〇	△五二、〇八	
三、雜誌廣告料	二二〇、〇〇	九六〇、〇〇	△七四〇、〇〇	
五、利子	一七七、一四	—	一七七、一四	
五、雜入	四四、三五	—	四四、三五	
第五款 繰越金	六、八三七、四八	五、〇〇〇、〇〇	一、八三七、四八	
一、前年度繰越金	六、八三七、四八	五、〇〇〇、〇〇	一、八三七、四八	
第六款 土地管理料	—	八五〇、〇〇	△八五〇、〇〇	本年度土地管理料送金セザリシニヨル
一、移住地土地管理料	—	八五〇、〇〇	△八五〇、〇〇	
收入合計	一五、九〇一、一〇	五六、三六〇、〇〇	△四〇、四五八、九〇	

支出内譯

（△印ハ減ヲ示ス）

第一款 事務所費	三、五〇八、五七	七、二〇八、〇〇	△三、六九九、四三	
一、給料手當	二、三六六、八〇	三、〇二八、〇〇	△六六一、二〇	支出ヲ要スルコト少ナカリシニヨル
二、支部役員手當	—	九五〇、〇〇	△九五〇、〇〇	同
三、旅費	六五七、二八	一、六八〇、〇〇	△一、〇二二、七二	同
四、印刷費	八七、九五	三〇〇、〇〇	△二一二、〇五	同
五、通信費	三六、四五	二五〇、〇〇	△二一三、五五	同
六、備品費	八一、五四	五〇、〇〇	三一、五四	參考書籍及暖房用ストーブ購入ノタメ
七、雜費	二七八、五五	九五〇、〇〇	△六七一、四五	支出ヲ要スルコト少カリシニヨル
第二款 交附金	一五三、八九	八一八、〇〇	△六六四、一一	同
一、町村主任本年度會費交附金	一二三、三四	四五〇、〇〇	△三二六、六六	同
二、町村主任過年度會費交附金	三〇、六四	三六八、〇〇	△三三七、三六	同
第三款 出資特別會員募集費	二三七、三〇	四、五〇〇、〇〇	△四、二六二、七〇	アリアンサ移住地ヲ移住組合ヘ肩替イノタメ募集ヲ中止セルニヨル
一、交附金	一四八、〇〇	二、四〇〇、〇〇	△二、二五二、〇〇	同
二、旅費	八〇、一二	一、八〇〇、〇〇	△一、七一九、八八	同
三、雜費	九、一八	三〇〇、〇〇	△二九〇、八二	同
第四款 會議費	五四、二〇	一、〇〇〇、〇〇	△九四五、八〇	
一、總會費	—	八〇〇、〇〇	△八〇〇、〇〇	移住地建設記念會費ニテ負擔セルタメ
二、代議員會費	五四、二〇	二〇〇、〇〇	△一四五、八〇	

第五款 事業費	二、八八八、九四	一一、九五二、〇〇	△九、〇六三、〇六	
一、海外視察組合奬勵費	一七、七〇	四、三五二、〇〇	△四、三三四、三〇	本年度ニ於テ奬勵費交付申請ノ分少カリシニヨル
二、講習會費	一四二、一一	三五〇、〇〇	△二〇七、八九	
三、講習會補助費	—	二四〇、〇〇	△二四〇、〇〇	前項目中ニ含マル
四、海外視察費	—	二、一〇〇、〇〇	△二、一〇〇、〇〇	
五、宣傳費	—	一五〇、〇〇	△一五〇、〇〇	特別會計ヨリ支出セルタメ
六、雜誌費	二、六二一、一三	四、四五〇、〇〇	△一、八二八、八七	支出ヲ要スルコト少ナカリシニヨル
七、調査費	五五、〇〇	一〇〇、〇〇	△四五、〇〇	同
八、標本募集及展覽會	一三、〇〇	一五〇、〇〇	△一三七、〇〇	同
第六款 雜費	九、〇五	四二〇、〇〇	△四一〇、九五	同
一、雜費	九、〇五	四二〇、〇〇	△四一〇、九五	同
第七款 土地代及經營費	二、〇〇〇、〇〇	七、五一七、〇〇	△五、五一七、〇〇	
一、土地費	二、〇〇〇、〇〇	六、六六七、〇〇	△四、六六七、〇〇	第一回拂込ノ分
二、經營費及管理料	—	八五〇、〇〇	△八五〇、〇〇	
第八款 積立金	—	一五、〇〇〇、〇〇	△一五、〇〇〇、〇〇	收入ナキタメ積立金ナシ
一、積立金	—	一五、〇〇〇、〇〇	△一五、〇〇〇、〇〇	
第九款 豫備費	—	七、九四五、〇〇	△七、九四五、〇〇	
一、豫備費	—	七、九四五、〇〇	△七、九四五、〇〇	
支出合計	八、八五二、〇四	五六、三六〇、〇〇	△四七、五〇七、九六	

◎昭和三年度事業計畫

一、會員整理並會員募集

（イ）會員の整理並男子會員募集

本年は大正十一年の創立に係り爾來會員內地海外二千餘名に及び海外發展各種事業の爲大に貢献し來り殊に南米ブラジルの移住地設立の嚆矢たり其の他各種の事業大に見るべきものあるに至れり然れども其の當初よりの會員は已に星霜七ケ年各種の事情の爲め新會員の更新を要するときに遭遇せり茲に於て本會は本年度に於て其の整理をなし更に新なる有力の會員を募集せんとす

（ロ）在外會員の募集

本會は大正十五年度に於いて在外本縣出身海外雄飛者調査をなし以つて大いに本縣の在外志士成功者を詳かにして新に內外相呼應して我が海外發展を隆昌ならしめん爲めに本縣出身の在外者の入會增加に努力せんとす

（ハ）女子會員の新募集

海外發展は國民全部の運動ならざるべからず貴賤貧富の別なく老男女の別なく世を擧げ協同一致當に立たざるべからざるのときなり殊に我帝國の將來を雙肩に負ふべき青年男女の擔はざるべからざる大問題なり然るに從來は男子會員の募集と教養とに力を注がれ女子會員の募集と教養とは全く忘却せられたり本會は本年度は女子會員の募集及女子に對する海外發展の講習宣傳皷吹等其の教養の爲大に力を注がんとす

二、海外視察組合の設立增加並海外視察

本會は大正十五年度より縣內三百六十の海外視察組合設立に着手し昭和二年度に於て凡そ六十の設立を見たり更に次年度は其の數を增加し二百三十組合を設立せんとす組合員たる本會々員も二千六百名となし組合員の視察研究貯金も亦參拾萬圓に達せしめんとす

三、移住組合員の募集

前度年に於て計畫したる成績に依り本年度は大に力を注ぎて移住地建設移住組合設立等の事業をなす

四、役員並組合員の海外視察

（イ）本會役員海外視察

本會役員をして南米ありあんさ移住地及海外各地の海外事情調査をなさしめんとす

（ロ）本會の指導に係る海外視察組合は樺太、北海道、臺灣比律賓、南洋、布哇、朝鮮、滿洲等に付き凡二百名の視察員を派遣せんとす

五、講習會の開催

(イ) 各郡主任講習會並海外移住者講習各郡市主任並海外移住者を集め海外協會の趣旨並本會の經營方針一般海外發展に關する事項「ありあんさ」入植規定及移住各地の事情、海外衛生、渡航法等の講習會を縣內四ケ所に開催す

(ロ) 海外視察組合理事講習

組合設立の精神海外視察地方の事情視察研究の要項等主として組合の理事として大切なる諸般事項を講習せんとす縣內四ケ所に開催す

六、海外發展の宣傳

(イ) 組合海外事情講習會の獎勵

縣內の海外視察組合數ケ聯合して海外事情の講習を開く本年度此の種の講習は縣內十六ケ所に達せしめんとす

(イ) 各種學校並公共團体に關する宣傳

本會役員、海外成功歸朝者、海外視察、研究者、海外發展に關する名士により各種學校靑年會婦人會等各種公共團体に海外發展の宣傳をなさんとす

(ロ) 海外視察組合員に對する海外發展の指導

組合員三千六百人に對し本會並各種公共團体各種の國家機關と聯絡提携して大に植民敎育海外發展指導等をなさんとす

七、機關雜誌の刊行內容の改善並部數增加

本會機關雜誌「海の外」は現在三千部を印刷して廣く內外の會員及講讀希望者に頒布し來りしも本年度は海外視察組合の設立と共に新會員の增加に伴ひ其の發行部數を倍加して凡そ六千部を印刷し其の內容も亦大に改善せんとす

八、標本蒐集及展覽會

本會は大正十四年度より廣く海外に於ける特產品を蒐集陳列展覽して一般公衆の海外發展の思想啓發に資せん爲海外歸朝者又は在外者、ブラジルありあんさ理事等へ特に依賴して其の參考品の蒐集に努め來りしも本年度は一層其の種類と分量とを增加し將來海外發展の博物館の設立をなさんとす

九、海外發展に關する著書印刷物の紹介又は配布

(イ) 本會組合員並會員に配布の印刷物刊行

本會指導の海外視察組合員の視察研究に便ならしめん爲北海道、滿洲、支那等に關する調査物を印刷して遍く配布せんとす

(ロ) 海外事情の著書、各種印刷物海外發展修養書等の配布又は斡旋

組合員の視察海外諸地方に關する書籍、海外發展に關する著書、印刷物等を會員並組合員一般希望者に配布取次紹介等の斡旋に盡力せんとす

十、海外在留者の調査

海外在留者の調査は本年五月本縣警察部と協力して調査し目下之れが整理中である。これによつて在外者と益々聯絡を密ならしめ協力一致して斯道のために發展を計らんとす。

昭和三年度普通會計收支豫算（可決）

收入 一金參萬四千四百貳拾六圓也　支出 一金參萬四千四百貳拾六圓也　收入支出差引殘ナシ

收入の部

（△ハ減ヲ示ス）

科目	本年度豫算額	前年度豫算額	增減	附記
第一款 會費	一七、二七四円	四三、一三〇円	△二五、八五六	
一、內地會員會費	一、七〇〇	二、二五〇	△五五〇	維持會員七〇名一名一〇圓計七〇〇圓普通會員五〇〇名一名二圓計一、〇〇〇圓
一、海外會員會費	一、九六〇	一、九〇〇	六〇	海外會員九八〇名一名二圓計一、九六〇圓
一、新募集會員會費	二、五九〇	七〇〇	一、八九〇	特別會員一〇名一名一〇〇圓計一、〇〇〇圓維持會員九三名一名一〇圓計九三〇圓普通會員三三〇名一名二圓計六六〇圓
一、海外視察組合會員會費	二、〇八〇	八四〇	一、二四〇	既設組合一〇〇組合維持會員一〇名一名一〇圓計一〇〇圓普通會員九九〇名一名二圓計一、九八〇圓
一、同右新募集會費	三、七四四	六、四四〇	△二、六九六	本年度一八〇組合新募集ス此分維持會員一八名一名一〇圓計一八〇圓普通會員一、七八二名一名二圓計三、七四四圓
一、出資特別會員會費	五、二〇〇	三〇、〇〇〇	△二四、八〇〇	一口三〇〇圓アリアンサ移住地土地ニアルケース提供出資特別會員ハ政府ノ希望ニヨリ不在地トシテ現在乗替フル移住組合內ニ募集ヲ打切ル
第二款 寄附金	二、五〇〇	二、五〇〇	—	
一、寄附金	二、五〇〇	二、五〇〇	—	アリアンサ移住地直營地收益ノ中ヨリ一割ノ寄附金ヲ受ク
第三款 補助金	四、五〇〇	三、〇〇〇	一、五〇〇	
一、縣費補助金	二、五〇〇	一、五〇〇	一、〇〇〇	縣費補助金
一、國庫補助金	二、〇〇〇	一、五〇〇	五〇〇	內務省補助金

科目	本年度豫算額	前年度豫算額	增減	附記
第四款 雜收入	三、四七二	二、八八〇	五九二	
一、過年度會費	二、三九二	一、八四〇	五五二	前年度會費ノ凡二割ノ見込
一、雜誌賣却代	一二〇	八〇	四〇	
一、雜誌廣告料	九六〇	九六〇	—	
第五款 繰越金	六、〇〇〇	五、〇〇〇	一、〇〇〇	
一、前年度繰越金	六、〇〇〇	五、〇〇〇	一、〇〇〇	前年度繰越ノ見込
第六款 土地管理料	六八〇	八五〇	△一七〇	
一、移住地土地管理料	六八〇	八五〇	△一七〇	出資特別會員提供地ヘ小作入植希望者ヨリ一口一七圓四〇口合計六八〇圓の土地管理費納入ノ見込
收入合計	三四、四二六	五六、三六〇	△二一、九三四	

支出の部

（△印ハ減ヲ示ス）

科目	本年度豫算額	前年度豫算額	增減	附記
第一款 事務所費	九、七二八	七、二〇八	二、五二〇	
一、給料手當	四、一六八	三、〇二八	一、一四〇	幹事一人月一一〇圓書記三人月一六〇圓年計三、二四〇圓縣廳內囑託四人手當年四〇圓給仕一人月一七圓年二〇四圓役員事務員年末手當六八四圓
一、支部役員手當	二〇〇	九五〇	△七五〇	
一、旅費	二、八二〇	一、六八〇	一、一四〇	支部設立一般出張費八〇〇圓會員募集會費整理視察組合指導出張旅費一郡八〇圓三市十六郡分一五二〇圓縣外五〇〇圓
一、印刷費	四〇〇	三〇〇	一〇〇	視察組合指導講習會用印刷物其他
一、通信費	三五〇	二五〇	一〇〇	

科目	本年度豫算額	前年度豫算額	增減	附記
一、備品費	一〇〇	五〇	五〇	
一、雜費	一、六九〇	九五〇	七四〇	會員募集ノ分一郡六〇圓三市十六郡計一、一四〇圓縣外四〇〇圓本部事務所費一五〇圓
第二款 交附金	八二四	八一八	六	
一、町村主任本年度會費交附金	四四〇	四五〇	△一〇	徵收金額ノ二割交附金
一、同右過年度會費交附金	四八四	三六八	一一六	過年度會費二、四二〇圓ニ對スル同右交附金二割
第三款 出資特別會員募集費	八四一	四、五〇〇	△三、六五九	
一、交附金	四一六	二、四〇〇	△一、九八四	出資特別會員會費納入市町村交附金但シ八分以內
一、旅費	四〇〇	一、八〇〇	△一、四〇〇	新ニ出資特別會員募集セザルニヨリ減額
一、雜費	二五	三〇〇	△二七五	同上
第四款 會議費	四〇〇	一、〇〇〇	△六〇〇	
一、總會費	二〇〇	八〇〇	△六〇〇	
一、代議員會費	二〇〇	二〇〇		
第五款 事業費	一三、九五八	一二、九五二	一、〇〇六	
一、海外視察組合獎勵費	四、〇八八	四、三七二	△二八四	一組合三ケ年積立額一、〇八〇圓中本會獎勵金交附額四二〇圓一ケ年平均一四〇圓二八〇組合分三、九二〇圓同組合役員會費一六八圓
一、講習會費	四〇〇	四〇〇	—	郡市主任及移住者講習會四ケ所分二〇〇圓視察組合理事講習會四ケ所二〇〇圓
一、講習會補助費	一、二四〇	二四〇	一、〇〇〇	組合又ハ會員十名以上主催海外發展講習會補助會費八ケ所分二四〇圓海外發展指導者講習會派遣費六人分一、〇〇〇圓
一、講演會費	三〇〇	—	三〇〇	海外發展ニ關スル講演會縣內二ケ所ニ開催

一、海外視察費	二、六〇〇	二、一〇〇	五〇〇	役員視察費五〇〇圓組合視察團引率一回四〇〇圓二回分八〇〇圓視察者補助金一、〇〇〇圓海外視察調査派遣費三〇〇圓
一、宣傳費	二〇〇	一五〇	五〇	
一、雜誌費	三、八八〇	四、四四〇	△五六〇	會員分二〇一七部寄贈七〇〇部賣却五〇部合計二、七六七部毎月發行ノ分及視察組合會員二八〇〇名へ發行ノ分印刷送料費
一、調査費	一〇〇	一〇〇	ー	
一、標本蒐集及展覽會費	一五〇	一五〇	ー	
第六款 雜費	四〇〇	四二〇	△二〇	
一、雜費	四〇〇	四〇〇	△二〇	海外發展病没者法會費二〇〇圓ノ他雜費二〇〇圓
第七款 土地代及經營費	一、六八〇	七、五一七	△五、八三七	
一、土地代	一、〇〇〇	六、六六七	△五、六六七	出資特別會員提供ノアリアンサ移住地代特別會計へ繰入最後ノ分、但新募集ノ分打切ニ付減額ス
一、經營費及管理料	六八〇	八五〇	△一、七〇	經營費ハ特別會計ヨリ支出スルモノトス小作入植管理料一戸一七〇圓四戸分計六八〇圓
第八款 積立金	四、〇〇〇	一、五〇〇	△二、〇〇〇	
一、積立金	四、〇〇〇	一、五〇〇	△二、〇〇〇	出資特別會員提供土地經營面積縮少ニ付減額
第九款 豫備費	三、五九五	七、九四五	△四、三五〇	
一、豫備費	三、五九五	七、九四五	△四、三五〇	
支出合計	三四、四二六	五六、三六〇	△二一、九三四	

◎ありあんさ移住地の状況並に昭和三年度後の計劃

一、移住地建設經過の大要

(イ) 大正十二年五月十三日移住地建設宣言をなす

(ロ) 同年七月調査費を伯國領事館に送りて移住地候補地の調査を委託す

(ハ) 同年九月信濃土地購買利用信用組合南米土地組合設立

(ニ) 大正十三年一月より事業を起し同年三月約七萬圓の資金募集をなす

(ホ) 同年五月土地購入の爲永田幹事出發十月購入翌年六月十三日シカゴ丸第一回渡航入植す

二、政府の補助金

(イ) 大正十四年六月二十九日渡航準備補助金として金壹萬圓交附さる

(ロ) 大正十五年四月二十日渡航準備補助金として金四万圓を交附さる

(ハ) 昭和二年度は內務省より同金五万圓下附を受く

(ニ) 外務省より小學校醫局の補助金として金壹萬二千圓の補助あり

(ホ) 外務省より移住地設備費として金三萬五千圓の補助あり

(ヘ) 本年度は外務省より金四萬圓の補助ある豫定

三、資金に關する事項

(イ) 資金の總額を二十萬圓と豫定す(大正十二年計劃當時)

(ロ) 一口出資千圓宛寄附金として之に對し移住地の土地十町步を謝禮として提供す

(ハ) 第一回追加購入土地代金は凡十五萬圓にして每年凡五萬圓平均三ケ年仕拂とし既に二回支拂ふ

(ニ) 大正十五年十二月迄に出資寄附金十六萬五百圓となり出資金募集を完了す

(ホ) 信濃土地利用購買信用組合より土地分讓代金壹萬圓入金

(ヘ) 南米土地組合より土地分讓代金貳萬壹千圓入金

(ト) 昭和二年十一月第二回移住追加購入三千町步此代金十五萬圓每年凡五萬平均三ケ年賦拂とし共第二回分を支拂ふ

四、土地に關する狀況

(1)、第一アリアンサ移住地

(イ) 面積五千五百七十五町步にして五千五百町步の農業地と三ケ所の附屬地とす

(ロ) 農業地五千五百町步は東西凡二里南北凡二里半ルツサンビラ驛コトベロ驛より自動車道通ず

(ハ) 珈琲を主作物とし共他、棉、籾、豆、モロコシ、里芋、野菜等の諸作物に好適なり

(ニ) 二十五步町又は三十七町五段步、五十町步を一地區として分割し各地區へ自動車道を開鑿す

(ホ) 地帶中央は收容所、小學校、醫局、製材、精米所、倉

庫等の設備をなし中心市街地となす

(ヘ) 地區を數區合せて區となし區制を施行す

(2)

(ト) 直營地五〇〇町步には小作を入植せしむ

第二アリアンサ移住地(第一移住地北地績)

面積二千町步にして鳥取縣海外協會所有の三千町步と組合せて一移住地として經營

(3)

第三アリアンサ移住地(第一第二移住地接續地)

(イ) 面積四千二百五十にして富山縣海外協會所有の三千町步と組合せ一移住地として經營す

(ロ) 自動車道路、コトベロ驛より直通

(4)

本會移住地合計

(イ) 面積一萬一千七百七十五町步

(ロ) 大体の處分完了す

直營地	五〇〇町步
出資者へ提供	一、五九五町步
出資特別會員へ提供	一〇〇町步
入植者へ分讓	九、五四五町步
市街地	二五町步
住宅地	四〇〇坪

(5)

開拓方針

(イ) 一般分讓地へは自作入植者又は小作入植者入植す土地所有者及協會は小作入植者に資金を貸附くることあり

(ロ) 直營地及出資待別會員提供地、出資者提供地へは小作の入植をなさしむ此場合に於て小作者には出資者及協會より資金を貸附くる方法あり

(ハ) 移住地は開拓をなさざるも土地代騰貴すれども入植開拓をなす場合は數倍の地代となる從つて早く開拓するを以て最も有利とす

(ニ) 小作入植の場合出資特別會員又は出資者の小作人に貸附くる場合は八分の利子にて六ケ年賦とし一町步に付き凡拾五圓以上とす

(ホ) 小作入植濟の場合は地主は土地管理料として二十五町步に付年額凡百七十圓(爲替相場により一定せず)を本會又は移住地理事へ納むるものとす

(ヘ) 小作入植方法

四年契約と六年契約の二種あり一般に六ケ年契約の方多し

六ケ年契約にては地主は土地を所有し小作人は凡一人五〇〇圓位の資金を以て入植して開拓に從ひ六ケ年間その收穫一切を收得す。六年後は二十五町步の土地は凡貳萬圓となり小作人の財產は凡壹萬圓となる七年目以後は小作料の收入あるべく年額凡そ貳千五百圓となる

五、移住地の經營に付て

(イ) 移住地は區制町村制に則り產業組合法と機關を組織し自治の範模村としてその完全なる發達を望む

(ロ) 各種學校、病院、各種の產業組合、道路、交通、運

搬その他公益機關は村營とし自治の發達につれて協會は經濟の主体より離る

(ハ) 十家族を以て一區となし區長を選出し又代議制となしてその發達を計りやがて海外の日本村として特色ある文化村たらしめんとす

(ニ) 敎育衞生交通等は特に力を注ぎて不便なからしめんとす

六、現在の狀況

(イ) 入植者、戶數一八二人口七九九 (昭和二年十月末日現在)

(ロ) 移住者收容所、四〇坪のもの完成(大正十四年)

(ハ) 醫局落成 小學校假校舍にて四月十五日より開校、本校舍完成期七月末日衞生主任、着任(昭和三年一月渡航)

小學校訓導を留學生として伯國に派遣す(昭和三年二月渡航)

(昭和二年三月男子師範校卒業生 二名)淸水明雄 兩角貫一

(同年度松本女子師範學校卒業生 一名)長田イサム

(ホ) 瓦燒塲、煉瓦燒塲完成し製米所及製材所は始めの今日暴風被害目下再建築中にして三年五月完成見込なり

(ヘ) 協會自動車六臺 外に外人のもの壹臺日本人のもの壹臺あり

(ト) 購賣組合營業開始(大正十四年度より)六年度賣上高は十二萬圓なり

(チ) 道路中央貫通自動車道路より各地區へ入る

(リ) 日曜學校開始

(チ) 中央市街地に近く運動場設置

(ル) 第一アリアンサ移住地は全部入植ずみとなる

(ヲ) 第二移住地は收容所完成

昭和二年一月鳥取より先發隊四家族入植す以後信濃、鳥取兩協會扱渡航入植者續出す

(ワ) 第三アリアンサ移住地へも同樣の設備をなし富山、信濃兩協會入植者入地す

七、移住地完成の場合

(イ) 入植家族 四百四十家族

(ロ) 人口 二千二百人

(ハ) 小學校完成

(ニ) 中等學校成完

(ホ) 各種產業組合完成

(ヘ) 村營發電所電話網完成

(ト) 地代壹千萬圓

(チ) 投資總額公私合せて貳百四拾萬圓

(リ) 珈琲だけにて付の純益百拾萬圓

(ヌ) 一戶平均の生產額參千五六百圓

八、昭和三年度の事業計畫

(イ) 資金の完納を計る

(ロ) 土地分讓代金の殘り拂込整理

(ハ) 入植者

自作入植者は大正十四年度及十五年度に入植せるも尙引續きてその入植をなすべく今後は小作入植者の渡航に力を注ぐべし

豫定家族數　五百名

(ニ) 直營地及一般出資者所有地へ入植する小作人貸附金五千圓

(ホ) 直營地の設備完成

井戸、住宅、道路、運動場の設備改善

(ト) 學校設備の改善及倉庫、精米所、製材所、煉瓦燒場等の內部の設備の充實を計る

(チ) 移住地內道路敷設、產業組合設立の經營をなし殊に販賣購買部の擴張をなすこと

(リ) 移住地入植者のために日用藥品の販賣實施及醫局設備充實

(ヌ) 鳥取海外協會と組合せ第二移住地へ小學校醫局の設置

(ル) 富山海外協會と共同して第三移住地の設備に着手す

(ヲ) 移住組合法による組合の設立助成並に移住在經營の助成をなす

九、將來の計畫

(イ) 移住地の完成

(ロ) 移住組合法に依る移住地經營の助成をなすこと

(ハ) メキシコ南洋等の好適地へ移住地建設の調査及計畫をなすこと

(ニ) 海外視察組合の助成補助をなすこと

(ホ) 移住地視察研究旅行團の派遣をなすこと

(ヘ) 各地方の海外事情研究調査のため役員を派遣すること

(ト) 海外發展を目的とせる學究者を海外に派遣して其大成を助成すること

(チ) 移住地の收益により本會經營移住地出資者、縣內教育者、縣會議員、青年會長等の海外視察の費用を補助すること

(リ) 海外發展の必要なる人材養成のための學校の經濟をなすこと

(ヌ) 海外發展を目的とする金融機關の完備を計ること

昭和二年度アリアンサ移住地會計收支決算表（承認）

收入　一金九萬六千一百八十七圓四十三錢　長野本部扱
　　　一金九萬一千九十七圓七十九錢　東京支部扱
　　合計　金十八万七千二百八十五圓二十二錢

支出　一金九万六千一百八十七圓四十三錢　長野本部扱
　　　一金九萬一千九十七圓七十九錢　東京支部扱

合計　金十八万七千二百八十五圓二十二錢　　收入支出差引殘無シ

收入內譯　（△印減ヲ示ス）

科目	決算額	豫算額	增減	附記
第一款 出資金	三、九一〇.〇〇	七、七五〇.〇〇	△三、八四〇.〇〇	
第一項 出資金	三、九一〇.〇〇	七、七五〇.〇〇		
第一目 長野本部扱未納金整理	三、九一〇.〇〇	七、七五〇.〇〇	△三、八四〇.〇〇	
第二款 土地分讓代金	四八、五三五.五五	一九二、六五〇.〇〇	△一四四、一一四.四五	
第一項 土地分讓代金	四八、五三五.五五	一九二、六五〇.〇〇	△一四四、一一四.四五	
第一目 土地代未納金	三、四八〇.〇〇	一二六、四〇〇.〇〇	△一二二、九二〇.〇〇	
長野本部扱	八五〇.〇〇	—	—	
東京支部扱	二、六三〇.〇〇	—	—	
第二目 新分讓土地代金	三七、五五五.五五	六六、二五〇.〇〇	△二八、六九四.四五	
長野本部扱	一三、七三五.〇〇	—	—	
東京支部扱	二三、八二〇.五五	—	—	
第三目 北米ヨリ送金	七、五〇〇.〇〇	—	七、五〇〇.〇〇	東京支部扱
第三款 補助金	五〇、〇〇〇.〇〇	一二〇、〇〇〇.〇〇	△七〇、〇〇〇.〇〇	
第一項 內務省補助金	五〇、〇〇〇.〇〇	八〇、〇〇〇.〇〇	△三〇、〇〇〇.〇〇	
第一目 內務省補助金	五〇、〇〇〇.〇〇	八〇、〇〇〇.〇〇	△三〇、〇〇〇.〇〇	

科目	決算額	豫算額	增減	附記
第二項 外務省補助金	—	四〇、〇〇〇.〇〇	△四〇、〇〇〇.〇〇	アリアンサ扱
第一目 外務省補助金	—	四〇、〇〇〇.〇〇	△四〇、〇〇〇.〇〇	
第四款 農產物收入	—	二五、〇〇〇.〇〇	△二五、〇〇〇.〇〇	アリアンサ扱報告未濟
第一項 農產物收入	—	二五、〇〇〇.〇〇	—	同
第一目 直營地收入	—	二五、〇〇〇.〇〇	—	同
第五款 商店部益金	—	五、〇〇〇.〇〇	△五、〇〇〇.〇〇	同
第一項 商店部益金	—	五、〇〇〇.〇〇	—	
第一目 アリアンサ移住地商店部利益金	—	五、〇〇〇.〇〇	—	
第六款 繰越金	一七、九五七.〇五	一〇、〇〇〇.〇〇	七、九五七.〇五	
第一項 繰越金	一七、九五七.〇五	一〇、〇〇〇.〇〇	—	
第一目 長野本部扱前年度繰越金	一七、九五七.〇五	一〇、〇〇〇.〇〇	—	
第七款 雜收入（追加科目）	三、〇三三.八九	—	三、〇三三.八九	
第一項 雜收入	三、〇三三.八九	—	—	
第一目 銀行利子	一、一四〇.五五	—	—	
長野本部扱	八〇九.八四	—	—	
東京支部扱	三三〇.七一	—	—	
第二目 東京支部扱土地代殘金利子	一、七九五.〇六	—	—	

科目	決算額	豫算額	增減	附記
第三目 雜入	九八.二八	—	—	
長野本部扱	九二.〇四	—	—	
東京支部扱	六.二四	—	—	
第八款 雜部金（追加科目）	六三、八四八.七三	—	六三、八四八.七三	
第一項 預り金	四六、〇四一.五〇	—	—	
第一目 委託預り金	三二、六五〇.〇〇	—	—	
長野本部扱	七、四五〇.〇〇	—	—	
東京支部扱	二五、二〇〇.〇〇	—	—	
第二目 開拓預り金	一三、三九一.五〇	—	—	
長野支部扱	一、〇三二.五〇	—	—	
東京支部扱	一二、三五九.〇〇	—	—	
第二項 管理料及賦課金	三二一.〇〇	—	—	
第一目 長野本部扱第一年度管理料	三〇六.〇〇	—	—	
第二目 長野本部扱敎育衞生類	一五.〇〇	—	—	
第三項 貸付金償還	二、三八六.二三	—	—	
第一目 東京支部扱貸付金償還	二、三八六.二三	—	—	
第四項 借入金	一五、一〇〇.〇〇	—	—	
第一目 東京支部扱借入金	一五、一〇〇.〇〇	—	—	

收入合計	一八七、二八五、二二	三六〇、四〇〇、〇〇	△一七三、一一四、七八	

支出內譯（△印減ヲ示ス）

第一款 事務所費	二三、八一四、〇八	二八、一〇〇、〇〇	△四、二八五、九二	
第一項 給料	七、六九二、四五	二三、八〇〇、〇〇	△一六、一〇七、五五	
第一目 移住地理事給	—	七、二〇〇、〇〇	△七、二〇〇、〇〇	アリアンサ扱報告未着
第二目 移住地衛生主任給	—	二、四〇〇、〇〇	△二、四〇〇、〇〇	同
第三目 小學校教員給	—	二、四〇〇、〇〇	△二、四〇〇、〇〇	同
第四目 雜給	二、九六一、六〇	二、五四〇、〇〇	四二一、六〇	
長野本部扱	一、三一一、六〇	—	—	
東京支部扱	一、六五〇、〇〇	—	—	
第五目 長野本部扱書記給	一、三六三、八六	二、四六〇、〇〇	△一、〇九六、一四	
第六目 留學生費	三、三六六、九九	六、八〇〇、〇〇	△三、四三三、〇一	
長野本部扱	二、七六六、九九	—	—	
東京支部扱	六〇〇、〇〇	—	—	
第二項 出資金募集費	七四一、八九	七五〇、〇〇	△八、一一	
第一目 旅費	九七、〇六	二五〇、〇〇	△一五二、九四	
第二目 手當	—	二五〇、〇〇	△二五〇、〇〇	
第三目 雜費	六四四、八三	二五〇、〇〇	三九四、八三	
第三項 土地分讓費	一五、三七九、七四	三、五五〇、〇〇	一一、八二九、七四	

第一目 旅費	二、四六五、七〇	四五〇、〇〇	二、〇一五、七〇	
長野本部扱	一、一五四、二二	—	—	
東京支部扱	一、三一一、四八	—	—	
第二目 印刷費	三、九四二、三九	五〇〇、〇〇	三、四四二、三九	
長野本部扱	一、一八八、六四	—	—	
東京支部扱	二、七五三、七五	—	—	
第三目 長野本部扱交附金	二〇〇、〇〇	一、四〇〇、〇〇	△一、二〇〇、〇〇	
第四目 東京支部扱廣告費	二、二一七、五八	一、〇〇	一、二一七、五八	
第五目 雜費	四、五七八、五八	二〇〇、〇〇	四、三七八、五八	
長野本部扱	六八三、三九	—	—	
東京支部扱	三、八九五、一九	—	—	（土地分讓雜費二、〇三三圓〇五錢移住地送リ圖書代一、二〇四圓八四錢其他）
第六目 通信費	一、九七五、四九	—	一、九七五、四九	
長野本部扱	五九七、六二	—	—	
東京支部扱	一、三七七、八七	—	—	
第二款 土地代及利子	三二、〇九七、〇〇	八八、〇〇〇、〇〇	△五五、九〇三、〇〇	
第一項 土地代	三二、〇九七、〇〇	八〇、〇〇〇、〇〇	△四七、九〇三、〇〇	
第一目 第二アリアンサ土地代	三〇、〇九七、〇〇	四〇、〇〇〇、〇〇	△九、九〇三、〇〇	
長野本部扱	八、〇〇〇、〇〇	—	—	
東京支部扱	二二、〇九七、〇〇	—	—	第二回拂込

第二目 長野本部扱第三アリアンサ土地代	二、〇〇〇、〇〇	四〇、〇〇〇、〇〇	△三八、〇〇〇、〇〇	出資特別會員提供ノ分
第二項 利子	—	八、〇〇〇、〇〇	△八、〇〇〇、〇〇	
第一目 土地代殘金利子	—	八、〇〇〇、〇〇	—	
第三款 諸設備費	一七、五〇〇、〇〇	五四、〇〇〇、〇〇	△三六、五〇〇、〇〇	
第一項 住宅費	—	三、〇〇〇、〇〇	△三、〇〇〇、〇〇	アリアンサ扱 報告未着
第一目 殖民住宅費	—	三、〇〇〇、〇〇	—	同
第二項 教育費	—	三、〇〇〇、〇〇	△三、〇〇〇、〇〇	同
第一目 小學校費	—	三、〇〇〇、〇〇	—	同
第三項 病院費	—	一〇、〇〇〇、〇〇	△一〇、〇〇〇、〇〇	同
第一目 病院費	—	一〇、〇〇〇、〇〇	—	同
第四項 精米所費	五、〇〇〇、〇〇	一〇、〇〇〇、〇〇	△五、〇〇〇、〇〇	
第一目 精米所費	五、〇〇〇、〇〇	一〇、〇〇〇、〇〇	—	長野本部扱
第五項 煉瓦燒場費	七、五〇〇、〇〇	三、〇〇〇、〇〇	四、五〇〇、〇〇	
第一目 煉瓦燒場費	七、五〇〇、〇〇	三、〇〇〇、〇〇	—	東京支部扱 諸設備費ヲ含ム
第六項 製材所費	五、〇〇〇、〇〇	一〇、〇〇〇、〇〇	△五、〇〇〇、〇〇	長野本部扱
第一目 製材所費	五、〇〇〇、〇〇	一〇、〇〇〇、〇〇	—	同
第七項 飲料水費	—	一、〇〇〇、〇〇	△一、〇〇〇、〇〇	アリアンサ扱
第一目 井戸	—	一、〇〇〇、〇〇	—	同
第八項 道路費	—	五、〇〇〇、〇〇	△五、〇〇〇、〇〇	同

第一目 道路	—	五、〇〇〇、〇〇	—	同
第四款 農具器具費	六六二、四〇	三、〇〇〇、〇〇	△二、三三七、六〇	
第一項 農具器具費	六六二、四〇	五〇〇、〇〇	一六二、四〇	
第一目 農具器具	六六二、四〇	五〇〇、〇〇	—	東京支部扱
第二項 自働車費	—	二、五〇〇、〇〇	二、五〇〇、〇〇	アリアンサ扱
第一目 自働車	—	二、五〇〇、〇〇	—	同
第五款 衛生費	四、〇五八、三七	三、〇〇〇、〇〇	一、〇五八、三七	
第一項 衛生費	四、〇五八、三七	三、〇〇〇、〇〇	一、〇五八、三七	
第一目 衛生材料	—	一、〇〇〇、〇〇	△一、〇〇〇、〇〇	
第二目 藥品	四、〇五八、三七	二、〇〇〇、〇〇	二、〇五八、三七	東京支部扱 アリアンサ送リ賣藥代
第六款 農場經營費	—	四、〇〇〇、〇〇	△四、〇〇〇、〇〇	アリアンサ
第一項 農場經營費	—	四、〇〇〇、〇〇	—	同
第一目 山伐代金	—	一、〇〇〇、〇〇	—	同
第二目 牧場費	—	五〇〇、〇〇	—	同
第三目 運搬費	—	一、〇〇〇、〇〇	—	同
第四目 雇人料	—	一、〇〇〇、〇〇	—	同
第五目 種苗家畜	—	五〇〇、〇〇	—	同
第七款 營業費	—	二一、五〇〇、〇〇	△二一、五〇〇、〇〇	同

第一項 營業費	—	二、五〇〇、〇〇	—	同
第一目 旅費	—	一、〇〇〇、〇〇	—	同
第二目 雜費	—	五〇〇、〇〇	—	同
第三目 商業資金	—	一〇、〇〇〇、〇〇	—	
第八款 貸付金	五〇〇、〇〇	二五、〇〇〇、〇〇	△二四、五〇〇、〇〇	
第一項 貸付金	五〇〇、〇〇	二五、〇〇〇、〇〇	△二四、五〇〇、〇〇	
第一目 小作人貸付金	五〇〇、〇〇	五、〇〇〇、〇〇	△四、五〇〇、〇〇	東京支部扱
第二目 自作者貸付金	—	二〇、〇〇〇、〇〇	△二〇、〇〇〇、〇〇	
第九款 補助金	四四、三五〇、〇〇	八〇、〇〇〇、〇〇	△三五、六五〇、〇〇	
第一項 補助金	四四、三五〇、〇〇	八〇、〇〇〇、〇〇	—	
第一目 伯國送金渡航補助金	三五、一五〇、〇〇	八〇、〇〇〇、〇〇	—	
第二目 内務省へ返還金	九、二〇〇、〇〇	—	—	渡航補助金剩餘金返戻
第十款 豫備費	—	一三、八〇〇、〇〇	△一三、八〇〇、〇〇	
第一項 豫備費	—	一三、八〇〇、〇〇	—	
第一目 豫備費	—	一三、八〇〇、〇〇	—	
第十一款 借入金支拂	—	三〇、〇〇〇、〇〇	△三〇、〇〇〇、〇〇	
第一項 借入金支拂	—	三〇、〇〇〇、〇〇	—	
第一目 借入金支拂	—	三〇、〇〇〇、〇〇	—	

第十二款 繰越金	二六、二六七、一九	二〇、〇〇〇、〇〇	六、二六七、一九	
第一項 繰越金	二六、二六七、一九	二〇、〇〇〇、〇〇	—	
第一目 長野本部後期繰越金	六、五二九、一七	—	—	昭和三年度へ繰越
第二目 東京支部後期繰越金	一九、七三八、〇二	—	—	同
(追加科目)第十三款 雜部金	三三、八三四、一三	—	三三、八三四、一三	
第一項 預り金	一九、六五五、〇〇	—	—	
第一目 委託預り金	二九、六五五、〇〇	—	—	
長野本部扱	九、〇五〇、〇〇	—	—	伯國へ送金
東京支部扱	一〇、六〇五、〇〇	—	—	同
第二項 土地管理料及開拓預ケ金	一三、〇九八、〇〇	—	—	同
第一目 長野本部扱第一年度管理料及開拓預ケ金	一三、〇九八、〇〇	—	—	同
第三項 立替金	一、〇八一、一三	—	—	
第一目 東京支部一時立替金	一、〇八一、一三	—	—	他協會一時立替
(追加科目)第十四款 雜支出	四、二〇二、〇五	—	四、二〇二、〇五	
第一項 紀念會費	二、一五二、〇五	—	—	
第二項 遭難弔慰金	一、〇〇〇、〇〇	—	—	ハワイ丸乘船者列車衝突事件見舞金
第三項 調査費	一、〇五〇、〇〇	—	—	東京支部扱移住地調査費
支出合計	一八七、二六五、一三	三六〇、四〇〇、〇〇	一七三、一三四、八七	

アリアンサ移住地第三年度決算說明

（第三年度とは大正十五年十月一日より昭和三年九月三十日迄の一ケ年である。本報告は輪湖理事よりのもので報告書中決算書を省略して決算說明を揭ぐことにする。）

收入の部

一、本部勘定　送金七回計拾八萬六千圓也伯貨換算平均壹圓ニ付四ミル強昨年度ノ貳拾七萬五千圓換算平均二ミル九百六拾四レースニ比シ實ニ壹ミル強ノ好況ヲ得タリ。

二、土地代　當方賣却土地代内金並ニ本部賣卸未收入土地代第二回支拂込金ヲ合シ計五拾五コントス三百五十四ミル七百五拾レース也是ニ關シテハ本部土地臺帳ノ寫シ到着ト共ニ一整理致ス考ヘナリ。

三、アルマゼン部　第三年度賣上總額四百參拾七コントス參百參拾四ミル八百五拾レース也此ノ内移住者全般ニ供給セル價格ハ約其七割五分ヲ占メ殘餘ノ二割五分ハ移住地ニ於ケル諸請負人、協會農場測量部其他並ニアリアンサ隣接地内外人ヘ供給セル額ナリ。而シテ今期即チ九月三十日迄ニ掛賣金中入納セザル額ハ決算整理ノ必要上一ト先ヅ移住地會計貸付金ニ振入レタリ。商品目中食料品ニ屬スルモノ約五割其他ハ建物材料種子其他ノ生活必需品也。

四、直營農場　籾三百二十七俵豆其他ノ雜收入ヲ合シ計六コントス百二十九ミル六百レース。未處分農産物ハ第四年度收入ニ繰入ル、事トセリ。

五、煉瓦工場　工場ハ本年四月末大體完成シタルモ協會ガ勞銀ヲ支拂ヒテ燒上ゲタルハ四萬個也、以後千個ヲ標準トシ一切請負師ニ渡シタリ千個六十ミル内外

六、運搬部　合計五拾七コントス百五拾九ミル百レース也此ノ内移住者勘定ハ約二十四コントスニシテ他ハアルマゼン部醫局其他ヨリ振替收入ナリ。

七、醫局　移住地内外往診、治療、藥價代トシテ收入計金十コントス八百拾壹ミル七百レース也。

八、建物材料　煉瓦及板類ニシテ釘トタン其他ハ一切アルマゼン部取扱ヒナリ。收入合計參拾五コントス參百拾八ミル六百レース也。

九、定期豫金　六ケ月以上年六分一ケ年年八分ノ利子ニテ預カレリ移住者ノ貯金奬勵及諸經費節約ノ主意ニ出デ兼ネテ移住地金融ノ資ニ當テン爲メ第三年度四月以降此ノ課目ヲ設ケタリ九月末現在五拾六コントス參百八ミル百レース也。

十、加工場及兒童教育　兩者共外務省補助金ナリ。

十一、收入利息　銀行當座預金利子(年三分)移住者土地代利子(年一割)並ニ移住者ヘノ貸付金利子(年一割二分)計十二コントス八百八ミル四百レース也。

十二、預　金　本部ニテ移住者ヨリ預カレル開拓費及内務省補助金並ニ當方ニ於テ臨時預カレル分乃至勞銀振替預リニ屬スベキ總計ヨリ九月末マテニ移住地會計ニ於テ立替ヘシ金

額ヲ差引キタル合計ニシテ貳百貳コントス五百九十四ミル六百貳拾六レース也。

十三、未拂金　富山賣藥其他伯國內諸店ヨリノ掛買中未拂ニ屬スベキ金額九拾コントス貳百貳拾七ミル四拾レースニシテ此ノ未拂金ヲ收入ノ部ニ記帳セルハ支出ノ部ニ於テ已ニ支拂ヘルモノトシテ計上シタルガ故ナリ。

十四、前年度繰越金　昨年九月末即チ第二年度會計ハ決算ニ至ラズシテ第三年度ヘ繰越セリ。即チ昨年末報告ノ通リ支拂ニ於テ貳拾八コントス七百參拾參ミル貳百五拾レースノ不足ヲ來タシ尚昨年度本部勘定ニ屬スベキ補助金及移住者本部預托金計百五十五コントス百八拾貳ミル五百レース(邦貨五萬壹千六百貳拾圓)ハ移住者ヘ精算拂戻シヲ見ズシテ今期ニ至レリ。依ツテ總計百八拾參コントス九百拾五ミル七百五拾レースハ第二年度ニ於テ拂戻セリ。

以上總計
貳千四拾八コントス貳百參拾壹ミル拾六レース也
內現金收入壹千貳百拾貳コンス貳百貳拾參ミル參拾レース
也振替收入八百參拾六コントス七ミル九百八拾六レース也

支出之部

一、土地代　第二アリアンサ第一回拂込殘金八拾コントス第三アリアンサ第一回拂込金貳百五拾コントス及土地登記料第一アリアンサ並ニ附屬地地租一コント六百四十一ミル合計三百三十一コント六百四十一ミルレース也。

二、預托金　大正十五年五月船はわい丸以降昭和二年九月三十日ニ至ル移住者本部預托金拂戻シ邦貨四萬二千九百十圓也伯貨換算百五十二コントス百六十二ミル五百レース也。

三、渡航補助金　大正十五年五月船はわい丸以降昭和二年九月末ニ至ル渡航補助金拂戻換算三百十一人半邦貨七萬四千三百圓伯貨計二百五十五コントス三百二十ミル也。

四、本部勘定　本部ニ於テ土地ヲ購入シ土地代金ノ一部或ハ全部ヲ拂込メルモノ、中當地ニ於ケル種々ノ事情ノタメ其ノ土地返納ト共ニ本部拂込金支拂及地主ガ小作者ヘノ貸付金拂戻シ並ニ竹村安定吾ノ預托金違算額支拂、富山海外協會ヨリノ收容所建築費預リ金支拂邦貨四千圓換算率三ミル九百レース伯貨十五コントス六百ミル總計四十二コントス二百九十五ミル五百レース也　納付土地計四十アルケールス。

五、アルマゼン部　仕入及營業費其他ヲ合シ支出計四百四十七コントス六百八十ミル九百九十レース賣上總額四百三十七コントス三百三十四ミル八百五十レース也。即チ第三年度ニ於ケル損失ハ差引十コントス三百十九ミル十レースナレドモ期末棚おろし殘品元價見積リ約六十コン

トスアリ依ツテ第二年度期末殘品二十三コントス七百七十ミル三百レースヲ差引ク時今期アルマゼン部利益ハ約二十六コントス余ニシテアルマゼン部資產トシテ第四年度ニ繰越サルベキモノナリ。

六、直營農場　支出計七コントス五百三十一ミル八百レース也本年度伐木面積八アルケール半內五アルケールハ六年契約二アルケールハ桑園仕立ノ爲メ。今日迄ノ直營地開拓總面積四十八アルケール六分珈琲總本數四萬五千本

七、加工場　目下全力ヲ擧ゲテ工事中ナリ、支出總計百二十一コントス八百九十四ミル二百五十レース也更ニ完成迄ニ六、七十コントスノ見込也九月末迄ハ移住者ノ世話ノ爲メニ繁忙ヲ極メ工事意ノ如クナラズ加工場事務所ハ已ニ落成此ノ地帶ニ於ケル煉瓦造リノ最初ノ建築ナリ目下機械据付所ノ建築中

八、產業獎勵　養蠶具仕入其他ノ調査費六百七十二ミル五百レース也。

九、煉瓦工場　計十六コントス五百七十三ミル五百レース也。更ニ機ヲ見テ擴張ノ豫定。

十、運搬部　移住地經營ニ於テ損益勘定中、當初最モ困難ナルハ運搬部ナリ。而カモ創業ノ期ニ於テ移住者ノ負擔ヲ輕カラシムルタメニハ一方ナラザル犧牲的努力ヲ要ス支出總計五十四コントス五十六ミル七百レース也。漸次移住者ヲシテ荷物自動車ヲ購入セシメ度キ考ヘナリ。

十一、醫局　醫局ニ於ケル缺損モ又止ムヲ得ザル處ナリナルベクソノ損失ナカラシム可ク勸メツ、アリ支出二十九コントス四百十五ミル三百レース也。此ノ中ニ勝田氏ノ給料ヲ含マズ勝田氏ノ給料ヲ本年何月ヨリ支拂フベキヤニ關シテハ先般御問合セセルモ未ダニ返信ナシ鳥取トノ關係モアリ當方ニテ協議ノ結果月給一コントト內定セルガソレニテ宜シキヤ尙本年何月ヨリ支給スベキヤ至急御返信ヲ請フ。

十二、建物材料　瓦、煉瓦、及板類ナリ支出計四十二コントス百四ミルレース供給額三十五コントス三百十八ミル六百レース也即チ殘品トシテ十コントス內外ノ材料第四年度ヘ繰越セリ

十三、兒童教育　敷地工事其他ニ一コント二百ミル支出セリ目下着手中移住者トノ約定ニヨリ昭和三年四月一日ヨリ開校ノ豫定ナレバ遲クトモ三月迄ニハ竣成セシメザルベカラズ校舍ハ勿論煉瓦造リナリ。日伯教員一切當方ニ於テアリアンサ學務委員ト協定招致ノ豫定。

十四、營業費　合計九コントス五百四十二ミル九百五十レース也第三年度ニ於テハ諸名士其他ノ來訪引キモキラズ爲メニガスリン代接待ニ關スル出費多ク而カモ繁忙中此ノ爲メニ時間ヲ奪ハルル事ハ耐ヘ得ザル所ナリノロエステノ關門バウルノ多羅領事ニ依賴シ成ル可クアリアンサヘノ來客ハリンス、プロミツソン位ノ視察デ歸ヘス樣御願ヒシオキタレ

ドソノ效果見エズ故國ニ於テモ最早ヤ必要ナキ儀ト思惟致スニ付アリアンサノ宣傳ハ中止ヲ乞フ。海與ノイグアペ植民地ノ如キモ確カニ其資金ノ五分ノ一ハカヽル來訪者ノタメニ喰ワレタル事ト思ハル。三年前ノ疑惑惡罵今日ノ來訪禮讃兩者孰レモ吾等ノ求ムル所ニアラズ。

十五、旅費　九コントス三百四十二ミル五百レース也移住者出迎對外交涉ノタメ出張其ノ期間ニ於ケル交際費等ノ會計ニシテ此ノ內ニハ鳥取勘定モアリ末尾ニ記載ス

十六、給料　計十六コントス三百六十ミル也會計生嶋君ハ四ケ月デ中止歸國セリ其後適當ノ會計ナシ極メテ大事ナ役目ナレバ適任者ノ見當ル迄小生コノ任ニ當ルヨリ外ナシ。移住地ノ會計ハ帳薄ノ整理記帳ノミニテハ役ニ立タズ檜山君ハ非常ニ眞面目且ツ能率ノ擧ガル青年ナリ。月給ハ僅少ナレドモ機ノ至ルマデ我慢シテ貰フ積リナリ力行會員ノ中身元ノ能ク解ツタ青年デ檜山君ノ下ニ働ケルモノガアツタラ至急送ツテ貰ヒ度シ旅費ガナケレバ當方勘定ニテ立替ヘ支障ナシ生嶋君トハ退職後一切關係ナシ左樣御含ミヲ乞フ

十七、市街豫定地　一部ノ根拔キ及除草ノタメ支拂二百八十三ミル六百レース也間口二十メートル奥行四〇メートルヲ一宅地トシ宅地八ツヲ（八〇メートル四方）一區街トス學校敷地トシテ一クワルテロン附屬運動場一、協會醫局事務所等三、教會一、加工場一、アリアンサ會公會堂クラブ等ニ一其他ハ機ヲ見テ一般賣出ス豫定ナリ。

十八、墓地　除草費二百八ミル也十月以降アリアンサ會ニ於テナス郡役所ヨリ墓地ノ地權讓渡ヲ迫リ來リ居レバ貴兄御夫妻ノ正式委任狀ヲ送ラレタシ

十九、手數料　一コント四百九十二ミル送金受領ノ際ニ於ケル印紙代ナリ

二十、測量部　計十七コントス三百一ミル四百レース也第二、第三ノ踏査地區割及一部第一アリアンサノ仕事モ含メリ鳥取理事橋浦氏ト協定ノ結果第二ニ於ケル測量費ハ信濃海外協會ニ於テ請負フコト、シ一アルケールニ付一切ノ費用十三ミルトセリ普通ノロエステニ於ケル相場ハ十五ミルヨリ二十ミル迄ナリ。從ツテ第三年度ニ於ケル第二移住地中鳥取扱入植者地區及同直營地ヲ合シ三百五十アルケール地區割ヲナセルヲ以テソレニ對スル金額ヲ別記ノ如ク領收スルコト、セリ。

二十一、第二アリアンサ勘定　四コントス六百九十九ミル七百レース也是モ全部鳥取ヘノ立替金也。

二十二、移住者指導管理費　計十コントス八百五十ミル也大部分北原君ノガソリン代及指導ノタメ費消セル勞力見積賃銀ニシテ第四年度ニハ減少ノ見込。

二十三、建物　アルマゼンノ裏手ノ商品及農產物庫倉トシテ一棟（未完成）及雜家屋二棟計十一コントス四百三十六ミル六百レース也

二十四、自動車　資產ノ部ニ入ルベキモノナルヲ以テ運搬部ト

課目ヲ分チタリ荷物自動車二臺客用兼醫局用ノ爲メ一臺今日迄全部デ六臺ナレドモ其ノ中二臺ノフオードハ已ニ使用ニ耐ヘズ

二十五、道路　計二十三コントス四十九ミル五百レース也此ノ內ニハ明年度移住者ヨリ徴集スベキ分及鳥取富山兩協會ノ負擔ニ屬スベキ分ヲモ含メリ。

二十六、備品　計三コントス三百六十一ミル也金庫、机、椅子及客用寢臺ハ絕對ニ必要ナリ。更ニ購入スベキモノ多々アレドモコレモ金ノ出來次第トス。

伯國百科全書ハ急ヲ要スル備品ニアラザリシカド生島會計君歸國旅費調達ノタメトテ止ムナク購入セリ。

二十七、ソロカバナ線遭難救助費　計十二コントス九百六十一ミル六百レース也尙三コントス內外支拂スベキモノアリ。孰レ明細書ハ後日一切片付キテヨリ御報告スベシ。皆全治退院セリ。

損害問題ハ先般一切ノ書類ヲ作製總領事ニ交附シタレドモ多忙ト見エ多少交渉延引ノ樣子ナリ。最近小生出聖政府當局ニ接シ促進解決到ス豫定ナリ。

二十八、生馬一頭　四百五十ミル也

二十九、雜損益　計一コントス五百六十三ミル八百レース也コレハアルマゼン部乃至建物材料供給違算、農產物取引違算等ノ差引合計ニシテ夫レ〴〵拂戾セリ。

三十、貸付金　九月末ニ於ケル移住者其他ヘノ立替金及當座貸付合計二百七十九コントス百六十五ミル九十六レースアリ整理ニヨリ百コントス內外ハ本年末迄ニハ回收シ得ベキ約百五十コントス內外ハ融通貸付金トシテ永續スベキカ。移住地トシテハ此ノ金融ノヤリ繰リガ最モ小生ノ頭ヲ惱マス所タリ。

三十一、現金　九月末現金在額百二十二コントス三百四十五ミル三百三十レース也貸借對照表ニヨラザルヲ以テ現金殘額ヲ支出ノ部ニ記帳ス。

總計　二千四十八コントス二百三十一ミル十六レース也

內　現金支出　千八十九コントス八百七十七ミル七百レース

現金殘額　百二十二コントス三百四十五ミル三百三十レース

振替支出　八百三十六コントス七ミル九百八十六レース

損益勘定槪括

第三年度會計中損失ニ屬スベキ課目ヲ出費額ニ順ジ左記ス

課目	コント・ミル・レース
醫局	一八、六〇三・六〇〇
測量部	一七、三〇一・四〇〇
給料	一六、三六〇・〇〇〇
ソロカバナ遭難救助	一二、九六一・六〇〇
移住地管理費	一〇、八五〇・〇〇〇
道路費	九、八三五・五〇〇
營業費	九、五四二・九五〇
旅費	九、三四二・五〇〇
雜損益	一、五六三・八〇〇
產業獎勵費	六七二・五〇〇
計	一〇七、〇三三・八五〇

利益ニ屬スベキ分

鳥取協會ヨリ入金（醫局、旅費、測量、移住者算理、道路諸費、同協會負擔額トシテ）	一一、二〇一・七〇〇
アルマゼン部利益	二六、〇〇〇・〇〇〇
收入利息	一二、八〇八・四〇〇
直營農場	二、六二九・六〇〇
運搬部	三、一〇二・四〇〇
計	五五、七四二・一〇〇

即チ差引不足五十一コントス二百九十一ミル七百五十レース。コハ全ク協會ガ移住者ノ爲メニ損失セル金額ナリ。第四年度ニ於テモ臨時出費ノソロカバナ遭難救助費ヲ除ク外第三年度ノ出費ヲ越ユルトモソレ以下ハ到底困難ナラン其ノ代リアルマゼン部及精米製材所ノ活動ニヨリ餘程緩和サル可キヲ期待ス第四年度以降ハ土地代及貸金回收ニ力ヲ注グベキモコハ一ツニ各移住者ノ經濟狀態ニ應ジ緩急宜シキヲ得ザレバ移住地ノ發達ヲ害ス。貸付金ニ對シアリアンサノ强キ點ハ年次擔保物件ノ確實ナル事及評價ノ擴大セラレツ、アル事ニシテ低資ノ必要及借入資格ノ如キ數字ヲ以テ明白ニ表ハシ得ベシ。後日移住地年度經濟調査書ヲ發表スベシ。

三、鳥取勘定

前記會計中十一月一日鳥取協會ヨリ受領セル立替金ハ左ノ通リナリ。

	コント・ミル
一、中心地山伐及收容所諸建築ノ分	一五、四一五・六〇〇
二、直營地其他雜勘定	五、二七八・三〇〇
三、兩協會共同負擔中鳥取負擔ノ分	一七、九八九・八〇〇
合計	三八、六八三・七〇〇

〇昭和三年度特別會計收支豫算（承認）

收入　金參拾八萬貳千九百貳拾圓也

支出　金參拾八萬貳千九百貳拾圓也

收入支出差引殘ナシ

收入ノ部　（△印ハ減ヲ示ス）

科目	本年度豫算額	前年度豫算額	增減	附記

科目	本年度豫算額	前年度豫算額	増減	附記
第一款 出資金	三、〇〇〇	七、七五〇	△四、七五〇	本年度ニテ完了ノ見込
第一項 出資未納整理金	三、〇〇〇	七、七五〇	△四、七五〇	
第二款 土地代金	一一八、〇〇〇	一九二、六五〇	七四、六五〇	（既分讓土地代金中本年度拂込見込北米三〇、〇〇〇圓日本一五、〇〇〇圓伯國四五、〇〇〇圓）
第一項 土地分讓代金整理	九〇、〇〇〇	一二六、四〇〇	三六、四〇〇	
第二項 新分讓土地代金	二八、〇〇〇	六六、二五〇	三八、二五〇	一アルケール一七五圓一六〇アルケールノ代
第三款 補助金	七九、〇〇〇	一二〇、〇〇〇	△四一、〇〇〇	
第一項 内務省補助金	六三、〇〇〇	八〇、〇〇〇	△一七、〇〇〇	
第二項 外務省補助金	一六、〇〇〇	四〇、〇〇〇	△二四、〇〇〇	（前年度ノ產業補助費下附セラレズ學校費ニ於テ多少増加ノ見込ミ）
第四款 農產收入	二五、〇〇〇	二五、〇〇〇	—	
第一項 直營地農產物收入	二五、〇〇〇	二五、〇〇〇	—	直營地農產物收入ノ見込
第五款 商店部益金	八、〇〇〇	五、〇〇〇	三、〇〇〇	
第一項 商店部益金	八、〇〇〇	五、〇〇〇	三、〇〇〇	アリアンサ商店部益金
第六款 加工場收入	一〇、〇〇〇	—	一〇、〇〇〇	アリアンサ加工場收入
第一項 煉瓦工場收入	一、〇〇〇	—	一、〇〇〇	
第二項 精米所收入	六、〇〇〇	—	六、〇〇〇	
第三項 製材所收入	三、〇〇〇	—	三、〇〇〇	
第七款 物品運送料	一五、〇〇〇	—	一五、〇〇〇	

科目	本年度豫算額	前年度豫算額	増減	附記
第一項 物品運送料	一五、〇〇〇	—	一五、〇〇〇	荷物自動車諸運搬收入
第八款 醫局收入及衛生費賦課金	三、五〇〇	—	三、五〇〇	
第一項 醫局收入及衛生費賦課金	三、五〇〇	—	三、五〇〇	衛生費一戶一二圓二五八戶分三、〇九六圓 醫局收入四〇四圓
第九款 建物材料代	一〇、〇〇〇	—	一〇、〇〇〇	
第一項 建物材料代	一〇、〇〇〇	—	一〇、〇〇〇	建物材料取次料金
第十款 移住地土地管理料	四、二五〇	—	四、二五〇	
第一項 移住地土地管理料	四、二五〇	—	四、二五〇	小作入植ズミ不在地主二十五町歩ニ付一五〇圓トシ二、三七五町歩分
第十一款 移住地土地々區割賦課金	一、〇三三	—	一、〇三三	
第一項 移住地土地々區割賦課金	一、〇三三	—	一、〇三三	入植ズミ地區二十五町歩ニ付年額四圓トシ六、四五〇町歩分
第十二款 移住地入植者戶數割賦課金	一、二九〇	—	一、二九〇	
第一項 移住地入植者戶數割賦課金	一、二九〇	—	一、二九〇	入植ズミ戶數一戶ニ付年額五圓トシ二五八戶分
第十三款 移住地學校生徒授業料	一、八〇〇	—	一、八〇〇	
第一項 移住地學校生徒授業料	一、八〇〇	—	一、八〇〇	生徒一人年額一二圓一五〇人分
第十四款 金融部貸付金償還金	九七〇	—	九七〇	

科目	本年度豫算額	前年度豫算額	増減	附記
第一項 金融部貸付金償還金	九七〇	—	九七〇	アリアンサニテ取立ノ分
第十五款 同上利子	三七八	—	三七八	
第一項 同上利子	三七八	—	三七八	アリアンサニテ取立ノ分
第十六款 利子收入	一六、七〇〇	—	一六、七〇〇	
第一項 利子收入	一、七〇〇	—	一、七〇〇	（銀行利子本部扱五〇〇圓東京支部二〇〇圓アリアンサ扱一、〇〇〇圓）
第二項 土地利子收入	一五、〇〇〇	—	一五、〇〇〇	
第十七款 預託金	五〇、〇〇〇	—	五〇、〇〇〇	
第一項 預託金	五〇、〇〇〇	—	五〇、〇〇〇	入植者開拓費預リ金
第十八款 繰越金	一五、〇〇〇	一〇、〇〇〇	五、〇〇〇	
第一項 繰越金	一五、〇〇〇	一〇、〇〇〇	五、〇〇〇	前年度繰越金見込額
收入合計	三六二、九二〇	三三〇、四〇〇	三二、五二〇	

支出ノ部

科目	本年度豫算額	前年度豫算額	増減	附記
第一款 事務所費	四八、〇七〇	二八、一〇〇	一九、九七〇	
第一項 給料	二九、三〇〇	二三、八〇〇	五、五〇〇	

科目	本年度豫算額	前年度豫算額	増減	附記
一、移住地理事給	七、二〇〇	七、二〇〇	—	（アリアンサ理事一人年手當二、四〇〇圓三人分七、二〇〇圓）
二、同衛生主任給	四、八〇〇	二、四〇〇	二、四〇〇	醫師一人年手當二、四〇〇圓二人分
三、同教員給	三、六〇〇	二、四〇〇	一、二〇〇	小學校教員二人分手當
四、雜給	二、五四〇	二、五四〇	—	役職員年手當其ノ他
五、書記給	二、四六〇	二、四六〇	—	本部勤務書記二名囑託一名年手當
六、留學生費	八、七〇〇	六、八〇〇	一、九〇〇	（三、六〇〇圓前年度三人分手當 五、一〇〇圓ヘ本年度三人分一人一、七〇〇圓）
第二項 出資金募集費	一二〇	七五〇	△六三〇	
一、旅費	—	二五〇	△二五〇	第四項旅費ヘ移ス
二、交付金	八〇	二五〇	△一七〇	納入額八分以内
三、雜費	四〇	二五〇	△二一〇	通信費外諸雜費
第三項 土地分讓費	二〇〇	三、五五〇	△三、三五〇	
一、旅費	—	四五〇	△四五〇	第四項旅費ヘ移ス
二、印刷費	—	五〇〇	△五〇〇	第八項ヘ移ス
三、交附金	一〇〇	一、四〇〇	△一、三〇〇	
四、廣告料	一〇〇	一、〇〇〇	△九〇〇	新聞雜誌廣告費
五、雜費	—	二〇〇	△二〇〇	
第四項 旅費	五、三五〇	—	五、三五〇	
一、旅費	五、三五〇	—	五、三五〇	（一般旅費アリアンサ三、〇〇〇東京一、〇〇〇長野一、二〇〇土地分讓旅費一〇〇圓 出資金整理旅費五〇圓）
第五項 宣傳費	一、〇〇〇	—	一、〇〇〇	
一、宣傳費	一、〇〇〇	—	一、〇〇〇	講演、ポスター其他宣傳費
第六項 備品費	一、五〇〇	—	一、五〇〇	

一、機械器具	一、〇〇〇	―	一、〇〇〇	本部アリアンサ備品費
二、圖書其他	五〇〇	―	五〇〇	本部及アリアンサ備品費
第七項 通信費	二、五〇〇	―	二、五〇〇	
一、通信費	二、五〇〇	―	二、五〇〇	本部、東京、支部、アリアンサ移住地通信諸費
第八項 印刷費及消耗品費	四、一〇〇	―	四、一〇〇	
一、印刷費	一、八〇〇	―	一、八〇〇	諸印刷費
二、消耗品費	二、三〇〇	―	二、三〇〇	アリアンサ一、五〇〇圓本部及東京八〇〇圓
第九項 雜費	四、〇〇〇	―	四、〇〇〇	
一、雜費	四、〇〇〇	―	四、〇〇〇	アリアンサ二、〇〇〇圓本部及東京二、〇〇〇圓
第二款 土地代及利子	八八、〇〇〇	八八、〇〇〇	―	
第一項 土地代	八〇、〇〇〇	八〇、〇〇〇	―	
一、第二アリアンサ土地代	四〇、〇〇〇	四〇、〇〇〇	―	第三回分
二、第三アリアンサ土地代	四〇、〇〇〇	四〇、〇〇〇	―	第二回分
第二項 利子	八、〇〇〇	八、〇〇〇	―	
一、土地代利子	八、〇〇〇	八、〇〇〇	―	土地代未拂ニ對スル利子
第三款 諸設備費	二一、四五〇	四五、〇〇〇	△二三、五五〇	
第一項 住宅地	三、〇〇〇	三、〇〇〇	―	
一、植民住宅地	三、〇〇〇	三、〇〇〇	―	小作人住宅三戸

第二項 教育費	四、五〇〇	三、〇〇〇	一、五〇〇	
一、小學校費	四、五〇〇	三、〇〇〇	一、五〇〇	第二第三アリアンサ分鳥取富山ト協同負擔ノ分
第三項 病院費	二、五〇〇	一〇、〇〇〇	七、五〇〇	
一、病院費	二、五〇〇	一〇、〇〇〇	△七、五〇〇	病院設備費
第四項 精米所費	二、五〇〇	一〇、〇〇〇	△七、五〇〇	
一、精米所費	二、五〇〇	一〇、〇〇〇	△七、五〇〇	精米所設備費
第五項 煉瓦燒場費	一、〇〇〇	三、〇〇〇	△二、〇〇〇	
一、煉瓦燒場費	一、〇〇〇	三、〇〇〇	△二、〇〇〇	既ニ投ドセルモノ約四千圓本年度一千圓見當
第六項 製材所費	五、〇〇〇	一〇、〇〇〇	△五、〇〇〇	
一、製材所費	五、〇〇〇	一〇、〇〇〇	△五、〇〇〇	既ニ約一万圓投下シ本年度五千圓要スル見込
第七項 飲料水費	四五〇	一、〇〇〇	△四五〇	
一、井戸	四五〇	一、〇〇〇	△四五〇	小作人住宅附屬井戸三個
第八項 道路費	二、五〇〇	五、〇〇〇	△二、五〇〇	
一、道路費	二、五〇〇	五、〇〇〇	△二、五〇〇	第二、第三アリアンサ道路費
第四款 農具器具費	三、五〇〇	三、〇〇〇	五〇〇	
第一項 農具器具費	一、〇〇〇	五〇〇	五〇〇	
一、農具器具	一、〇〇〇	五〇〇	五〇〇	農具器具費
第二項 自動車費	二、五〇〇	二、五〇〇	―	
一、自動車費	二、五〇〇	二、五〇〇	―	フォード二台分

第五款 衛生費	四、〇〇〇	三、〇〇〇	一、〇〇〇	
第一項 衛生費	四、〇〇〇	三、〇〇〇	一、〇〇〇	
一、衛生材料費	一、五〇〇	一、〇〇〇	五〇〇	醫療器械追加
二、藥品費	二、五〇〇	二、〇〇〇	五〇〇	藥品及材料
第六款 農場經營費	四、三〇〇	四、〇〇〇	三〇〇	
第一項 農場經營費	四、三〇〇	四、〇〇〇	三〇〇	
一、山伐代金	一、〇〇〇	一、〇〇〇	―	二十五町歩山伐代金
二、牧場費	五〇〇	五〇〇	―	直營牧場費
三、運搬費	一、〇〇〇	一、〇〇〇	―	材料運搬費
四、雇人費	一、五〇〇	一、〇〇〇	五〇〇	農場勞働賃金
五、種苗家畜費	三〇〇	五〇〇	△二〇〇	種苗及家畜購入費
第七款 營業費	一七、五〇〇	二一、五〇〇	△四、〇〇〇	
第一項 營業費	一七、五〇〇	二一、五〇〇	△四、〇〇〇	營業部擴張費
一、商業資金	一五、〇〇〇	二〇、〇〇〇	△五、〇〇〇	
二、雜給	一、〇〇〇	―	一、〇〇〇	
三、旅費	一、〇〇〇	一、〇〇〇	―	
四、雜費	五〇〇	五〇〇	―	
第八款 貸付金	一〇、〇〇〇	二五、〇〇〇	△一五、〇〇〇	

第一項 貸付金	一〇、〇〇〇	二五、〇〇〇	△一五、〇〇〇	
一、入植小作者貸付金	五、〇〇〇	五、〇〇〇	―	小作入植家族ヘ貸付金一戸五〇〇圓十戸分
二、入植自作者貸付金	五、〇〇〇	二〇、〇〇〇	△一五、〇〇〇	自作入植家族ヘ貸付金一戸五〇〇圓十戸分
第九款 補助金	六三、〇〇〇	八〇、〇〇〇	△一七、〇〇〇	
第一項 補助金	六三、〇〇〇	八〇、〇〇〇	△一七、〇〇〇	
一、渡航準備補助金	六三、〇〇〇	八〇、〇〇〇	△一七、〇〇〇	
第十款 運搬部費	二三、三〇〇	―	二三、三〇〇	
第一項 經營費	八、二〇〇	―	八、二〇〇	自働車運轉手六人 給料七、二〇〇圓 修理其他雜費一、〇〇〇圓
二、經營費	八、二〇〇	―	八、二〇〇	
第二項 消耗品費	一五、〇〇〇	―	一五、〇〇〇	
一、消耗品其他諸費	一五、〇〇〇	―	一五、〇〇〇	ガソリン油其他附屬品代一四、〇〇〇圓 鐵道運賃六〇〇圓 諸費四〇〇圓
第十一款 税金	七〇〇	―	七〇〇	
第一項 地税金	七〇〇	―	七〇〇	
一、地税金	七〇〇	―	七〇〇	アリアンサ地税金
第十二款 雜費	六、三〇〇	―	六、三〇〇	
第一項 產業獎勵費	一、〇〇〇	―	一、〇〇〇	
一、產業獎勵費	一、〇〇〇	―	一、〇〇〇	養蠶獎勵費

第二項 手數料	三〇〇	—	三〇〇	
一、送金手數料	三〇〇	—	三〇〇	
第三項 測量費	二、〇〇〇	—	二、〇〇〇	
一、測量費	二、〇〇〇	—	二、〇〇〇	道路地區等測量費
第四項 移住者指導費	三、〇〇〇	—	三、〇〇〇	
一、移住者指導費	三、〇〇〇	—	三、〇〇〇	請負耕作入植者指導費
第十三款 豫託金	五〇、〇〇〇	—	五〇、〇〇〇	
第一項 豫託金	五〇、〇〇〇	—	五〇、〇〇〇	
一、豫託金	五〇、〇〇〇	—	五〇、〇〇〇	渡航入植者預託金アリアンサニテ支拂ノ分
第十四款 借入金支拂	一〇、〇〇〇	三〇、〇〇〇	△二〇、〇〇〇	
第一項 借入金支拂	一〇、〇〇〇	三〇、〇〇〇	△二〇、〇〇〇	
一、借入金支拂	一〇、〇〇〇	三〇、〇〇〇	△二〇、〇〇〇	
第十五款 豫備費	一三、九〇〇	一三、八〇〇	一〇〇	
第一項 豫備費	一三、九〇〇	一三、八〇〇	一〇〇	
一、豫備費	一三、九〇〇	一三、八〇〇	一〇〇	豫算不足又ハ豫算外出ニ充ツ
第十六款 繰越金	二〇、〇〇〇	二〇、〇〇〇	—	
第一項 繰越金	二〇、〇〇〇	二〇、〇〇〇	—	
一、後期繰越金	二〇、〇〇〇	二〇、〇〇〇	—	
支出合計	三六二、九二〇	三四〇、四〇〇	二二、五二〇	

移住地今後ノ方針

(輪湖理事報告書中ノモノ)

實際問題トシテノ移住組合ノ具體的内容ヲ詳ニセズ且ツハ烏取富山トノ關係モアレバ今後協會ノ管理ニ離レテ移住組合ノ手ニ移ル時如何ナル方針ニ出ヅルヤ知ラザレド經營ノ主體ガ孰レニ歸スルニセヨ移住地トシテ進ムベキ道ハ極メテ明白トナレリアリアンサ總面積七千二百アルケールスヲ基礎トシテ現狀ヨリ考ヘタル私見ノ概略ハ大體左ノ通リ

(イ) 産業問題

特ニ伯國ノ現狀ヨリスルモ單農ハ市場ノ支配ヲ受ケルコト甚ダシク特種ノ條件附帶ヲ防ク外農民生活ヲ誤ルコト夥シ。實例トシテハ現下ノロエステ線ノ珈琲專業主義乃至ハ先年ソロカバナ線ニ於ケル棉作一點張リノ如キヨクソノ弊ヲ物語ル。即チ好況ノ結果ハ人心亂レ風紀ヲ害シ無謀ナル放資トナリ不況ノ時ハ十年ノ苦心ヲ水泡ニ期ス斯ノ如ク經濟的基礎ガ常ニ動搖シ確立セザレバ到底農村ノ社會發達ハ至難ナリ。

アリアンサハ珈琲ヲ主作トナスト雖モ其ノ限度ハ全農産額ノ約五割ヲ目標ト至シタシ。即チ他ノ五割ハ蠶業、棉作其他能フ限リ人間生活ニ必要且ツ經營如何ニヨリ利潤アル農作物及ソレガ改良發見乃至加工ヲ以テ之レニ充當セシメタシ。以上ノ意味ハ各移住者悉ク斯クセヨト言フニ非ズ或者ハ所有地區ノ地理的並ニ資金關係ヨリ珈琲ノ栽培ニ其ノ八割ヲ占ムルモ可ナルベク或者ハ勞力其他ノ關係上養蠶ヲ主トスルモ亦可ナルベク或ヒハ農産加工ヲ專業トナスモ敢テ不可ナシ、要ハ農村トシテ先ヅ自給ヲ基調トシ各移住者ノ資金、勞力、素質境遇、地區ノ地理的諸關係ヲ參酌シ農民ヲシテ全能率ヲ擧ゲシムルニ不便ナキヲ得セシメ而カモ一農村トシテ見ル時外界ノ經濟的變動ノタメニ脅カサレザル内容ヲ構成セシムルニアリ。故ニ經營指導ノ任ニ當ルモノハ仔細ニ各移住者ノ前記要素ヲ質シ常ニ數字的ニ劃策案配ヲ要ス。事實アリアンサ現下ノ移住者ヲ見ルニ各々其ノ素質乃至、資金勞力境遇異ナリ、サレバ資金ト勞力ノミニテ大成疑ヒナキ單一珈琲栽培ニノミ主力ヲ注グ時ハ可成リ多クノ劣敗者ヲ生ゼシムル事トナリ農村構成上更ニ必要ナル能力ヲ有スルモノモ遂ニ退去ノ止ムナキニ至リ玆ニ移住地ノ理想ニ反シタル淘汰ノ行ナワル丶結果ヲ來ス。

移住地ニ於ケル凡テノ産業政策ハコ丶ニ基調ヲ求メザレバ必ズヤ不具的發達ヲナス。

(ロ) 教育問題

伯國教育條令ニヨルブラジル教育ヲ以テ正科トシ更ニ完全ナル日本語ノ補助教育ヲ絕對ニ必要トス。伯國ヲ尊重スル移住

者ノ立場ヨリスレバ若シブラジルノ教育方針ニ缺陷アラバ吾等モ其ノ責任者ノ一員トシテ須ク其ノ改革ニ參ズベキナルモ目下ノ場合實際問題トシテ到底急ノ役ニモ立タズ、サレバトテ法令ヲ無視スル譯ニモ行カズ即チ算術ヤ地理ヤ理科ノ如キ方面ノ學問ハ全部正則ニ伯國教育ニ任ネ子弟ノ精神教育ハ人格アル日本人教師ニ依頼スルコトト少ナクトモ父子一代ノ家庭ハ完全ナル日本語ニヨルヿヲ以テ小生ノ理想トス。コノ根本方針ノ次ニ來ル問題ハ實行案也

第一、第二、第三共ニ一校制度ヲ採リ各ソノ中心ニ校舍及ビ適當ナル教員住宅建築ノコト其他教科書ノ編纂教材ノ豐富教員ノ待遇等ヲ考フル時其ノ經費ハ決シテ僅少ナラズ移住者ニ此ノ負擔ヲ比較的輕少ナラシメルタメニハ勢ヒ一校制度ヲトルヨリ外ナシ從ツテ兒童ノ通學距離擴大サレ最モ遠キハ六基方至七基アルモ又止ムヲ得ズ。レヂストロ植民地ニ於テハ地方ニヨリ十基以上モアルト思ヘバ必ズシモ遠シト云フニアラズ當分コレ等ノ兒童ハ馬ニテ通學スルコト、シ經濟ノ許ス曉ニ、三十人乘リノ自動車ニテ運ベバ十五分内外ニテ通學シ得。

總面積七千二百アルケールスノ土地ヲ充分利用スルニハ千二、三百家族内外ノ勞力ヲ要ス、サレバ學齡兒童數一戸當リ一人トシテ千二、三百人内外ヲ算スル譯ナリ。

孰レカノ日一校當リ四、五百人内外ノ兒童ヲ收容スル時來タランヿ。

次ニ思ヒ到ルハ中等程度ノ學校ニシテサンボウロ市迄子弟ヲ送ラザレバ專門知識ガ得ラレヌトハ困ツタ現狀ナリ。何トカシテ吾等ノ力ニヨリテヤテ見タキモノナリ。アリアンサ附近ニ更ニ他ノ移住地出來ヲ望ムモノ小生トシテハコノ生徒數ノ關係等ヨリ考ヘテナリ。

(ハ) 衞生

移住者ノ衞生思想特ニ婦人ニハ其宣傳ヲ必要トシ一方ニハ完全ナル病院ヲ建設シアリアンサ以外一帶ノ内外人ニモ其ノ恩澤ヲ分ツベキモコハ一ツニ金ノ問題ニシテ其ノ方法ノ如キ別ニ奇策モナシ。遠キ問題ハ扨テ置キ目下ノ場合ハ適當ナル日本醫見當ラズコレハホトホト困却セリ第二、第三ヘモ明年度ヨリハ是非必要ナルモ如何ニスベキヤ思案中ナリ。

(ニ) 交通

移住地交通網ハ大體ニ於テ已ニ成レリ、第二ヘ更ニ一線第三ヘ明年度ヨリ約二拾五基開設ノ必要アルモ各移住地トノ連絡及ルツサンビーラ、コトベロ兩驛ヘノ幹線更ニ新豫定線ヘノ交通等不便ナキ積リナリ現在移住地貫通自動車道路ノ延長ハ約七十五基米突ニシテ將來ノ問題トシテハ幹線道巾ノ擴張ト徹底的修理ナルガコレモ移住地經濟狀態ヲ考ヘ年度計劃ニ依ルノ外ナシ。

(ホ) 生産物市價

前項(イ)ニ於テ記述セル通リ移住地資源ノ約五割ハ珈琲ナルヲ以テ其相場如何ハ元ヨリ移住地ノ財政ニ及ボス所大ナルモ

珈琲ノ市場ニ關シテハ世人衆知ノ如ク伯國政府ノ全力ヲ注グ所信頼シテ可ナリ。殘ル問題ハ蠶業ヲ除キ棉、米、豆、玉蜀砂糖、其他ノ農産及加工品ニ對スル市價市場ノ解決案ナリ蠶業ニ關シテハ別ニ方策私見アリ。出來得ベクンバアリアンサ内ニ於テ一製絲工場ノ經營ヲ許ス迄ニ漕ギツケタシ。最近百瀨琴次氏兄弟養蠶開始ノ手順ナレバ孰レソノ成績ヲ發表スル考ヘナリ。差シ當リ繭ノ價格ニ對シテハ御存ジノ如ク公定相場アルヲ以テ只多產ト生産費ノ節限ニ努力スレバ足レリ。若シ夫レ棉米其他ノ農産市價市場ニ關シテハ如何、恐ク伯國ノ如ク農産市價ノ變動甚ダシキハ他ニ稀ナラン。其主因ハ元ヨリ豊、凶、交通、仲買商ノ横暴ニ歸スベク各年度ニ於ケル市價高低ハ其ノ年々ノ豊凶乃至需要力ノ發現ニ外ナラザルモ玆ニ聊カ異トスルハ同年内ニ於ケル市價ノ開キ大ニシテ而カモ相場ノ上下スル時期モ殆ンド毎年同ジ事ナリ其ノ理由ハ大體次ノ如キ事情ニヨル事ト思フ。凡テ前述豊産物ノ産量ハ新開地帶ニ於テ過半ヲ占ム即チサンボウロ州ニアリテハノロエステアラ、クワラ及ソロカバナ線ナリ。新開地帶ハ經濟組織亂脈ニシテ徒ニ無謀ナル放資流行シ儲ケテ而カモ金ナキヲ常トス、仲買商ハヨク此ノ邊ノ消息ヲ知ルガ故ニ例ヘ不作ノタメ當然市價好況ヲ見ルベキ場合ト雖モ農收期ニハ孰レモ値ヲ叩キ淋シキ農民ノ懷中ニ喰ヒ入ル。一度之等ノ農産物ガ約八割通リ農民ノ手ヲ離ル丶ト見ルヤ商人ハ全ク賣手ノ立場トナルヲ以テ申シ合セタ如ク市價ヲ釣上げルヲ常習トス。アリアンサガ彼等ニ對スル唯一ノ途ハ金融ト倉庫アルノミ、將來移住地ノ富メル曉ハ問題ニ非ズ實ニ低資ノ必要ハ今日ニアリ。市場ハ農産物ノ種類ニヨリ鄰州マトグロソヲ求ムベク或ヒハノロエステ線一帶ヲ選ビ時ニ聖市ニ開クモ可ナリ。明年ヨリソノ方ニ好箇ノ青年ヲ養成致シタシ。

(ヘ) 對外問題

玆ニ言フ對外問題トハブラジル國人ニ對スル移住地トシテノ態度及理想也。田付大使時代ヨリ『親日派ノブラジル政治家ト雖モ日本人ノ集團的移住地建設ハ喜バザル所』トノ說ヲ幾度モ我官邊ヨリ耳ニセリ。其結果ニヤ高等政策ハミナスニ飛ビ遠ク北伯アマゾナスマデ伸ビタリ。ミナス、アマゾナス孰レモ可余ハ更ニゴヤスヲ思ヒマトグロソヲ考ヘザルニアラズサレド伯國人ガ外來移住者ノ集團ヲ喜バザル理由ノ那邊ニアルヤヲ究メタルヤ否ヤ。小生ノ考ヘヨリスレバ必ズシモ其集團ヲ不可トスルニアラズ其ノ情弊ヲ恐ル丶ナリ。嘗テカイゼルガ南部三州ニ劃セル如キ現下到底何レノ國ト雖モ不可能事ナルハブラジル人ト雖モヨク知ル、即チ日本人ノ集團ニヨル帝國主義ノ發生若シクハ延長ヲ考フルニアラズ。風習ノ惡化(ブラジル人ヨリ見テ)及政治的統一ノ出現ヲ思ヘバナリ。移住ハ人ヲ善良ニストモ云フモ時ニ母國ノ古クヨリ養ヒ來レル缺陷ノミヲサラケ出シ易シ。信仰モ理想モナキ經濟生活ノ劣敗者ガ徒ラニ集團スル時確カニ伯國ニ取ツテハ一種ノ不消化物タルニ相違ナシ、此眼ヲ以テサンボウロ州各地ノ日本

人集團地ヲ見ヨ若干ノ辯明ヲ能クスルトモ吾等ノ自負ヲ傷クル點ナキカ。ソロカバナ線ザルパ植民地ハ純然タルレトニヤ人ノ集團地ナリ。共産村ヲ以テ知ラレ其組織モ面白ク視察伯人ハ孰レモ讃美セザルナシ。要ハ移住地ノ精神ガ人類共存共榮ノ理想ニ生キツヽアルヤ否ヤ具體的ニ立證スルニアリ、イワレ無キ排日ヲ怖レ徒ラニ消極化スル時遂ニ天地吾等ヲ容ルヽ所アラズ生存ノ意義ヲ求メザル者ニ生存權ナシ。曾テイグアペ植民地ハ屢々伯人間ニ於ケルトカクノ論議ニ上リシガ孰レカノ日アリアンサ移住地モ其ノ俎上ヲ賑ヤス幾アランカ。先般州大統領當移住來遊ノ筈ナリシガ明年ニ延期シタル由コハ深キ意味ニアラザルモ吾等ハ進ンデ接セント欲ス。

官制移住組合ノ前途如何、聊カ不安ヲ感ズルナキニアラズ日本人ノ移住問題ハ國家民族ニ取ツテノ中心問題ナリ。一日モ早ク拓殖省ノ新設ニヨリ根本方針ノ樹立ヲ望マン。

（ト） アリアンサ會

第一アリアンサハ之ヲ七區ニ別チ各區ニ委員アリ毎月第二日曜ニハ事務所ニ會議ヲ開キ移住地諸問題ノ討議ヲナス。最近非常ニ熱心ニナレリ。

漸次協會移住地ノ事業ヲ之ニ移シ度キモ何分未ダ經濟的基礎薄弱ナリ。アリアンサ會ガ墮落スルトセバ各自ガ負債ヲ帶ビタ今日ニアラヅシテ富ニ榮ユル數年若シクハ十年後ニアリ今ヨリ斯ク警告スルハ少々奇矯ニ類スルモ余ハ如カ信ズ。

（チ） 青年ノ指導養成

コレハチトアリアンサ移住地ヨリ言ヘバオコガマシキ次第ナルガコレカラ移住組合ニヨル移住地ガ澤山出來テモブラジルノミニ適任者ヲ求ムルコトハ或ハ困難ナコトト思フ。特ニ事務ナドニナルト伯國ニ永ク居タ者ハ頭腦ガ稍々散漫ニナリカケテキルノデ整理ガウマクユカヌト思フ、ソレデ各組合デ事業開始一ケ年前位ニアリアンサヘ事務練習ノタメ送ツテ居ケバ當方デハ厄介ダガ一般ノ仕事ガ解ルカラ本人等ニハ好都合ト思フ。其代リ畑ノ草取リカラ便所ノ掃除ヲ厭ハヌ樣ナ青年ナラ御斷リノ事。

（リ） 地主及小作者

契約文面ハ孰レモ七千本ヲ植付クル事ニナツテ居ルガコノ七千本説ノ根據ハ十アルケールスニ對スル土地利用法ト勞働能力アルモノ三人家族ヲ條件トシテ居ル。然ルニ事實今日迄渡航セル家族中ニハコノ大切ナ條件ニハヅレテ居ル者ガ少クナイ。元ヨリ日本ニ於テ募集ノ際家族構成ニ關シ餘リヤカマシク言ツタラ小作ヲ送ルコトガ或ハ困難カモ知レヌ但シ其ノ結果勞力不足乃至不眞面目ナル小作ヲ送ルコトハ地主ノ不利益ニナルヲ承知シテ貰ハネバナラヌ。何トナレバ其ノ家族ガ夫婦ノミデ而カモ農業ノ經驗ナク僅ニ三、四千本ノ植付並ニ手入レヨリ出來ヌ小作ニ對シテモ地主ハ等シク住宅、井戸其他ノ固定資本ノ出資ヲセネバナラヌカラデアル、當方ニ於テモ充分地主ノ爲メニ有利ノ樣努力ハ忘レテ居ラヌガ元來其家族ニ到底及バザル所ハ强ユルコトガ出來ヌ。

モウ一ツ困ルコトハ渡航初年度ニ於テハ凡テ不慣ノタメ其ノ家族ガ全能率ヲ耕作ノ上ニ發揮スルコト能ハザルガ故ニ二ケ年ニ亘ツテ珈琲ノ植付ガ行ハレル。例ヘバ七千本植ヘ得ル家族デモ初年ハ三、四千本二年目ニ漸ク殘部ヲ植付クルモノデアル。即チ四年契約ト言フモ事實ハ五年ニシテ全部ノ珈琲ガ四年及五年生ニナル譯デアル。然ニ此ノ點ニ關シテハ兩者ニ無理ノナイ妥協ガ出來ヨウト思フ。

次ニ六年契約ナルガ兩三年サンパウロ州ニ於テハコノ種ノ珈琲栽培契約ハ流行セヌ。其理由ハ一般勞銀ガ高クナツタ今日地主ガ只土地丈ケノ提供ハチト過ギヨスギルト云フノデアル。ダカラ今後ハ千本ニ對シ五十圓内外ノ補助ヲ條件トセザレバチト無理カト思フ。地主ガブラジル内カラ六年契約ヲ求メルナラバ、更ニ小作ニ有利ナ條件ヲ附ケヌト希望者ガナイ乃チ珈琲植付面積ノ森林伐木費ヲ補助シテヤルコトデ千株ニ對シ自今ノ兩替相場デ邦貨約七十圓位ノ見當ナリ、ソレデモ地主ニ取ツテハブラジルカラ募集シタ方ガ得策ト思フ。日本カラノ六年小作ハ四年契約者ト同ジク二年度ニ亘リ珈琲ヲ植エ付クルカラ事實ハ七年ニナルガブラジルカラノ小作ハ初年度ニ於テ契約本數ヲ全部植付得ルシ栽培ニ對シテモ經驗ガアルカラデアル、尙當方トシテモ管理上手數ガカヽラズ飽ク迄契約通リ攻メ立テルコトガ出來ル。

小作者ノ植付本數其他ニ關シテハ別表ヲ參照セラレタク尙第一アリアンサ契約者ノ珈琲園及住宅ノ寫眞ヲ同封セリ。

（ヌ） 鳥取富山トノ關係

第二アリアンサ。第二アリアンサトシテ購入シタル地積ハ二千五百アルケールスナレド地理的關係ヨリ本年七月御報告致セシ通リ二千アルケールスヲコトベロ川ヲ境トシテトラベツサグランデ川トノ間ニ撰定セリ。從ツテ一移住地トシテノ交通關係及ビ統御上コノ二千アルケールスノ地面ヲ第二アリアンサト呼ビ其ノ中千二百アルケールスヲ鳥取ノ持分トシ八百アルケールスヲ信濃ノ分トセリ。

兩協會ガ移住者ニ對スル義務上當然共同負擔ニ屬スベキモノハ其ノ經費ヲ土地面積ニ對シ案分スルコト、セリ。即チ五分ノ三ハ鳥取五分ノ二ハ信濃。鳥取本年度ノ支出額ハ會計報告中鳥取勘定ニアル通リニシテコレニ橋浦氏ノ俸給ヲ加算セルモノガ全額也。熊本ハ鳥取ト同面積且ツ約同家族數ヲ入レ乍ラ恐ラク其出費ハ倍額以上ナラン。

第三アリアンサ。面積三千アルケールス。中千七百アルケールスガ信濃ノ分也、松澤富山移住地理事モ第二ト同ジク信、富、共同ノ希望ニシテコレニ關シ、本年八月富山本部ニ通信セル答ナリ。事實別個ノ世帶ヲ張ラバ徒ラニ出費多ク且ツ移住者ノ統一ノ至難ニシテ新移住者ガトヤカク云フトモソレハ最初ノ一ケ年ニシテ植付ケタ珈琲ガ一尺頭ヲ伸バス迄ナリ。

（ル） 片倉及渡邊農場

（イ） 片倉農場ハ本年多少山ヲ伐リ加エタルモ何分松本氏ガ

連レテ來タ家族ハ何レモ働ク者ガ各家族一人サラナイ。而モ子澤山ノタメ戸當リノ能率擧ラザルモ昨年度植付ノ二萬本ハ成績ガ非常ニヨイ。立派ナ珈琲園ニナルコト、思フ。

（ロ） 渡邊農場　選定地ハ地圖ニ示セル通リ第三ノ中心ト定メタ未ダ踏査ヲスル暇ガナイガ明年度ノ仕事ニハ間ニ合セル積也早ク責任者ヲ送ラレヨ、山モ非常ニヨイ。

アリアンサ第一移住地 開拓情勢

（昭和二年拾壹月二十日現在）

地區番號	地區面積（アルケース）	地主名	就働家族長名	開拓面積（アルケース）	植付總本數
一	二〇	細下 登	同 人	九・七五	一四三〇〇
二	二〇	竹村安定（地主・小作）	竹村安定 岩波菊治	八・八〇	一三三三〇
三	一〇	上條 信（小作）	上條佐和太	三・〇〇	三五〇〇
四	一五	座光寺與市（地主）	座光寺與市	三・八〇	五〇〇〇
五	一〇	篠原リン（實兄）	松共黑龍	四・〇〇	五〇〇〇
六	一五	小川 林	同 人	四・二〇	五二〇〇
七	一〇	遠藤於兎（小作）	鈴木京壽	三・三〇	四四〇〇
八	一〇	伊藤長喜	同 人	五・三〇	五三〇〇
九	一五	芦部安夫	同 人	五・〇〇	六〇〇〇
一〇	一〇	林 光雄	同 人	二・四〇	二八〇〇
一一	一〇	有賀國平	同 人	三・〇〇	三六〇〇
一二	一〇	中村義彌	同 人	四・二〇	五五〇〇
一三	一〇	伊藤忠雄		―	―
一四	一五	保留地		―	―
一五	一〇	鍔本 茂	同 人	三・〇〇	三四〇〇
一六	一〇	瀨戸喜代松	同 人	二・七〇	三四〇〇
一七	二〇	井村政勝	同 人	三・〇〇	三五〇〇
一八	一六	藤本顯正	同 人	二・〇〇	二五〇〇
一九	一〇	佐藤 鼎	同 人	二・〇〇	二五〇〇
二〇	一〇	野溝 勇	同 人	三・〇〇	五〇〇〇
二一	一〇	越智伊之一	同 人	二・〇〇	二〇〇〇
二二	一〇	中村畯作（小作）	隆幡秀雄	三・〇〇	三九〇〇
二三	三〇	吉川德彌	同 人	四・〇〇	七〇〇〇
二四	二〇	中原三藏	同 人	三・〇〇	三五〇〇
二五	一〇	蓮沼信一	同 人	二・五〇	三五〇〇
二六	一〇	佐々木保作	同 人	三・五〇	五〇〇〇
二七	一〇	近藤修一	同 人	三・二五	四五〇〇
二八	二〇	細川幸人（小作）	橋田惟謙	四・五〇	六三三七
二九	一〇	高木利治	同 人	三・五〇	四六〇〇
三〇	二〇	弓場爲之助	同 人	一一・〇〇	一〇九〇〇
三一	一〇〇	渡邊 武（地主・小作）	渡邊武 藤林幸三郎	一六・〇〇	一六〇〇〇
三二	二〇	松本奎一（小作）	法月國平	三三、〇〇	三三〇〇〇
	一〇	松本鐵郎	同 人		
	一〇	津田太藏	同 人		
	一〇	若本千代太郎	同 人		
	一〇	高野桂秋	同 人		
	一〇	高橋善導（小作）	川建唯一		
	二〇	角田高治（小作）	砂尾織		

地區番號	地區面積（アルケース）	地主名	就働家族長名	開拓面積（アルケース）	植付總本數
三三	一〇	堤 伊入	同 人	五、〇〇	七〇〇〇
三四	一〇	樋田榮太郎	同 人	三、五〇	六〇〇〇
三五	一〇	山口誠實	同 人	二、〇〇	二五〇〇
三六	一〇	佐藤清治（地主・小作）	佐藤清治 光田省三	四、五〇	七五〇〇
三七	一〇	光田滿喜太	同 人	五、〇〇	八〇〇〇
三八	一〇	武川又兵衞（小作）	萩原彥四郎	四、五〇	七〇〇〇
三九	一〇	石戸義一	同 人	四、六〇	七四〇〇
四〇	一〇	神屋信一	同 人	二・五〇	三六〇〇
四一	一〇	庭瀨健兒	同 人	三・五〇	二〇〇〇
四二	一〇	藤森茂里	同 人	三・〇〇	四五〇〇
四三	一〇	笹原義忠	同 人	一・八〇	六八〇
四四	一〇	木村貫一郎	同 人	四・八〇	五四〇〇
四五	一〇	中澤豐三	同 人	二・五〇	三〇〇〇
四六	一〇	西 虎雄	同 人	三・五〇	五三九六
四七	一〇	永原勘吾	同 人	三・〇〇	四九五〇
四八	一〇	第海榮郎	同 人	二・〇〇	一〇〇〇
四九	一〇	鈴木 威	同 人	三・〇〇	四〇〇〇
五〇	一〇	太田正武	同 人	三・五〇	五三七五
五一	一〇	廣岡重治	同 人	三・五〇	五三七五
五二	一〇	相馬愛藏（小作）	三桝恭一	四・〇〇	七〇〇〇
五三	一〇	石川安太郎	同 人	三・五〇	四六〇〇
五四	二〇	森 喜代一（小作）	篠原幸治郎	二・〇〇	三〇〇〇
五五	五〇	金竹盛重（小作・同）	麥生田卯藏 崎山清廣	七・〇〇	八〇〇〇
五六	一〇	藤森眞蔬（小作）	田島福一	二・〇〇	三〇〇〇
五七	二〇	伊藤秀司（小作）	堺 與惣八	四・〇〇	五〇〇〇
五八	三〇	大峽 份	同 人	一一・五〇	一七五〇〇
五九	一〇	小口善重（小作）	木村庄太郎	二・七〇	四二〇〇
六〇	一〇	小口善重（小作）	角崎 巧	二・七〇	四〇〇〇
六一	一〇	上條信 丸山龜之助（小作）	上條源治	二・五〇	四八〇〇
六二	一〇	協會所有地（先中川氏土地）（小作）	木本 保	三・〇〇	三〇〇〇
六三	一〇	堀江繁一	同 人	二・五〇	三五〇〇
六四	一〇	吉田 榮	同 人	四・〇〇	五七〇〇
六五	一〇	村岡幸作	同 人	四・〇〇	四八〇〇
六六	一〇	田中啓二	同 人	三・五〇	四五〇〇
六七	一〇	伊藤德象	同 人	三・三	四五〇〇
六八	一〇	高橋豐信	同 人	三・二〇	四八〇〇
六九	一〇	小川 一	同 人	三・二〇	五〇〇〇
七〇	一〇	渡邊彌助	同 人	二・五〇	三〇〇〇
七一	一〇	富塚 勇	同 人	三・五〇	四五〇〇
七二	二〇	西田アキノ 西田惣太郎	同 人	三・五〇	四〇〇〇
七三	一〇	淺見新藏	同 人	四・〇〇	七三〇〇
七四	一〇	淺見文藤	同 人	三・五〇	四五〇〇
七五	一〇	久米仙藏	同 人	六・〇〇	七〇〇〇
七六	一〇	手島良輔	同 人	四・〇〇	四二〇〇
七七	一〇	唐澤俊文（小作）	佐藤藤次郎	六・〇〇	六九〇〇
七八	一五	保留地		―	―
七九	一五	新井彌十郎	同 人	二・五〇	二五〇〇

八〇	一五	北原地價造		フランシスコ、ダッショ	四・五〇	五〇〇〇
八一	一〇	保留地			—	—
八二	一一	眞島篤一			—	—
八三	一〇	保留地			—	—
八四	一〇	岩波菊治			—	—
八五	一〇	保留地			—	—
八六	一〇	北山金作			—	—
八七	一〇	保留地			—	—
八八	一〇	北澤眞治			—	—
八九	一〇	保留地			—	—
九〇	一〇	堀了			—	—
九一	一七	保留部			—	—
九二	一〇	榎並武一	地主 小作 小作	榎並武一 川瀬權之丞 アントニオロドリーゲス	八・〇〇	一〇〇〇〇
九三	一〇	今富寶藏		同人	二・二五	二五〇〇
九四	一〇	岩本丑一		同人	二・〇〇	二五〇〇
九五	一〇	保留地			—	—
九六	一〇	柿並保稍		同人	二・〇〇	二五〇〇
九七	一〇	武田三三	小作	アントニオロドリーゲス	三・五〇	五〇〇〇
九七	一〇	本間利雄	小作	平井芳雄	一・五〇	二〇〇〇
九八	一〇	宮崎萬平 同 運平	小作	櫻木喜一	三・二五	四〇〇〇
九九	二〇	梅谷光貞	小作 小作	高野清見 砂田作造	六・五〇	八〇〇〇
右計	一四一三				三五四・九〇弱	四六六三三三

地區番號	地區面積	地主名	就働家族家長名	開拓面積	植付總本數
片倉農場	二〇〇アルケールス	片倉兼太郎	小作 河内五郎 同 松野茂一 同 大石友明 同 山田淺吉 同 竹久仲治 同 黄瀬稻造 同 廣木太郎治	一四、五アルケールス	二、八〇八本
協會直營地及附屬保留地	二六七アルケールス	信濃海外協會	協會農場部 小作 堀了 同 渡邊五八 同 北澤眞治 同 北山金作 同 宮村直治	四五、〇アルケールス	四五、〇〇〇本
右計	四六七アルケールス			五九、五アルケールス	六六、八〇八本
總計	一八八〇アルケールス			四一四、四アルケールス	五三三、一四一本

アリアンサ第二・第三移住地 入地者氏名及伐採面積

昭和二年十一月廿日現在

（珈琲樹數ハ直下植付中ニテ不明）

氏名	伐採數アルケールス	摘要
富山分		
吉田次作	一、五〇〇	
伴邪惣十郎	一、五〇〇	
塲家信一	一、五〇〇	
松澤謙一	一、五〇〇	
富山直營地	四、〇〇〇	移住者收容所位置
右計	一〇、〇〇〇	
鳥取ノ分		
永田眞作	二、五〇〇	
矢澤清豎	三、〇〇〇	
大戸橋造	三、〇〇〇	
大森甚吉	四、七〇〇	
増田政一	二、四〇〇	
山室重夫	一、五〇〇	
秀島盛輔	二、八〇〇	
原銀之助	一、八〇〇	
宇野利吉	一、八〇〇	
塚田軍司	一、五〇〇	
五十嵐正衛	二、二〇〇	
西川八郎	一、六〇〇	
保留地	五〇〇	
鈴木德襄	一五、〇〇	
堀信一	一、六〇〇	
高瀬直己	一、六〇〇	
後藤隼美	二、〇〇〇	
村上朝二	一、七〇〇	
保留地	一、五〇〇	
舟木愛治	一、五〇〇	
石井博二	二、二〇〇	
森田良平	二、一〇〇	
柴田芳三	二、六〇〇	
中澤治平	一、五〇〇	
市岡恕道	一、五〇〇	
花田永市	二、三〇〇	
遠藤源吉	二、〇〇〇	
倉持敏雄	二、〇〇〇	
合計	五五、九〇〇	
德田	三〇	
中尾喜代治	一、三〇〇	
河崎信吉	二、六〇〇	
米原鶯德	一、三〇〇	
逢坂德義	二、六〇〇	
和久井靜眞	六、〇〇〇	
泉忠一郎	二、〇〇〇	
吉安春達	二、〇〇〇	
山本正祐	一、九〇〇	
赤井健治	二、〇〇〇	
佐藤信二	三、〇〇〇	
元井上覺三	二、五〇〇	

氏名	伐採數アルケールス
吉田惣太郎	一、四〇〇
大谷貞雄	二、〇〇〇
鳥谷儀一郎	二、五〇〇
細川岩松	一、四〇〇
大久保和吉	二、〇〇〇
佐藤謙二郎	一、四〇〇
中山修造	二、八〇〇
椎野源之助	一、九〇〇
吉田壽三郎	一、七〇〇
羽藤德一	一、〇〇〇
山本敏令	一、二〇〇
北岡卓藏	一、二〇〇
横山茂夫	二、二〇〇
小坂鐵一	二、四〇〇
前川壽雄	二、四〇〇
播浦昌雄	二、三〇〇
鳥取直營地	七、六〇〇
右計	六四、九〇〇
總計	一三〇、八〇〇

戸數人口學齡兒童數表（昭和二年八月末現在）

	戸數	人口	男數	女數	學齡兒數	男兒	女男	他出中人員
第一移住地	一一四	四八九	二八八	二〇一	五四	三〇	二四	六
第二移住地	五五	二七八	一四五	一三三	四四	二六	一八	〇
第三移住地	四	一一	八	三	〇	〇	〇	〇
總計	一七三	七七八	四四一	三三七	九八	五六	四二	六

備考　學齡兒童ノ年齡ハ昭和三年一月一日現在ニ於テ滿六歲以上滿一三歲以下ニアルモノヲ表出セリ蓋シ同年開校ノ豫定ナルガ故ナリ、年齡ヲ滿六歲ヨリ滿一三歲マデトセルハ日本ノ義務教育期間トブラジルノ學齡トヲ併セ含マシムルタメニシテ滿六歲ヲ數ヘシハ開校期日ノ未定ナルニヨル、故ニ開校ト同時ニ（日本ノ學齡ニヨルモノトシテ）事實就學シ得ルモノハ本表表示ノ數字トハ拾名內外ノ差ヲ生ズルコト、ナル可シ（ブラジル學齡ニハ變化ナシ）

昭和二年十月末人口及戸數（昭和二年十月三十一日現在）

戸數總計　一八二

人口總計　七九九

備考　前表調査後ノ變化ニシテ戸數ニ於テハ九（入植家族六退植家族一前表ニ調査漏家族四）人口ニ於テ二一（入植者二〇、退植者三、出生一〇、死亡六）ノ增加ヲ示セリ

第三年度農產物收穫　昭和二年六月末在高

籾　三、三九〇俵

豆　六一〇俵

但共ニ自家使用量ヲ控除セル額

開植以來ノ人口自然移動　昭和二年十月三十一日調査

出生數　四一

死亡數　一六

備考　死亡者ノ病名ハ多種多樣ニ互リ表示シ難シ

規約改正

代議員の改選にあたつて當協會規約の一部を左の通り改正適用する事になつた

第七條　役員ヲ定ムル手續左ノ如シ

一、總裁ニ長野縣知事ヲ推薦シ副總裁ニ長野縣會議長及信濃教育會長ヲ推薦シ相談役ハ總裁之ヲ推薦ス評議員幹事長會計監督幹事及書記囑託ハ總裁之ヲ指名囑託スニ改ム

第五條　第八條　第九條　第十條中代議員トアルヲ何レモ評議員ト改ム

御大典紀念事業建設

宣言された計畫內容

午前午後にわたつて種々提出事項の承認可決をみたが今代議員會において異彩を放つた提出協議事項は左に述べんとする御大典紀念移住地建設計畫である。計畫立案者たる西澤幹事の縷々たる說明あり質疑應答熟議二時間餘にして午後三時五分千葉總裁は一同に計り異議なきを以て遂に移住地建設の宣言を言はれた。顧みるに大正十二年五月十三日本間總裁は現在のアリアンサ移住地建設の宣言を試みて我國移植民史上に一時代を劃する原動力となり全國朝野に一大センセーションを與へたが今又現總裁千葉了氏によつて今秋行はせられる御大典の記念事業として第二次的の移住地建設の宣言を試みられた譯である。

左に建設案の趣意、計畫內容は左の通りである。

御大典紀念移住地建設案

一、趣意書

日本國民は常に建國の祖宗の開拓的精神を遵奉し其移植民的努力を繼承し之れを子孫に傳ふると共に世界の文化と其開發に貢献す可きの責任を有す。

我が信濃海外協會は創立以來微力を此點に傾注して今日に至れり、南米移住地は大正十二年五月以來の計畫に係り縣下有力者百餘名の贊成により十六萬餘圓の寄附金を得て伯國共和國內に其の建設をなせり。大正十四年着手以來壹萬壹千七百五十町歩の土地の處分を完了し二百家族壹千餘名の自作並請負耕作者の入植をなせり。

今や其經營は着々進捗し鳥取富山熊本の諸縣ニ移住地建設を促進せしめ又本會の建議による本邦海外移住組合法は本年五月より實施せらるに至れり。爾來、和歌山三重岡山廣島山口福岡鹿兒嶋愛媛新潟等に續々移住組合の建設を見其數二十に垂々とするの盛況となれり。

本會は玆に於て信濃海外移住組合を設立して南米アリアンサ移住地經營を乘替へ將來主として自作農の移住の途を講じ、別に我國民の海外に土地を所有して農業經營をなし、內は國家の富力の增進と農村問題人口食糧問題思想問題勞資問題等の解決に參畫し外は我國威の發揚と我民族の海外發展とを助成せんとす

る者のために海外土地を購入して共經營の任に當り且つは海外雄飛の大道に志し遠き萬里異域の地に於て共運命の開發と世界の大自然の開拓とをなし以て世界文化の進展に貢獻せんとする本邦中產有識階級の青年男女の海外移住の便を計らんとす。

今や　今上陛下御卽位の御大典に際會し感喜措く能はず玆に御大典紀念として每年壹千町歩十ケ年壹萬町歩の移住地建設の事業を遂行せんとす。

方今我國移植民の實況を見るに

一、北海道、樺太、台灣、朝鮮等に關する移植民事業は政府直接又は政府の後援に依る特殊會社其任に當り着々其成績を示しつつあり

二、海外移民の內農業者にして十二歲以上の三人家族を構成し約五百圓の資金を有するものと比律賓移民ペルー移民等の一部は海外興業會社之れが取扱ひをなしをれり

三、夫婦にして資金貳千五百圓以上を有する家族に對してはブラジル渡航者に限り海外移住組合之れが取扱ひをなし

四、政府は五十歲以下の夫婦を中心とする家族に對してはブラジル渡航者に限り海外渡航準備補助金を下附して之れが奬勵をなしつつあり

五、然れども獨立して海外の企業をなす迄に至らざるものにして而も志を海外開拓に有するものは今日に於ては何等の便宜を與へられず

六、又海外興業會社扱として渡航するには資力過多にして海外移住組合員たるには資金過少なるものも亦顧みられず

七、殊に夫婦を中心とせざる親族五十歲以上の家長を有する家族及び獨身にして渡航せんとする有爲なる青年も亦顧みられず

信濃海外協會に於ては其南米アリアンサ移住地に於て前記(五)の者に土地を分讓し(六)の者を其の小作人として周旋して顯著なる成績を示したり

自作農者にして移住組合員に適するものは信濃海外移住組合に於て取扱ふも前項五、六、七に關係するものは海外協會に於て之れが取扱ひをなすの外に道なし而かも其階級に屬する者頗る多くこれ等は他日移住組合員たり得る資格の所有者にしてこれ等を適當に指導することは山林を植へて水源を養ふと同じく我國民海外發展を助長する上に於て緊要缺く可からざる事業なりとす

玆に於て本會は多年移住地經營の經驗を基礎として玆に御大典紀念事業として新計畫の許に移住地の經營を遂行せんとするに至れり

二、御大典紀念移住地建設要項

一、經營面積は今後拾ケ年間に一〇、〇〇〇町歩とし第一年度に於て一、〇〇〇町歩を購入着手するものとす

二、購入價格は第一年度着手の分は七〇、〇〇〇圓以下とす

三、此移住地は一地區を二十五町歩として區劃し道路、移住者宿泊所、小學校、病院、精米所、製材所、製瓦所、其他必要なる設備をなすものとす

四、壹地區に對する出資寄附を四、五〇〇圓とし是れを四ケ年間に拂込むものとす

壹地區に對する出資寄附は是れを分割して拾口となすことを得此場合の一口を四五〇圓とし土地貳町五段歩を提共す

一人にて所有する地區數及口數一地區を所有する人數、加入する個人又は團体等には別に制限を設けず

五、第一年度計畫の募集　口數　四〇〇

六、拂込方法

種別	第一年目	第二年目	第三年目	第四年目	計
(イ)一地區ノ所有ノ場合	一、五〇〇円	一、〇〇〇円	一、〇〇〇円	一、〇〇〇円	四、五〇〇円
(ロ)一口所有ノ場合	一五〇	一〇〇	一〇〇	一〇〇	四五〇

(ハ)募集資金額一八〇、〇〇〇圓

七、出資寄附者及請負耕作者は長野縣關係の者を主とするもの他府縣の者及海外在留者をも採用するものとす

八、移住者入植計畫

(イ)出資完納者中より十アルケールス每に一戸を入植せしむ

(ロ)中等學校、實業學校、實業補習學校卒業者外一般青年の二十五歲以下の單獨入植希望者を採用し一定の期間入植準備教育指導訓練したる者を入植せしむ

(ハ)實科女學校、高等女學校、女子補習學校の卒業者及一般女子にして單獨入植の希望者を採用し一定の期間入植準備教育渡航の指導訓練したる者を入植せしむ

(ニ)入植渡航者中年齡十二歲以上一人に付二〇〇圓年齡十二歲未滿七歲以上一人に付一〇〇圓年齡七歲未滿三歲以上一人に付五〇圓の補助をなす

(ホ)二人以上の家族を有する者

男子の兄弟にて二人以上となるもの（中二十歲以上を含むもの）女子の姉妹にて二人以上となり中二十歲以上のものを含むもの、父子、母子等にして二人以上となるもの（親は五十歲以下なること）補助金同上

(ヘ)夫婦を中心とする家族

政府補助金なき場合は協會及本縣にて補助す

(ト)入植者は移住地理事に於て指導し將來の充分なる發展を計る

八、經營完成後の狀況

創始十ケ年後には出資者の所有する財產は時價八〇〇萬圓を下らざるべく入植家族四〇〇戸　一二、〇〇〇人となりその貯金額は二四〇万圓を下らざるべし。

斯くて年々本縣へ送金せらるる小作料は年額一〇〇萬圓以上となり各町村の富力を增し縣の富を造り教育費の財源より海外發展の金融となり世界文化の進展に伴ふを得べし

新に此移住地より獨立する自作耕作者は年々一〇〇家族を

下らざるべく內地より新に渡航して此移住地入植者も亦一〇〇家族以上となるべし

此れに要するに創始十ケ年後には本縣に於て八〇〇萬圓の生產と二四〇萬圓の貯金と四〇〇戸以上の獨立自作耕作者を養成し得べく一〇〇萬圓以上の本縣送金の海外小作料を得て大いに文化の向上と農村問題解決の鍵となるべし

一、千町歩經營收支概算

（一萬町歩繼續事業の中第一ケ年分）

收入

一、出資寄附金　一八〇、〇〇〇
但シ一地區ニ付拾口四、五〇〇圓とし四拾地區　四百口分ノ

二、貸付金利子收入　八、三二〇圓
但シ一戸ニ付三ケ年据置三ケ年賦ニテ金五〇〇圓ヲ年利八分ノ利子ニテ貸付ケタル利子一戸二〇八圓、四〇戸分

合計　一八八、三二〇圓

支出

一、出資寄附者ヘ提供土地代　五〇、〇〇〇圓

二、土地管理料　三八、〇〇〇圓
但シ一地區ニ付六ケ年間凡九五〇圓四〇地區ノ分

三、經營費　四四、三二〇圓

四、渡航準備補助金　二四、〇〇〇圓
但シ大人換算一人ニ付二〇〇圓三人一戸六〇〇圓四〇戸分ノ補助

五、奬勵金　一二、〇〇〇圓
但シ一戸ニ付三〇〇圓四〇戸分

六、貸付金　二〇、〇〇〇圓

合計　一八八、三二〇圓

備考

(1)、入植者ニ關シテハ一戸ニ付五〇〇圓ヲ年利八分ノ利子ニテ三ケ年据置三ケ年賦ニテ貸付クルモノトス

(2)、此貸付元金ハソノ返還ヲ待ツテ海外發展ノタメノ金融機關ノ基金トシ凡二〇、〇〇〇圓ニ達スル見込ナリ

二十五町歩經營年度別收支概算　一地區ノ分

第一年度

收入		支出	
一、出資寄附金	一、五〇〇圓	一、土地管理料	五〇圓
		二、經營費	二五〇圓
合計	一、五〇〇圓		三〇〇圓

第二年度

收入		支出	
一、出資寄附金	一、〇〇〇圓	一、土地代金	五〇〇圓
二、繰越金	一、二〇〇圓	二、渡航補助金	六〇〇圓
三、貸付金利子收入	四〇圓	三、奬勵金	三〇〇圓
		四、貸付金	五〇〇圓
		五、土地管理料	一五〇圓

收入		支出	
合計	二、二四〇圓	六、經營費	一五〇圓
			二、二〇〇圓

第三年度

收入		支出	
一、出資寄附金	一、〇〇〇圓	一、土地代	七〇〇圓
二、貸付金利子收入	四〇圓	二、土地管理料	一五〇圓
三、繰越金	四〇圓	三、經營費	一五〇圓
合計	一、〇八〇圓		一、〇〇〇圓

第四年度

收入		支出	
一、出資寄附金	一、〇〇〇圓	一、土地代	五〇圓
二、貸付金利子收入	四〇圓	二、土地管理料	一五〇圓
三、繰越金	八〇圓	三、經理費	二〇〇圓
合計	一、一二〇圓		四〇〇圓

第五年度

收入		支出	
一、繰越金	七二〇圓	一、土地管理料	一五〇圓
二、貸付金利子收入	四〇圓	二、經營費	二〇〇圓
合計	七六〇圓		三五〇圓

第六年度

收入		支出	
一、繰越金	四一〇圓	一、土地管理料	一五〇圓
二、貸付金利子收入	三二圓	二、經營費	一〇〇圓
合計	四四二圓		二五〇圓

第七年度

收入		支出	
一、繰越金	一九二圓	一、土地管理料	一五〇圓
二、貸付金利子收入	一六圓	二、經營費	五八圓
合計	二〇八圓		二〇八圓

備考

(1)、貸付金ハ五〇〇圓內外トシ三ケ年据置三ケ年賦ニテ八分ノ利子ニテ貸スモノトス

(2)、貸付金ノ利子ハ事業費ニ充テ貸付元金ハソノ回收ヲ得テ別會計トシ海外發展ノタメ金融機關ノ基金ニ繰入ルルモノトス

(3)、一地區二十五町歩所有ノ地主ハ土地代約二萬圓年收二千五百圓ヲ得ルニ至ルヘシ

一、地主請負耕作者計算（十二　以上三人家族）（六年契約ノ場合）

支出ノ部

一、渡航支度費	三〇〇圓
二、船賃	七〇〇圓
三、雜費	三〇〇圓
四、生活費及豫備費	六五〇圓
五、住宅費	四五〇圓
六、農具及種物購入費	二〇〇圓
七、貳アルケール山伐代	三〇〇圓
合計	二、九〇〇圓

備考　單獨入植者ハ三人ニテ一組合ヲ組織シ請負耕作ヲナスコト

收入ノ部

一、渡航補助金　六〇〇圓
二、奬勵金　三〇〇圓
三、借入金　五〇〇圓
四、自己準備金　一、五〇〇圓
合計　二、九〇〇圓

備考

（イ）六ケ年請負耕作者ノ七年目ノ財產トシテ六、〇〇〇圓―九、〇〇〇圓ハ少クトモ貯蓄ヲナスコトヲ得ヘク尙財產トシテ計算シ得サル無形ノ精神生活ノ向上ト開拓者トシテ農業經營者トシテノ貴キ体驗トヲ味得シ得ヘシ

（ロ）請負耕作者ハカクテ此財產ト經驗トヲ以テ移住組合ノ土地ヲ購入シテ皆自作農トシテ七年目後獨立シ得ヘシ、カクテ入植後十年ニシテ二萬圓內外ノ土地所有者トナリ一年ニ三千圓以上ノ純益ヲ得テ堅實優良ナル我民族トシテ世界ノ市民ハ創設セラルヘシ

日本兒童の慈母來る

北米シャトル在住日本人二千の兒童から慈母の如く慕はれて居る親日教育家同市ゲザード小學校長メーハン女史はこの夏休を利用し多年計畫してゐた日本見物に出發することになつた。在留日本人父兄達は一人一ドルづつのきよ金を募りつゝあるが女史は六月十五日シャトル出帆の靜岡丸に便乘七月二日橫濱着の見込みである

海外會費領收

一金拾圓也　在ロンドン　堀信吉殿
一金貳拾圓也　在ボルネオ　中上良相殿
一金拾圓也　在ボルネオ　大瀬房人殿
一金貳拾圓也　在撫順　撫順信州會殿
一金貳拾圓也　在大連　大連長野縣人會殿
一金九拾五圓拾參錢也　笠原義忠殿
外五十三名

赤松總領事歸朝

在伯三年伯國聖州に邦人移民のために多大なる努力を拂ひし赤松總領事は六月二十九日橫濱に上陸往訪の記者に左の如く語つた。

「伯國は働らく者の天國で移民の發展を促進せしめるには金融機關の設置が焦眉の急に迫られてゐる」云々

母國通信日誌

「前號七十二號より續き」

五月廿四日　島津忠重公家では十五銀行の欠損補てんのため七十七萬石の大名家に傳はる家寶を投げだす▲優詔降下問題に重大なる結果招來を恐れて政府聲明書發表▲支那北軍利あらずして天津へ逃げる▲イタリヤ號北極へ達す（二十三日）

廿五日　水野文相は優詔降下問題の中心人物で今後これを中心として紛議し皇室に累を及ぼす事は重大であると本日辭職の旨を言上した▲文相辭職に伴ふ後任は勝田主計氏の決定即日親任式をあぐ▲山崎政務次官安藤參與官も殉職

廿六日　勝田新文相は西原借款や國辱公債で一世の指彈を受けた者であるが田中首相は人事行政に情實を極度に發揮するので威信失墜▲不戰條約に贊成して米國に回答▲思想檢事の割當てに大阪の管下が一番に赤いと四名配置

廿七日　社外船乘組員待遇改善で罷業開始▲小泉策太郎氏政友を脱黨▲二十三日北極に達したイタリヤ號は二十五日早朝より通信中絶し難破したと傳へらる▲政友內閣運命夕日にせまるか

廿八日　本日より六月三日まで日本人道會で動物愛護週間▲奉天に排日▲貴院頗る强硬に政府問責▲ノビレ少將のイタリヤ號全く消息不明

廿九日　京漢、津浦兩戰線において奉天軍不利▲デウイス、カップ戰米國ゾーン準決勝カナダ對日本チームは二十八日カナダヲ敗り六月一日シカゴに擧行せられる決勝戰に出陣▲日米雄辯對抗戰は遠征のハワイ大學に榮冠を與ふ

卅日　治安緊急勅令に原法相がんばる▲原法相は樞府方面へ內相鐵相は與黨へ手分して諒解運動▲墨國マンサニヨ港に反乱直ちに鎭壓▲大切にされてゐると在米人形消息

卅一日　優詔問題に學者連が奮起その聲明決議に輕卒不謹鎭と難じてゐる▲北軍は遂に北京撤退と決し張作霖は近く奉天に逃ぐ▲アフリカで黃熱病の犧牲となつた野口英世博士の助手ヤング博士も又廿九日同病で死去

六月一日　口に恭謙の誠とを稱し徒らに聖慮を煩し奉る前例のなき上奏文に又も重視さる▲御慶びの節子姫けふ華府を鹿島立▲優詔問題では學者が奮起して常侍輔ひつの任にある牧野內府にその眞相を明示せよと强硬意見

二日　遭難六十余日大島氏の死体雪解けの谷間に哀れな慘死体となつて發見▲一日の日米デビスカップ試合は太田安部奮戰空しく敗らる▲張氏大元帥の榮位空しく都落ち

三日　二日デ杯日米爭覇戰を節子姫御覽▲東京では自動車運轉手の指紋をとる不良分子の一掃▲春ぱつしやぎの樺太で山火事五ケ所

四日　都落ちの張氏一行列車奉天驛を去る一キロの陸橋下で爆破され慘たんたる光景張氏は重傷を負ふ自動車にて城內に入つた▲一代風雲兒の末路悲壯▲爆破事件は日本の陰謀と誤解して日支雲行險惡▲事件精査の後全く便衣隊の所業と認め

五日　スミス一行のクロス號南太平洋橫斷成功即ちオークランドよりハワイ二一〇〇哩布哇よりフイジイ諸島スーバア二七五六哩スーバアよりシドニー一七〇三哩▲八萬北軍寢返り靑天白日旗ひるがへる▲張氏死亡說

六日　社外船の爭議停船百四十四隻▲北京政權國民黨に移る▲節子姫一行桑港安着▲滿州は飽くまで特殊擁護と我對策成る

七日　六日藩船會に裝ひこらした光榮に輝やく春洋丸節子姫を乘せて熱誠弁放した人々の見送を受けて桑港御出帆▲滿州治安維持のため增兵斷行▲全國の停船二百卅隻各方面影響

八日　田中首相今朝上野驛で襲はる但し危く助かる▲兇漢はその場で取押へた▲東三省に宣統帝の擁立運動起る▲船主側折れて爭議解決

九日▲天津戰火に包まる▲撫順炭の爆破を目論み支那陰謀發見さる▲ノビレ少將一行は全部生存と判明その救助が問題

十日　北伐完成を理由で蔣氏總司令を辭職▲北京征服の南京政府首都問題と苦慮▲南北兩軍は天津外國租界に迫り戰禍邦人に及べば斷然たる處置に出づと南北兩軍へ兩度の警告

十一日　奉天日本人居留民會に十日夜六回にわたり何者か爆彈を投下人心極度に不安▲濟南事件を種に詐欺を企つとんだ國賊橫行▲東京府議戰政友徹底的に敗られ民意政友になし

十二日　天津にも靑天白日旗翻る▲節子姫ホノル、入港▲日銀土方副總裁總裁に就任

十三日　君が代を知らない小學校が岩手縣の山奧に發見▲濟南事件は軍事交涉を打切り外交交涉に變更▲米國大統領選擧戰白熱化す

十四日　去る四月廿七日久邇宮殿下には台灣に於て一鮮人のために襲擊され以來事件は記事差止めであつたが本日解除▲右事件のため上山台灣總督は辭表し川村竹治氏代ゆるにいたつた▲襲擊事件の犯人は高官に殺せば報酬を貰ふと云ふ淺薄な思慮からで深い意味はなかつた▲共產黨と策應した女子學聯の檢擧

十五日　婦人參政運動先驅者パンカースト夫人は十四日ロンドンで死去▲東三省の大黑柱倒れて後繼ぎが誰やら▲熊本でチフス患者廿八名を隱ぺい▲陪審法廷に速記者採用

十六日　ノビル少將救助にアムンゼン大佐出發▲ポーランド新公使着任▲天津秩序回復

十七日　靑島濟南に特別市制を設けよと外交交涉▲治安勅令案に樞府雲行險惡▲南京政府は新條約取締結を米國に要求

十八日　今國際勞働會議で決定された最低賃銀案は家內工事に大打擊▲倒れさうで倒れぬ政友內閣民政黨では御大典に危機あるだらうとの對時局策に苦慮▲憂うつな梅雨

十九日　張氏遺兒張學良は東三省の時局に重要なる責任を負ふべく歸奉▲左團次ロシア行きで行かぬ先から引張だこ▲聖上自ら御田植

二十日　朝鮮の警備充實獨立守備隊新設來年度豫算計上▲戰乱の支那に民の疲弊を救ふべく和平運動起らん▲台銀融資二億圓は國民の負擔▲現地保護で撤兵は尙困難ならん

二十一日　遭難してから二十五日目ノビレ少將等發見空中より食糧品を投下▲樞府硬論沸騰し警告的決議で治安維持法可決か▲張作霖氏の喪本日正式發表し死亡は去る四日午前十時

二十二日　熱狂的歡をうけて節子姫御歸朝▲赤坂離宮に一靑年直訴文を懷にして侵ぐ▲松島事件公判に再び大波紋平渡氏陳情から箕浦高見氏等に不利加ふ（二十三日以下次號へ）

移植民ニュース

伯國の日本移民論調

警戒を要する排日論

伯國行移民は日本政府が一人當渡航補助金二百圓を支給して年々一萬人の移民を送り來年度には更らに倍加して二萬人の移民を送らんと百五十萬圓を計上してゐる矢先に伯國に於ける我移民論調は如何と見るに遺憾乍ら排日論調多く對伯移民政策に重大なる注意を要するに到つた

即ち昭和二年上半期に於いては伯國新聞雜誌所載の記事及論文については本誌六十六號に所報したが同年下半期における同國在駐本邦領事館の報告について調べて見るに日本移民に關する記事は主要新聞雜誌に約三十二篇にしてその色分けを見れば

贊意を表せるもの　十二篇
排日說　十三篇
單純報導記事　七篇

大暑右の如にして贊意を表せる親目的記事はしばらく措くとして排日論の多くはお定まりの不同化性と審美學上伯國民性構成に禍根を胎すと共に集團せしむるは黃禍の危惧を早からしむるとの排斥說である。その例をあげればアマゾン地方開發に關する記事につき七月十五日政府反對新聞＝ーレイオ、ダ、マンナ紙上に

「下院は國民全体に影響ある問題を捨置きて政爭と個人的利害問題に執着し亞細亞人の入國を規律せんとする法律案を記錄に貯藏する事既に三年の久しきに及んでゐる本件に關しては經濟及社會問題の專門家が其の研究の結果を下院に供給し又諸種の學術協會が其の意見を發表したるに拘らず下院は該法案を進行せしめやうとは企てない。兎に角黃色移民諸會社は下院該法案を忘れてゐる間に勝手に日本人支那人朝鮮人を我國內に配送すべく決めてしまつた。云々」

尙七月十九日ジョルナル・ド・ブラジル紙には「醜き人民」と題する短評を揭げて

「神戸發電報は日本政府が伯國行移民の爲め伯國の風習を教授する一講習所を設けて移民はナイフ、フヲークを用ひて食事する事や椅子寢台を使用する事等を習ふやうになつたと報じてゐるが此れは事實自体が珍奇であると同時に日本政府が伯國行移民を增加せしめんと決意せる事を示すものである而して此の思ひ附きは日本の利害から見れば賞讚に値すべきも吾々伯國人にとりては決して左樣でないと思ふ元來日本人は優良なる素質も備へてゐるが人種改良の上から見て最良の要素であると唯一人として言ひ得ない種々なる欠點を有してゐる」

寫眞花嫁禁止

日本とカナダと取極め

來る九月一日より加奈陀政府は日本人の本國からの「寫眞花嫁」を呼寄せる事を禁止する旨六月八日カナダ首相から發表された右は日本移民の制限を目的とした。排斥的行爲であるが表面は寫眞結婚は文明人の認める結婚ではないと云ふ紳士的見解で日本政府代表と協議の結果決定を見たものである。

又日本當局は農夫、家庭ひ僕及び移民家族を合して今後一ケ年百五十人を超過せしめない旨をカナダ政府に通告した

來年度豫算に

現れる移民奬勵費

海外移民の奬勵を計るため昭和四年度に現はれる內務省豫算は大要左の如く十分なる施設を講ずるため五百七十餘萬圓を計上した。

新刊紹介

ブラジルの實生活

神戸久一著（四六版二百八十頁）定價九拾五錢

伯國に關する著述は頗る多いが實際にブラジルの土に親んだ者の著書が殆んどない即ちブラジル移民に關する著述が數多くあるにかゝはらず移民者自身の手記とも云ふべき著者が皆無であつた然るに最近日本植民通信社から農場生活の實相と題して在伯二十年の矢崎節夫氏のものが刊行された、私共はこれによつて可成りの自信と安心を得て對伯移民の實蹟をあげ樣と努力してゐた折柄偶々歸國を傳へられてゐた在伯九年の神戸久一氏が今回海外社から「ブラジルの實生活」と題してものにした事について非常に驚き且つ喜んだ。

本書の內容は表題の如くブラジルの實生活記である。著者は海興の植民から初まつて珈琲移民となり借地農から獨立農に達する九ケ年の移民奮鬪記錄である。是非共ブラジる渡航者及研究督に必讀を願はねばならぬ近來の快著である。先づ本書を讀んでブラジルに住つた者は決して失望する事のない良書である事は確かであらう。特に本書は皮相觀察や視察の受聞記とは違ふ著者の汗と血の實錄記であるから安心して讀んでよい。（東京府豊多摩郡落合一三六七海外社振替　東京七五八七一）

信州記事

本縣の市町村豫算
總額二千百六十九萬圓

本縣の市町村本年度豫算歲出額二千百六十九萬二千余圓で前年度より九十七萬二千余圓を增加し一町村平均四萬七千余圓となる敎育費は九百四十萬圓で總額の四割三分に當り前年の四割五分よりも減少したが土木費も百六十三萬八千圓で前年より九萬圓を減じ役塲費も減じて居るがその他の實費を百萬圓以上增加した

一町村平均額を郡別にすれば諏訪郡六萬六千圓上高井郡六萬二千圓がもつとも多く下伊那郡北佐久郡上伊那郡これに次ぎ少い方では更級郡三萬三千圓下高井郡の三萬九千圓東筑摩郡の四萬二千圓等

上村中鄕分敎場
ハシカの爲休校

下伊那郡上村には最近ハシカ大流行で同村小學校中鄕分敎塲は尋常一年より六年まで全校生徒七十五名中ハシカ患者七十名に達し殆ど全校に及び中一名遂に死亡するに至つた、これがため學校當局も大に驚き六月二十一日より五月四日まで二週間臨時休業をなすに至り傳染警戒に努めて居るが二十九日和田警察署長より本縣に上申あり衞生課でも對策を講ずることになつたがその大流行に村民も恐怖してゐる

しめやかな
戰死者告別式

松本留守隊の濟南戰死者告別式は三十日營庭で擧行、營庭の中央部に設けられた祭壇に十九の遺骨が安置され次で陸軍大臣村井第十四師團參謀長を始め各方面から贈られた花環供物を供へ靈前には戰死者遺族來賓留守隊將校下士市內各學校生徒等の着席、祭主小西留守隊長の悲壯な

一、移民博物館設置費　一、七〇〇單位千圓
一、移民研究所設置費　三〇〇
一、移民奬勵費　一、五〇〇
從來七千七百五十人の移民に對して補助したのを一萬五千人に補助する筈である
一、移民收容所（長崎縣）　一〇〇
一、移民組合貸付金　一、五〇〇
一、移民生業資金貸付　五〇〇
一、移民保護官設置費　三〇
一、移民講習所設置費　一〇〇
一、移民後援團体補助　二〇

聯合會で土地購入
移住組合愈々活動

久しく非難の的となつてゐる海外移住組合の土地購入ははかばかしく進まずしてゐたが愈々三萬町步を聖市ソロカバナ線クワタ驛から東北約七里の個所に購入契約した旨梅谷專務理事から報告があつたので昨年設立された三重廣島岡山山口和歌山愛媛福岡鹿兒島の八組合は今やおそしと第一次の移民を一組合五十家族づゝ輸送せしむる方針であると。

海移組聯會自身で
移民輸送事務を行ふ

海外移住組合聯合會はいよいよ伯國聖州に三萬町步の土地購入の契約が成立したのでこれ

あいさつあり祭し料をそれぞれ傳達し神武佛式の弔儀にいり百瀨神官小笠原大導師の莊重な弔言讀經後小西留守隊長の弔辭を眞先にその他各種團體の弔辭、在滿小野五十聯隊長を始め數十通の弔電を朗讀し次で哀調を帶びた「國の鎭」曲の吹奏に伴ひ小西留守隊長、小林少佐未亡人を始め遺族關係者、各種團體代表者の玉ぐし捧獻燒香の儀に移り終つて今回戰死者遺族に贈られた慰問金の披露あり午後零時十分閉會した

それぞれ生家へ
見送りを受けて遺骨出發

かくて小林少佐外各戰死者の遺骨は各遺族に守られ沿道多數市民の見送り裏に松本驛列車でそれぞれ所屬市町村に歸還した尙この日陸軍大臣、參謀總長の代理として陸軍省から高橋中佐が祭し料を捧持して來松した

農家の經濟は
欠損つゞき

長野市農會では數年前から自作、自作兼小作、小作の三階級の經濟統計を取つてゐるが昨年三月一日から本年二月末日までの一ケ年間の狀況を見るに昨年は大霜害夏秋蠶違作と繭價安のため自作は實に千二百余圓自作兼小作三百圓、小作は三百圓の大損失を見この穴埋に低利資金を借入たが全く動き損でこゝ二三年間農作者で相當の利益を見なければ農家は自滅するだらうとまでいはれる程であるが右調査成績は左の通りである

自作小經營　田畑七反一畝、家族六人、收入五百二十六圓六十四錢、支出（肥料衣食住）千五百十六圓、資本利子三百六十六圓、損失千二百五十六圓

自作兼小作　八反五畝（內二反小作）家族五人　收入千六百五十九圓七十六錢、支出千六百四十一圓、資本利子三百四十一圓、損失三百二十三圓二十四錢

小作　七反六畝（內自作二反步）收入六百十三圓、支出七百四十六圓、資本利子百五十三圓損失二百八十七圓

縣議更級補欠
南澤氏當選

に移民を輸送するにつき聯合會自身の手をもつてするか又は海外興業株式會社に委託して行はしむる事について議論があり最初は海興をしてやらせる事に決めこれを組合の理事會に諮つた所海外移民と云ふ國家的事業を一營利會社をして行はしむる事は不可との議論多く特別委員をあげて硏究中であつたが斷然組合自身でやる事になり近く總會に付議し正式に決定する事になつたこれがため組合會は輸送事務所を神戶とサンパウロに設置し尙明年一月頃第一回移民を出發せしめる豫定だと。

事業費四割補助に
開墾助成法を改正

農林省が開墾事業の奬勵を促進するため制定せる現行開墾助成法は大正八年度より實施されてゐたが實績不振なるに鑑み之が主なる原因は元來該事業に投下さるゝ資金は長期の固定を餘儀なくし尙一層の助成を必要とするのでこれが改正案に銳意研究調査中であるが立案を得て近く省議に付し第五十六議會に提案する方針であるが改正案の骨子と見るべきものは「現行法規に於ては事業費に對する利子六分を國庫より補助する事なれど今回は之を改め事業費の四割を補助せん」とするのである。

死者百餘名

更級郡縣會議員補欠選擧（宮下文夫氏の失格）は嚴正中立を標傍して南澤源之助氏立候補し政民協議の上同氏を推す事に決定してゐたが途中に於いて倉石忠雄氏が出馬し、一時混亂せんとしたが斷念して遂に南澤氏の一人舞台となり五月三十日選擧長は無投標をもつて同氏の當選を確定した。因みに同氏は同郡川柳村出身四十歳の働き盛りで東大農學部實科卒業で大正十二年縣議當選一期を務めた人である。

戀しい故鄕に
歸るやまた竊盜

本縣更級郡東福寺村生れ住所不定山田梅治（六一）は三十四歳の時分本籍地を出で廣島、大阪、京都、群馬、新潟等の各府縣を轉々放浪生活をなす內故鄕戀しく歸鄕の途中昨二十九日岩村田町字長土呂の某家の不在中に忍び入り白米四升程を竊取したる處を西山巡査に逮捕せられたるが右は在鄕中二十一歳頃より昨六十歳に至る間各所に於て竊盜强盜等の前科十犯苦役實に四十年餘の强者にして尙餘罪ある見込みで取調べ中

特高に警部三名
思想檢事配當

思想問題並に社會運動事任のいはゆる思想檢事は目下人選中であるから七月上旬發表本縣の長野地方裁判所檢事局にも一名の配當を見る筈であるがこれと同時に本縣警察部特高課へも新たに警部三名の增員を見ることに決定七月一日から實施の見込みである實施後思想檢事と特高課とは密接不可分の關係を有することゝなり協力して思想問題並に社會運動の取締に當るはずである

伴野城址に謎の土室
道路工事で入口へ掘當つ

野澤町曙町道路開鑿工事のため同河地籍の伴野城址の物見臺下と稱せられて居る盛り土を人夫が切り崩したところ菱形の三間に四間半の石室樣な形跡ある全然別個な土質で北西隅に入口と覺しき個所あること八日發見した附近には石臼樣な物を始め當時の遺物を散見し且焚火の跡ら

伯國で日照りのため

リオ聯合十一日發電報によればブラジル東北部地方に打續く强烈なる干害のため農作物枯死し食糧缺乏を告げて餓死する者既に百餘名に達してゐると報じてゐるが未だ的確なる詳報に接せず常綠の國で右の如き事件は珍奇であらうと觀測せられてゐる。

貿易振興の旅商隊
第一班歸朝して語る

商工省は貿易振興のため三十萬圓の補助金を投出して三十人の旅商を支那南洋印度南阿エヂプトバルカン地方中南兩米の各地に派遣して日本商品販路擴張を計つてゐるが第一班の支那及び南洋から報告によれば香港を出發して佛印ジャバを經てマニラに到る十一ヶ所で商品の見本市展覽會を開いたが取引契約は綿織物を第一位として絹食料陶磁器雜貨と約三十萬圓に達し後からも續々と注文を受けて日本品宣傳の目的を達した。商品で好評を博してゐるのは食料品ではカニカン、干イカ、ゴマメ等の海產干物類で陶器ではコーヒーのセットの模樣色彩等があまりに歐風化してゐるのは喜ばれず日本の獨創を失つてゐると非難があつた。南洋方面では日本を殆んど理解せずマニヲで

しき木灰木炭等も發見したので尙發掘取調べ中である

校舍增築から
政友非政友爭ふ

南安曇郡西穗高村は本年度に約四萬圓の豫算を以て小學校舍の增築を行ふことになり村會で決定建築委員十八名を擧げたところ其委員が全部政友派より出て居るとて同村民政派及び學校改築に用ひる材木を出す唐澤山林拂ひ下げにからまる反對派は期せずして一致反對的氣勢を示し二十五日會合村長に對し委員二十名の增員及び建築一年延期の二問題を突き付けたので村當局では二十八日村會を召集對策をねる筈であるが全く政黨的對立よりとんだ騷ぎを起し當分は紛擾を免れまいと見られて居る

競願となつた野尻發電

財界の巨頭淺野總一郎氏を社長にまつり上げて資本金五百萬圓の芙蓉電力株式會社を創立し野尻湖を利用して三萬五千五百馬力の發電所を設くべく八日本會に許可を出願したが同時に社長淺野總一郎氏を訪ひ許可促進を要求した同發電所は上水內郡柏原村地籍の鳥居川から取入れ野尻湖を貯水地に利用し同郡三水村字普光寺地籍に於て同じく鳥居川に放水する計畫であるが既に東京電燈、中央電氣信濃電氣等からも出願あり競願となつて居るところとてこれに對する縣の態度が注目されてゐる

麥の收穫豫想
三十六萬石余

六月十日現在の縣內麥作收穫豫想は三十六萬三千六十二石で前年より三萬八千八百九十五石（九分）を增加したが前七ケ年平均より五萬五千四百四十六石の減少で作付反別を見るに每年千四百十一町步位づつ減少しをり本縣の麥作將來相當憂へられてゐる

山本氏は罰金刑
直ちに控訴模樣

山本縣會副議長外四名にかゝる春日派の選擧違反事件公判は山本副議長が法定の運動員でなくして春日派の參謀となつて運動し買收費七百圓を出したものである他の被告等四名はこれによつて小縣郡浦

は東京の映畫を見て日本にも電車があると驚いてゐた位だ。

日本商品が支那人や外人の手で賣り込まれ在留邦商は微力で貿易不振の點は改善を要する

南米拓殖株に
熱狂的な應募

武藤山治氏の南米拓殖株は二十萬株中十五萬を三井三菱住友その他の有力者鐘紡關係で引受け一般には二萬株を公募した所數日にして應募締切つたが數年間無配當で然も海のものか山のものか見極めのつかない株式にかくの如き熱狂的人氣の集中されたので大阪方面の相場師一流の策動であるとしても若し後で反動を起し投資家を失望させる事はなきしもあらずと創立委員連も迷惑がつてゐると。

米國ウルグワイ
仲裁委員に宮岡氏任命

アメリカとウ國とは大正三年平和助長條約を結んだが日ウ兩國の紛爭に外交上の手段で解決する能ざるときは論爭の如何にかゝわらず兩國は必ず先づ事件を五名から成る國際委員會の調査に附しその審査決定を待つことになつてゐる。宮岡恒次郎氏は即ちこの委員に選任されたもので同氏は明治卅三年より四十一年まで米國大使館參事官を勤め以來辯護士と

里村方面で買收を行つたものと認定して五名に對し左の如き判決言渡しあつた

罰金六百圓　山本莊一郎
禁錮二ヶ月　今井孫太郎
同上　井澤金次郎
罰金二百五十圓　小山市三郎
同　二百圓　宮下芳次郎

尙今井井澤に對してはそれ／＼百四十三圓四十三錢小山宮下に對しては各四十三圓七十五錢の追徵を申渡されたがこの判決によつて公判廷で問題を引起した證人柳田堅一郎の證言は柳田が山本副議長の身代りとならんとしたものと認定され各方面から注目された同事件もこゝに一段落を告げた山本副議長外一二名はこの判決を不服として控訴する模樣である

養蠶家ホツト一息

前年より一千萬圓位增收か

春蠶が希有の豐作に加へて相場も相當高値なため縣內の養蠶家は始めて愁眉を開いた觀がある、昨今縣內各地の取引狀態は大體六十七八かけ見當であるから平均七圓五十錢前後を保つらしく昨年の春は白繭七圓二十錢黃繭六圓七十錢の總平均で一千九百九十六萬二千貫の收獲に對し本年は四千五百萬貫と見込まれるから繭だけで四割四分を增加し、相場においても意外の開きがあるから收繭と相場を合せおよそ五割增とすれば一千萬圓を昨春より增收し、昨年の天災によつて借りいれた低利資金を一掃出來る勘定である、最近數年間の春蠶收入は次の通り

大正十年二一八一萬圓、十一年三五二四萬圓、十二年三九二〇萬圓、十三年三七八五萬圓、十四年四三七四萬圓、十五年四一七八萬圓、昭和二年一九九六萬圓、三年（見込）三〇〇〇圓

古城跡の偉觀

市營運動場開場式

大正十四年の御成婚奉祝記念事業として上田市が計畫した市營運動場は十五年敷地を買收昭和二年六月陸上競技場より着工野球場、角力場、庭球場、兒童遊園地と工事を進めた結果、御大典の盛儀を行はせられる本年に至つて完成し、來月十二日盛大な開場式を擧行することになつたなり主として外國關係の事件を取扱ふてゐる人である。

人口食糧問題解決に

官民聯合の拓殖協會設立

人口問題解決を綱領として朝鮮樺太北海道南洋等の各植民地及び滿洲蒙古シベリヤ南米等の事業紹介宣傳企業その他調査移植民の取扱等を目的とする大日本拓殖協會の設立が計畫され名譽會長を拓殖局長に官民關係有力者を以て組織する事に目下各方面に非公式の交渉中であると

南米航路延長して

アマゾン地方に寄港

南米拓殖アマゾン興業その他アマゾン開發を目指してゐるが此の機運に乘じて大阪商船では同地方海運の便を計らんために目下研究中であるがこゝ當分は直接航路を開く事は困難であるから當分南米航路を利用してアマゾン河口のベレンに寄港せしむる方針について尙攻究中である

尙アマゾン西航路は南米東線にてパナマを通過しカリビヤン海を航行してベレンに通ずる航路案も試みられてゐると云ふ事である。

船內に銀行出張所

長野縣人の在外者調査

近く名簿作製して一目瞭然

前號を以て所報した如く本縣人の海外在留者調べは各警察署より全部報告濟となつた。目下當協會はこれを渡航國別及郡町村別に分類して名簿を作製中であるがその概要を述ぶれば渡航國別で一番多數を占めてゐるのは伯國、北米合衆國、比嶋の順序で郡では小縣を筆頭に上伊那、諏訪等の順である。渡航家族總數は約千八百家族で一家族平均三人とみれば五千四百人である。尙名簿の內容は先づ渡航國別にしてこれを郡別に町村名順に渡航家族の家長名、家族人員、現住地、職業、渡航年月を詳記して約四六版百五十頁の大冊となるものである。

佛國募債東京市電氣事業

外債に關する訴訟の眞相及希望

K・H生

本年六月廿四日東京日々新聞に明治四十五年東京市が佛國に於て募債せる東京市電氣事業外債償還金及利子支出に關し應募側代表者佛人シユーレ夫人ヨリ訴訟を巴里裁判所に提起せられ第一審にて東京市側敗訴したるに付更に上告せるも共結果若し東京市が敗訴するときは東京市の損失年額二百萬圓となる故市當局の狼狽非常なる旨記載ありたるも元來此訴訟に東京市が勝たんとすることが頗る困難なる樣に考へらる。

聊も東京市が明治四十五年募債するに當り募債總額佛貨一億八十八萬法（フラン）此英貨四百萬磅（ポンド）と債券面に記載募債せるものなれば應募者側は償還又は利子支拂を受くる場合に其の何れか一を選定し得る便宜あ

住友が北米航路に

外國旅行者が一番不便を感ずるのは攜帶金を出帆港で兩替するか到着港で換算するかの問題であつたが今度日本郵船の桑港線に銀行の出張所を設け航海中利子付で現金を預かる外爲替換算に最も有利の時に兩替出來るやうにするそうで住友銀行が日本郵船と契約出來た

二萬圓殘し移民の死

晴れの歸鄕を前に

六月十八日朝日新聞紙上にホノルル、特電十五日發として右の樣な見出しで次ぎの記事がかゝげられた。

「ハワイ島に二十年間住んだ長崎縣人林金太郎（五四）は獨身者で食ふものも食はず一萬數千ドルを貯蓄して近日歸鄕準備中卒中で死亡した、移民哀話の一つである。」

右は記事中の誤報ならんと思ふ點から推察して本縣下伊那郡大下條村から林金太郎なる者去る明治三十二年七月廿八日本縣より布哇行旅券の下付を受けた事實あり二十年在住とあるも三十年の誤り、長崎縣人とあるも長野縣人の誤報ならんと存じ、本會は警察の手を煩して本人の本籍地を調べたるに益々同一本人である事が判明となつて來た。即ち獨身者である事は事實で渡布前妻を離婚して單獨渡布

りとし應募せるものなり。而して此の募債は前記の如く金貨法を以て爲したるものなるが又一面當時の爲替相場も殆んど金貨法に等しく一圓に付約二法五十仙なりき。

依て東京市が此募債により得たる收益も亦金貨法と同樣なりしこと明瞭なり然るに戰後佛紙幣法の下落により一圓に付十二法となるや東京市は此紙幣法を以て公債償還又は利子の支拂を爲さんとするに當り佛國應募者は此低落に依る紙幣法にて支拂ひを受くるときは應募當時の約五分の一にて決濟せらるゝこととなり斯くては非常の大損失を被むるにより東京市の支拂方法を不親切なるものとし債券面に記載の募債總額佛貨一億八十八萬法此英貨四百万磅とあるを根據とし英貨標準により支拂を受けたき旨東京市に申出でたるも市は頑として之れに應ぜざる爲め遂に訴訟となり以て今回の敗訴を見るに至りたり

而して其募債要件を見るに前記の如く「募債總佛貨に換算英貨四百萬磅」と又「裁判管轄を募債地法に依る」とせるより推定するに此訴訟は東京市の敗訴は致方なきものと當時考へたり。

若し東京市が勝訴を希望するならば何故募債當時其公債券面に換算英貨四百萬磅の曖昧なる文字を記載せるや他の一般公債の如く單一に募債總佛貨のみを明記し置かば今回の如き訴訟事件は起らざりしなり。

斯る望み少なき訴訟を再審迄繼續し幾多の日時を費したる後敗訴の憂き目を見んか東京市の對外信用及面目を如何にするか又佛國の立場よりも面白からざるのみならず他日募債上に及ぼす影響も亦相像に難からずと考へらるゝに付此訴訟は和解の方法により終決せしむるを希望するものである。

轉移

東京市牛込區余丁町八〇
日墨協會
舊　東京市牛込區余丁町五十四

し更らに鄕里より迎妻せる事あるも又々離婚し以來獨身生活を續けて今日に到り鄕里には音信殆んどなく、最近鄕里の實弟にあたる三浦作治氏に本年七月頃歸國するの旨の通信を宛てたる所より察すれば新聞記事と合致するのみならず同人の年齡も一致してゐる。同人の現在所を調べて見るに布哇年鑑には職業は小作として布哇島パホアに活動してゐる尙同地方には池田智榮河合半次郎河合正男小林介十諸氏の同縣人が活動してゐる。

右の調査と新聞記事を綜合してみるに本縣人らしく未だ鄕里には何等の確報がないので憂慮してゐる。

慶大生の海外視察

一行十五名

慶大の產業研究會ではかねて會員有志が夏季休暇を利用して海外視察旅行を行ふ事に決定準備中であつたがいよ／＼二十一日橫濱發のマニラ丸で出發する事となつた一行は加藤學生監督外十五名で香港シンガポールよりスエズを渡りサントスへ上陸一ケ月滯在後米大陸へ渡り約四ケ月半の旅程を終へ十一月歸朝する豫定尙アフガニスタンへも大アジア主義を唱へ親善を計らんために拓殖大學外語早稻田等から十名を一班はシベリヤから他の一班はペルシヤから同國に入る豫定で七月出發。

出生三死亡一

寄港名に因んで命名

▲航海は頗る平安▼

再渡航者　高橋武

十二月廿四日神戸解纜以來恐らく今迄にない平安な航海を續けて本日無事サントス入港いたしました。小閑を利用して馴じみ深い左航第六號のマニラ丸船室に於て航海中の御樣子を御報告申げませう。

さて、第一に申上げる事はかねて御心配をかけました愚妻は一月廿九日午後九時女子分娩致し意外に母子共健全でありますず御安心下さい。出生地點は南緯卅三度五十五分、東經廿六度二十分その翌卅日アフリカ南端エリザベスに寄港しましたので船長から惠利子と命名してもらいました。尙廿二日に女子出生、萬里子と命名、越えて二月九日男子出生但し不幸にして十一日に死亡都合船中では出生三死亡一と云ふ自然人口增加でした。

私の母も神戸では船中一の高齡者と自任して居りました所七十四歲と云ふ人が居りまして漸やく第七人目位の所でした。

マニラ丸の衞生狀態は頗る良好生れた子は致方ないとして外に只の一人の病人もありませんでした。

船中事故も殆んどありませんでした。移民輸送監督の不信認決議とか一委員の失言問題とか多少の風波はありましたが船のゆれる程ではありませんでした。吾等船の中部の船室にあつた自由渡航團は常に公平無私に此等問題に處した事は中堅の名を辱しめなかつたとも云へませう。アリアンサ行は私共の外に東京の石川夫妻富山縣の單獨一人呼寄二人合計十二人です。リオから輪湖理事が乘船され萬事御配慮下され私共はちつとも心配ありません。

いろ／＼書く事が多くて意を盡しませんが船中は來訪者や御暇乞いやらゴタ／＼して落付きませんから擱筆の上ユツクリ申上げませう。皆樣の御健康を祈つて（二月十四日　サントス港內マニラ丸に於て）

×　×　×　×
×　×　×

ジユネーバ便り

國際聯盟保健部　草間弘司

拜啓　向暑の候に御座候處愈々御清穆慶賀至極に存上候貴雜誌を通して海外邦人殊に長野縣人の發展狀況を知るを得本懷に存候尙貴協會が邦人の海外發展に資する爲めの各種御事業の御企劃に對し在外人の一員として心よりその發展を祈り居り候瑞府は本日より勞働總會の幕は開かれ數日前長き航海を終へてマルセイユに安着來壽せられたる日本の政府、資本、勞働代表の一行も陣容を整へて早朝總會席場に向はれ申候ジエネバ湖畔に面しジヤルダン、アングレーに接し景勝の地を占めたるグランド、ホテル、メトロポールは卽ち吾國代表一行の宿舍にして且つ事務所に當てられ居り候。

ジューネーブは聯盟を中心として間斷なく次から次へと國際會議は開かれ政事、軍縮、安然、保証、交通、經濟、勞働、社會衛生と各方面より人生の福祉、世界の平和の爲めに協議せられ居り候國際協調の精神はこの聯盟を圍繞してみなぎれる事は一度ジュネーブを訪づれたる人の領く處にしてこの平和なるジュネバ湖の如く彼の純眞なるモンブランの雪の如く美くしき自然はよく聯盟精神とハーモナイズいたし居るを感ぜられ申し候、聯盟事務局には五百人內外の職員と四十個國に餘る異つた國別の人が机をならべて同じ事務を鞅掌いたし居り候もその間常に信愛の精神の漲れるを見るは愉快に候日本人は僅々四人、松村事務局次長外原田健、古垣鐵郎二君及小生に候

聯盟事務局その他聯盟事業に關しては何れ御通信の機會もあるべくと存し居り候小生六月三日衛生技術員會議に關し獨逸國に出向いたす事と相成りし爲めその準備にて多忙を極め居り候。

獨逸國訪問旁々丁抹、ハンガリヤ、オーストリヤ等視察の豫定に有之歸濠は七月初旬と存せられ候。

終りに貴會の御發展を祈り擱筆仕り候

敬具

（五月三十日）

青島便り

電艦對馬　宮野尾光司

本年一月以降引續き御社發行「海の外」御贈與を賜はり有りがたく拜讀仕り候御社の御盡力により益々本縣人の海外活動を壯にせしめられ其發展の模樣を示り邦家のため慶賀至極と存じ候當地（青嶋）附近は昨夏以來支那動亂の巷と化し殊に今年に至りては既に御承知の如く暴虐なる南軍兵により遂に濟南に於て日支兵衝突事件突發致し本縣出身第五十聯隊將士は其際克く活躍奮戰し拔群の功果を收め爲めに多數の名譽の死傷者を出せしも共間信州男子としての面目を飽くまで保持し完全に發揮せし事は本縣人として大に肩身の廣きを覺へ申し候當地には多數の縣人在留致し今回の不祥事に對しても何かと縣人として殊に萬遺漏なく熱誠こめて事に當り善處致し居り候日下尙引續き戰時狀態にて夫々緊張致し居りしも大體に於て當方面は一段二落を告げ些か愁眉を開きし狀況に候

先は取敢へず御禮を兼ね近況御一報まで

（六月十四日）

滿鮮旅行一行

—目的を果して歸る無事—

各地縣人會の歡迎

五月十四日一行十三名は長野出發十六日釜山に上陸翌十七日京城着仁川に行き平壤を經て廿日安東に着し奉天に入つて四平街にのび昂々溪チ、ハルを廻つてハルビンに出る豫定であつたが動亂のため得むなく中止して直ちに哈爾賓に着し長春公主嶺奉天撫順遼陽鞍山熊岳城旅順等滿鐵沿線に沿へて大連に出で豫定の六月二日大連出帆アメリカ丸に乘船四日無事門司入港二十四日間の大旅行を結んで六日それ〲元氣よく歸鄕した。旅行中は一人もの落後者もなく頗る大元氣にて到る所の長野縣人會信州人會の歡迎と視察案內を受けいづれも異國情緒の風情を味ひ滿洲の自然に一驚し天然富源埋藏力に限りなき開拓的精神の躍動を覺えて滿鮮旅行の大なる收穫を得た。

△　　△

海外視察組合は大正十五年度より設立を見其發達順調に進み此處に第一回の旅行を試みたるわけにてその成績頗る良好殊に鮮滿に活躍する信州健兒との連絡融和親睦激勵等の機會を作り今後益々帝國の運命を左右せらるゝと稱せられる滿蒙の事情につきその一端たりとも見聞せるは非常に意義深き事であつた。

尙今回の旅行につき一行の紀行見聞感想等の記事は追ふて發表する事にし不取敢その一片は一行中の佐藤嘉市氏の紀行を長野新聞紙上に連載し縣民の滿鮮に關する注意を換起してゐる。今回の旅行に多大なる御便宜と御盡力を相煩せし各方面に左記の如き感謝狀を送つた。

謹啓

今般信濃海外協會主催第一回鮮滿視察旅行に方り御地に參り候節は深厚なる御歡迎に預り多大なる御便宜を御與へ下され一同滿足の至り玆に謹で御禮申上候歸路平安にて本日歸縣致し候間御安神下され度將來相當なる活動により此行をして意味あらしめ度覺悟致し居候尙時柄遙に貴下の御清福を祈り奉り候　拜具

近懷一律供一粲

周遊鮮滿幾山河　千里同乘妓生歌
豈忘平壤亦大同　鴨綠水連旅順波
奉天容遠途夕日　哈爾原頭逸長蛇

唯看萬嶽千山友　交情綿々大連詩

昭和三年六月五日

信濃海外協會

視察組合員

宮崎袈裟義　林益一
市川多萬吉　林淑輔
大澤市郎右衛門　金原惠十郎
內村玄三　久保田力藏
吉原信一　北澤安右衛門
佐藤嘉市　藤森權之助
松崎寛雄

アリアンサ移住地

七八月の渡航者

六月一日郵船若狹丸六月廿五日商船マニラ丸にそれ〲左記家族は乘船してアリアンサ移住地に向ふた。因みに當會扱三月以降の同移住地渡航者をあぐれば、

神戸出帆	船名		
三月十七日	ハワイ丸	六家族	三十一名
四月廿一日	ラプラタ丸	十九家族	八十六名
五月十九日	サントス丸	三家族	十八名
六月一日	若狹丸	三家族	十一名
六月廿五日	マニラ丸	二家族	七名

若狹丸乘船者（七月卅日サントス港着）

北海道紋別郡遠輕村	小橋義雄	二人
香川縣木田郡奧漉村	岩部正枝	六人
香川縣木田郡平井町	松原政一	五人

マニラ丸乘船者（八月十日サントス港着）

香川縣木田郡西植田村	釜野昌晴	二人
長野縣松本市	館石光雄	五人
靜岡縣駿東郡清水村	石垣虎雄	二人

はわい丸無事入港

一行全部サントス上陸

去る四月三日シンガポールでコレラ病を發生し死者十七名を出だしたサントス丸は同港に滯在約一ヶ月漸やくにして南米に向ふたが伯國方面ではかゝる不衛生移民は日本に返せよと大變の問題となつてゐたが同船は六月十三日正午サントス着午後三時全部無事上陸出來ので大阪商船海興はホツト一息をした。

歸鄕者訪會

中村良相氏（蘭領ボルネオ）十月十二日訪會

大正七年の渡航者である。現在約三萬本を有するピツパー農園を所有し年額壹萬圓の收入を得純益參千圓の利益を收めつゝあり海外成功者の一人である。氏は全くの空手空拳より今日の基礎を築いた立志傳中の人物とも云ふべく將來を嘱望せられる青年である。今回迎妻旁々久し振りの歸國で七月三日神戸出帆チエクボン丸にて再渡南の豫定である。埴科郡埴生村出身

北山金作氏（ブラジル國）五月十八日訪會

大正六年海興植民としてレジストロに苦戰、大正十五年にアリアンサに轉耕し今回家庭整理のため歸國老母及ひ實兄遺兒を引き纏め尙弟家族をも同じく連れて八月三日神戸出帆モンテビデオ丸にて再渡伯の豫定。アリアンサの青年連からお嫁さんを賴まれて來たが、「ウチの娘はブラジルなんて遠い所へ身を隱くる樣な惡い事は致しません」と婆と爺が反對するので流石の北山氏も呆れてこれではとても賴まれて來たが爺と婆が死ぬまでは駄目だと奮慨。上伊那郡長藤村出身。

會費領收（自四月一日至四月二十日）

一金拾圓也	大正十五年分	清水忠作殿
一金貳拾也	大正十五年 昭和二年分	瀧澤寛殿
一金貳拾圓也	同	工藤三八郎殿
一金拾圓也	昭和二年分	下村万助殿
一金拾圓也	同	工藤善助殿
一金貳錢也	同	吉田留雄殿
一金貳圓也	同	輪湖卓三殿
一金貳圓也	同	西澤幸之助殿
一金貳圓也	昭和二年分	胡桃澤盛殿
一金四圓也	昭和元二年度分	芦部三重殿
一金拾圓也	昭和二年分	小林義敏殿
一金貳圓也	同	官下海三郎殿
一金貳圓也	同	小林一夫殿
一金貳圓也	同	花岡常助殿
一金貳圓也	同	北澤毅次郎殿
一金貳圓也	昭和三年分	島崎隆殿
一金六圓也	昭和二、三、四年分	城倉角雄殿
一金六圓也	同	小林英俊殿
一金六圓也	同	足立切殿
一金貳圓也	昭和三年分	湯田維殿
一金貳圓也	同	大澤英三殿
一金貳圓也	同	中曾根仲次郎殿
一金貳圓也	同	奧原梅藏殿
一金貳圓也	同	吉岡福石殿
一金貳圓也	同	坂井善吉殿
一金貳圓也	同	家久從郎殿
一金貳圓也	同	林益一殿
一金貳圓也	同	官本彌治郎殿
一金貳圓也	同	石坂善巳殿
一金貳圓也	同	箕輪勤助殿

青年を求む

一、玖馬行店員身体强健にして二十四五才敎育は問はず性質溫良誠實にして異身同体主人と働らく意志の强き青年。殊に信州青年を先方では希望す。希望者は當協會まで申込まれたし。

一、南洋スマトラ行農園勞働農蠶學校卒業した身体强健にして意志の强き青年。自營自活の開拓青年で給料取根性者は御斷り。希望者は當協會まで申込まれたし。

信濃海外協會規約抄錄

一、本會ハ信濃海外協會ト稱シ本部ヲ長野市ニ
支部ヲ必要ニ應シ内外各地ニ置ク

二、本會ハ縣民ノ縣外發展ニ關スル諸般ノ事項
ヲ調査研究シ其ノ發展資スルヲ以テ目的ト
ス

三、本會ハ前條ノ目的ヲ達スル爲必要ニ應シ左
ノ事業ヲ行フ

イ、縣民縣外發展ノ方法ニ關スル立案
ロ、發展地ニ就キ調査ヲナシ其ノ結果ヲ紹介
ハ、在外縣民ト聯絡ヲ計リ指導後援
ニ、海外投資ノ研究ヲナシ之ヲ發表
ホ、海外發展ニ必要ナル人材ヲ養成
ヘ、機關誌「海の外」ヲ發行シ又隨時講演會
ヲ開ク
ト、海外發展ニ關シ各種參考品及統計ノ蒐集
チ、前各項ノ目的ヲ遂行スル爲臨機本會ノ代
表者調査員等ヲ内外樞要ノ地ニ派出スル
事
リ、會員ニハ「海ノ外」毎月寄贈ス
ヌ、其ノ他會ノ目的ヲ達スルニ必要ト認ムル
事項

四、本會ノ會員ハ左ノ四種トス

イ、名譽會員ハ代議員會ノ決議ヲ經テ總裁之
ヲ推薦ス
ロ、特別會員ハ一時金百圓以上ヲ醵出スル者
ハ、維持會員ハ會費年額金拾圓ヲ十ケ年間醵
出スル者
ニ、普通會員ハ年額金貳圓ヲ十ケ年間又ハ一
時金拾六圓以上ヲ醵出スル者

五、本會現在役員ハ左ノ如シ

總裁　千葉了
副總裁　高田茂　佐藤寅太郎
顧問　小川平吉　今井五介　原嘉道
伊澤多喜男　岡田忠彦　本間利雄
梅谷光貞　高橋守雄
相談役　田中無事生　泊武治　小西竹次郎
降旗元太郎　越壽三郎　小里賴水
片倉兼太郎　福澤泰江　小林暢
山岡萬之助　工藤善助　樋口秀雄
植原悦二郎　山本愼平　松本忠雄
白石喜太郎　高田茂　菱川敬三

海の外（月刊）（一册廿錢）

定價表	内地送料共	外國送料共
一册	廿錢	廿四錢
六ケ月	一圓十錢	一圓四十四錢
一ケ年	二圓廿錢	二圓八十八錢
五ケ年	拾圓	拾圓

御注意

△御送金は振替（長野二一四〇番）に御願ひします。
△外國よりの御送金は銀行、郵便局いづれにても確實に送金されます。
△御轉居の節は早速新舊兩御住所を御通知下さい。
△本誌へ廣告掲載御希望の方は詳細相談申上げます。

昭和三年七月一日發行

編輯人　永田稠
發行兼印刷人　西澤太一郎
印刷所　長野市南縣町　信濃每日新聞社

發行所　長野縣廳内　海の外社
振替口座　長野二一四〇番

各縣海外協會
日本力行會　指定旅館

㊙高

海外渡航乘船
領事館手續
貨物通關取扱

高谷旅館本店

本店　神戸市榮町六丁目
神戸市郵便局私書函八四〇番
電話元町　八五四番、一七三七番

支店　神戸市宇治川楠橋東詰
電話　元町　六六六番

各汽船會社專屬元扱

日本郵船會社
大阪商船會社
ダラー汽船會社
加奈陀汽船會社
アドミラル汽船會社
南洋郵船會社

日本力行會、信濃、廣島、和歌山
福岡、熊本、沖縄　各縣海外協會　指定旅館

海外渡航乘客荷物取扱所

今泉旅館

本店　神戸市海岸通六丁目三番邸
支店　神戸市榮町通五丁目六八番邸
電話　元町　三二一番
振替大阪　三五四一〇番

海外渡航取扱所

◉東洋一の理想的設備を有する神戸港へ！
◉旅館は誠實にして信用のある神戸館へ！

各縣海外協會
日本力行會　指定旅館

神戸市榮町六丁目廿一番邸

神戸館本店

電話元町　八六一番
振替口座大阪　一四三三八番

支店　神戸市海岸通四丁目（中税關前）
電話三ノ宮二一三六番

◈本店へハ神戸驛、支店へハ三ノ宮驛下車御便利

海外發展準備研究書（新刊）

お奬めして差支へない良參考書

永田稠著	海外立志傳	四六版四四〇頁寫眞六頁 定價二圓 送料六錢
永田稠著	改訂八版 新渡航法	四六版五一四頁寫眞廿頁 定價二圓 送料六錢
野田良治著	ブラジル人國記	四六版六五二頁寫眞百數十葉 定價一圓八十錢 送料十四錢
高岡能雄著	ブラジル移民研究	菊版四〇二頁總布製 定價三圓五拾錢 送料十八錢
瀧釟太郎著	大寶庫メキシコ	菊判七六五頁寫眞三百數十葉 定價七圓五拾錢 送料三十六錢
芝原耕平著	我等のアルゼンチン	四六版三五〇頁寫眞二十數葉 定價二圓 送料十錢
吉田梧郎著	南洋諸島の富	四六版三〇四頁地圖入 定價壹圓五錢 送料十八錢
正木吉右衛門著	南隣の友邦比律賓	菊判三四頁地圖寫眞入 定價三十錢 送料二錢
商工省商務局	比律賓の現狀	菊判二九三頁地圖寫眞入 定價一圓五十錢 送料十八錢
梶川半三郎著	東亞之大富源 現代の朝鮮	四六版六三八頁地圖入 定價三圓五拾錢 送料二十四錢
高柳保太郎著	滿蒙の情勢	定價壹圓五拾錢 送料六錢
中島文重著	初等ブラジル語獨習書	四六版二七四頁總布製 定價一圓五拾錢 送料十八錢
大武和三郎著	葡和辭典、和葡辭典	定價各五圓 送料十八錢
日本力行會編	海外移住講義錄（全十册）	定價一册一圓 十册十圓 送料四錢
雜誌（月刊）	植民・ブラジル・南洋協會雜誌・滿蒙・海外の日本・東洋・海外	

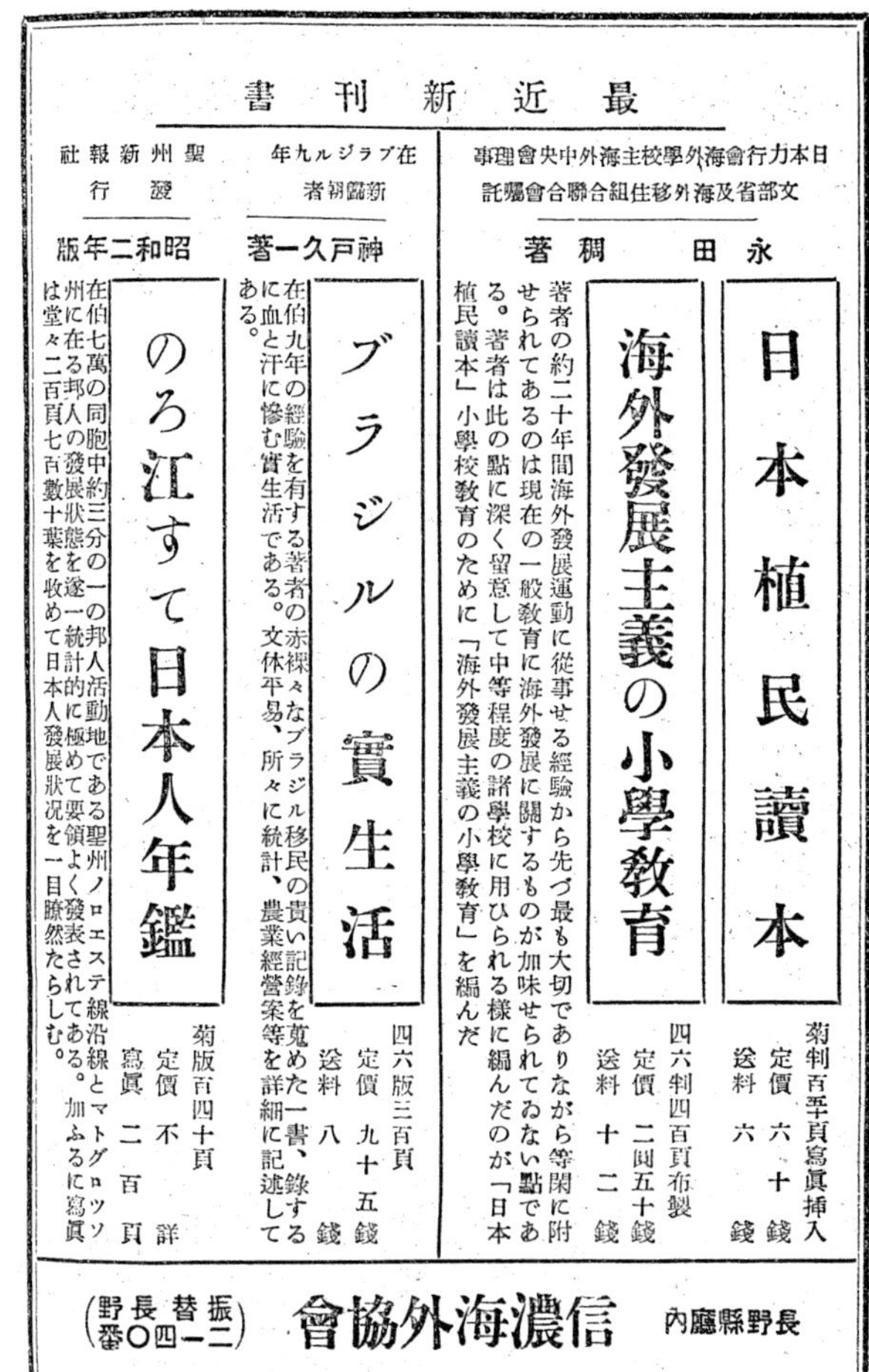

海の外—THE UMINOSOTO
Published Monthly by the Uminosoto Sha. Nagano, Japan.

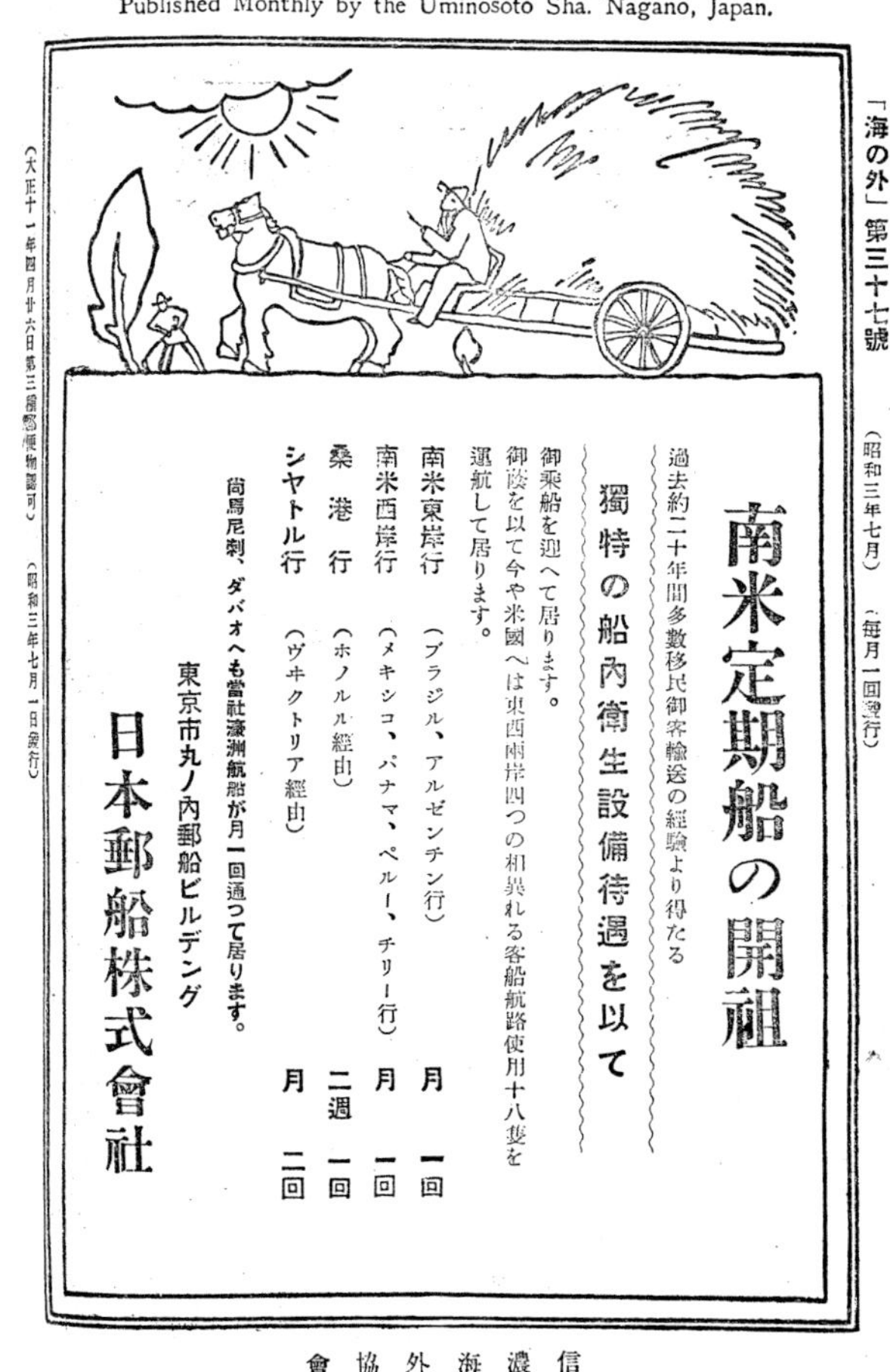

信濃海外協會
海の外社發行

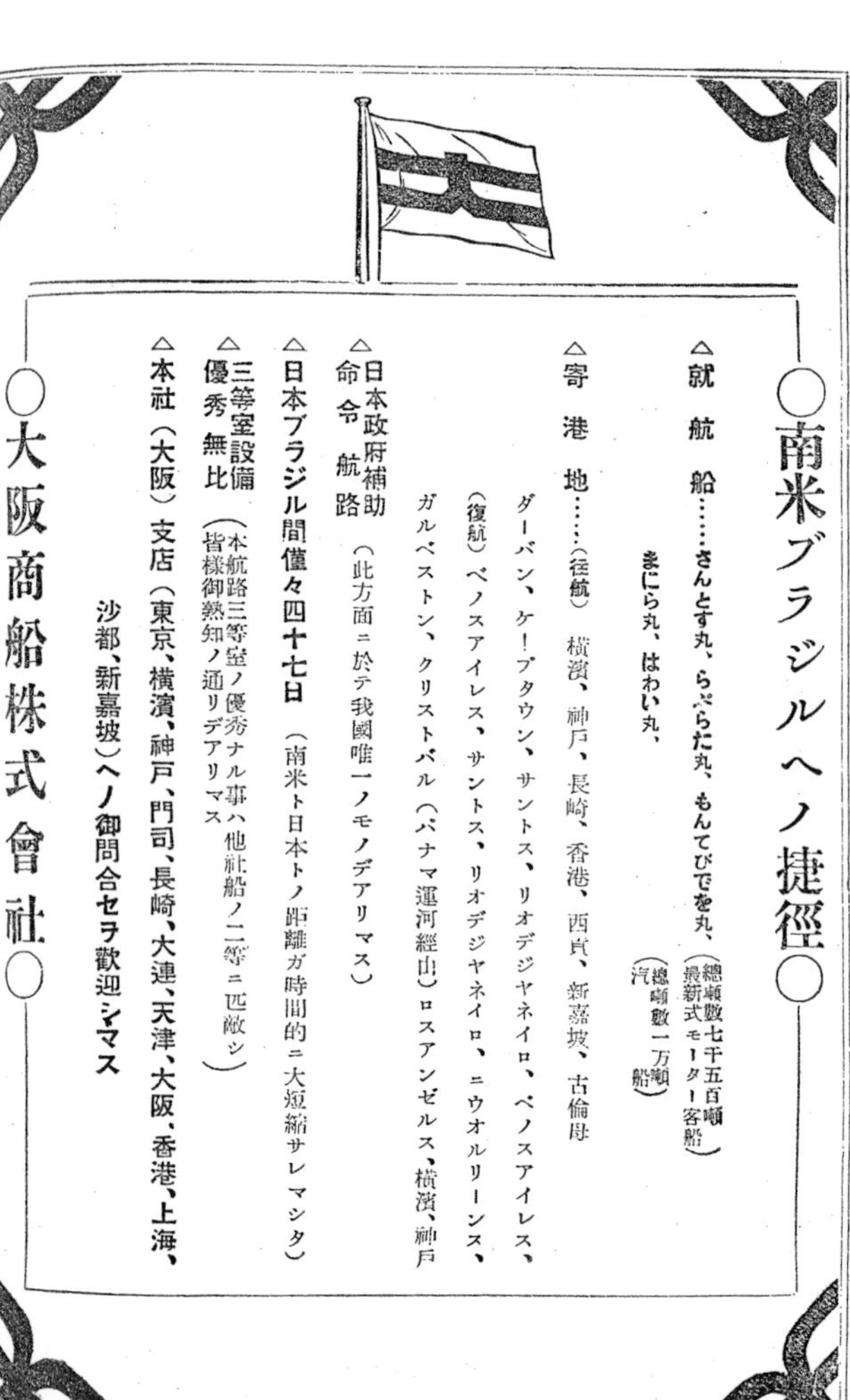

海の外

THE UMI-NO-SOTO

第七十四號

昭和三年八月

目次

信濃海外協會 海の外社

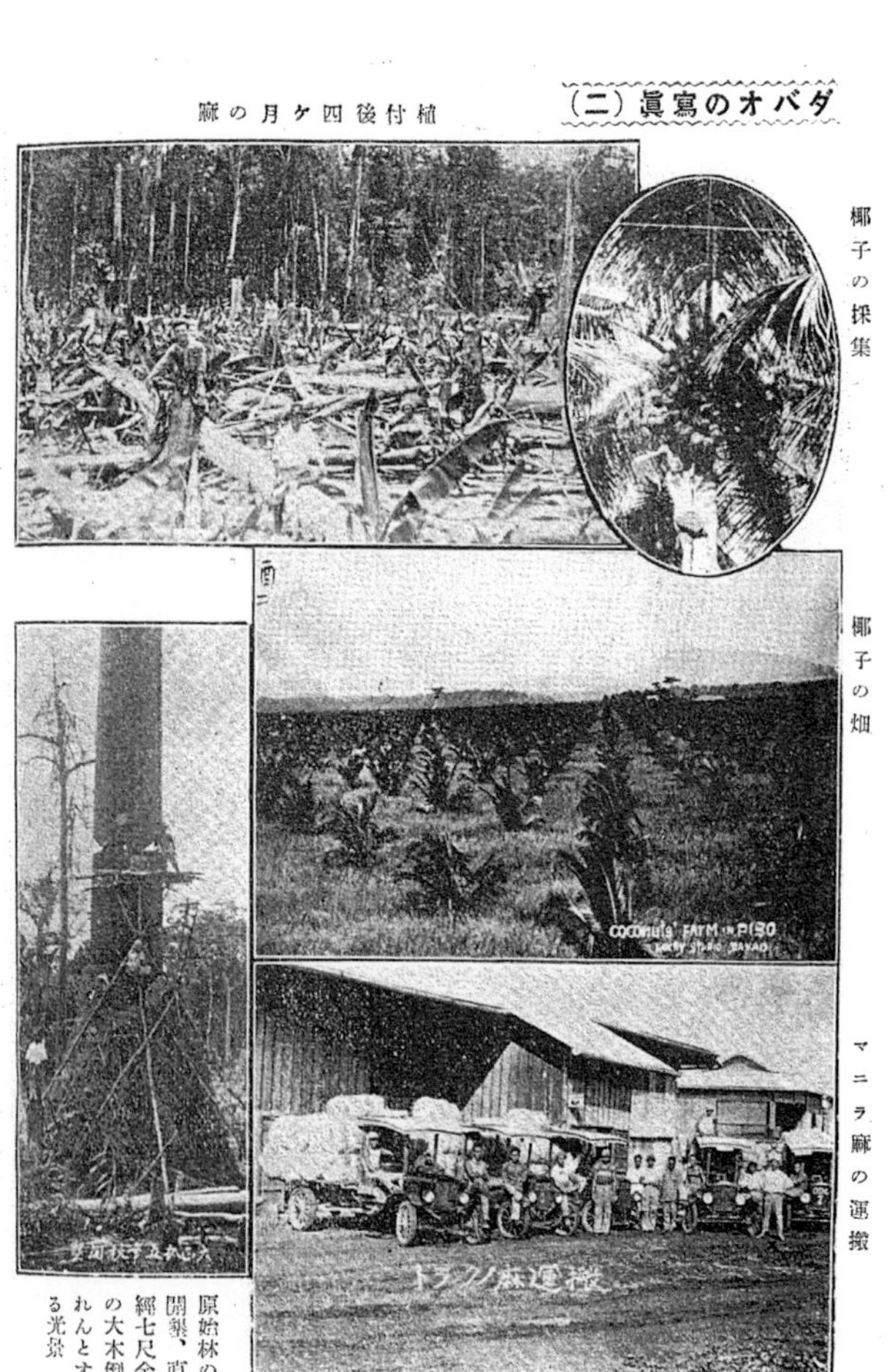

ダバオの寫眞（二）

植付後四ヶ月の麻

椰子の採集

椰子の畑

マニラ麻の運搬

原始林の開墾、直經七尺余の大木倒れんとする光景

ダバオの寫眞（一）

比島人（ビサヤン族）

ダバオに日本人學校が二校あるその一つのミンタル小學校の大運動會

ダバオ海岸椰子林

バナナの林

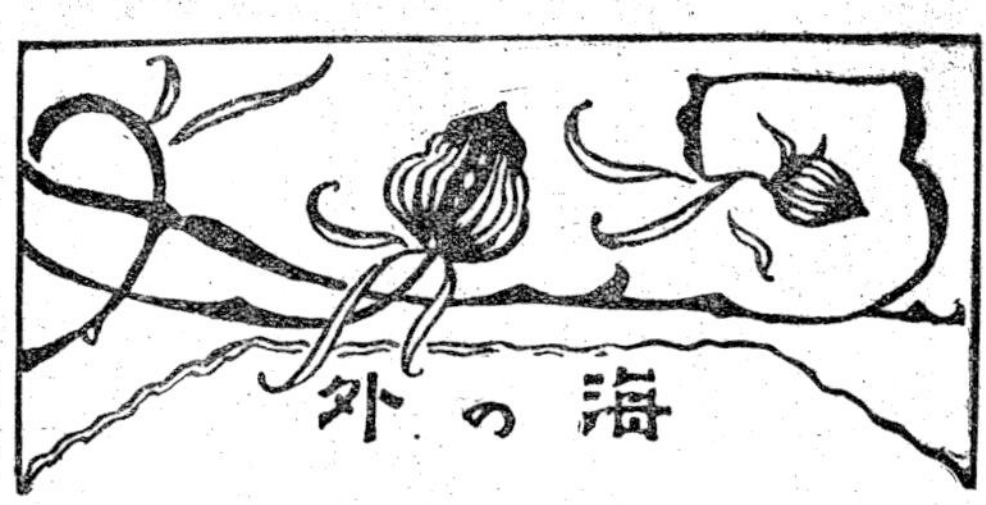

（昭和三年）第七十四號（八月）

只有神武創業志

アリアンサ移住地經營に對し、ある醫師は難じて云ふ「衛生測量者を送らざりし故病人を出したり」と。地質學者は云ふ「彼等は地質の調査をせざりし」と。動植物學者は云ふ「彼等は動植物の調査をなさざりし」と。氣象學者は云ふ「彼等は氣象の調査をなさざりし」と。他日珈琲の相場が安い年には「彼等は珈琲の相場を豫想せざりし」と云はむ。私は此種の一切の論難を甘受す。只云ふ「私はアリアンサの經營に於て只神武創業の志を有したるのみなり」と。………

――永田 稠――

移植民主義の教育に就て

信濃海外協會幹事 永田 稠

（一）

海に接せざる信州が、我國移植民事業の新紀元たる移住地の經營に於ては、率先して範を天下に示し、南米アリアンサ移住地一萬二千町歩は、一部の人士の批評と惡口を外に見て着々と進歩して居る。此移住地建設の當初に於て時の本間總裁が、「範を天下に示し我國策にも影響を及ぼすべき」と高調された通り、アリアンサ建設以後我國民の南米發展は實に花々しいものである。南米企業組合は百二十萬圓全額支拂ひでコンゴニア植民地二萬五千町歩を購入し、大阪の野村氏は約二千町歩三菱系の東山農事會社は約七十萬圓の珈琲園をそれぞれ購入し、神戸には南米開拓會社が組織され、東京では資金二十五萬圓のアマゾン興業會社、資金一千萬圓の南米拓殖會社が成立し、海外移住組合法が議會を通過し、政府の低利資金三百四十萬圓を得て曾て本會の總裁たりし梅谷光貞氏は其專務理事となり、既に南米に於て約五萬町歩の土地を購入し、各府縣に此組合の組織されたものが十六に達せんとして居る。

これ等の組合や會社は既に事業に着手したものもあり、之れから着手せんとして居るものもあり、既にアリアンサの如く優秀なる成績を擧げて居るものもあり、始めては見たが中々うまく行かずに困つて居るものもあり、特に移住組合の如きは土地は購入したが今後果して立派な成績を擧げ得るや否や頗る疑問とされて居るものもある。

（二）

有望の邦土に資金を投じて何が不安であるかと云へば「人」である。南米に對する事業は進展の方向に進んで來たが、これ等

の事業を經營する人格と手腕とを有する者に至つては實に少ないのである。先般サンポーロ總領事赤松氏を訪問した際、談たま〳〵アリアンサ移住地に至ると同氏はアリアンサの成功を其人物を得たるに歸して居つた。

移住地の經營計りではない何れの事業もさうであるが、適當なる人物を得ることが先決問題である。寶の山に入つて寶を得ないのは人物がないからである。有望なる南米の企業に成功することの出來ないのは適任者を得ないからである。茲に於てか日本が海外發展乃至移植民の事業を必要とするならば其方面に活動の出來る人材を養成するの方法を講ぜねばならぬ。

更に一つ考へたい事は、移住者の少ないことである。北海道でも樺太でも三四百圓の資金があれば、移住して五町歩なり十町歩の土地を得て數年間の奮鬪努力に依り相當の成績を示して行けるのに、其地に移住する者は少ない。アリアンサ移住地の如きは二三千圓の資金を得て入植し五六年の活動に依り、二十五町歩の土地を得、毎年二三千圓の金を殘して行けると云ふ誠に世界に於ては又となきよい事であるのに渡航する者が少ない。

又、信州の如きでも開墾すれば立派な耕地となる土地が非常に澤山に捨ててあるに拘らず、又、政府では開墾助成法に依つて相等の補助金を下附したり器具をかしてくれたり、種々の便利を計つてくれるに拘らず、國民は移住開墾の事業に着手する事を好まない。私は之れが非常に不思議な事であると思つて、段々研究をして、到達し得た所は、我國民教育の內に移住開拓海外發展等の必要なる教育が欠けて居るのであると云ふ、事である。故に移植民主義の教育を振興する事が極めて大切であることを信じ、少しつつ其方面に對して努力して居る。乃ち文部省の囑託となつて、我國民の本當に移植民主義の教育の主唱をして貰いたいと努力して居る。昭和四年度文部省の豫算には約二十三萬圓の移植民教育費が計上さるるに至つた。又、今日の小學校の教科書中にある材料で教師が少し注意し努力すれば、我小學校教育中に移植民の思想を教養し得る材料が澤山あるので、これに關しては「海外發展主義の小學教育」と云ふ著述をした。又、我國の補習教育中等教育に海外發展主義の高調をする爲めに「日本植民讀本」の著述をした。

（三）

以上の次第であるから、教育第一を以て誇りとして居る信州に移植民主義を中心とした學校の建設せられんことを常に熱望し

て居たのである。幸にして縣の當局に於ても其必要を痛感され、明年度の豫算中には此費用を計上されることになりさうだと云ふことを聞いて非常に喜び、是非共これが實現することを祈つて止まない次第である。勿論、縣の方針としては卒業生全部を海外に渡航せしめねばならぬなどとは考へる必要はない。從來の學校の樣に農學を學んで百姓の出來ない樣な卒業生を出さず頭に學んだ所は手足で實行の出來る樣に教育をなし、又其精神は常に開拓的であり、其生活は開拓的の生活をなし、前人未到の土地に侵入して新たなる運命を開拓するの精神が養成され、更に北海道、樺太、朝鮮、台灣、滿蒙、南洋、南米等あらゆる方面の日本民族の將來活動するに足る方面の知識を與ふればよいのである。信州人の開拓すべき土地は信州內に猶非常に澤山に殘されて居るのであるから、學校が先きに立つて、其開拓の方法其農園經營の仕方等を教へて行けばよいのである。

此種の移植民主義の教育を實施することが乃ち生活に將來の運命開拓の鍵を與ふることであり、信州の縣運と共に日本の國運を海外に開拓することであり、我國民海外發展に必要なる人材養成の目的を達し得るのである。

只、信濃海外協會としては、縣に於て建立さるべき植民學校又は其農園を附近にて、直接海外に渡航する者で、縣立の學校に入學することの出來ない事情の者の爲めに、縣立學校と同樣の目的を以て教養を施し得る方法を講ずることを得れば結構だと考へて居る。又、縣立の植民學校が不幸にして縣會を通らざる場合でも何等かの方法に於て此種の教育をする方法を實行したいと希ふて居るのである。移住地經營に於て範を天下に示したる信州は移植民主義の教育に於ても國家の教育の方針に影響を與ふべき程度の植民學校の建設に先鞭をつけ且立派な成績を示されたい事を熱望して止まざる次第である。

感想二ッ三ッ

新歸朝者　松尾　弘

（一）信仰心の修養と社會人としての訓練

物質文明の絶頂に在つて世界の列强を意の儘に操つて居るあの橫暴なアメリカ合衆國共の中心地なる紐育市の眞中で私は十ケ年の星霜を送りました。「十年一日」と云ふ言葉が今更の如くに感んぜられるのであります然し顧みて一日だも無駄に然かも病む事なく愉快に過ごし得た事を深く感謝せずには居られないのであります。さなくとも荒み易い外國生活殊に精神的に惠まれないアンクルサムの膝下で、氣も狂はず惰落する事なく面白く活動出來得たと云ふ事は勿論友達のお蔭であります。「一杯のさ湯に忘るな友の情」然し尙ほ其の上に私を指導し力附けて下さつた或物があつた樣に感んずるのであります。私は遂何れの敎會へも屬しませんそれかと云ふて朝晩妙法を唱へて居たわけでもありません只常に私は或る偉大なる力を心に感んじ之を信仰して居たのであります。所謂「神」と名附けるものが之れではなからうかと考へるのであります神は決して遠隔の地に在すのではありません。最も手近な私共の胸の內に抱容されて居て何時何處に在つても私共から離れる事は出來ないのであります。日常此の心の神と握手し談り合つて行かれる人こそ幸福な人であり又成功者であらねばなりますまい。此信仰心こそ私共の日常生活に最も大切な要素であり生命であるのであります之れより感謝の念となり他愛の精神となり犧牲の精神となり勇敢なる精神となり又私共が社會の一員として協同の生活を營む社會形成上骨髓ともなる可き協同の精神となつて現はれるのではありますまいか。總ふる道德は此の上に礎かれるのでありましよう之れが民族の圓滿なる發展上一番重要な要素であると信んずるのであります。國民外交の實績も此の心持ちが有つてこそ擧がるものでありましようそれ故今後益々我が民族を海外に發展させなくてはならない今日其の完全なる發達を期する爲めには此の信仰の修養と社會人としての訓練とを忘却してはならないと信んずるのであります。

私は昨年「百聞は一見に然かず」と紐育市を發してブラジルへ旅しました。そして我が同胞の活動中心地であるサンポウロ州で二三のコーヒー耕地のコロノ諸君と生活を共にし每日の樣に起

る次の樣な忌まわしい事件を見聞き致しましたが何れも皆信仰心の無い處から起つて居るのであり多少共此心持がありさへすれば日常圓滿に愉快な生活が出來自然成功も早からうと思ふのであります事件は何れも渡伯後半歲ならずして起つて居ます。

親子喧嘩、夫婦爭ひお隣同志の暗闘

渡伯の際色々の關係上構成して來た家族の分離、極めて不衞生的な生活、不規律な生活、不馴な處より起る勞働への不平、言語の不通より起る監督との意志の衝突はてはピストル騷動

借金の踏み倒し夜逃げ困窮自暴自棄等々

こんな事が續出すれば如何にブラジルでも自然排斥が起るでしよう。

（二）母國よりの慰問と鞭達

懷しい親兄弟と離れ樂しみ愛し合つた友達と別れ住みなれた故鄕を去つて遠く異鄕の空に在る身のどんなにか淋しい事でしよう。私共はこれ程强い者ではありません外國へ渡つたからと云ふて無神經に成つたわけもありません。他鄕の野にも春は來る花は咲く秋は來つて實を結ぶ月は一つだ故鄕の山の端に懸つた月が今此の野邊に佇ずんでそよ吹く風に一日の勞を休め想に耽つて居る自分を照して居るのだから故鄕を想ふのが淋しく感じ時には泣き度くもなるのだ。

花に想ひ月に懷しふるさとは
いくとせまでも忘れさらまし

海外でも朋友あり自ら相親む事は勿論ですが然しそれ丈けでは不滿足なのであります。到底慰め合ひきれないものであります。日本內地の人達は一度び軍人と名が付いて入營すれば僅か一ケ年か二ケ年の軍隊生活に行くのにさへ盛んに之を送りかつ迎へてやれ慰問狀だ慰問袋だなどと大いに慰める誠に結構な事である。

然し一旦緩急ありし場合義勇公に奉ずる事はあへて軍籍に在る身のみではありますまい又彼樣な秋の容易にある可くも無く望む所でも無いのであります。數多の人命と莫大な國帑とを犧牲にして迄戰ふのは何が目的でしようか勿論國威民族を大いに發展させんが爲であります。それならば何故所謂平和の時代に於て其の民族發展の第一戰線に立つて然かも幾星霜と言はず奮闘努力して居る我が海外同胞をもつと慰安し保護しないのでありましようか。風土を異にする海外に活躍して居る我が同胞が襲ひ來る幾多の困苦とそして恐る可き病魔の襲擊とに惡戰苦闘し數知れぬ犧牲者を出しつゝもよく其の本分を盡して居るのであります。彈丸飛び交ふ戰場で仆れるのと幾ばくの違ひがありましようか。

異鄕の空で故國よりの一通の便りを受けた時どんなにか懷しく幾度繰り返して讀む事でしようまして心盡しの手縫ひのシャツでも送つて頂いた時の其の嬉しさ到底筆紙に盡す事は出來ません泣かんばかりに嬉いのであります。

そして愈々奮闘せざるを得ないのであります。

一枚の木綿のシャツも誰やらの
心盡しぞ肌身はなさず

母國の人達よ願はくば此の平和の闘志達を常に忘れず大いに慰め且つ勵まされよ。

（三）娘五コントス也

海外には年頃の青年が澤山活動して居ますが然しどことなく勢が無い。何故でしようか、駄目じやないか意氣地無しめと一口に罵しつてしまつていいものでしようか。よく彼等の事情を考へて見てやらなくてはならないと思ふのであります。恐らく日本內地に在る青年と同じだらうと考へられますが彼等に適當なる指導者の必要な事を勿論でありますけれ共第一何んの望が有つてかく迄奮闘を續けて行くのでしよう種々雜多の希望がありましようが煎じ詰めて見れば誰しも一日も早く平和な家庭を營み人間らしい愉快な生活を送り度い事を乞ひ願つて居るのであります此の事が色々の事情の爲めに出來ないとしたならばいさゝか悲哀を感んぜずには居られないではありません。自然勢も阻がれてしまうのであります私共は社會的動物であると同時に家庭生活を營むものでありましてこれが同族發展上欠く可からざる要件であります。婦女子の伴はない殖民の發展した例はありません。調子はづれで成巧は期待されないのでありますアメリカ合衆國に居る我が同胞で將に三十歲四十歲の壯年諸君が獨身生活を餘儀なくされて居る。人類愛の無い橫暴極まるアンクルサムの爺が特殊階級の勞働者を除く一般勞働者は日本から妻を連れて來る事相ならんと云ふ法律を作つてしまつた。そして結婚し度ければいくらでも女は居るぢやないかと言ふけれど色の違つた顏形の異つた者が一所に成つたからつて結果の良い筈はないのであります處が他の外國はこんな野蠻は言ひません殊にブラジルの如きは婦人の來るのを大いに歡迎して居るのでありますそれでいてブラジルなんと云ふ國は野蠻極まる行けば直ぐ毒蛇に嚙み殺されるか熱病にでも取り付かれる樣な氣がしてか少しも娘達が奮發してくれないのであります。又娘達が大いに民族發展の爲めと親兄弟を說かんとすれば大反對。こんな事では當底完全な民族の發展をブラジル國內に期待する事は出來ないのであります。

日本娘の拂底なブラジルには結婚でもして大いに活動し度いと思つて居る有爲の青年が澤山居るけれ共第一相手が無いこれには困る又よし娘が居たとしても甚だ少數である爲めに金一封也の相場が三コンスト（約七百五十圓）から五コントス（一千二百五十圓）に騰貴したと聞いたのであります決して笑談事ではありますまい男子にとつては一種の悲哀。御婦人方に對しては一種の侮辱でありませう。

父母の會だ、婦人會だ、やれ處女會だと種々の會合が催され色々と有益な事業をされて居る事は嬉ばしい事に相違ありませんが然しもう一歩進んで我が大和民族發展の爲めに男子に劣らず

共々に歩調を揃へ大いに活躍して戴き度いのであります。

一トもとの大和撫子うつし植へ
株增す見ればうれし氣强し

人口問題食糧問題はてはサンガーの產兒制限そんな事を心配する必要は更にないのであります。どし／＼海を渡つてどん／＼殖やせ。彼ムソリニも我伊太利の國家經濟は一つに海外に活躍する我同胞諸君に待つと迄云ふて居りますが如何に彼等殖民移民の發展と共の力の偉大なるかも窺ひ知る事が出來るではありませんか。

民族發展上金融機關の必要な事、子弟教育の重大問題である事衞生設備の重要なる事などは申す迄でも無い事であります。（終）

アリアンサに送る
依托荷物について

母國の家族及友人等からアリアンサ移住地に在住する者に種々の荷物を送るには每月神戶から同移住地に渡航する者に依托するを最も便利である。依托荷物がある場合には、當會に其旨を照會して下されば出帆日と依托する者の氏名、依托荷物の送先等を回答するからその上依托荷物の品名數量を明記すると共に移住地送屆人氏名移住地在住地區番號を依托人に通信する樣になつてゐる。

尙最近神戶出帆船の河內丸は八月廿四日につき托送荷物のある者は至急荷送り準備と共に當會に其の旨申越さるべし。

歸鄕者訪會

松尾弘氏（北米合衆國）　七月七日訪會　修學を目的として大正六年渡米、經育市の叔父の商店に手傳つて勉學大學を出で邦人商店に勤め南米發展を志し昨年七月經育を南下して伯國を北、アマゾンから南、南三洲に渡つて旅行し本年二月合衆國を經由して歸國除ろに對南米發展策に準備中、下伊那郡大島村出身

樺太開發と—炭鑛採掘事業

テクルヒト　柴田富陽

吾れ等大和民族の行く可き路は何處か？　吾等大和民族は何にをなさねばならぬか？　と斯く問はれて吾等は今右に行くか左に向くか何れにしても年々百萬近くの同胞が增加しつゝある是れを何んとか良い發展地を求めて新たなる土地を耕やさせねばならぬ。

樺太開發資料の一材として樺太に於ける最も重大なる石炭に對する問題を論じ吾等が調査の一端を發表し識者の參考に呈せんとす。

寶の持ち腐れ

「北へ々と進もうとすれば北緯五十度がぢやまになる」是れは樺太發展を皮肉つた樺太人の歌ふ追分節の一句であるが南北樺太には未だ手の着されざる富源が幾多埋藏されて居る。今樺太露領は別として南樺太吾が日本領の富源はと指を折れば太づ第一に調査の發表濟みに在る埋藏高七十七億餘噸の石炭を地下に積んで眺め望觀し居るは何れの理由があつてかと當局に問いたいのである。

土着工業の發展と石炭

近時土着工業の發展が樺太の天地にも起り鐵道の延長を始め其の他の工業の爲に石炭の消費が年々增加し今や二十萬噸を突破し尚益々其の額を增大せんとして居る傾向がある。夫れに拘らず樺太の石炭は何等問題の度が高められず石炭と木材と同等に樺太に於ける天然富源でありながら土着工業に消費する品すら滿足に配給することを得ず年々十萬噸以上の石炭を內地から買い込むと聞いては其處に何等か爲にする爲の政策がありはせまいかと其の地を往來した吾等旅行者は意外に感じて來たのである。

樺太の炭鑛は其の全部をして國有に封鎖せられ條件不利な箇所にある僅かの炭坑に對し更に不利な條件の下に開發を許可されて居るのみであつて工業の最も重要な原動力であり樺太の最も重要な財源である石炭開發に對し當局は拓殖の大生命である國有炭田の開發を今日まで何れの內閣も望顧不承認で來たのである。元來樺太の財政援助は薄かつた當局は樺太發展に不熱心であり資金を與へず又一方富源の開發をもさせなかつたと云ふ不合理な政策が石炭の上に斷くした問題が殘され解決されず來たのである

何に依り財源を得るか

關東廳から滿鐵を除き臺灣から製糖工業を否認したならば吾が國殖民地の命脈は維持する事が出來るであらうか。南洋廳にアンガウルの燐鑛石は國富の富源として留保する必要があると乃至サラ島の燐鑛事業の脅威になるとか云ふような理由で此採掘を阻止するならば其財政が果して支持されて行くだらうか石炭の景氣がどうの各地では操短をやる場合であるとか或は內地鑛業の脅威になるからとか八幡製鐵所で東洋製鐵の營業を引受る餘裕があつても樺太の炭鑛會社に對し財政的の補助は御免を蒙るとあつては少々筋合が通らぬとか思ふ。

吾等は開發の爲に望む

要は樺太の開發經營が國家として急務となすか爲なさゞるかによつて此の問題は解決するのである。若し樺太の炭鑛などはどうでもよいと云ふのならば北樺太の石油調査に是れまで既に七百萬圓も補助を出して來たのは北方政策の上に一大矛盾であるまいか。吾等は樺太開發の一急務に對し多くの日本同胞に樺太石炭の開發問題を研究されんことを望んでおく。

北海の天地に
鄕黨親睦の集ひ

信州健兒が鄕黨の親睦に努力して縣外では縣人會と云ひみすず會と云ふ或ひは信州會とか信州人會とかと云ふてよく鄕黨團結の實を擧げてゐる事は到る處で見受けられるが此處は北海の天地樺太に在住する信州人にも信州人會なるものを組織してゐる。

六月初旬西澤幹事は樺太地方旅行の砌大泊町に於て此の信州人會を發見し信州人の目醒しい活動振りをもたらして來た今同會員簿をかゝげてみる。

信州人會名簿

勤務先	氏名	本籍地	現住地
町役場	池田寛	小郡神川村	
度量衡檢定所	岩井周輔	下水飯山町	官舍乙二四號
土木課	勝山清一	上高日蘿村	東一條南四丁目
王子パルプ	竹原彌太郎	西筑上松町	王子社宅
林務課	出畑司門治	上伊伊那町	官舍乙六八號
警務課	瀧澤晴壽	小縣泉田村	同乙七二號ノ二
洋物店	高橋彌太郎	松本市鍛治町	女學校前
電燈會社	丹岡富治	下水水內村	南二條南三丁目
購買組合	中村憲策	下高堺村	同上事務所
王子パルプ	中村茂樹	上伊高遠町	王子社宅
殖民課	碓氷誠	南佐岸野村	官舍甲十五號
女學校	海野平內	下水常盤村	同乙三九號
町役場	久保田衞	上水鳥居村	米幸旅館
雜貨店	山崎德三郎	北安松川村	西一條南八丁目
森林作業所	松本謙	埴科松代町	新官舍
第一小學校	深井德	下水飯山町	米幸旅館
警務課長	北村得三	長野市妻科	第二明豊寮
王子パルプ	光澤義男		王子社宅
町役町	宮崎覺	更級鹽崎村	
太泊支廳長	平山蒸	松本市北深志	官舍甲九號
乾物店	平林喜代次	諏訪中洲村	眞岡通
新聞記者	百瀬善重	東筑島立村	西一條南四丁目
土木課	熊田健太郎	東京市芝區	東六條南十丁目
請負業	平澤弘美	東筑山形村	落合町
大泊小學校	星合正貞	松本市	大泊
楠溪小學校	佐藤清三郎	南佐田口村	同
落合パルプ	中島三郎		札幌
料理店	樋田靜雄	西筑讀書村	落合
王子パルプ	石田友吉	上水信濃尻村	西一條北二丁目
廳病院	原正毅		王子社宅
王子パルプ	田中國男	東筑宗賀村	
大谷小學校	月岡麿		
王子パルプ	牛山琢郎		
遞信課	柳川文雄		
料理店	柳澤新治	南安曇明盛村	西一條北三丁目
王子パルプ	小泉洋		
大倉組	寺島昇	南安穗高村	
遞信課	佐藤辰治		
森林作業所	宮澤體助	下高堺村	

佛國政情斷片

前在佛　KH生

一、佛國に於ける政黨

佛國には英米諸國に於けるが如く、統一せる組織と嚴格なる規律の下に、明白なる政綱を揭げ、終始整然たる共同動作に出づる政治團体存在せず。政治的團体として現代的色彩を具有するに至りたるは、一九〇一年以來のことに屬し、其の沿革新なるのみならず、佛國特有の歷史的事情、近代社會主義に基く新思想の影響並佛國民の個性尊重の傳統とに因り幾多の小黨分裂し、其主義綱領錯交し、內部の組織、規律も亦統一ありと云ふを得ず、現代的政黨組織を有する社會黨及急進社會黨にありても議院內外に於ける所屬議員の行動區々に分れ、恰も政治的結社存在せざるが如き外觀を呈す。之れ往々佛國の政治を目して感情政治と爲し佛國に所謂政黨なしと斷ずる所以なるも、佛國特有の事態を前提として之を觀察するときは、選擧民に對する關係、議院內部に於ける委員會委員の選定、院外に於ける政治大會、機關紙の操縱、組閣に當り大統領の考慮すべき標準等より觀て現實に佛國特有の政治團体の嚴存することを認めざる可からず。而して此の政治團体が其の所屬員を合同して政治大會を開き又は選擧に臨む等議院外に於て活動する場合は之を政黨(parti)と呼び議院內に於て行動する場合は之を政派(Groupe)と稱す。

佛國に於ける政黨政派を類別するときは

（一）　極右系諸黨派

議會政治の弊害に鑑み往時に於けるが如き國家首長の權威の確立を主張するものにして議會政治の惡果を摘剔し憲法の改正、社會主義的革命手段に依らざる社會制度の改善及產業制度の改革、宗教と教育との融合一致を企圖し加特力教の權利及利益の暢長に努む。此の黨派に屬する團体には佛蘭西行動同盟、佛蘭西フアシスト、國會期成會、愛國社團同盟の外民衆自由行動社團、國民特加力同盟の如き宗教的團体あり此の黨派は院外に於ては陰然たる勢力を有するも院內に在りては一九二四年の下院總選擧に失敗したる以來微々として振はず。僅に下院無所屬に約十名、上院右派十名を算するに過ぎず

領袖　Charles Mauras
Leon Daudet
Georges Valois
Francois Saint-Maur（上院右派幹事長）

（二）共和系諸黨派

共和制度維持の下に憲政の漸進的改革を行ひ外交問題に關しては平和諸條約の完全なる履行賠償金の支拂、佛國の安全保障を主張し內政問題に付ては議會制度の改良、官吏の待遇改善、綱紀肅正を企て流動公債の整理、減債基金の設置に依りて財政の安定を圖り、稅制の改革、生產狀態の改善に依りて國民の負擔を輕減し、教育の自由、革命手段に依らざる勞働施設の改良を唱ふ。一九一九年の下院總選擧に壓倒的多數を占めたる本系統黨派は一九二四年には左黨大合同の爲敗北したるも本年五月選擧の結果三二四名の下院議員を擁し下院に於ては民主共和合同派、民主共和左派、共和左派、民主派、獨立左派の五派に分れ上院に於ては共和左派、共和合同派の二派を有し、院外政黨として共和國民行動、社會民主共和黨を包含す

（三）左黨大合同系諸政黨派

現在の共和制度に民主的色彩を濃厚ならしめ、公開外交、軍費削減、兵役の短縮、農村の改良、教育の民衆化、勞働者の組合權、尊重中級以下の中產階級保護、稅制改革、宗教と教育との分離宗教財產等に依る特權濫用の防止を唱道す

一九二四年の總選擧に大勝を博したる左系諸政黨を包含し佛國政黨中最も現代的組織完備せる社會黨及急進社會黨を其中堅とす。下院に於ては急進社會派、共和社會派、急進左派及社會派の四派、上院に於ては急進民主及急進社會左派、民主急進合同派社會派の三派を有す

（四）共產黨

革命手段に依り共和制を顚覆して勞農主義に基く國家の現出を期し階級鬪爭、平和諸條約の破棄、勞農主義に依る行政、軍政、生產分配を樹立し勞働者の團結を唱道す。下院に於ける議員數十三名の議員を擁し　Cachin, Berthou, Garchery, Vaillant, Couturier 其の領袖たり（前期議會迄は二十七名なるも今回の選擧の結果減少す）

（五）無所屬派

嘗て各政派に所屬したる者にして言論、行動の自由を主張して無所屬團体を形成す。其の主義、主張は獨立獨步なり。此派を Groupe des Sauvages と云ふ。下院に十二名上院に八名を算す

二、佛國現內閣の組織及政綱並之に對する政黨各派及佛國民の態度

一九二六年七月二十三日成立したる「ポアンカレ」現內閣員の顏振は

首相兼大藏兼復興	Poincare
司　法	Barthou
外　務	Briand
內　務	Albert Sarraut
陸　軍	Painleue
海　軍	Leygues
文　部	Herriot
工　務	Tardieu
商　務	Bakanowski
農　務	Queille
殖　民	Perrier
恩　給	Marin
勞　働	Falliere

等デ Sous Secretaire d' Etat（大臣にあらさる部長官）は國費節約の爲全廢したり。閣員は上院議員四名、下院議員九名なるも之を黨派別にすれば共和合同派一名（首相）急進民主合同派二名（司法、殖民）急進社會及急進民主左派一名（內務）（以上上院）、共和社會派二名（外務、陸軍）共和左派一名（海軍）急進社會派二名（文務、農務）民主共和左派一名（商務）、民主共和合同派一名（恩給）急進左派一名（勞働）無所屬一名（工務）より成り更に之を色別すれば中央派五名、左傾中央派二名左派五名、無所屬（中央系）一名となり極右黨と極左黨を除く政派の聯立內閣にて閣員には前首相實に六人を算す。

現內閣は佛國財政の復興、佛貨の安定を唯一の使命とし其他は國防計畫の改革、選擧法の改正、關稅改革、官吏の待遇改善等を政綱とす。

現內閣は財政の改善に着々成功したるを以て一般社會は勿論議會に於ても社會派、共產派及急進社會派の一部を除く外各政派の氣受良好なり。然れども現內閣の弱點は極端なる聯立內閣たることに存す。而も前首相六人を閣員に網羅せるが爲之か統御は首相の苦心を要する點なるべく且政綱も各派の政策を加味せるを以て其調節容易ならざらん。

尙、客年七月下院議員選擧法改正の結果從來の大選擧區連記比例代表制を改正し小選擧區單規制とせる爲め議員數二十八名を增加し六百十二名となるに本年五月の總選擧には依然として右黨系多數當選せり。

三、獨英露伊及小協商諸國と佛國との關係

「ブロック・ナシナル」（右系及中央系諸黨大同團結）の援護を受けたる戰後の佛國內閣は强硬なる政策に出で軍事監督、賠償金支拂等對獨條約の完全なる履行を迫り「ルール」占領をも敢行したるが「ドーズ」案の實施に依りて賠償問題解決の曙光現はるるに至り獨乙與論緩和の爲漸次態度を變更し左黨內閣出現後或は「ロカルノ」會議に依り又或は「トワリー」會商に依りて親獨政策を表示し「ルール」撤兵、軍事監督委員會の撤退「ライン」占領軍の縮少等其誠意を表はすに努め居れり斯くの如く政府及有識者間には佛獨融和の必要を認め居れるも一般民衆の獨逸に對する恐怖の念は容易に消滅し難く政府の親獨政策も時に躊躇の模樣あるは注目に値すべし。

英國とは協調の必要なるを認め歐洲大陸の問題に付ては事大小となく英國と協同の政策を出て客年佛大統領の訪英以來頓に親善となりたる觀あり。伊國の對「バルカン」政策に關しては內心平かならざるものあるも親密なる態度に出て小協商諸國に對しては佛國の大陸政策遂行上同盟國同樣の待遇を與へ居れり。

佛國は大正十三年十月二十八日露國勞農政府を承認して外交關係を復活して大使を交換し兩國懸案の解決の爲上院議員「ド・モンジー」を委員長とする佛露交涉委員會を設け巴里に於て交涉中なるが何分にも佛國の對露債權所持者は中產階級以下の者多く其の額亦多額に上り居れるを以て其の解決は容易ならざるものあり。加之英露外交關係斷絕以來佛國に於ても英に倣ふべしと論ずるも相當多く殊に右系新聞紙中には佛國內に於ける赤化宣傳防止を高調し對露關係は幾分冷かとなるを免かれず

四、共產主義及社會主義に對する政府の取締

佛國には共產主義及社會主義に對する特別の取締法規なく治安取締規則に依り事件毎に取締に手心を加ふ、佛國と勞農政府との間には互に內政不干涉を宣言し居るも共產主義の宣傳には裏面は兎も角表面は可なり取締寬大にて下院には共產黨議員十三名を算し事毎に政府攻擊の鋒先を緩めず又其の機關紙「ユーマニテ」は日々毒筆を弄し居れる有樣なり。

政府としては此宣傳が具体的行動となりて現はれたる場合に嚴重なる取締を加へ居れり。

佛國中流社會の思想は割合に健全にして共產主義侵入の餘地なく僅に全國に八萬餘りの主義者あるに過ぎずと稱せらる。

宮坂國人氏（比島ダバオ）去る三月來三年振りに比島より歸朝、現太田興業會社專務、七月十八日神戶出帆安藝丸で家族同伴歸任、諏訪郡豐田村出身

本誌購讀申込み
在外各地諸氏に分擔

從來海外の本誌購讀希望の方々には態々本協會まで御送金或ひは御通信を相煩し甚だ不便を相掛けて居りましたが今回その不便と手數を一掃して本誌の愛讀を一層御便ならしめるために海外各地の支部若しくは個人を左の如く定めました。就きましては各自最寄の所に申出で下さい。

布哇	永田安雄氏	ホノルル市
加奈陀	小川幸太郎氏	バンクーバー市
米國	米國西北部支部	シャトル市
	北加信濃海外協會	桑港
	米國南加支部	ロスアンゼルス市
	畑　實氏	ポートランド市
	長田武夫氏	紐育市
墨國	岩淵鐘六氏	墨都
	矢島璋三氏	タンピコ市
秘露	富岡愛之助氏	リマ市
伯國	矢崎節夫氏	アニウマス農場
	輪湖俊午郎氏	アリアンサ
亞國	河野通信氏	ブエノスアイレス市
新嘉坡	奧田直常氏	シンガポール
比島	小池鈞夫氏	ダバオ

北半球から南半球へ

渡伯船中記

ラプラタ丸　—ダーバンにて—　湯田維

僕等は神の大なる御惠みの下に樂しい航海を續けてゐるそして新に國を南米の原に建てんと、神武創業のことと共つく〲考へて吾等の使命の大きいことを痛感しつゝ居る。九百餘名の大使命を乘せた巨船ラプラタ丸は何時しかコロンボを過ぎて一直線に南下し南亞ダーバン港へと急いで居る、コロンボを解纜して二日目には世人の常に炎熱地獄とさへ思つてゐる赤道を通過した。吾等は今鏡の如き印度洋上を滑るが如く走り愈々北半球に永のお別れをして多年憧れの境南半球の領域に突入した。吾等の睡眠の時も吾がラプラタ丸は最新式ジーゼルエンヂンの音も氣持よく刻一刻吾等の使命の地に近よりつゝある。

扨回顧すれば光陰は矢よりも早くお互にあの信州の高原に諸君と聖書の研究をしたのも亦海外發展の爲に喉をからしてどなつて步いたのも昨日の如く感じられるあの縣町の協會の狹いオフイスに在つて一生懸命海外發展の爲に努力して居られる諸兄の事を思ふ時僕は涙ぐましい程感謝の念に滿される、どうか益々自重自愛して御奮鬪されん事を遙に南半球の一角より涙を以て御祈りする。

前便船ハワイ丸はシンガポール港解纜後間もなく船內にコレラ病發生の爲シンガポールに引返したそして同港に一ケ月も碇泊せねばならぬ破目に陷つたその爲吾々のラプラタ丸も船內當局者の嚴しい神經過敏の結果として到る處上陸を禁ぜられ爲に各寄港地の狀況を充分に視察出來なかつた事は誠に遺憾であつた併し乍ら僕は北米で鍊えた腕前でマンマと本船を拔け出し東洋第一の良港たる香港を隈なく見物する事が出來た。

北米に居つた自分には別に大した感じもなかつたが只自分の相像以上に良い港であり且つ美しい處であつた、正しく亞熱帶の氣候だ、やはり英國人は偉い、香港は御承知の通り支那大陸を一寸離れた小島で灣を隔てて英人の築いた美しい最新式の街が見える。十仙出せば立派な艀で島迄行けるこゝが本當の香港で先づ香港で第一に目に入るのは支那人苦力だ、そして英人の發展振りだ何といふても彼等は實に組織立つた發

展をしてゐる、異人種の爲に自國の尊い門戸を占領されても平然として惠まれざるその日暮しの生活をしてゐる彼等支那人の有樣を見た時に僕は淋しくなつた。移動せざる者は何時も移動する者に征服される。支那人の停滯は正しく移動した英國人の爲に征服された形だ、吾等日本及日本人も支那人の二の舞をやりはしないかと考へて海外發展の尊さ、兄等の使命の大きさを思ふて胸が一杯になつた。

香港は英語のよく通ずる所だ、それから香港は物價が安い、勿論品物にもよるが獨逸品の小間物類日用品が安い、藤椅子はこゝの名產で四五圓も出すと日本の金持の持つてゐる樣な立派なのが買へる、僕は臥床兼用の腰掛を二個買つて船中のミリオネーヤをきめ込んでゐる。勿論甲板上の夕涼用として求めたのだ、煙草も安い日本の五分の一か七分の一位の價だ、香港は亞熱帶の地だから時節柄ジャボンがあるマンゴーもある、僕は嘗て十年程前大平洋上の布哇及メキシコ旅行中に味はつただけだが今又こゝでこれ等の果物に出會ふとは何たる幸福であらう、亦生れて始めてマンゴステンと稱する果實の王に出會はした、その甘い事は到底筆紙の及ぶ所でない。

南洋の空氣を胸一杯吸ひ込んだ目新しい果物を腹一杯つめ込んだ。

僕は疲れたまゝに一寸した飲食店に這入つた唯知らんこれが吾等の同胞日本人の店であらうとは。久し振りで異鄉天涯の地でそばを食つたのである。信州名物更科そばの味を思ひ出した又神戶出帆以來三等船客の悲しさにアイスクリームと緣切れであつた僕はこゝで初めて胃の腑を滿足させる事が出來た、併し乍ら船內に上陸も出來ず暑さを我慢してゐる同志の事を考へて濟まない氣持がした、で歸船の時に例の果物を土產に買ふて歸つた！同此のマンゴーやジャボン、マンゴステンの味に舌皷を打つて初めて異鄉の地常綠の國を幾度か讃美した事であらう東洋の一孤嶋に蟄居して成す事もなく此の風光この味を知らずに死んで行く人々の事を考へて氣の毒に思つた。自分の生れた所が一番良い所であり海外は青年の行く可き所で中年や老年の行く所でない樣に考へてゐる目下の信州人の大多數を占めてゐるのだと思ふと情なくなる。同船者中には八十幾歳の老人六十歳五十歳位の人達はざらにある海外發展に對する信州人の無智が此一事で解る。如何に海外發展敎育の必要あるかを痛切に感ぜられた。實際移動は人をして智識を培進せしめる、勿論元氣が生じ、希望が生れる。アングロサクソン民族は移動によつて今日の隆盛を來した。太古より民族は移動によつて榮えて來てゐる。翻つて我が民族を觀る時に何たる停滯であらう。

× × ×

神戶出帆、後二日目に三等船客家長會を組織しこゝに名實共に具備したラプラタ丸自治團体が出來た、そして此の團体よりラプラタ青年會が生じた。この青年會の事業として學藝部、運動部、圖書部が生じ各その部門に依つて活動する事となつた殊に風紀衛生部の活動は見るべきものがある小學校を組織し校長に

宮尾氏を上げ兒童百五十名餘りある。次にラプラタ語學校が出來た僕はこの語學校の初等科を受持つ事になつた、それに風紀衛生部の委員として働いてゐる。三十餘名の力行會員が良く働くので一切が敏速に片付いて行く、娯樂會がある、演藝會が時々ある、今日は日本を出て三十日目だが海上生活に怠屈した日は只の一日もない、四月三十日午前十二時に船は西貢の港に着いた。此地も同じくコレラ病の流行地とて上陸を禁止された。こゝは佛領だけに風景は如何にも佛蘭西式だ氣候は惡い處だが併し東京の夏の候よりは增しだと思つた、日本で住み得る人なれば世界中何所へ行つても氣候で困る事はあるまい。

西貢を出て五日目に太陽直下の新嘉坡港に着いた。時は五月三日だが日本の八月頃の氣候だ、暑い事は仲々暑いが夕立が殆んど每日あるので夕立後は又素的もなく涼しくなる、その氣持その風光は日本ではとても想像が付かんマア一度來て見給へ。

一寸檢閲があつて船は棧橋に着いた、こゝも上陸禁止の地であつたが香港の二の舞をやつて見付かつた。

流行病が原因で上陸不可能なるに一等船客だけは皆上陸した我等三等客は自治團迄組織して土地の上船、乘客の下船を取締り病人の看護に夜も眠らずにやつてゐるのに一等船客はどん〳〵下船する、病菌は一等三等の差別はない、ワツチも青年會も何も必要なく、一等を上陸せしめるなれば俺達も上陸させること……上陸禁止の不法、海興移民と同等取扱を憤慨して三等食堂に船客大會を開催し船長不信任案を可決して直に船長に談判することゝなつた、吾等委員として船長室を訪問し種々交涉したが結局上陸不可となる、問題が險惡化して來た爲船長も大分エキサイトして來る、此時早くも船長なぐれとやる者もある、船長事務長は大狼敗して我等委員に陳謝し一先づ落着した。

多くの不平を乘せて吾等の船は愈々コロンボへと急ぐ。氣候は仲々暑い室內は百度を前後してゐる誰も室內で眠る者なし、香港で買ふた藤椅子の寢台が仲々用をなして吳れる、昨夜の疲れで午前中眠る宮尾松本の二君と共に昨日の問題に打合せをなす、午後八時より三等食堂でルーム代表者の會議あり昨夜の問題を提げて出席す松本君と二人で事務長を訪問し夜の一時半迄移民輸送の件について三等船客側の要求をして歸る。

自治團を組織してよりの自分等は殆んど眠る間もない、位忙しい。小學校のことから語學の敎授、病人の看護、消毒、家長會議ルーム代表者會議、風紀衛生部運動部ヤレ何ソレ何と何んでもかんでも持込まれて近頃少し薄ぼんやりしてゐる有樣なのだ。

五月九日、五日間の航海も無事にコロンボ港に着いた、相像以上に街は美しい、吾等の入港した時には吾々より一ケ月も以前に出帆したハワイ丸がまだ當港に居つた。本船からは委員を送つた彼等前航の同志諸君を見舞つた。午後五時近くハワイ丸一足先にダーバン港に向つて出帆した吾等のラプラタ丸はこゝで一泊することゝなる。

五月十日、午后四時半出帆してハワイ丸の後を追ふ。

蒸し熱いコロンボの夕べの苦しみも何所へやら航海中は絶えず

微風訪れて氣持良い、每日午后にはデッキを洗ひ流す樣な夕立がある、その後はどうしても赤道直下とは思へない程凉しい。

五月十二日、今日は赤道祭だ午前十時半吾等は南北兩半球の緣上にあつた。住みなれし北半球を去つて今や南半球の領域に入る。赤道直下、眼をさへぎる物一つしてない廣々たる紺ぺきの印度洋上は平々坦々鏡の如く平らである。この洋上に只一つの慰めは夜な〳〵光り輝く南十字星である。あゝあの下に吾等のホームがある、あの下の地が我等の働く地、創造の地である、身は洋上に心は遠くチエテ河の邊りにあゝ何たる詩的な慰めを持てる航海であることよ。

浪枕あまた旅ねを重ねても、まだ印度洋の末ぞ殘れる

印度洋行けども秋のはてぞなくいかなる風の末や吹くらむ

五月十三日、時々雨、氣溫大いに低下す、浪高し、シーシックの爲ならん食堂に人影少し、幸なる哉俺は每日〳〵二人前づゝ食ふて元氣旺盛だ、昨日迄元氣良かつた大澤君夫妻今は意氣消沈、生田君の家族は子供が痳疹で病室に居るが大した事は無い、近々退院出來る皆元氣だ、船醉は氣分の問題で子供は一寸も醉はない、子供のある親は船醉に掛らない、それに反して責任のない若い連中が一番先にやられる、力行會の若い連中が枕を並べて粥を寢床の中ですゝつてゐるのは情ない。

今迄清水に不足しなかつた本船もコロンボダーバンの十二日間は長航海の爲四百五十噸の清水では自由に使用出來ず今日から清水の制限をなす、一日平均三十噸以內に乘込總人員一千二百名

五月十四日、南半球はもうすつかり秋の氣候だ、寢心地も良い食堂では每度御飯の賣行がよい、幸に流行病が一人も出ない、此分なればダーバン港の上陸はもう疑ふ餘地なし〳〵たとは氣の早い連中の甲板上の會話である、二三日每日〳〵雨だ、その雷雨のはげしい事實はどえらいもんだ、今日は船の動搖が一層嚴しい、デッキの上に浪が飛び上る、實に心地よい、こんなに壯觀な光景を見ないで薄暗い船室で金ダラヒ相手になつてゐる連中の氣が知れない、俺は天幕の上で數回浪の洗禮を受けた。

五月十五日、晴南風心地よし、久し振りで日光の顏を見る、今日は船員の主催で大演藝を開催す、爲に船中ごた〳〵して語學校休み、午后七時より開會す、藝人揃ひの船員の事とて田舍廻りの役者以上だ。

五月十六日、晴、每朝の早天祈禱會は我等にすが〳〵しい氣特を與へてくれる、今日は亦三等客主催の演藝會で語學校は休みだ、之れ亦藝人揃ひでえらいもんだ、看病だ病室のワッチだと每日〳〵僕達の忙しい事よ。

五月十七、十八、十九日は語學校敎授の外なす事もなく神戶出帆以來始めて落付いた。讀書が出來た事は嬉しかつた。

五月二十日、日曜日で早天祈禱會は盛會であつた。九時より日曜學校が始まる、禮拜說敎がある、每日曜日は實に惠まれてゐる、每水曜日の祈禱會も仲々有意義に行はれてゐる、神戶の神學校を出てブラジルへ自給傳道に行かれる西住氏と云ふ牧師が一生懸命で面倒を見てやつてくれる力行會の宮尾氏も亦一生懸命で奉仕してくれる。

こういふ人々があつて吾等の航海は幸福である。午后七時より食堂でダーバン上陸の協議をなす、上陸については服裝、立小便等の注意は一生懸命にやつた、上陸するは良いが排日種子に

なる樣な赤ケットを出して吳れねばいゝがなーと心の底から祈つた。

五月廿一日、愈々明朝はダーバンに着く、南亞大陸の風光に接するを思へば心がおどる、乘客は皆一樣に景氣付いて氣の早い連中はもうアスクリーム屋の總攻擊の準備をしてゐる、洋食屋に突貫の相談をしてゐる連中もこゝかしこにある。

ハワイ丸が未だ浪間に漂ふてゐる間に吾等のラプラタ丸は先を越してダーバンに着くことゝなる。是れで今日は筆を止めて失禮する、まとまつた通信が出來ないことは誠に殘念だ、是れは單に一片の旅行記事にすぎない、眞實の通信は南米よりの記事だ、その時は時間のある限り筆の續く限り書く、亦ダーバンよりサントス港の旅行記はサントス港より出すことゝする、此の手紙が兄等の御手元に着く頃は僕はアリアンサの農場開拓を始めてゐる事だらう。（一九二八、五、二二）

百台に分乘市內見物

サントス丸 新嘉坡にて　高見明隆

拜啓　香港定泊中は御親切なる祝電を戴き一同深謝仕候　降而吾々アリアンサ行き一行は頗る元氣旺盛一人の病者もなく新嘉坡に五月卅日午後二時三十分着仕り候。

香港、西貢にては上陸不能なりしも新嘉坡にては自動車百台に分乘約二時間市內見物致し候

六月一日コロンボに向け出帆の豫定に有之先づは不取敢御禮旁々御報知まで。申上げ度き事數多く有之候へ共何れ後便にて

（五月卅日）

北米西沿岸諸港を訪れて

——同縣人と夜を徹して語る——

軍艦古鷹　機關中尉　德田德男

謹啓酷暑愈々激しく候折柄貴會の御奮鬪振り目覺しく誠に邦家の爲大賀此上なく存じ候。

兼ねてより貴協會の事に就ては種々御話を承り、其の社會的に有意義なる御事業に對して蔭ながら嬉しく感じ居る次第に有之候。

小生昨年中は特務艦「神威」乘組として北米に航行する事數回其間桑港、シャトル、ロスアンゼルス、等に遊び彼の地に於ても多數の縣人と相會し、招待會等に招かれて夜を徹して相語るの好機を得親しく加州に於ける日本人の發展振りを觀、且つ其子女敎育を見學して歸り申し候。

殊にシャトルに於ては尾羽澤義胤、中曾根武平、伊藤捷隆の諸氏と相會し種々彼地の狀況等を承り信濃海外協會の使命の重且大なるを痛感致し次第にて御座候。

昨年末小生「古鷹乘組」を命ぜられ唯今は第二艦隊にて戰技訓練作業に熱中致し居り候。

本年中は米國へ赴く機會も無之事と存ぜられ其點甚しく遺憾に覺え申し候

諸賢の御壯健と御奮鬪とを祈り上候。

七月十五日　敬白

海外通信

比島又樂園

在ダバオ　丸山竹次郎

拝啓、貴社益々御清祥、邦家のため御奮闘奉賀候毎々貴誌を通し幾分なりとも内外の情勢を知り得る事喜び居り候。小生等余りに母國に對し御無沙汰勝ちにて今更ながら汗顔の至りに御座候、幸ひ一同頗る健在にて活動致し居り候間御無沙汰中は別に何等支障も無之き事と御召して御安心相成度候。當地にも近く貴會支部の如き設立も見らるる事と存じ候へ共今回當ミンタル區内在留者九名相語ひ僅少ながら正金銀行經由にて御送金仕り候間講讀料の一端に御加へ下さらば幸甚の至りに御座候。

當地在留縣人も着々成功の域に進み居るは既に十指を數ふる到り申し候。しかも當地は母國より海上僅かに二週間を要せざる南方に有之、かゝる邦人の發展好適地あるに、母國一般に知れ居らざるは最も遺憾に存じ居り候。

出來得べくは一回御視察にお出掛け被下可然邦人の發展活動方策につき御研究の上、御宣傳方御依賴申上候先づは貴社御一同の御壯健御發展を遠き椰子樹蔭の樂園より祈り申上候。

追て左記當ミンタル在留縣人九名の氏名申上候。

内山寛次郎殿　青柳喜美人殿　瀧澤貞雄殿
佐々木信次殿　福田義雄殿　村澤青砥殿
別府健三郎殿　瀧澤與市殿　丸山竹次郎殿

(六月十五日)

御送金御一報まで

メキシコ市　長淵鐘六

拝啓　故鄕信濃路は青葉に包まれ木曾谷はつゝじの花見事なる頃に存じ候

本日神戸の野澤商會を經由、左記人々の會費を取纏め御送金申上候間御査收相成度候。當地は縣人散在致しその連絡も極めて不徹底勝ちに御座候間大方在留諸賢各位の協力を相俟つて漸次貴會支部の設立も取運び申すべくと存じ候。

過日は當地に熊本海外協會理事中島氏來訪同縣人は大々的の歡迎等模樣致し樣子に御座候

先づは取急ぎ御一報まで益々御發展祈申上候

四円廿錢也　墨都　木瀬武雄殿
四円廿錢也　墨都　太田菊次郎殿

四円廿錢也　墨都　藤澤寅翁殿
四円廿錢也　墨都　小松準殿
四円廿錢也　墨都　酒井淺次殿
五円拾錢也　墨都　長淵鐘六殿

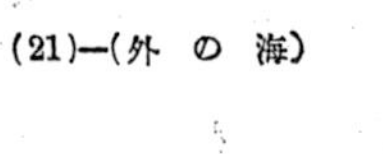

(五月卅日)

健康乞御放念

スマトラにて　宮下琢磨

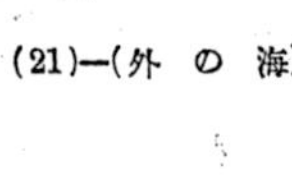

拝啓　北部スマトラ、馬來、シャムの一部視察、去る十三日無事當チュロップ(スマトラ嶋バレンバン洲)に着仕候。當地は標高六百メートル熱帶圈内と思へぬ程の涼しさにて日中最高八十三度、朝夕は母國の涼秋十月頃の氣分に候。土地肥沃清水縱橫に綠蔭を流れ樹木欝蒼として百花燎亂眞に常世の國と可申候。只今寫眞の三笠農園に滯在中に候。幸に健康、乞御放念。

(戊辰六月十八日)

諏訪中學校長

板倉氏の世界一週

——教育視察を目的に——

先きに本縣から小學校長級の平野小學校長兩角喜重氏を海外邦人教育視察のため派遣したが今回中學校長級の歐米教育視察をかねて南北米の邦人教育を調査せしめるため諏訪中學校長板倉操平氏を派遣する事になり同氏は一切の旅裝を整ひ、郵船香取丸に便乘渡歐する事になつた。同氏の歐米旅行豫定は大体左の通りで明年四月頃歸朝の筈である。尙香取丸には前長野中學校長(上水内郡若槻村出身)現台灣視學官若槻道隆氏も歐米教育視察を命じられて同船する事になつた筈である。

視察日程

七月十九日神戸出帆(香取丸)　八月廿八日佛國マルセイユ着
九月　佛國滯在　十月　英國滯在
十一月　英國滯在　十二月獨乙、丁抹、瑞西。伊太利
四年一月英國ヨリ乘船南米へ　二月　ブラジル國滯在
三月　北米合衆國　四月　歸國

日本から麻耕地に入るまで

遠くはない比島への航海
ダバオ麻山の状況

在ダバオ　I・U生

横濱から神戸まで

第一日(三月九日)　横濱出帆　丹後丸乘船比島行十一名に神戸迄の者七名。船は三崎の燈台を右廻して波靜か、夜中雨となる。

第二日(三月十日)　午前八時名古屋港入港荷物の積載をすまして正午出帆、雨尙やまず出港二時間にして船の動搖激しくなり夕食をとる者なし。

第三日(三月十一日)　起れば潮岬をすぎて早や紀淡の海峽に入り雨やみて波靜か午前八時神戸港岩壁につく上陸して神戸市街を見物、夜船に戻る。

第四日(三月十二日)　今日は貴操に友人より案内さる。船は十四日出帆なのでユックリ遊ぶ

第五日(三月十三日)　大阪行き夕方船に戻る

神戸から長崎まで

航海第一日(第六日—三月十四日)　出帆日とあつて早起きす、午前十一時出帆なので十時頃市中から買物して歸船。横濱では十數人の見送りでテープも極めて少なくホンの數條であつたが神戸では乘船客も多いかはりに見送人も夥しく赤青紫黃等のテープで綺麗に飾りとなり豫定の出帆時刻がおくれて午後一時無事出帆瀬戸内海の風光を賞しつゝ陽春餘寒を浴びる。

航海第二日(第七日—三月十五日)　神戸門司間二四〇浬を航行して更に門司長崎間一五五浬を續行し、暮色暗い感じの長崎港に入る。

航海第三日(第八日—三月十六日)　横濱は北米航路に出る商船の中心であるが長崎は南米方面への渡航者が多い。吾等の船には横濱で十一名、神戸で六十七名、長崎では百數十名の乘船者があつて大部分が比島ダバオ行マニラも少數あつた木曜島行もあつて滿員となる。午後三時出帆、いよ〳〵母國最後の決別である。

長崎から香港まで

航海第四日(第九日—三月十七日)　信州から長崎まで來ると流石に暖かい。しかも船は南へ南へと進むので一枚づゝ薄着になる大勢の船客がデッキで遊ぶ、天氣晴朗波靜か。

航海第五日(第十日—三月十八日)　今日も天氣よく波靜穩かにして暖かく朝早くよりデッキに遊歩す、外人も混つて輪投げ、卓球、デッキビリヤード等の船中運動に熱中す、帆をかけた漁船を遠見して支那沿岸に近づくを知る。

航海第六日(第十一日—三月十九日)　台灣海峽を航行中は船舶往來激しく恰かも陸上の市街大道と異ならず特に日本船舶の日本指して行くを見る。明朝は早や香港入り航海は頗る平穩。

航海第七日(第十二日—三月廿日)　長崎より一〇八四浬を航行して午前八時對岸の九龍棧橋につく、港内は支那船と英國商船で一ぱい諸外國の船舶も多くして文字通りの自由港、裸足の苦力が船着場に集中して居る貨物の積下し積込みで大混雜、小蒸汽船をかいして香港の市街に出る市街の莊嚴整頓、清潔建築物の高層、店頭の裝飾に一驚して公園に行けば設備又整ひ清潔行き屆き英人の活動振りに感服するばかりである市中は英人紳士英國軍人の往來特に目にあたり支那人日本人の極めて貧弱なるを感じた。

香港からダバオまで

航海第八日(第十三日—三月廿一日)　午前十一時出帆、出帆前人員點呼ある。港外に出ると波荒れた船酔せず。夜かつて郵船南米航路に從事せる船員より南米渡航の悲觀說をきいた。南米に行く費用があつたなら日本でその積りで事業をした方が有利だとの話。

航海第九日(第十四日—三月廿二日)　愈々暑くなつて船員は白服に着替へ船室には扇風器を取りつけ一等船室はプール水浴、デッキには天幕を被ふた。明日はマニラ入港の豫定。

航海第十日(第十五日—三月廿三日)　明くれば船はルソン島に近づき沿岸には熱帶の植物繁茂してゐるマニラ灣に入つて米國軍艦飛行機等米領の感を深くす。檢疫上陸の檢査あつて午後四時に棧橋につく。マニラは人口約四十萬市内を一巡して歸船。ロシヤ歌劇團邦人二十名程下船

航海第十一日(第十六日—三月廿四日)　午前十一時マニラを出帆ダバオに向ふ。益々暑くなる

航海第十二日(第十七日—三月廿五日)　比律賓群島の島々を縫ふて南下す進むにつれて暑くなるが流石は外國人裸身にもならず暑かりもせず

航海第十三日(第十八日—三月廿六日)　今日の航行は油を流したる樣靜かにて船員も驚いてゐた明日は懸々憧れの比島ダバオに上陸、夜酒盛りをして航海無事を感謝すロシヤ歌劇團の豫洲行きが混つて大賑い。

航海十四日(第十九日—三月廿七日)　午前五時頃ダバオ港着、ダバオ日本人會から世話にくる事になる。出迎への人、宿引き人で船や棧橋が大混雜、船では日本人運轉手の自動車に乘る樣との話であつたがさて棧橋を渡つて見ると見當らず比人自動車を馳つてミンダナオホテルに行く。ダバオの街には高層なる建築物なく屋根は大概トタン葺き道路は廣くないか一直線に棋面の目の如く道路網がなつてゐるやうである。

旅館主を介して麻山就勞を即日契約。

麻山の六日間

在比第一日(三月廿八日)　暑くて眠られず、朝食後税關に行く比島官吏の學術試驗をうける。

「アナタハイマナニヲシテイマスカ」

「ハヤクカヘッテクダサイ」

終つて荷物の税關檢査を受け日本人會に行つて入會費を納める。更らに市役所に行つて人頭税を納付、比島入國者となる。

在比第二日(三月廿九日)　午前十時耕地案内人に伴はれて自動車に乘る。川を渉つて原野の樣な土地、麻の耕地、椰子の畑のよく生育せる繁茂振りを見て起伏曲線の道路を走り伐採燒拂ひ等の新開地を經て二時間にして目的地に着く、與へられた住家は二間に六間の二階建タトン屋根雨水をタンクに蓄へ使用水となるやうになつてゐる。邦人五人比人一人の勞働者が同居する事になる。炊事は交代に共同生活になるのだ。

在比第三日(三月卅日)　吾等は五時に起床、朝食をすまして六時に畑に出る。九尺をへだて、植へてある麻畑の除草、大木の燒木あり大石あり雜草もあり日中も暑くて除草作業も左程らくにあらず、仕事も不馴なれば疲勞甚しく午後は洗濯等をして休む事にした。

在比第四日(三月卅一日)　仕事は不慣、氣候も不慣、土地事情にも不慣しかも自分は農業勞働の經驗は幼少の時、先づ當地の麻山作業も相當困難であるを知つた。更らに日常の生活は粗衣粗食、粗末な住宅に住み何等の慰安施設もなくて新移民の最初三ケ月間は食料雇主持ちに二十圓、四ケ月より六ケ月までは二十五圓位なものであるから悲觀材料は山の程、多くの渡航者が又同し船で歸國するのである。

在比第五日(四月一日)　日曜日附近耕地に同船者を訪れる。

在比第六日(四月二日)　此の耕地は十町歩一萬本の麻が植付けてある。日中の除草は流石に苦しい額の汗が目に滲み頰を流れて忽ち全身は汗ダク〳〵である。晝食後は二時間の休み。

樂園ダバオの
邦人就業狀態

比島ダバオを中心として同地特產物として自他共に許すものはマニラ麻である。現在ダバオ邦人は昨年十月現在七千名一ケ年に約二千名近くの移民が渡航すると云ふ盛況振であるがその全部が此のマニラ麻耕地に就業するのである。

マニラ麻は一町步に千株位を標準して苗を正條に植えつける。植付後は雜草を生ぜざる樣除草を行ひ、十八箇月目位から五箇月毎に一株より二本乃至四本の莖を收穫するのである。一人で三町步位の經營が出來、小作の場合は一町步二十ピクル（一ピクルは十六貫）の生產があり一ピクル二十ペソ（一ペソ約邦貨一圓）として三町步一千二百ペソの收入を得、一割の小作料を支拂ふて一千ペソ內外の純益を得られる事になる。

又自作は四人組位で出來上つた麻山十八町步を一株五十仙位で買い取り十ケ年間共同經營するので一ケ年平均一人當純益一千三百圓位の收入を得られる。

其の他處女林から開墾して麻苗を植つけて自作經營する方法もあつてこれは在比相當の經驗を有する者でなければ難しい仕事であるとされてゐる。

以上は麻山に對する殆んど常識にもならぬ概說であるが右の多く麻山の小作乃至自作せんとする者は相當の資本と經驗とを有し、在比數年後初めて試みられる仕事であつて、やはり裸一貫若しくは呼寄せ等によつて初めて渡航するものは此等小作若くは自作經營者の麻耕地に勞働者となつて日給乃至は月給の制度によつて就勞するのである。

今賃銀勞働に就て述べんに、耕地勞働者となつて一番收入の多いのは麻挽方である。然しこれは麻挽の經驗を要する。その遣り方は普通、（一）麻株と麻挽機械は無料で會社から提供する。（二）麻株の切り倒し及びタクシの運搬は會社でやる。（三）請負者は三人一組となる。卽ち挽手一人、タクセロ二人、（四）請負條件は請負者と會社で折半する。昨今は勞力不足につき請負者六分、會社四分である。（五）請負者收入は一箇月三十ピクル挽出したとして麻相塲一ピクル三十ペソに換算すると、請負者一組の收得高は五百四十ペソである。

この中から諸費を除き利益が四百五十ペソで一人當り百五十ペソの收入となる。生活費は極めて安く、一人二十ペソで充分である。

タクセロ　この仕事も相當の經驗と熟練を要する。これは會社の直營の場合はタクシを作る仕事でその出來高拂である。普通月收八十ペソ位である。

除草請負　誰でも出來る仕事で、新來の移民がやつてゐる。普通千株について二十ペソから三十ペソ、一箇月の能率二千株乃至三千株であるから月收七十五ペソ位にはなる。

麻挽　會社直營麻挽工塲或は小作人に雇はれ、麻挽を爲し、挽出分量によつて賃銀を受けるもので一日挽出平均一ピクルこの賃銀三ペソ、一箇月二十五日勞働す

る事にして月收七十五ペソ內外である。

日給勞働　除草其他の雜役に雇はれるもので日給一ペソ五十仙から二ペソ位である。

月給勞働　牛馬引きが四十ペソ位（雇主食事持）麻仕分六十ペソ位（雇は食事持）である。

右の如く麻山に關する就勞は種々あるが右に述べた如くに雇主が新米の移民に初めから相當の賃銀を支拂ふ事は到底出來ぬのである。卽ち右の賃銀は一人前として能力を發揮し得たる場合の事で土地の事情に通ぜず仕事に馴れぬ新移民にはその四五割減とみて差支へなく、又新移民はそれを甘受して受け馴れぬ仕事に苦痛を訴へたり、短日の經驗を以てみだりに將來の方針を悲觀的に考へて、自身の努力の足らざるを忘れ不平を愼しまねばならぬのである。

今日ダバオに於いて相當の成績を擧げてゐる麻山經營者は皆此の難關を突破して來た者である。多くの青年が書籍や話によつてそのよい處ばかりを聞き込んで渡航さへすれば皆相當の成績をあげ得るものして來る事は大いに愼しまねばならぬ事柄である。事實ダバオへ毎月每船渡航者は二百近くあるもその二三割が十數日にして旗を卷いて歸國するそうであるがこれは右の如き事柄にもとづくものである。

しかのみならず斯くの如き海外發展の劣敗者が歸國して口を開けば悲觀材料のみを述べて自己の劣敗談を平然と語り海外にあつて相當の成績をあげてゐる者までにもよからぬ事を述べて往々海外發展希望青年をして座折せしめる事が多いのである。

最近「海外へ」と云へばブラジルのみの樣にブラジル宣傳が盛んであるがブラジルは我が國より一萬二千浬もはなれ五十日も航海を要するのみならず尠からざる渡航費を用意せねばならぬのであるが比嶋はこれとくらぶれば航行は僅か二週日を費せず渡航費も六七十圓にてすむ極く手輕な所であるから比嶋も決して吾人の見逃がすべからざる天地である。

特に南洋方面一帶は我國策の將來から云ふても重要なる地理的關係にあり同地方土着人の對日感情はこれを滿州支那或ひは南北米とくらぶれば雲泥の相違で極めて親日的態度である事は非常に好都合なる關係にある。尙これを具体的に云なれば比島は米領で比嶋人は機會ある每に政治的改革を企圖して米國の羈絆を離脫せんとしてゐる。然し比嶋の米國態度は極めて壓迫的であり自治制政治改革は尙前途遼遠で比嶋人はその反動的感情から日本人と非常に親み或ひは人種的關係からも日本人と親交を深からしめんと努力してゐる向きが濃厚で、日本人の渡來を歡迎してゐる。

最後に信州人の活動狀態は大正八九年の受難時代を通つて大正十二三年頃より順調に進み昨年頃より迎妻その他一時歸國の者多くなつて來て比嶋の正確に理解をせられるに到り比島への希望青年が增加してゐる狀態であるから今後は在比信州人と連絡をとつて大いに發展すべきである。

移住地閑話（七）

在アリアンサ　武田三三

卅七、人口食糧問題

國を擧げて人口を論じ食糧を說き、今にも食物が無くなりさうな際だらけの今日に當つて最多く食糧に關係ある吾等百姓が、一つ論判を試みるのも間違ではあるまいと思ふ。凡そ人口食糧問題は明治の末から大正に掛けて、十餘年の間に發生したものゝ樣であるが其以前には問題が無かつた次第であらうか、問題は無くとも事實があつたものであらうか、竊に幕時代の稗史小說を見るに、諸式高直で誠に困ると書いて居る。更に千年程前の貧乏人が自分の子供を十三文何かで他人に賣渡した證文が發見せれて居る、して見れば貧乏人は何れの世にも種切れに爲つた事は無く何時でも諸式は高直で人口は過剩であつたものと見ゆる。更に又戰國時代なるものは要するに食糧の爭奪であつたものであるから、人口食糧問題は何も昨今の問題では無く、開闢以來の問題であらう。昨今の學者の申さるゝには、日本本土の人口は三千萬を以て限度とするから、これ以上である限り解決は出來ぬとある。さすれば餘分の三千萬人を早速處分せなければならぬ次第であるが、吾等の如きは此三千萬の處分組に入られるであらうか、イヤ百姓は大切であるから御勘辨になるかも知れぬ。德川時代には人工調節に依て約三千萬內外の人口を維持して居つたそうであるが、先般人口會議に於て議決せられた優生學的處理を以てするとしても、世界一の優生國和蘭の如きは人口增殖率が却て增加して居る始末であるから、中々三千萬には爲るまいと思はれる。要するに人口學者何某博士の發明せられた人口曲線の頂點に達するは、調節などはしてもせなくてもドシ〳〵殖へるものと見て食糧を準備せなければ相成らぬ次第であるが、そこで經世家は米を食はずに芋を食へと申され、酒を禁ずれば一年十億の金が殘ると申され、汽船業家の山下氏は航海さへも奬勵すればサイゴンから運んで來んで來るから食糧などには窮せぬと申され、發明家は發明さへも奬勵すれば人口問題は片附くと申され、工業家は工業立國であると申され、商業家は貿易の振興に在りと申され、農學者は農藝化學の發達に待たなければならぬと申され、化學製造家は窒素工業に據らなければならぬと申され、百貨店は自分の店から買ひさへすれば食糧の不足は無いと申し、富山の万金丹は賣藥立國の請願を出す、イヤハヤ玆に至つて田吾作目が眩んで人事不省と相成つた。

建部博士は世界の人口包容力は百億であつて今後百七十年にして此限度に達すると豫言せらて吾等を嚇かされて居るが、考へて見れば吾等は百七十年も生きて居らぬから大丈夫である。兎に角今の人口食糧問題の解釋なるものは、人間の生活狀態が現在の儘であるものとして、人口と食糧の數字の變化のみを考察するのであるから、結果は皆解決難に達す

る。社會は有機体其儘であるかどうかは知らぬが有機的に變化發達して居り、人間の肉体は無論有機体であるから巧妙な調節作用をもつて居り、有機無機の天產物は到る處に存在して居る。石炭の欠乏は燃料學者から見れば一種以上の大問題であるが、千年以前の祖先はそんな事は夢にも心配せず、却て裏山の薪が無くなつたら子孫が困るであらうと思つたに違ない。志賀博士は石油の心配で一生を終られたが、百年以前には石油などを顧みるものは無かつたらう。德川幕府の政策は當然變化發達すべき有機的社會を、現狀の儘で維持し樣としたのであるから、維新の革命を喰つたのである。思ふに本邦人口の增殖は當然の變化發達であつて下手に調節などは出來るものではあるまい。而して之に處するの道は自ら存して居る次第で、そうワイ〳〵言つたものではあるまいと思ふ。イヤワイ〳〵言ふから變化發達するのかも知れぬ、玆に到つて經世家、海運業者、農學者、發明家、工業家、商業家、化學製造業者、百貨店より萬金丹に達する迄皆相倚り相扶けて初めて解決に達する譯で、田吾作の人事不省も自然恢復する次第である。科學的に一局部だけを考察するから人事不省に陷るのであつて、之は田吾作の無學よりは寧科學の罪であらう。

鑑つて日本の人口問題は、社會自然の變化發達に依り、五十年後の吾等子孫によつて[illegible]せらるべしとするも、澎湃たる世界の人口增加に因つて人間が地球の外に放り出される心配はあるまいかと言ふに、之も田吾作の杞憂であると思ふ。何となれば天地に順應せぬものは世界に存在を許さぬのが自然の法則であるから地球の外にはみ出す迄人間が增加する事は斷じて無いものと信じて宜しからうと思ふ。科學的統計にはならぬが、支那の如きは何時聞いて見ても四億であるが、其實三億位であらうとの話、エキスモーやアイヌは減る一方であり、フランスは人口曲線の頂點を通過して增減なき時代に入り、現今途方も無く殖へるのは日本と米國位であつて、是等も遠からず峠に達するであらう。斯の如くにして人口問題は片附き、米は山下氏に運んで貰ふ事にして置いて、偖一寸困るのは六な金も無い癖に物價の高い事である。米國の富力は日本の約七倍、國民一人の年收は三千五百圓であるが、物價は日本の七倍はして居らぬ。却て安直の生活が出來る樣にも見ゆる。吾等貧民は百七十年後に地球の外にはみ出す心配よりも、現在の諸式高直の方が苦痛であるから、人口食糧會議の外に一つ物價會議を設けて生活費を安くする方法を講じた方が早道で無いかとも思はれる。尤も物價も自然の法則に從つて有機的に變化するから、放つて置いても良いかも知れぬ。現にブラジルの邦人植民地に於ける日本品の物價の如きは高き驚歎に値するに拘らず、移住者は平氣で買つて居るのはツマリ金が有る結果に外ならぬ。

人道の上より經世濟民を論ずれば無論不都合千萬の話で、途中で暴利を食つて居る奴あるに違無いと思ふが、經世濟民も[illegible]往々にして自然の法則に負ける事が多く「安くせよ」の代りに「買ふから高く賣る」の經濟學の方が幅をきかせて居るから困る。經濟は夫れ自身經世濟民の略語であると心得て居つた所、これは天保時代の心得方であつて、經濟學と申すは一つの科學で經世濟民とは關係が無い樣でもある。玆に於て一面科學を呪ひ度くもあるが、一面自然の法則に反する暴利漢の如きはドーセ遠からず社會の外に放り出されるが自然の法則であるから、これ亦自然の法則に一任して置いても差支あるまい。偖何もかも自然の法則一點張りで解決したが國民一般が果して滿足するや否やは大に疑問である滿足すると否とに拘らず自然の法則を

說する事が出來ぬのであるから、之を信仰すると言ふ結論に歸着する。唯一の科學的自然法則はニュートンの萬有引力の法則であつて宇宙の萬物皆此法則に支配せられて居る事になつて居る。之に基いて作らるゝ日本の暦は一年毎に改行せられて居るが、英國天文臺の暦は四年間の暦日を改行して居る。而して天體運行の現象に一秒の差異も無いのであるから、正確至極のものとして信仰して宜からうと思ふが、最近アインスタインの法則が出來て之に較べるとニュートンの法則が、少し間違つて居るとの事でもあるが、何しろ四年間を豫測して一秒や半秒間違があつたからと言つて大して爭ふ程の事も無からう。ニュートンの法則は數字を以て表はし得るが、人間社會を支配する自然の法則は數字では一寸表はせぬから、昨今の科學萬能教育を受けた人間共が笑ふかも知れぬが、數字や物的證據が無いからと言つて笑つてはならぬ。昔丙吉と申さる宰相は牛の喘ぐのを見て、陰陽其調を得ざるに責任を感じて居り、二十四孝の筍子は雪の中から生へて居り、子供を捨て樣として金の釜を掘り出したのは支那の傳說であるが、日本では孝老の瀧から酒が出て居る。今の總理大臣は牛の喘ぎなどに對して無論責任を負はぬのは當然とするも、物的證據が無ければ人を殺しても無罪となり、金を借りて返さなくても何の制裁もなく、困るのは貸した人だけだと言ふ法律は、佛蘭西法か英吉利法かは知らぬが誰が聞いても不自然其物であつて、世が亂れ人が窮するのは當然であらう。昨今陪審法が出來て來たのは則自然法の命ずる所であり、二十四孝の筍子や金の釜や孝老の酒やらは、科學的に見た人は無いが常識ある陪審官は須く是認して良からうと思ふ。依つて思ふに人口問題も食糧問題も物的處理では片付かぬ、補助をやるから毎年一萬五千人宛ブラジルに移住せよ、九億の豫算を以て三十年間に六百萬人を北海道に移住せしめ、事は則ち可なりと雖これで人口問題も食糧問題も解決しては居るまい。要は道德の問題である。

先づ法律と教育の規準を道德と一致せしめ自然の法則に對する信仰を變成する事を得たならば凡百の問題は一時に解決するであらうと信ずる。(續く)

伯國パラ州政府から

好意的の督促來る

ブラジル國パラ州政府の無償提供にかゝるアカラ川兩岸地方のおよそ百万町歩の開拓を目的とする南米拓殖會社設立の件につき、その後同州政府より外務省を通じ會社側にこれが實現を促進せられたき旨再三督促し

一、開拓地の所有權讓渡
二、稅金の緩和
三、移民宿泊所の無代提供
四、河川沿岸航行權の許與

など頗る厚意條件を提供して來たので同會社においても重役會議の結果、先方の希望を加味した最後の協定案を作製し、パラ州の利權法に基き直接ボレンの土地局と交渉をなす必要を認め、神原八郎氏を首席代表としてボレン市に派遣することになり一行は來る十月中旬即ちパラ洲議會の會期中までに同地に赴く豫定である。しかして先方の希望條件は現在フォード會社が同地で經營してをる同樣の形式で彼の地に名義上ブラジル國籍の小會社を設立に種々の特權を與へるといふにあると

海外邦人六十四万

一ケ年の増加三万六千人

外務省發表による我が邦人の海外各地に在留する數は昨年十月現在において六十四萬九十九人で一昨年より過去一ケ年における増加は三萬六千百六十三名である。今在留別男女別によつて示せば左の如くである。

在留地別	男	女	計	大正十五年十月現在	對前年増加
英領加奈太	一二、八九四	八、二六一	二一、一五五	一九、八八五	一、二七〇
北米合衆國(布哇ヲ除ク)	八八、一五三	五二、五五六	一四〇、七〇九	一三三、六〇五	七、一〇四
布哇	七〇、五五三	五八、八一四	一二九、三六七	一二七、九五一	一、四一六
墨西哥國	二、九七七	一、五五三	四、五三〇	四、〇一八	五一二
巴奈馬及玖馬	七九四	一六四	九五八	九〇二	五六
伯剌西爾國	三六、九九六	二八、一九三	六五、一八九	五五、四八一	九、七〇八
秘露國	一〇、二四一	四、九六六	一五、二〇七	一一、七八六	三、四二一
亞爾然丁國	二、三五二	七〇四	三、〇五六	二、七二一	三三五
南亞米利加(伯國秘露亞國ヲ除ク)	一、〇一三	二一八	一、二三一	一、三二六	減 九五
比律賓群島及グアム島	九、〇九九	二、一八九	一一、二八八	一〇、一二四	一、一六四
英領海峡植民地馬來諸邦英領ボルネオ	四、五六七	三、六二二	八、一八九	七、六一八	五七一
蘭領東印度	二、九〇三	一、六一一	四、五一四	四、五三三	減 一九
南亞細亞	七、五一八	四、五八三	一二、一〇一	一〇、九四八	一、一五三
太平洋(南洋諸島ヲ含ム)州	三、三五一	三一九	三、六七〇	三、七五二	減 八二
支那(滿州ヲ除ク)	二七、九三〇	二三、七六八	五一、六九八	四八、九二一	二、七七七
滿州(關東州ヲ含ム)	一〇二、七〇五	九六、〇三〇	一九八、七三五	一九一、六五六	七、〇七九
極東露領	一、一八九	三一一	一、五〇〇	一、三八六	一一四
歐羅巴州(西比利亞及北樺太)	二、五九五	五七五	三、一七〇	三、三六〇	減 一九〇
阿弗利加州	五〇	三五	八五	七六	九
合計	三六七、八一〇	二六八、四五三	六三六、二六三	六〇〇、〇九九	三六、一六四

尚最近十ケ年間の海外在留比較を示せば左の如く、大正十二年の極東露領及支那內地の減少による激減を除けば毎年増加の形勢にあり平均一ケ年二萬二千五百四十人宛の増加數を示してゐる

年別	在留人口	對前年増加人口
大正七年	四九三、七五五	四二、九八一
同 八年	五三三、七九一	四〇、〇三六
同 九年	五四一、七八四	七、九九三
同 十年	五六八、一〇一	二六、三一七
同 十一年	五九〇、〇二四	二一、九二三
同 十二年	五八一、六五〇	減 八、三七四
同 十三年	五九四、六一一	一二、九六一
同 十四年	六一八、四二九	二三、八一八
同 十五年	六四〇、〇九九	二一、六七〇
昭和二年	六七六、二六二	三六、一六三

母國時事日誌

(前號第七十三號より續き)

六月廿三日 節子姫は歸朝後もつぱら日本趣味にたしなみされる由▲在米上山草人の一子竹次郎(十一)が上山二世として弘前市東奥義塾長の手で教育せられる▲國民保健の見地から制定された花柳病豫防法は九月から施行される

廿四日 名古屋鶴舞公園に故加藤高明伯の銅像建立▲朝鮮國境警備の師團增設來年度豫算に計上される說に各方面反對▲豪雨全國を襲つて各地被害廣島縣は最も甚しく四十一戶流失された

廿五日 ノビレ少將の一行スエーデン救援隊に救助された旨入電▲北京における各政治機關は國民政府の手に移さる▲警察部長會議に御大典警備に萬全を期せと望月內相訓示▲來朝中のハワイ生れ邦人學生團田中首相招待

廿六日 國際聯明第九回總會に我政府代表に藤村男を差遣右は總會に支那問題が議題となる場合に日本の立場を十分說明し得る人を送りたいといふので藤村男を選んだので各方面好評▲碎氷船を集めてアムゼン翁の救助に盡力▲南京政府相手に外交戰の幕開かる

廿七日 樞府の治安動令案は陛下親臨の下に會議に入り七時間の大激論遂に審議未了▲シャム公使信任狀捧呈

廿八日 前日に引續く治安勅令案は贊否激論の結果反對五名で通過▲ニューヨークのダンス競爭で四百時間踊り續けて未た經續中▲大分縣玖珠郡北山田村で豪雨に山が崩れて三十餘名慘死

廿九日 激論された治安維持法改正法律は本日施行さる▲山アルプス一帶にキャムピング全盛▲銀行の土曜半休は七月十日から實施▲尾上松助舞台けいこ中卒倒今夏一杯は絕對安靜

卅日 御大典にあたり畏き邊りにおかせられては數へ年八十才以上の高齡者に養老杯と酒肴料金一封を賜はるはずで各府縣植民地長官在外領事等に依賴して調査中であるがその概數は約三十萬人と云はれてゐる

七月一日 節子姫は母君信子夫人に伴はれ青山御所に參殿し皇太后陛下に拜謁仰付られ節子姫の成人にお滿悅あらせらる▲紐育のダンス競爭に禁止命令二十日間踊り續けたのは九組▲山東及北支派遣軍逐次減兵撤退▲墨國次期大統領オブレゴン當選來る十二月就任

二日 大平洋横斷飛行航續能力で絕望的となる▲赤化防止の新機關新陣成る▲思想善導帝大新

昨年の英國移民界

九萬七千名の移民發展振

昨一九二七年に於ける英本國移民界の趨勢は次記の通りで洋外移出民は十五萬三千五百五名、同歸國移民は五萬五千七百十五名、差引純移出民(即ち移出民數超加)は九萬七千七百九十名となり前年に比し一萬五千五百三十八名の減少となつた。

年次	移出民數	歸國移民數	移出民數超過
一九二〇年	二八五、一〇二	八六、〇五五	一九九、〇四七
一九二一年	一九九、二〇七	七一、三九七	一二七、八一〇
一九二二年	一七四、〇九六	六八、〇五六	一〇六、〇四〇
一九二三年	二五六、二八四	五七、六〇六	一九八、六七八
一九二四年	一五五、三七四	六四、一一二	九一、二六二
一九二五年	一四〇、五九四	五六、三三五	八四、二五九
一九二六年	一六六、六〇一	五一、〇四三	一一五、五五八
一九二七年	一五三、五〇五	五五、七一五	九七、七九〇

自治的化されて行く

蘭領東印度の政治改革

(海與移民地事情)

和蘭本國の生命とするスマトラ、ジャバ、ボルネオ、セレベス等の所謂蘭領東印度は人口約五千萬にして內四千九百萬は土人であるが和蘭本國政府は從來蘭領東印度議會議員の組織について蘭國人三十名土人廿五名其の他五名(支那人等)計六十名の議員を選出せしめてゐたが同地方統治上土人の政治的自覺漸次促進せるため往々紛擾の因となり現行組織の不信任制度益々抗擊せらるるので今回本國政府は組織改正案を本國議會に提出する事について蘭領東印度は漸次土着人による自治的組織に變更せられ植民地統治上見逃がすべらざる改革が行はれんとしてゐる。即ち改正案は同議會一九二三年修正案に基づく議員比率によつて蘭國人十五名土人二十名其他三名を選擧せしむとする現行法とは全く逆轉の形にある改革案である尤も右の議會組織改正案は一九三一年より實施せるもので最近南洋の邦人發展の研究若くは重視せられる折柄その成行が注目せられてる。

講座に百五十萬圓計上

三日 アムンゼン氏は遂に死体となつて發見かして三人目に犯行露見された▲肥料工業助成を加味して肥料管理案改案成る

今尙捜査續行▲一戰して天下の半ばを占め再戰して全支を統一して蔣氏は熱狂的歡迎の中に北京に入京▲特高警察機關充實に伴ひ地方官大異動▲松平大使の歡迎會日米協會で盛會

四日 三師團豫後備に近く歸還命令▲登山時期に入つて各山々は人の山▲明年度豫算概算新規要求額は三億圓の巨額に達する見込みである

五日 北海道帝大國文學部新設▲明年度豫算は十七億圓以內で切りつめると三土藏相語る▲東三省政治分會首席に國民政府から張學良に任命

六日 ローマからブラジル國リオグランデノルテ州ナタールに一擧飛行した伊太利フエラリン機は更らに亞國に飛翔▲松井駐英大使勇退に伴ふ異動は松平恒雄氏の駐英出淵次官の駐米と決定▲國民政府は不平等條約改訂を宣言

七日 人買の手に誘惑され五年振りで小笠原諸島母島から歸つた少年があつた▲全國五百ケ所に小兒保健所を設ける豫算を來年度に要求▲拓殖省設置準備委員會で官制決る

八日 布哇で米人十一名が佛敎に歸依した內四名は婦人▲萬引看視の刑事が上野の松坂屋で萬引▲芥川龍之介自殺の一周忌年は八月一日

九日 第三師團所屬部隊六千名歸還▲殘酷正視に堪へぬ赤坊殺しは生れるとすぐ肥後守で殺害

十日 最近刑務所在監中の因人が外界の名士に泣き言の手紙を出して金品を巧みに卷上げてゐる脫法行爲が行はれ檢事局でも手を燒いてゐる▲スパ拔けてモダンな數寄屋橋出來上る

十一日 來る二十日を以て日支條約は締結滿期が到來するので國民政府の態度に我外務當局は頗る緊張▲本誌前號所報の北米シャトル在住日本兒童の慈母メーハン女史本日上陸▲本月二十日頃開館の在加奈陀日本公使は富井總領事代理

十二日 米國の世界一週早回り機は廿三日で一週する新記錄を作るべく紐育出發後十二日目で無事奉天から立川へ飛來した▲素晴らしい前景氣を受けたロシヤ行の左團次は一日を早めて本日東京歸發▲スポーツを中心に倫敦で日英交歡

十三日 秩父宮と節子姫と正式の御對顏▲日墺旅券查證相互廢止發表九月一日より實行▲產兒制限を人口問題の解決として提唱すべきや否やと產兒制限の是非を論議▲代議士は勅任官級議長は大臣級以下道府縣市町村會議員優遇案具体化

十五日 北加でキャムプ生活の邦人學生に排日白人發砲の亂暴を敢行▲對米爲替下落して四十六弗丁度▲現政府の產業道路開設一億八千万圓

亞國邦人の

天長節祝賀式

今上陛下第二拾八回の御生誕の佳き日の祝賀式は帝國公使官邸に於て擧行され越田代理公使祝詞、天皇陛下の萬歲を三唱して式を閉ぢた當日の參集したる同胞約七十名に日本小學校全兒童四十八名も列席した。

在亞日本人の

新役員顏振

十六日　習勞農黨反幹部派新黨樹立計畫▲國民政府は今回日英米佛伊に大使を派遣する事に決定

十七日　大平洋横斷飛行に米國より敢行▲日勞民衆兩黨合日問題起る▲奉天派と國民政府妥協進めば滿州事態重大となり我當局愼重

十八日　昨日墨國次期大統領オゴレゴン將軍は暗殺された將軍は七月一日大統領に當選來る十二日一日就任のはずであつた。▲傳へられる所によればオブレゴレ將軍暗殺者は二十六台の青年で漫畫家を裝ひ漫畫を書きその畫を將軍に差出すや否やピストルをて放つ五發の彈丸を浴せせた原因動機については一切不明▲羅府に開かれてる日曜學校大會に米人宣教師が排日文を撒布してゐる

十九日　アムンゼン翁依然として消息絕ゆ▲幣原前外相西園寺公を訪れ時局重要意見開陳▲明日を以て日支現條約滿期と共に當面する邦人の不安各種事業に甚大なる影響

二十日　ハワイの中學野球チーム七月二十日横濱に上陸一行は日本人六人支那三人ハワイ士人四人ールトガル人一人の國際ナームの感じ▲日支條約廢棄の通告文國民政府外交部長王正延から發す新條約締結までは臨時辨法によつて所理▲閣議の結果支那側の通告は拒絕但し改訂交渉には何時でも應ずると

廿一日　條約廢棄を固執するなら已むなく必要手段を講ずと我が回答を國民政府に送る▲全支一帶に排日溺る▲本日安洋丸でペルー國からの歸國した冲繩縣人上京幸一（十三）は兩親の遺骨を携へて來たが土葬したものであるから通關計來ぬと途方にくれる多分內地で火葬に付すはず

廿二日　山東省高密付近で支那南軍との激戰により靜岡聯隊に死者六名負傷者三十余▲帝國政府の滿蒙確保につき張學良氏に警告を發して南方との妥協を阻止▲無產大衆黨華々しく結黨式をあぐ新黨の役員顏振は書記長鈴木茂三郎堆行委員葉山嘉樹大道憲次長山直好岡田宗司諸氏等十八名（二十三日より次號へ）

在外徵兵延期失格者の
特赦をハワイ同胞から請願

海外在留民中やむを得ざる事故のために徵兵猶豫の出願期日を遲らし猶豫特典を失格した　る者多數ありこれ等同情すべ者を今秋の御即位大禮に際し持赦復權の恩典に浴せしむる請願書がハワイ在留民一同の名により帝國總領事館を經て外務陸軍兩主務大臣あて提出される事になつた在留同胞はその實現を切望してゐる

在亞同胞三千余に達する同胞中心機關たる在亞日本人會を組織する役員顏振につき最近着同會發行機關誌によれば左の通り當選發表さられた

會長　田村良雄（辭任により辻氏當選）
副會長　辻才次郎（會長當選により辭任）
幹事　本間鐵雄　副幹事　藤井精四郎
會計　安本東定夫（副會長當選結果辭任）
（谷貞一郎會計に當選）
副會計　府內哲夫
會計監督　田中數好　齋藤彥次　葛西茂樹
理事　十五名

古谷公使引退

南米アルゼンチン國駐在特命全權公使古谷重綱氏は後進に途を開くため引退することとなり豫て辭表提出中のところ十日の閣議においえ依願免本官に決定した

玖馬移入移民
砂糖耕地勞働者が大部分

昨一九二七年玖馬へ八つた移民數は經濟界の大不振にも關らず三萬七千百八十六人に達し其內砂糖黍切勞働者とし大統領令に依つて移民禁止法あるにも不拘移入を許可せられた者一萬九千二百人に達してゐる。數に於ては西班牙人の九千五百六十人が最高である因み同國在留邦人は昨年十月談によれば七百三十七名にして一ケ年に百二名を增加してゐる

信州記事

高田縣會議長失格
遠山方景氏が當選

昨年九月施行の本縣會議員選擧の當選効力に關し縣參事會の決定を不當として同年十月本縣下伊那郡飯田町遠山方景氏が本縣知事千葉了氏を相手取り提起した行政訴訟は東京行政裁判所に於て審理を重ねた結果原被告に對し

一、右選擧當選の効力に關する上松利一の訴訟に對し被告がなした裁決はこれを取消す

一、訴訟參加人高田茂の當選は無効とする等の宣告をなすにいたり、注目されてゐた同問題も原告側の勝訴に歸し、この結果當時僅二票の差で落選した民政の遠山方景氏が當選し、本縣會議長であり政友派の元老である高田茂氏が失格するに至つた。

山小屋に
北アルプス荒れ續き

北アルプスは七月十七日より荒れが續き登山者はいづれも山小屋に避難して居るその後遭難者はないらしいが登山後消息不明になつたり下山の豫定が遲れたのを案ずる近親者等の問合せに警察署營林署その他山岳關係者は多忙を極めてゐる雨のため登山を見合せ松本に滯在して居る登山者は尙數百名に上つて居るが天候回復を待ち切れず二十日折柄の雨を衝いて登山したもの德嶋高等工業學校生徒外九十六名に達した

降雨續きから
稻の生育遲る

縣下の土用入の稻作は數日來全縣に降雨引續き低溫多濕のため生育停頓し例年より幾分遲れた觀があり善光寺平地方は目下一番除草に當つてゐるので一層照りこみが肝腎であるのに今後天候が不順なら

在ペルー邦人と
在ペルー支那人感情

最近着「大南米」の報ずる所によれば秘露在留支那人の對日感情惡化しこれに對する同胞の一致協力に關する件につき同地各種の邦人團体協議の結果左の如き決議をなし六月一日より實行する事になつた。殊に邦人の支那賭窟出入を嚴禁し賭窟附近には二名を派し監視する事になした

一、在留日本人は支那賭窟に出入を禁ず
二、監視員を派遣し賭窟出入者の姓名住所を取調べ警告を發す
三、警告により尙休止せざる時はその原籍及住所姓名を邦字新聞に發表する同時に領事館に報告の適當の處を爲す
四、此際日本人は支那人商店商品を取引中止
五、支那料理店へは絕体に出入せざる事等

外務豫算新規要求費目
九領事館新設費計上

外務省所管昭和四年度豫算新規要求の主要費目は大要左のごとくである（單位千圓）

一、在外公館營繕費　一、〇〇〇

ば病虫害は多い見込みで稻作以外の一般農作物は槪して發育不良である

縣下各地に
蠶の硬化病發生

連日の降雨のために夏蠶の成育は著るしく妨げられてをり冷濕のために硬化病が各地に發生し程度も相當ひどいやうであるので右につき縣蠶業試驗場では全縣に向つて注意を發することになつたが水井場長は語る

夏蠶の肝腎な時なので大變心配して居る室內の溫度は保溫設備で高めることが出來るが問題なのは桑の方でこの桑は日當りのよく干さうした桑、柔いものより比較的硬いものを選ぶ等桑の選擇に十分の注意をしてほしい諏訪地方にも病蠶續出の恐れ諏訪郡の夏蠶は大並三眠の就眠早口四齡二日目遲口二齡就眠期だが連日の雨天で昨今發育緩漫となり干さう桑を給することが不能のため蠶兒は榮養不良となり自きやう病、軟化病等續出する恐れあるので郡農會は各町村農會を通じて善處方法を指示して居る

天杯拜受の高齡者
女が多く百歲以上は四人

御大禮に當つて天杯を下賜される高齡者は本縣內に八十歲以上のもの六千二百八十人、九十歲以上のもの五千五百二十五人で以上を通計し女七千百七十三人に對し男は四千六百三十二人で女の方がずつと長命者が多い、殊に九十歲以上となれば男百七十二人、女三百五十三人と大差を生じ百歲以上には男が一人もない、八十歲以上の年齡別現存者は次の通り

△八十歲二四三四△八十一歲二一三△八十二錢一六七九△八十三歲一一八〇△八十四歲一五三△八十五歲九四七△八十六歲六六三△八十七歲四七〇△八十八歲三五△八十九歲二六△九十歲一六七△九十一歲二六△九十二歲六六△九十三歲六二△九十四歲三七△九十五錢一六△九十六歲一八△九十七歲一六△九十八歲一一△九十九歲

一、移民獎勵費　一、五〇〇
一、領事館新設費　一、三〇〇
一、ペルシア公使館新設費　五〇〇
一、在外兒童敎育獎勵費　三〇〇
一、在支警官充實費　三〇〇
一、商務官增員費　一五〇
一、その他　五〇

尙明年度において左記の地に總領事館一、領事館七、領事館分館一を新設する事となり。これに要する經費の計上を大藏省に提出した

△總領事館　レニングラード（露國）
△領事館　イルクーツク（露國）モンバサ（東アフリカ）、サントス（ブラジル）スミルナ（トルコ）ベレーヲ（ブラジル）、カラチ（インド）、トロント（カナダ）
△領事館分館　萬縣（支那）

その結婚難を救へ
海外志望の女學校創設も一策

全國實業專門學校長會議の最終日は十二日帝國學士院で開催、左の文部省諮問事項につき審議し答申案を決定、同十一時半閉會

海外發展に關し敎育上特に留意すべき事項如何の答申案

海外發展を策する第一步として學校長、敎授などを海外に派遣して生徒に立つて海外の事情に通ぜしめること△文部省に海外事情に關する調査機關を設け特に海外との連絡をとるため各地にアタッシエを設けること△わ國の如く地理上不便な地位にあるものは政府が多額の費用を支出して海外發展策を講ずること△海外移住の困難なる原因は子女の敎育難、衞生施設難および配偶難にあるからこれが對策として海外植民地における敎育機關および衞生施設を充實せしめること、また海外移住者のため內地に植民地志望の女子を入學せしめる高等女學校を設け移住者の結婚難を救ふこと尙文部省來年度新規事業に十二萬二千圓移植民に關する敎育施設費を要求し實業專門學校の二、三校を選定して移植民學科を特設せんとする意嚮であると。又文部省は實業敎員の移植民に關する講習を七月二十九日より八月四日まで行ふ事になつてゐる。

一一

尙百歲以上は次の四人である。

諏訪郡川岸村　喜岡つね　百九歲
諏訪郡下諏訪町　中村きよ　百二歲
南安曇郡穗高町　望月てう　百二歲
下伊那郡旦開村　伊東きう　百一歲

昨年より四割七分增
春蠶收繭第二回豫想

二十五日現在の本縣下收繭第二回豫想は縣內蠶業取締所から得た報告によると四百六十三萬二千七百四十八貫で第一回の豫想に比べ十三萬四千二百五十九貫を增加し昨年の實收に比べると百五十萬千六百五十四貫（四割七分九厘）の激增である。

下伊那の收繭

下伊那郡下の本年の春蠶が豫想の減收說をくつがへして增收を見込まれてゐる事は既報の如くだがその增收高は前年比五分で即ち總收獲九十萬貫と目されるに至つたしかも掃立五分減に對し收繭は五分增であるから豐作中の豐作である

甲信越野球大會の
參加申込み十三チーム

朝日新聞社主催第十四回全國中等學校野球大會に出場する東日本の代表チームを決定すべき甲信越豫選出場の參加申込みは左記十三チームに達した、

松本商業、柏崎中學、高田工業、甲府中學、高田中學、長野商業、小千谷中學、新潟中學、新發田中學、村松中學長岡中學、新潟商業、長岡商業

で七月廿六日より五日間長岡中學で行ふ

鮮人連を手先に
繭專門の盜賊團

小縣郡丸子町地方に昨年十月頃から繭を賣込む鮮人團がある丸子署が探査の結果縣外各方面にまで手を延ばす繭專門の竊盜團と聯絡あるを突止め十七日關係者數名を引致取調べに着手したがその筋の眼をくらますためことさらに鮮人を用ひたものらしく今日まで丸子町へ持込んだものだけで一萬圓以上に達するから意外に大規模な聯絡があるだらうと

歐亞連絡乘車券
直通切符で一ど通しに

歐亞連絡乘車券の發賣は從來種々の理由で西歐諸國が實施し得なかつたが七月十五日から發賣されこれによれば一冊の直通切符でベルリン、ハンブルグ、ワルソー、カウナス（リスアニア國）ウイーン、プラーグ、ローマまで

上田市民大學講座

上田市では二十八九の兩日市圖書館樓上で行ひ金子馬治博士講の豫定又同科外講座を十五日市公會堂に開く豫定で講師は小縣郡和田村出身で永らくブラジルに居た神戸久一氏のブラジル事情を聴く豫定である

盲學生燕岳へ

松本盲學校では一昨年盲生徒を引率燕岳へ登つて足弱い目明きどもの度膽を抜いたが今年も又來月十六日頃藤田校長がリーダーとなり中房谷から登山中房温泉に滯在天候を見はかつて一擧に燕の頂上を往復する計畫を立てゝゐる尚右決行に先立つて足ならしのため盲生二十名は來る十日筑摩アルプスの主峰王ケ鼻へ登山し同夜は美ケ原牧場に新築された山小屋に一泊翌日下山することになつた

諏訪蠶糸の優勝

長野市体協グランドにおける縣下中等學校野球大會は準決勝に長中六―伊那中八、小諸商業二―諏蠶十七、決勝に伊那中二―諏蠶八で諏訪蠶糸が優勝した。

行けることになるこの連絡運輸で日本から西歐に行くには極東側では

釜山―ハルピン、大連―ハルピン、浦潮―ハバロフスクの四經路で西歐側ではモスコーワルソー―ベルリン、モスコー―リガ―ベルリンの二經路である

今東京より歐洲主要都市に至る運賃をみるにモスコーまでは一等二九五圓四〇錢、二等二二八圓五一錢、三等一四〇圓九錢、ベルリンまでは一等三五〇圓九六錢、二等二六七圓九三錢、三等一六六圓一七錢、ウイーンまで一等三五三圓一六錢二等二六八圓九一錢、三等一六六圓四一錢、ローマまで一等四〇八圓九九錢、二等三〇八圓一二錢三等一八九圓一四錢で釜山、ハルピン經由の聯絡列車は日、火、木曜の三回午後九時二十五分に東京發、四日目にハルピン、十二日にモスコー、十三日目にワルソー、十四日目にベルリン。十六日目にローマに着く

嚴に過ぎた檢疫手續き

打合に二博士來朝

アメリカ大陸渡航者の日本出發前における檢疫は從來兎角嚴に過ぎるとの非難が移民側より起つてゐたが今度内務省衞生局とアメリカ移民衞生局との間に手續改良上の打合せをすることになり六月二十五日朝サンフランシスコより入港したプレジデント、マツキンレー號でアメリカ公衆衞生局アジア課技師ハート博士が來朝し六月二十六日マニラより入港のプレジデント、ピヤース號で來るムーレー博士同道内務省衞生局長山田準次郎氏との間に具體的協議を進めることゝなつたが從來うはさに上つた北米行移民檢疫のために特にアメリカ人檢疫官を横濱に駐在せしむるか否かの問題も決ることになろう

入超二億三千萬圓

前年同期より増へた上半期

大藏省發表によれば六月下旬の對外貿易額（主要十二港分）は輸出五千四万三千圓輸入五千百廿六万一千圓、差引入超百十一万八千圓で上半期中の入超は二億三千十六万八千圓となつたこれを前旬に比すれば輸出は廿六万四千圓輸入は八百廿七千圓（内棉花の減四百廿万九千圓）のそれ〴〵減少であるさらにこれを前年同期に比すれば輸出は千四百九十九万七千圓の減少輸入は百五十六万八千圓の増加である

誌上映畫

伯國移住宣傳の實寫映畫『ブラジル移住』（二）

前號（第七十二號）まで梗概

巨船マニラ丸に乘船して香港、西貢、新嘉坡、コロンボ、印度洋、南亞ダーバン、ケープタウンを經て大西洋を一路西へ西へと航海を續けてゐる。

約十晝夜にして目的上陸港サントスに投錨する。日本を出で四十七日の航海である。

サントスは聖州の門戸にして當國第一の良港珈琲の輸出港で有名である共に渡伯移民の上陸港になつてゐる聖州は日本の本州九州四國を合した程の大きな州であつて約八萬に近い同胞が珈琲を主作物にした農業に活動してゐる先づ聖州を一巡して邦人の活動狀態をあらまし觀て歩く聖州を西方に四百キロにしてリベロンプレートと云ふ地方都市があつて此の附近は珈琲園が打續いてゐる地帶で日本村が出來、日本街が現出して十數年の歴史を物語つてゐる日本移民の渡伯は明治四十一年を以て開始されそれ以來年數の短かい割合には長足の進歩を致しモジヤナ、パウリスタノロヘステ、ソロカバナの諸線の沿線に日本人の姿を見ない所がないと云ふ樣になつた、一巡して大体の事情が判つて皆々はこれからいよ〳〵天涯萬里の異郷の地に墳墓と定め、安住の地なりとして永住の快心を以て一擧一族を卒へて神武創業の開拓生活に入るのである。

第三卷

日本からブラジルに農業の目的で家族（夫婦以上）で渡航する方法に二つある。一つはアリアンサ移住地の如き海外協會若くは各府縣の移住組合の移住地は土地を購入して行く法であるこれは日本で土地を購入して夫婦若くは夫婦を中心にして兩親兄弟姉妹甥姪が同伴しても船賃の補助があると云ふ恩典に浴するので政府は裸一貫の移民を奬勵するよりも最初から企業的の農業移民を歡迎する所以なのである。

信濃海外協會は未だ移住組合の制定が法律で出來なかつた以前において此の方法で大正十三年アリアンサ移住地建設に着手したのである。アリアンサは第二卷の聖州一巡の説明にあつた樣に聖市からバウリスタ線でバウルー市に行きノロヘステ線に乘替へてアラサツーバー驛を通過してチコ（河の左岸のルツチンビラ驛に下車するのである。此處から三十七キロ原始林中一條の自動車道を二時間走るとアリアンサ移住地の入口に到る。東西三里、南北四里半、周圍十八里、面積二萬一千七百五十町歩の大面積で現在は二百家族壹千名が入植してゐる。尚明後年までには四百家族の入植を待つて滿員となる事になつてゐる。滿三ケ年足掛四年目の經驗では順調に發達して最早珈琲が香高い花が開いてゐる。日本で新妻を持つて新世帶を開くと同じで何を持つて行つても損はない子供のオシメから雜巾のボロまでまとめて行つた者のかちである。自分の地區が決つて伐採から燒き拂が濟んで掘立小屋が出來るまで協會の收容所に合宿する。勿論日本から持つて行つたお茶をその日から使ふと云ふ生活振り第一年目は多い人で二アルケールの伐採である。これは請負のブラジル人に大部分任せて自分等はお手傳位のものである。一アルケールの伐採が約三十人の手間が要る四五十日は乾燥して丁度よい鹽梅に乾き切つた時に四方八方（風向きを見て）から火をつけて燒拂ふのでブラ

ジルの七月から十月の初めまでは「火事の國」に行つた樣に到る所で山火事があつて燦々天を蒸すと云ひ、ために日かくれると云ふ壯觀を呈するのである。數時間にして燒野原と化す燒木を大体片づけて珈琲の植付にかゝるのであるが先づ三米に四米の樹列を定めて深さ七寸巾一尺五寸位の穴を掘る。一アルケールに約二千本を植付ける豫定である實を二拾粒蒔き落して薄く土を被へ（穴の上には土の落ちるを防ぐと共に太陽の直射を防ぐために燒木の割木を井桁に積み上ぐる。かくして三ケ月にして發芽し一ケ年經ては一尺に生長する時々見廻つて穴の中の土を掻き上げたり除草したりして二ケ年にして二尺三寸になる前年と同じ手入をして强いもの五六本を殘して三ケ年經つと三尺五六寸に生長して三年前燒野原が一變して緑の整然たる綠園となつて來る一切の肥料を入れずして四ケ年目には花が咲き五年目から相當の收穫がある。

珈琲の花は香の高い小さい可愛らしい白い花で白百合の花を遠くから見るかそれとも小さくした樣な花で一枝に輪狀に群花をしてゐる。一枝折つてスキート、ハートの胸にさしたい心持がする。

採集は手でこき落して板篩手で掻き集め雜物を取り去つて實のみを袋に入れることを皮付珈琲と云ふて一アルケールから百二三十俵約九百圓の收入である男手四二人の家族では四アルケールの耕作が適當であるとりあげものを乾燥して脱穀精選場に運ばれて表皮をとり一等二等をわけて八等まで分けて世界の市場に輸出されるのであるこれを蒸つて粉粹して罐に入つて店頭に現はれる。かうして香氣の高いブラジルコーヒーが出來る皆樣に一杯づゝ差し上げたい―

第四卷

牧草を植えて家畜を育てる蔬菜も作る果樹も植へるなんでもよく育つのである。コーヒーが四年目みのるまでは幼樹の間に玉蜀黍や陸稲を栽培するのでこれで當分は生計を立てる豚がよく肥り、鷄が盛んに殖へ、蜜蜂がよく働らくので鹽と石油と衣服の外は自給自足の生活である。アリアンサは遠からず自治の村となり産業組合精神の經濟組織が出來るのであるが當分協會で物資供給のために購買部を經營し病院があり醫師が居り珈琲米の精選物が工事中である製材所製煉瓦工場も出來つてゐる。移住地の中心地やがて文化經濟の都市が築かれる豫定地に保留されて將來を期待されてゐる。日本の生活は明日の心配を今日からしてゐるがこゝでは明日あるを喜んで待つと云ふ希望に滿ちた生活である、すべて開拓創造的の生活の第一義は勞働である。レーニンは働らかざるものは食ふべからずと喝破してゐるがこゝは夫が妻の手傳に洗濯をするし、妻君が夫のかはり豚に飼料を運ぶと云ふ勞働の點より男女同一が實現してゐる。一日の勞苦を終り丸木をしりぬいた鳳凰樹に汗を洗ひ冬の夕方焚火を圍んで晩餐を共に樂しい談笑にふけるのはあらゆる辛苦と戰いつゝある勇士にのみ惠まれた歡喜であるは開拓者の特權でもある。

次ぎは海興扱の契約移民で珈琲園で一農年勞働する事を約束した人々のお話を申上げたい（續く）

新刊紹介

東洋（東洋問題研究號）第七號　東洋協會

日本魂（八月號）東京櫻橋南側　日本魂社

拓殖新報　東京市外下大崎八　拓殖新報社

海（第十六號）　大阪商船會社

會報（月二回）在比島ダバオ　ダバオ日本人會

農業上より見たる濠國の三洲　外務省通商局

パラナ州衞生狀態　在伯　日本人同仁會

海の外 質疑欄

淡然たる質問は不可　一人五問以内の事　返信料十錢會員不要

問　御編輯中に係る縣人在外者名簿は何時出來ますか一冊御分讓下され度御伺ひ致します。

答　目下印刷中でありまして八月上旬には發刊出來る豫定でございます

問　大島喜一氏著南米の大農牧國アルゼンチンの發行所と定價を教へて下さい。比島ダバオ日本會の宛名を教へて下さい。（南安、横山生）

答　本會でも取次ぎ致しますが東京市京橋區常盤町一番地日本植民通信社（振替東京三三三二五一番）で發行。定價は壹圓八拾錢です。ダバオ日本人會は P. O. Box 132 Escario st. Davao mindnao Ph. I.にあります

問　昨今新聞紙上で報導される植民學校設立云々は何時から實現するのですか、入學程度は高等小學卒業程度でよろしいでせうか學資は如何程かゝりますか又修業年限は一ケ年とありますが卒業後は直ちに海外に派遣される特典が與へられのですか（上水、小日向生）

答　これは新聞でいろ〳〵書きたてゝゐるやうですがその入學程度は多分中等程度の農學校卒業生を本体として選拔し一ケ年位植民教育を施して海外に行く場合には或る程度の特典を得られる位なものでせう、未だ具体的の事は判りませんのですべての事は御答へ出來かねてゐます。

問　南洋廳管下（日本委任南洋群島）に活躍し居らるる長野縣人の居所及職業等御知らせ下さい（諏訪原田生）

答　可成り澤山の信州人が各方面に活動してゐます。此處に一々御答へする事は紙面に制限されてゐますから近く發刊される本縣人の在外者名簿を御一覽下さい。

問　松本市伊勢町出身の藤本安三郎氏は北米に在留せられるとか聞き及びましたが同氏の現住所精細貴會でお判りになりますか（東筑青柳）

答　藤本安三郎氏は本會の北米南加支部會員で羅府(452)Jackson st. Los Angeles Colif. u.SA.)におられます尚近く發刊の本縣人の在外者名簿にも詳しく出ております。

問　海外協會の入會手續とその特典について御知らせ下さい（更級、寺澤幸雄）

答　本會では毎月本誌を發行して會員に配本致しておりますが貴下が目的とする海外に渡航せらるゝとすれば彼國の信用出來る縣人を紹會してその渡航に便宜を計ると同時に本會では渡航全般に關する指導斡旋を致します。會費年額二圓です。

問　私は印刷職工で活字組み、文撰に相當の自信を以てゐます。日本人がだん〳〵海外に殖えてゐますから彼の地で邦字の印刷職工として働らきたいのですが貴會で斡旋方お願ひ出來ませんか尚私は歐文も自由に出來ます（中澤生）

答　海外の邦人在留數五千人位以上の所では大低邦字の週間新聞が發刊されてゐます。彼の地の邦字新聞廣告によく職工採用の廣告が出てゐますから心掛けて御心配してみませう。

問　海外視察組合の目的と加入手續を極く簡單に教へて下さい。（上高　鹽野入日出男）

答　海外視察組合は皆樣に海外各地を旅行し日本の現狀と比較研究して貰い海外發展の目的を達せしめたいと云ふのがその趣意で、一つの旅行貯金であります。本會では縣下各町村を中心に一組合十名以上を以て組織してゐます。又各種團体で一組合作るのも差へありません。組合員は一ケ月三圓宛三ケ年の貯金を致します。利子は協會で九分以上を責任を持ち組合員が海外（滿鮮、臺灣、南洋、樺太北海道等）に旅行する場合はその費用の六分の一を補助致します。希望者は町村長に申出で下さい。

尚詳しい事は印刷物にありますから差上げます。

協會記事

八月便船は五家族
モンテビデオ丸乘船者

ア移住地渡船者中當協會扱ひの八月四日神戸出帆モンテビデオ丸乘船者は一二家族の豫定であつた所、種々の都合で今便船を利用する以外に多く左の如く五家族拾七名を數ふるに至り大阪ひを呈するにいたつた因みに同船は九月廿一日目的港サントスに到着の豫定である。

福島縣田村郡三春町　宗像　實　三人
山梨縣東八代郡一宮村　堀原　敏雄　二人
兵庫縣武庫郡魚崎町　豊田　米藏　二人
香川縣大川郡造田村　十川　計一　三人
長野縣下伊那郡長藤村　北山　金作　七人

尚外に第三アリアンサ行き力行會獨身運は二十二名の大勢が同船すると。當會扱同移住地渡航者數は三月以降左の如し。

三　月　三十一名　四　月　八十六名
五　月　十八名　六　月　十七名
七　月　—　八　月　十七名

評議員を指名
各郡市三名づつ

本會は大正十三年六月三十日郡制廢止より各郡選出代議員改選は困難となり協會本部掌握の元に事務の運用を計つて來たがその後本部と支部の聯絡上何かと支障を來たすので去る六月九日の代議員會に於て前號所報の如く規約の一部を改正し會長の指名に依る二ケ年滿期の評議員を各市部に三名宛置く事に決定し十六日左記の如く指名した。

▲埴科郡　矢澤賴道　瀧澤志郎　小山保雄
▲更級郡　山岸市治郎　宮崎万平　寺澤種二郎
▲北安曇郡　福島幸重　高橋正雄　平林秀吾
▲南安曇郡　望月國俊　藤森馨　岡村政雄
▲東筑摩郡　倉科多策　上條信　中村畯作
▲西筑摩郡　小野秀一　伊東淳　市川圓次郎
▲下伊那郡　大平轄郎　林稚次　平野桑四郎
▲上伊那郡　武井覺太郎　山田織太郎　福澤泰江
▲諏訪郡　宮坂作衛　林七六　小口善重
▲小縣郡　宮下周　工藤善助　兒玉衛一
▲北佐久郡　大澤市郎右衛門　小山邦太郎　豐川政己
▲南佐久郡　並木和一　黒澤利重　井出今朝平
▲松本市　遠藤親之助　小里賴永　舘石源市
▲長野市　横田九一郎　丸山辨三郎　宮下友雄
▲下水内郡　丸山藤吉　木内一郎　淺山正春
▲上水内郡　松山勝三郎　宮尾安治　羅小八郎
▲下高井郡　佐藤喜惣治　青木賢一郎　竹井豊吉
▲上高井郡　田中邦治　市川三郎　坂本重雄
▲上田市　伊藤傳兵衛　瀧澤一郎　勝俣英吉

—各町村設立の—
海外視察組合（續）

上水内郡長沼村組合

組合長　岩崎太一郎
森　義忠
住田祥和
松岡八左衛門
浦野儀市
小川清治

蓑田正一郎
竹腰市治郎
西島彌
浦野泰治
成田增治
深瀨藤太

同郡小田切村組合

組合長　池田八三九
池田定吉
岡澤太二
宮澤幸治郎
岡村保
羽田袈裟雄
西山榮太
長田秀利
松田潮之助
小池榮八
内山光貞
山岸實

下高井郡平穩村第二組合

組合長　杉本藤太郎
宮崎善左エ門
湯本五郎治
山本直吉
宮崎寅治

花岡專吉
長島長吉
柄澤發吉
山本中

同郡延德村第一組合

組合長　鄕道毅太郎
西山芳松
青木賢一郎
小田庄二
宮崎誠一
柴木泰藏
柴本一郎
酒井信治
中山定之亟

同郡同村第二組合

組合長　宮島平作
柴本一男
山田虎雄
金子隆次
黒崎又三郎
田中祐作
佐藤善助
柴本正一

同郡穩波村組合

組合長　山本保
山本一
小島泰治
土屋常彌
山本勇榮門
山本幸太郎
大硲常行
鈴木遠三
鈴木一郎
湯本友三郎

小縣郡武石村組合追加ノ分

飯島於兎一
曲尾守治
松久金次郎

小縣郡西内村組合追加ノ分

池田庄平
土屋政讓
齋藤卯太郎

新會員（自四月一日至六月三十日）

特別會員
長野市下岡田　菱川敬三
普通會員
長野市南縣町　今井登

西筑摩郡奈川村　奥原梅藏
下高井郡往郷村　畔上淳郎
南佐久郡野澤町　箕輪勤助
諏訪郡平野村　林　益一
鳥取縣東伯郡旭村　足立　功
下高井郡穗高村　小林英俊
上田市袋町　石坂善己
上諏訪町　北澤安右エ門
同　久保田力藏
下伊那郡富田村　岸本　與
南佐久郡南相木村　中田つねこ
上諏訪町　藤森權之助
下高井郡中野町　松崎寛雄
諏訪郡岡谷　林　淑輔
諏訪郡川岸村　金原惠重郎
米澤市猪苗代町　松崎　綠
松本市桐　館石光雄
同　西五町　中嶋　渡

會費領收（自五月一日至六月三十日）

一金貳百円也　特別會員　菱川敬三殿
一金拾六圓也　普通會員費全納　久保田力藏殿
一金拾六圓也　同　北澤安右衛門殿
一金拾六圓也　同　藤森權之助殿
一金貳圓也　昭和三年度分　金原惠十郎殿
一金四圓也　十四、五年度分　鳥羽信炳殿
一金六圓也　十四、五　昭和二年度分　矢島英雄殿
一金貳圓也　昭和三年度分　金原惠十郎殿
一金貳圓也　同　岸本與殿
一金貳圓也　同　神方敬勝殿
一金貳圓也　同　中田つねこ殿
一金貳圓也　昭和二年度分　玉井右一殿
一金貳圓也　昭和三年度分　臼田銀治殿
一金貳圓也　同　松崎綠殿
一金貳圓也　昭和三年度分　林泰次殿
一金貳圓也　同　木村勇夫殿
一金貳圓也　同　館石光雄殿
一金四圓也　大正十五年　昭和二年度分　山田甲子次郎殿
一金貳圓也　昭和二年度分　松岡弘殿
一金貳圓也　昭和三年度分　中島渡殿
一金貳圓也　大正十四年度分　小原儀十郎殿
一金貳圓也　昭和三年度分　竹村善次郎殿
一金貳圓也　同　鎌田常治殿
一金貳圓也　同　小泉玉貫殿
一金貳圓也　同　松崎寛雄殿
一金貳圓也　同　宮原榮治殿
一金貳圓也　昭和二年度分　芳川晃一殿
一金貳圓也　同　小林宜殿
一金貳圓也　同　井出正雄殿

海外會費領收

○墨國の部
一金四圓廿錢也　墨都　木瀬武雄殿
一金四圓廿錢也　墨都　太田菊次郎殿
一金四圓廿錢也　墨都　藤澤寅翁殿
一金四圓廿錢也　墨都　小松　準殿
一金四圓廿錢也　墨都　酒井淺治殿
一金五圓拾錢也　墨都　長淵鐘六殿

○比島の部
一金四拾七圓四拾參錢也
丸山竹次郎殿　內山寛次郎殿
青柳喜美人殿　瀧澤貞雄殿
佐々木信次殿　福田義雄殿
村澤青砥殿　別府健三郎殿
瀧澤與市殿

○玖馬國の部
一金米貨拾弗也　瀨在藤治殿
一金米貨五弗也　宮坂寬司殿

信濃海外協會規約抄錄

一、本會ハ信濃海外協會ト稱シ本部ヲ長野市ニ支部ヲ必要ニ應シ内外各地ニ置ク
二、本會ハ縣民ノ縣外發展ニ關スル諸般ノ事項ヲ調査研究シ其ノ發展資スルヲ以テ目的トス
三、本會ハ前條ノ目的ヲ達スル爲必要ニ應シ左ノ事業ヲ行フ
イ、縣民縣外發展ノ方法ニ關シ立案ヲナス事
ロ、發展地ニ就キ調査ヲナシ其ノ結果ヲ紹介スル事
ハ、在外縣民ト聯絡ヲ計リ指導後援ヲナス事
ニ、海外投資ノ研究ヲナシ之ヲ發表スル事
ホ、海外發展ニ必要ナル人材ヲ養成スル事
ヘ、雜誌其ノ他ノ出版物ヲ利用シ若クハ自ラ發刊シ又隨時講演會ヲ開ク事
ト、海外發展ニ關スル各種參考品及統計ヲ蒐集スル事
チ、本會ト共通ノ目的ヲ有スル他ノ機關ト聯絡ヲナス事
リ、前各項ノ目的ヲ遂行スル爲臨機本會ノ代表者調査員等ヲ内外樞要ノ地ニ派出スル事
ヌ、會員ニハ「海の外」每月寄贈スル、其ノ他本會ノ目的ヲ達スルニ必要ト認ムル事項
四、本會ノ會員ハ名譽會員特別會員維持會員普通會員ノ四種トス
イ、名譽會員ハ代議員會ノ決議ヲ經テ總裁之ヲ推薦ス
ロ、特別會員ハ一時金百圓以上ヲ醵出スルモノトス
ハ、維持會員ハ會費年額金拾圓ヲ十ケ年間醵出スルモノトス
ニ、普通會員ハ年額金貳圓ヲ十ケ年間又ハ一時金拾六圓以上ヲ醵出スルモノトス
會費ヲ滿一ケ年以上滯納スル者ハ會員ノ資格ヲ失フモノトス
五、本會現在役員ハ左ノ如シ

總裁　千葉了
副總裁　佐藤寅太郎
顧問　小川平吉　今井五介　原嘉道
伊澤多喜男
相談役　田中無事生　小西竹次郎　泊武治
降旗元太郎　越壽三郎　小里賴永
片倉兼太郎　福澤泰江　小林暢
山岡萬之助　工藤善助　樋口秀雄
植原悅二郎　山本愼平　松本忠雄
高田茂

海の外（月刊）（一册廿錢）

定價表	內地送料共	外國送料共
一册	廿錢	廿四錢
六ケ月	一圓十錢	一圓四十四錢
一ケ年	二圓廿錢	二圓八十八錢
五ケ年	拾圓	拾圓

御注意
△御送金は振替（長野二一四〇番）に御願ひします。
△外國よりの御送金は銀行、郵便局いづれにても確實に送金されます。
△御轉居の節は早速新舊兩御住所を御通知下さい。
△本誌へ廣告掲載御希望の方は詳細相談申上げます。

昭和三年八月一日發行
編輯人　永田稠
發行兼印刷人　西澤太一郎
印刷所　長野市南縣町　信濃每日新聞社
發行所　長野縣廳內　海の外社
振替口座　長野二一四〇番

長野縣警察部調査
信濃海外協會編

四六版百數十頁
數字統計圖解入

海外在留長野縣人名簿

定價（送料共）參拾錢

出版豫告

本書は信濃海外協會の活動の上に生れたる一結晶物である。凡そ海外各地に在留する長野縣人を網羅せんとして、その調査を進め、此等海外縣人自身、若くは海外縣人と關係せられる者の參考となり、かねて信州海外發展上何等かの寄與するものあらんとこれを發表したる次第である。本調査は各方面より立場を異にして三四回同一調査を行ひ最後に本縣警察部の縣下各市町村駐在の海外在留者調査報告に基づき綜合して、一書にした。特に海外各地で發行せられる邦字新聞、雜誌、會報、年鑑等によつて現住所の正確を一層嚴ならしめた。

先づ本書は可成りの苦心の結果成れるものにしてこれによつて長野縣人海外各地の活動が明瞭となり海外縣人は勿論、郷里の家庭、家族親戚、友人、知人等には本書によつて異様の感興を與へるだらう。更に縣下諸學校、青年會婦人會、處女會女子青年會等團体は本書を備へる事によつて會員に躍動的刺激を與へるであらう。

內容要目

海外各地分布圖——既往三十ケ年旅券渡航許可數と國別——年別——海外在留地における出身郡市別表——郡市における海外在留國別數——在外縣人名（家長名、單獨者名）——出身市郡町村名——家族數——現住所——職業——渡航年月——在留國別——滿洲（關東洲ヲ含ム）——支那——北米合衆國——布哇——カナダ——メキシコ——玖馬——ブラジル——アルゼンチン——ペルー——智利——ボリビヤ——比律賓群島——蘭領東印度、馬來諸邦——濠洲——印度——英國——獨乙——佛國——西班牙——瑞西——ポーランド、露國——南洋諸島等）

發行所 長野縣廳內 信濃海外協會 振替長野二一四〇番

（新刊）海外發展準備研究書

お奬めしてさしえない良參考書

永田稠著	海外立志傳	四六版四四頁寫眞六頁 定價二圓 送料六錢
永田稠著	八訂版 新渡航法	四六版五一四頁寫眞廿頁 定價二圓 送料六錢
野田良治著	ブラジル人國記	四六版六五二頁寫眞百數十葉 定價二圓八十錢 送料十四錢
高岡熊雄著	ブラジル移民研究	菊版四〇二頁總布製 定價三圓五拾錢 送料十八錢
瀧釟太郎著	大寶庫メキシコ	菊判七六五頁寫眞三百數十葉 定價七圓五拾錢送料三十六錢
芝原耕平著	我等のアルゼンチン	四六版三五〇頁寫眞二十數葉 定價二圓 送料十錢
吉田梧郎著	南洋諸島の富	四六版三〇四頁地圖入 定價壹圓五錢 送料十八錢
正木吉右衛門著	南隣の友邦比律賓	菊判三四頁地圖寫眞入 定價三十錢 送料二錢
商工省商務局	比律賓の現狀	菊判二九三頁地圖寫眞入 定價二圓五十錢 送料十八錢
梶川半三郎著	東亞之大富源 現代の朝鮮	四六版六三八頁地圖入 定價三圓五拾錢送料二十四錢
高柳保太郎著	滿蒙の情勢	定價壹圓五拾錢送料六錢
中島文重著	初等ブラジル語獨習書	四六版二七四頁總布製 定價二圓五拾錢 送料十八錢
大武和三郎著	葡和辭典、和葡辭典	定價 各五圓 送料十八錢
日本力行會編	海外移住講義錄（全十册）	定價 一册一圓 十册 十圓 送料四錢
雜誌（月刊）	植民・ブラジル・南洋協會雜誌・滿蒙・海外の日本・東洋・海外	

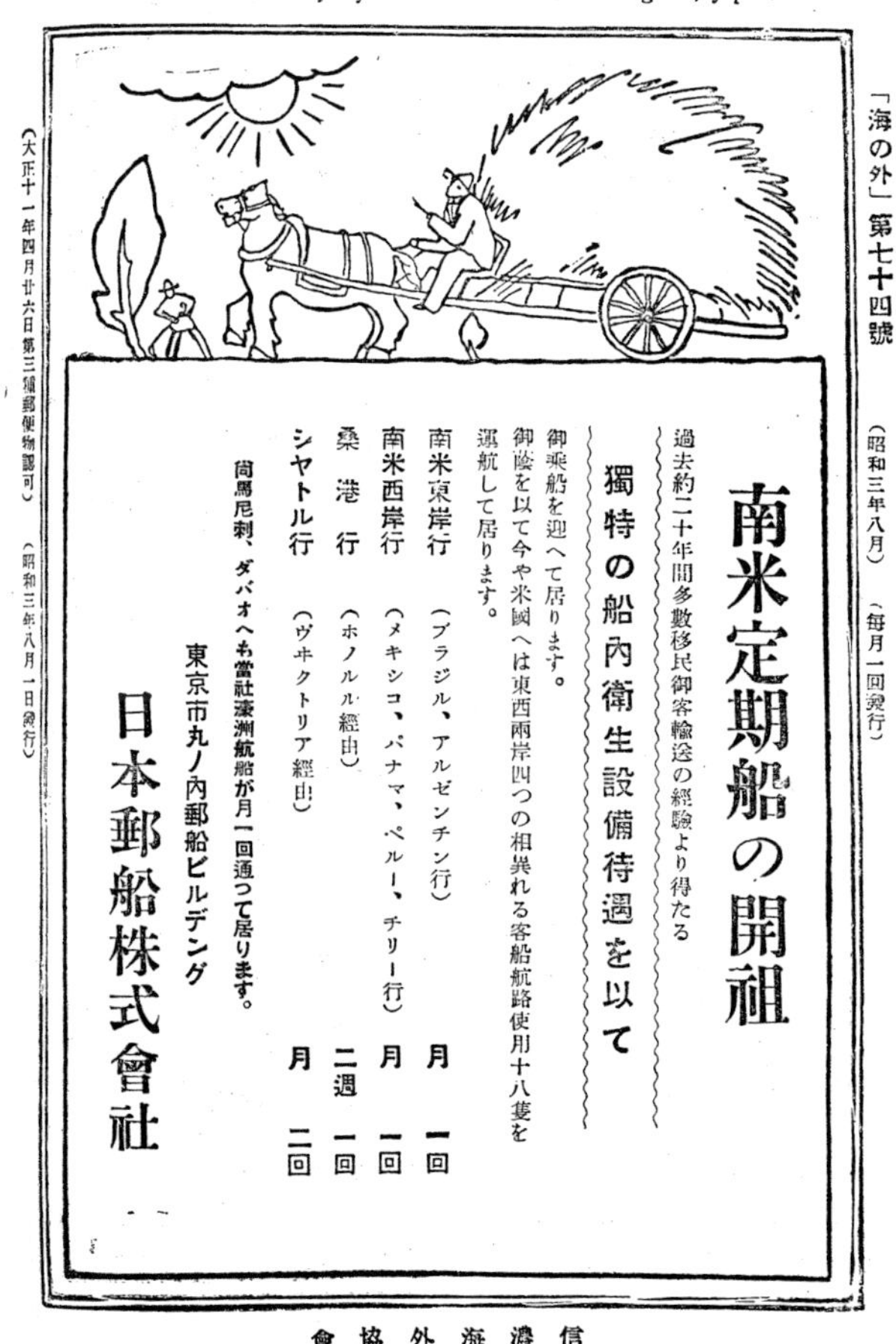

海の外—THE UMINOSOTO
Published Monthly by the Uminosoto Sha. Nagano, Japan.
（大正十一年四月廿六日第三種郵便物認可）
（昭和三年八月一日發行）
「海の外」第七十四號
（昭和三年八月）
（毎月一回發行）

南米定期船の開祖

過去約二十年間多數移民御客輸送の經驗より得たる

獨特の船內衛生設備待遇を以て

御乘船を迎へて居ります。

御陰を以て今や米國へは東西兩岸四つの相異れる客船航路使用十八隻を運航して居ります。

南米東岸行	（ブラジル、アルゼンチン行）	月一回
南米西岸行	（メキシコ、パナマ、ペルー、チリー行）	月一回
桑港行	（ホノルル經由）	二週一回
シヤトル行	（ヴヰクトリア經由）	月二回

尚馬尼剌、ダバオへも當社濠洲航船が月一回通つて居ります。

東京市丸ノ內郵船ビルヂング

日本郵船株式會社

信濃海外協會
海の外社發行

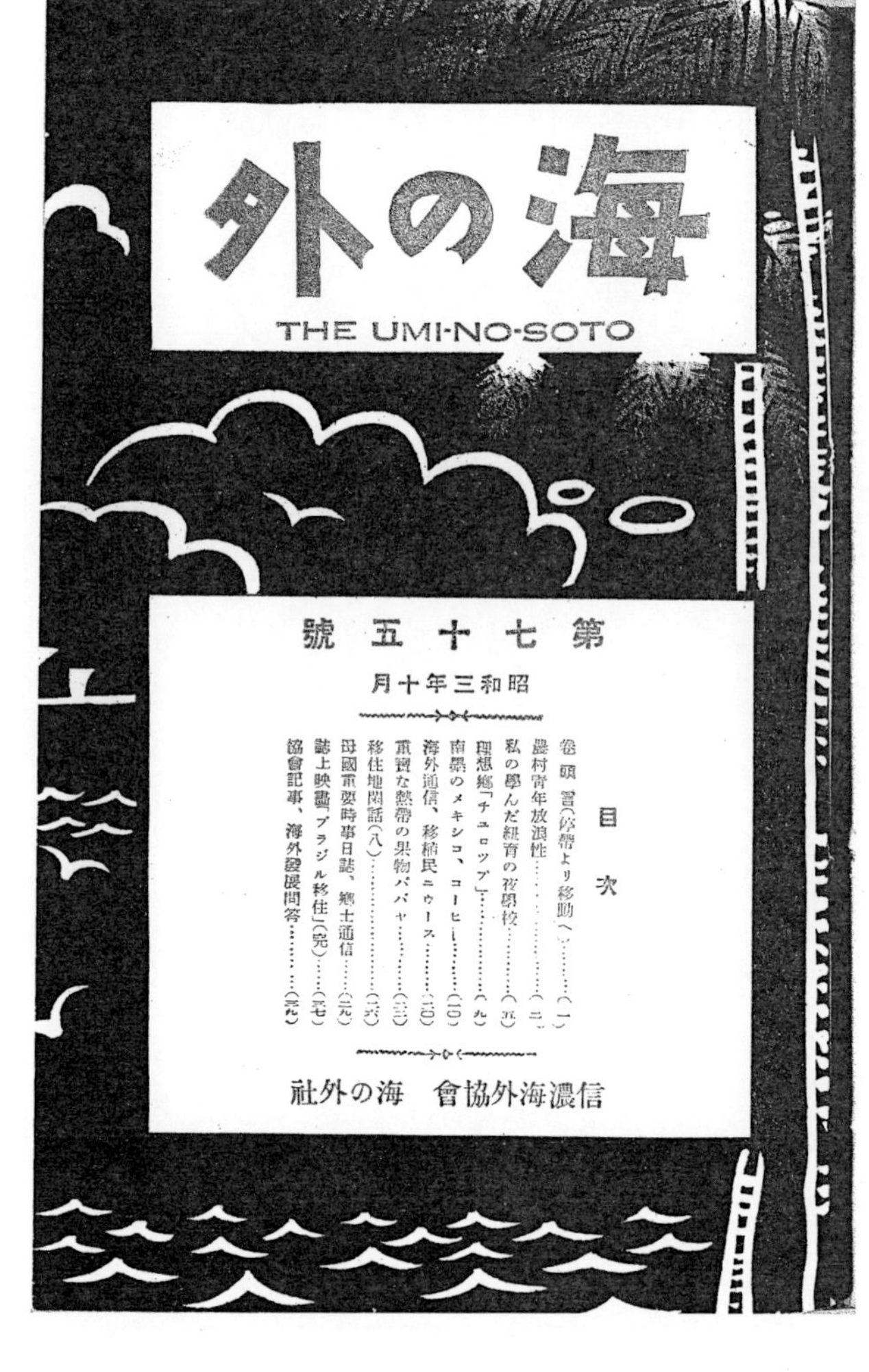

海の外
THE UMI-NO-SOTO
第七十五號
昭和三年十月
目次
卷頭言（停滯より移動へ）……（一）
農村青年放浪性……（二）
私の學んだ經育の夜學校……（五）
理想郷「チュロップ」……（九）
南墨のメキシコ、コーヒー……（一〇）
海外通信、移植民ニウース……（二〇）
重寶な熱帶の果物パパヤ……（三三）
移住地閑話（八）……（二六）
母國重要時事日誌、鄕土通信……（二九）
誌上映畫「ブラジル移住」（完）……（三七）
協會記事、海外發展問答……（三九）
信濃海外協會　海の外社

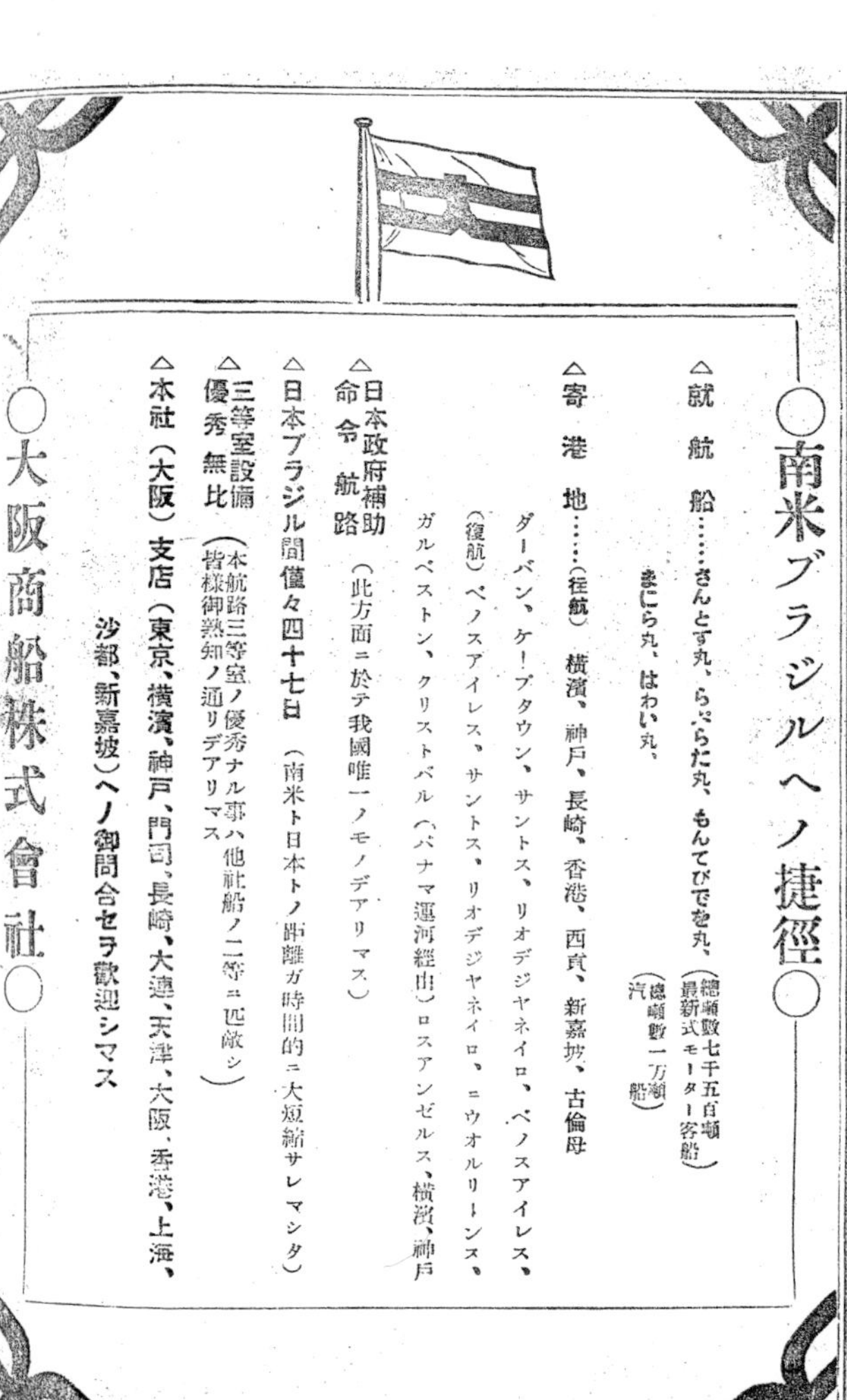

○南米ブラジルへノ捷徑○
△就航船……さんとす丸、らぷらた丸、もんてびでを丸、（總噸數七千五百噸 最新式モーター客船）
まにら丸、はわい丸、（總噸數一万噸 汽船）
△寄港地……（往航）横濱、神戸、長崎、香港、西貢、新嘉坡、古倫母
ダーバン、ケープタウン、サントス、リオデジヤネイロ、ベノスアイレス、
（復航）ベノスアイレス、サントス、リオデジヤネイロ、ニウオルリーンス、
ガルベストン、クリストバル（パナマ運河經由）ロスアンゼルス、横濱、神戸
△日本政府補助命令航路（此方面ニ於テ我國唯一ノモノデアリマス）
△日本ブラジル間僅々四十七日（南米ト日本トノ距離ガ時間的ニ大短縮サレマシタ）
△三等室設備優秀無比（本航路三等室ノ優秀ナル事ハ他社船ノ二等ニ匹敵シ皆様御熟知ノ通リデアリマス）
△本社（大阪）支店（東京、横濱、神戸、門司、長崎、大連、天津、六阪、香港、上海、
沙都、新嘉坡）ヘノ御問合セヲ歡迎シマス
○大阪商船株式會社○

長野縣警察部調査
信濃海外協會編

四六版百數十頁
數字統計圖解入

定價參拾錢（送料 内地四錢 海外六錢）

海外在留長野縣人名簿

愈々出版

本書は信濃海外協會の活動の上に生れたる一結晶物である。海外各地に在留する長野縣人を網羅せんとしてその調査を進め、此等海外縣人自身、若くは海外縣人と關係せられる者の參考となり、かねて信州海外發展上何等かの寄與するものあらんと今日これを出版したる次第である。本調査は各方面より立場を異にして三四回同一調査を行ひ最後に本縣警察部の縣下各市町村駐在の海外在留者調査報告に基づき綜合して、一書にした。特に海外各地で發行せられる邦字新聞、雜誌、會報年鑑等によつて現住所の正確を一層嚴ならしめた。

先づ本書は可成りの苦心の結果成れるものにしてこれによつて長野縣人海外各地の活動が明瞭となり海外縣人は勿論、鄕里の家庭、家族親戚、友人知人等には本書によつて異樣の感激を覺へるだらう。更に縣下諸學校、青年會、婦人會處女會女子青年會等團体は本書を備へる事によつて會員に躍動的刺激を與へずにおられない。

内容要目

海外各地分布圖――既往三十ヶ年旅券渡航許可數と國別――年別――海外在留地における出身郡市別表――郡市における海外在留國別數――在外縣人名（家長名、單獨者名）――出身市郡町村名――家族數――現住所――職業――渡航年月――在留國別――滿洲（關東洲ヲ含ム）――支那――北米合衆國――布哇――カナダ――メキシコ――玖馬――ブラジル――アルゼンチン――ペル――智利――ボリビヤ――比律賓群島――蘭領東印度、馬來諸邦――濠洲――印度――英國――獨乙――佛國――西班牙――瑞西――ポーランド、露國――南洋諸島等）

發行所　長野縣廳内　信濃海外協會　振替長野二一四〇番

名古屋新聞記者　掛川喜遊
名古屋新聞記者　村田直治　共著

郷土の風土を誇る

信濃風物記

◎發行所名古屋新聞社

定價一圓五十錢（送料 内地拾二錢 海外二拾八錢）

「お國自慢」の風物記。信州及び信州人のために萬丈の氣を吐いたもの。見逃してはならぬ。

信州は日本のパミール高原である。そして信州人は日本の屋根の上の住民である。平凡にいへば、信州は山岳國で雪國で、溫泉の國で、その住民はコタツに潛り、酒をのみ、はてしなき議論を享樂する。信州の危險思想も文藝思想も、デカタンもそこから生れる。これが信州人の半面である。

このだらしない半面に信州は實に驚ろくべき勤勉力行の美德を具備してゐる。養蠶と製糸とがそれである。（中略）教育國の長野縣、佛都の信州は今やその外かくのみを殘してゐる。

信州、古來人物多し。教育家、藝術家、政治家、實業家、信州はあらゆる方面にすぐれた人物を送り出してゐる事はもうちろんである（中略）―序文中より―この書、世に出づるに及んで信州は一躍、世の注目をひいた故人は勿論現代の人、將來の人にまで數千にわたる人物を一々筆にして盡きざる珍味を與へてゐる。信州人は必要を要する好書である

取次　長野縣廳内　信濃海外協會（振替長野二一四〇番）

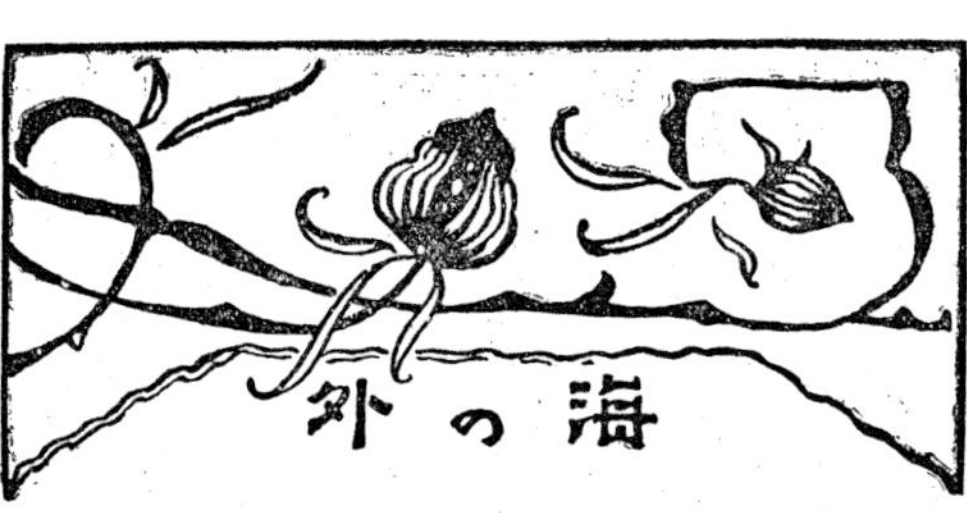

（昭和三年）第七十五號（十月）

停滯より移動へ

淸らかなる水も壺に盛られて腐敗すれど、狂奔する濁流は滔々として千里流るゝとも遂に腐敗する事なくして大海に注ぐ

我國三千年の歷史は東洋の一孤島に大和民族が停滯せる歷史であり、現代國民の心的生活も依然としてその歷史を繰り返さむとしてゐる。

進取の氣象、精神作興、道德心の涵養、質實剛健の精神は國民が停滯より移動への心的展開と更らに新運命開拓への移動が行はれざる限りいづれも机上の理論としておはり我國民の將來は壺に盛らるゝ水の運命を辿るのみである。

植民學者ヘンリー、モーリスは曰く「移住は人を善良す」と、われ等の移植民運動も又停滯より移動への展開運動であり、水の腐敗を防ぎ、人を善良にするの大運動に外ならぬ。

農村青年の放浪性
を海外雄飛に嚮はしめる必要

長野新聞主筆　矢ケ崎賢治

農村青年の離村の傾向を以て直に農村を荒廢せしむるものとしての嘆息は甚だ當らない樣にも思ふ、離村するには離村せざるを得ない理由が存するからである。

苦し農村の技術的機構が、更に一段の企業化を見て、資本の合同と分業の統制とが進められたならば、農村に於ける過剩勞力は今日以上に大過剩を來たす事を豫期しなければならない。

△

今日の一般的農村問題は農村經營の根本方針を現在の機構に於て是れを保護しようとする方面に重心を置き、農作物價格の保持と云ひ、農業資金の融通と云ひ、其根底を皆こゝに發して居る、併し日本以外の農業組織が漸次近代的に企業化されて、大資本と統制されたる分業組織によつて、日本の農産物のそれよりも、ずつと低い生産費でドン〳〵生産される場合に於て何時まで現代の保護を重心とする農業政策が維持されるかは問題である、現に日本人の主要食糧たる米作等には其傾向が現はれつゝある斯くして蘭貢米なり、テキサス米なりが、内地産米の約半價に近い安値で生産され供給されるのに、猶何時迄現在の樣な保護政策で其の價格を維持し得可きかゞ問題であり、更にそれが國民生活の全般から見て一層考慮を要す可き重要事となる。

△

此點から考へても、農村の將來には今日以上に勞力過剩が生じて來ることを考へなくてはならない。

過剩勞力を其儘に放任して猶生活に堪へらるゝ間はよい、併し過剩勞力を其儘に放任して置けば、農村には軈て失業から來る深刻なる生活難が當然に襲來して來る事は瞭らかである。

勞ひ其過剩勞力の利用は農村勞働力の移出に待たなければならない、斯う考へて來れば農村青年の離村は當然過ぎる程當然の歸結となつて來るのである。

今日迄の農村は、其耕地を生産の基調とする點に於て、最も定住性に富むものであり、水草を追つて放浪した遊牧時代からの進化を考へれば其定住性は大きな進歩であつたに相違ない。

△

併し現在の農耕地が最早農村現住人口の定住を許さなくなつた以上は再び其定住の地を離れて放浪するより外なくなつた。其放浪の地が水草に代るに其勞力を要求する地を求めて移り行くに外ならない。都會の工業地帶が即ちそれである。

放浪性は單に農村青年に餘儀なくせしむるばかりでは無くて、今日の一般青年を驅つて其渦中に捲き込みつゝある、俸給生活を目安として學校の門に殺到する今日の青年は皆それである。

彼等が其目的を果して卒業後に就職の地を得た場合は、矢張り定住の地を離れて放浪の生活に入るものである、殊に今日の官吏には其放浪性が濃厚になることを餘儀無くされる。

△

此見地からすれば、青年の離鄕放浪は時代の特色とも見る可きである、此時代の特色は防ぐ事の出來ない、現代人の生活が餘儀無くせしむる必然の結果であるとも云ひ得る。

此青年の離村傾向が防ぐ可からざる時代の特色であるとするなら、其傾向を最も善導することが、現代に於て最も必要な事となつて來る。

農村生活の今迄の特色は何と云つても土地に對する愛着を基調とする定住性である、其傳統の裡に育くまれた農村青年の進む可き途は、矢張同じ生活特色に立つ海外移住開墾ではあるまいか。

併かも實際は既に放浪の生活の過程にある農村青年が海外雄飛を求めずして都會移住にのみ焦る傾向のあるのは其根本觀念に對する指導のよろしきを得ざる所にある。

今後の青年指導、殊に農村青年の指導は此處に眼覺めなくてはならない。（六、一三、長野新聞ヨリ）

私の學んだ

ニユーヨークの夜學校

松尾　弘

(一) パブリツク、スクール

東四十二町目で第二街と第三街との間の下町側に紐育で指折りの大きなパブリツクスクールが在る。

鐵筋コンクリートの五階建で凹字形へこんだ突き當りが出入口先生も生徒も同じ所から出入りするので日本の樣に特別に玄關なんと云ふものを設けて先生は此處から生徒は彼處からなんて變な區別はしてゐない。

入ると兩側の建物に通ずる廊下や階段があり一寸奥まつた所に受附事務所教員室校長室圖書室參考室など四角張つた室が在る油畫や歴代の校長先生の大きな寫眞誰彼の胸像など調和よく四角な空氣を圓く柔かに色彩つて居る。教室の數など何程有るのや遂數へた事もなかつたけれ共何しろ最初の間はよく自分の教室を間違へたものだつた。

九月新學期の始まると同時に事務所へ行つて「自分は英語を學び度いのだが最も便利な組へ入學させて下さい」と申し出た。するとお前は英語を讀めるかと云ふて早速手前に在つた夕刊ワールドそれは先生が出勤の道すがら地下鐵道の中で讀んで來たものだらう共新聞の片隅の方を指さしたので數行讀み下した。

オーライトグツド。今度は書けるかと尋ねながら紙と鉛筆とを出したので今讀んだ所を書いた處稍驚きの眼で私と字とを見比べながらベリーグツドと云ふてレヂスターカードへ姓名や生年月日現住所など書き込ませ、それに教室番號三二八と書き込んで明晩七時から來る樣にと共のカードを渡してくれた。

勿論カードの控は事務所の方へもとつてあるそして教室番號三二八は三階の二拾八番と云ふ意味なのだつた。

一日の勞働を終へ簡單な食事を濟ませ手帖と万年筆とをポケツトに押し込み第三街の高架鐵道に飛び乘つて時間通りに登校した然し教室三二八番を探し出すのに一寸手間取れ室へ入つて見ると先生と二十人程の生徒が來て居た最初の晩の事とて先生も氣をきかせ未だ出席簿はつけて居なかつた。

此教室三二八番の生徒たるや實に痛快此の室こそ將に國際聯盟會議室の感がある。

五十恰好のゼントルマン米國人を先生と仰ぎ、太い赤褐色の鬚を蓄へ丈高からずと雖も見るから雄々しい勞働で練へ上げた筋骨の所有者伊太利人、手の甲から指の先までも毛をもぢやもぢや生やして居るロシヤンヂユー、毛髮の黑い丈も余り高く無く夜目には日本人と見違ふ樣なスペイン人やホルトガル人、誰も彼もブルドツグの兄弟かと思はせそれで居て交つて見ると眞の好々爺獨逸人、色白の背のすらつとした佛蘭西人スエーデン人ノールウエー人我が隣邦支那人も居た。これが外國人に對する英語のクラス勿論授業料は不要それどころか教科書などはどんどん貸してくれるのである。

間も無く三十人程の生徒が集つた、先生更めて御挨拶グツドイブニングヂエントルメン、グツドイブニングサー生徒は流石に御挨拶が叮寧だ。

先生出席簿をつけ初める、名前を呼ぶのに多大の苦心其の又返事のイエスが面白い種類の多い事夥だしいヤーイ、エー、イヤ、エー、イヤス、イエース等々。

讀方、書取、文法など七時から九時迄二時間やる皆了解はして居る樣だが會話が下手な爲説明が出來ない要するに會話さへ出來る樣になればいい連中が多いのだ。

先生はゲーツさんと云ふ好人物。

だんだん聞き馴れるにつれこれ迄更に聞き取れなかつた電車や高架鐵道の中での人々の話も耳に入る樣になり、皆正しい發音で英語を使つて居る事とのみ信じて居た諸外國の人々が英語らしい英語を使つて居ない事などもわかり今更馬鹿馬鹿しくなつた苦笑せざるを得なかつた。

時々校長や視學官などが巡廻して來て其都度私は本を讀まされたり黑板へ書取りなどさせられたりしてお褒めに預つたものだつた。先生の用事の有る時など代用もやつた。

若い女の先生からダンスを教へる時など鬚もぢやの生徒達が子供の樣に嬉しがりやんやと囃し立て踊り廻つたヤンキーガールの先生樣も如何にも愉快に足など踏まれても相手が相手故一向御立腹の樣子も無い。

二年目の第一學期の終りに受持のゲーツ先生が放課後一寸校長室へ來る樣にと云ばれたので出頭すると早速卒業證書が出來て居て授與されたそしてお前は來學期からデウヰツトクリントンハイスクールへ入學したらよからうと注意してくれた。

(二) デウヰツト、クリントン、ハイスクール

永遠と云ふ感を吾等に與へる大河ハドソンを眼下に、現はれては消え、來りては過ぐる數知れぬ船、水に寫す大きい灯小さい灯またゝきする赤や青の灯影の吹く風立つ漣にゆらゆらとそれに輕んぜんか黑ずんだ林は靜にねむり得も言はれぬ情景である此處ハドソンの河邊西四十九丁目と五十八町目に跨る層の建築物こそ約百四十名の教師と四千の學生とを有するデウヰツトクリントンハイスクールである。

總ての點に於て紐育第一と稱せられて居る。

普通五ケ年終了の中等科四ケ年卒業の商科其他色々の科に別れて居て各科共出來得る限り實際と接近し眞に役立つ生きた學問を教へて居る。授業料は勿論要しない。

一月早々商科に入學す可く手續きをした至極簡單に許可された教室は科目によつて所々に變つた。

生徒は十六七歳の若者が多かつたけれ共可成りの年輩者も居た晝間商店や會社の事務所に働いて居る人々であつた。

各學課を通じ教科書を用ひずして筆記と謄寫板ずりのミメオグラフシーツで勉强せるあたりは如何にも實際的だ。

時々コロンビヤ大學の講師が來て外國貿易の講議などもした簿記の教師などは公認計理士として晝間は堂々たる大會社の帳簿を整理して居る實務に從事する實際人だ。時々催される各クラス選拔の簿記競爭には入賞者に立派な金銀銅のメタルをそれぞれ授けられた。

自分も選ばれて出た事もあつたけれ共入賞出來なかつた。クラスの爲めに大いに面目がなかつた。

然し一人きりの日本人なるが故に愉快だつた。

薄化粧した美しい曲線美豊かなヤンキーガール、彼の女等は流行とは謂へ腰掛ければ大股まで表はれる程短いスカートをはいて所謂足の美を遺憾なく吾々の眼前に陳列して御覽に供してくれる誰が之を美しいと思はざる者あらんやましてや青春の吾々に於てをや。然し相當に疲勞を感んじて居る自分は幸か不幸か之を顧みる餘裕がなかつた一分も早く歸宅して湯を使ひ寢るのが唯一の仕事でもあり樂みでもあつた。

二ケ年半は夢の間に過ぎた。

私がハイスクールへ入學して一年程經てパブリツクスクール時代の恩師ゲーツさんが此のハイスクールへ轉任されて來て居た暑中休暇になる時だつたゲーツ先生が私を呼んで特別に個人的に校長先生に紹介して下さつた。それのみならずパブリツクスクールの時と同樣カレヂへの入學を進められ先生から紐育大學商科部長宛に懇切な紹介狀を書いて下さつたゲーツ先生や校長先生の御親切を深く感謝する次第であつた。

かくしてハドソン河邊の學窓を去つた。

(三) ニユーヨーク、ユニバンテー

學生の一番樂しい暑中休みも終りに近い八月の末頃からカレヂへの入學試驗が始つた。一通りの筆記試驗にパスして愈々口述試驗、人物試驗を受けられる事になつた。

わづか數分間の口頭人物試驗、然し大切なそして之が最後の難關だ何んとかして通過し度いと祈つた。

いよいよ自分の番が來た。商科部長始め試驗官が十人程居ならんで筆記試驗の答案と人物とを見較べて居た。突然一係員が一体今日の生糸の相場は何程かねと尋ねた。約何弗と答へた。すると其生糸を何ベール注文し度いが如何なる順序で如何なる仕拂方法を採つたらよいか。

然らば何時何如なる方法で出荷してくれるか、此處に何万弗の信用狀を發行するから至急出荷せよ、一切の勘定を引き信用狀

の殘りが何程あるかと云ふ常識と暗算の試驗であつた。かくして幸に入學を許可された。

特に商科に力を盡して居るニユーヨークユニバシテーは早くより他大學のそれに比し一頭地を拔いて居た。

所々にブランチが有つた。アフタヌーンクラスのウオールストリートブランチなど世界の金融中心ウオール街とブロードウエーの一角を占め七面鳥の樣に顏色を青くしたり赤くしたりして居る株屋連を眼下に見下しながら學生達は現金融界の生命は將に吾等が掌中に在りと云ふ氣分で講議を聞くのだ。

自分の通ふたのはナイトクラスのあるワシントンスコエヤブランチであつた。

紐育市を東西に分けて居る中心街であり又あらゆる流行の中心である。第五街の始まる所にワシントンが米國最初の大統領として其椅子に着いた百年紀念ワシントンアーチの在る小公園ワシントンスコエヤパークの東側の十二階の建物がそれである。

西南の一帶は紐育で有名なグリーニツチビレヂでアーテストやボヘミアンが好んで住んで居る、まあ一口に變つた區域である。到低餘裕の無い吾々の立ち入り得る所でも無いけれ共學校よりの歸る途中にはドラゴン院だ、カフエーヂヨーカーだ、レインボーレストラントだなどゝ、ごてごて並んで居る院やカフエーをのぞいて見ると實に裝飾と云ひテーブルの具合ひ卓上に置かれたローソクの灯薄暗く若い男女のさゝやきにはもつてこいに造られて居る。町通よりも數段づゝ低い變な室の中には禁酒國とは云ひながら醉ぱらいも見へてゐた。

此處では可成り多額の授業料や大學費などを要した。

學生の大部分はユダヤ系米人であつた。紐育否世界の商業界金融金を牛耳つて居るのがユダヤ系であるが彼等の多くは大抵當校で養成された者だ。

六時から九時乃至十時迄色々の講議を聞くのだが中々面白い戲談交りの勞働の講議でも聞いて居る時など疲勞もなにも忘れてしまふ。

色々の參考書を讀まなくてはならない何しろ分量が多いので晝間實務に從事して居る自分には復習の暇さへ無く參考書など讀斯くしてみきれたものではなかつた。

一ケ年半の後一方事務所の方の仕事や責任も重くなつて來て中途退學の止むなきに至つた。

一九一七年から二十二年まで五ケ年半自分は夜學校で勉强を續け、其の順序を日記や記憶をたどつて綴てみると、各學校を通じ成績さへ良ければどんどん進級させる秀才優良兒教育で特徴と强味がそこにある樣に思はれた。

理想鄕「チユロップ」

蘭領スマトラは邦人を待つ

宮 下 琢 磨

本稿は、本會幹事で信濃海外協會幹事を兼ねて居る、宮下琢磨君が、片倉製絲會社の武井覺太郎氏と本年四月南洋に、蠶業上の調査と日本民族南洋發展調査とを兼ねて出張してから最初の便りである、海外協會中央會が南米に、南洋に、樺太からシベリアに、或は朝鮮から、滿蒙へ、我國民の進出を計りつゝありその南洋方面に關する宮下幹事の報告である。（海外協會中央會にて依田生）

スマトラ島

「スマトラ」嶋は蘭領東印度諸嶋の中では最も大きな嶋で、面積十六万二千二百六十八平方哩、最長千有餘哩、日本內地及台灣の合計面積に匹敵して居る。

位置は赤道を中心として西北より東南に横はりて居て、西部海岸に近く中央山脈南北に亘りて聳え、最高峯「インドラプーラ」一万二千尺、「デンボ」一万四百尺を始め五、六千尺の峻峯が雲に連りて居る。此の山脈が分水嶺となり、之れより流出する幾多の長江細流、大平野を潤ほし、數千噸の船を河口より百哩遡江せしむる長江も少なくない。東海岸には大平野多く、西海岸は嶮山直に海に迫りて居る。

而して此の峻嶺高峯の間には、大谿谷、大盆地、大平野が抱擁されて居る。

平野にはゴム、椰子、煙草、などの栽培が盛で、海拔千尺近き處より上地はコーヒー、茶、などである。

日本の峻山嶮峯は槪ね危岩突兀として氣候寒冷、僅に高山植物の生育を見る位であるが、こゝは如何なる高地と雖も頂上迄樹木鬱蒼として茂り、三千尺の高地も猶地味豊沃淸水流れ、氣候淸凉耕作に適する。此高山の間の大盆地大谿谷は槪ね土地肥沃人口稀薄、今猶千古斧鉞を知らざる處女林も多い。

最近「スマトラ」に對し、和蘭の植民根本政策たる交通機關の完備に於て着々その歩を進め、鐵道は年々延長し、道路の完成も急ぎつゝあれば、如何なる深山幽谷も自動車を以て疾驅し得られる。

理想鄕「チユロップ」は、此の高地のうちの一大盆地である。盆地と云ふても信州の松本平位はある。

此の地は西海岸より東海岸に至る國道が貫通して、交通の利便があるのみならず、地味肥沃水は淸洌而も氣候は熱帶國內と思へぬ程の好適さである。

此の外に最も喜ぶべきは明媚なる山容水態、母國の風光に髣髴たること、土人が一般に性質順良で邦人に對して尊敬親愛の情を有して居ることである。以下少し詳說するに、

樂鄕チユロップ

南「スマトラ」の南部東海岸の要港を「パレンバン」と云ふ新嘉坡から二百八十浬にして午後四時K、P、M、會社、の船で出帆すれば、翌日錫の產地「バンカ」嶋に二時間程錠留し、夕刻は已にムシ河口に入り、遡ること六十哩、夜十時には既に「パレンバン」に着く。

「パレンバン」とは反對に、西海岸に英領時代の首都「ベンクーレン」と云ふがある。此の兩市街は中央山脈の高地を横斷する國道を以て通して居る。

「チユロツプ」は此の途中の高地にあるので「パレンバン」より四百十五キロ、「ベンクーレン」よりは八十五キロの地點にある。今「パレンバン」より國道を高地に向つて進み、分水嶺たる「ホスピタル、ビリンギン、テガ」(「パレンバン」より三百九十餘キロ）の高地を出ぬけると「チユロツプ」の沃野は眼前に展開する。前方に見えるのがカバ山で頂上迄樹木茂り、白雲搖曳し、右の方には小丘が蜒々起伏して居る。此間一面欝々たる綠樹を以て被はれて居るのが、常世の香土「チユロツプ」である。

東カバ山を始め、北より西に廻れる連山谿谷を流れ下る幾十の淸流は此の沃野を潤して至る處、綠蔭に被はれて淙々の響をなして居る。特に地下掘ること幾何ならず淸水滾々として湧き出るなど實に天惠の饒なる、實に驚かざるを得ない。

天惠裕なる常春鄕

赤道直下の場所であるが、此處は標高五百メートルから九百メートルの處であるから氣溫もズツト下つて年中の統計を見ると年中殆と大差なく、夜明け前が華氏の六十六七度日出より十時迄は七十二三度、日中最も暑き時と雖も、八十二三度より八十五六度に過ぎない。此の時刻は正午より三時頃である。

日中野外を散策するに直射光線は可り强いやうなれど、凉風肌に快く、恰も東京に於て凉秋十月尾花刈萱乱れ咲く武藏野を步む心地とや言はん。

元來熱帶は乾雨兩季ありて、乾季には殆と雨を見ざるを普通とすれど、此地は乾季と雖も午後四時頃となれば驟雨來り、一二時間にして止む、毎日斯くの如くなれば四時の區別なく萬物は生々として成育する、桑の如きは何時切り直しをしても直ちに若芽が出る。

夜に至りては晚秋凉氣肌に迫る。夜十時の頃ともなれば、單衣の浴衣肌寒く、下に毛織の肌衣をつく、夜二時より夜明頃は氣

溫最も低く、寢具に毛布二枚を用ふるも猶肌寒さを覺ゆるのである。

非常の健康地

以上の氣候で水が良いので非常に健康に適し、マラリヤ、赤痢とか、ペストなどの地方病、流行病は更にない、のみならず平地に於て「マラリヤ」に犯され永年治癒しなかつたものも此地に來れば自然にいつか知らず治る、從前日本の藥が南洋の隅々迄も行き渡つた頃でも此地方は產前產後の藥の外は賣れなかつと云ふことである。かう云ふ氣候は世界中恐らく何處に行つても見出せないであらう。

多種多樣の植物

赤道直下で淸凉の氣候であるから熱帶、亞熱帶、溫帶の植物は繁茂し樹々枝を交え葉々相重なり、一望「チユロツプ」の沃野は欝々葱々翠綠を以て被はれて居る。

椰子の如きも砂糖をとる砂糖椰子、油をとる油椰子、又之が花梗の處を切りて酒もとれる。野生のゴムがある。竹の如きも徑一尺に至る大竹もあれば、魚釣竿にする小竹もあり、垣根とする倭少のものもある。植木の如く一園となりて叢生するもあれば一面に簇々生へて居るもある。芭蕉の如きは一株植えれば忽ち繁殖して始末におえぬ、木綿は何處迄行つても水平に枝を張つて居る、果樹には南洋獨特の「ドリアン」「マンゴステン」「ランボタン」「チヤンブー」がある。

山林深く入れば「ムランチー」などの喬木、亭々として百數十尺天を摩すものもある。枝より枝に這ひまつはる「カツラ」には渴したるとき切りとりてビール瓶をあつれば忽ち甘露の如き淸水瓶一杯に滿つるものもある。花卉に至りては珍奇異種數ふるに遑なし、唯欝々葱々として靑綠黃紅千紫万紅色彩の妙、林相の美、思はず三嘆の聲を發する。日本の野菜の如きも蒔けば必ず生へ、生ふれば必ず長ず、而して其の風味に於ても敢て遜色はない。

發展の道程にあるチユロップ

此の沃野の中に位置を占め、發展の道程にあるのが「チユロツプ」の街である「チユロツプ」は今の處戶數八百位のものであるが「パレンバン」より「ベンクーレン」に至る交通の要衝に當り、更に西北「モアラアナム」の金鑛方面に至るの自動車道路の基點である。附近にはカバ山を廻るコーヒー園を控へ、豊なる農民部落が國道に沿ふて續く。

郡廳は現在「クパヤン」にあるが此所は沃野の南端行き詰りの地に偏在して居るので、遠からず此の地に移轉さるゝことになつて居り、兵士駐屯所も設ける筈である。製氷會社は既に出來、今年七月を以て開催さるべき共進會を機とし、新市街建設の計畫中で、既に野生ゴム喬木林は伐り倒され圓形の廣場、五方に延び行く道路は今工事中である。競馬場、運動場の區域も定められ、家屋建築方案を發布され、新市街建設の準備は着々として進んで居る。生氣に充てる「チユロツプ」街は今や新裝を凝らして衆人環視の裡に立たんとして居る。

土 人

此の地方の土人を「レヂヤン」と云ひ「ベンクーレン」や「パレンバン」とも違つてゐる。性質は極めて純良朴實、農業に從事し米、野菜の主要食糧の外に「コーヒー」煙草などを作り相當收入もあるので、餘りあれば裝飾など買つて、過去も未來も考へずに悠々自適の生活を送つて居るものが多い。隨て他に傭はるゝことなどはせぬ、それでも近時は一般の風潮に刺戟せられて、五六千圓もかけて家屋を新築すること流行し、又青年の間には自動車を購入し運轉手となるなど相當金儲けの途を考へて來るやうになつて來た。

宗敎は一般にマホメツト敎を信じ、絕對に酒を飮まず、豚を食はず年一回一ケ月は齋戒して、日中は食物をとらぬ。

畢生の願望は「メツカ」に行き「マホメツト」の本山に參詣することである。是れが爲めに蓄財もする。一度參拜をすませたものは「ハヂ」と云ひ村の先達格となりて巾をきかせる。土人は何事も運命に任せて悲觀しない。子供が死んでも運命、泥棒に合ふも運命で、運轉手に何時に着くかと聞けば、わからぬといふ、神樣が故障なく走らせて吳れるなら着けるが、人間には夫れがわからぬのである。

日本人に對しては一般に尊敬の念を持ちて居る。蘭人は支配者として親み難い、支那人は豚を食ふので外道である。輕侮の眼を以て視る、此のうち日本人は風貌生活酷似したる處多く、日露戰爭以來東洋民族中の一等先進國として憧憬の的となつて居る。日本人として言へば如何なる人でも勇敢で、何事にでも通曉して居るものと思ひ、特に病氣などには治療を賴むと云ふ位である。

產 業

土人は人口稠密なる「ジヤワ」とは比輕にならぬ廣い土地のあることゝて米、（水田、陸田）を作り「タピオカ」を作り山羊、牛を飼ひ「バナ、」「コーヒー」を栽培し、中にはゴム園を作り生活費を得、殆と自給自足で、單調なる生活に滿足して居る。土地も一ケ所を耕作し、そこが衰へれば更に地方に新地を開くよしんば開かなくても「バナ、」數本を植えても之れが自分の土地であると言へば、夫れでも通用すると言ふので至極呑氣に考へて居る。

「チユロツプ」街の如き日に發展し、土人は競ふて新しき家屋を建築し家具は日常必須なるも練達の職工はない緩漫無拙の土人の手による外はない。深山に百尺餘の樹木は密生して居るも之れを製材するは舊式の鋸である。隨て材木は高い、所在水流はあるも動力に活用して居らぬ。

農業に於ても米は施肥せず選種せず殆と粗放農法である。市場の卵は一ケ七八錢であるが養鷄もやらぬ。市街は急激に進步しても土人が順應する能力がないのである。悠々緩々ぶら〳〵やつてゐる。

母國に於て生活難に苦しみ拔いた支那人が至る處で勢力を張り根抵を固くして居るのは彼等の忍耐精苦にもよるが自然の要素

も備はりて居ると云はねばならぬ。養蠶に至りては溫度調節も要らぬ、桑は枝を一尺程に切りて地に挿せば忽ち發育する何時にても切り直しをすれば發芽するから年中養蠶が出來る。

既に此の沃土、此の氣候、此の市街がある、此の美鄕に於て邦人の努力、智力を活用したならば一望十里の沃野は忽ち美なる花園の如き農園となり、市街は文化的に燦爛たる光輝を發輝するであらう。否一日も早くさう言ふ時期の來ることを切望して止まぬ。「チュロツプ」所在の州を「ベンクーレン」州と云ふ、州の理事官（レシデント）は曰く日本人が眞にスマトラの產業開發に努力して吳れるならば總督とも打ち合せ適當な土地を得ることに盡力するであらう、總督も最も歡迎して居る處であると。

三民主義かぶれの支那人の流入は最も和蘭政府の喜ばざる所である。スマトラの平野はゴムの栽培にて餘地尠なくなつて居る殘されたるは高地である。土地肥沃で氣候の良い此の高地は邦人活動に於ける好適地であり、又得意の好舞台である、又夫れが和蘭の爲めにも日本の爲めにも相互の利益であり幸福である。スマトラ文化の開發は實に日本民族の使命である。

三笠農園

綿入れの寢着、毛布二枚を貸して貰つたので寒くはなかつたが夜明けには五十八度である。側の林で鳥の囀る聲に眼をさます起きて、表の戶を開き玄關に突つ立ちて表の景色を眺めると、前の庭にはダリヤが咲き、朝顏が咲き、カンナが咲いて居る。其他熱帶の珍らしい花、これらの草花は雨に濡れたやうに、しつとりと露に霑つて居る。其先きにはあづまやがありて「テニス」のコートが出來て居る。庭の右の方には竹の一叢が丈高く延びて居り、其からは桑の畑である。街道から庭の左側に一直線に一三〇メートル本館の處迄道路を開けて自動車が這入る、道路から左の方は密柑畑である。

道路と「テニスコート」の間は土人のコーヒー園が若干あり、雜林もある。林の茂みの上からは椰子の木などが見える。街道の朝早く通る自動車の音も聞える。其先き一面の鬱葱たる樹木で、遠く「カバ山」の麓迄續く。

カバ山翠綠を以て被はれた山で弧立した山ではあるが、去り迚圓錐形に兀として天空に聳えたと云ふではない、と云つて布團着で寢たる姿としては少し堅過ぎる。兎に角穩かな平和な感じを與へる山である。朝日はカバ山と分水嶺の邊より差し上る。朝の冷たき爽かな空氣を吸ふて「チュロツプ」の沃野に眼を放てば、熱帶の强き光線、爽かな空氣、豊沃なる土壤、饒なる雨露の限りなき天惠を生々と伸び行く草木の生氣に打たれ連日の疲れは消散し全身に潑剌たる元氣はよみがへる。洗面所の水は奇麗でつめたい、側の井戶をのぞけば數尺の水に水は湧いて居る、ポンプの柄を少し動かせば淸冽な水は忽ちセメントの水槽に充ちる。靜かな平和な光景である。（終り）

拓殖省官制の政府原案

拓殖省設置準備委員會に付議された原案は左の通りである

拓殖省官制（綱要）

一、拓殖大臣は朝鮮總督府、台灣總督府、樺太廳、關東廳および南洋廳に關する事務を統理す拓殖大臣は南滿洲鐵道株式會社東洋拓殖株式會社の事務を監督す拓殖大臣は移民に關する事務を管掌す拓殖大臣は移民の指導奬勵に關し總領事、領事を指揮す

二、大臣官房において各省官制通則による事務を掌る

三、拓殖省專任書記官は十名をもつて定員とす

四、拓殖省に左の三局を置く
地方局、殖產局、拓務局

五、地方局においては左の事務を掌る
（一）朝鮮總督府、臺灣總督府、樺太廳、關東廳、南洋廳に關する事項
（二）支那およびシベリヤにおける移民に關する事項

六、殖產局において左の事務を掌る
（一）朝鮮總督府、台灣總督府、樺太廳、關東廳、南洋廳における產業金融銀行專賣租税等に關する事項

七、拓務局においては支那およびシベリヤを除く移民に關する事務を掌る

八、拓殖大臣は移民の指導奬勵に關する事務を掌らしむるため海外樞要の地に書記官、事務官、技術員を駐在せしむ

九、拓殖省に專任事務官十名を置く、奏任とす上官の命を受け事務に從事す

十、拓殖省の專任技師若干名を置く
拓殖省に專任屬および專任技手を通じて若干名を置く

付則

十一、本令は昭和四年六月一日より施行す

十二、內閣官制中拓殖局を廢止す

總督を初め拓相の下に

一、朝鮮總督を始め殖民地長官はこれを完全に拓殖大臣の指揮監督に屬せしめ拓殖省官制第一において『拓殖大臣は朝鮮總督、臺灣總督、關東長官、樺太廳長官、南洋廳長官、南滿洲鐵道株式會社長および東洋拓殖株式會社長を指揮監督す』といふ意味を明記すると共に現行の植民地官制中朝鮮、臺灣兩總督が總理大臣を經て政務を上奏すとある點をも改正して直接拓殖大臣の監督下に立つことを明記すること

一、從つて從來植民地行政については總理大臣が主務大臣として輔ひつの責任をとつてゐたのを根本的に變更して拓殖大臣を輔ひつの責任者とすること

一、拓殖大臣の權限については植民地方長官を指揮監督すると共に拓殖省令の發令權を與へ省令は植民地行政全般の共通事項に限ること

一、植民地長官の權限については現行法通りの全然その內容を變更しないこと

拓殖省新設費承認

明年度豫算編成にあたり政府は大藏省新規要求費目として拓殖省新設準備費、拓殖省新設費の二項を提出し經費約百五十萬圓の要求したが大藏省主計局の査定の上、完全なる承認を經たのでいよ〳〵多年の懸案たる拓殖省の設置を見るに到り別項記載の如く政府は準備委員會において準備を進め來年六月より開設する事になつてゐる。

募集にいよ〳〵着手
御大典記念移住地建設
出資一口に二町五反提供

本年の代議員會に於いて決定せる御大典記念の一万町歩移住地建設はいよ〳〵着手する事になり毎年一千町歩宛拾ケ年計畫で第一年度の出資募集が開始せられた。

出資申込金額は一口四百五拾圓で申込第一回の拂込額が百五拾圓以後三ケ年に毎年百圓宛拂込むもので一口の申込に對し移住地土地二町五反歩を提供する事になつてゐる。而して協會では本年度內に四百口を募集する豫定で既に縣下の有力者からは前以て申込みがありなか〳〵の盛況であるが今回の計畫は御大典記念の趣意に則り出資申込を嚴選してみだりに申込を受付けぬ方針である尚現在のアリアンサ移住地は縣下のみに於いて出資を募り移住地建設を行ふたが今回はその範圍をひろめて縣外の長野縣人及びその關係者にも解放する事とした。これがため近く協會幹事は東京名古屋關西方面の信州出身實業家有力者の間を奔走すべく樺太北海道朝鮮滿州台灣等の植民地にも關係者を辿つてその出資應募に努める一方海外にも進出して布哇北米中米南米等若くは比律賓をはじめ南洋方面にも申込希望者を募る筈で寧ろ縣外、海外からの申込に對しては縣內のものよりも優先權を與へる意嚮である。提供せらるる二町五反の土地はこれを協會に經營を一任してしまふもので協會では十口即ち二十五町歩を一地區として請負六ケ年の小作者を入植せしめて開拓し主に珈琲栽培を主眼として立派なる農園を作らしむるもので出資者は七年目よりの珈琲實其の他の收入を得る事になり一口即ち二町五反二百圓位の收益を得る豫定である。尚申込口數は一人一口以上で限がない前が假りに十口を申込み二十五町歩の土地の提供を受け第一年度に一千五百圓以後三ケ年間に毎年一千圓計四千五百圓を拂込めば七年目の後には珈琲十町歩、牧場二町五反、雜作地五町歩、原始林七町五反歩と云ふ立派な農園が出來上りその價格は約三萬圓となり第七年以後約二十五年間（珈琲の樹齢）毎年約二千圓の純益を得らるるもので御大典記念としては最も有意義なる好箇の記念事業として歡迎されてゐる。

（寫眞はアリアンサ移住地の一ケ年半のコーヒーの株である）

南墨チヤパス州のメキシコ、コーヒー

在エスキントラー　竹內駒雄（上伊美篶村出身）

チヤパス州は墨國の最南端に位しグアテマラ共和國と境する面積二萬七千平方哩人口約四十五萬人を擁して本州は雨量多く灌漑に便利なると土壤の肥沃なるため頗る農業に適し珈琲、煙草、玉蜀黍、甘庶、カヽオ、小麥、豆護謨等の農作物收穫多く牧畜業も盛んに行はれてゐる。

此の州の海岸中央に近くエスクイントラ町ありパン、アメリカ鐵道によつて墨都に通じてゐる。

此地は明治卅九年榎本子爵が珈琲の栽培を目的として六萬三千町歩を買收し日本人植民地を建設せんとしたが遂に失敗に歸したと云ふ墨國渡航日本移民の最初として有名になつた所で、其後西、獨、佛人等によつて珈琲園が着々成功し今や名のあるメキシコ、コーヒーの主產地になるに到つた。

邦人で珈琲栽培に鋭意從事してゐるのは小橋岸本合名會社經營のホワレス珈琲園で面積四百五十英町である。此のホワレス珈琲園の支配人は長野縣上伊那郡美篶村出身の竹內駒雄氏である。今同氏よりの通信によりて槪況を述ぶれば左の如くである。エスクイントラ町の南方約十五哩の山地にカフヱ園の繁茂するを見るは卽ち此の珈琲園で當地の珈琲適地は海拔六百米突より一千五六百米突としてあるので地勢槪ね急傾斜にしてブラジルの如く平々且々若くはゆるやかな波狀地は見られない有樣で甚しきは四十五度の急傾斜地にもよく栽植されてゐる。

× × ×

珈琲の品種として栽植されてゐるのは四五種類であつてロブスト種、アラビヤ種、ボルボン種、アラゴヒツプ種等である。

ロブスト種は性强剛にして樹、稍、葉共に大きく豊產なれど果稍ゝ小にして品質劣り芳香乏しくカカオに類似の香味あり氣溫高き地方に栽培せらるゝと收量多きを以て特徴とし價格の廉價なるため當地方では僅かに栽培せらるゝも歐州の勞働階級向きである。

アラビヤ種は海拔六百乃至一千三四百米突の地に栽培せられ樹性强壯豊產にして品質も上等にして調製よろしきを得ば一層品質上り歐米の上流階級向として歡迎せられブラジル產とは紐育市場において常に四五弗以上の價格を示してゐる。當國及中米にかけて多く一番栽培されてゐる。

ボルボン種は海拔四五百米突或ひはそれ以下の地によく生育し豊產なるも欠點とする所は品質稍ゝアラビヤ種に劣り樹脆弱にして折れ易く樹令も短きも一般に小農家の小規模の栽培に適し平地、高地の中間に廣く栽培されてゐる。

マラゴヒップ種も海拔四五百米突の低地より高地に到るまで栽培せられ樹性彈力に富み果は前數種に比して大きく珈琲素（茶にテイン素を含む如く）の含有量多く前數種が二、三％を含むに比し四、五％の含有量を有してゐる。歐州大戰後獨逸方面に需要激增して未だ栽培も盛んならざりしため市價暴騰してアラビヤ種に比して拾弗以上の高價を唱へられてゐる。現獨逸にてはアスピリン錠（カフエ、アスピリナ）の製藥に用られ又本種の特徴たる芳香强烈にして苦味强き點が獨逸人の嗜好に適すると云ふ。

（アラビヤ種）

珈琲園の中央にあたる所に寫眞に示す如く中央がセメント張りの乾燥庭、上方の建物が調製場なり收穫せる果を先づ機械にかけて外皮を剝き去り約三十余時間推積して醱酵させ果密を去り水洗して乾燥爐に掛けて磨きをかけ分類して等級別に俵裝して市場（輸出向）にする。乾燥庭の下には現在では第二の調製所があり下方に平行せる建物は長屋式の勞働者の住宅である

ブラジルでは珈琲の調製に水をあまり使用しない樣であるが當地では總ての作業に水力を利用し或は動力に用ひて珈琲園の第一選定條件は水の十分ある事である。此の寫眞に於て前後の傾斜地の樹植は卽ち珈琲樹である。

當地の珈琲園の特異とする點は珈琲に陰を與へる樣に陰蔽樹をたて珈琲の生長するにつき切り倒して行くのである。陰蔽樹の種類は豆科の樹木を第一としバナヽの類も又用ひらる前者は陰を與へると同時に豆科植物の特徴として地力の恢復を計り後者は陰を與へると同時にバナヽの果を收穫するの一擧兩得がある、

然しブラジルで珈琲の間作に豆、綿、米を作る事と比較すれば耕作の方法經濟狀態等の差異は充分多かる事と思ふ。

味覺をそゝる熱帶の果實

重寶なパパヤ（一）

西瓜にもなれば胡瓜にもなる

普通日本でパパヤと呼ばれる果實は墨國ではピニヤと呼び、ブラジルではマモンと呼ばれてゐる。パパヤを木瓜と書くのは面白い當字で全く木に瓜がなると云ふのである。まことに重寶な果實で一本のパパヤの木が植えてあれば西瓜、南瓜、茄子、青瓜胡瓜さては桃や杏の木を植えておくと同じで、良く熟したものは西瓜として食卓或ひは日中の勞働の渴を醫するに十分である。青い內には肉鍋に切り込んで茄子となり又皮を剝きて大きく切りて石灰汁に漸次浸して砂糖にて煮たものはコンルペと稱して桃や杏のジャムにあらざるも食後の果子として子供に喜ばれる。越瓜青瓜の糠漬にも適し或ひは薄く切つき鹽揉みにして日本人の嗜好に適す等實に結構の果實である。

パパヤ樹は草木樣常綠小喬木であつて高さ四五間に達するのは大きい方である。單幹で殆ど直立し上部にのみ葉を發生すること棕櫚の如くで普通技を生じない。葉は八ツ手に似て有柄の長大なる掌狀葉で互生する。一般に雌雄異株であるが雄木にも僅少の雌花を着生し結實もする。花は各葉柄の基部に開花し乳白色の五辨を有する果實は各葉腋に累生し寫眞に見るが如き頗る奇觀を呈する。雄木に結實したものは小果で食用に適さない。而して殆んど四季の別なく開花結實し下部のものは成熟せるに上部のものは尙蕾として存する。結實より成熟まで概して約半年を要し台灣に於ては八月に開花したものは十二月若くは一月に成熟する。

木瓜屬は二十有余の種類あり、元來熱帶南アメリカの原產であつて、米國發見後迅速に世界各地に轉播し印度、支那、瓜哇、布哇、墨國比律賓等の熱帶各地に栽培せられてゐる。我國では台灣、流球小笠原諸嶋に產する。

將來バナヽの如く內地人に好まれ珍重がられるであらうが唯永い貯藏に堪えざるため且つ遠方に運搬する事は頗る困難であるから海外視察組合旅行の機會をねらつてその欲を貪ぶるに限る

海外通信

神の試練深刻

愛妻の不歸友の死

在玖馬 瀨在藤治 埴科五加村出身

爾來殊の外御無音に打過ぎ多罪の至りに存じ候

毎々御誌海の外を忝く接受拜讀仕り候。時下國の內外を上げて同胞の海外發展を呼號する秋に當り最良の指導機關として御誌の日々に成人活躍する事は邦家の爲め慶賀此の上無くこれ局にある皆樣の貴き不斷の御力の賜にして、吾等の感謝に堪えざる所にて候。故國を遠く離れ一小孤嶋に南船北馬する身にも故國の動靜より世界の狀況に至るまで詳にする事を得るは吾等の常に欣嬉する所にて候。それに就きても時折は當方の狀態なりともものしてペンを滑らし度く思ひつゝ此所兩三年來神の試練余に最も深刻にして呼び寄せし靑年上高井保科出身の丸山廣司君は逝き、余が愛妻は四ケ年の病臥より遂に立つ不能して不歸の客となり余を悲觀せしむる事甚敷く爲めに御社に對しても法外の御疎音にて痛く自責せしめられ候

追々閑散な期節にも入り候へば今までの御詫びとして玖馬の現狀なりと申上げ度きものと存じ居り候。御誌代金も何時も延び／＼になり誠に恐縮致し候。本月一日附を以つて橫濱正金紐育支店を經て米貨拾五弗御送金申し上げ候間多分此の拙書と前後して着金する事と存じ候。先は不取敢右送金御通知旁々御無沙汰の御詫びまで如斯に御座候

伯國はいくらも歡迎

嫁殿を心配願度い

モヂヤナ線イガラパパ驛ウニオン耕地 田中鐵之助（下高平岡村出身）

私は渡伯して十二ケ年になり今年五十七の齡を迎へました。しばらく母國の事情につき知る機會ありませんでした所今回計らずも「海の外」に接し故山に歸つた思ひが致しました。日本では食ふに困る生きるに困ると云ふ

事ばかりですがブラジルは働らき手が少くなくて働らく意志のあるものなればそんな悲鳴をあげる必要はありません。伯國も廣い事には驚くばかりでいくら日本から來ても行き詰る所ではありません。それのみならず廣大なる土地を有利な條件で提供してくれますから大團体の移住は行はれ、これに故國の銀行家が奮發してくれれば實によい機會がいくらもあります。

我下高井の平岡村附近でも三四十家族が大擧して來てもいくらも心配してあげてもよい位に伯國は日本人を歡迎してゐます。私も日本では文字通りの貧乏人でしたが伯國では泰平の生活を續けてゐます

近頃日本からの視察者が增へてゐますが皆、視察者道樂者でヤレ某省囑託でござい、ヤレ新聞記者、雜誌屋等と云ふ振れ込みで中には土地を買へそうな風をして何處となく姿を消してしまふ者もあつて在伯邦人にすら飽きられてゐますから我長野縣人では視察等はやめてドシ／＼移民を送る事に努めて下さい。

それからブラジルで一番困難を感じてゐる事は嫁のない事です。到る處婿殿ばかりで娘のないのに閉口してゐます。私もその心配者の一人で貴會で御心配願ふれば結構です。海外の發展等と云ふ事も前號松尾弘氏の御說の如く婦人がモウ少し醒めてくれねばとてもだめです。

無事入植

在アリアンサ 宮原和三郎（埴科南條村出身）

拜啓 貴會皆々樣には御淸榮奉賀候 次に御配慮被下一家一同去る十二日無恙入植、目下第二收容所（鳥取海外協會）に落ち付き第五區中の第三十九、四十號のロッテを割當てられ實地見分の處、土地高燥地質も良好と見受けられカフエーザールの適地大部分にて家內一同大喜び、昨日より井戸掘著手、建築材料集め、山燒き（協會にて先月一アルケールを伐しおかれたり）家建て引越し、カフエザール山伐りの豫定に御座候 次に大八郎いろ／＼御配慮被下御禮申上候

歸國の人々

小川幸太郎氏（在加奈太）在加拾五六ケ年一意專心農業に從事多數の靑年を呼寄せて海外發展運動を助力諏訪富士見出身十月頃歸國の豫定

唐木延治氏（在墨國）大正八年渡墨雜貨商を營む六月銀洋丸にて歸國鄉里滯在上伊西春近出身

北原昌計（在墨國）唐木氏より二年前に渡墨雜貨商を營んで今回唐木氏と同じく歸國上伊西春近出身

母國時事重要日誌

(前號第七十四號三十二頁より續く)

七月廿三日 張學良は我勸告を容れ南方との妥協を中止する旨林奉天總領事に明答▲北海道天鹽四百戸燒失▲對支國論の統一を計るべく田中首相の心組であるが我意を一々應諾する支那か

廿四日 出淵外務次官駐米大使に松平大使は駐英大使に吉田公使は外務次官に夫々榮轉▲今年の土用はとあて込んだ鐵道省山や海の避暑の設いのに青菜に鹽昨年と比較して十七萬圓減額

廿五日 政府は日本の態度を明らかにすべく林權助男を張作霖の葬儀參列せしめ序でに了解を求むる筈▲御大禮に召される光榮の人は廿五萬人である。▲樺太から東京へマラソンで出發

廿六日 北アルプスは登山客で大賑ひ上高地はキャンプで一千の登山者で町を造つた▲ロックフエラー研究所から故野口博士未亡人に終身年金を支給▲米國が出し拔けに條約交渉開始を國民政府に通牒して米國一流の外交を振舞ふ

廿七日 陪審裁判が行はれるについて陪審員のホテルが出來上つたこれは公判中は一歩も外へ出さぬ用意である▲左團次モスコーへ到着大歡迎を受けモスコー各新聞は日本一の劇團と激賞

廿八日 節子姫鄕里の會津で大歡迎される▲殖民地にも國有財産法を適用して財源を捻出▲松本商業甲信越豫選に大勝して甲子園に出場▲米支關稅條約成立で英國も追隨日本の孤立の態

廿九日 恐喝常習の右傾團が帝都を橫行し警視廳では手がつけられず檢事局一大活動開始▲ノビレ少將一行ローマに歸る▲我が美術分野に一大勢力をはりかけた「國展」解散

卅日 囚人の待遇改善の一策として女の看守を採用する事になつた▲家庭不和が原因となつて愛兒二人を伴つれて若い母が愛知縣下で投身自殺▲オリンピック大會日本選手大奮鬪

卅一日 米國のイーストマン會社では天然色映畫作製に成功した▲勤勞敎育の實施に關し師範學校に農業科を課すべしとの意見がある▲藤村男國際聯盟總會へ政府代表として出發

八月一日 現政局打開と標傍して床次氏突如民政黨を脫黨して第三黨を組織す▲今回の床次氏の行動は全く獨斷にて民政黨は寢耳に水の驚がくである新黨參加は舊本黨系から三十名內外

二日 床次氏の行動に對し同氏と最も關係深い山本達雄男は床次氏の行動は輕卒で自分は脫黨しない旨言明▲關東一帶連日豪雨の結果各地被

害甚大

三日 對支國策を審議すべき外交調査會設置すべく田中首相濱口總裁を訪問▲オリンピック日本得點十一點第七位▲米國よりの不戰條約調印に內田伯を政府で派遣

四日 濱口總裁外交調査會入拒絕▲新潟縣五泉町五百戸燒失▲床次氏新黨參加十名內外

五日 郵貯十七億圓を突破▲民政黨の對支外交は內政不干涉を第一義におきとかく軟弱外交の非難を受けるので滿蒙の權益は强硬に擁護するの再聲明をした▲舊本黨員依然去就に迷ひ情誼で行くか名分で行くか痛頭鉢卷

六日 オリムピツク水上競技鶴田優勝▲南洋のパラオ、サイパン島から廿名の觀光團が憧れの日本に來る▲往來で遊んでゐる兒を目隱して伴れ去る惡漢があつたなか〳〵の物騷！

七日 連日の降雨に西瓜と氷が山になつてゐる▲人目變つた事を得意とする米國でマラソンダンスと云ふのが六十四哩を三十七時間で踊り步いた▲本年一月乃至三月までの人口自然增加は三十万六千九百七人で昨年同期より一萬六千三百三十五人の減少で原因は出生の減少から

八日 東三省の形勢逆轉して南方政府と妥協の兆あり▲條約廢棄に反對せる日本の對支回答きふう發表さる▲舊本黨員惜別の宴を開く

九日 床次氏の新黨組織は漸次參加者增加して十七八名になり新黨樹立準備にかゝる▲南北妥協遂になる▲田中首相の外調設置は立消え

十日 英支條約協定成り南京事件も解決▲林男は張氏に南北妥協に關し忠告したがこれに對する明答をさく▲活動寫眞をラジオの電波で放送

十一日 日本のみを除外して各國に條約改訂提議せんとする國民政府は日本政府をけん制▲全國中等學校野球大會今日から開催

十二日 佛國も條約改訂應諾▲床次小泉提携せん▲オリムピツク水上競技日本得點十八點二位

十三日 再び南北妥協打切る▲松商第一回戰に强敵山陽代表の廣陵中學を三Ａ―二で堂々勝つ

十四日 國產煉乳大擧印度ツベリヤ方面に進出する▲本年度自作農貸付金一千四百五十萬圓▲山東派遣軍第二次減兵し第三師團は冬營準備

十五日 松商二回戰九州代表鹿兒島商業を三―二で敗る▲比島新內閣成る

十六日 在米日本人が太平洋橫斷飛行の鋒田氏を應援する事になり二萬二千弗の寄附を申し合せた▲爲替四十五ドルを割る

十七日 外蒙古に獨立運動起る▲獨國南京に公使館を移轉▲松商三回戰に愛知商業を五Ａ―〇にて屠り準優勝戰に向ふ▲林男滿洲から歸京

十八日 新規の補助航路にキューバ航路費五萬五千圓計上▲民間有力者を派して米國民に我對支態度を理解せしむるため新渡戸渡米か

十九日 床次氏の新黨クラブは現在十一名となつたが尙交渉團体となる二十五名に達するには充分骨が折れる▲外蒙古附近における獨立運動は露國の暗躍があると注目されてゐる

二十日 雨にはばまれ二日間延ばされた松商對高松中學の準優勝戰は六回戰の表半にて降雨となり三―〇のコールドゲームで松商いよ〳〵優勝戰に入る▲政府の招電によつて歸國した矢田上海總領事は對支政策の局面轉換を進言

二十一日 一年にたつた一圓かけておけば火事に遭たら一千圓をやると云ふうまい火災保險類似の詐欺漢がこの手で一千人をだまして歩いた▲獨日無着陸飛行獨人二十八日出發の豫定

二十二日 松商平安中學を三―一で敗つて優勝す▲北海道天鹽線十月開通▲

二十三日 大西愛次郎一味は天理教研究會なるものを作り全國に五萬數千の信徒を有し愚衆を欺いて彼自ら甘露台様と稱して畏れ多くも皇室の尊嚴を冒瀆し奉るが如き行爲あり遂に不敬罪として起訴▲關西實業家が一千萬圓の輸出會社を創立南洋貿易の振興を計る意氣込

二十四日 朝日新聞社は二十七日より東京―大阪東京―仙台間の旅客貨物の飛行輸送開始東京大阪間三時間賃金五圓▲松商チーム上京長野縣人歡迎會に出席▲練習艦隊ホノルル着

二十五日 本年上半期における小作爭議件數は六百八十一件にし前年同期より三百五十件の激減その原因は昨年の米作豐穰と總選擧のため▲山岳家浦松氏はアルプスの最險峯を見事征服

二十六日 米國大統領選擧戰の唯一の政見相違は酒の禁止と緩和▲廿四軒の土藏切拔き賊捕縛

二十七日 十五ヶ國の巨星會して不戰條約調印世界に平和のペンが動く▲長野縣松本郵便局一等に昇格▲現內閣の對支外交中心がないと非難

二十八日 政府は選擧區制を小選擧區に改正來議會に提案▲山梨朝鮮總督は產米增殖計畫を踏みにじり非難さる▲不戰條約更に三十餘國參加

二十九日 日支條約に關し國民政府に對してまでも我態度嚴然▲滿洲吉會線十月開通▲平然追はぎを働らく大膽な少年映畫の惡感

卅日 恩給亡國を救ふべく恩給法の大改正斷行首腦部決意▲いよ〳〵床次氏の傘下に二十五名集る▲共產黨事件の豫審各地相次で終結被告は年齡にして二十五六才學生が大部分を占めてゐる。

卅一日 水上機で世界一周米人英國を出發▲行

李詰の女死體篠ノ井驛で發見▲イリノイ大學野球團來朝▲三田綱町女中絞殺さる

九月一日 大震災五年周年の記念日▲民政黨不平組脫黨騷ぎ▲二百十日全國快晴稻作は稍不良

二日 篠ノ井で發見された女死体は新潟縣生れ愛知縣知立町に住む岩本の內縁の妻りよ二十八歳と判明犯人は岩本らしく行方不明▲民政黨不平組は政黨組と官僚組の衝突で幹部連の補暴を嘗がい▲青天白日旗突如山東に翻る

三日 墨國大統領にカイエス重任を議會說明▲行李詰犯人の捜索五里霧中▲聯盟總會開かる

四日 行李詰犯人若松市で自首▲不平組四氏結束困難▲新黨クラブいよ〳〵交渉團體となる

五日 米價暴騰政商代議士策動三十三圓二錢卅七日に狂騰▲名優尾上松助逝く行年八十六歳▲思想係檢事が「赤」の研究講習會を開く

六日 民政黨不平組の一人小寺謙吉（兵庫縣）除名さる▲獨身勞農黨結黨準備を進む▲農業だけでは三人の子供の養育出來ぬと自殺

七日 不平組濱口總裁と會見和解▲林奉天總領事山東問題について歸京▲米大統領ク氏息子は鐵道貨物係に就職米國讃ゑる

八日 突如不平組三名を除名し憲政一新會を組織▲民政黨は七十三歲で强盜を働らく老漢があつた▲御大禮恩赦は特赦減刑のみと閣

移植民ニュース

青森縣から二百五十戸樺太へ

寶の持ち腐されだと言はれてゐる樺太資源開發については海外協會中央會が今春より大活動をする事になり全國に檄を飛ばして樺太移民の募集を爲しつゝあつたが今回青森縣下より二百五十家族が先鞭を打つ事になり九月一日より渡航が開始された

日本民族の寒帶方面發展は全く樺太移民によつて立證されるので同會では今回の移民に對して周到なる努力を拂ふが移民一家族には十町歩を無償で與へ尙一戸五百圓を補助する。

移民法改正で再渡航者急ぐ

カナダ政府は九月一日より寫眞結婚を禁止し尙移民の制限を斷行し不法なる行爲を敢て我國に示した事は本誌前々號に報じたる所であるがこれがため一時的に歸國してゐる者は同法規實施前に再渡航せねばならぬ事になり七八の兩月はカナダの再渡航者で神戸橫濱の同港は大混雜を極めてゐた

福原氏アマゾンに向ふ

かねて計畫中の南米拓殖株式會社は福原八郎氏を社長として花々しく創立總會をあげ福原社長は自ら基礎事業に着手する事になり八月廿三日橫濱出帆北米經由でアマゾンに向ふた同會社は本誌に於て屢報した如く伯國パラー洲政府の援助によりアマゾン河アカラに植民地を作るもので百萬町歩のコンセンションを得たものでフオードなどの列國實業家と伍して堂々國際的に花々しく活躍するもので大いに世人の注目を引いてゐる今回福原氏は熱帶醫學で有名な磯部博士外二名を同伴した。福原氏は此の事業のために一身を献げ骨をアマゾンの奧に理むる覺悟で我移植民界に一大センセーションを與へた。

移民組合土地購入完了

ブラジル本國に渡航して土地購入に奔走中であつた梅谷海外移住組合聯合會理事が新たに購入した土地は次の通りである

一、アリアンサ
イ、位置 ブラジル國ノロエス鐵道沿線ルサンビーラ驛南部
ロ、面積 三千四百二十五町歩
二、チエテ
イ、位置 アリアンサ移住地の北方チエテ川岸
ロ、面積 十二萬七千五百町歩
三、パストス
イ、位置 ブラジル國ソロカバナ鐵道沿線クワタカ驛北方ペイシユ川沿岸

なほアリアンサ、チエテ、パストスは共に大原始林であつて田付聯合會理事長は十月十一日前後に歸朝する梅谷理事を加へて社會局關係官と合同の協議會を開き右購入地に於る移住民並に關係方法移植航準備に關する詳細の打合せを遂ぐる事となつた、尙渡航期日は大體において昭和四年一月頭初決行する事に內定してゐるが移住民總數は三重、和歌山、愛媛、岡山、廣島、山口、鹿兒島、福岡の八組合から四百家族二千人の豫定である

日系市民から議員の候補者

ハワイ生れの日系市民中、本年秋の州下院議員候補者として正式に屆け出たものが今までに四名ある、オアフ島から二名、ハワイ島から一名、カウアイ島から一名である、外になほオアフ島から一名出る筈であるがいづれも共和黨である、これは日系市民のハワイ政治に公然と名乘り出る初めての現象である來る十月のハワイ縣會の下院議員選擧戰に出馬すべく森山常人、中島賢、柳原宇一、栗崎市樹諸氏日系市民が何れも共和黨より立候補した

移民問題で日本代表力說

ベルリン來電―目下ベルリンに開催中の國際議員聯盟大會の席上廿七日米國の移民制限を痛く非難するところあり、その結果現行移民法を特に東半球より移民に適合するやう變更すべしとの決議案を可決したが、この決議に反對したのは米國議員代表だけだつた、日本議員代表は人種平等を公理なりとて「他人種の國せる土地に移住することが何故に拒まるゝ理由は何等存在せぬ」と論じたが、またラトヴイアの議員代表は「全世界は所とて人類の居住地でないものはない餘裕ある土地はよろしく新境地を開拓せんと欲する移住民に公開すべきだ」と說いた

七十家族ブラジルへ

廿九日午後二時郵船南米航路河內丸が神戸港第三突堤からブラジルへ向けて出帆したが、同船で補助移民二百六十余名七十家族が壯圖を抱い渡航した

朝鮮に移住を奬勵

南米および樺太移民に目ざましい活動を見せてゐる海外協會中央會は今回さらに朝鮮に進

がみ合ふ人間の箱
再び渡南に際して

中村良相

在郷中はいろ〳〵御世話に相成り有難うございましたおかげを以て本日無事乗船出帆する事になりました。

昨日少暇を得て六甲山に遊步致しました。流石に大工業の中心地を眼下に勞資運動の渦卷き返す闘爭場たるをうなづきあれが人間同志の嚙み合ふ箱かと思ふ時、今私共の渡南の擧が如何に意義あるかを認識して心ならずも自分の使命の重大なるを知り奮鬪の力湧き出づるを禁じ得るのでありますは又行つてまゐります。出發の際、取急ぎお禮まで皆樣方の御健在を祈りつゝ

（七月三日神戸、チエリボン丸船上にて）

信州記事

樋口氏等の一新會組織に 地元の民政派驚く

民政黨田中、樋口氏等が憲政一新會を組織して革新運動を起すべく同黨幹部に態度を表明したとの報を樋口氏の選擧民下伊那郡民政クラブにもたらせば幹事長遠山方景氏始め幹部は寢耳に水だと前提して

「困つたことになつたもとく我々は樋口君に對し濱口總裁に弓を引くやうな態度ならば困るが總裁を信賴しての革新運動ならば認るといひ樋口君も總裁を信用して居るといふからそれならば革新運動に贊成しようとて先日の會合で極力樋口君を援けることを申合せたがさういふことになつては甚だ困る先日は樋口君の意氣に感じて全會一致で應援することにしたのだが黨中黨を立てるやうな結果になつては地元としても困る、若し樋口君が除名されゝばむ民政黨支持で行くか樋口君應援で進むかが問題となりこの論をまとめるには一苦勞である」と一方ならず驚いてゐる

松本見事優勝す 3—1平安の力鬪空し

全國中等野球大會に甲信越を代表して出陣したる我が松商チームは廣陵中學三A—二鹿兒嶋商業三—二愛知商業五A—〇高松中學三對〇を以て强豪を一蹴し東日本のために氣を吐いて廿二日京津の代表平安中學と對戰し遂に三對一のスコーアを以て見事優勝した。

平	0	0	0	0	0	0	0	0	1	1
松	1	0	2	0	0	0	0	0	0	3

此の勝報をもたらして松本市では提灯行列祝勝會を開き在京信州人會では東京に迎へ小川平吉、降旗元太郎、今井五介の諸氏によつて祝賀會を開く等凱旋將軍を迎へる以上の盛觀を呈した。

出し廿年沂くほとんど放棄されてゐた內地人の朝鮮移住を奬勵し南鮮はもちろん今秋十月から鐵道の開通する北鮮方面一帶の開發を期し過日朝鮮總督府から渡邊農務課長が上京し同協會幹部と協議の結果決定したものでまづ

一、總督府から必要な土地と補助金を支出し鮮內で大陸進出に最も好適と目される國境附近に廣大な土地をトして大仕掛に一種の農業練習所乃至拓殖民養成所を創立し內鮮靑年も多數移住させて內地および海外在住邦人中から優秀な指導者を送る

一、現在鮮內で實施してゐる內地移住者に對する產業組合の四十年賦土地購買方法の實績が上らないから土地購買方法を改良し更に鮮人靑年を加へて米國乃至は內地の優秀な農法を移しその適當な方法に習熟したもののから未開地開拓者として定住さする。

一、露領沿海州および滿蒙進出の開拓者養成のため如何にすれば露支の移住者と競爭し得るや否やを研究し習熟者からどしく滿蒙、沿海州の開拓に向はせる

といふので總督府もすこぶる乘氣で熱心に實現を期し九月一日實地踏査のため同協會の永田幹事、梅澤囑託（メキシコの牧畜成功者）などが朝鮮に向け出發した

繭價安と秋蠶不作で 縣下の農家大弱り

秋蠶の不況は連日の干照りでますく著るしく善光寺平一帶にわたつてほとんど桑葉の枯死せんとする危機にひんしてゐるが昨年に比し秋蠶の收繭は五割減を豫想され晩秋蠶の掃立不可能を唱へる地方も出てくる有樣で昨年の天災により大打擊を蒙つた農家は今年秋蠶の繭價安と秋蠶の不作によつて全く回復力を失ひ低利債の償還不能はもちろん中には納税の減免運動を起すべく計畫するものもあり今秋は近年にない深刻な不景氣が襲來すると見られてゐる

お盆で解放される 岡谷の女工連

岡谷地方各製糸工場男女工約四萬人は來る十五、六の兩日うら盆會のため解放されることとなつたが當日は一人一圓乃至一圓五十錢のお小遣を名々に支給されることになつてをり十日過ぎ日本銀行松本支店より數萬圓の五十錢銀貨がトラックで鹽尻峠を越えて岡谷に到着するはずで女工等にとつては紀の國のみかん船より待たれてゐる尚お盆を中心に數日の暇を貰ふて懐しの故郷へ歸る女工も夥しくステーションは大賑いである。

上松鐵道問題は 昨今全く立消え

松本上田兩市を結ぶ上松鐵道敷設問題は兩市並に關係者、有力者で期成同盟會を組織し新會社で上田溫泉電氣會社の川西線を買收し敷設するところまで計畫を進めたが松本側は川西線の買收を不利益と認めたのと鐵道省で測量の結果工事困難と認定したためその後計畫は進行せず一方上田市では北上部との經濟提携問題の實現を計るため上松鐵道はこれを中止し市當局、市政調査會、商工會議所その他擧つて上信鐵道の具體化に全力を擧げこれがため上松鐵道問題は全く立消えとなり本縣でも同計畫より自動車の連絡を有望と認め道路改修その他の調査を開始し最近では兩市とも同問題に對する今後の方針を自動車連絡に變更することになつた

南米移民來年度補助費

來年度南米ブラジル移民の渡航費補助を今回左の如く內定したと（單位一人當）

サントス	二百圓
ベーレン	二百八十圓
マウエス	三百圓

本邦移民の競爭者頻出

わが國民の南米殊にブラジル移民熱は最近盛に唱導される人口食糧問題と相待つて漸く昂まり、政府においても移民官の設置、拓殖博物館創立、移民宿泊所の設立等に多大の支出を試みんとしてゐるが更に直接移民獎勵となる渡航補助金も明年度は本年の倍額三百萬圓を計上し從來のブラジルの中部サン、パウロ方面のみならず、更に北ブラジルのパラー、アマゾン地方にも南米拓殖會社、アマゾン興業會社等の邦人會社の成立を動機に相當の金額を補助して同胞の一大飛躍を試みることになつたが列國もひとしく虎視眈々として有望地に新コンセッションの獲得運動を開始し殊にフォードのパラー州進出は最も問題を起し邦人の活動舞台と自他共に許してゐるアマゾン州にも最近ポーランド人の進出計畫あり、かくの如く列國が急激なる擴張競爭を行ふ時は立ち遲れたものは必然敗をとらざるを得ず同方面進出の緒についたわが國としてこの形勢は非常に重大視されてゐる

警察官の異動 榮轉者の略歷

八月三日左の如く署長の異動があつた。

補長野警察署長　小松吉次郎
補松本警察署長　赤羽久市
補上田警察署長　百瀨清水
保安課を命ず　村田逸誠
刑事課長を命ず　田中滋

松本警察署長となつた赤羽久市氏は上伊那郡美篶村出身で本年四十五歲大正七年警部となり衛生課次席、丸子分署長、岡谷、臼田、飯田、上諏訪各署長を經て昨年二月保安課長に轉じたものである又上田署長に榮轉の百瀨清水氏は東筑摩郡廣丘村出身で本年四十歲、小學校准訓導を經て赤羽氏と同期に警部となり警察界に十八年を勤めてゐる、丸子、飯山、須坂、豊科の各署長を歷任し昨年二月刑事課新設に伴ひ初代の課長となつたのである村田新任保安課長は更級郡信級村の出身で本年三十八、大正二年本縣巡査を拜命し屋代臼田の署長を經て難關飯田を首尾よく切拔けた逸材であるまた田原刑事課長は北安曇郡中土村出身で本年四十二、明治四十三年巡査となり大正八年警部に任官高等課から福嶋教習所岩村田小諸伊那篠ノ井等を歷任し警察界に珍らしい溫厚な人である

樺太興業に十萬圓要求 大桑村民が

西筑摩郡大桑村須川に工場を有する樺太興業株式會社では財界不況の打擊を蒙り本月三日閉場して引上たがその際同村に對し三萬圓を交付したしかし村民側では伊奈川の水利權を無償交付した外に種種の便利を與へたるに對し三萬圓は僅少に過ぎるとて十萬圓を要求したが會社側ではこれを拒絕したので小野縣會議員その他を動かしあくまでこれを要求することに決定。同縣議外一名は交渉のため三十日朝上京した

キューバ航路に補助金を下附

遞信省では明年度からさらにキューバ島（ハバナ港）に寄港補助を開設し、往航年十二回寄港に對し年額五万五千圓の補助金を交付する筈であるが同港への輸送貨物は北海道の豆類、支那人の食料たるイエロー、ライス等があるが、同島はアメリカ人の遊興地たる關係上わが絹織物、その他の贅澤品の需要も相當あるので今回受命航路となしたものであるなほ現在同方面には郵船、商船、國際汽船の三社がそれく航路を有するが郵船は他の二社に比して遙かに優秀な地位を占め、郵船ではかねて當局の希望により見積書を提出しをり、種々な事情を綜合すれば結局該航路は郵船が受命することとなるものと思はれる

外交官生活をすてて南米へ

前アルゼンチン特命全權公使古谷重綱氏は二十五年にわたる華やかな外交官生活をすてゝ家族同伴南米ブラジルに移住することに決し辭表を出すとゝもに久しぶりで鄕里愛媛縣東宇和郡下宇和村に歸省したが、九月初旬上京十月二十日神戸發の船で渡米するはずである氏は『余が後半生をブラジル移民にさゝげる望みは以前からで幸ひに在郷諸氏の贊同もありいよく渡米に決したわけである」と前提して語る

ブラジルにおける事業の第一段はコーヒーと養蠶である、某有力實業家が出資してくれ個人經營でやれともすゝめるが、自分は會社組織として遺產相續などの煩雜から避けたいと思つてゐる、最初アルゼンチンにと思つたがブラジルが數等よくアルゼンチンは第二の候補地としてゐる

種鶏場は 長野市に設置

篠ノ井町と埴科郡戸倉村が熱心に爭奪した縣營種鶏場は一日午後二時內務部長から長野市に設置する旨公表したが場所は農事試驗場付近で地元長野市から五百坪の敷地と設備費を寄付する豫定で初年度の經費は三千五百圓場長は農商課長が兼務することになつた

毎年五萬個の卵を生ませる

種鶏場新設に着眼したのは本縣が毎年鶏卵百萬圓以上を縣外から移入するためこれを自給すると同時に農家の副業としてもつとも有利な養鶏業を發達せしめるためで

全國の農家百戸當り平均養鶏數は四十八羽强であるのに本縣は三十五羽半の少數で今後大いに奬勵の必要あり種鶏場は初年度は五六十羽を飼養するのみであるが設備充實の時は六百羽以上となり毎年五萬個の種卵乃至種鶏と五萬個以上の食用卵供給し得る計算でこれにより縣內の養鶏の種系を根本から改善する理想であると

野尻湖畔の大火 廿八戸全燒

二十日午前二時上水內郡信濃尻村野尻湖大字野尻旅館野尻館松野戌左衛門方から出火し二十八戸を燒き、午前四時三十分鎭火した、公會堂の全燒巡査派出所の半燒を始め旅館の類燒もあり、野尻館外一ケ所の滯在客四十名を始め罹災民は小學校とマーケットを開放して收容した目下避暑客內外人は各二百七、八十名づつありこの他に日歸りの遊覽客が毎日一千五百人以上もあるので大打擊である。大字野尻は明治二十三年に全部落丸燒けとなつた事があり今度が二度目であるが町の中央にそびゆる名物の大鳥居を始め擴張工事中の公會堂なども灰となり貧弱町村の一つに數へられるただけ復興は容易ならぬ見込である

金一封の御見舞 外人團から國際的の同情

目下赤倉に御避暑中の久邇大將宮殿下は火災について御心配になり池田村長をお

ブラジルの國祭祝日

一月一日	國祭祝日
二月廿四日	聯邦憲法發布記念日
四月廿一日	チラデンテス記念日
五月一日	勞動神聖日
石月三日	ブラジル祭見記念日
五月十三日	如隷解放記念日
七月十四日	國民自由日
九月七日	ブラジル獨立宣言記念日
九月十二日	大陸祭見記念日
十一月二日	精靈祭
十一月十五日	共和政体宣言日
十二月廿五日	基督降誕祭

召になつたので小日向收入役が代つて伺候すると御手許から金一封を賜はりお見舞のお言葉を下された

又湖畔の外人村に避暑中の外人は出火と見るや一里餘の海岸から船でこぎつけ屋根に驅登つたり水を運んだり敏活に働いて消火に努め鎭火の際は梅干を入れた握食を山のやうに運んで必要ならば幾らでも持つてくると慰めた上火事場の片付まで手傳ひたいと役場に申込んだがこれは危險が多いからと辭退した

尚見舞金を贈りたいが一般の見舞と區別して外人團からとして罹災者に分配してもらひたいと同村役場に申込み一千圓から五百圓までにまとめたいと部落を勸誘して居るこの不時の災厄に思ひがけない國際的の同情を受けたので罹災者始め同村では感謝してゐる

上田クラブ優勝

縣下青年野球大會

全信州青年野球優勝戰上田クラブ對長野機關庫の試合は二十七日午後三時二十分から長野體協球場で池田(球)淺沼、澤(壘)三氏審判、上田先攻で開始結局二對零で上田勝つ

上田	101000000	2
長機	000000000	0

試合經過　上田は第一回板倉第一球を左翼に痛打してハンブルする間に三壘を占め花岡の三邪に生還まづ一點を取り第三回二死後山本左翼の右を拔く二壘打に出で花岡の中前安打に生還したが以後船木の好投にそ止されて得點なく安打を散發したのみ、長機はいづれも當てゝ出るけれど凡飛に終つて三壘を踏むものなく木村のアウトカーブに牛耳られ遂に零敗をきつした、閉戰四時四十六分

上田クラブ		長機	
板倉	(遊)	宮入	(遊)
山本	(中)	高遠	(二)
花岡	(捕)	小山	(捕)
五明	(左)	宮川	(左)
五味	(二)	船木	(中)
木下	(右)	丸口	(投)
木村	(投)	天田	(一)
越原	(三)	森野	(右)
諏訪	(一)	[illegible]	(三)
打數	三七	打數	三〇
安打	二	安打	五
三振	〇	三振	〇
犧打	四	犧打	八
四死	〇	四死	一
盗壘	一	盗壘	〇
失策	一	失策	三

諏訪蠶糸優勝

中等學校野球大會

縣下中等學校野球大會は七月廿五日より開會參加チーム十三校、準優勝戰は伊那中學八—六長野中學小諸商業一—十七諏訪蠶糸となり、優勝戰は伊那中對諏訪蠶糸戰は左の如き戰跡を殘して諏訪蠶糸優勝した

伊那	010100000	2
諏訪	000330200	8

伊那中		諏訪	
長田	(遊)	伊藤	(中)
村上	(捕)	上柳	(二)
中村	(三)	柳平	(捕)
城倉	(投)	中村(好)	(一)
米山	(一)	中村(三)	(投)
唐澤	(左)	武居	(遊)
下平	(二)	山下	(左)
戸田	(右)	高林	(右)
唐木	(中)	水口	(三)
打數	三二	打數	三四
安打	四	安打	[illegible]
三振	三	三振	[illegible]
犧打	二	犧打	[illegible]
四死	〇	四死	[illegible]
盗壘	二	盗壘	[illegible]
失策	二	失策	[illegible]

移住地閑話（八）

卅八冬の風呂夏の風呂

在アリアンサ　武田三三

ブラジルに來て一寸驚いたのは冬の寒さである、冬と言つても夜分だけの事であるが、霜が降る、氷が張る。幸ひ冬分は餘り風が吹かぬので日本の筑波颪と言つた樣な動的寒冷では無く靜的寒冷である。動的でも靜的でも骨を刺す寒さには變りが無いと見へて十年以來の神經痛が再發した。四五年前移民會社の案内書を見た時、ブラジルの氣候は熱帶乍ら凌ぎ易く、寒い事などは無論無いのであるから、神經痛や脚氣などは獨りでに直つて了ふと書いてあつたのを記憶して居るから、尙更意外に感じた次第であつた。何しろ冬に蠅が飛んで居るのであるから日射病と神經痛が併發したからと言つて文句も言へまいそこで有り合せの錯痛外用藥を塗つて見たが何の効目も無い。鍋の中に鹽湯を入れて手首を溫めて見たが、突込んで居る間は痛く無いが出せば早速痛み出すと言ふ次第で甚だ困つた。段々考へて見ると神經痛の患部は肩や手首の關節であるが、病源は必しも患部に在るとは限るまい。一つ全身の溫浴で疾痛を驅逐してやらうと考へて早速朝風呂を用意して起床と同時に飛込む。林頭に出て來る旭日を見つゝ湯の中に漬かつて居るのは全く爽快であるのみならず、効顯神の如くであつて少くとも三四日間は疾痛を感ぜぬ。痛く爲つて來れば復飛び込む。吾乍ら名案と思ひ飛び込む事約一ヶ月で恢復した。偖風呂の話であるが、日本を出る時一番心配したのは如何にして入浴するかに在つた。本を讀んで見ても通信を讀んで見ても風呂桶や雪隱の事が一つも書いて無い。吾等日本人に取つても最大切なものは米であるが、其の次が風呂と雪隱である。吾等は祖先以來潔癖であるから風呂に入浴する。雪隱は一名後架とも申して

昔は家の後の川の流れの上に木を架け渡し、一萬千里か百里かの急流の上で用を辨じた名殘を留めて居るなど、自慢したら大体日本人は用便に紙を使つて平氣で居るのはダラシの無い話で、吾等は一々水で洗ふと言つて印度人から一本參つたと言ふ話であるが、現今問題を惹起するのも風呂と雪隱であつて先達ても日本の大使館員が隣の州を視察した時其土地に水が不自由であるから毎日行水か入浴を要する日本人には不向であると申したとかで問題を作つて居つた樣である。契約移民として耕地に働く人の最初の苦痛は雪隱の設備が無い事で、野郎は兎に角婦人は甚だ困ると言ふ苦情も出て居つた。潔癖も結構であると共にこんな時には一寸不便である。吾等はサンパウロの收容所で二三の日本旅館に宿泊した經驗だけの所有者であるが雪隱の不潔には全く閉口した。茲に至ると名實共に昔の後架の面目を保有する高野山を想ひ出す。前回天孫民族が南米から東征したと言ふ想像談を申述べた時、ジョホール王國では今以て太陽を崇拜して居る事を書いて置いたが、モスクと稱する禮拜堂には大きな浴場と後架の設備が重要な所、米の飯に次いで風呂と雪隱を尊重して居る所、愈以て天孫民族其儘である。

而して考へで見れば人間なるものは、毎日太陽を拜して其偉力と恩惠を感じ、毎日食ひ毎日沐浴し毎日雪隱に行く、是れ以外の事は附けたりであるが是れ丈は是非必要である。ブラジルの植民地に於て、食はんが爲に耕作する事は至極明瞭に宣傳せられて居るが、風呂と雪隱の宣傳が欠けて居るのは頗る不適當と思ふ。既に契約移民諸君が野天の用便で困つて居ると同時に凡ての病氣を始とし、日常發生する六でもない事柄は、大概風呂と雪隱の欠乏か不完全に原因して居る。吾等天孫民族は與れ〳〵も祖先の遺訓を遵奉せねば相成らぬ次第と思ふ。西洋人は一般に沐浴が嫌いであるが就中ロシア人は殊にそうである。更に歐米文明都市の中でロシアの雪隱が一番不完全である。マルクスの發明した共產主義が獨乙人に採用せられずして、ロシア人に歡迎せられて居るのは、一に風呂と雪隱の爲である。廣東の革命騷ぎが日本に來ない前に吾等は速に風呂と雪隱を整備せさるべからずである。

右の次第で入植早々先住者の風呂を視て見た所、各自思ひ〳〵の設備をして居るが、大部分は風呂桶を用意して祖先の敎訓に從つて居る。風呂桶の無い人は無論行水をやつて居る事であらうが、其風呂桶の二三を見るに、大木を繰り拔いた丸桶の底に武力板を張つたものがある。材料は無料ではあるが能くも根氣よく刻つたものと思ふ。次は日本流の角風呂の底に武力板を張つたもので、これが一番簡便で數も多い樣である。材料は何時でもあるから一日か二日の勞力で出來上る。次は酒樽もあつたが之は直接火は焚けぬから、石油罐で湯を沸かして汲み込まなければならぬ。近來巴風呂の釜や五右衞門風呂を日本から擔ぎ込んで來る人もあるが、これは至極結構であつて持てる物なら何でも持つて來るに限る。出發の折は「何糞ッ」と許り彼も此も捨てゝ來るのが普通であると共に、來てから後で彼も有つたら此も有つたらと思ひ出すのも亦普通である。拙者出發の折も家族六名分の蒲團を二つの荷物にしたが、神戸で考へて見るに常夏の國に行くのであるから、敷蒲團二枚は不用であると斷足して、敷蒲團一枚宛を入れた方の荷物一個を遺留して來た。持つて來た方の蒲團の荷物は約五尺立方の容積で船中第一の大荷物とあつて同船の人々の注意を惹いたのみならず、船の司厨長は拙者の荷物とは知らぬから頻に拙者の前で「能くもあんな大荷物を荷造りしたものだ」と笑つて居つた。サンパウロの收容所でも早速稅關吏の注意を喚起して別室に抑留せらるゝと言ふ始末であつたが、今から見れば笑はれて大助かりであつたのみならず、神戸に遺留した敷蒲團一枚宛の荷物も持つて來た方が良かつたのである。移民一人の携帶荷物は十二貫匁となつて居るが格別計量して運賃を取らるゝ次第でも無いから、定植移住者は日常の必需品迄を捨てゝ來ぬ方が良い。運賃無料であるから慾張れと申す次第では御坐らぬ。可成身輕に結束して有料でも無料でも手數を掛けぬを方針とするは無論であるが、吾等は一時の見物に來るのでは無く一生涯の生計を營むのであるから、必需品と便利品は持參すべきであつて、當地で買つたらベラ棒に高く、物に因つて差違は有るが先つ日本の三倍乃至十倍であり、而して是等の物品は大概日本から舶來するのであるから尙更ベラ棒である。自分は手ブラで來てブラジルで日本品を三倍乃至十倍に買ふとは馬鹿氣の骨頂であらう。運賃や稅金が掛かるから商人を責める譯にも行かぬが今後の移住者と移住地經營者は眞面目に考慮するを要する。

誌上映畫

伯國移住宣傳の實寫映畫『ブラジル移住』（三）

前號（第七十四號）までの梗概

現在渡伯移民を大別すれば二種となりその一は契約移民にして他は企業移民である。この兩者が入國後如何なる道程を經て成功の域に達するか。先づ企業移民として代表的のアリアンサ移住地の狀態を詳細に述べ開拓者の胸を躍動さしてゐる次ぎは海興扱ひの契約移民の珈琲園就勞狀況である。

×　×　×

四　卷（續き）

伯國の既成珈琲園で要求する勞働者は毎年十萬人からで本邦渡伯移民の海外興業取扱の移民は全部此の珈琲園に就勞するもので對伯移民上契約移民は重大なる關係を有し珈琲園より要求する邦人移民を滿足に提供する事は珈琲園主に好感を與へそして日伯兩國に親善をもたらす事になるのであるが海興が注文を受ける需要に對して實際提供する數は僅かに四分一位であると云ふから今後は更らに此の方面の移民を增加せしむる樣努力せねばならない。

扨て珈琲園に於ける狀態をお話をすると、仕事は珈琲園の除草と珈琲の實の採收が主たる仕事である。珈琲樹の受持樹數は三人家族で四五千本である。

除草賃金は普通珈琲樹千本に對し平均三百ミルで日貨八十圓見當である請負の除草が濟むと余力は日給仕事或ひは雜作地を與へられた自分の畑に出る。日給賃金は普通五ミル前後で安い。除草は十一月頃から始まり翌年の五月頃に到ると珈琲採集の準備として「山立て」と云ふ仕事にかゝる。これは珈琲樹の下にある土を樹竝の中央に搔き上げて實が落ちても土に埋まらぬ樣にする。

それが濟むと採集にかゝる。もぎ落して搔き集め篩にかけて埃と枝葉を分けて袋に入れる一袋は凡五斗俵である。それを乾燥場に運んで大低十月には採集が終るこんどは「山散し」と云ふて前の「山立て」の土を樹の根本に返すので　これが一農年の仕事の最後である。實の採收賃は一袋二ミル五百乃至三ミル（七十錢內外）である。此の珈琲園一農年の第一年度の收入は六百圓內外で支出も略同額であるが病氣でもすれば又以外の支出もある。そして第二年度からは前年の樣に支出を要しないから多少の貯蓄が出來、かくて五ケ年も眞面目に働らくと二千五百圓位の貯金が出來いよ〳〵一本立となつて、五ケ年の尊い自己の体驗を基礎として獨立農にうつる事が出來る。

斯くの如して今や在伯邦人の所有する面積は十五萬町以上に達する現況である在伯邦人の發展は益々盛んであるが伯國政府も邦人移民の渡來を歡迎し日本政府も奬勵する折柄からドシ〳〵此の機を逸せず南米の樂土ブラジルの天地に發展すべきである。

ブラジル移住の多くは珈琲の栽培であるが珈琲ばかりがこゝの農產物ではなく且コーヒの栽培の不適當な地方も澤山ある此等の土地には棉作マンヂョカ、馬鈴薯、バナ、、養蠶等が邦人の手で大々的に行はれてゐる

第　五　卷

邦人のブラジル移住は明治四十一度に初まり年數の短かい割合に長足を

遂げてゐるしかも邦人のブラジル植民地經營は官民擧つてその完成に努力しつゝあり我アリアンサを初めとして各府縣における移住組合は可及的に活動を開始せんとしてゐる。

然し斯く云ふ所の植民地の經營はその建設理想の精神を嚴守して經營指導の宜ろしきを得ざれば物質的にめぐまれて精神的の墮落をきたすか經濟的の破滅と共に移住者は離散して忌ましい慘敗の跡を殘すか吾等は東西の植民歴史を繙きて痛く將來の經營にあたつて敎へられる點がある。

しかも吾等の運動は未だ完成の域に達せずして尙不斷の努力の要する事を待たれてゐる。此時に際しブラジル國南部にあるドイツ人植民地の有樣を視察する必要があるのである。

南部最大の都たるポートアレグロ市は人口二十万にしてこの州の首府である更らにサンレオポルド市に到れば建物は白亞の高層天空に聳へて港灣は改築されて巨船を入るに不便ならず市内の交通は到れり盡せり道路の整然公園の美麗住宅と共に花園の清麗たる事一として驚かざるもなく、斯く殷賑にして繁華たる同市は今から約百年前ドイツ人により開かれたのである獨乙本國は日本と同じく世界の舞臺に植民帝國として進出を試みた時は既に世界の何處の地何れの島も主權のない地はなかつたのである。獨乙の本國は人口稠密にして且つ國民は進取の氣象に富むや競ふて世界の何れの地なりとも發展し移住を試みたのである。しかも彼等の植民精神には出稼根性もなければ掠奪的企劃もなかつた。

九十年の歴史を持つブルメナウ獨乙人植民地

此の地一帶は瘠地であつてコーヒーの如き高價な作物が出來ぬのであるが精勤で綿密なドイツ人は遂にこゝに落付いたそして空地を利用して家畜を飼育し牧草を植え果樹蔬茶を培ふのであつた。彼等は餘裕が出來れば住宅を改築し花園を設けて家庭的生活の豊富に努めた。日本人の如く下級の生活に甘んじるのではなくその日〳〵の生活を、樂しい生活の舞臺にする事に努めるのであるお金を貯めて早く日本に歸り樂をしたい等と云ふケチな考は彼等の持ちあはす所でなかつた。旅の恥はかき捨ての俚諺は彼等の生活になかつたのである。かくて文化的農村が出現する。綿密で科學の智識を持ち合つたドイツ人の植民地では小さい流を利用して電氣を起し明るい生活をする事に努め動力によつて農作物の加工を行ひ製菓工場を設けて産業の振興を計り村落は工業市と變つて行くのである。しかも此等の活動は各人の協同精神により産業組合の經營によるのである。サンレオポルド今日の繁榮は實にその賜である。

その近くには新ハンブルグの街もありヂョンヴイレ市もブルメナウ市も皆獨乙人の九十年の歴史によるのである。彼等は植民地創設には人格高潔にして博學たる指導者がゐた。先づ彼等は病院の完備に努め敎會の建築に一層の努力を拂ふたのである。宗敎のない民族は墮落すると共に滅亡するのである神を信じ信仰のある民族でなければ到底斯くの如き事業は達成せられない彼等の日常の生活が神の禮拜から初まる點において日本人の遙かに及ばない雲泥の相違がある。社交の機關たるクラブが村の中央に出來て親睦の中心であると共に植民

青年男女の淸き結婚式も擧げられるのである。天地創造の神の命によつて六日を働らき七日目に休息すると云ふ極めて平和な極樂生活がドイツ人の植民には見受けられるのである。彼等の生活が徹頭徹尾家庭―ホーム の團欒生活に初まつて社會生活の協同に歩を進めるのである。かく獨乙人の植民地を觀察して靜かに我植民地を顧つて見るに、吾等は移住地の選定にあたつてはドイツ人よりは遙かに優良なる土地を撰び、能力においてもドイツ人に勝るとも劣らざる自信がある。彼等が百年にして現在を誇るならば我等は五十年にしてそれ以上の成績を收めねばならぬ。我々の努力によつてコーヒー樹がスガ〳〵と生長する樣に吾植民地もそれと共に繁榮し建設理想の精神の實現して以て日本民族の永遠なる隆昌と發展を計り全人類社會の平和と發展向上のために寄與する所がありたいものである。

我アリアンサの移住地は漸やく滿三ケ年を經過して未だ創業の時代にあり奮鬪努力の途上にある。諸君！この神武創業の事業開拓精神の奮鬪生活に氣合を一にしてその完成に努力せうではありませんか。我々の移住地が漸次完成の域に達せん事を祈つてブラジル移住五拾の完結と致します　拍手

井口瑠璃之助氏（在亞）訃

上伊那郡中澤村出身井口瑠璃之助氏は去る四月三日亞國ブエノスアイレス州アドロゲ町に於て死亡した旨鄕里に通知して來たが同氏は大正八年の渡航者で花卉園藝に從事し在亞九ケ年の活動の結果當地の信用を一身にあつめ益々事業を擴張せんとする折柄遂に病に冐される事となり不歸の客となれるは惜しむべく今回同氏遺産整理につき當地友人の手で取運び中であるが約三千圓にのぼるとの事である。

海の外 質疑欄

漠然たる質問は不可
一人五問以内の事
返信料十錢會員不要

問 私は單獨で墨國タンピコ市の叔父の元に渡航する者ですがマンサニヨ港上陸より鐵路順序日數、汽車賃、その他費用幾何を要するのですか詳細に御説明を願ひます。（上伊、三井義人）

答 日本郵船の南米西岸線の船でマンサニヨ港に上陸してよりコリマ市に出て一泊、コリマよりケレタロ市に出て一泊又は主府より國境行列車の都合よければ二、三時間待ちしサンルイス市に行き更らにタンピコ行に乘り替ふるのです。其間に要する日數は順調に行けば三晝夜にて到着す。汽車賃は二等（日本の三等）にて約六十圓（一等は倍額）とみればよいでせう。宿泊料は二泊として食費共十五圓位、その他雜費は廿圓あれば十分です。

問 七、八月頃マンサニヨ上陸の豫定でありますが服裝は如何なる用意を致すべきでありますか（上伊、三井義人）

答 その頃ですと日本の盛夏の服裝其のまゝにて結構です。但し旅行中中央高原地帶は少し寒きにつき合服の御着替へ一着御用意になれば尙更安全です。

問 私は北米南加及び墨國西海岸地方に旅行するものですが此の地方に關する本邦よりの旅行は如何なる經路がありますか詳しく御敎へ下さい。（東京、宮本生）

答 近頃北米南加、墨國西海岸地方に旅行を試みる者が多くなつて來ました。殊に墨國マサトランを中心として旅行する者のために最近調査によるものを發表すれば左の三方法であります。

㈠ 橫濱より先づマンサニヨ港に上陸し同港より一週三回の國有鐵道によりコリマ市を經て（一泊を要す）グアダラハーラ市に到りて宿泊し同地より毎週三回の南太平洋鐵道列車にて約二十八時間にしてマサトラン市に到着す。右に要する日數は四日乃至一週間でこれに橫濱マンサニヨ間の航海日數三十三日を加へ約四十日以内にて旅行する事が出來るが墨國の鐵道は列車發着甚だ不定にして且つ事故相當多きが故に安全且つ便利の旅行は次の經路によるものです。

㈡ 桑港又はロスアンゼルス經由である。これは橫濱よりの桑港間航路或ひは南米西岸線でロスアンゼルスに上陸し南太平洋鐵道でマサトランに通行するもので桑港よりは四日間ロスアンゼルスよりは三日間である。然し此の鐵道一週三回便であるからその待合せる時間を考慮して桑港より七日以内と見ればこれに橫濱桑港間の十七日を加へて二十四日間で到着出來る。

㈢ 次ぎは桑港又はロスアンゼルスより海路によつてマサトランに到着するもので米國汽船のパナマメールにより桑港より六日ロスアンゼルスヨリ五日でマサトランに到着する。これは便船の發航不規則であるから本邦よりの旅行には不便なるも歸國するものはこれを利用して桑港で甘く連絡する事が出來る。

問 三等船客渡墨に關する概算旅費は幾何位になりますか御示し下さい。

答 橫濱マンサニヨ間船賃百二十五圓、旅券査證料四圓、醫師る健康證明料四圓、諸證明飜譯料拾五圓、携帶金米貨百弗、入國稅拾弗、その他雜費百圓位を要します又米國經由は米國領事旅券査證一弗、携帶金五百弗、入國稅八弗、移民官手數料十弗目的地まで米墨鐵路の賃金、その他雜費等が餘分に要する。

問 信州人で墨國で成功してゐる人はありますか、信用出來る在墨信州人に貴會より紹介狀を頂けませんか私は二十二の青年です。

答 皆相當の成績をあげて着々事業を擴張してゐます。本會でもいくらも紹介狀を差上げますが貴方の性情や決心覺悟が判らねば差上げません。

「本誌に對する不平の」聲

本誌に對する不平を正直に露骨に且つ眞面目に申述べて下さい。實は單なる不平の聲にあらずして本誌改善の叫びであり、本誌愛讀の必然的要求であるから當社はこれを一片の人氣的募集に止めずして各不平の點につき最善の努力を惜まない次第であります。

文藝趣味として 和歌、俳句欄を設けよ

上水淺川　松木誠

海外協會機關誌としての本誌海の外はアツサリとした裝幀、堅綴、完備せる製本並びに外觀美なる表紙繪と云ひ題字といひ何等不平を申す個所を認めない。

次に内容に亘りては嶄新有益なる口繪記事の豊富にして海外事情をよく精報し、内地と海外との關係事項を滿載して讀者の智識を向上せしむる事偉大である。

更らに本誌愛讀者の希望する所は讀者の文藝趣味の方面に本誌が進出して貰いたい事である。世の中は固い事ばかりでは圓く行かないのみならず倦怠を覺える。もし本誌が毎月一、二頁を讀者のために和歌、俳句欄を提供して戴ければ愛讀者諸賢のすばらしい歡迎を受け、本誌更生の一歩を踏み出す事だろう、此の要求をお認め下さらば此の上もない幸ひ。

【御答へ】此の種の御希望が澤山に參つてゐます。編輯同人の方でも早くから是非共新設したいと種々計畫してゐる所です。（記者）

海外事情寫眞と 新刊圖書を澤山揭出せよ

南安三田　橫山林十

「海の外」には出來得る限り海外の事業を紹介する寫眞を澤山口繪に挿入して下さい。風俗、珍奇なる寫眞も面白くあります。倘海外事業、海外發展に關する新刊物に關しては努めて迅速誌上に紹介して下さい。

【御答へ】本誌の口繪は只今二頁を提供してゐます、寫眞は最も新しく、最も鮮明な、最も適切なるものを嚴選して揭載する事にしすばらしい好評を博して居ります。

然しこれで滿足してゐるのではありませんから御希望に添ふべく口繪以外の記事中にも出來るだけ挿入する事に心掛けませう。移植民に關する新刊圖書も大小もらさず御紹介申上げる事に努めます。（記者）

編輯同人より

△九月の本誌は予定通りに編輯を終へてゐた矢先にかねて予告しておきました「海外在留長野縣人名簿」の校正が出て仕事がかち合つてしまひました。そして名簿は堂々二百頁を越へると云ふ予想外の大册なものになつて本誌は遂に休刊の得むなきにいたりました。會員讀者に對する編輯同人の責任は全く苦しい立場になり大評定の結果、大英斷を拂ふて「名簿」を九月の本誌に代へる事にいたしました。

△そして早速「名簿」は會員讀者にもれなく差上げた筈であります。一册の名簿が本誌と同樣お役に立てば同人の喜びは此の上もない事です

協會記事

各町村設立中の—海外視察組合—（續）

小縣郡丸子町組合

組合長 工藤助市

遠藤驥

藤原喜八

清水忠作

宮原武夫

中山勝次

小宮山今朝雄

山崎彌生

柴田四郎

下村市之助

伊藤英夫

小縣郡和田村組合

組合長 長井忠吾

龍野鱗一

羽田貞義

竹花平一郎

白井政次

長井長見

長井四郎

田中良平

石合祐次

龍野喜四郎

更級郡小島田村組合

組合長 倉崎圓治

長澤永太郎

阿部朋文

高橋桑造

井上操

岡澤義一郎

岡澤隣治

瀧澤鶴太郎

安川彌作

相澤繁

更級郡稻里村組合

組合長 酒井銀次郎

中嶋弘馬

多田儀市郎

寺澤好太

小林秀樹

大屋一偉

村松驥

野池固根

小林甚治郎

柳澤隆雄

更級郡靑木島村組合

組合長 蟻川政治郎

伊藤新太郎

柳島慶作

柳嶋忠造

小山学

小山逢之助

小山藤太郎

小林英一郎

宮下謙多

靑木靜雄

聽衆滿堂を壓した海外發展講演

八月九日下高井農學校講堂に於いて本會主催のもとに海外發展に關する大講演會を開催し聽衆は堂に滿ち講師の熱辨と共に聽衆に多大の感動を與へ近來稀に見る盛會を極めたが當日の講師及び演題は左の如くであつた

移植民問題に就て　下高農校教諭　阪島撤氏

滿鮮の視察談　平穩小學校長　佐藤寔市氏

開拓の精神　本會幹事　西澤太一郎氏

我國の現狀と海外發展　下高井農校長　韈上謙爾氏

會費領收（自七月一日 至七月三十一日）

一金貳圓也　昭和二年度分　林稻一殿

一金貳圓也　同　野口茂殿

一金貳圓也　同　古谷長司殿

一金貳圓也　同　瀧澤嘉久太殿

一金貳圓也　同　白澤秀市殿

一金四圓也　北原善造殿

一金貳圓也　本年度分　澁谷政次殿

一金貳圓也　昭和二年度分　矢澤光雄殿

一金拾四圓也　本年度分　信里村視察組合殿

一金貳圓也　昭和二年分　小林信次殿

一金貳圓也　本年度分　林淑輔殿

一金貳圓也　昭和二年度分　柿崎利嘉殿

一金拾圓也　本年度分　板倉操平殿

一金貳圓也　昭和二年度分　樋口長衛殿

一金貳圓也　同　花岡關十殿

一金貳圓也　同　小出知春殿

一金貳圓也　同　森豊馬殿

一金貳圓也　同　原芳文殿

一金貳圓也　本年度分　川原國一郎殿

一金貳圓也　昭和二年度分　山下茂太郎殿

一金貳圓也　本年度分　柴田伊八殿

一金貳圓也　同　伊藤淳殿

一金貳圓也　昭和二年度分　平田藤太郎殿

一金貳圓也　大正十四年度分　山田勇雄殿

一金四圓也　小林今朝信殿

一金貳圓也　昭和二年度分　柳本榮庇殿

一金貳圓也　本年度分　松倉小市殿

一金貳圓也　大正十四年度分　北條和太郎殿

一金貳圓也　同　義家惣作殿

一金貳圓也　同　北嶋義治殿

一金貳拾四圓也　更級海外視察組合殿

一金貳圓也　昭和二年度分　竹內貞男殿

一金貳圓也　大正十五年度分　森本勝太郎殿

一金貳圓也　本年度分　羽場金重郎殿

一金貳圓也　昭和二年度分　小林幹藏殿

一金貳圓也　同　牧野長藏殿

一金貳圓也　本年度分　茂村德太郎殿

海外會費頭收

一金拾圓也　ダバオ　原山芳保殿

一金五圓參拾參錢也　マニラ　太田嘉綠殿

一金五圓參拾參錢也　マニラ　小泉理覺殿

一金米貨七拾弗也　米國南加支部殿

御注意

一、**當協會を僞名する者**　最近各地において當協會の名をかたり會費の請求、勸誘紹介、寄附强要を迫るものあり當協會はかゝる惡德漢と何等關係なきにつき御警戒せられたく、當協會役員出張の節は十分御吟味の上御相談相應じられたし。會費は市町村役場收入役若くは當協會直接納入以外絕對に御拂込みせざる樣御注意せられたし。

一、**會費納入者に再請求**　郡役所存置當時及びその後に於いて會費納入者に對し當協會より直接會費納入通知書を受けたる時は該會費領收書の寫しと共に會費請求者及受領者に關し御一報せられたし。

信濃海外協會

信濃海外協會規約抄錄

一、本會ハ信濃海外協會ト稱シ本部ヲ長野市ニ支部ヲ必要ニ應シ內外各地ニ置ク

二、本會ハ縣民ノ縣外發展ニ關スル諸般ノ事項ヲ調査研究シ其ノ發展資スルヲ以テ目的トス

三、本會ハ前條ノ目的ヲ達スル爲必要ニ應シ右ノ事業ヲ行フ

イ、縣民縣外發展ノ方法ニ關スル立案

ロ、發展地ニ就キ調査ヲナシ其ノ結果ヲ紹介

ハ、在外縣民ト聯絡ヲ計リ指導後援

ニ、海外投資ノ研究ヲナシ之ヲ發表

ホ、海外發展ニ必要ナル人材ヲ養成

ヘ、機關誌「海の外」ヲ發行シ隨時講演會ヲ開ク

ト、海外發展ニ關シ各種參考品及統計ノ蒐集

チ、前各項ノ目的ヲ遂行スル爲臨機本會ノ代表者調査員等ヲ內外樞要ノ地ニ派出スル事

リ、會員ニハ「海の外」毎月寄贈ス

ヌ、其ノ他會ノ目的ヲ達スル必要ト認ムル事項

四、本會ノ會員ハ左ノ四種トス

イ、名譽會員ハ代議員會ノ決議ヲ經テ總裁之ヲ推薦ス

ロ、特別會員ハ一時金百圓以上ヲ醵出スル者

ハ、推持會員ハ會費年額金拾圓ヲ十ケ年間醵出スル者

ニ、普通會員ハ年額金貳圓ヲ十ケ年間又ハ一時金拾六圓以上ヲ醵出スル者

五、本會現在役員ハ左ノ如シ

總裁　千葉了

副總裁　高田茂　佐藤寅太郎

顧問　小川平吉　今井五介　原嘉道　伊澤多喜男　岡田忠彦　本間利雄　梅谷光貞　高橋守雄　田中無事生　泊武治　小西竹次郎

相談役　降旗元太郎　越壽三郎　小里賴永　片倉兼太郎　鵜澤泰江　小林暢　山岡萬之助　工藤善助　樋口秀雄　植原悅二郎　山本愼平　松本忠雄　白石喜太郎　高田茂　菱川敬三

海の外（月刊）（一册廿錢）

定價表	內地送料共	外國送料共
一册	廿錢	廿四錢
六ケ月	一圓十錢	一圓四十四錢
一ケ年	二圓廿錢	二圓八十八錢
五ケ年	拾圓	拾圓

御注意

△御送金は振替（長野二一四〇番）に御願ひします。外國よりの御送金は銀行、郵便局いづれにても確實に送金されます。

△御轉居の節は早速新舊兩御住所を御通知下さい。

△本誌へ廣告掲載御希望の方は詳細相談申上げます。

昭和三年九月三十日發行

編輯人　永田稠

發行兼印刷人　西澤太一郎

印刷所　長野市南縣町　信濃毎日新聞社

發行所　長野縣廳內　海の外社　振替口座　長野二一四〇番

各縣海外協會
日本力行會 指定旅館

(高)

海外渡航乘船
領事館手續
貨物通關取扱

高谷旅館本店

本店 神戸市榮町六丁目
神戸市郵便局私書函八四〇番
電話元町 八五四番、一七三七番

支店 神戸市宇治川楠橋東詰
電話元町 六六六番

各汽船會社專屬元扱

日本郵船會社
大阪商船會社
ダラー汽船會社
加奈陀汽船會社
アドミラル汽船會社
南洋郵船會社

日本力行會、信濃、廣島、和歌山
福岡、熊本、沖繩 各縣海外協會 指定旅館

海外渡航乘客荷物取扱所

今泉旅館

本店 神戸市海岸通六丁目三番邸
支店 神戸市榮町通五丁目六八番邸
長距離電話 元町 三二一番
振替大阪 三五四一〇番

海外渡航取扱所

◎東洋一の理想的設備を有する神戸港へ！
◎旅館は誠實にして信用のある神戸館へ！

各縣海外協會
日本力行會 指定旅館

神戸市榮町六丁目廿一番邸

神戸館本店

電話元町 八六一番
振替口座大阪 一四二三八番

支店 神戸市海岸通四丁目(中税關前)
電話三ノ宮二一三六番

◎本店へハ神戸驛、支店へハ三ノ宮驛下車御便利

南満洲鉄道株式會社

海の外—THE UMINOSOTO
Published Monthly by the Uminosoto Sha. Nagano, Japan.

「海の外」第七十五號 （昭和三年十月） （毎月一回發行）

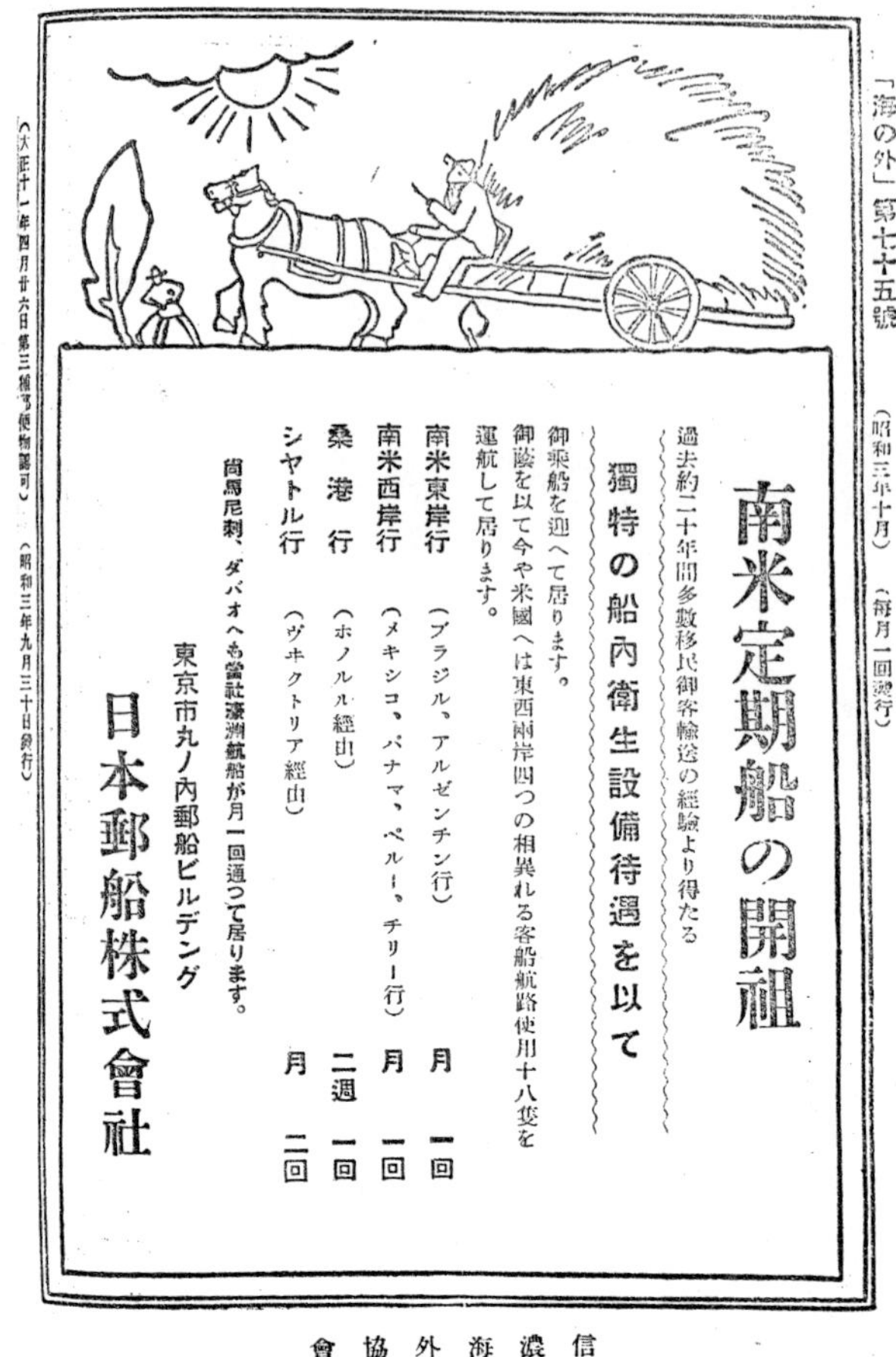

（大正十一年四月廿六日第三種郵便物認可） （昭和三年九月三十日發行）

信濃海外協會
海の外社發行

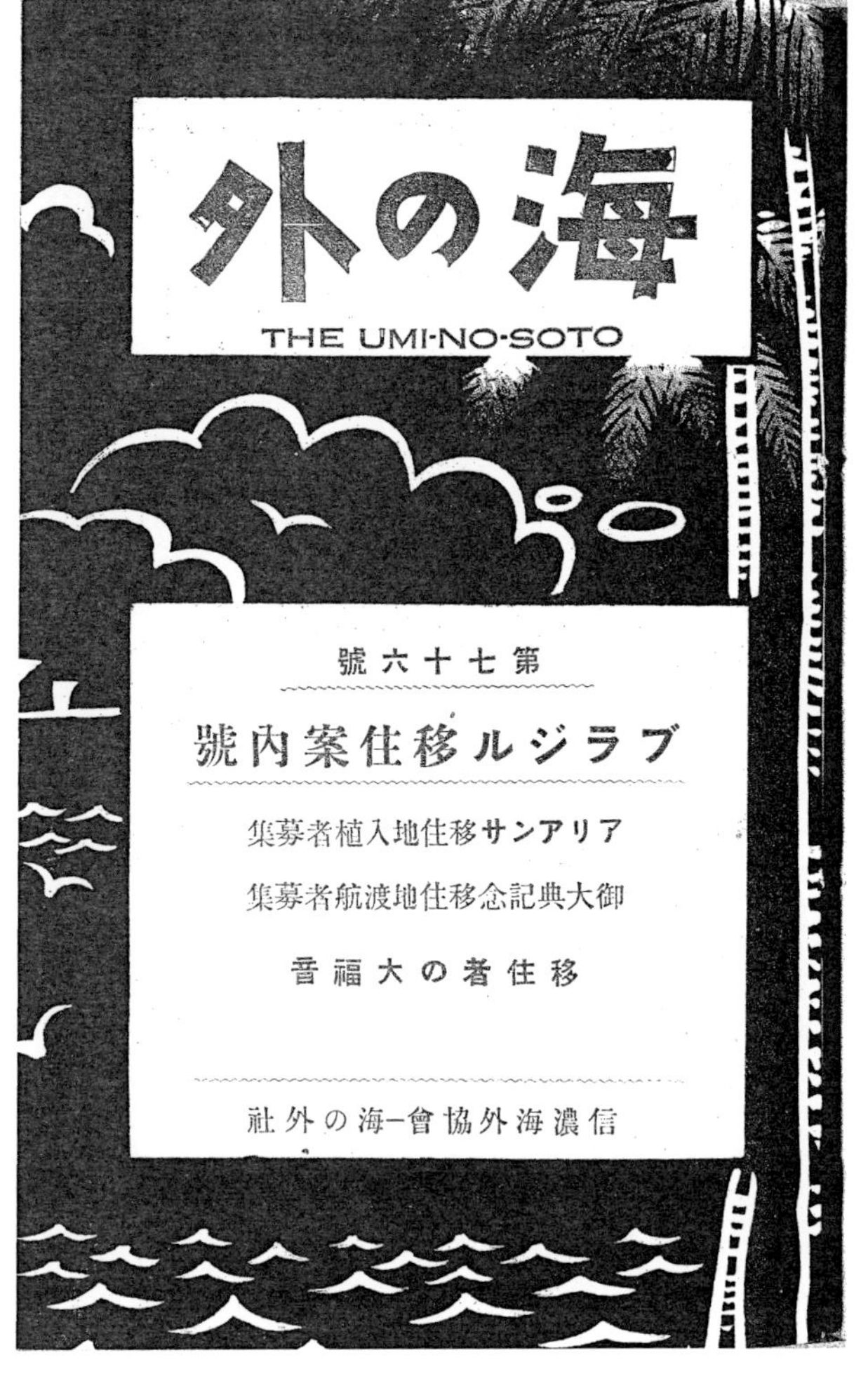

請負耕作者を

アリアンサ移住地で募集

資金は千圓を用意せよ

（一）アリアンサ移住地の概況――東西三里南北五里の大移住地

信濃海外協會は大正十三年から南米ブラジルにアリアンサ移住地を開設し、日本全國から移住者を募集して大正十三年に移住した者は既に珈琲が本年から收穫を初めたと云ふ狀態で現在移住地には約三〇家族千三百名が開拓事業に活動してゐるのである。然し未だ移住地には未開拓の儘に殘されてゐる面積は三千町歩からあつてこれは主に日本に居ながら土地を待つて居つて、自分では渡航開拓の出來ない人々の土地である。これ等の人々は自分の土地を開拓するために請負耕作者を欲しいので、只今海外協會ではその請負耕作者を求めてゐる。

移住地の狀況及び請負耕作に關する事項について述べれば左の如くである。

イ、場　所　南米ブラジル國サンポーロ洲アラサツーバと云ふ郡内にある。

ロ、氣　候　夏の一番暑い時が華氏九十五度になるが、朝晩は非常にすゞしく暑くて寢られぬ樣なことはない。冬の一番寒い時でも霜が少し降る位だから華氏の卅度位、火鉢や炬燵などはいらない。

ハ、風土病　としてはマラリヤ（日本のオコリ）が少しあるがこれは擴酸キューネと云ふ藥で豫防も出來れば治療も出來る。第二の風土病はフエリーダ、ブラボと云ふ皮膚病であるが、これにかゝる者は一割位でかゝつても死ぬ者は殆どない。其他には恐るべき病氣はない。

ニ、地　質　サンポーロ州では第二流、ノロエステ鐵道の沿線では第一流の土地で無肥料で米が五六年位とれる位肥へてゐる。

一

ホ、水質　井は深いが水質は極めて清洌で非常によい。但し日本の樣に至る所に澤山はない。所々に小川があり、飲料水は皆井戸水をつかふ。

ヘ、作物　殆んど何でも出來るが、其主なる物はコーヒー、米、豆、玉葱黍、甘蔗、野菜類、バナナ、マモン、柑橘類、桑等で家畜は何でも成育するし、養蠶は一年に六度も飼へる。

ト、面積　はアリアンサ第一が五千五百町歩でこれは信濃海外協會で經營してゐる。アリアンサ第二は六千二百五十町歩で、信濃海外協會が三千二百五十町歩、鳥取縣海外協會が三千町歩を所有し協同經營である。アリアンサ第三は六千三百五十町歩あり、富山海外協會が三千二百五十町歩、信濃海外協會が三千町歩を所有し兩協會の協同經營である。アリアンサ第一の南隣りに熊本海外協會の移住地が三千町歩ある。これ等を合計すると二萬一千町歩でザツト云へば東西三里南北五里の大きさである。

大きな樹は四人がかりで斧で伐る

チ、指導　入植者の世話や指導は各海外協會から任命された理事がやつてゐる。

リ、一家族の耕作面積　大人三人の勞力を有する一家族では最低二十五町歩を一地區として耕作に適當であるがその開拓標準は別項の如くである。

一、請負者は組合員たる事　アリアンサ移住地に入植する請負耕作者は信濃海外移住組合員の資格を得なければ移住地に入植する事が出來ぬ事になつた。これは今年からアリアンサ移住地が海外移住組合法によつて組合に引繼經營せらるる所となり同移住地は組合員でなければ入植出來ぬ事になつてゐるので組合は現行產業組合の精神と同じき組織のものであるから結局組合員は組合の特典に浴するのである。組合員たるには組合員出資一口以上五十口迄申込む事が出來る。出資一口の金額は五拾圓で出資第一回の拂込金額は一口に付き拾圓以上で乘船出帆までに金額を拂込めばよいのである。

(二) 二十五町歩處理の標準——珈琲樹七千株を植付く

アリアンサ移住地の梗槪は前記の通りであるが、偖、移住地で二十五町歩一戶分の土地を如何に處理すべきかと云ふに、勞働に耐ゆる人員の多少、地形等に依つて千差万別ではあるが、普通三人一家族の場合は、大體左の通りに處理することを標準として居る。

一、約十町歩　珈琲約七千株を植付く。

二、約二町五反歩　牛馬豚鷄等の牧場となる。

山燒きの跡に掘立小屋を建てるスヰトホームが出來る

三、約五町歩　棉花、甘蔗、米其他の雜作物。

四、約七町五反歩は原始林のまゝ保存す。

ブラジルは普通一人の珈琲の耕作面積を二千株分とされて居る、從つて六七千株の珈琲耕作には三人位の勞力を要し、珈琲耕作の他に餘力を以て其他の耕作が出來ることになつて居るのである。

(三) 二十五町歩の自作移住者——未だ分讓地が僅かある

アリアンサ第三移住地の土地廿五町歩を購入し自ら耕作する目的を以て渡航する者の必要なる經費其他につき槪略を示せば左の通りである。これは最少限度を示したものだから、下手をやればこれより以上を要する覺悟をせねばなりません。又資金はなるべく豐富の方がよいのである。大人三名の家族と見て、

一、土地代金	一、七五〇圓
一、支度金	三〇〇圓
一、乘船迄の諸費	一五〇圓
一、船賃及船中諸費	七五〇圓
一、上陸地より移住地迄の諸費	一五〇圓
一、山伐り代(二町五反歩)	一五〇圓
一、小屋掛代金及井堀料	四五〇圓
一、種子及器具代	二五〇圓
一、生活費約八ヶ月分及豫備金	六五〇圓
合計	四、六〇〇圓

アリアンサで廿五町歩の土地を所有し、仕度をなし、其年の三四五月の內に出發し一萬二千哩を渡航し、山伐り小屋掛から植付けまでやつて一回の收穫を得る迄には、約五千圓の資金を要するのである。尤も此內土地代は萬止むを得ざる者に限り六百圓丈仕拂ふて殘金は年一割の利子を附して三年賦にすることが出來るから一千百五十圓を協會から借りて置けば三千四百五十圓の資金でよいことになり、外に政府の補助金が六百圓あるから二千二百五十圓あればどうにかやれぬことはないが、野菜の代りにタンポポを食べたり、牛肉の代りにトカゲのすき燒位は平氣で食する覺悟を要します。

偖、これ丈けの金を準備して渡航し、約四箇年間、まづい物を食ひ、破れた衣物を着掘立小屋に寢て、文字通りに苦戰惡鬪をすれば、珈琲は白い小さい可愛い花が咲き段々と其收穫を得られる樣になります。而して、廿五町歩の土地に珈琲が六七千株と小屋と井戶があれば、現在の所で其價格は一萬二三千圓であり、昭和三年から着手して四年後の昭和七年には少くとも二萬五千圓位の價格になります。(ブラジルでは一箇年に少くとも二割乃至三割位地價が騰貴して居る)勞働賃金を含み一箇年の利益は少なくとも二千五百圓多ければ四千圓內外を得る事が出來る樣になりませう。

土地代を年賦で約束した者は自分の生產物を賣つて土地代と其利子を拂ふて行けませう。

家の側に井戶を掘る

(四) 請負耕作とはどんな事か——四年契約と六年契約がある

アリアンサ移住地の請負耕作の仕方に大體二た通りある。

一、四年契約

此契約では地主の方から出すものは

(イ)土地(一戶分廿五町歩)
(ロ)山伐り代十町歩分(協會へ出す)
(ハ)珈琲の植付代(協會へ)
(ニ)假小屋の建築代(協會へ)
(ホ)井戶掘り代(協會へ)
(ヘ)珈琲育成代(四年度の終りに一米突以上の高さに育つて居るコーヒーの一株につき十七八錢から廿錢位、六千株で一千圓位)を請負人にやる。
(ト)管理料(協會へ出す)
(チ)諸掛り(協會へ出す)

請負人の方では

(イ)地主の建てた小屋に住み
(ロ)地主の掘つた井戶水を飲み
(ハ)地主の植えた珈琲を育て(尤も請負人が植へ付ければ其植付賃は取れる)
(ニ)其珈琲の間に稻や玉蜀黍や豆などの作物を作り
(ホ)二町五反歩の牧場を作り
(ヘ)約五町歩の雜作地を作り
(ト)珈琲以外の作物は皆自分で取り
(チ)小作料は支拂はず

甘蔗畑(砂糖の自給が出來る)

（リ）四年度の終りに一米突以上に成長したコーヒー一株につき二十錢以内の育成費を地主から受け取るのである。ブラジルの農作物の相場が普通で、ブヲジル平均位の作柄ならば四年契約の請負耕作者は二千圓から五千圓位の金を殘すことが出來る樣である。

二、六年契約

此契約で地主の方では
（イ）土地廿五町歩を出す
（ロ）管理料六年分を協會へ出す
（ハ）諸掛りを協會へ出す

請負人の方では
（イ）約十町歩の山伐りをなし
（ロ）約六七千株の珈琲を植へつけ
（ハ）約二町五反歩を牧塲となし
（ニ）約五町歩を雜作地となし
（ホ）自分で小屋を建て井戸を掘る
（ヘ）小作料は支拂はず
（ト）六ケ年間此畑から出來たものは皆請負人の所得とすることになつて居る、六年契約をなし、普通の作柄で農産物の相場が普通であれば六年後には六七千圓以上の收入がある樣である。

三、管理

四年契約でも六年契約でも、農園の管理は海外協會でやることになつて居る。地主も請負人も協會の云ふことを聞かねばならぬのである。

野菜物頒布相場

アリアンサ移住地で新入植者のためにアルマゼンで日用品その他一切の物品を販賣してゐるが野菜物につき最近齊の相塲は左の如くである但し相塲は不絶變動あるらしい。

甘藷一袋（十六貫）	六ミル	南瓜　一ケ	四百レース
マンヂョカ同	六ミル	西瓜　一ケ	一ミル
馬鈴薯　同	十二ミル	茄子　十二ケ	一ミル
里芋　同	十二ミル	マモン　五ケ	一ミル
甘藍　一ケ	二ミル	葱（一束一尺廻り）	一ミル
白菜（一束一尺廻）	一ミル	葱頭　一キロ	一ミル
大根五本	一ミル	鷄一羽　四ミル　卵一打	一ミル六百

（五）請負人のこと——どんな人が請負人となれるか

請負耕作は隨分骨の折れる仕事であるし。日本からブラジル迄渡航せねばならぬから相當に資金がかかる、それで請負人の資格や其他について記せば左の通りである。

一、筋肉勞働者であること　必ずしも農業に從事して居る者でなくてもよいが、其戸主は筋肉勞働に從事して居るか、又は以前に勞働をして居た者で、ブラジルに行つて農業の出來る者でなくてはならぬ。家族の者も勞働出來れば猶都合がよい。

二、夫婦又は家族を有する者たること　獨身者ではいけない、又、兄弟丈けとか兄と妹とか云ふのもいけない。必ず夫婦か、又は夫婦の外に家族がなければならぬ。家族と云ふのは、中心夫婦の祖父母・父母・兄弟・姉妹・子・孫・姪甥で同じ家に住んで居らなくともよい。尙中心夫婦は共に年齡五十才以下と限られてゐる。

三、資金一千圓以上を有すること　請負人の要する資金のことは詳しく後の方で記すが夫婦又は三人の家族で少なくとも一千圓以上の資金を持つて居る者でなくてはならぬ。

四、內務省の補助金　五十歲以下の夫婦又は五十歲以下の夫婦を中心とする家族の者には協會を通じ內務省から補助金を下さる、十二歲以上一人二百圓、七歲より十二歲迄一人百圓、四歲以上七歲迄一人五十圓。

五、地主の貸附金　地主に依つては請負耕作者の善良確實な者に對して、一戸につき三百圓乃至五百圓の渡航資金を貸してくれる、此金は年八分の利子をつけ三年賦で支拂はねばならぬし相當の保證人もいる。

六、十二指腸虫及トラホームのなきこと　海外渡航者は十二指腸蟲と云ふ蟲が腸の中に居てはいけません、目がトラホームと云ふ病氣にかゝつて居てはいけません家族の內此病氣のある者は渡航か出來ませぬ。請負耕作者は、前記內務省の補助金を貰ひ猶地主から渡航資金を借りても猶一千圓以上の資金が入用であります、だから此資金のない者は請負耕作者となることは出來ませぬ。

蒔いたコーヒーが段々に成長する（足にあらず手だ）

（六）請負耕作者の收支計算——獨立農の基礎が出來る

六年契約を希望する地主が多いから、先づ

一、六年契約請負人の收支計算　をして見る（三人家族と假定す、それ以上になれば金も餘分にかゝること勿論なり）

イ、支度金（洋服其他）	三〇〇圓
ロ、乘船迄の諸費	一五〇圓
ハ、船賃及船中諸費	七五〇圓
ニ、上陸より移住地迄	一五〇圓
ホ、山伐り代（五町歩）	三〇〇圓
ヘ、小屋掛及井戸掘代	四五〇圓
ト、種子及農具代	二五〇圓
チ、生活費及豫備金	六五〇圓
合計	三、〇〇〇圓

六年契約をする者は約三千圓の資金が要る譯であるが、此內で內務省の補助金が六百圓あるし、地主から五百圓借りるとすれば、此合計が一千一百圓となり、三千圓から引いて見ると一千九百圓の資金を要することになるのである。これは三人であるが二人になればこれより少なくてよし、三人以上になればこれより餘分に入用である。

收入　の方は此兩三年にブラジルが不景氣であるからブラジルに在留する者一人なしウマク行きませんが、普通の年ならば、コーヒーの間作や雜作地からの收穫が生活費を引いて一年に一千圓位になるし、四五六年には珈琲がとれその三年分が三千圓位になるから、計算通りに行けば九千圓位殘ることになる。それで六七千圓と見たらよかろうと思ふ。

ブラジルの在留邦人
昭和三年十月一日現在

サンパウロ洲	五九、四一九
マットグロッソ洲	一、〇八〇
ミナス南部三洲	四、二六七
其の他各洲	四二三
計	六五、一八九

二、四年契約をする人の收支計算　四年契約をする地主は少ないがそれでもいくらかはあるから、早く申込んだ者が採用されることになる、今、四年契約請負人の收支計算をしらべて見ると

支出（家族三人として）

イ、支度金	三〇〇圓
ロ、乘船迄の諸費	一五〇圓
ハ、船賃及船中諸費	七五〇圓
ニ、上陸より移住地迄	一五〇圓
ホ、農具代	一五〇圓
ヘ、生活費及豫備金	六五〇圓
合計	二、一五〇圓

二千百五十圓かゝるが、此內、內務省から六百圓の補助金があり地主から五百圓借りるとすれば一千百圓となり、二千百五十圓から一千五十圓あればよいことになる、これは三人家族の塲合であるが、夫婦二人丈けの時はこれより少くてよし、三人以上になれば、これより餘分に要ることになる。

收入　の方は四ケ年間の間作や雜作地からの收入一年平均一千圓合計四千圓、それに珈琲の育成費約一千圓總計五千圓となる譯であるが、それを內輪に見込んで三千圓位と見たらばどうであろうか。

播種後一ケ年半シコーヒーの株

（七）請負耕作の申込みのこと

偖、前記のことがよく解つて自分では其資格があると思ふ方は、請負耕作の申込みをせねばなりません。申込み書の書式はありませんが

イ、申込書は自分で書くこと（末卷參照）
ロ、戸籍謄本を添へること
ハ、渡航資金がいくらあるか正直に書くこと
ニ、資金の一部を借りねばならぬ者はいくら借りたいか記入すること
ホ、戸主の略歷（例之、今迄農業をして居たとか、何所の學校を卒業したとか云ふ樣なこと）
ヘ、宛名は

（渡航する者に〇印をして）

長野縣廳內　信濃海外協會宛
又は東京市麴町區丸ビル四五四海外協會中央會內
　　信濃海外協會東京支部宛

協會では請負契約を申込んだ人の身許を調査し、不合格の方には其旨通知致します。合格の方には契約書を四通送りますからそれに實印をついて、直ちに返送して頂きます、それから地主の調印をして貰い、一通丈けは地主に、一通は協會に、一通は移住地に、一通は請負者に送ります。

旅券下附の事、出發より入植までの乘船から船中、上陸、移住地の開拓等に關する事は協會で逐一指導世話する事になつてゐます尙不詳の點は御照會すれば回答する事になつてゐます。

日本からブラジルまで
寄港地と航海日數

神戸出帆	―
香港着	六日
西貢着	四日
新嘉坡着	三日
古倫母着	六日
グーバン着	十二日
ケープタウン直	四日
サントス着	十三日
計	四十八日

移住組合土地購入

三重、和歌山、愛媛、岡山、廣島、山口、鹿兒島、福岡の八組合の移住地及び今後設立さるべく廿組合のために今回、三ケ所に土地に購入した。
一、アリアンサ　位置　ノロエステ線ルサンビーラ驛南部、面積三千四百廿五町歩
二、ケエテ　位置　アリアンサ移住地の北方チエテ川南岸、面積十二萬七千五百町歩
三、パストス　位置　ソロカバナ線クワタ驛北方、面積三萬町歩

アリアンサ移住地と併進する

御大典記念移住地開設

一人五百圓用意出來れば

誰でも移住渡航出來る

一、移住地建設の特色

信濃海外協會がブラジル國へ企業移住を奬勵して大正十三年來アリアンサ移住地を建設し日本民族の海外發展に努力して來たが現在ブラジル國移住者の資格としては第一に身体强健にして意志强固たる者ならざるべからざるは勿論であるがブラジル移住者は日本に於て農業に從事してゐる者でなければ採用されぬ事になつてゐる。

これはブラジル國の珈琲園に就働せんとするものを海外興業會社が取扱ふてくれる方法であつて移住者が着伯後直ちに珈琲園で勞働するのであるから農業勞働に十分耐ふる經驗と身体とを持つ事が條件である。近來渡航者激增の結果入植後色々の問題を起す樣になつたが其最も多く問題を起すのは純農業者に非ざる者であつた。耕地に入るや勞働は不馴なるため耕地の習慣又は待遇に不滿を懷き或ひは耕地勞働過激のため健康を傷ひ遂に中途に倒るゝか又は耕地を逃亡する者等の事實あり、日本移民の信用を失墜せしむる事があるから珈琲園勞働移民は純農者を選擇せねばならぬのである。然かしアリアンサの移住地は日本人の手によつて移住地を經營し移住地理事の指導によつて自治の村を建設するのである。又自が企業勞働をなし、農業勞働に耐え得る体質を有し、勤勉努力永住の決心を有し、世界の市民たるの決心があればよいのである。現在のアリアンサ移住地は此方針で、日本全國から希望者を採用選定して着々良成績を收めたのである。それが今日の模範となつて全國各府縣に此種移住地經營の企劃がある樣になつた基であり、又我國海外發展史上特筆すべき昨年五月實施の海外移住組合法の制定の基礎的要素であつたのである。

アリアンサ移住地も、組合法の實施により、信濃海外移住組合として引繼ぎ經營する事となつたが更に信濃海外協會は一層ブラジル移住に都合のよい方案を立案したのである。

卽ちブラジル移住についての幾多の經驗から考へて見て、資金の不足とか家族構成の難點とか、移住地入植後の公益施設卽敎育衞生製材精米倉庫、購買販賣組織、信用金融組織などの點について、色々と考慮工夫の結果、移住組合法の善所を採り協會移住地經營の長所を採り、其短を補ひて玆に御大典記念事業として新に壹万町步の移住地經營をする事になつた。

まづ日本に居つて伯國移住地の土地を所有してこれを開拓してその收益を得るといふ移住組合法の運用の範圍では出來ない點を補ひ、一口四百五拾圓で貳町五段步の土地の開拓完成所有が出來る方法を立てた。

又渡航の方法上の不備を補ふために、從來の會社契約移民の家族構成條件に合はなかつたり、移住組合法の運用の範圍に入り難い家族や、資金の二千圓以下の渡航希望家族や、組合家族の入植企業移民の便益を考察したのである。

卽ち現在のブラジル移住の恩典に浴し難い、我海外發展希望勇士の爲め、邦家百年の大計より海外雄飛をなさんとする忠烈憂國の志士の爲め、大自然の開拓を以て世界人類の爲めに終生を捧げんとする雄々しき仁者の爲めに、皇國の無窮の隆昌と世界永遠の平和を愛する士の前途の眞の幸福の爲めに、御大典の秋に當る移住地建設を公開したのである。更にこれ等を詳記して見れば、

米の收穫　獨逸の層人と仲よしに仕事をする

二、夫婦家族の構成出來ない者及び單獨渡航者の大福音

一、ブラジル移民の五十歳以下の夫婦を中心とする家族構成者にして農業從事の資金約五百圓を有するものは海外興業會社が取

扱してくれ、

二、同上家族の構成者若くは五十歳以下の夫婦家族で資金二千二三百圓有をするものは海外移住組合が取扱ふてれ、

三、其の他一般の呼寄せ、自由渡航の方法が講じられてある。

然れども會社扱としては資金が多くあつて珈琲園勞働として渡航するよりも海外移住組合員として土地購入して渡航致したきもそれには資金が不足すると云ふ千圓か千五百圓位の資金を持つものに現在何等の移住方法が顧られてゐない。然かも中產階級の二三男中にはこう云ふ人々が殊に多いのである。

此等の人々は中等敎育をうけて海外開拓の好適なる國家的人材である。女子青年についても又同樣である。又、家族構成上五十歳以上の家長で未だ長男をして妻帶せしめざる家族、或ひは兄弟姉妹のみの一家、從兄弟從姉妹、獨身者にして渡航せんとする者は政府の渡航補助金交附の特典にあづかる事が出來ぬ故に移住渡航の途を開き且つ渡航費補助金を政府と同額に交付せんとするものである。

これを更らに資金と關連して再起すれば

(1)　年齡二十五才以下の資金五〇〇圓以上を所持する身心健康なる獨身者を採用する。

(2)　一人平均五〇〇圓以上を所持する兄弟姉妹從兄弟甥姪等にて三人以上共力一致して移住開拓をなさんとするものを採用する。

(3)　年齡の如何を問はず勞働に堪え得る父子。母子。祖父母と孫。親子。等にて二人以上となるものを採用する。但し一人平均五〇〇圓以上の資金を所持するものに限る。

(4)　年齡の如何を問はず夫婦の家族、又は夫婦及びその親族姻族にて三人以上となり資金一〇〇〇圓以上を所持する者を採用する。

バナナも出來ればパイアンツプルも出來る(北原夫人)

(5) 同學校卒業生・友人、知人等にて一人平均五〇〇圓以上を所持する者にて三人にて一組を構成しその組長を定め一致共同移住開拓に從事せんとするものを採用する。

三、渡航移住者の補助金及貸付の恩典

本會の移住地へ採用になつて渡航移住するものは左の補助金がある。

(1) **渡航準備補助金**

(イ) 十二才以上の者には二〇〇圓を補助する

(ロ) 七才以下の者には一〇〇圓を補助する

(ハ) 三才以下七才以下の者には五〇圓を補助する

(2) **移住奬勵金**

(イ) 二十五町步の地區一地區請負耕作につき奬勵金三〇〇圓補助する

(3) **貸付金**

(イ) 二十五町步の地區一地區請負耕作につき本會より五〇〇圓を三ヶ年据置三ヶ年賦にて年利八分の利子にて貸付する

アリアンサ學齡兒童數

昭和二年八月末現在

	男兒	女兒
第一移住地	五四	二四
第二移住地	四四	一八
第三移住地	〇	〇
計	九八	四二

四、採用及組合せ

(イ) 申込み次第採用の如何協會より通知す

(ロ) 渡航入植の好機は每年の二月頃より六月頃である

(ハ) 移住希望申込は何時にても差支ないからなるべく早くやつてもらひたい

五、開拓請負方法

以上述べた如く御大典記念移住地は右の如き人々のために開放せられたる移住地で土地の開拓方法は前述アリアンサ移住地の請負耕作者と何等異る事なきものであるから希望者は前篇において一讀の上、別記申込書により申出でたれたし。

申込書

アリアンサ移住地(又は**御大典記念移住地**)ニ渡航シ請負耕作ニ從事致シ度左記ニ依リ申込候也

記

渡航家族 續柄	氏名	生年月日	職業	略歷

一、自分ニ於テ整ヒ得ル準備金　　圓

二、借入レヲ希望スル金額　　圓

三、渡航豫定期日

年　月　日

住所

氏名(家長名)

信濃海外協會御中

信濃海外協會規約抄錄

一、本會ハ信濃海外協會ト稱シ本部ヲ長野市ニ支部ヲ必要ニ應シ內外各地ニ置ク

二、本會ハ縣民ノ縣外發展ニ關スル諸般ノ事項ヲ調査研究シ其ノ發展ニ資スルヲ以テ目的トス

三、本會ハ前條ノ目的ヲ達スル爲必要ニ應シ左ノ事業ヲ行フ

イ、縣民縣外發展ノ方法ニ關スル立案

ロ、發展地ニ就キ調査ヲナシ其ノ結果ヲ紹介

ハ、在外縣民ト聯絡ヲ計リ指導後援

ニ、海外投資ノ研究ヲナシ之ヲ發表

ホ、海外發展ニ必要ナル人材ヲ養成

ヘ、機關誌「海の外」ヲ發行シ隨時講演會各地ニ開ク

ト、海外發展ニ關シ各種參考品及統計ノ蒐集

チ、前各項ノ目的ヲ遂行スル爲臨機本會ノ代表者等ヲ內外樞要ノ地ニ派出スル事

リ、會員ニハ「海の外」每月寄贈ス

ヌ、其ノ他本會ノ目的ヲ達スル必要ト認ムル事項

四、本會ノ會員ハ左ノ四種トス

イ、名譽會員ハ代議員會ノ決議ヲ經テ總裁之ヲ推薦ス

ロ、特別會員ハ一時金百圓以上ヲ醵出スル者

ハ、維持會員ハ會費年額金拾圓ヲ十ヶ年間醵出スル者

ニ、普通會員ハ年額金貳圓ヲ十ヶ年間又ハ一時金拾六圓以上ヲ醵出スル者

五、本會現在役員ハ左ノ如シ

總裁　千葉了

副總裁　平野桑四郎　佐藤寅太郎

顧問　小川平吉　今井五介　原嘉道
伊澤多喜男　岡田忠彥　本間利雄
梅谷光貞　高橋守雄

相談役　田中無事生　泊武治　小西竹次郎
降旗元太郎　越壽三郎　小里頼永
片倉兼太郎　鷲澤泰江　小林暢
山岡萬之助　工藤善助　樋口秀雄
植原悅二郎　山本愼平　松本忠雄
白石喜太郎　高田茂　菱川敬三

海の外(月刊)(一册廿錢)

定價表

	一册	六ヶ月	一ヶ年	五ヶ年
內地送料共	廿錢	一圓十錢	二圓廿錢	拾圓
外國送料共	廿四錢	一圓四十四錢	二圓八十八錢	拾圓

御注意

△御送金は振替(長野二一四〇番)に御願ひします。

外國よりの御送金は銀行、郵便局いづれにても確實に送金されます。

△御轉居の節は早速新舊兩御住所を御通知下さい。

△本誌へ廣告揭載御希望の方は詳細相談申上げます。

昭和三年拾月拾日發行

編輯人　永田稠

發行兼印刷人　西澤太一郎

印刷所　長野市南縣町　信濃每日新聞社

發行所　長野縣廳內　海の外社

振替口座　長野二一四〇番

「海の外」第七十六號（毎月一回一日發行）

《第二版》　日本力行會長

永田稠著

南米再巡

菊版四百廿餘頁・寫眞版三十頁・布製函入

定價一册金二圓八十錢・送料一册拾八錢

永田氏は信州の生める一異才である。嘗て南米を一週して『南米一巡』を著はし、信州に來つて信濃海外協會の組織に努力し、更に『南米信濃村建設』に關する大使命を帶びて、大正十三年五月末横濱を出帆し、布哇、北米桑港、ローサンゼルス各地に於ては海外協會支部の設立に盡力し、ソートレキー市にはモルモン宗教植民の跡をたづね、デンヴア、シカゴを經て華府に至り、紐育より大西洋を南下してブラジルに至り、移住地の選定、購入・入植の準備をなし、大正十四年二月日本に歸り來り、更に信濃村大成の爲めに努力奮闘し、今や模範的にして世界に誇り得る移住地が建設されつゝある、『南米再巡』は氏が南北兩米を再巡せる記錄である。志を世界に有する者の一日も看過することの出來ない快著である。

長野縣廳内　信濃海外協會取次販賣

東京市外上板橋　日本力行會發行　振替東京六八八一番

（大正十一年四月廿六日第三種郵便物認可）（昭和三年十一月十日發行）

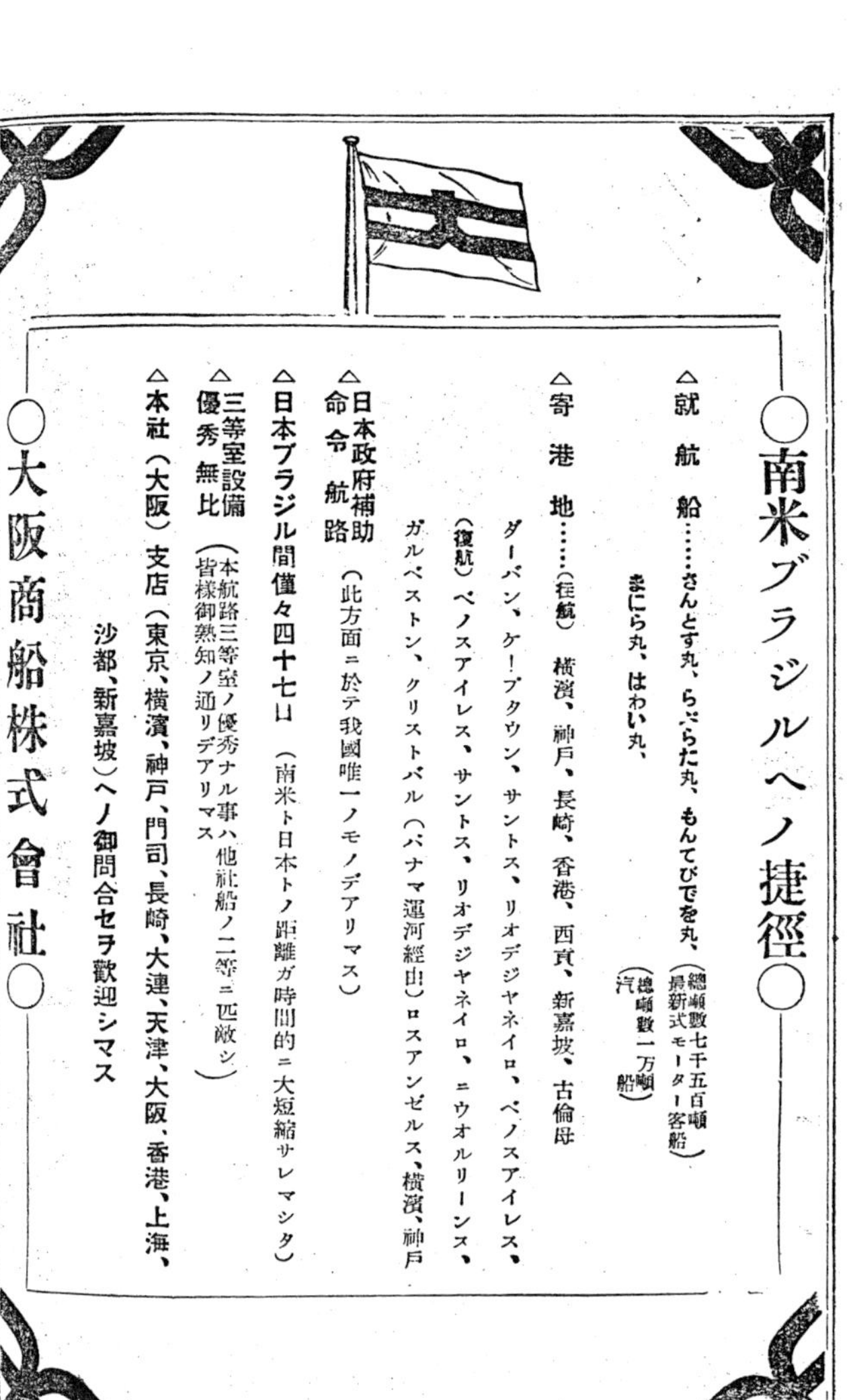

長野縣警察部調査
信濃海外協會編

海外在留長野縣人名簿

四六版百數十頁　數字統計圖解入

定價參拾錢（送料 内地四錢 海外六錢）

愈々出版

本書は信濃海外協會の活動の上に生れたる一結晶物である。海外各地に在留する長野縣人を網羅せんとしてその調査を進め、此等海外縣人自身、若くは海外縣人と關係せられる者の參考となり、かねて信州海外發展上何等かの寄與するものあらんと今日これを出版したる次第である。本調査は各方面より立場を異にして三四回同一調査を行ひ最後に本縣警察部の縣下各市町村駐在の海外在留者調査報告に基づき綜合して、一書にした。特に海外各地で發行せられる邦字新聞、雜誌、會報年鑑等によつて現住所の正確を一層嚴ならしめた。

先づ本書は可成りの苦心の結果成れるものにしてこれによつて長野縣人海外各地の活動が明瞭となり海外縣人は勿論、鄕里の家庭、家族親戚、友人知人等には本書によつて異樣の感激を覺へるだらう。更に縣下諸學校、青年會、婦人會處女會女子青年會等團体は本書を備へる事によつて會員に躍動的刺激を與へずにおられない。

内容要目

海外各地分布圖——既往三十ケ年旅券渡航許可數と國別——年別——海外在留地における出身郡市別表——郡市における海外在留國別數——在外縣人名（家長名、單獨者名）——出身市郡町村名——家族數——現住所——職業——渡航年月——在留國別——滿洲（關東洲ヲ含ム）——支那——北米合衆國——布哇——カナダ——メキシコ——玖馬——ブラジル——アルゼンチン——ペル——智利——ボリビヤ——比律賓群島——蘭領東印度、馬來諸邦——濠洲——印度——英國——獨乙——佛國——西班牙——瑞西——ポーランド、露國——南洋諸島等）

發行所　長野縣廳内　信濃海外協會　振替長野二一〇四番

名古屋新聞記者　掛川喜遊
名古屋新聞記者　村田直治　共著

鄕土の風土を誇る

信濃風物記

◎發行所名古屋新聞社

定價一圓五十錢（送料 内地拾二錢 海外二拾八錢）

「お國自慢」の風物記。信州及び信州人のために萬丈の氣を吐いたもの。見逃してはならぬ。

信州は日本のパミール高原である。そして信州人は日本の屋根の上の住民である。平凡にいへば、信州は山岳國で雪國で、溫泉の國で、その住民はコタツに潛り、酒をのみ、はてしなき議論を享樂する。信州の危險思想も文藝思想も、デカタンもそこから生れる。これが信州人の半面である。

このだらしない半面に信州は實に驚ろくべき勤勉力行の美德を具備してゐる。養蠶と製糸とがそれである。（中略）教育國の長野縣、佛都の信州は今やその外かくのみを殘してゐる。

信州、古來人物多し。教育家、藝術家、政治家、實業家、信州はあらゆる方面にすぐれた人物を送り出してゐる事はもうちろんである（中略）—序文中より—この書、世に出づるに及んで信州は一躍、世の注目をひいた故人は勿論現代の人、將來の人にまで數千にわたる人物を一々筆にして盡きざる珍味を與へてゐる。信州人は必要を要する好書である

取次　長野縣廳内　信濃海外協會　（振替長野二一〇四番）

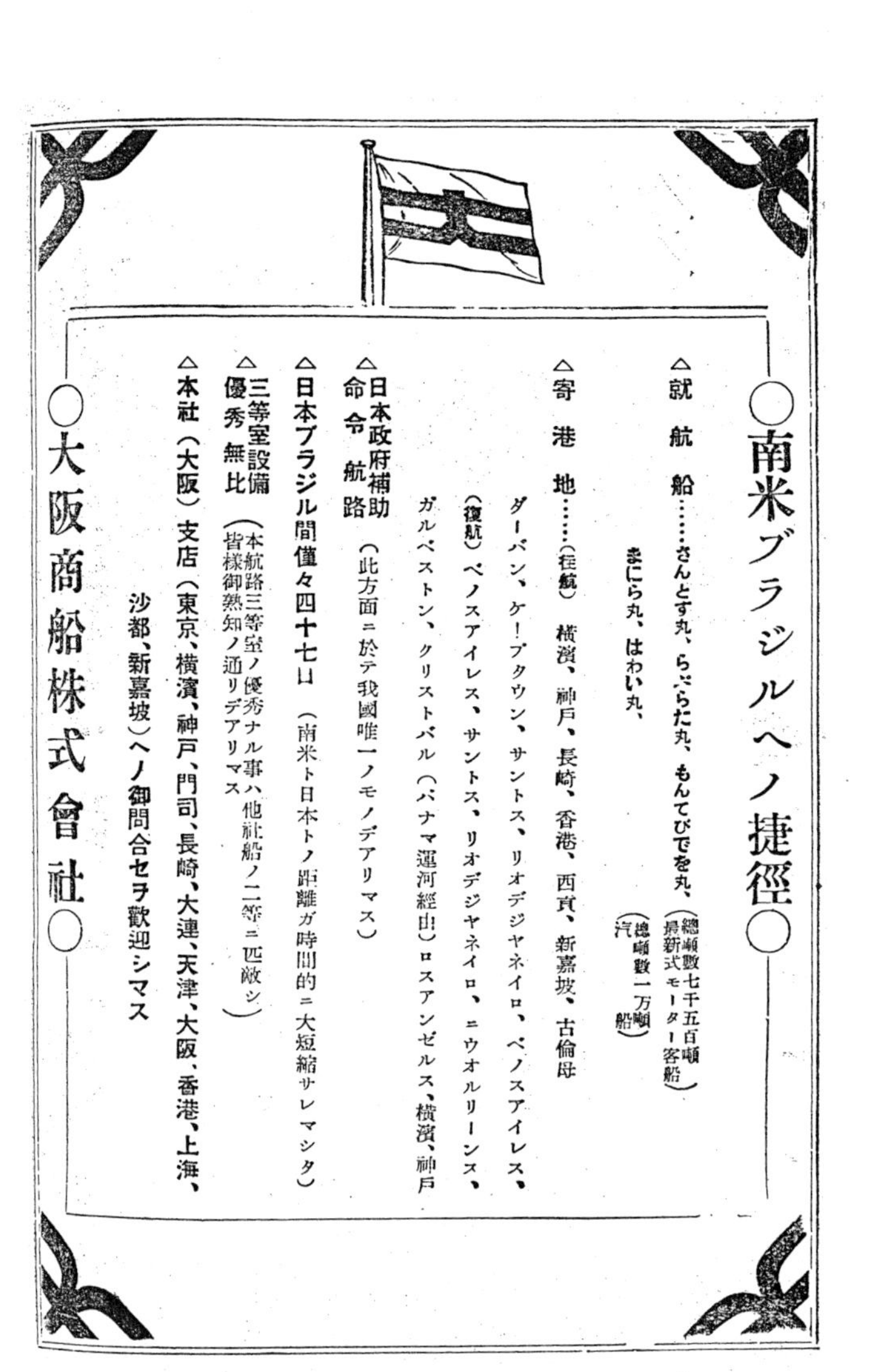

香港の海岸通り

山上より香港市街を望む

墨都の幼稚園生徒春祭踊りの假裝（前列左より三人目須藤正夫氏子女京子さん）

南洋の月沒

墨國の小學校女生徒春祭踊り

▲收穫▼

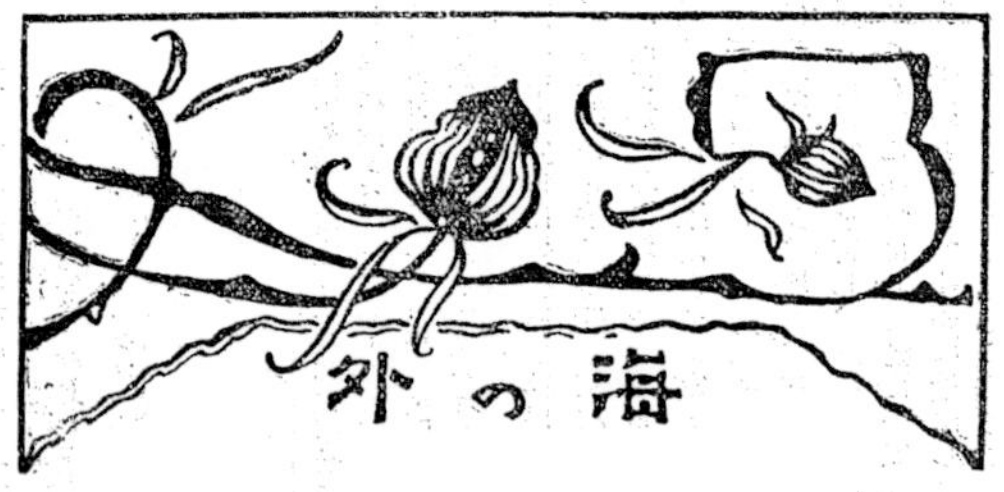

第七十七號（昭和三年十一月）

珈琲が實を結ぶまで

吾等はかつてアリアンサ移住地開設の節「珈琲が實を結ぶまで」と決心し、あらゆる辛苦と誹謗とを豫知して移住地の建設に移住者と共に誓つた事がある。

事實移住地經營は移住者の開拓事業の困難と共に筆舌に盡し難き程であり世評は痛く吾等の耳をついた。

然し開設滿三ケ年をすぎた四年目の今年、我アリアンサ移住地には香り高い可愛い白い花が咲き誇り見事な實を結ぶに到つた。

海のものか河のものか判らぬ等と批評されたところから、兎にも角にも珈琲の實が結ばれたのである。

さりながら「珈琲が實を結ぶまで」と努力した吾等は更らに移住地の建設の當初に顧みて何を望み何を求めてゆくかを熟慮すべき機會に再會してゐる。

それは移住地の建設が結論において新社會の建設であり、經濟に拘泥して精神を沒却せざる理想を把持するからである。

珈琲園就勞契約移民は
素質選擇を一層嚴重にせよ
移民選擇粗漏に基づく悲慘の數々

在伯リベロンプレート分館　古關富彌

本文は田中外務大臣宛「不良移民渡航に關し禁止具申の件」として、伯國リベロンプレート古關分館主任よりの報告書である。本件の如きは一般移民事業關係者及び移民希望者にとりて留意すべき事項多し原文のまゝ掲載せり。

近來伯國事情の宣傳に伴ひ渡伯移民數も激增したる結果不良移民の渡航も亦尠からず、毎船新來移民の約半數を收容する當館管轄區域內に於て特に然るやの傾向あり。右は近來移民の選擇稍々粗漏に失するの嫌なきやに察せらるゝ處元來出發前既に虛弱なる素質を有する者又は持病所持者特に神經病系統者等は耕地に於ける勞働と氣候、風土、食物、習慣其他日常生活の激變に耐へ難く遂に健康を害し、就働不可能となり來いては家計困難となること洵に明瞭にして殊に一家の柱石となるべき家長の重病喪失は家族者をして路頭に迷はしむるに至る。最近救助歸國を懇請するもの、慈善病院に入院を希望するもの、領事の保護を願出する者等續出し、爲に耕地契約も中途に破棄せざる可らざる狀態となる。斯くては本人渡伯の目的を貫徹し能はざるは勿論見す〳〵我同胞をして他國の鬼とならしむるに忍びず尙多年我移民の聲望向上に盡したる官民の努力も水泡に歸するなきの懼あるに付此際移民選擇上の注意事項左記各項御含の上海興側の移民選擇振篤と御監視相成樣致度此段申進す。

(イ)身体檢査を嚴重にすること

本項は移民募集に際し最も注意すべき事項にして最近病魔の爲中途に倒るゝ移民數增加の傾向あり。其多くは新來移民にして耕地に於ける風土病に起因するよりは寧ろ既に本國に於て罹病せるものが氣候風土の異なる當國に移住せば持病も快方に向くものならんとの慢然たる期待に依賴せる結果に依るもの多く、入耕後彼等の期待は全然裏切らるゝもの尠からず。故に身体檢査は成る可く嚴にし特に家長が何等かの持病所持者にして病狀進行の傾向あり耕地勞働に不向と認むるものは斷然渡航せしめざること。

(ロ)純農業者の選擇

近來移民激增の結果移民の種類も亦複雜となるは蓋已むを得ざるも彼等入耕後の狀態を觀るに最も多く問題を起すは純農業者に非ざる者にして彼等の耕地に入るや勞働に不馴なる爲耕地の習慣又は待遇に不滿を懷き或は耕地勞働過激の爲健康を傷ひ遂に中途に倒るゝか又は耕地を逃亡する者或は離耕の希望を願出づるもの等相當の數あり。故に此種移民の選擇には特に健康並に素行等に注意の上成る可く控目にせらるゝこと。

(ハ)家族構成に關し注意すること

家族構成の良否は移民の成功に重大なる關係を有す、卽ち伯國農業が機械力に依らず主として人力に俟つ處多き結果家族分子中に就働し得る者多き程其成功も亦速なり。

最近當館內に於ける例を觀るに北海道人小野常義なる者は九人の家族を有し其の中眞に働き得るものは二三人にして他は全部婦女子なり。爲に勞働賃銀低廉なる當國に在つては家計困難を來し毎月百五十「ミル」乃至二百「ミル」の食込みとなり。當館に泣込み轉耕を出願せる始末なり。又熊本縣人桑森石藏なる者は夫婦の外に十二三なる少女より成る一小家族なるが內地に於て既に腎臟病に惱みたる處渡伯就働後間も無く病狀進行し臥床するに至りたる爲一家の柱石を失ひたる此の不幸の家族は妻子辛じて就働せるも力及ばず遂に其の妻も病臥するに至りたる結果當館に保護を願出でたり仍て當市慈善病院に收容したることあり尙此種事件は枚擧に遑あらず。

(ニ)渡伯時季を考慮すること

毎年十二月より二月迄に當國着の移民は正に當州夏期炎暑の候に會し氣候風土の激變と食物水質の不馴は各人の消化器官を害し往々「アミーバ赤痢」「腸チブス」に罹り易く又耕地作業も農年約後なる爲珈琲採取期（五月初旬より開始）迄日給勞働に服せざる可らず、更に此の時期は既に農作物播種期遲れなる爲移民生計の餘澤を逸する事となり二重三重の損失となる。若し夫れ日需品（特に米價）の高騰珈琲の不作等に際會する時は健全なる移民と雖も苦境に陷ること無しとせず故に本期間到着移民の輸送を可及的差控ふるを宜とす。然れ共限りある船腹を以て豫定數を他期間に繰延べること困難なる時は前記三項に抵觸せざる健全なる選良移民を選出すこと洵に緊要なり。

移民の不平等、爭議問題、罹病の悲慘事等は槪ね此季節渡來の移民に多し。

海の外消息（一）

武井覺太郎氏宮下幹事歸朝　今春片倉會社の命をうけて南洋方面殊にスマトラに蠶鹽企業の計畫で視察中の兩氏一行は半ケ年振りで十月初旬無事歸朝した。近く同方面に企業投資の樣子である。

小宮山成己氏（米國）　桑港在住者にして北加信濃海外協會員、十月便船で歸國小縣郡縣村の出身である。

移太利最近の移民政策は
制限禁止主義を實行

世界一の移民國として知られたる伊太利が移民開始以來既に一千萬人の移民を海外に送りたることは世人の普く知る處にして其後も政府其もの、奬勵より國民自体が自發的に海外移住を希望する結果移民熱は依然として高調しつゝあり故に其の結果本國は人口の減少防止策として或は未婚税を課し婚姻を奬勵し人口の增加を計り今又左記の如き移民制限とも見るべき方針を執るに至れり。獨裁政治帝國主義の移植民政策に對する見解につき注目すべきである。

本年八月二十九日伊國外務省は最近の同國出移民狀態に關し左記の如く發表した。卽ち昨年一月より三月に至る三ケ月間に於ける伊國移民總數は五萬八百二十五人にして其大部分は外國に永住を目的とする出移民であつた。然るに本年右同期間に於ける出移民は大いに其性質を改め次の如き結果を示した。

(a)	永住を目的とする出移民	一一、九四六人
(b)	一時的出移民	一二、〇四四人
(c)	商工業上の目的、學究其他種々の目的を有する出移民	六、九七六人
(d)	國に移民したるものにして一時的本國に歸還せるものの再出國者	五、三三六人
	計	三万六千三百二人

右兩年度の數字を檢するに本年度は單に出移民總數に於て著しく減少せるのみならず、永住的移民の激減せるは重要視すべき點で「ファシスタ」政府は一時的出移民に對しては何等制限的措置を講ぜざるも永住的出移民に對して愼重に之を考慮して取締方策を講じつゝあり如斯方策にして漸次實現せらるゝ曉は永住的移民は更に一層減少せらるゝと觀測せられてゐるが右外務省公表に對し移民當局の試みたる說明として「ステファニ」社を通じ發表せられたる處次の如くである。

近時伊國政府の確立せる新移民政策の表現として看過すべからざるものあり、

第一種移民卽ち永住を目的とする出移民は換言すれば伊國內の健全强壯なる体軀を外國に持去るものにして國家人口上の富を損耗すること頗る大にして伊國政府は此點に留意し從來行はれたる永住移民助長政策を根本的に覆さんと決定し、「ムツソリーニ」首相は國家の强大と繁榮との原因は自國民の增大にありとの見地より既に人口增殖を奬勵し居れるが更に一歩を進めて成熟强健なる國民の体軀は國家生産力の一要因なるに鑑み之を國內に保存して活動せしめんとしてゐる。乍然伊國政府は一家族の團欒は其內地にあると外國にあるとを問はず人生の基調たるべきものと認め既に外國に移住せる者より永住の目的を以て自己の家族（妻、父母、結婚せざる未丁年の子女、獨身又は寡婦たる姉妹、及父方又は母方の祖父母）呼寄に對しては特に寛大なる措置を講じてゐる。

要するに伊國政府は永住的移民に對しては嚴重なる制限を加へ尙將來に於ては之を禁壓せんとする方針である。

第二種移民卽ち一時的の出移民に對しては特に何等制限を加へ居らず、何となれば此種移民は一時的のものにして個人經濟及國家經濟の兩面より見て有利無害なりと認むるの外其出國に先立ち勞働契約に依り出國後の就職及相當賃銀を保證せられ居るを以てなり。（一時的出移民の在外滯在期間は最長三個年とす）

本移民は其性質一時的なるを以て自己の家族構成員を同伴し或は呼寄せを爲すこと能はずと定め其永住的に變更するを防がんとしてゐる。

第三種移民卽ち智能的、商工業的或は職業的出移民は所謂智能的の者にして伊國の「プレステイジ」を高め伊國との取引を盛んならしめ伊國思想を傳播し伊國文化を宣布する外、在外伊國人の外國歸化慾を抑制せしむべき働きを有するもので現政府が安心して許可してゐる。

第四種卽ち既に外國に移民せるものが一時的歸國して再度出移民するものに對しては伊國政府は特に好意を以て取扱はんとするもので現に多數の伊國人にして伊太利本國を知らざるものあり「ムツソリーニ」首相は曾て在外伊國移民に對し「伊國人たる以上須く其愛敬する祖國を知るべし」との意を訓達せることあるが政府は此の趣旨を擴張し在外移民の一時的歸國（兵役上、家事上、其他の理由に依り）者には種々の便宜を供與し更に歸國の日より二個年內に再出國せんとする者には右出國は本人當然の權利と認め旅券手續の簡易及船賃の割引等十分なる利便を供與するの方針である。

海の外消息（二）

梅谷光貞氏歸朝　昨秋海外移住組合聯合會の土地購入の使命をおびて渡伯した同氏は所報の如く約十六万町歩を購入して歸途米國經由一年振りで十月十一日無事横濱入港のサントス丸で歸朝した。

松本忠雄氏歸朝　本會相談役の民政黨代議士松本忠雄氏は去る六月二日東京發シベリヤ經由歐米遊歷の旅に上り歐洲各國を歷訪して英國に渡り九月下旬大統領選擧戰中の米國に觸り紐育から米國横斷鐵道で各地主要都市を視察しつゝシヤトルに出て十月廿日シヤトル出帆の加賀丸に乘船十一月五日歸朝した。

南滿洲愛川村の近況

R・A生

一、位置

本植民地は關東廳金州民政署管内大魏家屯の西部海岸魏家屯川の下流に位する平坦なる地にして金州城を距ること北方四里二十町、二十里臺驛を西方二里十五町の所にあり。

二、地勢

本村は東西約一里南北約一里二十町の平坦地にして、南に平山山脈北に老虎山山脈、各東西に走り西は直に海に接する、東は大魏家屯部落にして魏家屯川は東地の中央部を貫流する故に南北の二團地に分界せらるゝ此の川は常に水無きも降雨期には附近一帶氾濫すること有り。

三、沿革

本地は元撫廠と稱し僅に農家ありたるのみにして北方高地を耕作しつゝありしも南方一帶は荒蕪草生の濕潤地にして附近部落の共同放牧場たりき、然るに明治四十四年頃滿洲に於る水田經營熱の勃興の機運に際し當時大魏家屯駐在警官橋本市藏氏は地方篤農家を從心留心して此の荒蕪地の一部現在の南新田下流五家屯の自然湧水部分（宮本永義氏使用の一部）に水稻を作り試驗したるに其の成績極めて良好なりしを以て、漸く世人の注目する所となれり。越て大正元年農商務省技師臼田鐵彌氏此地を踏査し稻作栽培に適當することを發表せし結果之が貸付を出願するもの續出するに至れり、依て本地區面積を反區に（二百七十町歩）分ち川南四區川北二區に區分し日本人五人支那人一人即ち眞田幸友王士經安永乙吉榊原政雄大久保福西の六名に貸下の許可あり、大正二年春期より開墾に着手したる者もありしが故に、福嶋都督管内巡視に當り該地を視察され茲に日本人移民模範農村を經營する議起り當時の農事試驗場長木下技師並に倉塚技師等實地調査をなしたるにより愈々農村建設の議に決したるを以て貸下豫定區中大部の開墾をなしたる日本人一名分並に支那人一名分を殘し他方面四區全部之を返還せしめ以て日本人移民家屋建築等の施設をなす事となり、大正三年六月工事に着手したり、又一面山口縣より移民を招致し直に水田經營に着手せしめたり此の應募者は山口縣玖珂郡愛宕村並に川崎村二ケ村の移民團体を以て移民し移民地の名稱に愛宕村の愛の字に川崎村の川の字を取てここに愛川村と名稱せり。

四、移民の募集及變遷

關東都督府に於ては移民募集の第一着として、關東移民便覽なるものを發刊し當地方の事情移民地の狀態設備移住者に關する便宜移民心得等を記述し以て希望者を募集せり、適當なる者に對しては農業を經營の目的を以て移住を許可すとの指令を發し之を招致したり然るに其の移民の大部は意志薄弱にして着實に農業を經營するの決心なく直に歸還又は轉地する者續出す、此の際偶々大正四年は農作全然失敗に歸したるを以て生活上の不安を感ずるに至り大正五年春期には僅に山口縣一家新潟縣二家を殘したるに過ぎず、而して創意者たる故福嶋都督は職を去られし後も尙本移民地の成否を懸念され山口縣の移民が愛川村を退去したるを聞き直に長野縣より希望者を募集し移民せしめたり、又當時福岡縣出身者一名營蘭店防備勤務中の者に移住許可され大正五年春期に都合六名増加し現在に到るものなり現在は左の如し。

大正三年十二月一日入地	新潟縣南魚沼郡中元島村	小野塚定三郎
大正三年十二月十日	山口縣玖珂郡川下白今村	濱田發三郎
大正四年一月二十五日	福岡縣築上郡異土村	川崎德藏
大正五年六月一日	長野縣更級郡桑原村	堀內運次郎
大正五年六月一日	長野縣更級郡桑原村	宮崎確（歸國）
大正五年四月二十日	長野縣更級郡上山田村	宮本永義
大正五年四月二十日	長野縣上水內郡若槻村	淸水勝義
大正五年四月二十日	長野縣更級郡桑原村	綠川五右衛門

五、移民用地並に面積及設備

本移民用地は全面積二百七十五町歩九反歩中、水田六十五町歩畑八十町歩を開墾せしむる目的を以て計畫し又之に第一期大正三年灌漑用として築造したる貯水池は甲乙丙丁の四ケ所の外新池一ケ所計五ケ所にして其配置並に灌漑の狀態次の如し。

甲號貯水池は移民用地の北方水田區域に灌漑する目的を以て設けたるものにして元來貯水池は平田包定外一名經營にかかれる豫定なりしも其の流れ極めて少く爲に計畫は失敗に歸し現在は全然利用するを得ず。

乙丙號貯水池は甲と同じく北方區域を灌漑するものにして自然湧出の場所を利用し築造したるにより丙號も多く湧出す、而して乙號貯水池は小野塚定平綠川五右衛門の兩氏之を利用し居れども此の貯水池には降雨順調ならざることに於て約二十町區を灌漑し得るに過ぎず丁號新池の二貯水池は共に南區域に灌漑する目的にて築造したるも丁號地は湧出量甚だ少きを以て專ら新貯水池のみを使用し宮崎確宮本永義の兩氏の水田約六丁餘を灌漑するに過ぎず以上の外南方區域に自然湧出する個所二ケ所あり、湧出水は堀內運治郎川崎德藏之を利用し水田約六丁餘を灌漑し

得るに過ず、要するに本植民地は元來水田開墾を主眼として計畫されし物なるに其水源極めて不完全且水量少く自然灌漑し得る地方區域乙丙號兩貯水池にして六町餘歩南方區域乙丙號貯水池にして餘り八丁歩にして計十四丁歩の灌水量を有するに過ず、然るに現在の水田は二十餘丁歩に對し降雨順調なりし大正十二年に於ても漸く二十五町歩を作り得たる狀態なるを以て灌漑水の効用は極度の經濟を濫氣過度に失し一般良好ならず。

六、開拓の過去

移民用地設定當時は水田の開墾耕作を北方區域卽ち平田農場排水溝の下流用に貯水池流域に主力を注ぎたるも流出量少く豫定の面積耕作し得ざるは勿論春期降雨少き爲に全然利用し得ず、大正十四年は農作は收穫皆無の狀態なりしを以て其後は乙丙號兩池の流域を開墾耕作する事とせり、南方區域にては丁號池は是より利用し得ざりしを以て大正五年夏期新に自然湧水により夫夫開墾したるに稍食料を得る程度の收穫を見たる爲其後現在の貯水池並に湧出するを大限度に利用するも順調に開拓したると云へども此の間の苦心實に偉大とす、殊に移民等は滿洲に於ける氣候風土を十分に知らざりし爲徒勞に歸したる作業無きにしもあらず、要するに大正七年より大正十年は本移民が終生沒却し得ざる苦境を見たる時期なりとす當時開墾耕作地僅に畑約八丁水田五丁に過ず、其後と雖ども次第に開墾地增加して大正十三年末に於ては田十五丁六段二畝二十九歩畑三十八丁八反七畝二十九歩となれり、此外造林は徐家屯王家屯各ケ所貯水池附近並に大魏家屯川附近に植林せり。

七、現在及將來

第二期（大正十三年）灌漑設備の必要を感じ昨年八月關東廳淸水技師等實地踏査の結果地下水利用鑿井工事の有望なることを認め、二年繼續事業として經費豫算九千圓を算し南方區域に南新田の東方に於て二井戸を掘地下水數尺の所へ二井戸を接合し目下五馬力動力機を以て晝夜兼行揚水の水路管三百餘間を埋沒し灌漑し得るも其の水量頗る豐富にして依然減ぜざるの狀態にして又北方區域の北所新田の東北に鑿井二ケ所並に井戸一ケ所を設けて馬力を据現在は二十馬力二臺を据付工事中なり。

以上の如く本移民地の開拓作業は順調に進捗せられたるも爾來移民地の開拓は苦境を辿りつゝありしが近來稍見るべき成績を得生活の安定を得るに至れりと雖ども移住當時資金充分ならず種々頓挫せる結果意外の負債を生じ目下之が償還に腐心しつゝあり。

信濃海外移住組合

創立總會開かる

九月廿七日付正式認可を得て

アリアンサ移住地の移住組合肩替りに伴ふ信濃海外移住組合設立については既に昨年の本會代議員會に於いて協議され肩替りの方針のもとに着々組合設立の具体案を作製し本年二月三日には臨時代議員會まで招集して右具体案の議決を計り同月六日付其筋へ認可申請するに至つた事は當時本誌第六十九號及び第七十號に詳細報導した通りであつたがアリアンサ移住地の移住組合肩替りは既に移住地開拓途上の半ばにあるのでその引繼ぎ關係は頗る面倒なる數字的問題を起し數度の內務省關係者との折衝に於いて漸やく結末を見るに到り九月廿七日付正式認可の通知に接したのである。

よつて本移住組合はかねて組合員申込者の第一回の出資金拂込を開始すると共に創立總會開會の準備を進めて移住組合活動の誕生をすべく十月十日縣廳正廳において次ぎの如き議案を總會に提出する事になりそれ〲協議可決をみた。

當日は午後二時開會千葉組合長は一場の挨拶として本組合の今日に到るまでの經過と本組合の設立を祝する意味を述べて後設立申請當時の福嶋繁三、高野忠衞、高田茂の三氏理事辭任に伴ふ欠員の補決選擧を行ひ小西竹次郎、菅澤槃、勝俣英吉郎の三氏當選し、理事及び監事は全部再選され次ぎに小西理事を理事長に菅澤理事を專務理事に互選された。當日議決された事項は左の如し。

臨時總會議案と議決

一、理事、監事改選ノ件

左ノ通リ改選スルモノトス

理事

小西竹次郎　菅澤槃　永田稠
西澤太一郎　勝俣英吉郎　山本莊一郎
丸山辨三郎　福澤泰江　志賀市藏

監事

平野桑四郎　小里頼永　佐藤寅太郎

二、昭和三年度並ニ昭和四年度豫算議定ノ件

添付別冊ノ通リ（十頁及び十三頁參照）

三、移住組合聯合會ヘ加入ノ件

五〇〇口　一五、〇〇〇圓申込ミ　一、五〇〇圓ヲ第一回ニ拂込ムモノトス

四、本組合ノ取引銀行議定ノ件

株式會社長野貯蓄銀行及株式會社六十三銀行トス

五、本事業年度內ニ於テ借入金額及借入利率ノ最高限度議定ノ件

借入金最高限度二十五万圓
借入金最高利率年壹割貳分トス
六、本事業年度内ニ於ケル一組合員又ハ組合員ト同一ノ家ニ在ル者ニ對スル貸付金額ノ最高限度議定ノ件
一組合員ニ對スル貸付金最高限度金參千圓トス

昭和四年度收入支出豫算（可決）

長野ノ部

收入ノ部

（昭和四年一月ヨリ同年十二月マデ）

科目		本年度豫算	前年度豫算	増減	附記
第一款	出資金	一七、〇〇〇円	一〇、〇〇〇円	七、〇〇〇円	
一項	出資金	一七、〇〇〇	一、〇〇〇	七、〇〇〇	入植者四〇口一口五〇圓拂込此分二、〇〇〇圓其他一〇〇〇口一口一五圓拂込此分一五、〇〇〇圓計一七、〇〇〇圓
第二款	國庫補助金	三、七五〇	四〇〇	三、三五〇	
一項	國庫補助金	三、七五〇	四〇〇	三、三五〇	
第三款	渡航準備補助金	三三、〇〇〇	三、〇〇〇	三、〇〇〇	
一項	渡航準備補助金	三三、〇〇〇	三、〇〇〇	三〇、〇〇〇	入植戸數四〇戸換算一六〇人一人二〇〇圓宛
第四款	土地管理料	二、三四〇	一、三五〇	九九〇	
一項	第二年土地管理料	一、三五〇		一、三五〇	昭和二年九月末日迄ニ小作入植濟不在地主ヨリ第二年管理料トシテ收入一戸一五〇圓九戸分
二項	第一年土地管理料	九九〇	一、三五〇	△三六〇	昭和三年九月末日迄ニ小作入植濟不在地主ヨリ第一年管理料トシテ收入一戸一五〇圓六戸分九〇〇圓外ニ一戸九〇圓計九九〇圓 但シ入植ノ翌年度ヨリ徴收開始
第五款	預金	一五、〇〇〇	三、八〇〇	一一、二〇〇	
一項	地主開拓預金	一五、〇〇〇	三、八〇〇	一一、二〇〇	請負耕作者四〇戸地主ヨリ開拓預金一戸三七五圓
第六款	移住者預託金	二四、〇〇〇	一、六〇〇	二二、四〇〇	
一項	移住者預託金	二四、〇〇〇	一、六〇〇	二二、四〇〇	一戸平均六〇〇圓四〇戸分
第七款	雜收入	六〇〇	二〇〇	四〇〇	
一項	雜收入	六〇〇	二〇〇	四〇〇	
第八款	繰越金	四、四三四		四、四三四	
一項	繰越金	四、四三四		四、四三四	
收入合計		九九、一二四	五八、一五〇	四〇、九六四	

支出ノ部

（昭和四年一月ヨリ同年十二月マデ）

科目		本年度豫算	前年度豫算	増減	附記
第一款	聯合會出資金	三、〇〇〇円	三、〇〇〇円		
一項	聯合會出資金	三、〇〇〇	三、〇〇〇		一口三〇〇圓五〇口一五、〇〇〇圓出資申込中一、五〇〇圓宛第三回四回拂込金三、〇〇〇圓

科目		本年度豫算	前年度豫算	増減	附記
第二款	事務所費	一一、四九六	三、七六三	七、七三三	
一項	給料	二、四四八	五六一	一、八八七	書記三人月額一八五圓年二二二〇圓給仕一人月額一九圓年二二八圓
二項	手當	二、二九八	七八二	一、五一六	理事監事十二人一、四四〇圓書記囑託六六圓其他二五〇圓
三項	旅費	二、七〇〇	九〇〇	一、八〇〇	一般一、二〇〇圓出資金募集整理一、五〇〇圓
四項	宣傳費	一五〇	五〇	一〇〇	
五項	備品費	一三〇	四五	八五	圖書器具
六項	通信費	五〇〇	一五〇	三五〇	
七項	印刷費	二、二〇〇	八〇〇	一、四〇〇	移住組合狀況並事業等掲載ノタメ海外協會雜誌「海の外」印刷費半額負擔年一、六〇〇圓一般六〇〇圓
八項	消耗品費	七〇	二五	四五	
九項	雜費	一、〇〇〇	四五〇	五五〇	廣告費其他
第三款	土地購入借入金利子支拂	八、二五〇	二、〇六三	六、一八七	
一項	聯合會支拂土地購入借入金利子	八、二五〇	二、〇六三	六、一八七	聯合會ヨリ土地購入借入金一六五、〇〇〇圓ニ對スル年利五分ノ利子
第四款	金融部貸付金	一五、五三五	一、五四五	一三、九九〇	
一項	請負耕作者貸付金	一五、〇〇〇	一、五〇〇	一三、五〇〇	請負耕作入植者一戸ニ付五〇〇圓三〇戸分
二項	地主開拓預金利子	五三五	四五	四九〇	地主開拓預金一五、〇〇〇圓年利三歩五厘ノ利子
第五款	渡航準備補助金	三三、〇〇〇	三、〇〇〇	三〇、〇〇〇	
一項	渡航準備補助金	三三、〇〇〇	三、〇〇〇	三〇、〇〇〇	換算一六〇人一人二〇〇圓宛
第六款	移住者預託金	二四、〇〇〇	一、六〇〇	二二、四〇〇	
一項	移住者預託金	二四、〇〇〇	一、六〇〇	二二、四〇〇	移住者一戸六〇〇圓四〇戸分
第七款	豫備費	二、五〇〇	九六五	一、五三五	
一項	豫備費	二、五〇〇	九六五	一、五三五	
第八款	繰越金	二、三四三	四、四二四	△二、〇八一	
一項	繰越金	二、三四三	四、四二四	△二、〇八一	
支出合計		九九、一二四	五八、一五〇	四〇、九六四	

東京ノ部

收入ノ部

（自昭和四年一月至同年十二月）

科目		本年度豫算	前年度豫算	増減	附記
第一款	渡航準備補助金	四八、〇〇〇	二、〇〇〇	四六、〇〇〇	
一項	同	四八、〇〇〇	二、〇〇〇	四六、〇〇〇	入植者六〇戸換算二四〇人一人二〇〇圓宛
第二款	既分讓土地代殘金	一三、八六〇	五、二六五	七、五九五	
一項	同	一二、一〇〇	四、三二五	七、七七五	東京五、一〇〇圓北米六、〇〇〇圓
二項	同利子	一、七六〇	九四〇	八二〇	東京五、一〇〇圓ノ年一割ノ利子五一〇圓北米一二、五〇〇圓ノ年一割ノ利子一、二五〇圓

科目		本年度豫算	前年度豫算	増減	附記
第三款	土地管理料	三、六〇〇	四五〇	三、一五〇	
一項	第二年土地管理料	四五〇		四五〇	昭和二年九月末日迄ニ小作入植濟不在地主ヨリ收入一戸一五〇圓三戸分
二項	第一年土地管理料	三、一五〇		三、一五〇	昭和三年九月末日迄ニ小作入植濟不在地主ヨリ收入一戸一五〇圓二一戸分（入植翌年度ヨリ）
第四款	地主開拓預リ金	一五、〇〇〇	二、六六一	一二、三三九	請負耕作者四〇戸地主ヨリ開拓預リ金一戸三七五圓
第五款	移住者預託金	三六、〇〇〇	四、四五〇	三一、五五〇	一戸平均六〇〇圓六〇戸分
第六款	送金依頼金	一〇、〇〇〇	五、七四五	四、二五五	
第七款	雜收入	四〇〇	五〇	三五〇	
第八款	繰越金	四、七三五		四、七三五	
收入合計		一三〇、五九五	二〇、六二一	一〇九、九七四	

支出ノ部

科目		本年度豫算	前年度豫算	増減	附記
第一款	事務所費	三、八八〇	九三〇	二、九五〇	
一項	給料	一、四四〇	三六〇	一、〇八〇	書記囑託三名月額一二〇圓
二項	雜給	一八〇	三〇	一五〇	
三項	旅費	八〇〇	二〇〇	六〇〇	
四項	宣傳費	二〇〇	三〇	一七〇	
五項	備品費	八〇	二〇	六〇	
六項	通信費	八〇〇	二〇〇	六〇〇	
七項	印刷費	一〇〇	二〇	八〇	
八項	消耗品費	八〇	二〇	六〇	
九項	雜費	二〇〇	五〇	一五〇	
第二款	金融部貸付金	一五、五三五			
一項	請負耕作者貸付金	一五、〇〇〇			
二項	地主開拓預リ金利子	五三五			地主開拓預リ金一五、〇〇〇圓年利三歩五厘ノ利子
第三款	渡航準備補助金	四八、〇〇〇	二、〇〇〇	四六、〇〇〇	入植者六〇戸換算二四〇人分
一項	同	四八、〇〇〇	二、〇〇〇	四六、〇〇〇	
第四款	移住者預託金	三六、〇〇〇	四、四五〇	三一、五五〇	
一項	同	三六、〇〇〇	四、四五〇	三一、五五〇	移住入植者一戸六〇〇圓六〇戸分
第五款	送金依頼金	一〇、〇〇〇	五、七四五	四、二五五	
一項	同	一〇、〇〇〇	五、七四五	四、二五五	
第六款	豫備費	一、五〇〇	一〇〇	一、四〇〇	
一項	同	一、五〇〇	一〇〇	一、四〇〇	
第七款	繰越金	一五、六九〇	四、七三五	一〇、九五五	
一項	同	一五、六九〇	四、七三五	一〇、九五五	
支出合計		一三〇、五九五	二〇、六二一	一〇九、九七四	

昭和三年度收入支出豫算（可決）

長野ノ部

收入ノ部

（昭和三年十月ヨリ同十二月マデ）

科目		本年度豫算	前年度豫算	附記
第一款	出資金	一〇、〇〇〇		
第一項	出資金	一〇、〇〇〇		一口五十圓二百口分
第二款	國庫補助金	四〇〇		
第一項	國庫補助金	四〇〇		全國十六組合ノ際ハ一組合ニ付一、八七五圓ニ付三ヶ月分四〇〇圓
第三款	渡航準備補助金	二、〇〇〇		
第一項	渡航準備補助金	二、〇〇〇		渡航入植者大人換〇十人一人二〇〇圓
第四款	土地管理料	一、三五〇		
第一項	土地管理料	一、三五〇		昭和二年九月末日迄ニ小作入植濟不在地主ヨリ第一年管理料トシテ收入ノ分一戸一五〇圓九戸分（入植翌年度ヨリ）
第五款	信濃海外協會計移住地會ヨリ引繼金	一四、二〇〇		
第一項	渡航準備補助金	八、八〇〇		大人換〇一人二〇〇圓四四人分
第二項	移住者預託金	一、六〇〇		移住者二家族分
第三項	地主ヨリ開拓預リ金	三、八〇〇		不在地主十四名分
第一款	聯合會借入金	三〇、〇〇〇		
第一項	聯合會借入金	三〇、〇〇〇		移住組合聯合會ヨリ借入金
第七款	雜收入	二〇〇		
第一項	雜收入	二〇〇		銀行利子其他
收入合計		五八、一五〇		

支出ノ部

（昭和三年十月ヨリ昭和三年十二月マデ）

科目		本年度豫算	前年度豫算	附記
第一款	聯合會出資	三、〇〇〇		
第一項	聯合會出資金	三、〇〇〇		一口三〇〇圓五〇口分一五、〇〇〇圓申込ノ際拂込分一、五〇〇圓第二回拂込分一、五〇〇圓
第二款	事務所費	三、七六三		
第一項	給料	五六一		書記三人分月額一三〇圓三ヶ月分三九〇圓給仕一人月額一七圓三ヶ月分五一圓
第二項	手當	七八二		理事監事十二人三七五圓書記囑託其他手當四〇七圓
第三項	旅費	九〇〇		一般旅費三〇〇圓出資金拂込整理六〇〇圓
第四項	宣傳費	五〇		移住地事情宣傳入植者募集
第五項	備品費	四五		圖書其他

科目	本年度豫算	前年度豫算	附記
第六項 通信費	一五〇		
第七項 印刷費	八〇〇		移住組合狀況並ニ事業掲載ノタメ海外協會雜誌「海の外」印刷費半額負擔年一,六〇〇圓三ヶ月分四〇〇圓一般印刷費四〇〇圓
第八項 消耗品費	二五		
第九項 雜費	四五〇		廣告費其他
第三款 信濃海外協會支拂金	三〇,〇〇〇		
第一項 信濃海外協會土地代借入金辨濟金	二〇,〇〇〇		
第二項 信濃海外協會へ不在地主整理ノ爲メ支拂金	一〇,〇〇〇		
第四款 聯合會支拂土地購入借入金利子	二,〇六三		
第一項 聯合會支拂土地購入借入金利子	二,〇六三		聯合會ヨリ土地購入借入金一六五,〇〇〇圓ニ對スル年利五分三ヶ月分利子二,〇六三圓
第五款 金融貸付金	一,五二五		
第一項 請負耕作者貸付金	一,五〇〇		請負耕作入植者一戸ニ付五〇〇圓三戸分
第二項 地主開拓預金利子	二五		地主開拓預金二,八〇〇圓年三歩五厘利子三ヶ月分
第六款 渡航準備補助金	一〇,八〇〇		
第一項 海外協會引渡航準備補助金	八,八〇〇		
第二項 渡航準備補助金	二,〇〇〇		
第七款 預託金	一,六〇〇		
第一項 移住者預託金	一,六〇〇		移住者二家族ヨリ
第八款 豫備費	九六五		
第一項 豫備費	九六五		
第九款 繰越金	四,四二四		
第一項 繰越金	四,四二四		
支出合計	五八,一五〇		

東京ノ部

收入ノ部

（自昭和三年十月 至同 年十二月）

科目	本年度豫算	前年度豫算	附記
第一款 渡航準備補助金	二,〇〇〇		
第一項 同	二,〇〇〇		渡航入植者大人換算十八人一人二百圓
第二款 既分讓土地代殘金	五,三六五		
第一項 同	四,三二五		
第二項 同利子	九四〇		
第三款 土地管理料	四五〇		
第一項 同	四五〇		昭和二年九月末日迄ニ小作入植濟ノ不在地主ヨリ一年度分トシテ徴收一戸一五〇圓三戸分
第四款 海外協會移住地會計東京支部ヨリ引繼金	一三,八五六		
第一項 移住者預託金	四,四五〇		
第二項 地主ヨリ開拓預リ金	二,六六一		不在地主ヨリ
第三項 送金依頼金	五,七四五		
第五款 雜收入	五〇		
第一項 同	五〇		銀行利子其他
收入合計	二〇,六六二		

支出ノ部

科目	本年度豫算	前年度豫算	附記
第一款 事務所費	九三〇		
第一項 給料	三六〇		書記囑託三名月一二〇圓三ヶ月分
第二項 雜給	三〇		
第三項 旅費	二〇〇		
第四項 宣傳費	三〇		
第五項 備品費	一〇		圖書帳簿
第六項 通信費	一〇〇		
第七項 印刷費	一〇		
第八項 消耗品費	二〇		封筒紙類
第九項 雜費	五〇		交際費其他
第二款 渡航準備補助金	二,〇〇〇		
第一項 同	二,〇〇〇		渡航入植者大人換算十八人一人二〇〇圓
第三款 移住者預託金	四,四五〇		
第一項 同	四,四五〇		移住入植者ヨリ預リ金
第四款 地主ヨリ預リ金	二,六六一		
第一項 同	二,六六一		不在地主ヨリ預リ金
第五款 送金依頼金	五,七四五		
第一項 同	五,七四五		移住者へ送金依頼金
第六款 豫備費	一〇〇		
第一項 同	一〇〇		
第七款 繰越金	四,七三五		
第一項 同	四,七三五		
支出合計	二〇,六六二		

移住地へ認可の打電

本組合は九月廿七日付設立認可の指令に接したので早刻其の旨移住地に打電せり。それと共に今後の移住地の事務會計等一切の處理も移住組合により取り運ばれるので改めて帳簿を整理してゆく様指示した。

苦き經驗より

ア移住地同胞に與ふ

墨國S州北部

E、Y、小山生

一、當時者への希望と感謝

母國に於ける海外發展運動が住時吾等の希望せし如くに具体化して官民一致組織的に海外移住の方法を立案しアリアンサ移住地の如き或ひは海外移住組合の活動の如き移住地經營に進捗しつゝあるは邦家のために喜ぶべきも殊にその企劃努力せる斯界の當時者に對し感謝措く能はざる次第である。

吾等は自己の苦き經驗より在外同胞間に見聞する個人企業が悉く失敗し如何に確實性の乏しきかに苦慮し兩三度十余年にわたりア移住地建設を夢見て失敗に終へり。そは經營上の指導者に人を得がたく資金の援助に尠く恰も羅針磐を失へる舟の如く徒らに金融仲買商人の乘ずる所となるのみである。此の點よりア移住地は憂ふるの何物もなく實に理想的のものである。ただ建設當初の理想に向つて當時者と移住者が協力その完成に努むれば足る。吾人はその一事をア移住地同胞に希望するのである。

二、悲觀不平も完成の一道程

アリアンサ移住地が四ケ年の星霜を經て今日、外に疑惑を生み兎や角の非難攻撃を受け、内に同胞は不平と悲観をしたが前者は通り一片の淺薄なる觀察であり攻撃非難のための攻撃非難であつた。後者も又移住の經驗のなき最初の苦痛にすぎなかつた。しかもその中に終始一貫した移住地指導者の熱誠に彼等はその精神の感化を受け今や悲觀不平は全く完成への一過程に過ぎなく一場の夢と化しつゝあるのである。

三、移住地完成上邦人の短所

前述の移住者間の悲觀不平は一面には邦人の短所となる代表的なものである。兎角邦人は團体の力弱く他人の短所を裁くを以て快事となし個人對の感情問題を表面にさらけだし協同協力の精神に乏しきは最も殘念な事である。凡そア移住地の如き新社會を生む努力はすべて團体的協力に基く精神より外にないのである。然らざれば移住地完成の語や砂漠の眞中に水を望むものと等しくその努力は無駄に終る憂があるのである。

四、注意を要すべき投機企業

吾等の見聞する在外同胞が目前の利に走りて極めて狹範囲の需給關係に眩惑されて投機企業に沒頭する事である。綿價の暴騰につり込まれてこれを專作し作付町歩を倍加して無謀なる擴張を計り高利を借りて結局は暴落に際會して仲買人の横暴に任せ高利に苦しむ慘狀を呈するのである。伯國主作物の珈琲にしても又然り、農業の經營たるや投機的栽植は最も愼しむべき事である。これは個人農家經營にして然り移住地全体よりしても又同じ事である。この點につきア移住地當事者が既に此の方針に進みつゝあるは吾人の大いに意を强くする所である。

五、共同販賣機關の完備

農業生産物の販賣方法は農業經營上の最大なる要件でその販賣方法の巧拙は結局移住地の成敗に基づく經濟的崩壞に基因するのであるがこれについては既に同胞は幾多の失敗を重ねてゐる。最近傳へられる伯國同胞間に産業組合の組織はこの種の販賣機關の一助となる點において滿足する所である。又移住組合の販賣方法についても共同販賣の機關の設備に留意しつゝあり、移住地指導者の最も苦心を要すべき點である。斯くして市場の需給關係に洞察して販賣の適期を失はず仲買商人のバッコを防がねばならぬ。

六、一大理想移住地を建設して排日に備へ

世界の各地から起る排日の聲、これは我大和民族の世界的發展を雄辯に物語る一證査である。排日の理由は日本人の不同化優生學云々の二つであるが結局は日本人そのものが恐しいのである。今や世界の各民族は國家的民族意識にたち民族の獨立觀念に燃へてゐる。然し各民族には其の長短があり吾等は日本民族の長所を彼等に示し日本人たるの眞價を知らしむればよいのである。卽ち日伯人協同の社會、共同事業によつて伯國の國家的見地よりもし日本人を驅逐せば伯國産業界に著しく影響を及ぼすだけの經濟的基礎を作り一面に日本人の伯國民形成上重要なる國民分子である事を知らしめ伯國政治上にも關係する勢力を得る事が大切である。これは將來の事にあらずして現在の同胞の日日の生活に表現され心掛けねばならぬ問題である。

七、議論より實行へ

愛するア移住地同胞よ！墨國の一角より遙るかにのぞみ見て郷等の奮闘を希ふのである。南米の一角が我同胞の活動する天地となりそこに新しい社會が生み出される。吾人はその意義ある郷等の使命を思ふて微笑み且つ成功を希ふてやまず、駄文を弄して送る所以である。

墨國も邦人の好活動の天地である。吾人は再三新移住地計劃を實行して悉く失敗に期した。而して尙計劃を放棄せずア移住地完成の長所を倣はんとしてゐる。議論は禁物、實行にあるのみ、而して協力は最大の要件、苦き經驗からア移住地同胞におくる。幸ひにして健在奮闘を祈る。

海の外消息（三）

兩角喜重氏 五月中旬南北米視察の途に上つた諏訪平野小學校長兩角氏は豫定の如く七月ブラジル着各地方を旅行して八月亞國に入り九月初旬雪のアンデスを越へ智利に出で秘露に向つた十月下旬にはパナマを經て紐育に着いた。

藤澤美次（比島）ダバオに二百町歩の麻山を經營し日本人二十人比人三十人を雇傭してゐる下水内郡秋津村の藤澤氏は御大典拜観を機會を九月下旬神戸着の安藝丸で歸朝、再渡航は十二月便船の豫定

味覺をそゝる熱帶の果實 (二)

果王と謳はるゝ滋養美味なドリアン

嗜好者は財嚢を空にする

熱帶產果實中最美味であると共に、臭氣の强烈なので有名である。人頭大の球形又は卵形を成し、厚い柔革質の果殼には一面に堅く鋭い刺が生じてゐて、取扱上注意を要する。蓋しドリとは馬來語にて刺の意である。果殼を切開する時は、內部に帶黃白色のクリーム狀の五個の子房がある。それを摘み出して食するのである。其各子房內には二個乃至五個の淡褐色の種子がある。

此果實の味は簡單に說明し難いが、濃厚な甘味に一種の酸味を混へたもので、或植物學者は桃、はしばみ、鳳梨(パインアップル)、葡萄酒穀粉及チーズを混合調味したものに類似してゐると云つてゐる。其主要產地馬來諸嶋及び海峽殖民地の土人は何なりも最も美味なるものとして盛に生食し、其爲めに財布を空にする事を厭はない。隨つて其成熟期には新嘉坡等に於ける飲食店其他の遊場が寂寥を呈するに至る程だと云はれてゐる。又有名な進化論學者ウォレス共著書中に於て「ドリアンを食ふ時の心地を味ふだけでも一度東洋に航するの價値がある」と云つてゐる。

乍然此果實は數町を隔てゝ尚其所在を知らるゝ程の一種特異の高い香氣――初者に取りては腐敗せる鷄卵若しくは厠の如き惡臭を放ち終に頭痛嘔吐を催さしむるに到る事がある。一名「麝香猫の實」はこれから名付けられたのであらう。故に印度洋航海の汽船は一般にこれを船內に持込む事を嚴禁してゐる。然るに此臭氣も其風味と共にドリアン特有のものとして慣れるに從つて快感を覺えると云ふ事である。かくしてドリアンを嗜食するに到らない者は、未だ以て南洋通と稱する事が出來ないのである。これを食すると同時に飲酒する事は禁物である。

ドリアンの成熟期は馬來半嶋に於て六月から八月の間であるが、其奇異なる性質として特記すべきは母樹に於て自然に成熟し自然に落下したものでなければ食用に供し得られない事である。隨つて其成熟期になれば土人は樹の附近に小屋を立て、寢ず番をなし果實の順次落下を待つ事約一箇月に亘ると云ふ事である。而して一個の重量一貫目を超えるものもあるから、本果の成熟期に樹下を通行する事は危險である。其貯藏し得る期間は甚だ短く、三四日以上の保存に堪えない。

ドリアン樹は高さ七、八十尺に達する喬木で、其葉は一見ゆづりはの葉に似、花はむくげに類してゐる。熱帶亞細亞の原產で、馬來群島、海峽殖民地の外緬甸、錫蘭嶋等にも栽培されてゐる。

母國通信日誌

(前號七十五頁廿三頁より)

九月九日 民政黨は腰ゝ大揺れして政局は政府與黨に好轉▲結束を固むべく民政黨議員總會に總裁黨員を激勵す▲十月一日の陪審法實施の紀念日に聖上陛下裁判所に陪審裁判を御臺覽遊さる

十日 朝日新聞では秩父宮御成婚記念に米國の水泳一流選手ミュラー外三名を招く▲英國は新嘉坡海軍根據地に防備砲十八インチ三門を設置

十一日 文豪トルストイ生誕百年祭は昨日モスコーで莊嚴に執行▲滿鐵山本社長を閣議に列せしめ滿蒙經濟開發策につき大評定▲御記憶ですか大正年間犯罪上特筆すべき桐ケ谷六人殺傷犯人が七年振りで昨日强盜犯で捕縛された

十二日 今日二百十日天晴れ風靜▲實際化を主眼に中學改善案が成る實科を加へて外國語と數學時間數を減ず▲最高最大の御儀に對し萬全を期すため全國から京都に警官六千名を派遣

十三日 國際聯盟總會で佐藤代表は日本は歐州大戰後三十萬から二十萬に兵員を減少して二十萬の兵數は決して過大でない事を述て軍縮の精神の實現する事を望んだ▲恩給亡國を憂へた改正案は恩給年限の五ケ年延長、受恩給者の勤勞所得が一千圓以上の時は恩給一時停止

十四日 秩父宮と松平節子姫との千代を壽ほぐ御納采式擧げらる▲民間より社會事業家教育家實業家新聞通信關係者にして功績顯著なる者二十名を選び御大典の儀式に參列せしむ

十五日 秩父宮の御婚儀は二十八日と決定▲選擧買收犯罪も特別特赦奏請に內定▲各地に御大典奉祝博覽會が開かる名古屋今日京都廿日より▲貧乏世帶豫算に積極策の政友頭痛鉢卷

十六日 不戰條約の條文中に人民の名において云々が我が國体と相容れざるものであると民政黨で躍起▲大禮參列の全國小學校代表をして東京府下の小學校長山口袈裟治氏が選ばれた氏は教職にあること四十ケ年本縣埴科松代町の出身

十七日 歌人若山牧水死去行年四十四才▲中學改善の一として實業校から中學編入を自由すと

十八日 松平節子姫の節子の名は畏くも皇太后陛下の御名と同じ漢字にてたゞよみ方を異にするのみで恐れ多いので勢津子と改名▲一枚の切符で日支米回遊の旅行協定が出來來春より實施する汽車汽船の割引、通用期間は十二ケ月

十九日 民政黨が倒閣々々と叫んで各地で遊說▲教育改善で巷間實業科を加設する意見が出でてゐたが今度は實科女學校を廢止すると

移植民ニュース

眞心こめた 海外邦人の奉祝献品

海外にある多數の日本人から御大禮奉祝のため御献品の献上方を各領事館を通じ宮內省に申請してくるものが多數に上つてゐるがいづれも至誠をこめて謹製したものが多く今日までに御採納になつたものは左のごとくである

家具裝飾品一組(ロサンゼルス南加中央日本人會)白熊毛皮および寶石入箱(シヤトル西北通絡日本人會代表奥田平次)コーヒー豆十袋(ハワイ、コナ在留日本人會代表村上義雄)ステッキ二(ハワイ、ホノルル日本人會代表塚本迷逍)チリー式馬鞍一具(チリー日本人會)ブラジル獨立宣言に因んだ青銅製鑄像一個(ブラジル國サンパウロ日本人會)奉祝和歌一首づゝ(ロサンゼルス在留者後藤岩根、有川武雄)マテ茶マテ式、三品揃二組(アルゼンチン國ブエノスアイレス日本人會)コーヒー六貫入二箱(ペルー國リマ市西井多治右衛門)支那製陶器大花瓶一對(大連市日本人一同代表者福田猷四郎)朝鮮地圖一枚、奉頌二卷(朝鮮教育會長池上四郎)黃白八幡織二疋(朝鮮咸鏡南道咸興公立高等女學校長升田宗七)清酒香正宗五樽(朝鮮全羅北道群山府新興洞香原助太郎)支那人印材鷄血石一對(支那廈門在留台灣人一同代表抗順永)

廿日 鶴見祐輔氏講演行脚で渡米▲米國大統領選擧舌戰を切つて白熱化す▲工業化を中心に台灣の新開發六百萬石の產業增殖も遂行

廿一日 布哇で殺人事件があり嫌疑者として日本人に目星がつき日本人に對する感情は極度に惡化してゐる▲御大典拜觀の內外旅客の便宜を計るため神戸に海上ホテルを建設▲松島事件でぬれ衣を着た箕浦勝人氏の雪ゑん會が朝野の名士の發起で開かれ翁の高潔と健在を祝した

廿二日 金融不活潑の本年銀行法によつて處分せられたる不良銀行は既に四十五行に上り年末までに六七十行に達し一昨年の四倍に上るだろと觀測せられてゐる▲濟南事件か國際聯盟に提出せぬ事になつたと

廿三日 舊勞農黨は本春解散を命ぜられてゐたが十二月頃合法的大衆黨を結成する方針で綱領政策を發表▲布哇の少年殺人は山口縣人福永寬(一九)と判明捕縛▲箱根山中に帝大生情死

廿四日 西班牙國マドリッド市にある古代建築で有名なノヴアダテム劇場が開演中舞台から發火觀客七百名燒死▲本年の春蠶收繭高は全國四千九百萬貫三億千萬圓▲林權助男外交生活引退

廿五日 本日から陸軍特別航空大演習が靜岡愛知岐阜三縣下を範圍に精鋭百機大活躍▲米國大統領政戰はまづラヂオ戰から▲支那國民政府は五院の權限問題に疑義を生じ實現行惱む

廿六日 墨國大統領後繼者は現內相ヒル氏當選▲歐亞連絡シベリヤ鐵道に小荷物直送を計り對歐貿易振興▲十四才で圍碁天才の支那少年は實力四段すばらしい腕前を持ち來朝

廿七日 日本美術院同人川端龍子氏同院を脫退▲國際聯明日昨を以て總會閉會▲日本娘の美を求めて米畫家ヘイル氏來る

廿八日 新秋の氣漸く深き大內山賢所の大前において千代の御契りを結ばせ給ふ秩父宮殿下と松平勢津子姫の御慶事を祝す▲殿下には玉齡こゝに御二十七歲、勢津子姫には芳齡正に二十歲

廿九日 國際勞働會議に我國勞働代表として列席した米窪滿亮氏は米國經由墨國に立ち寄つて本日橫濱に入港歸朝▲陸軍大演習に病氣のため參加出來ぬと兵卒二名轢死の忠烈行爲

卅日 我國司法史上永久に記念すべき陪審法明日より實施▲內田伯米國で我國對支問題について明白に說明▲英貨物船からコレラ發生して神戸橫濱兩港はいづれも大警戒をしてゐる

十月一日 昭和三年の小作爭議件數は八月末日現在において八百三十四件前年同期より三百二十一件の減少で昨年度の稻作が全國的に豐作なりしため著しく減少したものゝ如くである▲けふ聖上陛下裁判所より陪審法實施を御覽還幸の御途上直訴を企つ者あり無政府主義者と判明

ペルーの同胞 見事の馬具を献上す

遠く南米チリー在留邦人は御大典奉祝の献上品として古くからチリー土人が使用してゐる馬具を新調し同地貿易商石川縣人千田平助氏が携へて十日新入港の郵船樂洋丸で橫濱に到着した同氏は語る「チリー、サンチヤゴにおける邦人同志會が發起しまして御即位式の奉祝の献上品にチリー名物の馬具と決定し六百の邦人の賛助を得て新調し私が持參した次第で馬具は銀と革製です」と語つた

拓殖省設置 豫算三百九十萬圓

拓殖省新設問題は昨年來の懸案で不成立豫算にも計上されてあつたが八日の大藏省議においても不成立豫算通り明年度豫算に計上する事に決定したその內譯は左の通り(單位千圓)

拓殖省設置費	八六七
移民收容に要する經費	九九
移植民保護および獎勵に要する經費	三、〇二三
計	三、九八〇

二日 明年度豫算は大体十七億一千萬圓新事業費承認は六千萬圓見當▲農林省發表の本年米作收穫豫想高は平年の五分增の大豐作▲去る四月遠洋航海の途に上つた八雲は二萬余マイルを航破して無事館山に入港高松宮殿下を始め皆無事

三日 內田全權は紐育市の講演で移民問題について米國民の正義を信賴し圓滿なる解決を見る事を確信すると述べた▲御新婚の秩父宮妃殿下と初の御旅伊勢神宮御陵參拜に十八日御出發

四日 中學改善案に猛烈なる反對論續出▲支那國民政府組織法公布獨立共和体國家組織五院制によつて中華民國の國權を總らんす▲地方低資要求額一億圓を突破四千萬圓に查定さる

五日 明年度豫算大藏省議初まる無い袖は振れぬと▲政友會の重要なる產業道路費は大体承認▲秩父宮二十六ケ國の大公使館員お召御披露

六日 在米邦人の法人組織大審院に持出さる▲山東派遣軍七千名は近く歸還し山東の事態は大体平靜に歸した▲御大典盛儀に關する御警衞の費用は一千萬圓水も漏らさぬ用心

七日 昨年度輸出不振を補ふ貿易外收入は一億五千萬圓▲共和黨大統領候補フーヴアー氏は各地轉戰舌戰に活躍してゐるが移民問題については移民の增加に反對してゐる

八日 國民政府顏振は主席蔣介石行政院長譚延闓立法院長胡漢民司法院長王寵惠考院長戴天仇監察院長蔡元培と正式發表▲大藏省の豫算省議終了新規承認一億一千余萬圓▲拓殖省設置費も承認さる

九日 布哇の少年殺し犯人福永寬死刑の宣告下る▲今夏秋蠶は各地違蠶の樣子であるが減收豫想は昨年より九分八厘減四千卅五萬貫である

十日 別項ハワイ縣會豫選に立候補した森山常人氏は七日當選本選擧は十一月六日大統領選擧と同日行はれる▲在米羅府日本醫師會が提出した日本人會社試訴は加州檢事總長よりワシントン大審院に再審請願中九日加州檢事總長の主張は事實却下されたがこの報を聞いた在米日本人は會社を組織し商行爲をなし得る事になつたので各地をあげて祝賀してゐる

十一日 農相自作農案閣議でもめる▲御大禮が近づいて不敬製品が續出▲日支交涉好轉に向ひ矢田總領事南京に赴く

十二日 上野帝展開かる▲豫質閣議で恒例の如く分捕り主義藏相首の橫振一天張り▲朝日の水泳大會開かるやはり日本選擧が大勝

十三日 ハワイの殺人福永を精神鑑定せよと主張▲明年年豫算は財源捻出十七億五千萬圓

以下次號

樺太島の開發 移民獎勵費廿五万圓

樺太廳は同島の富源開發のため來年度以降において大規模の移民獎勵を行ふ事となり來年度の豫算中にもこれらに要する經費を計上した

移住獎勵 二十五年間に百二十五萬人を移住せしめんとする計畫の一部にて來年度は自由移民を加へて五萬人の豫定である移民一戶當り補助費は家屋に二百圓渡航費三百圓井戶開さく費五十圓、家畜飼養、種子購入費三百圓乃至四百圓他に道路、學校等當局の施設する分を加算して來年度豫算二十五萬圓このほかなほ移民には一戶當り農耕地七町五段、牧畜用地二町五段建築用材三百石を支給するもので本年度既に青森縣よ

信州記事

光榮の縣會議長に

平野桑四郎氏選任

議長改選と御大典記念事業費に關する臨時縣會第二日開會出席四十一名で山本副議長議長席につき時間延長を宣して直に休憩、議長選擧に關する形式につき政友派は『御大禮に縣民を代表して參列する今回の議長は全會一致で選擧したい』と民政派へ申込んだので民政派所屬議員協議會を開いたが全會一致で推す代り正副議長は黨籍を離脱すべしとの議論も現はれ容易に決せず敗れても少數黨として自派の候補に投票すべしと主張する者もあつたが結局全會一致で平野氏を推すことに意見がまとまつたかくて再開出席四十三名で山本副議長議長席につき議長選擧を行ふべきを宣するや百瀬渡氏投票の煩を避け議長の指名によるべき動議を提出してこれに決し議長は平野桑四郎氏を指名して全會一致起立によりこれを承認し平野氏は就任のあいさつを述べて議長席に着き日程にいり御大禮關係の議案三件を一括議題とし千葉知事より提案の理由を說明し諸議案を可決して散會

山本山田兩氏は拒絶

平野氏が議長となるまで

議長選擧に對する政友派の縣會議員は平野山田兩氏を支持する兩派が互に腹の探り合ひでまとまらず四日ともかくも現在の副議長山本氏を昇格するに決定直ちに交渉したところ同氏は即座に拒絶したので再び候補難に陷り結局南信だけ四人の小委員會を開き研究し平野、山田兩派の態度頑强なる限り妥協點を發見し得ず上條、伊原兩代議士も參加し北信側委員の要望通り投票により決定することゝなつたが開票の結果は三對二(一人棄權)で山田氏多數を制しこの旨北信側委員に通告した然るに北信側は平野氏と決定する

り喜美内村に二百五十戸の移住を見た

南洋發展計畫

「移住商人」の方法で

京神商工會議所の間に南洋貿易會社設立の計畫あるとは既報の如くであるが岩井勝次郎氏を會長とする大阪貿易協會においても南洋におけるわが商權の維持進展を目的とする畫策を講じつゝあり貿易協會の立案によれば分散的に南洋各地に發展せんとする移住商人の方法を執らんとするもので目下具体案を考究中であるが貿易會社計畫がまだまとまらぬ折柄また〳〵新計畫をきくは我對南洋貿易が日支問題の確執南洋華僑の隱然たる商權によつて妨害せられつつある現狀を打開せんとする積極策として喜ばしき現象ではあるがまだ何ら具体方策についてきかずことに大阪貿易協會の案は前記三會議所の貿易會社計畫が實現し得ざるものと前提せるものゝ如く從つて兩者相對立してこれが計畫をなすに至つたのであるが兩者の計畫とも多少の疑問がありもし現實に兩者の計畫が實現し得ればわが對南洋貿易關係は著るしき發展をなすはいふをまたないが計畫中はこれを對立せしめることなく相關聯して調査研究をなし國際經濟の一機關と

豫想が裏切られたので再び紛議をかもし政友會縣支部の最高幹部まで乘りだし調停につとめたが解決點を見出し得ずます〳〵紛爭するので一方の候補者に推されてゐる山田綠太郎氏は事態を拾收のため自發的に『若し議長に推されても固辭する』旨申出でたので滿場一致平野氏を候補者に薦するに至つたものである

遂に絶縁された

樋口秀雄代議士

樋口代議士の憲政一新會組織に就いては民政黨では復黨問題に關し百瀬本縣民政黨支部長と共に長らく上京中であつた下伊那民政クラブ幹事長遠山方景氏は十六日夜歸飯したが、樋口氏が遂に民政黨へ歸られず孤立無援となつたに關し、遠山氏は

樋口君の態度は除名の當時と變らず復黨は今の所見込みがたゝないので復黨運動は手を引くより外に仕方がなくなつた

と語り遂に下伊那民政クラブと樋口氏は事實上絶縁の形となつたが同問題に關しては表さたにせずこのまゝ次の選擧までそつとして置かうといふのがクラブの方針らしく果してさうした態度を長く續けてゐられるかどうかゞ注目される點である

二市十郡にわたり

百二十名の拘束者

記事解禁となつた本縣の共産黨事件

共産黨事件發生と共に本縣警察部は三月十五日檢事局と打合せ屋代、須坂、小諸岩村田、松本、伊那、諏訪、飯田、長野各署を始め全縣にわたり百二十名の拘束者をだしたがその内十三名を起訴し長野地方裁判所で豫審中の所十四日終結し有罪として公判に付し四名は免訴と決定した即ち有罪と決定したのは埴科郡雨宮縣村當時同郡屋代町小林杜人(二七)上伊那郡伊那町舊勞働農民黨上伊那支部書記後藤宗一郎(二五)諏訪郡永明村當時上諏訪町舊勞働農民黨長野支部聯合會事務所書記上條寛雄(二八)上高井郡須坂町宮前萬一郎(二六)東筑摩郡上川手村山崎稔(二七)松本市大字南深志勞働農民黨中信支部常任

してよりよき南洋貿易の商權を確保するやう努力させたいとの希望が處々に起つてゐる

商船が比島へ

第一船湖南丸の出帆

月二回の定期船を配置

比律賓群島が我が南方に位して日比貿易及企業移民等に重要なる關係を持つてゐるが兩地方の連絡船は現在郵船の濠州航路がこれに御り專ら海運の便宜を計りつゝあるが今回商船でも月二回の定期船を配置する事になり湖南丸湖北丸各三千噸級の二船がこれに從航すべく客室設備は特等三十名普通七拾名、速力拾三海里、横濱を起點として名古屋大坂神戸門司マニラセブイロイロダバオの各地を寄港してザンボアンカを終點とする、第一船湖南丸は十月廿六日神戸出帆マニラ十一月四日ダバオ廂同月十日で船賃は神戸マニラ間特等百四十圓普等四十圓神戸ダバオ間特等百八十圓普等六十圓である。

ブラジル移民の送金は

聖市の正銀取組み銀行で扱ふ

移民送金は從來正金銀行が伯國首府に支店をおいてゐるため聖州行移民の送金は同行を利

委員小林勝太郎(三二)諏訪郡上諏訪町運送店員後藤儀勇(二三)同郡上諏訪町農赤松喜一(二六)南安曇郡高家村日本農民組合高家支部長水谷幸(二六)の九名で、上伊那郡片桐村北澤一郎(二五)北佐久郡岩村田町下宿業神津敏治(三二)北佐久郡本牧村農小林五作(二四)南安曇郡高家村宮澤昌一(二七)の四名は免訴となつた

新記錄續出して

下伊那遂に優勝す

青年團體育大會

本縣聯合青年團體育大會は前日より引續き松本市縣營運動場で擧行陸上競技を開始したが好天氣でコンデイシヨン良く選手はいづれも必勝を期して勇躍した結果各競技とも新記錄續出し遂に八競技の新記錄を作り八百メートルリレーを最後として競技を終り、下伊那郡は得點三十七點で昨年優勝の上伊那郡を破つて見事に優勝し在京縣人會から寄贈の優勝旗並に小川鐵相原法相その他より寄贈の優勝カツプを獲得したる成績左の如し

トラツク決勝

△百メートル　1一一秒五分二畑山伍一(下水内)2新井蒼一(下伊那)3原房三郎(南佐久)

△二百メートル　1二三秒五分三新井蒼一(下伊那)2畑山伍一(下水内)3牧野弘道(下伊那)

△四百メートル　1五六秒檀原武(上水内)2馬場繁(上伊那)3赤羽直人(松本)

△四百メートルリレー　1四七秒五分三下伊那チーム(新井、牧野(淸)杉山)2南佐久チーム3上伊那チーム

△十マイルマラソン　1五九分七秒(新記錄)小池茂吉(諏訪)2伊藤道雄(上伊那)3柳原安雄(東筑摩)

△一萬メートル　1三三分二五秒五分二(新記錄)北原淸治(上伊那)2永井源次郎(埴科)3西川衞(北佐久)

△千五百メートル　1四分三二秒(新記錄)田中秀雄(下伊那)2牛山平三(上伊那)3横田久雄(下高井)

△八百メートルリレー　1一分三八秒五分三(新記錄)下伊那チーム(新井、牧野(淸)杉山2南佐久チーム3下高井チ

用する事が出來なく不便であつたが十月よりは聖市コンメルシアル、ド、エスタード、デ、サンポウロ銀行と送金手形の支拂を同行取極めしたので今後のブラジル移住者は日本に於てブラジル貨に換算し手形を同行に持參すれば同行には日本人行員が居つて懇切に取扱をすると

移民泣かせの

惡移民會社現出被害甚大

兵庫縣外事課では東京警視廳の依頼にてブラジルとメキシコへ行く移民出願者の一部を極秘裡に移住聽取書その他詳細な調査をしてゐるがこれは東京に本據を置く日墨移民株式會社と稱する會社の移民詐欺嫌疑事件に關係あるものでその嫌疑の點は

まづ同會社の手による移民にはブラジルまたはメキシコで無償の土地を貸與し直に生活の安定を與へる

といふ條件で移住希望者に同會社の株を十株づゝ(一株六十五圓)を買はせ南米に伴ひ行き約束は全然履行せずそのまゝ突き放すといふのである同會社は社長に某伯爵を据ゑ正式に外務省の旅券を交付するといふ極めて巧妙大膽なもので兵庫縣外事課では約十日前に髙知

ーム

フヰルド決勝

△走幅飛　1六メートル三四小池茂(小縣)2米澤義夫(上伊那)3小口武治(西筑摩)

△やり投　1四二メートル四一(新記錄)松崎司一(上伊那)2藤森利男(諏訪)3高橋昌治(下水内)

△圓盤投　1二九メートル六八(新記錄)櫻井三郎(南佐久)2岸田司(上水内)3松澤陌資(上伊那)

△棒高飛　1三メートル三〇(新記錄)石原重男(下伊那)2熊木久雄(小縣)3松田正太郎(上伊那)神戸義雄(埴科)

國粹競技

△劍道個人試合　1樽沼武男(松本)2太田利春(北佐久)3吉川秀男(下伊那)

△柔道個人試合　1嶋田周一(長野)2宮坂俊雄(松本)3青柳賴康(東筑摩)

△角力個人試合　1入山政治(下伊那)2宮尾金治(上水内)3北村光治(東筑摩)

各郡の得點

下伊那三十七點、上伊那二十九點五分、北佐久十八點、南佐久十七點、松本十六點、長野十五點、東筑摩九點、小縣九點下水内八點、上水内五點、諏訪五點、下高井四點、埴科二點五分、上高井一點、西筑摩一點

五人以上軍人をだす

本縣に百一家の多數

本縣兵事課は一家から五人以上の軍人をだしたものを調査中のところ五人だした家が九十一戸六人が九戸、七人が一戸(南佐久郡青沼村大字入澤依田爲作)合計百一家に達したがこれらは大嘗祭の地方賜饌に召される豫定である

明年の新入兵は

一週間目に渡滿

滿洲に駐在中の松本第五十聯隊は明年五月で二ケ年の期限が滿了となるので明春一月留守隊へ入營する初年兵を渡滿さすべきかどうかは問題となつてゐたが十二日留守師團司令部から松本の留守隊へ新入營兵は入隊後一週間軍事訓練を行つた上渡滿する事に決定の旨通知あり

縣より同會社の移民六名に對しても嚴重な聽取書を作製し警視廳宛に送附したがその六名は横濱を出帆して南米に向け航行中のはずで目下別項のごとく愛知縣熱田署に拘留中の元神戸稅關員松生直吉もこの一味らしいと見られてゐる

明年の遠洋航海

南米一周に內定

昭和四年度練習艦隊練習航海航路は此程畧確定し南米一周と決まつた練習艦隊が南米一周の航路を取る事は稀らしい事で曾て七八年前船越少將の率ゆる練習艦隊がアルゼンチン首府のベノスアイレスまで行つた事があるだけである。練習艦隊は六、七月の初夏の頃横須賀軍港を船出して萬里波濤の旅に上り先アリユーシヤン群島のダツチハーバーに齎く之が此航海の最北地點であるから北アメリカの西海岸を南下してサンフランシスコに齎くメキシコ共和國も訪問する殊に海岸から遠く離れた高原にある首府メキシコ市の訪問はマンサニヨ寄港の當時か或はハリナクルズ寄港の時に行はれる豫定である倘はハリナクルズ出港後は直にパナマ運河を通過して大西洋面の南米海岸を南下するか又はパナマ運河は歸航の際

留守隊はこれに従つて軍務表の作製に移る事になつた

細川氏當選
諏訪郡の縣議補選

諏訪郡縣會議員補欠選擧の候補者上田晴雄氏は二十五日池田選擧長の許に辭退届をだしたので細川氏のひとり舞台となり無投票當選の告示を行ふことになつた細川玖瑍氏は諏訪郡富士見村で明治十五年十一月出生東京帝大農學部を卒業明治四十五年廣嶋縣下公立西條農學校に教諭として教べんをとり大正八年四月富士見村長に就任、同十二年九月縣議當選、十四年村長退職、昨秋九月の縣議戰には落選大正五年以來富士見銀行頭取として現在におよぶ

起債八十五萬圓
漸く許可さる

昨年の縣會で議決した本縣の本年度起債八十五萬圓はその後數回の促進運動も効なく延引中であつたが一日付やうやく許可の指告が出たので本年度の財政も辛うじてつじつまを合せることが出來ることになつたがうち二十五萬圓は縣の罹災救助基金から借いれの手續を終つてあるので殘額六十萬圓は金利の變動激しい昨今を避け明春金融界の安定を待つて證券會社に委託賣だすことになつた

川中島小うた
更科ぶしと川中島音頭

更級郡の民謡川中嶋小うたは豫て北原白秋氏が依囑を受け推こう中であつたがこの程脱稿して篠ノ井町の小うた研究會に寄せて來たので十九日發表したが、川中嶋民謡「更級ぶし」と「川中島音頭」の二つで作曲振付等白秋氏の斡旋で追つて決定するはずだがその歌詞は左の通り

△更科ぶし

○信州信濃の更科そばはソレヤイ馬の鼻息で馬の鼻いきで、すぐゆだる、ソレイヤ、ソレイヤ、ソレソレ

○月のチャン〱コがつめたいならばなぜに泣かせるうばひとり(はやしは略)

○ぼこもかる〱夜が夜が明けたいきし

通過する事にして其儘南下するかは今の處不明である

此遠洋航海は北緯五十二度(ダシチハーバー)から南緯五十三度(マゼラン海峽)東經百四十度(橫須賀)から西經三十五度(ペルナムブコ)の廣汎に亘り航程實に二萬六千哩に及び今年の遠洋航海の航程に比較すると五千哩も長いものである尚明年の練習艦隊司令官は十二月十日の進級異動と共に發表されるが現教育局長末次中將が十二月中將進級する現軍務局長左近少將かの何れかである

カナダ入國か
在來の旅券は本月限り

北米カナダの邦人入國手續き變更につきカナダ在留中の邦人が家族呼び寄せ或は在留者で一時歸國者が妻子を同伴で入國する者及び初渡航者で渡航後扶養たるもの及びその妻と使用人は日本帝國領事の證明で旅券を受け、渡航を要するがこれまで旅券を受けた者も十一月末日までにカナダに入國しなければ改めてカナダ官憲の入國許可を必要とすることになつたので、右關係のものは早く渡航を要すると

移住組合移民輸送問題
移聯海興海協外務間ゴタ〱

政府は昨年移住組合聯合會を設立せしめ南米ブラジルに十五萬余町の移住地を買收するなど着々その歩を進めてゐるが矢先き端なくもこの組合の準備不完全な事實が發見され、移住組合聯合會、海外興業、海外協會外務省などの間に困難な係爭事件を起こしてゐる、その主因はブラジル國移民をあつかふにはブラジル國内の入國取締令第六條により同國の登記を要するにかゝはらず今までに移住組合聯合會は登記を經てをらずたとへこれを經んとしても現在の如くわが政府の役人や役人の古手を幹部にいたゞき政府の背景濃厚なる團體は登記を經るがたい事情にあるので同組合は登記を經るまでの便法として海外協會中央會に對しこれが扱ひ方を要望したので同協會は直ちにこれが引受けの旨を移住組合および外務省に報告したところ外務省はわが移民法に基づき移民取扱ふを業とするものでなければ移民取扱ひを許可せぬ旨を通知して來たそこで今度はやむなく移民扱ひを業とする海外興業に委託することになつたが海外協會としては外務省の態度は强ひて同協會を壓迫するが如き節ありと一應外務省の説明を求めて不滿足の場合は議會の問題にすると頗る强硬な態度をとつてゐる

よ畑の桑つみに

△川中嶋音頭

○信州アア信濃の川中嶋は犀と千曲の合ふ嶋(聖が曇れば雨となり冠着あがれば晴となるヤアレ、ソヲレ、ヤアントナ)

○妻女ほの〱越後の勢は眠むる海津を見て忍ぶ(はやしは略す)

○朝は越後よ日暮は甲斐よわしとおまへも五分と五分

輝く四十余年の育英
生がいを去る中野保翁

明治十五年頃から實に四十余年の生がい育英事業に捧げた長野市東町中野保(七八)翁は明春三月限りその「中野塾」を閉鎖することになつた、社會環境の推移と老齢とのため余儀なくされたのであるが本縣教育界からこの一異彩を失ふことは各方面からおしまれてゐる ◉ 現在塾生約八十名、他に二十名の寄宿生を養つてゐるが、一時は二百五十名の塾生が出入し今まで四千人に上る子弟をくん陶し元大審院長横田秀雄、貴族院議員小松謙次郎兄弟、文學博士吉田靜致、豫備陸軍少將蟻川五郎作諸氏等は開塾當初の逸材で、その他縣下の教育者で翁の門をくぐつた人々は少くない

東信地方
紅葉名所

そろ〱觀ぶらの時季になつた東信地方唯一の雄大な紅葉は何といつても碓氷である。毎年長野から遠く越後路かけての信越沿線はじめ群馬縣各地からの觀ぶら會は相當に多いが今年は例年より多少早く來遊あたりはぼつ〱見られ二十日頃からは見頃にならう、上田、田中、滋野等の各驛では毎年各驛毎に團體を募集、大人氣を博して居たが今年は御大典のため省線の主催で中下旬頃音平觀ぶら團を募集する計畫がある。

歌壇新設

俳句と和歌

奮つて應募して下さい

詳細は次號に發表

移住地閑話（九）

卅九 冬の風呂夏の風呂(續き)

在アリアンサ 武 田 三 三

必需品や便利品を擔いで來いと申したのは主として植民者に對して申したので、契約移民諸君に對しては必しも御勸めは出來ぬ。何となれば渡航の際は運賃無料であるが、契約滿期又は獨立轉住の際の移轉料は自辨せなければ成らぬ。之が又べら棒に高いものであつて極端なる話ではあるが契約移民は移轉費用の爲に何年經つても一文無しであるなどゝも申されて居るから、是等の話も考慮に入れて置く必要があらうと思ふ。

偖風呂桶の話から大脱線したが、此邊で後戻りして多の風呂から一足飛びに夏の風呂に飛込む事にする。昨年九月の大雷雨の爲であらうと思ふが、十一月の雨期に入つても一向雨が降らぬ。十二月にも降雨が無く稍旱魃の氣味があつて、多少稲の立枯れを生じたが、助つたのは植附けの遲れた人々で、十二月一杯仕事が出來た譯である。雨が降らぬに困つて暑い事夥しく、西向の壁板に掛けた寒暖計が百十三度に昇つたのが最高温度であつた。そこで野良仕事は午前中で切上げ、早速風呂に飛び込んで滿身の汗を流す。午後は蚊張を釣つて本を讀むと言ひ度い所であるが、實は本が無いので唯寢轉んでサンパウロの郊外かリオデヂャネイロに別莊を建てる事を計畫して居る。獨逸の大醫某氏が臨終の折自分の弟子を集め、死後に三人の大醫が殘つて居ると申された。弟子達は各々自分が其大醫の一名であらうと思つて居つた所、斷末魔の大醫は「水に運動に食事」であると申されたそうであるが、拙者案ずるにチト間違つて居る樣に思ふ。水は食事の一部であり、吾等百姓として運動せぬ人は無からう。自分は三人の大醫は「食事に風呂に雲隱」であると思ふ。死んだら一つ大醫に聞いて見る事にして置かう。

食事の序であるが昨年南米移民の衛生視察に見へた戸田醫學博士の營養不良談が新聞に出て居つたが、移民の營養は確に不良である。からと言つて今俄にどうかする譯にも行くまいが、これ亦移住組合の考慮すべき問題である。コチア植民地の如く洋酒も罐詰も食へる樣に成れば心配は無いが、新米移民は一日も早く罐詰や何かを食ひ度いと思ふから、粗食に甘じて無理をする。罐詰を食はぬ先に病氣に罹る死んで了ふ。病氣の臨床的徴候は五臟六腑の局部に表はれては居るであらうが、遠因は皆粗食と過勞である事は戸田博士を待つ迄も無き事柄であるから、せめて病氣に罹つたり死んだりせぬだけの營養と休養が必要である事が新渡航者に與へ〱も訓戒する事が大に欠けて居ると思ふ。由來日本人は競爭心が猛烈であるから、「ソレ働けヤレ働け」と言ふ代りに「チト怠けろ」と申した方が好い場合があるかも知れぬ。バウルー日本領事館を御尋ねした折多羅間夫人の申さるゝには、植民地では各戸競爭で働くから怠けては居られぬ。殊に細君連が猛然として働き出すとの御話であつたが、猛然と働き出して與れるのは結構であるが、働く爲に働くのか競爭の爲に働くのか時々分らなくなるのが普通である。石井大使も軍縮會議の講演で、婦人の服裝競爭禁止に見事に失敗した事を告白せられて、軍備競爭も御同樣であらうと申された。さすれば婦人は斃るゝ迄服裝を競ひ、五大强國は亡ぶる迄軍備を競ひ、南米移民は死する迄勞働を競ふ、まさかとんな結果にもなるまいが婦人は服裝の爲に焦身し、强國は軍備の爲に疲弊し、移民は過勞の爲に健康を損ふは事實であらう。玆に可笑しいのは渡航後二三ケ月にして移民の顔色暗黑となり形容枯槁する事である。顔色を見れば新米か故參かは直ぐ分る。顔色の黑くなるのも瘠せるのも氣候風土に順應するのであるから、必しも營養不良の結果では無いが、日本に居た折の顔を想像しても一寸見當が附かぬ。營養に休養は最初の一年間に於て最大切であつて、僅一年や二年の競爭の爲に一代を棒に振つて了ふが如きは愚の骨頂である。營養と申しても何も日本の罐詰に限らぬ。罐詰の如きは却て一つも營養價を有せざる珍品に過ぎぬのであるから。

ブラジルでも何か日本の鯣や昆布や鹽鮭やに匹敵する貧民向營養物が有りそうなものと思ふが吾等にはサッパリ分らぬから、數年後に於て追て吾等がブラジル通となる迄は、面倒でも移住組合が營養と保健の任に當つて貰ひ度いと思ふ。新聞の廣告にある日本商店が日本物品を圖方も無い高價で、臆面も無く吾等移民に賣つて居るのを見る毎に而して彼等が年毎に、榮へて營業を擴張して行くのを見聞する毎に、少くとも拙者は甚だ不快に相成つて居る。

一口に移民と申しても十二才以上五十才迄を勞働可能と認めて移住せしめて居るのであるから、健康にも營養にも大差あるは當然である。同じ食物を食つても二十代の靑年はメキメキと太るに對し、吾等天保組はメキ〱と瘠せる。太ると瘠せるの境界線は先づ三十才であらうと思ふ。三十才以上の人で太つた人は先づ見掛けた事が無いから、ソマトーゼの看板式の人はブラジルに來て六ケ月も住めば立所に瘠せて了ふ。何と言つても營養に保健である。病氣をしてから手を盡すのは抑々の末であつて、好し直つたにした所が千ミルや二千ミルは直ぐ飛んで行く。「海の外」六十五號に發表せられて居るウニオン植民地の笹澤氏の小作成績は、順調なる採算の實例として座右の指針たるに足ると共に、尙且二ケ年間に四千六百ミルの病氣療養費を使つて居る。同氏は幸にして約五千圓を殘して居るから恨もあるまいが、反對に收益が少かつた場合の病氣であつたら是程馬鹿げた不經濟はあるまい。胡瓜や茄子の苗でも移植の際カン〱日光に當てたら直ぐ枯れて了ひ、成長したら最早移住は不可能である。人間は胡瓜や茄子とは違ふから子供でも大供でも移植は自由自在ではあるが、矢張り移植の一二年は最も大切であると思ふ。當地の習慣は一日二食であるが、日本で三度に食ふ飯の二倍位は食ふ。ツマリ勞働の爲に腹が減つて無暗に詰め込まなければ胃袋が承知せぬ爲であつて、吾等も時には首がシヤチコ張つて耗が脱げなくなる場合もある。植民諸君は各自の年齢と能力に因つて勞働を調節し、以て大成安住を期せなければ嘘であると思ふ。契約移民諸君は自分勝手に仕事の範圍を加減する事が出來ぬから、健康、則ち年齢を考慮する事が最も大切であるが、靑年期が良いか壯年期が良いかに就ては別に論じて見たいと思つて居る。

× × × × ×

南洋を巡つて（一）

片倉 小山 嵩

シンガポールの巻

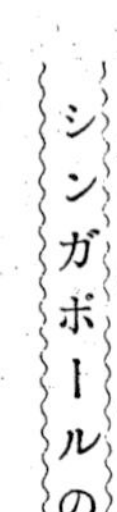

【はしがき】 この駄文を讀んで下さる勇敢な方に私は自分のバックラウンドを一應知つて戴きたい。

私の父は小諸、母は飯山、小學校も中學校も飯山でやつたどつちにしろ千曲川は自分の搖籃の地である。今春東京外國語學校を卒業、專修語學は馬來語と和蘭語。そして四月片倉製絲紡績株式會社に入り目下松本の普及團で蠶絲一般に亘つて實地見學をして居る者であります。語學校を卒て片倉へ入るなど大分畑違ひの感はありますが大いに然らざる理由があるのでやがてお分りになりませう。兎に角これを機會に「海の外」を通じて敬愛する我が同郷諸賢の御鞭韃御教示を期待して止まぬ次第であります。

尙もう一言。それは私は旣に片倉の人間で學生當時の如き自由人でない事。亦私は恐ろしく筆の立たない部類の人間に生れついたゝめ美文を連ねて夢の國。詩の南國。さては椰子の葉蔭に語る戀つてな筋を血の氣の多い靑年諸君に宣傳するにはあまりにあさましいんです。が數年前から南進を決意し向ふの語學を學び其の間二回實地見學旅行をやり而も數ケ月後には渡南せんとする自分である。幸にして諸賢の誰かゞ御自身の南洋に關する知識の復習の材料となり將來私と南洋を語らんと交際して下さる方がありますれば望外の收穫である。

【コース】 旅行は七月十八日に始つて十月八日終つてゐる。橫濱―新嘉坡＝ヂョホール＝新嘉坡―メダン＝ブラスタギー＝トバ湖＝メダン―ポートスヱッテンハム―新嘉坡―バタビア＝ボイテンゾルフ＝バンドン＝ガルト＝ヂョクジャ＝スラバヤ＝スマラン＝スラバヤ―マカッサル―タワオ―香港―橫濱

諸君、我が優秀船と誇る郵船白山丸は幾多の名士を一等にそして特三船客の一人に私を乘せて靜かに南支那海を新嘉坡に向け航つてゐる事を想像して下さい。

赫々たる日輪大洋遙か西の端に沒する時凉風徐に起つて金波銀波を走る。甲板ではダンスが始つたらしい。レコードはワルツの曲を送る。それからフオックストロットも。ステップの音、やがて終りを告げる拍手。自分はたまらなくなつてキヤビ

ンをぬけてデッキに飛び出した。南方の空にサウザンクロッス（南十字）は慈愛の童顏を幾分傾けて吾を迎へてゐる。おゝ汝サウザンクロッス、やがて繰り出す吾が同志に幸あらしめよ。

『サウザンクロッスを南にながめ〳〵
南國勇士の胸躍る、それもそうかいな
バイソラキンキラキン
キンキラキーン。』

慈父の如き南十字に向つて歌ふカルーソー張りの私の聲が如何に調和の極致であつたかは續々キンキラ節のコーチを賴れたことによつて證明されてゐる。

豫想したよりも汚い新嘉坡の街 すばらしい潛勢力を持つ支那人

船は門司を後にして十二日目八月四日未明東半球航路網の中心ゴムの市場人口四十五万四十八の人種と五十四の言語が用ひられるといふ馬來語の街、新嘉坡へ着いたのである。棧橋にむらがる黑ん坊は敢て珍とするに足らぬが豫想より汚い街である。これは不潔に對する嫌惡心の勘いと云ふても素張らしい勢力を持つ百萬長者から商人俥夫までが混然一丸となつて三十五万を占むる實に支那人の街であるからだ。

無軌道電車。バス。汚い乘合タクシー自轉車。人力車が走るうるさい街である。チヤツ！と叫ぶや四五台の支那人力俥がすぐ飛んで來る。正直さうな若い男を選んで乘る。と梶棒の向いた方へ直に走り出す。然もこの連中は多く馬來語も英語も知らない。だから乘り手の方で自分の行き先きを充分承知していないと、とんでもない方へ持つて行かれて了ふ事がある。私もMBKから宿に歸らうとして俥に乘つたが變な海岸の方へ飛ばれて英語、馬來語さてはとつておきの支那語まで三つ四つ使つたが遂に要領を得ず俥を棄てゝとある日本人の厄介になつたものだ。彼等は福建、廣東邊から來て下等な南方支那語を知るのみ。

然し交通整理は幼稚な方法だが極めて手際よく行はれてゐるので安心である。

街の看板を御紹介する。花屋商會。大川齒科醫院。御料理新喜樂。仕出しふたば。やまと寫眞館といふ樣なのがザラで浴衣がけの男女が通る有樣で先づ以つて外國にある樣な氣がしない。

私は櫻ホテルに宿る事にした。

東京は近年稀に見る酷暑で發狂する者さへあつたと南洋日々新聞は報じていた。然らば新嘉坡は如何に。蓋し意想外の涼しさである。二年前ボルネオに旅行した時には矢張り南洋は暑いと感じたが自分は新嘉坡へ避暑に來たものであると言はねばならない。

避暑に適する新嘉坡の氣候 すばらしい赤道直下の觀月

で私は南洋の氣候について簡單に記す必要がある。所謂常夏であるが大体乾季と雨季に分けられる。赤道の北と南では反對になると見ねばならぬは勿論だが各地方によつて個々の氣候が

生れてゐる。新嘉坡の雨季は日本の冬季に當る。北風が南洋まで吹き卷つて雨を齎す理で氣溫も下り七十度以下になる事も多い。この東北風が吹き止むと海は一變油を流すが如き靜けさに歸つて四、五月の大乾季が來る。流石にこの時期は熱帶らしく、朝露も見られず芝生は赤じみて來る。日本の暑い七八月は强ひて小雨季とでも名附け様か印度のモンスーンのお蔭で可成涼しく、次の九、十月は一番氣持の好い時節でこれも强ひて小乾季とでも名附けよう南の微風は小氣味よい日和を續けるのである。日本に夏の見舞ふ頃は定めし南洋は焦熱地獄であらうと思ふに然らず避暑は南洋へと吾等は招く。

雜誌『新靑年』に世界のパラダイスとして新嘉坡の月の夜を擧げていた。日沒と共に起る凉風椰子の亭々を搖す時大きな丸い月それは全く日本で見るのと別物である様な大きな月が東の方、遂に金波銀波を蹴つて昇るのである。

『名月や江戸の奴等が何知つて』と一茶が大見榮を切つた信州姨捨の月など其の規模に於て蓋しダンチである。

夕刻自働車を驅つて數哩郊外の月の名所タンヂョンカトン。パルセパンヂャン目指して集ふ者數を知らず、隨時隨所に車を停めて觀月するのである。或はカフェに入る。正宗ならぬウイスキー或はビールの滿を引き旣に中天に揭かる月に別れて歸る頃新嘉坡の夜の幕は切つて落される。シテイオペラを中心とした歡樂郷は安價な刺戟を求めんとする白黑黃千差萬別の人種を吸收してゐる。

海岸通りには活動寫眞館が列んでゐる。其の中最も壯麗なるをアルハンブラと名附く。

この海岸通りにはラッフェルスホテル。ホテルイウロープなど一流のホテルから邦人經營の貧弱な宿屋と特に言ひたいまでが澤山列んでゐる。この邊りは夜遲くまで市民遊步の地である。從つて屋台店などもあちこちに網を張つてゐる『燒きどり』の様な臭氣が鼻をつく。一夜南洋及日本人社長の當房氏に案內されてこの邊の露店で名物サッテーを食つた。燒どりの樣なもので不味くはなかつた。

南洋日々の社長古藤氏の說明で有名なラッフェルス博物館を見學した事は大いに感謝であつた。

娘子軍と併進した虛構な邦人發展 癈娼斷行と共に瓦解した悲慘の姿

次に日本娘の花街について書く必要がある。がすべてこれは學生として見聞した程度を基礎としたものである事を斷つておく。

歐洲大戰後の好況時代に盲滅法に南洋に投資された金は一億に近く從つて日本人の海外發展のバロメーターである醜業婦は新嘉坡領事館管下のみで二千は居たさうである。出鱈目の投資が大正九、十年の世界的不況に脆くも崩壞し去つたのは蓋し當然ではあつたがあまりにもあさましかつた。次いで起つた時の領事山崎平吉氏の癈娼斷行である。これで日本人社會の經濟活動が全く行き詰つたのである。

ガッチリした資本を握つて然も封建時代の小僧制度を今日尙採用してゐる支那商人印度商人の向ふを張つて資本のない邦人商店に取つてはあのあさましい娘子軍の肉が唯一の首繋ぎの金融機關であつたのである。でこの時の廢娼と同時にマレイ半嶋新嘉坡で一万に近かつた日本人の約半數が失はれた。ボロ銀行をつぶせば罪なき預金者が泣く、廢娼大いに可なれど邦商の破綻を如何にせん。山崎領事の苦衷察してあまりある。が自分は彼の英斷を推賞したい。醜業婦がなけりや經營乃至發展の出來ない樣なさもしい店はドシ〳〵處分するに如くはない。我が國海外發展の草分け當時から認められて今日尙世界に其の類を見ない植民政策上の一編を飾るこの娘子軍の活躍は實に吾が大日本帝國の國辱である。

日本人のある有力者に案內されてこの花街を步いて見た。廢娼以來『氷屋』と名稱を變へてボロイ昔を夢る家廿數軒。靑白いガス燈の下に半洋裝の娘（といつても卅代四十代が多いと聞く）が衝立の蔭から或は戶口に座して醜野郞を待つてゐる。八月中旬突如これ等の氷屋に當局の斷壓の手が及んだ。そして數十の彼の女等は放逐せられねばならなくなつた。おゝ寄る邊なき彼の女達を救へと激を飛し寄附を强制して立つた女神に婦人矯風會にその人ありと知られた守屋東女史がある。が彼の女の連れ戾つた醜業婦唯一人。樓主の虐待に堪へず醜業に堪へずと白蓮の許に泣いて飛び込む內地の娼妓と新嘉坡のそれとは大分ケタが違ふ。アフリカのザンジバル邊まで肉の限りを稼がんとする長崎女はどんな腕を卷つて守屋女史の甘さ加減をせゝら笑つたであらう。

新嘉坡の國際場裡に醜業婦を帝國代表として駐劄せしめ居るとはあまりに醜態である。

靑年演壇に立つて我が大日本帝國は世界の五大國の一にして或は曰く三大國と、何處に三大國の根據があるか恐らく佛、伊は承知せないに決つてゐる。つい先頃治外法權を撤して漸く平等條約を結んだスモールチャップではないか。一度國外に出で貧弱な我が國の存在を知れ五大國三大國と自惚れる靑年よ汝願はくは國外に出でてあまりにもケチな汝自身とそして日本とを客觀的に見よ。

雜然たる新嘉坡人の生活樣式 常夏の南洋でも裸一貫では通せぬ

新嘉坡人の生活樣式は五十餘の人種の存在と共に雜然として多岐に亘る。白人は大層高樓に居を構へ有色人種を問題にしない。給料は高い。生活も高い。女の化粧料勿論高くつく。夕刻のドライブと夜のダンスは唯一の日課である。皮相なる近代物質文明の生活向上といつた樣なものが植民地に普及してゐる。で私は東京も植民地の樣に見たてたくて困る。彼等は植民地人に勝る何物を生活の內容としてゐる。動物的蠢動の反覆のみぢやないか。白人生活を眞似て悲慘なる外觀生活を行つてゐるのに所謂ユーラシアンがある。白人と馬來人、印度人支那人との混血連である。白人の東漸により遺された唯一のものである。ある强い不自然な力が結合を强ひた。永久に對立する不合理な

血液の混合である。血は純日本種でも氣持や外見が歐化した一部日本青年もこのユーラシアンと同じ橋を渡つてゐる様な氣がしてならぬ。

彼等は白人と同じ待遇を受けない事に對して不滿を持つてゐる。今更彼等の母の國籍に戻れもしない。等比級數的に增加する彼等はユダヤ人と併行して進むだらう。恐るべきユーラシアンの潛勢力。

如何に常夏の南洋でも裸一貫では通せぬ。然らば日本人の生活程度はといふに男は白服一點張り女も浴衣地の簡單なもので通すのが多い様だ、尤も收入の程度階級の如何によつて洋裝の婦人も相當にある。こんな具合で被服費は尠いが其の他の物價は日本に比べて決して安くない。家賃なども五十圓以上出さねばかなりなのはなく食費も三十圓位でないと一等國民として辱かしいそうだ。朝はパンに半熟の鷄卵とコーヒー。晝と夜は米食この方法は內地にも奬めたい。

御承知の通り新嘉坡はゴムの町であるゴム相場の高低によつて町の活氣が左右されるのは生絲相場の如何によつて信州人の活氣に差を見るのと同樣である。英國のゴム生產制限が撤廢よれて以來ゴムはガタ落ちでマレイ半嶋のゴム栽培にいよ〳〵見限られ蘭領スマトラへ其の中心勢力が移動しつゝあるのは注目に價する。

(以下次號)

アンデス越え

一九二八、九、三

アンデスの嶺にて　両角喜重

つゝましき心を持ちて一人しもアンデス山を今そ越ゆなり。
春淺くひとり吾は越すアンデスの裸岩山寂しかりけり。
川柳黃に芽吹けるアンデスの山腹驛の春は寒けし。
氷柱垂る谷川沿ふて吾汽車はアンデスの山上り行くなり。
谷川に氷柱下りて洞風の寒きトンネル越えにけるかも。
停車すればホームに下りて寒風に吹かるゝ時の心すかしも。
谷川の細り極まり雪の原も遂になりけるアンデスの嶺。
岩山の雪の斑は太りつゝ遂に眞白き嶺となりにき。
現身の生命たもちて九月三日雪のアンデス吾は越へにけり。

海外通信

香港と信州人會

香港　北澤金藏

海外にある我々同胞に寄せる鄉土よりの便り程、心から歡しく感ずるものはあるまい。信濃海外協會は其沿革から云ふも、其經營發展から云ふも、本邦中先驅として、最美の榮冠に輝くものであつて、我々海外の信州人は此協會を背景として其の活動と皷舞とにより、何たる心强さと祝福とを感じてゐることであらうか。

私は香港に於ける信州人會を「海の外」に紹介しよう。それには先づ我々のある土地、香港のことについて、一言述べて見ることは何等かの參考となるところあらうと思ふ。沿革より云へば、香港は古く、孤嶋の一寒村として、僅かに立寄りの船に水供給の地であつたが、一八四二年南京條約に依つて、英國は淸國より香港嶋(廿九平方哩)の割讓を受け、其後北京條約により、九龍(約四平方哩の割讓があり、更に九龍租借條約で、九龍の租借地(三百五十六平方哩)を得、以上を併せて現在の香港の植民地が出來て居り、卽ち英國の領有當初以來八拾餘年になる譯である。而して英國の植民事業は實に堅忍不拔の努力に依つて、今や領內の人口約百萬人と稱せられ、海運上には歐洲、南洋、南米の航路の中樞的要地であり、又南支の門戶を扼し、其貿易に於ては自由貿易政策を標榜し、天與の良港を利用し、且商業上其仲繼的利益を收むるものがある。從つて貿易港としての香港は其貿易年額、輸入約七億圓で輸出約六億八千萬圓、地方消費高貳千萬圓を計上してゐる次第であるが、香港と日本との貿易關係も亦、仲々密接なるものがあり、近接地支那を除いては、輸出入共に其に次いでゐるところがある。

將又香港の風光は誠に明眉と云ふべく、恰然一幅の綺畵をなし、遊覽者には翠綠の山と碧靑の南海との間に點滴する優婉典雅な市街は、其眼を樂しませ、又永住者には、熱帶地として は衞生的施設が完備され、比較的健康地であつて、邦人につい ても寒暑の差もあることとて住み易く、邦人數現在約千六百人に達して居り、其大多數は會社及商店の業務に當つてゐる。

最後に、當地に於ける長野縣人會は、此種縣人會中では、最も古く創設され、會員及家族を併せて貳拾餘名、相互間の友情も厚く、年二回の例會を開いて、每會仲々盛大なものがある。玆に會員の名を列記して見ると、日本俱樂部書記長村田雅孝君(北佐久)、萬福洋行大嶋定雄君(諏訪)三井物產の藤森逹夫(諏訪)及大山專一の二君、其他押兼正男君、中尾梅吉君等の諸氏で、何れも當地に於ての有力に、活躍して居る方々であることは、將來永く縣人會の面目を維持するものであらう。(畢)

サンパウロ市郊外の米人神學校で勉強

在伯留學生　両角貫一

其后は御無沙汰致し申譯無之候。

アリアンサ及びレヂストロの植民地を見たる後四月廿八日より表記の學校にて勉强致し居り候。輪湖理事とも相談の結果語學の相當に諒解し得る迄當校にて勉學致す事となり居り候。

當校は米人經營になるものにて舊神學校を現在の名稱に改めたるものゝ由にて略々力行會と同一のものと思はれ候。宗教的學校にて放課后は勞働の義務有之候。尤も勞働に對しては賃銀を學校より支拂ひ居り候。

此の學校はサンパウロ市よりは四里位の郊外に在り聖市より郊外電車にてサント、アマーロ迄參り其處より當學校の乘合自働車にて約二里山の中に入りたる箇所に御座候。サント、アマーロ迄出るには當校の乘合自動車より他に無之多少の不便は免れ難く候へ共却つて市內よりは閑靜にて勉强には好都合と喜び居り候。語學が解らぬ事が何より不都合に候。

輪湖氏は語學さへ出來ればやつてやれぬ事はないからと申居り其以上の事は不明に候。何れ之等の事に關しては輪湖氏より詳細の御報告のある事と存じ候。小生等は目下は語學研究に努力致り居り候。之さへ出來れば何れなり方法はつくものと一意勉學致し居り候。

當地着以來處々步き候へ共到る處にて壓轢を感じ申候。吾等の將來に於て爲さんとする事業に對しても幾多の難關ある事を覺悟致し居り候。

現在はやがて起つべき時の潛勢力の貯蓄の時代に御座候。

先は御無沙汰の御詫び旁々御一報まで。

末筆乍ら協會諸彥に宜敷く御傳へ被下度候。

(表記)

a/c Collegio Adventista

Santo Amaro E. de Sao paulo.

智利より秘露へ

イキケ沖にて　両角喜重

拜啓其後亞國武市より全くの一人旅となり九月二日アンデスに向ひ三日嶺の降雪中を越し申候。ひさしく暖かに馴れし身の大に快感を覺へ候。矢張り信州人には寒さと山はつきものゝ樣に候。サンチヤゴに泊り九月五日バルパライソより英國船エブロ號にて秘露に目下航行中に候、船中、之又日本人は小生一人のみに候。言葉は少々不自由なれど滯りなく面白く候。

十一月はニユーヨークに居る豫定に候折角持參の藥箱も不用にて人にやり中々以て御安心下され度候。(九月八日)

しだり尾の長き智利の國づたひ
昨日も今日も吾が船は行く。

無限の大原始林は開拓の勇者を待つ

在比ダバオ　太田嘉綠　小泉理覺

謹啓當地も昨今愈邦人の活動日覺しくことに在留八千同胞の中樞機關たる日本人會も幹部諸賢の熱心なる御盡力により漸く其の基礎も固り吾々同胞の發展上に益々力强さを覺へ申候。如何に世界に先進國と誇る米國の統治下にあるとは云へ若し吾々日本人の渡航なかりせば寶庫も空しく放棄せらるゝを思ひ、いさゝか肩身の廣さを感じられ申候。

母國は人口食料問題等悲痛なる叫びに血を絞り居る折柄隣邦當地は靜寂眠るが如き、無限の大森林が吾々同胞の斧を待ち居り候。萬象眠るが如き大森林に呼魂する斧の響き萬雷にとゞろくが如き一大音響と共に大地をゆるがして倒る大木の壯觀さわ到底想像も及ばざる可く男性的快事とは眞に此の事に候わんか願くは鄉土有爲の靑年諸氏に奮て原始的大森林開拓の勇者たれと進言致し度事に候。

先天的愚鈍の身は機を見るにうとく渡南すでに星霜拾指を越へ申候も人並の步行かなはざる有樣に候へばいささか過言の感有之候も是れ眞に當地の實狀に候へばおくせず記し申候。

當地在留邦人の發展の狀況又は一般情況等尙くわしく御通知申上可きには候へ共幾多先輩諸氏の詳しき通信等多々有之事と存ぜられ候まゝ差控申候段不悪御諒承被下度候。

過日當地郵便局の手を經て送金申候金拾比貨私共兩名の誌代として御納め被下度候先は是にて皆樣の御健闘を祈りつゝペンを拾申可候。

甘蔗病モザイック菌

發見者に二萬五千圓の賞金

伯國リオ、デ、ジヤネイロ州政府農業經濟奬勵學會では全世界の科學者に對し甘蔗病モサイツク病の病原及根治撲滅又は驅除方法の實際的有効なる方法につき明年末までに病原發見者に賞金壹百コントス(日本貨約二萬五千圓)を呈する旨發表した。尙右期間中に病原のみの發見か若くは單なる根治方法の發見の場合は其賞金を五十コントス(約一萬二千五百圓)とすると云ふので各國科學者の競爭的同病に對する研究に一大刺激を與へその賞金獨占の發見藥に血眼になつてゐると。

「本誌に對する不平」の聲

本誌に對する不平を正直に露骨に且つ眞面目に申述べて下さい。實は單なる不平の聲にあらずして本誌改善の叫びであり、本誌愛讀の必然的要求であるから當社はこれを一片の人氣的蒐集に止めずして各不平の點につき最善の努力を惜まない次第であります。

人生生活の眞調たる宗教問題について考慮せよ

北安北城　川原國一郎

生活の基調は宗教と信仰の問題が最も大切と存じ本誌に關係する會員讀者の内外在住者を問はず常に考へざるべからざる次第と存じ候。現代の世相に反映する吾人の見聞する醜き闘爭の連鎖は結局宗教と信仰に枯渇したる結果と存じ候。殊に海外雄飛の敬愛する吾等同志においては蠻界にも等しき大原始林の密林において寂漠たる生活の悲哀開拓の肉体的苦痛、鄕望的神經衰弱等のよつてくる所以はいづれも正しき宗教觀念の薄きが故と存じ自然の眞理を解し強き信仰の持主は却つてこれを自己の生活の當然たる境遇とし滿足して開拓者として雄々しき勇者となり堅忍不抜の人物となる次第と存じ貴誌を通じて此等の問題につき會員讀者諸賢の魂に合流する樣御考慮せられ度く希望仕り候遺憾ながら本誌は此の問題につき閑却されゐると存じ候

〔記者〕御陳述べの論旨は御同感であります。記者の頭から申せば日本人には宗教と云ふものがありません。したがつて信仰と云ふものが誠に不明瞭になつてゐます。道德と信念より以上に敎へられたい國民ですから無理はありませんが確固たる宗教と信仰を持つまでに行かなければ本當なものではないと記者は信じてゐます。然し本誌は此等の問題につき專問的言論誌でなくその餘裕もありませんから當分御預りしておきませう然し本誌の一字一行にまで記者は常に此の問題につき頭からはなれず注意してゐる事を熟讀翫味ねがはるれば幸ひです（宮本生）

疑はれる海外通信　惡戰苦鬪悲慘の跡がない

下伊那東春近　Z・Y生

海外會員諸君よりの通信欄の記事はいづれの通信を見ても奮鬪これ努めたと云ふ事が更らに見えず現在の成功を極めて愉快に書かれ少しも現在の地位に到るまでの奮鬪史中惡戰苦鬪の記錄がないのは遺憾です人一度功成り名遂げるまでには語るに忍びぬ血と汗の奮鬪があり失敗と不運の連鎖、苦痛に苦痛を重ねる苦鬪史がある筈である。移植民の最も大切なる要件は實に此の裏面史を得會する事が大切で徒らに憧憬空想の心持ちを海外雄飛者の心頭に抱しむるは危險の事であるから海外會員諸君は此の點に留意せられ御通信あらんことを切望します。

〔記者〕海外通信の特長は通信そのまゝを赤裸々にのせてある事であります。編者は勿論これをモットーにしてゐる事は海外通信記事を通して首肯出來る所でありますもとより記事にして不都合にして差支へある點は編者の手で一々加除訂校されてゐますが該通信を粉飾したり誇張して麗言美句を用ふる事は絶体にありません。しかもそれがため通信の要旨を轉倒せしむるが如きは斷じてあり得ない所であります。御要求の點はさもある事でありますから記者からも海外會員に合せて御願ひする次第であります。（宮本生）

海の外 質疑欄

漠然たる質問は不可一人五問以内のこと返信料十錢會員不要

問　比島の夫のもとに行きたいのですが女は何か特別の面倒の事がありますか尚渡航許可旅券下付願書類について一と通り御說明をお願ひします（小縣、齋藤朝子）

答　婦人の海外渡航は比島に限らず一般に嚴重になつてゐます、と云ふのは婦人の單獨渡航は往々危險が伴ふので渡航目的先に責任を以て引き受けてくれる者の證明が必要であります。これが即ち呼寄證明書と云ふのです。貴女が夫のもとに行くには（勿論夫の籍の方に入籍濟みの）戶籍謄本一通を添へてその意味の事通信しますと先方から呼寄證明書を送つてくれますから次ぎの書類を作製一括して所轄警察署に願出ればよいのです。㈠願書一通、㈡戶籍謄(抄)本一通、㈢健康証明書一通㈣保證人の資產證明書各一通、㈤履歷書一通、㈥寫眞二葉（半身像手札形無臺紙）書類の樣式は一々詳記出來ませんから別に御手紙で御回答致します。保證人は二人で戶主一人が兼ね他に一人をお願ひします寫眞は旅券査證の節三葉を準備致しますし記念に數葉は友人達に贈る事もありますから十葉位燒增すれば都合宜うございます。

問　旅券願書に「渡航年限」と云ふ事項がありますが私共は永住の覺悟でブラジルに渡航するのですが何ヶ年と記入すべきか（下伊　宮澤）

答　修學とか何々研究とか視察の場合ですと豫定の滯在年限を記入します。其の他の一般移住者は何ヶ年とせねばならぬ內規もありませんが大体拾ヶ年とか拾五ヶ年とかと記入するのを普通としてゐます。

問　比島へ行く呼寄渡航婦人ですが旅券出願から下付までにどんな經路で下付になりますか、日數は幾日間位ですか（上伊　鈴木乙女）

答　願書類が先づ警察署に出願になりますと駐在巡査が數日を經て渡航目的並原因が眞實であるか、性質素行前科及目下犯罪容疑の有無を調べ、渡航費用の出途豫定携帶金等について大体を聽取し保証人の資產狀態を動不動につき調査して資格五千圓以上の財產あるや否や殊に婦人にあつては醜業をなす虞なきや否や其の他願人の容貌につき顯著なる特徵を調べ書式の不備等を訂正させます。此の調書願書類が一括縣廳保安課に上申し渡航差支へなき者には比島渡航者に限り十二指腸虫の檢便のため便器を警察から送ります願人は糞便を便器により出發港官廳に直送致します。合格不合格の通知が大体八日間位に返事があつて合格の場合はその後數日にして渡航許可の通知があります。尚不合格の場合は醫者から驅虫して貰ひその證明書を縣廳にだせば渡航許可になります。出願から下付までには大抵三十日位を要するでせう。

問　知人からメキシコの有望なるを聞きましたどうしたら行けるでせうか私の村からは海外へ一人も出てゐないのです渡航費はどの位かゝりますか申込次第直ぐに行くことが出來ますかこの點を明瞭に御知らせ下さい（東筑錦部　竹川）

答　墨國は確かに有望です然し貴下の只今の考へられてゐる樣な頭では墨國が何であるか頗る危險だと思ひます宜しく研究して下さい研究に必要なる材料はいくらでも差上げます

問　一敎員ですが貴會の海外視察組合に加入してゐますが轉勤の場合はどうなりますかその手續をお敎へ下さい（下高平穗小學校　Y生）

答　轉勤になつた町村の視察組合長にその旨を告げ繼續して貯金されゝばよいのです

問　視察組合の貯金額と會費の關係はどうなつてゐるのですか（小縣和田　一組合員）

答　貯金三圓のものは二圓の會費で六圓の者は四圓貯金九圓のものは六圓の會費を要します。會費は貯金年限の三ケ年間拂へばよいのです。會費は町村役場に納入して下さい。

協會記事

九、十月便船の渡航者　七家族廿五名に登る

九月以降翌年二月頃までに本邦を出航するブラジル行移住者は彼地到着後珈琲其の他の農作物作業は一段落を告げてゐるので一般航付者の警戒を要すべき時季であるがアリアンサ移住地は開拓作業後における各仕事は頗る多忙を極め先入植者はいづれも勞力不足を訴へてゐる狀態であるので此の時季の渡航者と雖も移住地到着後徒食する心配がないので渡航準備の出來た者から却つて日本で徒食するの愚を知り左の如く各便船を利用して渡航する者があつた。

ハワイ丸（九月廿二日神戸發　十一月十三日サントス着）
京都市下京區壬生高樋町　藤岡辰次郎　二人
廣島縣豐地郡木谷村　木成景毅　四人

神奈川丸（十一月一日神戸發　十一月廿九日サントス着）
岩手縣氣仙郡竹駒村　新沼岩之助　三人

ラプラタ丸（十月二十日神戸發　十二月六日サントス着）
東京市淺草區千束町　清水義藏　六人
岐阜縣惠那郡三組村　小林孝　二人
東京府豊多摩郡大久保町　白井民次郎　四人
山口縣豊浦郡彥島町　貞池隆一　四人

アリアンサ移住地　三月以降の渡航者數

信濃海外協會扱のアリアンサ移住地入植者三月以降左の如し

三月	廿一名	七月	一七名
四月	八六名	八月	六名
五月	一八名	九月	
六月	一七名	十月	十九名

右は渡航費補助金交付をうけるもののみである呼寄せによる單獨渡航者は判明せる數字は不詳なるも約二十名に達したる見込みである。

船賃減額に決る　移住組合員の特典

ブラジル行船賃は從來海外興業扱以外の乘船者は一人當り二百二十五圓の船賃を拂ふてたが今回海外移住組合員の渡伯について船會社は海興と同樣の取扱をなす事に決定した。即ち大人一人當りにつき二十五圓を減額（十二才以下七歳迄二分ノ一、七歳以下三歳まで四分の一、三歳以下無賃）する事になり政府渡航補助金二百圓によつて渡航出來る樣になつた。

北信一帶に設立された海外視察組合　組合員總數は實に壹千三百名

滿蒙を初め台灣樺太北海道等本邦植民地及び小笠原諸島、南洋等にも旅行を行ふべき本會計畫の海外視察組合は各町村を單位として一組合十名以上を以て組織し各組合員は貯金を開始して旅行の機會來れと指折り計へてゐるが長野市の如きは十組合百名にのぼり須坂町の如きも六組合六十名も加入し町村にも三十名以上の組合員を有するもの多く北信一市六郡は大部分組織せられるに到つた組合設立は本誌毎月に續載してゐるが現在各郡市における組合數及組合員數は左の如くである。

	組合數	組合員數
縣廳關係	五	五〇
上高井郡	一九	一九〇
下高井郡	二〇	二〇〇
上水內郡	二〇	二〇〇
下水內郡	九	九〇
長野市	一〇	一〇〇
埴科郡	八	八〇
更級郡	一四	一四〇
小縣郡	一五	一五〇

各町村設立中の海外視察組合（續）

上高井郡保科村組合
組合長　山岸久雄　坂口浦太郎
雪入虎雄　上林輔四郎
堀勇之助　堀安雄
坂口花藏　竹內喜以智
丸山袈裟次　上林羊卯作
丸山四七造　岩本龍雲

同郡川田村組合
組合長　山岸有喜太　義家龍太郎
本井貞夫　北野隆規
新村寛　小林彪
西澤泰　北島義治
伊藤仙左衛門　小泉文祥

同郡綿內村組合
組合長　玉川覺左衛門　柄澤寝作
小澤織右衛門　原田六良治
中村武正　松澤金兵衛
松澤宗四郎　宮澤貞助
小林榮十郎　北島寅司
安藤琴治郎　小林久雄
山崎良太郎　伊藤芳家
戶井田專重郎　北島壽三郎
片山朝臣　小宮山實
神戶賴良　中島善雄

同郡井上村組合
組合長　坂本重雄　齊藤宗三郎
坂本理一郎　小林松次郎
平野朝治　清水駒之助
丸山政雄　山岸佳藏
山岸壽三郎　鹽崎正治
松澤恒雄

同郡仁禮村組合
組合長　中村貞之助　竹前靜雄
坂田太三郎　柄澤五一郎
西澤彥四郎　竹內市藏
田中喜右衛門　篠崎梅吉
青木虎藏　玉井鶴重
田中初太郎　鹽野源之助
柳原周平

新會員（自七月一日至九月三十日）

板倉操平　諏訪中學校（維持會員）
山口菊十郎　長野縣廳（同）
德田德男　軍艦古鷹
茂村德太郎　大分縣玖珠郡森町
澁谷政次　新潟縣中蒲原郡横越村
貞池隆一　山口縣豊浦郡彥島町
畑山新次郎　長野縣飯山町
山本幸吉　同
小島錠太郎　愛知縣愛知郡日進村
幸村幸　同
小林國一　近衛野砲兵聯隊
梶尚禮　長野縣南佐久郡農林學校
中村田敏　長野縣飯山中學校
櫻井虎衛　下伊那郡清內路村
坂井彥利　埴科郡戶倉村
峰田進　東筑摩郡麻績村
林光衛　上伊那郡中澤村
安藤淳　千葉縣市原郡里見村
新沼岩之助　東京市小石川區大塚仲町
牧野開作　富山縣射水郡片口村
宮下袈裟　小縣郡和田村
新沼榮之助　東京市深川區富岡門前町
中山八郎　下高井郡穗波村
樋口重喜　下高井農學校
武田英男　下高井郡中野町
牧野次雄　下高井郡日野村
伊藤芳郎　下高井郡平野村
武士戊　同
岩佐　下高井郡中野町
山田たま　同
中島茂由　北佐久郡本牧村
土屋鶴太郎　北佐久郡協和村
上野定巳　同

會費領收（自八月一日至十月廿五日）

一金四圓也　大正十五年分 昭和二年分　朝倉茂重殿
一金貳圓也　本年度分　小島錠太郎殿
一金貳圓也　同　幸村幸殿

一金貳圓也	同	金井富三郎殿
一金貳圓也	大正十五年分	清水準治郎殿
一金參圓也		島羽信炳殿
一金貳圓也		野口顧一郎殿
一金貳圓也	昭和二年分	千村万三殿
一金貳圓貳拾錢也	本年分	眞弓吉雄殿
一金四圓也	昭和二、三年分	篠崎末治殿
一金四圓也	同	茨木積二殿
金貳圓也	昭和二年分	栗林藤松殿
金五圓也		阪森碧太郎殿
一金貳圓也	本年度分	宮山數喜太殿
一金貳圓貳拾錢	同	小山嵩殿
一金四圓也	大正十五年 昭和二年分	藤森豐實殿
一金貳圓也	大正十五年分	小松又右衛門殿
一金貳圓也	昭和二年分	松下喜代志殿
一金貳圓也	本年度分	藍葉万藏殿
一金貳圓也	同	坂井尋利殿
一金五圓也	同	中島與三郎殿
一金貳圓也	同	中條美治殿
一金貳圓也	同	林光衛殿
一金貳圓也	同	峰田進殿
一金貳圓也	同	安藤淳殿
一金貳圓也	昭和二年分	山崎袈裟三殿
一金貳圓也	同	山崎親喜殿
一金貳圓也	本年度分	貞池隆一殿
一金貳圓也	同	山本幸吉殿
一金貳圓也	同	依田乙一殿
一金四圓也	同	青木秀夫殿
一金貳圓也	同	新沼岩之助殿
一金貳圓也	同	德田德男殿
一金拾圓也	同	深堀德治殿
一金拾圓也	同	山口菊十郎殿
一金貳圓也	同	宮下袈裟義殿
一金貳圓貳拾錢也	同	岩波藤松殿
一金四圓也	同	中村實治殿
一金貳圓也	大正十五年分	安藤恒四郎殿
一金貳拾八圓也	本年度分	上水内郡古里村視察組合殿
一金拾四圓也	同	更級郡信里村視察組合殿

海外會費

一金參拾五圓拾六錢也　墨國タムピコ支部殿

一金貳拾圓也　比島　藤澤美次殿

一金六圓也　布哇　勝山　達殿

編輯同人

△皆様に御了解願ひたい事が出來た。それは十月號の休刊であるご承知の如く本誌は毎月一日發行になつてゐるが當社としては編輯其の他万事において甚だ具合が惡いので變更する事になり先づ休刊した。そして適當の期日を選んで發行する筈の所、第三種郵便物認可の規定上是非發刊せねばならぬ事になりやむなく十數頁のア移住地請負耕作募集に關する記事をそれにあてゝ第七十六號となした。

△それで本號（第七十七號）は一つとんでしまい第七十六號は皆様の御參考となるものがないので配本をしなかつたのである。然し結局本誌は從前通り毎月一日發行する事になり、とんだ骨折り損をして皆様に御迷惑をかけてしまつた。

△本誌が本邦移植民界の報導について素人ばなれしてゐると各方面で大評判、一泓會の機關誌としては異彩を放ち紙面の少ないにもかゝわらず山盛り澤山の内容充實は他紙の追從を許さないとのお賞めの言葉、たゞ本誌を繙く者が捨て顧みないまでゞあると。同人フフーン成程、

△信州の海外發展運動の大本營海外協會が際をからして宣傳に努め海外ではいくらも面倒を見てくれると云ふても百六十萬縣人は笛ふけど踊らずの態、こんな事ならブラジルの山の中で木を自ら倒した方がましだと同人嘆息。

信濃海外協會規約抄錄

一、本會ハ信濃海外協會ト稱シ本部ヲ長野市ニ支部ヲ必要ニ應シ内外各地ニ置ク

二、本會ハ縣民ノ縣外發展ニ關スル諸般ノ事項ヲ調査研究シ其ノ發展ニ資スルヲ以テ目的トス

三、本會ハ前條ノ目的ヲ達スル爲必要ニ應シ左ノ事業ヲ行フ

イ、縣民縣外發展ノ方法ニ關スル立案

ロ、發展地ニ就キ調査ヲナシ其ノ結果ヲ紹介

ハ、在外縣民ト聯絡ヲ計リ指導後援

ニ、海外投資ノ研究ヲナシ之ヲ發表

ホ、海外發展ニ必要ナル人材ヲ養成

ヘ、機關誌「海の外」ヲ發行シ隨時講演會各地ニ開ク

ト、海外發展ニ關シ各種參考品及統計ノ蒐集

チ、前各項ノ目的ヲ遂行スル爲臨機本會ノ代表者等ヲ内外樞要ノ地ニ派出スル事

リ、會員ニハ「海の外」毎月寄贈ス

ヌ、其ノ他本會ノ目的ヲ達スル必要ト認ムル事項

四、本會ノ會員ハ左ノ四種トス

イ、名譽會員ハ代議員會ノ決議ヲ經テ總裁之ヲ推薦ス

ロ、特別會員ハ一時金百圓以上ヲ醵出スル者

ハ、維持會員ハ會費年額金拾圓ヲ十ケ年間醵出スル者

ニ、普通會員ハ年額金貳圓ヲ十ケ年間又ハ一時金拾六圓以上ヲ醵出スル者

五、本會現在役員ハ左ノ如シ

總裁　千葉了

副總裁　平野桑四郎　佐藤寅太郎

顧問　小川平吉　今井五介　原嘉道

伊澤多喜男　岡田忠彦　本間利雄

梅谷光貞　高橋守雄

相談役　田中無事生　泊武治　小西竹次郎

降旗元太郎　越壽三郎　小里賴永

片倉兼太郎　福澤泰江　小林暢

山岡萬之助　工藤善助　樋口秀雄

稙原悅二郎　山本愼平　松本忠雄

白石喜太郎　高田茂　菱川敬三

海の外（月刊）（一册廿錢）

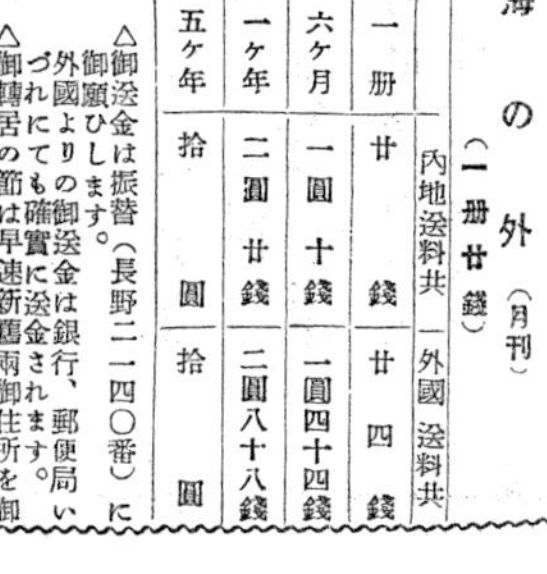

定價表	内地送料共	外國送料共
一册	廿錢	廿四錢
六ケ月	一圓十錢	一圓四十四錢
一ケ年	二圓廿錢	二圓八十八錢
五ケ年	拾圓	拾圓

御注意

△御送金は振替（長野二一四〇番）に御願ひします。外國よりの御送金は銀行、郵便局いづれにても確實に送金されます。

△御轉居の節は早速新舊兩御住所を御通知下さい。

△本誌へ廣告掲載御希望の方は詳細相談申上げます。

昭和三年十一月一日發行

編輯人　永田稠

發行兼印刷人　西澤太一郎

印刷所　長野市南縣町　信濃毎日新聞社

發行所　長野縣廳内　海の外社

振替口座　長野二一四〇番

南満洲鉄道株式會社

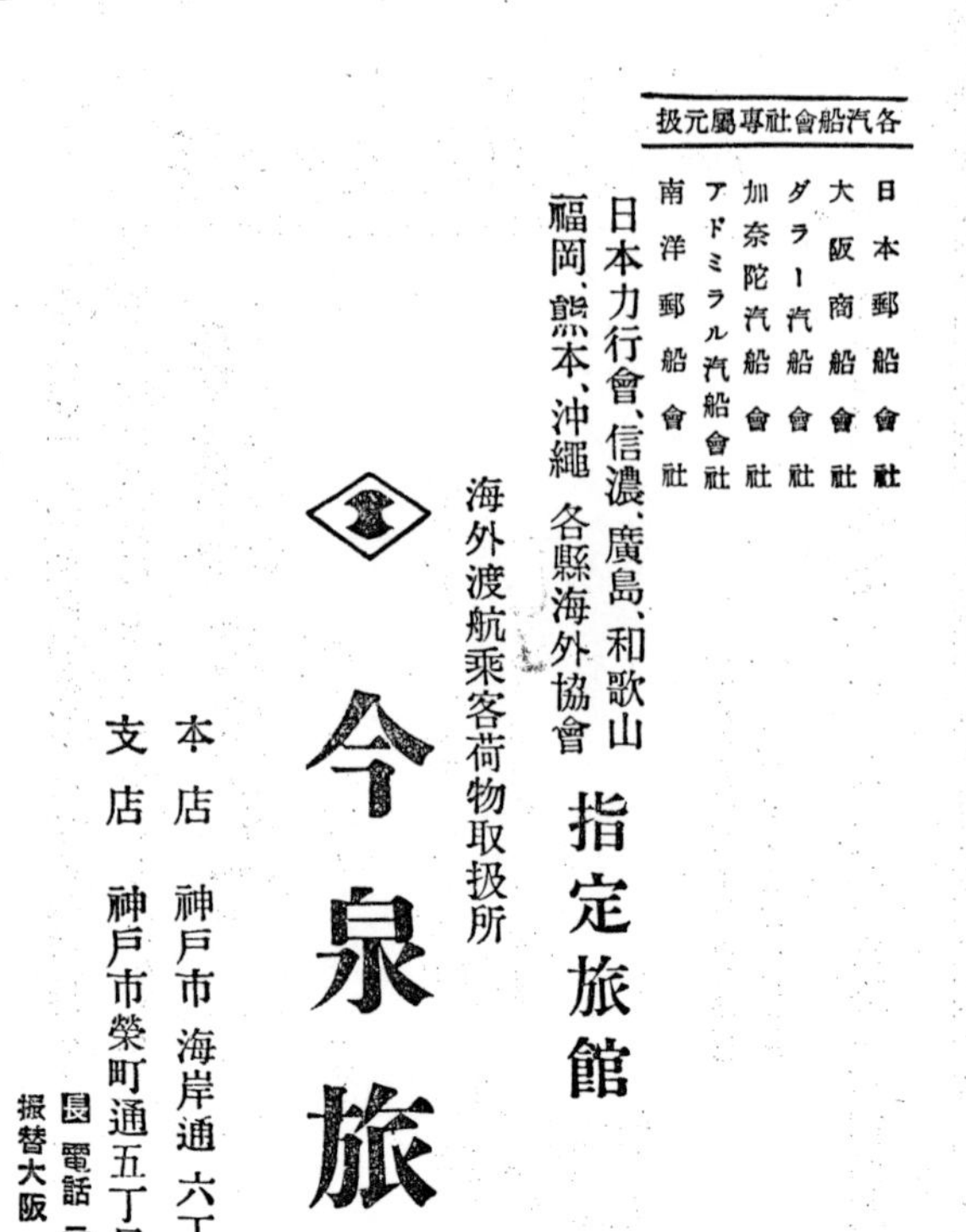

海の外—THE UMINOSOTO
Published Monthly by the Uminosoto Sha. Nagano, Japan.

「海の外」第七十七號 (毎月一回一日發行)

(大正十一年四月廿六日第三種郵便物認可) (昭和三年十一月一日發行)

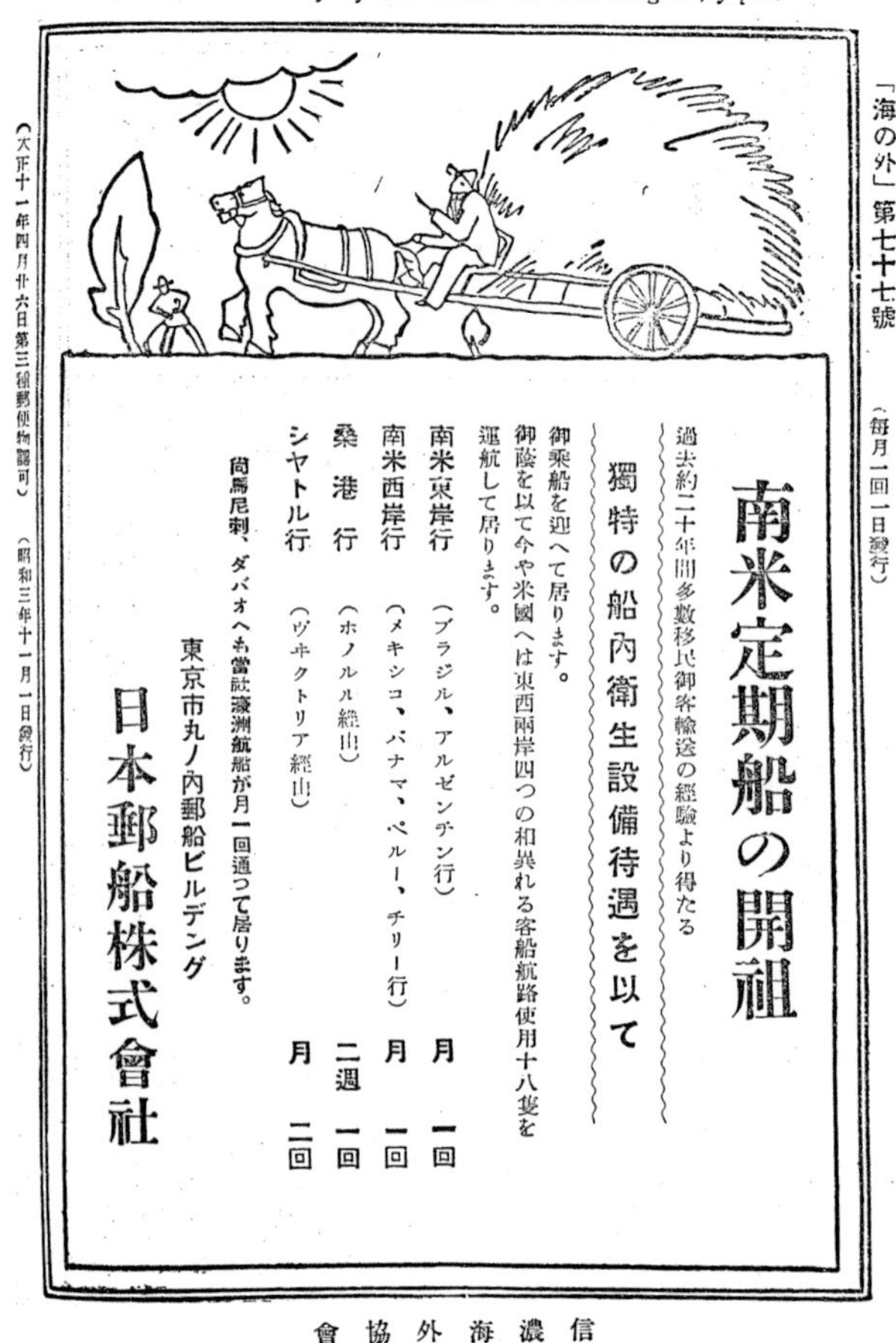

信濃海外協會
海の外社發行

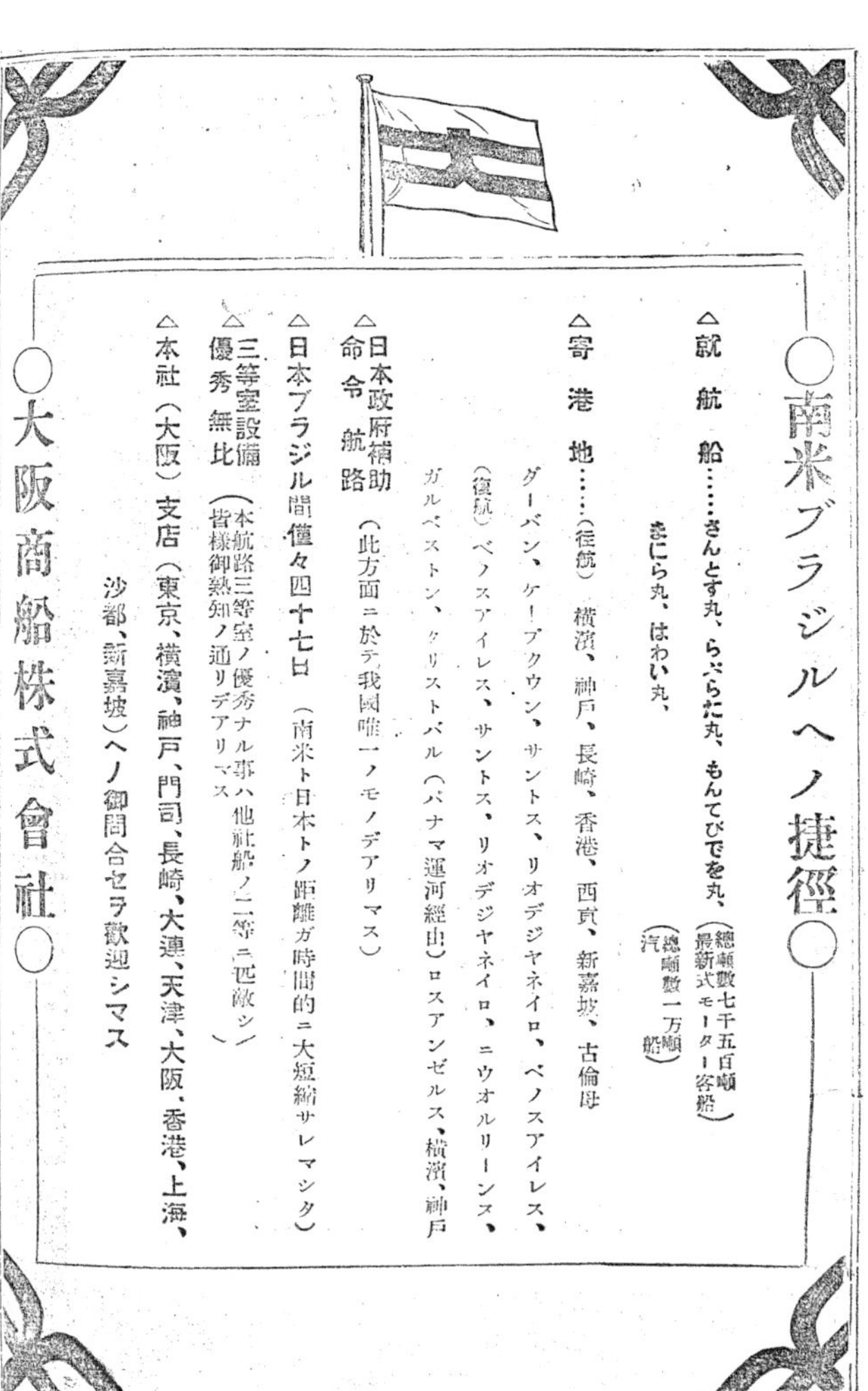

○南米ブラジルヘノ捷徑○

△就航船……さんとす丸、らぷらた丸、もんてびでを丸、（總噸數七千五百噸 最新式モーター客船）
まにら丸、はわい丸、（總噸數一万噸 汽船）

△寄港地……（往航）横濱、神戸、長崎、香港、西貢、新嘉坡、古倫母
ダーバン、ケープタウン、サントス、リオデジヤネイロ、ベノスアイレス、
（復航）ベノスアイレス、サントス、リオデジヤネイロ、ニウオルリーンス、
ガルベストン、クリストバル（パナマ運河經由）ロスアンゼルス、横濱、神戸

△日本政府補助
命令航路（此方面ニ於テ我國唯一ノモノデアリマス）

△日本ブラジル間僅々四十七日（南米ト日本トノ距離ガ時間的ニ大短縮サレマシタ）

△三等室設備
優秀無比（本航路三等室ノ優秀ナル事ハ他社船ノ二等ニ匹敵シ 皆様御熟知ノ通リデアリマス）

△本社（大阪）支店（東京、横濱、神戸、門司、長崎、大連、天津、大阪、香港、上海、
沙都、新嘉坡）ヘノ御問合セヲ歡迎シマス

○大阪商船株式會社○

海の外

THE UMI-NO-SOTO

第七十八號

昭和三年十二月

目次

信濃海外協會　海の外社

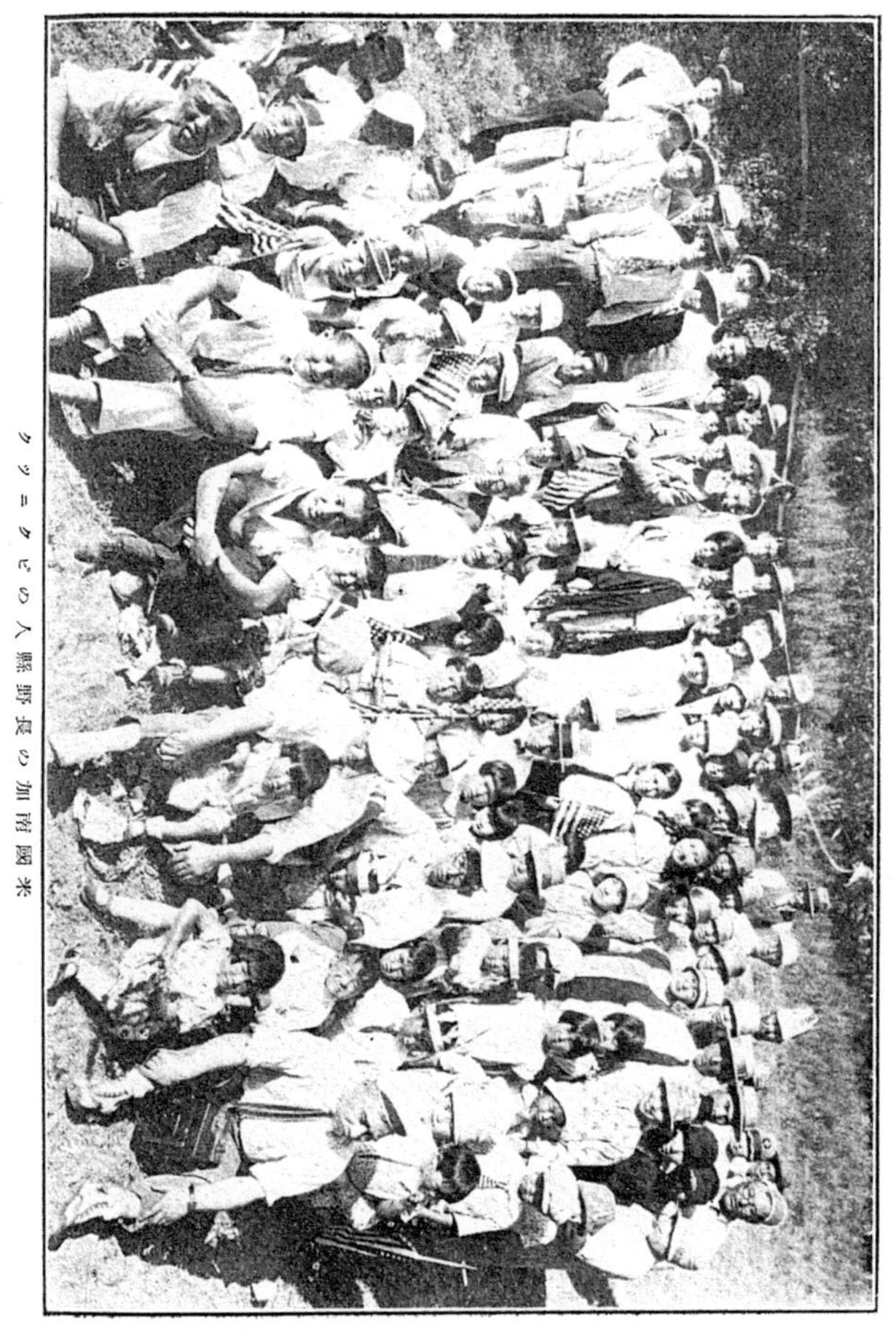

米國南加の長野縣人のピクニック

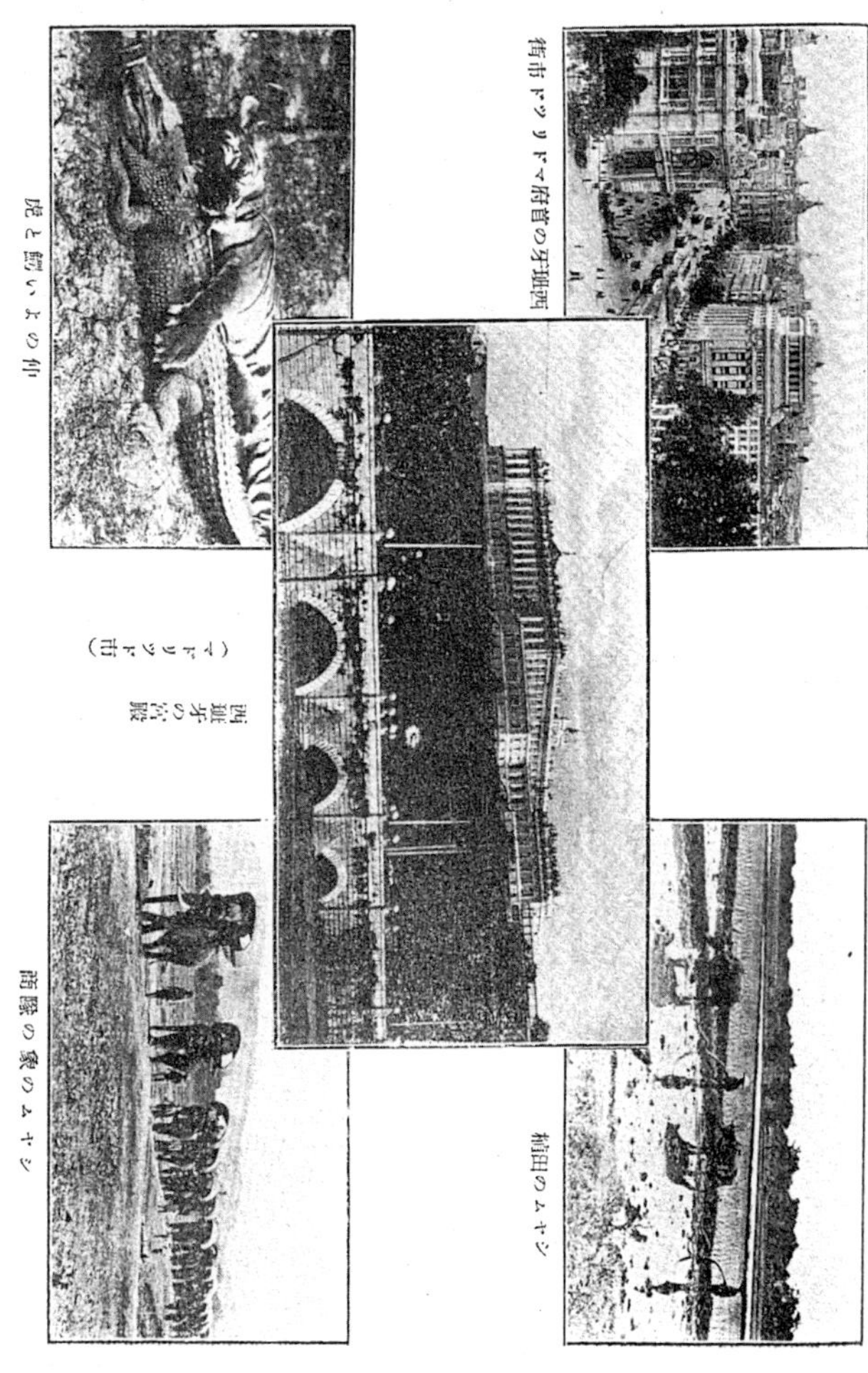

西班牙の首府マドリッド市街

仲のよい鰐と虎

西班牙の宮殿（マドリッド市）

シヤムの象の隊商

シヤムの稲田

第七十八號（昭和三年十二月）

昭和三年の總決算

歲末に際し本年の移植民界の總決算を試みる。

回曆成辰は吾等に異樣の感激を與へ正に張ち切れる樣な元氣を以て本年を終始し得た事は先づ精神的に無形の大なる收穫であつたろう。たゞ吾等の尙力及ばず努力足らざるが故に何事も爲し得なかつた事を恐れるのである。不成立豫算がたゝつて大局からみた本年の移植民界は前年と同樣の形であつたが國民の間には海外發展の問題が痛感れさ民間では企業家が遠くアマゾンを指して進出し海外移住組合が移住地建設の基礎的土地購入をなし得た事等は移植民史上にヘポックを描く事であつた。

朝鮮樺太等の植民も科學的の組織的計劃が編み出され今迄の無定見的植民に一鞭を打つた事も重要なる事柄であつた。北米合衆國における邦人の法的會社組織に勝訴した事も淡い事柄ながら忘れ得ざる一事である。

南洋進出がかけ聲ばかりで實これに伴はず、總じて移植民の懸案が盛り澤山の實行誠に微々たるは遺憾の事である。

アリアンサ移住地の肩替りが昨年から持ち越されて漸やく一段落になり珈琲が實つて移住地は自からなる歩みをする事は吾等の何よりの喜びである。

百六十五萬の縣民を相手とし信州一圓を舞台の中心とする本協會の活動は一段と高めれ縣民の海外發展の氣運に棹して海外視察組合の鮮滿蒙視察團が組織されたのは新綠薫る五月の交であつた。信州人在外者の調査が一册の名簿として刊行され堂々二百頁の大册となつて現れたのも收穫の一つ。

先づ本年の總決算の大あらましのところ、過算なくばこれを以て感慨深い昭和三年を永久に記念したい。

ブラジル移住地の建設宣言より完了迄

幹事　西澤太一郎

一、協會の誕生から移住地の建設宣言

拾貫目の石もこれを持ち上ぐるは極めて容易であるがこれを一日も二日も三日も持ち耐える事は容易でない。一日や二日の早起は何んでもないがこれを續けて行く事は中々むづかしい。

日記を記ける事さい三日や十日はつけられる三月四月と一年と續く事さへ困難であるが十年と二十年否一生の繼續する人は確かに偉人でなければ出來ないだろう。

何の會、是の會と創立は容易に出來るがそれを幾年も繼續してこれを益々隆ならしめる事は又中々六ケ敷しい、海外協會が大正十一年の一月日本力行會長永田稠氏や貴族院議員の今井五助氏や現大臣小川平吉氏や時の縣知事岡田忠彦氏やの盡力で縣下の有力者集ひ寄る事數百名、長野市諏訪閣で誕生をした。

時の海外發展主唱の第一人者上水内郡小牧の小學校長藤森克氏が常任幹事として就任し社會課長の三樹樹三氏や竹井内務部長や警察部長の努力で協會の會則から雜誌「海の外」の第一號が生れた。

各郡市長、町村長の盡力が縣下一齊に非常なる勢で會員が募集されたのである。

在外各地の縣人へも檄をとばされ内で燃へれば外へも移る道理で在外各地よりも續々と會員は出來て三千餘名を突破する勢であつた。

玆に協會も立派に出來上つた。南安出身の幹事輪湖俊午郎君が、廳内で鴨緑江節を大聲で歌つたと言ふより盛んにドナッタといふ珍談は今尙殘つてゐるその中輪湖君は南米へ渡つてしまつた、熱があり努力をされて協會を造られた部長課長の異動があり、輪湖君は去り地方の郡長課長間にも異動があつて御義理で入會された樣な會員はどしどし脫會をしたり會費の滯りをしたりして盛んに誕生した海外協會も衰運に向つた。此間に踏み止まつて會員の募集や會費の整理や海の外の發行やに朝から晩まで會務に努力をされ通信やら渡航者の相談から心血を注がれ心身の疲れも忘れて奮闘せられたのが藤森幹事であつた。晝夜兼行努力に奮闘に打續けられたが時の流れと又一衰一退の大勢は如何ともなし難く玆に協會は餘命旦夕に迫つたのである。

二、ありあんさ移住地建設の宣言

衰運に傾いた協會は愈々會費は入らず會員は有名無實となり海の外の發行さへ容易でなくなつた。

此の時に當つて就任になつた總裁は當時歐米歸りの新進有爲の本間知事閣下であつた。

役員會は開かれた、此衰運の協會を潰すかそれとも何とか盛りかへすかのどたん場へ落ちいつた、窮すれば通ず玆に二十萬圓寄附金募集南米ブラジルへ模範移住地建設の永田、宮下幹事の意見や本間總裁の意見が纒められて今日のアリアンサ移住地の種は宿つたのである。大正十二年の五月は縣の內外に向つてアリアンサ移住地建設の宣言が發表せられた。本間總裁の宣言文こそ今日のアリアンサ移住地の骨身をなし精神をなしてゐる實に堂々たる海外發展論である、移住地經營の理想案である。

三、移住地の購入

愈々寄附金の募集は全縣下の有產有識の士に向つて着手せられた、勿論困難中の困難なる事であつた。

先きに岡本米造氏の組織に係る全縣下土地建物株式會社のシナノシンヂケートに於ける縣下小學校長、町村長等を始めとし地方一流の有產有識階級の人々から血の出る樣な貯金の拂込みからで十六万圓餘の投資事業があつたがその趣意は至極結構であつたがその事業は到る所に失敗で破滅で損だなどの惡評のあつた頃で寄附金などは中々容易でなく殊に壹口千圓以上と來てゐるから困難な事は申すまでもなかつた。加ふるに關東一面の大震火災に見舞はれ國內の窮狀と不景氣とは又一通りでなかつた。然かし國家の大勢より又世界の狀勢より忽にするわけには行かず一日も遲延する事は國家海外發展の大損害である國民精神の馳緩である遂に一大冒險的には相違なきも愈々大正十三年の六月には永田幹事が南米ブラジルへ土地購入のため再度の渡航する事となつたのである。此の果斷と冒險の決行とは實に梅谷現海外移住組合聯合會專務理事にして當時山梨より就任早々の事であつた。永田幹事はブラジルに着いて多羅間領事や輪湖君やその他大使館や在伯有力者の人々の非常なる盡力を得て愈々今のアリアンサ移住地五千五百町步を購入せられたのである。時正に大正十三年十月一日であつた。土地購入の濟む迄に於ける永田幹事の苦心や、努力奮闘は今更玆に少數頁で盡せるものでなかつた、

その土地代金の支拂迄に於ける心配などは格別であつた、日本に於ける資金募集の思ふに任かせず土地代金の拂ひ兼ぬる旨の電報を手にしたる永田幹事は伯國に於ける我國との國際情宜を思ひ土地購入や調査やに東奔西走非常に努力せられたる多羅間領事や我大使館や又彼地の識者や諸多の人々に對する義理や面目やらで言語に盡せぬ苦心をせられた。もし此事成らざる場合は獨り本會のみならず伯國に對する我日本帝國の國辱である、我民族の名折である、海外發展の一大障害を生みブラジル發展の中絕となる事實に焦慮の猩言語に絕した、後年永田幹事は當時を追憶してあの時もし購入出來ざればアリアンサの山の中で腹かき切つて露の命と消ゆるべく固く決心した―と云はれた、幸に神の救ひにより、梅谷總裁の英斷にて遂に不思議にも命を續けたと語られたのは此頃の事である。

永田幹事は遂に伯國で病氣になられて數月の間惱まされた幸にして大体快癒せられて歸朝せられたのは大正十四年の一月の終りであつた。

四、出資寄附金の募集

日本へ歸られた永田幹事は二月に入るや直ぐに長野へ來られ藥瓶を携帶されて信濃路の雪を分けられた。

時の海外協會は縣廳の中にある筈にかゝはらず事務所もなく藤森幹事も辭任後で何が何やら一向手のつけ樣もなかつた、此時に熱心に事務を見られたのは現山梨縣學務部長にして當時本縣農商課長蜂須賀善亮氏と農商課の上席縣屬畔上日義氏であつた。唯一つの卓子と本箱こそ海外協會の本營であつた。

寄附金の募集も思ふに任かせず中々の騷ぎであつた。それから土地購入の經過や伯國事情の宣傳や移住地經營に付いて縣下各郡內を巡る事になり梅谷總裁自ら出馬せられ蜂須賀課長、永田幹事と共に諏訪、東筑摩、上、下高井、と漸次開拓が進んでゐた此の多忙の中に私は四月三日常任幹事として就任した。

神武大帝創業の日より新に陣容を整へて更級、埴科、北佐久、南佐久、南安、北安と飛び廻つた、難事ながらも進行した。

大正十四年の十二月には十二万圓は集り愈々進行して幸に縣下の有產有識階級の人々の賛助と各郡市長の絕大なる努力によつて蜂須賀幹事は山梨に榮轉され新潟縣より石口龜一氏が轉任せられ同時に幹事として盡力せられた、梅谷總裁より海外協會の爲には國家の要務に準じて大ひに盡力する樣にと就任の眞先きに御話しあつたと後になつて語られた。石口幹事も資金募集には永田幹事私と共に各地へ奔走された。

白石小縣、市川北佐久、高野東筑摩、志賀上高井、但丸南佐久、阿蘇諏訪、杉原上高井、上伊那、小林更級、長坂埴科、長山南安、牛山北安、田口上水內、中山下高井各郡長、勝俣上田市長柳澤課長、小里松本市長石川助役遠藤社會係、丸山長野市長羽田助役西澤社會係、小西飯田町長倉澤助役等の各位の盡力は又實に多大なるものがあつた、私は又此等の各地足跡到らざるなく訪ぬる家も多きは九回少なきも三回漸くその贊成と出資寄附を得て總裁以下各位の協力一致の努力は遂に功を奏し大正十五年十二月には縣下百九人拾六万五百圓の出資寄附を完了した。

五、移住地入植の狀況

大正十四年の四月始め各郡內を廻り出資寄附の傍ら入植者の募集の講演をなし渡航者を求めた、六月十三日諏訪郡富士見村出身の小川林君夫妻の自作入植決定を始めとし渡航者には現代議士上條信氏の請負耕作者上條佐和太氏夫妻松本市外新村より入植し瀨下登氏北米より歸朝し五十町步を購入して自作農として渡航せるを嚆矢として玆に移住渡航が始まつた、是より先永田幹事土地購入を濟ますや大正十三年十月一日輪湖、北原、座光寺の三家族十一人の入植を見たるを以て移住地入植者の始めとし創業の先住家族として今日尙その範を示して居る。

旅券の下付について外務省の第三課長石井猪太郎、土居万龜事務官等と折衝する所あり便宜を計られる事によつて旅券下附手續が容易となつたのである。企業移民の言葉も又玆に始まつた。

社會局の守屋部長、大野職業課長、宮田事務官等渡航準備金交付の件を折衝する事數回漸くにして前例なき企業移民についての補助金大人一人二百圓宛交付を受くる事となり金一万圓交付された今日移住組合設立されて又此の範例となつたのである又補助家族構成等についての範例又玆に始まつたのである。

六、移住地土地購入の擴張及分讓完了

アリアンサ移住地はまづ海外に自作農創成が目的である二男三男の四、五千圓資金のある分家の海外企業創成である農學校や中學校や補習學校や各種の實業學校卒業生等の將來分家となる目的の者か又は一家一門の者が海外移住自作農希望者の爲に移住地を分讓したいのである、又二男三男や一家一族の移住について資金の點に於ても二、三千圓位の準備の出來得る者の爲に請負耕作者の入植の便を開いたのである、中等教育がすみ、兵役が濟み、補習學校などの終りたる青年男女が新に分家して移住地に入り廳て資金を貯へ開拓の經驗を積み移住地の共同生活の試練を終つて後獨立自作農となる基礎移住の爲の道を開いたのである。

何れも永住の者へで健康の者で敎育も資產も相當に有る者が共同一致堅實なる模範移住地を造りたいのである、北米に在る本縣人の中で資金もあり人物も勝れ且南米へ移住開拓に從つた方が本人自身からも邦家民族發展上からも又日米相互の國情よりも大

ひに宜敷い人々が多い、これ等の人々のために土地の分讓が必要である。これ等の人々の爲に南米土地組合を造つてその分讓の便を計つたのである、千口ばかりで羅府を中心に大分希望者があつた、伯國内でも大正六、七年以來からの移住者は五、六万人もあるその中には既に相當なる資金を貯へ國語に通じ開拓農業經營に十分の經驗あるものも亦少なくない、これ等の人々の中にも土地を購入して獨立自營の農家たらんとして然も適當なる土地の選定や買入が出來ないで困つておる者があの位によい土地が無限にある伯國に大分多い。これ等の人々の爲に土地を分讓してやる必要がある五千五百町步の土地はかくして日本に北米にブラジルに於て處分せられて大正十四年末に大体處分濟の盛況であつた、日本の方は尙又始めは本縣だけで處分のつもりであつたが内務省や外務省の希望もあり日本全國の人々にも此土地分讓の恩典に浴し得らるゝ樣に分讓の範圍を擴張した事が一つは事業の進捗を早め土地の處分も速やかに濟んだ理由ともなり資金も敏快に動いて移住地經營が豫定よりも二年も早く進んだのであつたそこで今度は土地分讓希望者が非常に多いので豫約を取つたり既申込の人の分を合せたりして大正十五年五月に新たに三千二百五十町步を購入したのである始め五千五百町步を第一アリアンサと名付け此分を第二アリアンサと名付けた、この分も又大正十五年中に分讓の處分完了した。

此二回目の追加購入の際鳥取縣知事の白上佑吉氏が非常に熱心なる海外發展論者であつて縣會へ計り遂に信濃と三千町步を共同して購入し經營する事となつた、土地は永田幹事が輪湖理事とミランダ翁に交涉して又多羅間領事やの御盡力などで購入されたのであつた。

此土地も又濟んだので昭和二年一月に第三回目の土地購入をしたのである。滋賀縣より榮轉の高橋總裁のときであつた、此土地も購入は面積三千町步であつて第二の東隣に購入した、永田幹事より輪湖理事へ打電して購入したのである、時に鳥取の白上知事は富山縣へ榮轉され此の縣の有力者を動かし信濃と共に三千町步購入共同して移住地を經營する事になつた今日の富山縣海外協會も移住組合も白上氏の盡力と努力によるものである、これを第三アリアンサと命名した。

信濃の分はその後第二の方に土地の惡い所があり第三の方に土地の良い所が多かつたので輪湖理事は地主のミランダ翁と話して第二の分一千二百五十町步を第三の良い所へ乘り替へたのであるこれで第二の分が三千町步第三の分が三千二百五十町となつた第三の移住地の方も今日は既に其處分を完了したのである。

これで合計一万一千七百五十町步を完了し北米扱約一千九百町步伯國扱が一千二百五十町步東京扱四千一百七十町步半長野本部四千四百三十町步であつた、購入土地代も實に四十六万圓を越へてゐる。

さてこの移住地も入植土地代の收入移住地の一通りの經營は濟んだ譯であるが今後は信濃海外移住組合の名の下に益々完成せらるゝ事となつた。

七、移住地一般の施設進行

大正十三年十月一日輪湖、北原、座光寺の三氏入植して千古斧鉞の入らざる原始林中三戸十一人の掘立小屋が出來たのが抑々開拓の第一步である。

大正十四年移住地の建設資金募集の折や渡航入植希望者や郡長、市町村長から、アリアンサの設備はどうですかとよく聞かれたものであつたが當時はアリアンサは氣候も良い病氣も少ない風土病も恐るるものもなく、地味もよい、そしてサントスから汽車で二十六時間、アラサツバ驛とルツサンビラ驛からは自動車で行かれ、コトベロ驛から馬車道がある移住者收容所が出來る筈である、それ迄ルツサンビラ驛から凡自動車二時間で行かれ、コトベロからは六里半位である、こんな程度の御返事より外は出來なかつた、學校もない病院もない、倉庫もないと云ふ譯であつた、何れの人々も其設備の何にもないのには驚かざる者は無かつた今日自動車道は移住地内を縱横に走り地區制は完成に近づき學校も出來ておる、製材所がある精米所がある倉庫が出來た商店部が出來た日曜學校が出來た、クラブや圖書館の計劃も進んだ、煉瓦工場も出來た、瓦燒場も出來た、中央市街地も出來た、墓地から公園も出來た、トラクターも客用自動車も數臺もあるといふ現狀である、醫局は勝田衞生主任あり助手があり産婆あり看護婦あり測量技師あり產業指導員ありといふわけになつた、養蠶も初つた、茶の栽培も始つた、珈琲も實が出來たといふ樣な譯である、昭和二年の長野師範卒業生北佐久川邊村清水明雄、諏訪郡永明村兩角貫一の兩君松本女子師範卒業の永田イサム孃などが何れも本年春渡航されて目下伯國の學校に入學してゐる、

第二にも第三にも收容所は出來上つた、其他の設備も漸次進行してゐる、

今日の設備は甚だ不完全なりと雖も然かも大正十四、五年頃に比較すれば雲泥の差である、今後移住組合として立派に完成せられる譯である、やがて熊本、鳥取、富山や新たに購入された移住組合聯合會の土地と共にアリアンサは二万五、六千町步の一團地として其施設も整ひて伯國内有數の文化植民地となるであろう。

八、移住組合法の制定

信濃海外協會は大正十三年より移住地建設の宣言をなし一方縣内有力者の出資寄附を募集し同時に產業組合の精神を以て移住地を經營し建設したいとの念願の下に十三年の始めから此資金の出資及土地の購入利用等を組合法に依つて爲さんとして海外協會

の別動隊として信濃土地利用購買組合と南米土地組合とを造つた、そして縣内及日本の分は信濃土地利用購買組合により海外の方は南米土地組合によつた、持口一口五十圓として土地一町步提供する事とし日本の方は七百五十口程出來た、又海外の方は北米羅府を中心として千口は容易に出來てしまつたこれに就て農林省の小平權一氏が非常に骨を折つて與れたが現行產業組合法は海外の土地を購つたり移住をしたり投資事業をする事は出來ない法律である、政府は既に造つてしまつた信濃の分だけは認めるが他の府縣には認可せぬ事になつた。これでは海外發展の上からあまり効果がないので信濃の組合は大正十四年に解散して一切を海外協會に併せてしまつた、そして信濃海外協會からと海外協會中央會から海外移住組合法制定に關する建議案を提出した、幸に此案は通過したので大正十五年の議會に於ては法律案を提出するにいたつたが審議未了の儘閉會となつた、昭和二年の議會に再び提出し遂に貴衆兩院一致贊成する事となり面目上政府案として提出され議決せられ五月から實施せらるゝ事となつたのである。

此法律により組合を設立して海外に移住する爲の土地を購入し利用し又移住者の資金を融通したり必要なる公益施設をしたりする事になり政府の低利資金を借入れたりする事が出來る樣になつたので信濃としては大正十三年以來の移住組合法設立の目的貫徹が出來全國でも又その恩惠に浴し得る事となつたのである。

九、移住地經營の肩替り

海外協會では移住組合の設立の爲に數年來全國に卒先して建議案を議會へ提出したり又大年十四年來の移住地の建設經營をして極めて順調に經過良好に豫期以上の成績で進捗し尙鳥取、富山、熊本の諸縣でも此種移住地を經營せらるるに至り海外發展の一新紀元を劃するに至りその經營面積も四協會で二万町步を越ゆるに至つた、

移住組合法の制定實施により信濃、鳥取、富山、熊本の四協會のアリアンサ一團の移住地は多大なる便益を受くる事は當然の事と信じたるに愈々法の實施となるや新たに岡山廣嶋山口和歌山三重福岡等の八組合設立されてそれ等組合は各聯合會へ加入して昭和二年後の低利資金の融通や組合法の恩典やに浴する事が出來、法の制定や移住地經營に實際當つて今日迄全國に率先して非常なる苦心と努力とをなして今日あらしめたる四協會移住地は此法の恩典に浴する事から除外された。

其處で四協會及長野、鳥取、富山、熊本の四縣知事は一致協力し海外協會中央會や四縣關係有力者、代議士などと一致して政府當局及移住組合聯合會に對してその不穩當なる事を述べ又當然四協會經營のアリアンサ一團の移住地經營にも低利資金の貸與及組合法の恩典に浴するを得る樣に陳情をなし又幾度も懇談的會合や打合せをする事となつたのである、昨年五月以來の政府及聯合會對四縣及四協會との難交涉案件となつたのである、爾來波瀾曲折、錯節重疊漸くにして昭和二年五月四縣の移住組合に肩替り引繼き經營せらるゝ迄に進捗して信濃の移住地も從來既に土地處分完了したるもの及寄附者關係に提供したる政府當局の所謂不在地主に處分したるもの、海外協會直營地等も協會の希望する條件にて引繼ぎの事になつたのである、其他の細案に於ても大体に於て妥當なる引繼ぎが出來たのである。實に昭和三年九月二十七日信濃海外移住組合は從來の海外協會關係、移住地經營關係を中心として認可となつた。

これについては現千葉總裁の非常なる御盡力と各役職員の努力本縣當局の御援助多大なるもので感謝に堪へない次第である。

一致協力の努力と奮闘にまつのみ

アリアンサに於ける入植者各位の苦心と努力の多い事は素よりなれどもその入植より今日迄の御心勞と奮闘の跡とは到底日本に於て想像できるものではない。

その一致協同の力、犠牲的精神、献身的、公益共同の精神、隣保相扶けて今日の進展を見るに到られたものである。今や業漸く半ばに達せるのみ今後移住地役職員を中心として益々全員一致の努力と奮闘とを持續せられよ。

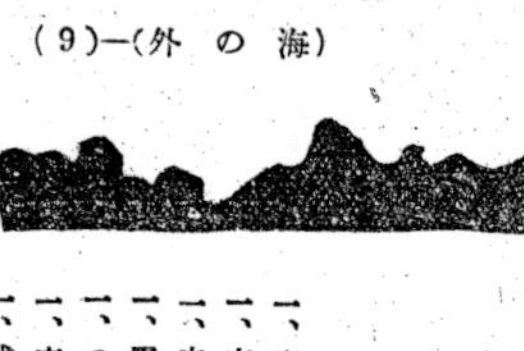

こしをれ一束

一、夜に晝に　道に生きなん　善に生き、正しく強く　美しくあれ（大正十五年四月十八日）
一、亡き命　捧げて死なん　海の外、濱の眞砂の　弱き心を（大正十五年十一月十九日一茶翁百年祭に當りて）
一、申込み　如何になるやと　憂へつゝ　我が室見れば　電報は見ゆ（大正十五年十一月十八日淺間の宿にて）
一、電報を　開いて見れば　我妻の、病を告ぐる　知らせなりけり
一、つかれたる　足をひきづり　宿訪へば、別れを告ぐる　知らせなりけり（大正十五年十一月十八日堀醫師の訃報をきゝて）
一、亡き兄の　靈まつれる　祭壇を、遥かにおろがみ　横通りして（大正十五年十一月松本にて慰靈祭に參列の時間なくして）
一、我が家に　老いたる母を　訪ぬれば　松本の慰靈祭に　出しかときかる

一、我の母の　くもれる顔も國のため　ありあんさにて　ゆるされよかかし

一、死んで生き　又死んで生きし　我むくろ、捧げおほせん　海の外へと

一、つまる世の　詰まる生命を　救ふには、海原はろか　道　開くのみ　（大正十五年十二月四日農村の疲弊を見て）

一、懐かしの　我故郷の昨日今日　戰もなきに　修羅の巷と

一、春は花、秋は紅葉と　たわむれし　我故郷は　荒畑となる

一、親思ひ　國を思ひて　をるなり、我さす國は　遠き南米

一、世を思ひ　國を思ひて　歩むなり、乞食にあらで　門に立ちつゝ

一、世を思ひ　國を思ふて　忍ぶなり、出て行けがしの　金持の家　（大正十五年十二月資金募集終りし時）

一、協會と　名乘れば主人　留守と言ふ、奥で子供が　とうちやんと呼ぶ

一、協會と　なのれば夫人　曇りけり、化粧づくりの　美しき顔

一、協會と　なのれば女中　あわてけり、居るとも言へず　留守とも言へず

一、また訪へば　番頭出でて　留守と言ふ　奥で主人の　聲ぞ聞ゆる

一、今訪ひし　主人の病氣　なほりけり、待合室に　ひたとあひけり

一、贊成と　筆をとるゝ　ゆかしさは　たゞありがたく　神ぞおがまる

一、千圓と　書かるゝ度に、我國の　榮ゆる土臺　固まりにける

一、紅葉に　淨められたり　身も心、繁り葉の　あの散り際の麗しさ

一、我が友は　ラプラタ丸に　乘りにけり、遠つ神代の　心くみつゝ　（大正十五年十月神戸に移住者を送りて）

一、母と子が　甲板上に　くもりけり、見送る人の　人垣の上

一、あゝ嬉し　國の榮を　脊負ふなり、大和島根の　心移して

一、偉しや　國を思ひて　渡るなり、老も若きも　手をとりつゝも

一、海越へん　また止みなんと、もだへたる　ひととせ　昔今日のはるけさ

一、ボーボーと　汽笛の音も　かすかなり　沖つ彼方に　はらから乘せて、

南洋發展のみち（一）

海外協會中央會幹事　宮　下　琢　磨

誤解されたる南洋

南洋と云へば瘴烟蠻雨を想ひ、猛獸毒蛇を聯想す、南洋土人と云へば、顔にイレズミをし、腰には草をあみたる腰簑を纒ひ、手には弓矢を携へた、異形の形相を想ひ起す、南洋と云ふても其の範圍は非常に廣い、太洋の中に散點する諸嶋のうちには、さう云ふものもある、私が昨年十一月から一巡したところ、又本年三月から十月迄廻つたところは、ジヤワ、スマトラ、馬來及び南シヤムであつて、非常に文化設備の進み、土地肥沃で、物產豊繞、將來日本人が發展上最も重要なところであつた。これについて少しく述べて見やうと云ふことはよくわかつて居る人が極めて少ないやうに思ふからである。

誤解された原因

南洋と云ふものを正しく理解しなかつた原因は、いくつもあらうが、一は正しい紹介者が無かつた、でなくとも少なかつたと云ふこと、今一つは南洋に活躍する人のやり方が間違つて居つた、これが南洋を誤解する原因ともなり、又南洋に活動することの障害を來たしたとも云へる、それはどう云ふことかと云ふに、一般に雜誌にかいたり、又博覽會あたりで、紹介するところ、繪葉書にあるところ、多くは好奇心をそゝる爲めに、原始的の民族の生活を出して、之れが南洋土人の風俗であるとする。イヤ斯樣しなくては南洋らしくない、世人が承知しない、これが南洋の全体であると考へるやうになつてしまつた。

次にブラジルの方に行つた人は、始めから智識階級の人が多かつた、その爲め各種の方面から、色々の觀たところが母國に紹介されるので、今ではどんな田舍でもブラジルについて可成りな智識は持つやうになつて來た、然るに南洋に活動した人は商人、娘子軍、浮浪者、と寫眞師、齒醫者の少數であつた、

商人の人は正しく日本に紹介する人かどうか、昨年南洋から、同じ船で歸つた大阪府のある役人はかう語つた、

「吾々には同業者の殖えるのは誠に困るですから、南洋は良いと云ふやうな話は、お歸りになつてもなさらぬやうに願ひ度い」と、南洋へ行つて見ると、つまらぬ同志打ちで、共斃れを演じて居る、隨て商買敵の多く出來ることは希望するどころか、暑いし病氣があるし、儲からなくてやめやうと思ふて居ますと、言はざるを得ない、

次に娘子軍、浮浪の徒は、紹介するに於て、惡い方の例證になる、米國歸りならば船から上陸するのを見るとどこか位の上がつたやうに考へる、と反對に南洋歸りは何かわるさでもして來たか、去なくば眼つき迄ウスのろに見えるやうに考へられる、これは始めに活動した人のやり方が惡るかつたのである。

次に投資家のやり口について考へて見る、南洋で邦人の投資と云へば何と云ふてもゴムである、歐洲大戰當時の好景氣にはシンガポール、馬來の人は、雜貨をやつて居る人も、女郎屋のおかみも猫も杓子もゴムに手を出した、人が集まればゴムの話で熱中して居つた、其の當時日本でも會社が出來た、一時好景氣に品物を買ひ直ぐに賣つてしまふ性質のものならば兎に角、ゴム園經營の如く、植えてから數年立たねば收穫がない、永い間に非常に浮き沈みのあると云ふ仕事を、最も好景氣のときに、其の時分の相場を標準として計劃を立てるといふことが間違ひの根本であつた。

其の結果は大正九年からドシ／＼暴落した、まだ收入のロクにないうちに、多少の遊金は、皆ハタキ出して仕舞ふた、又會社は始めの計算のやうに行かぬので株主の方をなだめる方策として借入金をして無理な配當をするの餘儀なきに立ち至つた、漸くもちこたへもなくて、ゴム園を外に賣つた。記憶せよ、こゝには幾多の邦人が、開墾創業にあたりて、千里の異域に骨を埋めて居るではないかしかるに出來上る頃には既に邦人の手を離れて居る、而して曰ふ、どうも南洋の事業は面白くないと、雜貨にしても、歐洲戰爭當時盛んに進出した、が之れも戰爭終熄と共に沒落したるもの枚擧に遑あらずで、かくの如く御破算をのみやつて而して曰ふ、ドウも南洋の事業は面白くない、と。

隆々たる歐米の諸會社

然るに歐米人の經營にかゝるものは、ゴムでも、烟草でも、コーヒーでも、石油でも、宏壯な邸宅に社員は住み、テニスコート、ゴルフ、又廣い射撃場などまで持ちて、夕景には庭前綠樹の下に團欒して、コーヒーを喫し、晩餐をとる、隣りの部屋からは、優雅な音樂の音が聞えて來る。社員は高給を以て而かも會社は利益配當を年々やつて居る。此れ等企業上の問題は別に論ずるとして、先づ南洋について最も懸念する氣候から述べて見やう。

日本の夏よりは凌ぎ良い

ジヤワのバタビヤは、說明する迄もなく英領東印度の首府で、海岸平地の暑いところである、これの過去五十餘年間に於て最も暑いと云ふ時が千八百七十七年十一月即ち五十一年前に九十六度に上つたことがある、之れが最高のレコードである最もこれは室內である、最低は同年九月六十六度に下りて居る、バタビヤで大体こんなもので熱帶（自然的氣候帶は北韓二十度南韓十六度の間を熱帶と云ふ）とは云へ、太平洋と印度洋とに其の海岸を洗はれ、海洋の緩和力によりて比較的溫和の氣候となるのである、それで一千メートルを上る毎に十度宛低くなる、バタビヤから五時間汽車にのりて、バンドンと云ふところに行けば朝夕非常に涼しくなる、避暑地サラチガは、マランの港から自動車一時間であるが、夜は外套にラクダのチヨツキをつけた、スラバヤ港から自動車四時間のトサリではホテルで毛布四枚をかりて寢た位である、ジヤワでもスマトラでも海拔五百メートル以上のところになれば大抵は日中三四時間は日本の夏であるが、朝十時頃迄と、夕刻からは日本の秋の氣候で、浴衣では肌さむい月のさえ方虫のすだくなど、どうしても八月十五夜頃むしろ夫れ以後の感じがする、昨年朝鮮で夏を過ごしたが、空照りにてりつけるのは、身體の活力を皆放散し盡くす感じがあつた、南洋に於ては決してさう云ふことはない。

非常に改善されたる衛生

從前はジヤワ、スマトラは惜に瘴病の地であつた、マラリヤは勿論コレラ、ペスト、天然痘など盛んに流行した時代もあつた現に首府バタビヤでさへ、往昔は蘭人の墳墓として、蘭本國人を戰慄せしめた時代もあつた。然るに今は河岸は凡べてコンクリートで固められた、大運河小運河が縱橫に流れて、汚濁の水の停滯するやうなことはない、蚊など發生する餘地は無い、飲料水は遠距離の山中からとつて清冽である、バタビヤは健康上誰恐るゝものはない、其の他の都市も山中の小市街まで、だん／＼之れに準じて來た、

政府も衛生には力をつくし、醫務局の外にペスト其の他の爲めに防疫課を設け、流行病の蔓延を防いだ結果衛生狀態は非常に改善されてゐる。

今でもペストはあることはある、新聞に時々見える併し日本人が流行の部落に居つても決してかゝつた話をきかない、マラリヤの如きは、一日一回汗を出すやうな運動をするとか、夜は十時頃に寢るとかして營養を盛んにすれば決してかゝるやうなことはない、猛獸毒蛇それは虎がゴム園に出る話もきいて居り、又捕つた寫眞も觀たが、人間に出會へば虎も象も餘程恐ろしいので白晝ノソ／＼あるいて居るものでない。

無謀なる初期の日本勞働者

一時馬來に日本人がゴム園を開いた時、日本からの勞働者をよんだ、ゴム園の經營者は何等經驗のないもので外人のやつて居ることを眞似したに過ぎない。

働く人も熱帶衞生などには無茶苦茶であつた、旅順口の攻撃でもやる勢で、開墾に働いた、熱帶の夜は月が良い、風も涼しいそこで受負仕事でやつたから、ありつたけの力を出した、仕事の捗ること夥しい、ドン〳〵新山は開けて行つたが、當人達は三日で病氣にかゝるもあれば、半歳で死ぬものもあつた、其の筈であつた、夜は早くやすんで体力の恢復を圖るときに、活動し、最も必要な營養物をとることを閑却した、日本人が金をためると云へば直に粗食をする、米とカンコンと云ふ蓮根のやうなものを菜にして、一ケ月食料が五圓で上がつたとか、六圓ですんだとか云ふて、喜んだのも束の間、忽ち健康を損して、シンガポールへ出て來てゴロツキの仲間になるか、又は失敗して國に歸る。支那人など粗食のやうであるが、彼等は肉類をとり食物は中々カロリーのあるものを攝取する、働くにしてもボツ〳〵やつてゐる、根つよい中々斃れない、一体印度人馬來人支那人と勞働賃銀の極めて低廉なところへ、勞働移民として行くと云ふことが間違つて居た、そこで金を一氣に儲けやうとするところに努力から、食物に無理が出來る。

指導機關なきが最大缺點

個人の世話にまかせて置けば、から云ふわかり切つた無理がある、單なる勞働ではいけんとすれば、他にどの道をとるか、前に述べたやうに、先に行つた人では指導誘掖の世話を見てくれる人はない、適當なる機關紹介所がない、農業をやるにしても土地を手に入れる手續もわからない、資金がどの位いだか、何をつくればどんな收穫になるか、それらが皆目見當がつかない只行つたものは壌林氏や小川氏の賣藥の賣子となつて言葉を覺え、地方の事情に通ずると云ふ位のところより外仕方がない、幸に此の中で身体が强健で意志のシツカリしたものは、現今相當の位地に迄こぎつけたものもあるが、隨分まわり道をして居る、中には今以て放浪の旅をつゞけて居るものもある、つまり適當な指導者と、指導機關がなく、中空にさまようと云ふことになつたのであるが、

南洋は僅の資本でも

農でも商でも成功し得る道がある。これ等について次號に述べやうと思ふ。

ジュネーブ湖畔の國際聯盟事務局

第九回國際聯盟會議の概觀

ジュネーブ 國際聯盟事務局 保健部
草間弘司

滴るばかりに鮮かな緑に色採られたジュネーブ湖畔のマロニエの街路樹が早くも色褪せて落葉一つ二つ紺碧の空とその空の如き澄清の水湖すが〳〵しい初秋の氣分がたゞよいはじめた九月第一日曜、ジュネーブに於て時の理事會長たる四十歳に滿たない小壯外交官フインランド外務大臣プロコーペ氏により開會の幕はきられた正面の壇上は議長、その左に事務總長、ドラモンド卿が控へて居る左右のトリビューンにはアノール代理總長と吾が杉村次總長等の顏が見え、その外事務局部長秘書官等が數列に居ならんで居る議長に相對して大きなサルーンには數百の机が規則正しくならべられ五十ケ國の代表は佛語に基く國名のアルフアベツト準によりて上席が定められてゐる。代表席の後方に當る多數の椅子は隨員や事務局員により立錐の餘地なき迄に占められ第一階のガラリーは新聞記者、通信社員、第二階は一般傍聽者でみたされてゐた。代表者には世界の總ての地域より網羅され殆んどあらゆる人種が含まれてゐる印度、亞弗利加の地方を代表する黑い人々も先年に比して大部增加して來た婦人の代表は比較的少いけれども英國初め數國に於て加へられてゐる。

各國は三名の代表と普通同數の代表代理とを出席せしめる事に規定されてゐる、本年の日本代表は安達永井兩大使及廣村男であつて代表代理としては吉田スイス公使、佐藤公使（巴里帝國聯盟事務局長）木村公使（チエツコスロバキヤ駐在）及來栖ハンブルヒ總領事の出席を見た。

本年は英獨兩國の巨頭チエンバレン、ストレーゼマン病氣の爲め出席を見なかつたのは聊か物足りない感を興したが佛外宰ブリアンの巨大な老軀、超人的風彩が場内に於て異彩をはなつて居た。ハンガリヤに於て慈父の如く敬慕されてゐるアポニーの熱血的志士的顏貌は今年八十四歳の高齢とは思へない。

今度の總會には七名の總理大臣と七名の前總理大臣と十八名の外務大臣と七名の前外務大臣の出席を見たる點よりしても如何に聯盟總會が

各國に於て重要視されてをるかゞ判ると思ふ。

總會は聯盟の行動範圍に屬し、世界の平和に影響する一切の事項を處理する事になつてをる總會の議案の審議に就ては次の如き委員會を設けて行はしめ後本會議に報告せしめたる上審議決定される、

第一委員會法律及構成の問題
第二委員會聯盟の專門機關の問題（經濟衞生交通等の機關）
第三委員會軍備縮少の問題
第四委員會聯盟豫算の問題
第五委員會社會人道の問題（婦人兒童保護阿片に關するもの）
第六委員會政治問題（委任統治等の行政問題を含む）

總會に於ては以上の諸問題の外議長副議長及非常任理事國の選擧その他理事會及事務局の事業並に總會決議の實行に關する報告等の議事をも行ふ事になつてゐる。

總會第一は即ち前述の如く理事會議長たるフインランド外宰總會議長代理として開會を宣す約四十分間に捗つて堂々聯盟精神を說く、壇上に立つた靑年外交官の一言一句には意氣と力とが籠つてゐた、卓上の高聲器は益々氏の演說を力あらしめた、而してその横には無線放送器が備へられてゐる、世界の各所に於てラヂオを通して幾十萬の人々が氏の演說に陶醉したであろう。

引き續き總會議長の選擧行はれ丁抹代表ツアーレ氏大多數を以て當選議長席に着き一塲の挨拶があつた。副議長の選擧に於て安達大使を筆頭として佛のブリアン其の他英、獨、加奈太及濠州の代表六名が選ばれた。

第二日目に議事日程の審議、委員會議長の選擧等行はれ且つ支那代表により本年を以て同國の理事國たる期間滿了する爲め理事再被選擧權要求の演說があつた。然し其の後二三國代表に據り右要求が非常任理事選擧精神に違背すると云ふ反對あり投票の結果四分の三以上の多數を得ずして右權利を得なかつた支那の爲めに同情に堪えなかつた新に本年非常任理事國の地位を得たのはスペイン、ペルシャ及ベネヅエーラの三ケ國である、理事會は常任理事五、非常任理事九より構成されてゐる、日本が他の英、佛、獨、伊、と共に常任理事國である事は申すまでもない。

總會に於ける衞生問題の報告者に選ばれたるはアイルランド代表オスリヴアン氏である、小兒保護問題はカナダの上院議員ダンヂュウンド氏、婦人兒童賣買問題はフインランドのハイナリ夫人、阿片及危險藥賣買問題はポーランド、チヨツコ氏東洋に於ける阿片喫煙取締り狀況調査委員會事業報告は英國のダーム、エヂス、リツテルトン夫人が選ばれた。

總會の本會議は數日に捗つて開かれ十數名の代表によつて交々演說があつた、聯盟事業に對する外交的讃辭も多かつたが又激勵的の熱辯も少からず聽くを得た。

安達大使は聯盟の經濟會議の成行、新不戰條約の平和確保に有力なる結果を齎らしむる事其の他の事業に對して穩健なる論旨を以て說かれた日本の國際的地位から見て無難と云ふ處であろう。

佛外宰ブリヤンの演說振りは頗る壓到的、感動的なもの、世界に屈指の大外交家たるを窺はしむるものがあつた、議長よりムシユ ルブリヤンと指名さるゝや塲内は霹靂の前の靜かさに返へつて衆目は一時にシユヅー グリの巨人の周圍に集まつた、ブリヤンは身を壇上に運んで自分は佛國代表としての立場から出來る丈け簡單に軍縮問題と小民族問題に就て論じたいと述べ滔々數萬言半時間餘に捗つて彼れの雄辯を振つた、彼は呼んだ

聯盟は現在に於て戰爭に對する唯一の避難塲であると、聯盟は今日迄幾回となく國際紛擾を平和に解決して來た、更らに彼は言ふた。過去の歷史に於て如何なる時代に今日の如き聯盟と同樣の事業を爲し

得た事があるかと、拍手は俄かに堂内の靜寂を破つた。

ブリヤンは更に聲を强めて云ふた

「聯盟なしに獨逸國務大臣と佛國外務大臣とが二國に關係ある種々なる問題を考究する爲めに同一會議塲に相會する事はなかつたであろう。聯盟なしに而して夫れによりて既に釀成された平和的雰圍氣なしにロカルノ協定も、最近に於ては巴里のケロツグ協約も成就しなかつたであろう」と。感激は塲に滿ちた。

更に軍縮問題に對しては議論のみに流れてはならない。ロカルノも巴里不戰協定も皆之れ實行である聯盟の軍縮問題も着々進行してをる旨を述べ獨逸に於て屢ゝ論述さるゝ如く獨逸は巴里平和條約によりて軍備に非常なる制限をされをれども聯盟の軍縮會議は遲々として少しも進行の跡を認めないと云ふ論調に對し辯駁して獨逸の現在が必ずしも軍備なりと云ふ事の出來ない所以を論證し獨逸に對して大なるセンセーションを與へた、翌日の獨逸紙聞にはブリヤンの演說に不滿を表はした論說が多かつた、英國新聞はブリヤンが斯くフランクな議論を爲しうるは即ち獨佛間の關係が極めて圓滿であるからであると論じた。

總會本會議に於ける代表演說中に衞生社會福祉問題に觸れたるものは比較的多數の他の問題に比して尠かつた、印度代表は衞生問題に關し熱心に論述した、曰く本年二月開かれた印度に於ける衞生技術官交換會議は衞生關係者の少からぬ歡迎する處であつた、而して近年中にマラリヤ、コンミツシヨンを印度に於て開かるゝ樣にとの印度政廳の招待は聯盟により承諾さるゝ事を期待してをる尙且つ農村衞生も特に印度には關係多きものであつて保健委員會のにプログラム中に印度開催が計劃されると聞いて喜ばしく思ふと云て印度に於ける小兒死亡は極めて高いものであるが之れに對して聯盟保健委員會より何等かよき指示あれば幸であると云ひ、小兒保護問題に對しては宗敎、習慣等の大なる差異の爲めに國際的實行方法をとる事の極めて危險なる所以を述べ或る州に於ては有力なる國民委員會を政府の任命によりて設立して小兒結婚豫防法法定年齢等の問題を攻究する事になつてをると說明し一九二五年の壽府阿片協約は既に一定數の批准を得中央局の設置を見る筈なるが現在印度に於ける規定輸入の四十倍にも餘るコカインの密輸入防止を爲しうる樣に努めたいと述べ近かく建設さるゝ中央局部員は出來る丈け有力にして獨立的なる事を要すと說いた多少御手もり演說の感はあつたが衞生問題を主にしたのは是れ以外にはなかつた、

最后に代表は人種平等論にもふれる。

フインランド代表プロコーペフ氏はポーランド、スエーデン及フインランド三國より提案されたる酒精中毒問題に就て論述し本問題は禁酒派の味方としてプロパガンダを爲さんとするものではない、而して又一般の酒精需要禁止を意味するものでもない、只酒精飮飲とそれに結果する個人と公衆との危害に關してゞあると說明し本問題に關しこゝに二つの方面がある第一は即ち密賣豫防にして、これは國際問題であり、バルチツク國間に協定された條約の有力なる事を說明された。而して第二は社會衞生問題であるとして酒精中毒の恐るべきを說明した

右提案に對してはチエツコ、丁抹等數ケ國の讃同があつた、

然し酒精問題は酒精飮料生產國に多大の利害關係ある事を見逃してはならない、本問題が如何に今後委員會に於て取り扱はるゝであろうかゞ興味ある事である、

ペルシヤ代表は自國の阿片問題解決に著しい進捗を見た事を說明し阿片專賣法案が非常な困難と戰い議會を通過した所以を述べ同政府は阿片栽培及販賣に對して一層効果ある取り締りをする事が出來る樣になつたと說明した、

總會本會議は斯くして一週間以上に渡りて行はれ引き續き各種委員會が聯盟事務局内の數個の會議室に於て別々に開始された、衞生社會福祉問題に就て委員會に於ける狀況を逐次記述して見よう、」

曠古の御大典に

移植民功勞者を表彰

光榮に浴して銀杯一組を下賜さる

今回の御大典に際し教育社會移植民農村商工水產等の事業に功勞ある者に對し表彰する事になり各關係者より申請中の所內閣に於てその選考を經て十七日上奏御裁可を經、夫々發表されたが移植民事業功勞者としては左記二名がその光榮に浴し追賞銀杯一組が遺族に下賜された。

東京市　故　島貫兵太夫
　　　　遺族　島貫信男
神戶市　故　太田恭三郎
　　　　遺族　大內道

光榮に浴した一人、故島貫兵太夫氏は明治三十年日本力行會を創立し日本民族の靈肉救濟を目的としてキリスト教により精神界を救ひ海外發展により國民の生活難を救はむとして努力し來り一萬余の人々を海外に送り明治四十五年死去、我が國の明治時代の移植民史上に忘るべからざる恩人である。

故太田恭三郎氏は比律賓群島ダバオの開拓者で明治三十六年彼地に渡航しマニラ麻を栽培し、日本人の發展の好適地として今や在留邦人一萬人、今日のダバオは全く故太田氏の賜である。

更に多數の移植民功勞者に

表彰狀に銀牌を添へて表彰

尙移植民功勞者として銀杯下賜にいたらざる者には內務大臣の名を以て表彰狀に銀牌(藤井浩祐作)一個を添へて表彰する事となりその光榮に輝やく人々は左の如くである。

北海道　泉麟太郎
同　乾定太郎
同　山本日聰
東京　永田稠
同　井上雅二
同　靑柳郁太郎
群馬　石坂莊作
樺太　的場岩太郎
愛媛縣　山本桃吉
廣島縣　田坂養吉
北米　坂田龜吉
牛莊　木下鋭吉
北京　川田德次郎
濟南　清水喜十郎
關東州　相生由太郎
バタビヤ　大谷光瑞
ペルー　森本市太郎
アルゼンチン　上條泰三郎
朝鮮　澤田兼晏

北海道　和田郁次郎
同　守田岩雄
同　龜井三四郎
東京　崎山比左衛
同　愛久澤直哉
同　水野龍
樺太　須賀清次郎
同　佐久間喜四郎
北米　松島茂三郎
同　伊東忠三郎
奉天　富谷兵次郎
長沙　山本勇吉
吉林　佐藤精一
鐵嶺　櫃田親吉
同　柴田博陽
ブラジル　上塚周平
アルゼンチン　杉原隆治
台灣　菊地三五郎

光榮に輝く本縣出身の人々

移植民界の權位者

日本力行會長永田稠氏

移民功勞者として銀牌を授與され表彰された現日本力行會長永田稠氏は本縣諏訪郡豐平村の出身、明治三十四年諏訪中學校を卒業後志を移植民界に向け最初北海道に働き後渡米して移民生活の實際を具さに体驗し大正三年今回の移民功勞者として銀杯一組を下賜された前日本力行會長島貫兵太夫氏の遺言によりその後を繼ぎ現職にあり我國移植民界の權位者の一人として重きをなし海外發展青年男女を指導して口に筆に活動して大正十一年一月信濃海外協會を組織し更らにアリアンサ移住地建設に努力し海外移住組合法の制定に盡力し國立移民收容所建設の提議など我國海外發展運動の一として同氏の建言によらざるものなき事は世人のあまりに知られてゐる事實である。移民功勞者二名出した力行會の榮響は言はずもがな、永田稠氏を產み出した信州は一層の誇りである。

營口の恩人

水道電氣會社長木下鋭吉氏

今回の移植民功勞者として滿州からの表彰の一人、木下鋭吉氏は本縣の出身、一身を營口の發達に貢獻する所あり、現營口水道電氣會社長の榮職にあり、人口十五萬人を有する營口市街の水道及電燈は同社の供給する活動の賜である。同社は資本金二百萬圓四萬株の全額拂込の日支合辨會社で前記事業の外に電話運輸を主なる事業とし、重役十名使用從事員二百九十五名に達する大會社にて木下氏は即ちその采配を振つてゐるのである。同市街北本街にある發電所は巍然として聳ゆる大給水塔は遠く大石橋より遠望するを得るものにして當地の異觀である。同社は明治三十九年十一月故岩下淸周氏の創立に係り其の後木下氏の經營する所となり今回御大典に際し同氏の功績をたゝへて記念するために內務大臣より銀牌を授與され表彰されたのである。

隠れた先驅者

在亞の棉作者上條泰三郎

今般移植民事業功勞者として內務大臣より銀牌を授與され表彰された中にアルゼンチン上條泰三郎氏といふがある同氏は現在アルゼンチンのチャコ縣に綿花農場を經營し同地方の內外人間の有力者となつてゐるが氏が本縣更級郡信里村出身であることは餘り知られてゐない同氏は本年四十三歲明治四十一年長野師範學校卒業海外發展の志しを立てゝ大正四年七月アルゼンチンに渡航したものである。今日チャコ縣は綿作の隆盛を來してゐるがこの最初の開發者は上條氏であつたのである氏は既に五百町歩以上の綿花農場を所有し移民に盡力すること多大であつた同氏は渡亞後郷里には殆んど音信なく郷黨の人々は今回の表彰について驚いた程で全く隠れたる移民の先驅者として世に出で光榮に輝ひたのであつた

各縣人を抱擁して

開拓途上にある第二アリアンサ

多羅間領事の報告に基づく近況

海外移住組合が各府縣に設立され移住地の建設が着手されんとする時、一萬一千七百五十町歩の大移住地たるアリアンサ移住地の第二アリアンサ五千町歩に關する八月一日現在の情勢が多羅間領事より詳細にわたり外務省に報告があつた。該報告によれば同移住地は極めて順調なる發達の道程にあり既に入植者は豫定の半ばに達せんとしてゐる。而かも同移住地の面積五千町步は近く活動される各府縣海外移住組合の一組合經營面積に相當してゐるので此處に多羅間領事の報告に基づく移住地の近況を述ぶる事は徒事ではなからう。

同移住地は信濃鳥取兩海外協會の經營にかゝり第一アリアンサの必然的膨脹に基づいて建設され第一より後るゝ事二ケ年の大正十五年暮から入植者をみたものである。

第一 土地 第一アリアンサの北方隣接してノロエステ線ルツサンピラ驛から南方自動車道二十八基の地點にあつて東隣は第三アリアンサに接し海拔最高四六〇米最低三六〇米で西から東に向ふて緩傾斜に波狀平原である。總面積五千町步は十個に區分し既に第一區から第五區まで三千町步を處分して未處分は二千町步である

(一年の咖啡樹)

第二 氣象 一ケ年を乾燥期と雨期にを分ち三月から八月までを乾燥期九月から二月まで雨期としてあるが普通雨期は十一月より十二月までの四ケ月を云ふてゐる。今降雨溫度について示せば左の如くである。(攝氏)

季節		降雨 回數	延時間	室外溫度 最低	最高	室內溫度 最低	最高
乾燥期	自三月至八月	二三	一八〇	〇、二	四二	二	三一
雨期	自九月至二月	一〇四	五七〇	一〇	五二	一五	三八

乾燥期は平均月四回位の降雨で雨期には十七回の降雨で乾燥期には降雨尠く稀には月に一回の降雨がない事がある、が雨期には多く殊に十一月から二月までには多いのである。溫度は乾燥期に低く雨期に高い最低溫度が攝氏の氷下二度でこれが一番寒い時であるから降霜の程度である最高は雨期に屋外で五十二度を示し室內では三十八度を示して信州の夏季と余り變らない卽ち昭和元年に飯田では最高三十五度九分を示し僅か二度の差を示すのみである。これによつてみれば冬期を除いた信州の氣候であり本邦では沖繩縣から台灣北部の氣候に比敵してゐるのである。

交通本部

第三 戶口 本移住地には大正十五年九月より入植者をみ第一區から第五區まで本年六月までに九十戶に及んでゐる。今本年八月一日現在は左の如し。

	戶數 自作	小作	計	人口 男	女	計	入植時期
第一區	一四	三	一七	三六	三九	七五	大正十五年九月より昭和三年五月まで
第二區	一〇	五	一五	四三	四一	八四	昭和二年六月入植
第三區	九	三	一二	二四	二三	四七	昭和二年六月入植
第四區	一五	六	二一	六二	三四	九六	昭和二年七月より本度三月まで入植
第五區	一二	二	一四	四七	二五	七二	本年六月より入植
直營地	—	四	四	一〇	一四	二四	
計	六〇	二三	八三	二二二	一七六	三九八	

入植戶數は九十戶であつたが轉職者五戶退去者二戶計七戶の移動があつて右表の如く八十三戶三百九十八人の入植者である。此の間に於ける出生死亡は出生男七名女五名の十二名である死亡は十名で幼兒七名老人三名を出しアメーバ赤痢のために斃れたものである。

第四 學事 現在七十三名の兒童あり、共立小學校としてトラペツサ部に四十名、コトペロ部に三十三名あり各部教員三名が三學級に分ちて教育してゐる。尚基督教の私立日曜學校がありブラジル語習得のために夜學校を開校し教育の經驗者が熱心に從事してゐる。トラペツサ部は佐藤信二前嶋富兒コトペロ部は大森甚吉堀信一日曜學校は佐藤信二、前嶋富兒、塚田軍司、田邊五三郎夜學校は高橋勝の諸氏が名譽職として教育にたづさはつてゐる。

第五 衛生 衛生施設については第二の事務所に出張所を

設け毎週二回出張して診察料手術料は無料である。尚共濟金として毎月戸三ミルを出金して此の種の費用にあててゐる。

第六　交通　道路は延長三三、八〇〇米突道幅五米突で自動車が通られる様になつてゐる。自動車は乘車用二台貨物用五台で第一第二第三アリアンサ共用である。乘車用の一台は三十人乘の大型である。乘馬も一頭あつて急を用する場合に使用される。

第七　收容所施設　入植してから各目の地區が決定し假小屋が出來て移るまでの宿泊所の施設がある約四十坪のもので炊事場食堂荷物倉庫の建物が各一棟づゝ建てられてある。

收容所

第八　開拓事業　昭和二年度に於ける伐採面積は三百十七町歩本年は三百八十三町歩計七百町歩である。內珈琲園五百五町歩で過半分を古め、宅地にあてられた面積が百二十町歩、雜作地七十町歩、牧場五町歩となる。

第九　生産物　次ぎに示せねばならぬは開拓事業に伴ふ生産物であるが主作物たる珈琲は播種後四ケ年目でなければ生産されぬので珈琲園の間作物として栽培されしもの及び雜作地に栽培されたる籾豆玉蜀黍の主要作物並び家畜について示せば左の如くである。

	農産物			現在家畜類		
	籾	豆	玉蜀黍	豚	山羊	鶏
第一區	九八〇	一二八	一、五八〇	二〇	三	四二〇
第二區	六四〇	四九	二、二一〇	一三〇	—	四三〇
第三區	三七〇	五〇	五八〇	七五	二	四一〇
第四區	八七〇	三七	一九〇	一五	—	二八〇
第五區	—	—	—	—	—	—
直營地	一八〇	—	—	—	七	六〇
計	三、〇四〇俵	二六四俵	四、五六〇俵	二四〇	一二	一、六〇〇
日貨換質	二四、〇〇〇	二、四三三	二、四〇〇	三、九四七	九五	八九五圓

總額三萬三千七百六十九圓となり一戸平均の收穫額は約五百圓であり籾の一戸平均收穫高は約四十五俵となる。

第十　公共團体　第二アリアンサ會がありすべての移住地の發達を期するもので自治團体として各區より委員幹事を各一名選出し又各區には區長副區長を選出する。今第二アリアンサ會の役員名簿左表の通りである。

會長　遠藤源吉(第二區)　副會長　推野源之助(第二區)

	委員	幹事	區長	副區長
第一區	前島靜	米原茂徳	前嶋靜	吉田惣太郎
第二區	北岡卓藏	山本敏令	北岡卓藏	山本敏令
第三區	矢澤清馨	秀嶋盛輔	矢澤清馨	秀嶋盛輔
第四區	後藤侃司	會計石井博二	後藤侃司	石井博二
第五區	宮原和三郎	—	宮原和三郎	—

第十一　特有技能別　ブラジル移住者は農業に經驗を待つてゐる事が渡航條件の一つの様になつてゐるが移住を希望するものは獨り農業者のみでなく、種々の職業階級の中にあるから必然的に此等の移住者が加はつて左の如き職業的特有技能別に分ける事が出來る。これは新らしい移住地を建設せむとする立場からみれば非常に重要な事で特有技能者は各々の技能を發揮する事によつて移住地に有形無形の貢献を爲するものである。純農二九、商業一三、農企業九、教育家七、會社員六、官公吏五、木工四、企業家三、看護婦三、請負業二、洋服仕立二、機關士、設計士、外科助手、職工長、石工、金細工、竹細工、彫刻、助産婦各一、

第十二　出身縣別　一つの移住地を建設する場合に同縣人のみを移住させる事は種々の弊害があり、不便がある事は屢々經驗した所である。アリアンサ移住地の特色とするところはこれを一縣人に限らず全國の府縣の者に解放するのみならず外國人にも解放したものである。近く移住を開始せんとする各府縣の移住組合も一組合の經營面積は五千町歩であるが移住者は各府縣人を混植せしむる方針であるを聞いてゐる。今第二アリアンサの出身縣別にみれば三府二十五縣になつてゐる。即ち

東京　三　京都　七　大阪　一　北海道　三　宮城　二　栃木　一　埼玉　一　神奈川　一　新潟　七　長野　一三　静岡　一　愛知　一　岐阜　二　石川　一　滋賀　二　三重　一　和歌山　一　福井　一　兵庫　三　鳥取　一　島根　二　岡山　一　廣嶋　一　香川　一　愛媛　三　福岡　二　佐賀　一　鹿兒嶋　一

草棉

母國通信 日誌

▲前號七十七號廿一頁より▼

十月十四日　出淵駐米大使十二日桑港着日米經濟的親善を說く▲現時の社會生活は「妾」を認めぬと云ふ夫婦道の大精神を說いた名判決が畜妾から離婚となつた損害賠償事件に下され評判である▲自作農は一般豫算から切り離すと決す

十五日　大禮御式場は九分通り完成▲ツイッペリン伯號大西洋を橫斷▲英佛海車協定秘密文書が米人記者の手に入り英佛對米間に悶着を起してゐる。▲御大禮饗宴當日の地方賜饌者は卅八万五千六百余名で前回の大正四年當時に比し約四倍强である

十六日　法規の不備に乘じピストルを密賣▲金の輸出解禁即時斷行輿論一致▲御大禮に參列する外國使臣は約百名廿六ケ國の各締盟國▲廣島縣豊田郡の名刹臨濟宗佛通寺派管圓山雪庭老師は山林內で割腹自殺をとげた。

十七日　恩赦に浴する人々は總數六萬七千人內譯一般減刑三萬人、特別減刑二千人、特別特赦(府縣會衆議員選擧違反)一萬五千人、復權二萬人▲多大の期待を受けてゐた夜間中學は五年制を採用卒業者は晝間中學卒業者と同様資格

十八日　暴風雨を冒してドイツ機東京府下玉川附近に不時着陸▲伊勢神宮に秩父宮兩殿下御婚儀御奉告▲滿洲商租權問題下交涉林總領事と張學良氏とはじまる▲ギル少年殺人再審死刑延期

十九日　南京に向ふた矢田總領事將介石と會見▲金解禁期待で對米爲替四十六弗八分一▲佐渡島大火八百戸燒く▲兵庫縣下の對抗演習において突擊の銃劍で兵卒慘死した

廿日　矢田將介石兩氏の會見によつて日支交涉は峠を越したと樂觀▲我國富は一千廿三億圓一人當りは二百廿四圓で米國の一人當り千二百七十二圓の五分一とはまゝ事に貧弱▲近づいた米大統領選擧は共民兩黨候補者の人物競爭である

廿一日　好轉と思はれた日支交涉は濟南事件問題で正面衝突▲又もや支那の横車治外法權即時撤廢を提議▲京都に赤穗義士の大石良雄の銅像を建設し明年陽春除幕式▲新規要求承認は一億七百八十萬一千圓總額十七億三千二百九十萬圓

廿二日　佛國ユム、エム社では東洋航路を延長日本船と競爭▲産兒調節聯盟會長サンガー夫人は同會長を辭任産婦死亡率研究に沒頭すると

廿三日　金解禁の聲に對米四十七弗に回復▲陸軍で新「行進曲」が出來た。「こゝは御國の」の

軍歌や「我は官軍」の行進曲の改歌一▲十一月十日行はる紫宸殿の諸儀式御時刻詳細に決定

陸軍行進歌

巖谷小波　作歌
戸山學校軍樂隊　作曲

【その一】

一、おもへば畏し神武の帝、御國を建させ給ひし時も、親く三軍統させ給ふ、(再唱)極東盟主の日出づる國を、萬世に固むる男兒の譽れ我等は陸軍軍人ぞ

二、三千年來例をこゝに、我等が頭首は世界に比なき、允文允武の我が大君よ、(再唱)

三、爾等股肱と心を一に、護ると仰せし五つの御訓、深くも刻めり我等が肝に、(再唱)

四、御國の爲には命は鴻毛、義を見て進むに水火を辭せず、克忠克孝これ己が心、(再唱)

【その二】

一、旭日燦たる帝國の、萬世不變の國光を、遮る雲は疾風と、掃ひ除かん我火砲、(再唱)己に二回の大戰に、稀有の大捷博したる、我皇軍の行く所、常に天佑また神助

二、建國以降微動なき、海內無比の國體を汚さんものは醜草と薙で倒さん我劍(再唱)

三、鬼神のごとき寇來とも、何か恐れん我にまた、天をも翔ける翼あり、地をも碎かん我拳(再唱)

廿四日　大藏省承認新規事業費は各省內示に伴ひ復活要求で豫算分捕閣議初まる▲財産慾から實弟を毒殺した兵庫縣下の怪事件他人の子を育てるは馬鹿々々しいと結婚前に宿つた赤ン坊を殺した鬼夫婦の京都市內の事件等荒さんだ世の中

廿五日　御即位禮當日の奉祝は晝は旗行列夜は提灯行列で赤誠を以て聖壽を祝ふ▲北海道稚內町七百戸燒失▲獨機オイローパ號は更らに大平洋橫斷を計畫中であつたが北大平洋の氣流が惡いため友情的勸告に聽從して斷念した

廿六日　不戰條約調印のため去る八月渡佛した內田康哉伯歸朝▲日支交涉兩國全權矢田王正延兩氏は昨日更らに第九回會見を終へ濟南事件を未解決として意見全く一致した旨發表された

廿七日　復活要求新財源捻出五百五十萬圓▲北海道拓殖費は不承認▲帝國飛行協會最高幹部は大平洋橫斷飛行延期の責で辭意を表明▲大隈信常候が政界に乘り出し御大典前に旗あげ▲早稲田系民政議員を引き拔き政友と握手するらしい

廿八日　近頃文壇の人々の間に歐米漫遊が流行してゐる。まさか創作の種さがしではあるまい▲ロシヤの興行から左團次歸る▲拓殖問題から北海道選出七代議士政友脫會の決意

移植民ニュース

刮目に價する
明年の移植民計畫

わが國の移植民運動は最近の人口激增と農村疲弊から加速度に旺盛となり政府も來年度においては拓植省の設置とゝもにこれら關係方面の經費を豫算に計上しその金額は拓殖博物館の建設費百八十萬圓の削除などもあつたが總額八百廿六萬八千圓に上つてをる、之が一例を渡航費にとるも大正九年に畑違ひの警保局に計上された時は僅十萬圓に過ぎなかつたに比し下記の如くその增加は一驚に價するものがある、これに對して民間の諸機關もつぎの如くいよ／＼積極的の活動をはじめたので明年度の移民は恐らく本年の一万餘人に對し二万乃至三万に上るべく今回は海外移民とゝもに從來拋棄の態であつた樺太鮮滿等に對しても內地植民を送る計畫は前號所報通り進行してをるからすこぶる注目すべき成績を擧げるであらうと期待されてをる

政府側の計畫

拓植省の設置費(九十六万圓)▲內務省長崎移民收容所建設費(三萬圓)▲同土地購買費(七十萬圓)▲同生産資金(五十萬圓)▲同渡航補助費(三百萬圓)(一萬五千人分)文務省移植民教育(高商高農兩校に拓殖科設置七萬八千圓)外務省在外子弟教育費(五十萬圓)▲同移植民保護費(三十萬圓)▲遞信省南米東西岸線補助(二百廿萬圓)

民間側

海外興業　目下ブラジル、ペルーなどで新土地借入れ交涉中▲南洋協會、商業青年を南洋に派遣して商業擴張計畫中▲海外協會メキシコに國際製糞會社を設立して商業移民を送りさらに樺太鮮滿方面に內地移民を送る計畫ですでに一部は實現してをる、また移民運動を促進するため全國各府縣に支部を設立中ですでに廿一縣に設立を終了した

旅券事務刷新のため
各府縣の旅券移民事務主任が
集つて外務省で會議をやる

海外旅券事務の取扱が各府縣に異り外務省からの指示が復綜して旅券事務はいちじるしく

廿九日　有田亞細亞局長突如上海へ急行日支交涉進捗のためか▲御大典で東京、京都は舖裝飾で奉祝氣分漲る▲大禮をあてこみ外國煙草流れ込む尚御大典煙草「グローリ」「昭和」發賣されるので愛煙家大喜び

卅日　歸還飛行のツエッペリン伯國に十九才の獨人密航少年發見▲横斷飛行に失望して藤本飛行士辭職▲明年度豫算十七億五千二百五十萬圓本年より四千三百四十萬圓の增加▲政友の一枚看板たる積極政策は大法縲に終つてしまつた。

卅一日　宮中御恒例の新年歌の新年歌會始勅題「田家朝」と宮内省より發表▲われ等の壽ぎ奉る曠古の御大典御次第詳細發表、東京御發輦は十一月六日▲米飛行家が太平洋横斷飛行を聲明

十一月一日　第五十六議會召集期日は十二月廿四日と決定詔書公布▲今年上半期の人口自然增加は五十二萬千百七十三人で前年同期より七百人の減少▲ッ號の密行少年の冒險をめで某新聞では多額の金で密航航空買收等の大もて

二日　御大典の御儀を英語でも放送して外國の人々に知らせる▲共和黨フーヴァー氏悠々當選か▲天理敎研究會首領大西愛次郎懲役四年▲國際聯盟調查の昨年末世界人口は十九億三千萬人

三日　偉なる哉明治大帝の明治節▲御大典の京都に大官續々出發御大典中は京都が政治の中心▲駐露大使田中氏歸朝「ロシヤは暗い」と

四日　有田局長蔣介石氏と會見▲床次氏を政友副總裁になどゝ策動▲カルカッタ航路に商船で增船スマトラ寄港開始

五日　有田局長歸朝▲明朝愈々七時宮城御發輦▲國を擧げて祝ぎ奉る晴れの大禮御儀始まる▲奉迎準備全くなつた京都▲大學チームの野球リーグ戰は慶明の戰ひ二回戰共慶應の大勝

六日　本日いよ／＼米大統領の投票▲世界早廻りの米飛行家變死▲解禁人氣去つて爲替軟化

七日　佛國内閣大辭職▲兩陛下無事京都に御安着▲京都驛は高位顯官の入浴で大賑ひ

八日　豫想通り共和黨フーヴァー氏當選▲兩陛下京洛の御第一夜うち寛らかせ菊花を賞で給ふ

九日　御大典に際して勤王の志士その他に贈位の沙汰▲陞授爵と叙勳決定▲佛國内閣ポ氏組織

十日　國をあげて萬歲の聲莊嚴を極めて紫宸殿の御儀、高御座の御上に仰ぎ奉る万乘の大君即位を中外に宣し給ふ▲秋空晴れ渡り全國に御代万歲の聲漲る▲養老賑恤金百五十万圓下賜

十一日　全世界各地の熱誠なる奉祝盛大に行はる▲新黨倶樂部政友と聯盟成らん▲社會功勞者及び節婦に對し褒賞▲内地米收穫豫想六千万石

十三日　神代の昔も偲ばるゝ大嘗祭御儀の豫習神秘崇嚴を極まりて行はる▲秩父宮兩殿下おしのびて松平大使夫妻を御訪問親しくお物語り給ふ

十三日　東京高鷲燒く▲明日夕から翌曉にかけて大嘗祭の御儀整ふ▲民政議員爭奪に隈候一派が暗中飛躍京郡の俄然政界の渦中となる

十四日　大禮の大眼目をなす至高至重の祭儀に大嘗祭の本儀大嘗宮の儀滯りなく御終了▲英船大西洋で沈沒亞國日本公使附武官井上少佐夫妻遭難▲御大禮本儀無事終る

十五日　井上少佐英船沈沒の犧牲となる▲大嘗の饗宴準備▲大儀を終らせられ御寛ろぎの兩陛下御苑を御散歩せらる

十六日　華麗善美を盡した饗宴場に大禮の花と輝く五節舞を奉仕せしめて饗饌を賜ふ▲社會事業と移殖民功勞者廿氏を表彰▲政友一新會を合流せしむ

十七日　大饗宴第二日夜宴二千五百名召す▲國を擧げて歡びの宴各地の地方賜饌行はれる

十八日　京洛の街に政界は種々觀測せられてゐたか果して久原遞相は床次氏を訪問することによつて新黨倶樂部と政友會は固く提携され對支意見一致の名目で合流した▲御大禮の本義を御恙がなく終らせ給ひし聖上皇后兩殿下には事のよしを皇祖大神の大前に告げさせ給ふべく伊勢大廟に御出で遊ばされた（御大禮日取詳細は本誌六十八號參照）

久米正雄氏夫妻
愈々歐米巡遊に

かねて外遊の噂のあつた久米正雄氏は艶子夫人同伴いよ／＼十九日十一月横濱出帆郵船北野丸で歐米巡遊の途についた氏は語る今年末マルセイユに上陸、寒い間はイタリーに滯在して後パリーに根據を置きベルリン、モスコーなどへ出かける、パリではオペラや寄席などを見、六、七月ごろロンドンに移り、ウインブルトンの庭球大會や、フランスのデヴイス、カツプ戰を見てアメリカに移り野球の世界選手權試合を見、ロサンゼルスで上山草人君にも會ひ活動寫眞を研究して、最後にカリフオルニアの移民狀態を視察し大體十ケ月の豫定で世界を一巡りして來るつもりである

小山正直氏（比島）　更級郡信里村出身で大正六年の渡比在比拾ケ年ダバオで麻栽培に從事してゐた今回迎妻歸國新家庭をつくつて十二月便航に再渡航の豫定

前後マチ／＼になり、これによつて蒙る迷惑は事務取扱者のみならず一般出願者に對して莫大なものであつた。特に海外發展の氣運が盛んなるについても旅券事務の簡易化は必要迫られてこれが統一を計り刷新を斯する事は刻下の急務として本會は既に昨年四月の本誌の冠頭言に論じて機會到來を待つた所今回外務省は自らその盲を開き事務刷新の必要を痛感して各府縣の旅券事務主任を集めて十一月四日より二日間外務省に於いて會議する事になつた

縣立の拓殖講習所
菅平高原に計畫

本縣に植民學校の設置を必要とすることは實業學校長の意見でその後縣に於てもこれに關する調査を進めつゝあつたが財政難にたゝられて殖民學校といふやうな完備したものを建設することは實現覺束ないので規模を小さくして種々研究協議の結果縣立拓殖講習所を建設するに學務部の意見纏まりこれに要する豫算約一萬圓を來年度豫算に計上要求することになつた

而してその建設候補地としては例の小縣郡長村地籍菅平高原の北信牧場が殆ど決定的で取敢へず北信牧場から敷地五町歩の寄付を受けバラック式の講習所並に寄宿舍を建築し農學校或は中學校卒業生中意志鞏固にして拓殖事業方面に興味を有する青年五十名を募集入所せしめる計畫である

同講習所は開墾勞働を主としこれに公民教育植民政策産業組合拓殖事業牧畜等に關する知識技能を授けやうとするものであるが殊に精神の鍛錬に重きを置き友部の國民高等學校の長所をも取入れ最も異色ある教育を施すはずである而して冬期間は實習も出來ず氣候寒冷であるから講習所を中野町の下高井農學校に移し學科について講習する豫定である同講習所の課程は四月入所翌年三月卒業の滿一ケ年であると

知事に意見開陳
福原八郎氏南米パラ市到着

福原南米拓殖會社長が十日パラ市に、パラ州知事に面會し同會社のアマゾン地方における彪大なる拓殖計畫について大要左のやうな意見を具陳した

第一期移民は四月に出發、その人選は極めて嚴重に行ひ、主としてゴム、コーヒー、米棉、煙草等の栽培に從事するはずであるがパラ州政府および住民一般の同情と後援を希望するそれなくては大森林の中で人命の危險をさらすよりは明日にも日本へ歸つた方がよいとも思ふ、今後州政府においては日本からの輸入品に對して增税しないやうに願ひたい

なほ移民衛生係とし醫師を招聘し、二年内に日本との間に一流船舶を通はせたいとの希望を述べてゐた

事記州信

明年度豫算の總額
千百四十四萬三百余圓

二十六日召集の通常縣會に提案された昭和四年度豫算は總額千百四十四萬三百八十九圓で本年度の當初豫算に比すれば五萬八十圓を減じて居る、まづ歳入の部を見るに經常部は九百九十五萬六千二百六十四圓（七十二萬七千二百七十七圓增）臨時部は百四十八萬四千百二十五圓（七十七萬七千三百五十七圓減）で經常部の增額は二十五萬圓の縣債および制限外課税各種税の自然增加等によるもので歳次に歳出は經常部七百五十萬九千五百五十八圓（六萬千三百六十三圓增）臨時部四百三十八萬九百三十一圓（十一萬千四百四十三圓減）で經常部の增加恩給の增加と縣營圖書館の完成に伴ふ内容充實等によるものである臨時部の減額は道路改良費十一萬圓道路改修費七萬四千百圓の減額その他繼續事業のくり延べ補助の整理等による減額であるしかして一面には警察署建築巡査增員等による警察費の三萬九千二百七十圓市町村土木費の六萬圓特別會計補充金三萬八千百九十七圓等の增額であるが結局差引十一萬圓余の減額を見た譯である

民派大槻氏當選
依然政友多數の新分野

上伊那郡の縣議三澤喜芳氏の死亡による補欠選擧は二十五日投票の結果民政派の大槻茂氏が大勝した。

當選大槻　茂（民新）　九四〇九
次點小池源太郎（政新）　八七六九

これによつて二十六日から開會の第五十一縣會の新分野は左の如し依然政友が絶對多數を擁してゐる。

政友派二六名（下嶋平治氏が政友に合流したのとしての計算）
民政派一六名、中立二名、

密入國者送還
無資格日本人を一掃の計畫

十五日米明桑港から横濱へ入港したプレジデント、ジャクソン號で多數の日本人密入國者が一團となつて送還されて來た、最近アメリカの内外船に送還者が激增したことは聾しく目に立つ現象であるが今回の如く一時に十名の送還者は稀有のことで、水上署外事課で調査の結果左記の事實が判明した

右は山梨縣西八代郡、四條眞治(三二)宮城縣登米郡佐藤讓吾(三四)沖繩縣國上郡宮成加那親三與太郎(三〇)同中頭郡棚原龍德(二六)岡山縣吉備郡驚見久太郎(三五)同寶登治(三二)鹿兒島縣揖宿郡若林嘉則(二九)下村引(三二)同河邊郡岩本伊平治(三三)の十名で何れもあメキシコ國内の離所ケーオン、レートから米國に通る綱索を傳つて冒險密入國に成功した者であるが、米國では大正十四年新移民法を制定して以來日本からの渡航者には入國許可證出生證明書等の書類を必要とし、嚴重な査證を行つて居るが大正十四年以前に密入國した日本人無資格者だけでもアメリカ内に二萬乃至三萬人あり移民局では明年末までにこれらを一掃する計畫で、今夏以來移民官の增員を行ひ其發見に努めた結果斯く多數の送還者を見たもので右十名はいづれも滯米四箇年以上に亘り善良な農民として、耕地に勞働中のものであつた

御大典に昇格する
本縣下の各神社

御大典に昇格される神社は縣内にも相當ある模樣だが十一月七日までに内申濟みとなつたものは郷社から縣社へ昇格六社村社より郷社に昇格八社、まだ内申には至らないが近くその手續きを見るものには上水内郡野尻湖辨天島の縣社昇格宇賀神社、又郷社昇格の岡谷十五社等である既に内申濟みとなつたものは左の通り

△縣社昇格（現在郷社）下高井郡瑞穗村小菅神社（新潟東京方面にも相當崇敬者ある社）△小縣郡長村山家神社（上田舊城主松平氏の崇敬厚かりし社）△上水内郡七二會村守田神社（眞田氏の尊崇せし社で延喜式神社となつて居り由緒あるもの）△北安曇郡大町若一王神社（由緒ある社）△木曾福嶋町水無神社（岐阜縣國幣小社水無神社の分社で尾州藩の崇敬ありし社）◎上高井郡須坂町墨坂神社（眞田氏の崇敬せし社

△郷社昇格（現在村社）上高井郡須坂町墨坂神社（現に郷社たる同稱の神社あるもこれは現在村社）△北佐久郡三岡村耳取神社△同郡三井村英嶋神社△同郡中佐都村諏訪神社△更級郡篠井町伊勢神社△南安曇郡梓村大宮熱田神社△東筑摩郡中山村千鹿神社

百歳の高齢者が
調査漏れとなる

百歳の高齢者が縣當局の調査粗漏から脱漏となり光榮の天杯御下賜の御惠みに果して浴し得るや否や分らぬといふ問題が起り村當局は勿論知事官房秘書課までらうばいしてゐる、それは下伊那郡下久堅村桐合たつといふ文政十二年三月十三日生れ當年百歳の老女を同村長平林千代吉氏以下職員の怠慢から脱落させたもので去る二日村一番の長壽者を取落したことに漸く氣付いたのである

光榮の地方賜饌者は
合計四千七百四十一人

地方賜饌は長野市二ヶ所、松本上田上諏訪の各市町一ヶ所づつ設け五ケ所十六日行はれたがお召し受ける光榮の人々の數は有資格者三千三百三十五人、知事推薦

丈夫に育つ移民の子
兩角校長歸來談

南北米を旅行中であつた諏訪郡平野小學校長兩角喜重氏は二十三アメリカから横濱入港の郵船サイベリヤ丸で歸朝したが船室で左の如く語つた

「私は、南米ブラジルアルゼンチン、ペルーから中米メキシコを經て北米各地の日本移民集團地における小學教育狀態をみて來たが各地における日本兒童は何れも日本語教育のほかにその國の公立小學校に通つてゐる小さい頭に二重の負擔をかけるワケだがこれは父母が多くその國の言葉に通じないた

四百六人合計四千七百四十一人（五日現在數）で賜饌參列の人員は次の通りである

	有資格者	知事推薦	計
藏春閣	七三〇	六二	七九二
師範	六三五	五七	六九二
上田	一、〇四七	一〇一	一、一四八
松本	九〇七	一〇〇	一、〇〇七
諏訪	九三六	八六	一、〇二二
合計	四、三三五	四〇六	四、七四一

聖恩にむせびつゝ

參列する平野縣會議長

榮光限りなき御大典の盛儀に百七十萬縣民の代表として參列する縣會議長平野桑四郎氏は我身にとり無上の光榮で唯々聖恩の深きに感激する次第ですいやしくも縣民代表の重任にある光榮に浴した上は眞心こめて大典を奉祝し奉らんと、聖上陛下が七日京都に御着遊ばされるのを奉迎したい心組みからです道々も專ら謹み重任を果すまでは私心に立歸らぬつもりで飯田から直接自動車で京都へ入り歸りもその樣にしたいと思つてゐます、この重責が全うし得られれば私として、これにまさる光榮はありませんと語つてゐた

社會事業協會

顏合せ四百余名出席して

本縣社會事業協會第一回總會は十月廿七日城山館で開會四百余名出席の上小西學務部長あいさつをなし本縣社會事業の進展上特に考慮すへき點如何の協議事項を付議し左記決議した。

本縣社會事業の進展を期するためこの際左記各項の達成に留意した各個社會事業團體の活動を促し資源の造成に努力すると同時に社會事業從事者の養成に意を致し同業の基本調査を確實にすることを要す

一、社會事業の統制並に助成については縣會課と社會事業協會の緊密なる連絡と積極的發達を促し

二、基本的社會事業施設としては方面委員制度の完備を期し

三、窮民救護、公益質屋、職業紹介、巡回診療、精神病院、巡回産婆、託兒所就學奬勵、盲ろうあ兒童保護等各事業

めと日本文化を了解させる必要からで、一體に移民地生れの子供は體格も血色もよくのび〳〵と大陸的に育つて行つてゐるので移民の子第二世の將來はあながち悲觀すべきものではありません」云々

無資無産の青年を

救ふ力行會經濟同盟

三分一の資金を貸與せらる

日本力行會が過去三十年海外發展を唱ふると共に是を實行し一萬の會員を海外に送つてゐるが現在我が國情から海外發展希望者は無資無産の貧乏人或は貧家の子弟が最も多いのであるがこれを何等救濟してくれる機關がないそこで同會では貧民子弟の海外進出を計るために日本力行會經濟同盟なるものを設つた。右の同盟は毎日豫め定めたる金額と貯蓄し豫定の三分二を蓄積すれば同盟より三分一の貸付けを受け海外に渡航し得る便法なので借入金の返濟は一割利子の、二ケ年以内に拂込む事になつてゐる。同盟の基金は同會員有志の克己獻金が使用されるので同盟員は相互扶助の淸神により經濟的の機關として土地購入企業迎妻共濟等の資金にも充つる事を以て目標として進む理想なのである

の充實活動を遺憾なからしめ

四、生活改善、民衆慰安等矯風敎化力に力めあると同時に融和運動に對しても親和の實をあぐるに努力すること

今年の秋競馬は

各地共欠損續き

秋季競馬の本縣賣上高は富士見競馬場三萬四千九百三十一圓、松本一萬四千百八十五圓、上伊那一萬三百六十六圓、岩村田一萬五千三十八圓、篠ノ井一萬二千九百六十五圓總計八萬七千四百八十五圓、前年に比べ一萬二千七百七十五圓の減額であるがこれは他府縣の出馬拒絶と降續く降雨一般の不景氣によるためであつて畜産組合會では本月二十日篠ノ井町に大會を開き善後策を協議する所あつた。

京都信濃會の

出身縣人を歡迎奉祝

京都在住長野縣人より成る信濃會では十一月十六日京都大學生集會所で臨時大會を開き御大禮參列のために入洛中の本縣出身者小川鐵相、原法相、大工原九大總長伊澤、畑、小松横田今井各貴族院議員、箕、吉田加藤の三東大敎授、降旗、植原伊原、松本、春日諸代議士外三十六名を招待して席上青柳京大敎授歡迎のあいさつをなし小川鐵相來賓代表として謝辭を述べ原法相、降旗代議士、伊澤、畑兩貴族院議員の謝辭あり同四時小川鐵相の發聲で天皇皇后兩陛下の萬歳を三唱し閉會直に庭園で記念の撮影をなして散會した

年貢米の減免要求

養蠶稻作の不作から爭議

縣下の農村は養蠶および稻作の違作から不況を極めて居るがこれが爲め年貢米の減免要求が續出し地主の强硬な態度から爭議となつて居るもの更級郡更級村若宮および岩村田町長土呂その他數件あるが若宮は地主約三十名小作者約百名で小作者側から三割減の要求をなし長土呂は地主二名小作者約五十名で一割減の要求をなしいづれも不納同盟を前提としての爭議であるから成行は注目されて居る

米作豫想の減收

移民の伊太利國で

送金が年々減少する

最近の伊太利は制限禁止主義の移民政策を實行してファシスト政治の一見解を窺ふ事が出來る事は前號の所報の如くであるが更に伊國移民の本國送金は近年著しく減少し一九二六年以來は移民の本國へ送金せる額よりも本國より彼等に拂戻し又は送金せる額遙かに多く注目的になつてゐるがその一例を示せば左の如し

郵便貯金に依る移民の本國送金額

一九二五年度	七八七、五百万利
一九二六年度	六〇五、六百万利
一九二七年度	一七八、二百万利
一九二八年度（上半期）	一〇一、一百万利

郵便局を通じ伊國移民に送金せし額

一九二五年	五四八、四百万利
一九二六年	六五九、八百万利
一九二七年	六二二、七百万利
一九二八年（上半期）	三五〇、一百万利

差額

一九二五年（入超）	二三九、二百万利
一九二六年（出超）	五四、二百万利
一九二七年（出超）	四四四、五百万利
一九二六年（上半期、出超）	二四九、〇百万利

前年の實收高よりも

本縣米作第二回收獲高三十二萬五千八百三十六石で第一回豫想に比し三萬三千百七十三石（一〇・五パーセント）の減少であるこの減少理由は二百十日の厄時を平穩に經過し病虫害や水害はまれであつたが分けつ少なかつたためかま人の結果以外の減收を發見したものである。

信濃代表の「信濃ぶし」

野口雨情氏作歌に依頼して

長野民謡會で野口雨情氏に依頼した作歌はこの程出來があり杵屋六左衞門氏作曲花柳壽輔氏振つけ「信濃ぶし」と銘打つて相生座で長野藝者總出の披露會を催した。

一、信濃善光寺さんに、常夜燈がついていつが日暮で夜あけやらイヤ、ミスズトセ

二、右に御岳左に淺間、ともに善光寺さんのながめくさ

三、諏訪や野尻も善光寺さまのお顏洗ひのたまり水

四、日本アルプス谷間の雪は夏も知らずに冬となる

五、犀や千曲は川ではないか長野裾花川ぢやない

六、雪の信濃も長野の雪はわしが思へばすぐとける

七、飯綱戸隱どの山みても思ひ返せの木はたゝぬ

八、權堂花街極樂なれや女まじりの風もふく

九、虎が庵は貞女の鑑石に涙の雨もふる

十、藥師さまでもぶらんど藥師岩に根がはえ根がのびる

一年余も校長なく

小縣蠶糸の校紀亂る

小縣蠶業學校は昨年九月一日三好校長を失つてから今日まで既に滿一年二ケ月になるがいまだ後任校長の目鼻がつかずそれがために校紀のし緩甚だしく由緒ある同校三十年の歷史を傷つけるものだと非難の聲が高まつて來た

笑話

三味線の持たぬ

浪花節師義太夫語り

一席辯じ上げて百圓也

浪花節や義太夫が全盛を極めた頃には信州の田舎でも三晩五拾圓也で三拜九拜の態で村人の老若男女は寒い晩や恐し夜道を苦にせず聞き惚れて涙を流してゐたが此の頃では全く廢れて一晩五圓也が上々の部である。最近着のブラジル通信によれば日本人の集團珈琲園や移住地を廻り歩く藝人は一席辯じて百圓也をねじりあげて未だ不足の議々顏であると云ふから驚く、然かも商賣道具の三味線も持つてゐないものもあるといふ事では聞いた口がふさがらない。それでも慰安と娯樂の設備のない邦人間には彼方でも此方でも引き張り凧。「未熟な藝風ではあるが何卒御ひいきに」等と洒落の廣告も出して各地巡業で大モテだと。

澤柳猛雄氏渡伯 アマゾン興業會社の專務たる同氏は十一月便船サントス丸にて同社事業經營のために渡伯した。因みに同氏は故澤柳政太郎博士の令弟で本縣松本の出身

蕃刀に恨み殘して斃る

聞くも無慘な比嶋の慘劇

本會より吊辭を送る

南安曇郡高町小平文雄弟小平次雄氏（三二）同じく妻まさ子（三二）の兩名は九月七日午前三時頃フイリツピン群嶋ミンダナオ嶋ダバオ州ダバオの自宅に於て同地モロ州野蕃人四名のために慘殺された二十七日午後八時頃穗高町の實家に兩名の髮の毛及び爪が送り屆けられそれと共に殺害を受けた當時の詳報が到着した之によると次雄氏は大正六年渡フ以來同地に三十餘町歩の麻の栽培地を有し年産額一萬餘圓の收入があるが使用人のフイリツピン人テイドンが小平氏に一千五百圓の預金あることを蕃人四名が知りその金を奪ふ目的で計畫的に行はれたものらしく前夜四匹の番犬は毒殺され午前三時頃寢室に侵入し金を强要したが次雄氏が空氣銃を手にして抵抗するやばん刀を揮ひ身體十三ケ所に滅多斬りとなし妻は脊後から脊髓を切斷する二太刀を浴せかけられ尚肩から乳まで袈裟掛に斬りつけられて慘死したが此物音に驚いて隣室のテイドンが金庫をもつてはしご段で倒れた物音に四名が驚き一物も得ずして逃走したが同日午前八時頃東海岸において四名共水浴中のところを逮捕されたと尚次雄氏夫妻には本年六月生れの子供があるが無事であつた。此の悲報に本會は總裁の名を以て左の如き吊辭におくゞ靈を懇にともらふた。

吊辭

君夙ニ志ヲ海外ニ立テ遠ク比律賓ダバオ島ニ渡リ彼ノ地開拓ト文化ノ進展ニ盡サレ自ラ產ヲ治メ德ヲ積ミ其聲內外人ニ高ク其人格ノ輝キハ彼地蠻人ニモ及ベリ。豈ラザリキ其蠻人ニ及ヒ信用ヲ却テ禍ヲナシ無智獰惡ナルモロ一數人ノタメ慘害ヲ蒙ルノ素因トナラントハ。嗚呼天何ゾソレカク無情ナルヤ痛恨ノ悲痛ノ情ニ堪エズ。君在外久シクシテ歸朝セラレ親戚知友ヲ訪レ更ニ迎妻再擧ヲ企テ本協會ニ來ラレ前途ノ計劃我民族發展策等ヲ語ラレ打揃テ渡南セラレシハ實ニ昨年ナリキ今ヤ益々其業隆盛ニ向ハル折柄禍ヲザル報哀悼ヲ傷ヒテ沈ブル言葉モ無シ然リト雖モ人ノ命天ニ在リ又セン術モナシ、生前君カ創造開拓ノ意氣ト心情トハ我國民海外發展ノ模範タリ後進ノ儀表タリ誠ニ我建國ノ大精神ニ殉ゼシ忠誠ナリ夫妻ノ靈天地ニ溢リヨク愛兒ヲ守リ又長ヘニ護國ノ神タラン茲ニ愼テ夫妻ノ靈前ニ告ケ哀悼ノ意ヲ表ス

昭和三年九月二十八日

信濃海外協會總裁 千葉了

味覺をそゝる熱帶の果實（三）

珍味、珍味の禮讃を受ける マンゴウ

樹皮からはアラビヤ護謨がでる

印度馬來比律賓の諸地方でマンゴウ又はマンガと稱し支那人は檬果、台灣土人は檨仔と呼ぶ周圍六寸位の一種の核果である。形は概ね不整形の長卵形をなして稍扁平で鸎豆形、曲玉狀を存するものもある。未熟のものは綠色であるが完熟すれば黃色又は黃赤色に變ずる硬く薄い果皮の下に橙赤色の軟い果肉があつてそれが食用となるのである內部には一個の大きい核があり其周圍に强靱なる纖維がある此纖維の少いものが良種とされてるが何れにせよ此果實を食卓で上品に食する事は困難で或西洋人が「マンゴウを食べるには風呂場の中だ」と云つたそうであるが蓋し適評であろう。果皮が甚だ硬いから林檎や柿の樣に皮をむくことが出來ない。又堅い大きな核があるから眞二つに割る事も出來ないので一番手際の良い綺麗な食べ方は小刀で扁平な兩側の果肉を眞中の核からそぎとり內側から匙で搔き取つて食する。核の方に附着して殘された果肉は即ち「風呂場の中」でなくては食するに適さないのである。

マンゴウは多漿で枸櫞酸を含み、ために特殊の酸味を有すると共に同果獨特の甘味を存し美味である。唯未熟又は不良種のものは稍テレビン油の臭氣を帶び、一種異樣の香氣を發して初心者に嫌はれる事がある。

生食する場合には氷冷したものが最も美味である。又生果として使用される外、砂糖漬等に加工せられる彼のライスカレーの藥味に用ゐられるチャトネーは即ち其一種であるマンゴウは又古來印度に於て藥效ありと認められ生果のまゝ藥餌的に賞用せられ又は種々の藥劑の調合に用ひらる

マンゴウ樹は其品種多く數百種に及び常綠喬木で樹高十余間、幹圍十數尺に達し柿樹に似て横に枝を張る事が多い。葉は長楕圓形の厚い革質で互生する。花は黃白又は帶綠白色の大複總狀花である。開花は二、三月頃で果實の成熟するのは五月から八月頃まで熱帶では一年中成つてゐる。人家の周圍や路傍に植えられて恰も信州の農家における柿や杏の如き觀を呈してゐる。

本邦では台灣、小笠原及び沖繩に栽培されてゐる。台灣では約四百年前和蘭人によつて初めて輸入植樹されてから全島各地に生育繁茂し嘉義以南に於て多く果樹園として經營されてゐる。台灣を五、六月の交台南廳大目降附近を旅行する者は到る所其巨木に懸垂せるマンゴウの果々たる大偉觀に接して一驚するであろう。故に今や台灣ではバナヽに次で重要果實として認められその栽培が奬勵されてゐる。唯生果は貯藏運搬がバナヽ同樣困難で販賣用のものは母樹で完熟せしめず猶綠色を存して採收し運搬中又は貯藏中に追熟せしめるのである。

又マンゴウの樹木は最も價値あるもので材木として廣く重用され樹皮は染料或は鞣皮料に用ゐられ、樹皮からはゴム液がとれ、アラビヤゴムが即ちそれであると云ふ事はあまり知

つてる人が少ない程である。

アマゾンのマンゴウ

戀人のさゝやきを覗つてる

ブラジルのアマゾン進出が若人の胸を躍してゐるがそのベレン市の街道の並木は皆マンゴウである。一年中成つては熟し、熟してはなると云ふ盛觀、三越の陳列で何十錢と云ふ札付きのマンゴウは撰返つて見る者がないよく熟したのを朝たど口にすると仲々捨て難い美味、然しマンゴウと酒は仲が惡い、一緒に食べると命がとられると云ふ、で「マンゴウは朝は金で晝は銀、夜は毒物である」とピンガ一黨の土人がこぼしてゐる。

マンゴーの町

「アマゾン河口ベレム市に滯在中」

ホテルの前の大通り
教會前の廣場から
横町小通り一面に
繁したたるマンゴ樹が
青い木の實をぶら〳〵と
夕邊の風になびかせて
木の下やみのさゝやきを
知らぬ顔してながめてる

晝の日中は勿論暑い
赤道直下のアマゾンだ
其の河ばたのベレムの町で
活動出來るもマンゴのお影
一寸木影に飛び込めば
涼しい風がそよ〳〵と
四六時通して吹いて居て
汗の味すら知らずに住める
× ×
夕邊の憩をマンゴの下で
ベンチに腰掛け町通る
若人達を見てやれば
誰れも彼れもが着裝つて
ステッキついてのハイカラ姿
ラテンの民風懷しく
知らぬ吾等にもの云ふよう
さも樂し氣に歩いでる
× ×
毒虫毒蛇の巢屈だ
人間などの住め得る樣な
所でないと敎つた
此處アマゾンの河口に
こうした立派な享樂の
ベレムの都が在らうとは
現在住んで居てすらも
不思議でならぬベラの町

(松尾弘)

(ベレム市のマンゴーの並木)

比律賓のマンゴ

小供の握り拳大、一個二、三錢である。植えから四十年位で實が成り一樹で四、五十圓にもなる。果實は松の樣な高い芳香に程良い甘さ酸味をおびて一度その味を知ると生涯忘れ得ぬものである。(在ダバオ小池釣夫)

海外通信

貴君の問に答へてダバオの近況を述ぶ

常夏の國より

小池釣夫

七月一日出しの御手紙正に拜見仕りました貴君の如き有爲の人物が村の役場につとめられ且つ村の青年指導の任に當られ居る事は實に有意義なる事と存じます貴君の御手紙によりて色々と農村の狀態等につき御知らせ下されてよく解りました。私の考としては先づ長男と生れし者は祖先の事業を繼承して家を守り次男以下は宜しく海外に發展すべきものと信じて居ります勞資の對抗、農村の疲弊等に關しては雜誌により新聞により常に讀ませられて居り爲政者も經濟學者も色々と心を腦まし研究して居るのを見ますするが私共の意見としては如何なる政治家が出ようと如何なる革命が起らうと現狀のまゝの日本はどうしても救ふ道はありますまい。

若し救い得る道が有りとすれば(農村に關してのみ)それは人口を現在の半減するか、現在だけの手數や費用で其の收穫を二倍以上にすることが出來るか、これが出來ぬ以上は田中男が天下を取つても、濱口氏が天下を取らうと餘り變つた事はありますまい。若し又革命が起り共產的に土地を分配して見た處で結局それで米が一粒も余計に取れるわけで無く土地が一寸たりとも廣くなるもので無いとすればやはり日本は同じ土地で同數の人間を養はねばならぬから亡び行く農村の運命をどうすることも出來ますまい、其の根本を見究はめずに甲論乙駁して居るのは馬鹿らしい事では無いでせうか。地球はまだ〳〵廣いです。白人によつて占有せられんとする地上の各所に吾々が進出して世界的競爭場裡に奮闘するは何と男らしい痛快な事ではありますまいか。それは吾が大和民族が天照大神の神勅によりて明なる使命の存する事を目覺した時吾等の血は湧き反り起たずには居られないので有ります、餘談はさて置きまして左に貴君の御質問に御答へ致そうと思ひます。

一、一年中の平均溫度は一ばん暑いと云はるゝ耕地で八十三度普通は八十度より二度位の間でせう朝日の出る頃は七十九度以下日中八十六七度夕食後は八十度位、私しは平生毛布二枚着下には厚さ五寸もある布團を敷きメリヤスの夏シャツにズボン下其の上に一重物の寢卷きを着て睡ります。蚊張の中で團羽や扇などは用ゆる人は一人もなく汗が出ない程涼しく毛布を着ないで睡れば風を引きます、麻は株と株との間九尺よ

り一丈高さ葉まではかれば二丈五尺位仕事は皆其の下の凉しい所ばかりでします日中でも扇など持つて居るものは一人も無し勞働時間は普通午前五時間　午後五時間　計十時間が標準農家なれば工場などは異なり之より、短きもあり又長きもあり色々です、

一、雨量は多い方です今一寸數字を御知らせする譯に出來ませんが(失念して)一年中を通じて適度に雨があります。これがアバカ(麻)生育の第一要件でダバオは卽ち此嶋第一の好適地です六月、十二月は雨期でよく雨がふります多くは夕方の夕立で其の一過後の凉しく心地よい事は格別です。

一、日中と夜との時間は一年中餘り大差ありません一時間位なものでせう、それ故日本の夏の樣に熱の蓄積がない爲めに卽ち日中の光熱は必ず夜中に發散してしまうので日本の樣に九十度や九十五度などゝならないのです、

一、衣類は家の中では日本着でもよし外出は凡て洋服、普通家ではメリヤスシャツにズボン下であります、食物は米、味噌、醬油、牛肉、魚類、菜、大根、モロコシ、小豆、豆腐、バナヽ、パパヤス、其の他果物は年中甚だ豊富パパヤスは日本では一ケ二圓以上　ダバオでは十錢

一、警察機能甚だ幼稚、一寸も賴りにならず各個人が犬を飼つたり常に注意したりして自衞の道を講ずるより他に道なし、

一、家屋は南洋式　トタン屋根、壁は板、一寸和洋しづれとも云ひ難し、疊無し、通風甚だ良し、食事等は腰掛けてやる

一、麻以外には農產物としては椰子樹の實から取るコプラス(油)米、モロコシ、サツマイモ、野菜等何でも出來ますが邦人のやつて居るは野菜業が極めて小數で九割五分まで麻栽培であります。

一、麻の相場は普通一ピーコ(十六貫)二十圓して居れば十町歩經營して約一ケ年二千圓の金が殘ります。三十圓となれば同じ場所で四千圓のこり一ピーコ十圓になれば先づ食つてのけるだけのものでせう、今は一ピーコ十八九圓いくら下つても十圓以下にはなるまいと思ひます。

一、ダバオの日本人目下は八千人、ダバオ州全体で日米支此合計十三万人(ダバオ州は日本の四國の同大、四國は三百萬人)支那人約三千米人約百人。

一、日本人の九割五分までは麻栽培であります。

一、渡航費は三百圓で凡ての支度まで充分でせう。

一、十町歩の土地を開墾するとして資本金二千圓あれば充分然し渡航後一年位麻山で働き凡ての要領をよく呑み込んでから仕事にかゝれば一ケ年中の月給まで加へて千圓位の金で十町歩の開墾を完成さする人もあります。

一、麻植ゑつけてから二ケ年は毎日々々草取りばかりして居るので資本金は卽は其れ等食費をもふくむのです、麻は九尺に植ゑるので間作として、おかぼ、もろこし、野菜等出來ますが間作すればどうしてもそれだけ麻の生產期は後れますから結局同じことです。

一、渡航適期は多か秋に日本を立つが良いと思ひます。

一、病氣は日本にあるもの丶外にマラリヤ(日本のおこり)がありますキニーナと云ふ特効藥が出來てこれで命を取られる樣な者はなくなりました、コレラ、ペストは皆無

一、移民による人口增加は日本人が一ケ年約千人(昨年の如きは二千人の上になりました麻の景氣よかりし爲)比人が約日本人と同數位毎年ダバオ州に這入ります。

一、移民地の開け始めのものなれば娯樂機關はありません文庫テニスピンポン擊劍等を部分々々でやつて居るだけです、

一、此頃ダバオで養蠶を試みた人があります掃立後十八日から十九日で上簇してしまいます、上等な繭ほぐれも中々良し桑は無肥料で驚く計りの生育をし一年四回の葉の收獲が出來ます、壹町歩の土地を二十ケ年位の契約で借地するとして一ケ年四十圓拂へば充分です今の樣に繭が安ければですが十圓もしたら面白いでせう、病死する蠶は一匹もなし(病氣が無いらしい)一蛾で二百六十匁の繭を取つた事もあります、今は養蠶は試驗しただけで止めて居ります。

右大体の御答へを致しました。

十人や二十人なら何時ダバオへ來られても就職口の然るべきものを世話して上ます、沖繩縣の金武村大字金武と云ふ一字からダバオへ來て居る人數が約六百人近い程で一ケ年約十二萬圓の送金を郷里へして居ると云はれて居ります。かくして一字金武の青年は正に破産に至らんとした自分等の區を他縣に此類なき有福のものにしてしまいました。今日はこれて失禮致します、さよなら(八月十九日)

ありあんさ犧牲者

故人追憶記

香露庵老人

ありあんさは大正十三年十一月廿日北原理事が座光寺氏を從へて入植してより、當事者と移住者とは幾多の困難と闘ひ、忍從し一致協力して、苦難に處し、とにもかくにも獨立農の事業は緒に就きて、世間で、批評する如く、海の物とも山の其のとも知れぬと云ふ、槪念は取り去られた。勿論是から先の施設の幾多目前に橫たふ事業の困難は云はすもかな、卽ち文化的事業經濟的事業の施設は將來の重荷として經濟の獨立の出來ぬ我々にとりては大業である、さて既往入植せし者の內にて物故せしもの新墓地をありあんさに設定せられたり、玆に葬られたる墓標を三十二とす其內孩兒九分を占む大人の方にて亡友宮村正時君あり、同君は海外植民學校第一期卒業生にて年齡廿九才、高知縣の產にて所謂口も八丁手も八丁で、友人間は勿論一般に調法がられた人で、義俠心に富み、入植者に何くれとなく世話を燒きたる人である、此の人がなくなつて跡を繼く者の果してあるや、(力行會員は多數當地にあるから或はあるべし)予は交り淺く未た其人を知らす、入植者も日に增多くなるから、世話燒の人を求むるや甚だ切なり、予や一週年追祭の時、孤標悄然夕陽に立つを觀て、今更ながら其遺德を追頌し深知の友と相議り墓側に玉植を作りて其頌德表を揭ぐ

言ふ者多く行ふ者寡き世の中に、故宮村正時君の如きは、善く言ひ能く行ふ人にして、而かも義俠心に富み、何くれとなく、入植者に便利を與へられたり、君は夙に海外發展を唱へ移住者の先驅者にして骨を玆に埋むるは元より期する處後進者に範を示すに足れり、されば其遺德は永遠に消へす、實に靈魂不滅とは此の謂なるべし、君か一週年追祭に當り深知の友相議り玉垣を造り聊か敬慕の意を表すと云爾

昭和三年八月　ありあんさ有志者建之

猶一週年に玉垣は成る更に三週年に石牌を建てんと同窓岩本丑一君などは目論見つゝあり、同窓生の在伯者百二人あると聞きて意を强ふするに足ると云ふ

亡友宮村正時君の墓前に捧く

ありしよのきみのなさけをわすれしと
結ひそめたる墓の友垣

香露庵老人

(一九二八、九、八、故宮村正時君の墓前を訪ひし時)

君やすむ永遠のすみかにふる雨も
人の情にかわく玉垣

崎山比佐衞

と直接に書付けられたり君の靈や喜んで之を享けむ。

「海の外」を頂戴して

御禮まで御送金申上候

在佛日本大使館內

草問志亨

川口秀俊

下平敏

拜啓

愈々御隆昌の段賀上候陳れば貴協會御發行の海の外雜誌每々御配送に預り御禮申上候御蔭樣にて故國に於ける各種の事情を承知せられ殊に貴協會の海外發展の事業情況等詳知することを得吾人の如き常に海外にあるものには故國の通信又は海外に於ける同鄉人御治躍の模樣等は知らんと欲して容易ならざる場合に於て頗る興味を以て拜見せられ一入拜謝致し居るものに有之就ては甚だ輕少ながら別券小切手壹葉(拾圓)也前記三名に於て一括御送金申上候に付右雜誌代の內に御納被下度

先は右一筆申上候　(十月五日)

敬具

船中漫談記

悲壯の寢言

神戸からコロンボ迄

サントス丸　泉　駄　羅

九月廿二日四時靜かに船は岸壁を離れた。

岸と船で打振る旗、切れじと結ぶテープ總ては日本と南米との強い結合を示してゐる。

涙をぬぐふ婦人、小學生の悲壯な哀別の歌、船は進路をまつしぐらに南米へ向けて。

黒煙は遂に神戸市を包み夜は訪ね來た廿三日夜十時長崎港入港

翌日夜七時香港へ向け出帆。

長崎の夜景を後に、最後の日本と訣別を惜しみながら船は五百の移民諸君を懷にスクリューの響を寂しげに吐く。

夜中二時頃と覺しき頃より大い動搖を感ずる。朝になつて見ると大きなローリングだ。頭が馬鹿に重い。立てゝあるもの全部倒れるサイダーをしこたま買い込んだ人がガチ／＼と不注意にも壞す。

食事は一割しか喰べる人がない、皆ベッドに頭をかゝえてゐる甲板の上を波が越す、恐ろしくて甲板へ出られたものでない。

それで快晴である。

僕は幸にも醉はなかつた。役目柄緊張してゐたからであらう、こんなのを航海と云ふのかと思つて僕は聊かウンザリしたこんなのに續かれたらと流石に悲觀した。

ボーイを捕えて早速聞いて見る。返事が嬉しい「こんな發風は滅多にありませんよ、今日船員も大分腰て居ます。一航海にこんなのはまあ、一ッあれば多い方でせう」

翌日は大分靜まつた。こんな具合で船中の統制は上手に運ばない。船は一時間十三浬の速力で香港に向つてゐる。

香港到着　天然痘流行の爲上陸禁止僕は手紙を一まとめに投函する役目で特別上陸する異國の香りを始めて嗅いでみる、ブロークン、インブリッシュをやらかす結構通する香港の大通り氣持ちが良い、そして船から港全体を見ると又清爽な氣がする然し裏通りは汚い支那人町だ。日本人の想像を許さないむさぐるしさだ、病氣の根源になるなと自分ながら吐きたくなる。

香港出發、サイゴンへ向けて。

大分統制されて來たので忙しい、こゝまで書いて見たが航海スケッチでは書く自身興味をわかないのでエピソードを以て話を續ける。

悲壯な寢言　靑年Oは單獨渡航者だ。いつも元氣よく運動の中心になつたり食事の手傳ひ等をしてゐる。

ある晩のこと風紀衞生係のTさんと僕と二人しんみり話をした話は何時しか勇壯な移民の決心に進んだ、「まあお聞きなさい、Oと云ふ男を知つてませう、あの男の寢言が斯ふなんですよ」とTさんは夜の暗に唾をゴクリとのどで鳴らした。「昨夜私が一巡してさて寢やうと橫になると突然Oが大きな聲で「ねえおばあさん僕キット成功して歸へります。　キットお金を儲けて歸つて來ますよ」おばあさんと別れた時の夢でも見てゐたでせう。隨分變な寢言もあるものですね」。

僕は云ひ知れぬ悲壯の感に打たれた。そして「粉身働くから、彼等の任務の重大な前に倒れて後止まんかな」とひそかに暗と誓つた。

「化物の正体みたり」「助けて呉れー／＼」。と金切聲でとぎれ／＼に女のさけぶ聲に眼が覺めたのですよ、朝の四時頃ハテおかしいなといぶかりながら聲の方向を尋ねて行つたのですよ益々變ぢやありませんか便所の中から正しく聞こえるんです。ソット近寄つてチット聞けば、まあなんです「開けて呉れ」と大便所の扉を內部からたゝいてゐるのです早速開けてやりましたがね。船の扉はしつかり閉ぢれば一寸女のか弱い力では苦勞しますからね。いや全く「化物の正体みたり聲の主」と云ひませうか、「あけてくやしや玉手箱ですよ」

とは熊本の藤垣さんのお話、藤垣さんには船中の小學校教育を全部委任してやつて貰つてゐます僕が三十分ブラジル語の教授其の他の教育は五部教授方法でなか／＼堂に入つたものハワイ丸乘組の子供の爲に大いに喜んで居ります。

シンガポールの日本料理屋　シンガポールも天然痘流行で上陸禁止、僕は相不變役目で上陸する、S君も特に願つて一所に。

上陸してブラ／＼してゐる內に雨が降つて來た。

雨の中をビショ／＼になつてあてどもなく歩く。日本人料理屋で「ひさご」と云ふのがあつた。早速飛込んで「今日は」とやらかすいや知らぬ間に出てしまつたのた「今日は」返事が實になつかしかつた。

二階でS君と二人で「さしみ」と「親子丼」を喰べた。實際シンガポールで日本食を喰べやうとは、勿論日本內地に比較すれば不味だが、そんな所ぢやない、たゞ有難しだつた。かたじけなさに食慾に進むと云ふ有樣食後小便を催したので女將に「便所は何處ですか」とやつた、

その後の會話が面白い「大便ですか、小便ですか」『小便です」「では二階です」『二階の何處ですか』『何處でも宜しゆございます」言此處に到つて僕は啞然とした。成程日本人だつて支那人と交れば斯くも不潔になるものかなといさゝか笑ふに笑はれない場面だつた、で仕方ないからせめても肥料にと鉢植の松に勿体なくもやらかした。蓋しシンガポールは妙な所である。

ゴロンボ 本日正午入港出帆後始めて上陸許可さる、移民諸君は皆一流の風采で上陸する。住人の九割はインディアンである、彼等の英語が上手だ、隨つて商賣上手だ。語學に長ずる國民は商業にも發展する支那人にしろ獨逸人にしろ伊太利人にしろ皆然りだ。

「語學と商業とは密接な關係がある」とは我田引水ざやない。印度人は日本人を見ると愛相よく片言の日本語で話しかけるそして最後にあやしげなルビーとかを持出す。斷り切るには隨分の暇を要す。

果物等はバナヽは安いが其の他は隨分高價だ。其の他强い印象はコロンボにはない。

愈々明日ダーバンに向け出港する。ダーバン迄十二日の航海これから雜多な催物が多い、忙しいことだらう。惡性の風邪の爲思ふ樣に活躍出來ないのは以外。次に果して通信が書けるか如何は疑問（十月十二日）

風紀に關するエピソードを書きたかつたが役目柄勘べんして貰ふ。商船、海輿の取扱、態度等にも、相當の批判はしなければならないがこれも風邪の爲次の機會に　コロンボにて　匆々

尋　人（再）

家長氏名　鈴木長治
家族人員　四人（夫婦子女二人ならん）
本　籍　長野市三輪（舊三輪村上松）
大正七年の住所　Rua moca 26 SaoPaulo（伯國）
渡航と職業　明治四十三年五月四日神戸出帆旅順丸の伯國移民二回目の渡航者で着伯二ケ年は珈琲園就耕、其の後聖市に出で大正七年十一月頃まで建築大工として勞働せる由
事　情　本欄尋人については本誌第七十三號に詳報したが未だ判明せざるため再び細記在外同胞大方諸賢に御手數を煩す本人の事柄に關し多少なりとも御存じの方は大至急當協會に御報知願ひ度し。
本人は本籍にて小學教員であり前記の如く在伯大正七年までは鄕里實父に每年二三回の通信あり何等支障なかりしが同年十一月發實父宛通信には聖市は不景氣にて新築工事少なく仕事が尠なくて困るとの悲觀的通信を最後として今日まで滿十ケ年通信全く杜絕實父から每年前記住所宛に通信するも或る時は名宛人配達不能或る時はそのまゝに返送さへもなき事ありて連絡出來ず、生死不明の狀態である。鄕里には實父既に八十三歲の高齡、渡航間際に實父に托せし本人の長女は最早十九才に成りひたすら在伯家族の消息を待ちつゝあり。

南洋を巡つて（二）

片倉小山嵩

スマトラ島の巻

スマトラへスマトラへ、米國を始め世界各國の資本は吾がスマトラに向つて集中されつゝある。

私の新嘉坡に滯中チヤワ旅行を終へて來られた東京外語長屋校長、朝倉教授及ラニー講師のお伴をしてスマトラへ行く幸運に惠れたのである。

八月八日正午メダンへ向つて出發した。船はオランダKPM會社白塗の快速船、一等國民はデツキパツセンチヤーたり得ないので仕方なし私は二等に納るメダンまで一晝夜賃金實に三十二弗。邦貨にして約四十圓である。が船內美しく待遇亦遺憾なくパーサーの客あしらひなど如才なくすべてが氣が利いてゐる。

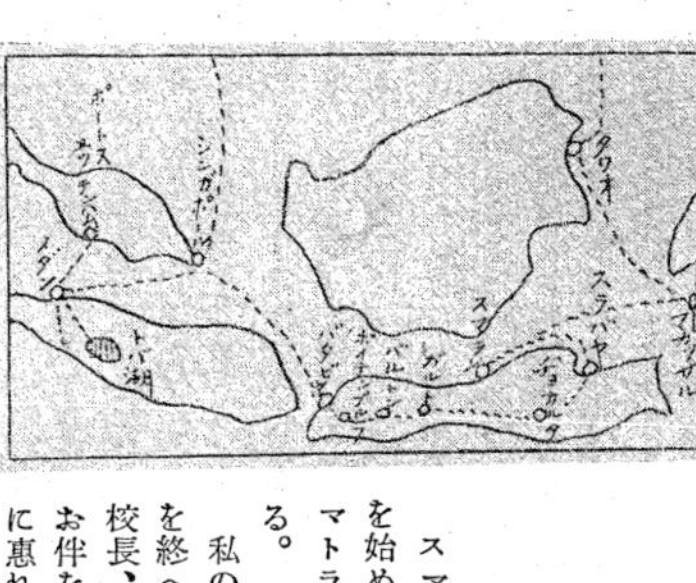

Navez vous pas oublie quelque chase?　佛
Haben Sie nichts vergessen?　獨
Hebt Uniets vergeten?　蘭
Did you not forget anything?　英

これはトイレットルームのドアーの內側に揭げてある所謂お忘れ物は?、である。

船は翌日正午メダン市の港であるブラワン港に入つたブラワンよりメダンまで自働車で二十分、汽車で五十分。校長と朝倉教授はホテルデユブールといふ一流へラニーさんと私は日本ホテルへ。校長の一行はホテルのナムヴアワンの室へ案內されたが南京虫にやられたそうだ。つい先頃王樣の樣な旅行をしに來た大倉喜八郎氏も其の室だつたそうだ。驕慢比なきわが君樣喜八郎氏も恐らく南京虫のたかる所となつた事であらう。

我本州に比敵するスマトラ

メダンは三井物產の支店が出來領事館が設置されるなど正に邦人活躍のピストルが放たれた所である。

私の旅行記は讀者が勿論相當の地理的槪念を持つものと決めてゐる。歸國後旅行談をするに流石天下の外語の學生は別だつたが他の大學生の地理的知識の貧弱なのには驚かされた。一例

を擧げるとスマトラの何國の所屬であるかを知らぬ連中が多い「海の外」の讀者はそんな教養のない不眞面目な連中とは違ふと思つては居るが老婆心から記してみる。

スマトラ嶋は赤道直下に橫はつてゐるオランダ植民地で其の面積は我が本州位である。メダンはその首府である。如何なる金銀珠玉が埋藏されてゐるかそして將來如何なる產物で世界の市場を左右するか全く未知數に近いがオランダ本國、英、米、其の他の列强そして遲れ馳せながら我が日本も加はつてこの數年來猛烈な投資戰が行はれてゐる所である。

先づこの位の槪念に知つておいてほしい。一体日本人は外國の眞似は上手だが向ふの地理については一向知らない。こんなことだから洋行しても馬鹿にされるんだ。

メダンは暑かつた。が家の中は意外に涼しい。屋根が二重で天井が高く壁は二重か然らざれば厚いこういふ耐熱家屋が市の檢査を經て建られる。

文化は道路より

英領から蘭領へ行くと丸つ切り氣分が違ふ。蘭人は文化は道路よりをモットーに植民地開發に孜々として努めたスマトラの如き未開地と思はれてゐる所でもどんな山間僻地に到るまで立派な道路が開けてゐる、そして常に手入をしてゐる

市街を作らんとするや先づ立派な街路をドスン／＼と開くそして商業區と住宅地とを區別する。

住宅はすべて效外に一階建て床高く白壁の所謂文化住宅と思へば間違ひはない。唯日本の樣な安物ぢやない。そしてオランダ人は日沒後の薄暗りの夕方の氣分を渴仰する國民である。赤道直下ではこの所謂「かはたれ時」の時刻が短い。で電氣に茶褐色或は紅などの大きな絹傘の覆をつけてこの夕方の感じを出すその下で一家がパヂヤマ其の他の輕裝で樂しげに語らつてゐるのを見る。

隨分見せつけられたのもあつた。然し彼等は幸福だ、自分も早くあの樣な背景の前で新妻と語りたいと思つた。

オランダ人は歐洲のあの寒い國から赤道直下のスマトラ。ヂヤワ。セレベス。ボルネオの統治經營に成功してゐるのは世界の驚異であつて彼等の研究努力には全く敬服する。この植民地の生活も本國のそれとは全く違つた植民地獨特の生活法である。官衙銀行郵便局に至るまで執務時間中正午から午後三時まで休業する。即ち晝食後三時頃まで門閉して晝寢をするのである郵便局の晝寢には閉口した。四時頃から商店は再び店を開いて夜深更に及ぶ。

（人里遠き奥地も文化は道路より）

翌日は避暑地ブラスタギーへ向ふ。メダンより約二十里。美しい四間道路を吾々の自働車は時々八十キロの速度で走る。

世界優秀の煙草產地、明媚なトバ湖

メダン附近は有名な煙草の產地である事はあまり知られていない。メダン市は元デリー會社の烟草園であつたが斯業發達の

結果昔の一部落は遂に人口七萬の壯麗なる市街と化したのである。スマトラ烟草（一名デリー烟草）は葉肉極めて薄く彈力に富み之を指頭に卷く時は明に皮膚を透視し得べし。これその名聲の世界に冠たる所以にして葉卷の上卷用として絕對無比と稱せらる、と說いてゐる。葉卷としてはマニラ。キウバを壓す。唯その栽培地のメダン附近にのみ限られ從つて其の生產額も少く、生產品はすべて組合の規定により本國のアムステルダム或はロツテルダムに輸出され相場は該地市場に於て決定される、

この煙草園を過ぎて車は登る、燒かれた原始林中に巨木の立枯れするもの倒るゝもの、この原野も數年後にはゴムか椰子か茶、コーヒー。或はキナ等の美しい農園となるのだらう。行く自働車來る自働車輕快な二人乘。さては大きな乘合など箱根を登る樣な氣がする。

時々南洋特有のスコールに見舞れて約三時間の後にブラスタギーに着く。

こゝは我が實業界の重鎭藤山雷太氏が先年南洋視察の折ある目的のために土地を買つたと言はれてゐる、

海拔五千尺氣候は我が九月下旬。美しい芝生の丘陵は開けてゐる。點々と散在する別莊、美しいホテルブラスタギー。その後方遙かに煙を吐く奇峰。輕井澤そのまゝである。スマトラにこんな美しい所があるとは思はなかつた。倘竹林の多い事竹垣を發見した事、更に菊の美しく咲きほこつてゐたのには全く驚かられた。諸君これがスマトラに實在する吾が佐久高原であると言いたい。

近くに松原湖ならぬトバ湖は風光明媚眺望絕佳、ピクニックには好適のパラダイスである。この邊米田多く土人は極めて幻雅な方法で收穫をやつてゐた。

ブラスタギーには日本人が三家族その中の淺田寫眞館に招かれて久し振りで風呂に入ることが出來た。

少し餘談に入るが新嘉坡には日本人の醫師齒科醫が澤山居るが蘭領では一切許されない。オランダ語と馬來語に通ぜねば許されないのである。蘭人醫師のむさぼるにまかすのみである

日本人の寫眞屋と理髮屋
抱きしめて氣持のよいダッチワイフ

日本人としては寫眞屋が到る處で成功してゐる。上品な商賣でお客が亦相當なレベル以上である點が目のつけ所であらう次いで理髮屋であるこれは臨機應變の才能に富む日本人理髮師に限るらしい。向ふの婦人は斷髮だから男客の外勘くない女客を持つのも有利である。

チヤワで一度やつて貰つたが一圓七拾錢。それに一等國民としての体面を保つ上に於て尠くとも二圓置いて來ねばならぬ、隨分ボロイ儲けになると感心した。

大部脫線したが其の夜はブラスタギーで宿つた、寒くてブル／＼震へた。例のダツチワイフをだき締めて（所がこれが始の中は何だか氣まりが惡くてと言つて誰も見てゐるのぢないんだがどうしても抱かれなかつた。ダツチワイフは經七、八寸長さ

四尺位で中にカボックといふ南洋綿を入れた枕の様なもので蘭領では汽船ホテルは勿論どんな家庭でもベットには必ずダッチワイフ毛布が備へてある。若老男女夜はこれを抱いて寢る然してオランダ人の考案によればダッチワイフと名附けらる。」三枚の毛布に縮つて翌朝を待つた。

朝モヤの中に消えて行くブラスダギーに別を告げてメダンに歸着したのは八月十一日午前十一時であつた。

宮殿に伺候する光榮を擔ふ 日本に行きたいと淋しく答へる王子

晝食后に校長のお伴をしてサルタン宮殿に伺候するの光榮に浴した事は實に大きな收穫であつた宮殿は美しい、調度品や飾物はすべて濃厚な色彩のもので嫌氣がする程であつた。やがて快活な王子が出て來た。所謂クラウンプリンスである。彼は英蘭兩語に堪能で獨佛も若干解す。長屋校長とは英語、朝倉教授とは蘭語。ラニーさんとは馬來語、王子はよく三ケ國語を使ひ分けてゐた。隨分面白いシーンである。彼はオランダ本國の大學を卒へて來てゐる。近く再びオランダへ行くと言つたのに對して長屋校長が何故日本へ來ないか、と聞いたら日本にも以前から憧れてゐる。お早う。今日は。などの日本語も知つてゐる。行つて見たいが金がないと淋しく笑つて答へた。オランダ官憲の目がうるさくて東洋のリーダーである恐るべき新興日本を訪れる事などは先づ以つてあぶないと敬遠されてゐるのである。

（輕井澤を彷彿させるブラスダギー）

宮殿を辭す時彼は親しく、御車寄、まで送つて呉れた。吾々が自働車に乘つたが運轉手が來ない。と彼と遙か後方の柱の蔭にプリンスに咫尺して恐惶土下庭して居たのである王子に叱られて急いでハンドルを握つた。

次いで壯麗なるマホメット教會堂を見たこれも信者以外は簡單には入れぬのである。

校長の一行は其の日ピナンに向けて出帆した私はメダン邦人の發達裏面史を聞かんと數日滯在する事にした。

やはり娘子軍によつて發展 怪しげな「高い家」

メダンも吾が移民史の恒例に違はず健氣な娘子軍の手によつて開かれた。がオランダ政府では一等國民に淫賣を公許する事は出來ぬとして禁じた。當時眞に有難くない光榮であつたに違ひない仕方なしにその連中はホテルを經營する樣になつた。曰くインヂアンホテル、曰くニシキホテル、フヂホテル、等々そしてヂャワより女を移入して自分の後繼者としてゐる現に。或は蘭人其の他の妾となつて數萬の金を得て足を洗つて豪遊してゐるのもある。

この日本人經營の怪しいホテルが亦一所に集つてゐるその屋造りが二階建であるためこの邊りをルマティンギ（高い家の意）と呼ばれ試みに土人にルマティンギへの道筋でも尋ねんか彼等は微苦笑して敎ふ。

此處に約五十名を擁する小學校も出來た。彼等は先生から日本は萬世一系の天皇を戴き戰爭が强く世界の一等國で東洋のリーダーであると强ひられてゐる。日本に居る吾々でもこれ等の文句は鼻につく。ましてそれ等の片影にだに接し得ない子供に何の反響があるか。現實に見るものは堂々たるオランダ人の邸宅風采支那人の偉力それに對して自分の親達は貧弱な雜貨商或は笑はれものゝホテル經營者である。この明白な敎育をどうさばくんだ。

學校について深く感じた事であるが南洋で生れて南洋で敎育を受けた日本人には吾々內地人の抱負などは決して實現を望まれない。

その人の生涯を左右する搖籃時代に英人蘭人支那人に蔑され通して大和魂〔但しこれは軍人や國粹會の考へてゐるのと違ふ尠くとも近代的青年の誰もが持つ非帝國主義的のものである事を斷つておく〕の缺けてゐる連中には何も出來つこはない、日本語から日本人大和魂が生れて來る。如何に英語、蘭語支那語を巧に話しても日本語を知らぬ日本人ならそれは一個のマシーンに過ぎぬ。

生拔きの日本人敎育のある日本人を南洋へ送れ。これが刻下の急務である。泥水にも後から〳〵と淸水が注がれて行く。領事館が設置されＭＢＫの支店が設けられる。メダンの識者は涙を流して喜んだ。これで外人に對抗出來ると。

英國船マラッカ號に乘つてメダンを去つたのが八月十四日。二等船客には日本人の自分が一人。獨り旅は亦愉快だ。同じ洋食でも白山丸のとは何だか味も氣持も違ふ。

途中馬來半島の西岸ポートスヱッテンハムに寄港こゝはマレイ聯邦の首府コーランポを背にし近年富に隆盛を見る至つたと聞く。かくて再び新嘉坡の人となつたのは十六日の朝。十八日校長の一行は熱田丸で歸國するのを送つて私は獨りヂャワへ行く。ヂャワを見ずして南洋を語り得ぬ。私は懷中の淋しさを忘れて敢然ヂャワに向つた。

海の外消息

宮澤次郎氏渡亞 前ダバオの領事分館に在勤の宮澤次郎氏は十一月サントス丸にて亞國日本公使館外務書記生として赴任、北佐久郡南御牧村の出身である。

兩角喜重氏 前號所報の如く紐育に到着した同氏は紐育市華府の雜沓をぬけ出て十月中旬ナイヤガラ瀑布を見て加州に向ひ同地の邦人活動狀況を視察して桑港發のサイベリヤ丸にて十一月廿三日無事歸朝した。

「本誌に對する不平」の聲

本誌に對する不平を正直に露骨に且つ眞面目に申述べて下さい。實は單なる不平の聲にあらずして本誌改善の叫びであり、本誌愛讀の必然的要求であるから當社はこれを一片の人氣的募集に止めずして各不平の點につき最善の努力を惜まない次第であります。

本誌禮讃、「海の外」の持つ特徴と私の感想

會津　ＡＳ子

（一）

表紙——毎號この表紙かどうか存じませんが少し淋しい位、すつきりしたノーブルさを感じました。目次が表紙にあることは研究書らしい感じを一層深めてゐますこれはわたくしの直觀かも知れませんがすきです。

內容を總括して——一字殘さず拜見いたしましたが全部よみ甲斐を感じました薄い頁にもかゝはらず氣のきいた記事が多く、各方面の通信がかたよらず載つてゐますので驚きました。之れは信濃の方の海外發展力を示してゐるものと羨ましく存じます。

欧壙新設の掲示がございましたが私としてももう少し趣味の方面にお力を入れていただく事を大變に希望いたします。

ドリアンの御紹介は全く痛快でございました。こんな各地の珍らしい產物風俗習慣などに關する記事は頭やすめのためにもよろしからうと存じます。

母國通信移植民ニュースの對照よろしくことに母國通信日誌の簡潔にして親切、要領を得た書き振りに感心いたしました信州記事協會記事等やはりこの冊子の所有者は長野縣人と云ふ感じが深うございました、特に海外にある信州の方々にはなくてはならぬものゝ様に感ぜられます一番興味深く拜見いたしましたのは移住地閑話南洋を巡つての二つでございます廣く一般的な讀者のためにはこんな記事をも少しお增しなすつても尙更よろしいと感じます

（二）

海外にある女性の方にこんな事をおきゝしたい

我田引水の様でございますが婦人方のの聲の聞かれぬのを淋しく存じます。信州には海外成功者の內助者として大いに采配をふるつて居られる方々が多からうと存じますが影一つみえません。各地にあつて奮鬪の眞中の方は兎も角少し時間に餘裕のある婦人の聲の聞けない筈はないと存じます。異國にあれば家庭生活上、また社會生活上、內地とちがつたいろんな叫びが湧き出て來る筈。內地生活の樣に煩雜さはなくともまたそれに對する禮讃なり何なり出て來る筈私達の想像では計り知れぬ直接の聲を是非々々伺はせて頂きたいと存じてをります。

ことに國際的な立場にある母として保健衛生兒童教育社交等どんな考慮を持つて行つていらつしやるかこの點を何よりも先きにお伺ひしたいのです。

婦人の海外發展を叫ぶ悲痛な聲は多く聞かされますが一方から云ふ方面の直接具体的の打ち開け話がなければどう云ふ方針をとつていゝのかまたどう云ふ事に注意や力を入れなければならぬか判らぬのであります。

【記者】(一)はお賞めの言葉づくしで恐縮です本誌は私一個のものでなく皆様のものですから一層御聲援とお願ひします。

(二)は故國にある女性の常に心に抱くものです。海外に健げに働らく女性に私からも重ねて同様のお願ひ致す次第です。（宮本生）

協會記事

海外在留の ―長野縣人代表（成功）者― 當選者發表

かつて本誌の企てして海外在留の長野縣人代表者を在外本縣人からの投票應募によつて知らんがために本誌第五十四號及び第五十五號に連續して募集發表した事があつた。本誌はこの企てによつて未だ鄉土に知れざる海外の成功者を紹介し合せて一般在外者の存位を高からしめんとしたのであるが未熟の本誌はその意を徹する能はず一般在外長野縣人の熱狂的應募を受ける事なくして總計百票にすぎなかつたのは意外であつた。

時恰かも曠古の御大典に際しこの企てが在外者の白熱的の歡迎を受けたならば意義ある企てとして一層の光彩を添へたにちがひない。

當選者決定上各國在留別に投票數の最多なる者より五名までを當選者とし、投票の少なく五名にみたなかつた所はその投票された者を當選者とした。當選者には信濃毎日新聞社の年鑑を贈る約束であつたが同年鑑は廢刊になりやむを得ず「朝日年鑑」に代へ一冊宛贈呈する事になつた。因に當選者は左の如し

北米合衆國
藤本安三郎氏　長田武夫氏
須藤正夫氏　勝田正武氏
小宮山義佐氏

メキシコ國

カナダ
岩下雷一郎氏　小穴藤雄氏

キューバ國
大平慶太郎氏

ブラジル國
輪湖俊午郎氏　北原地價造氏
矢崎節夫氏　伊藤八十二氏
松村榮次氏

比律賓
田中壽治氏

アルゼンチン國
小林一郎氏　山崎忠直氏

十一月便船は一家族 三月以降は百八十七名

十一月十七日神戶出帆サントス丸乘船のアリアンサ移住地當協會扱渡航者は左の一家族で同船は目的港サントス着は一月三日である

岩手縣氣仙郡竹駒村　新岩榮之助三人

因みに信濃海外協會扱の三月以降左の如し

三月	二一	四月	八六	五月	一八
六月	一七	七月	―	八月	一七
九月	六	十月	一九	十一月	三

計　一八七名

右は渡航費補助金交付を受けたるのみのものであるが呼寄せ其の他により單獨渡航者は約二十名に達してゐる見込みである。

各町村設立の海外視察組合(續)

下高井郡瑞穂村組合

組合長 小林五郎左衛門　關口千代松
出澤清十郎　宮澤孝明
佐藤貞治　米持兼廣
米持一郎　小林伍一
湯本忠治　中嶋俊治
大月國治　川久保伊助

上高井郡豊丘村組合

組合長 市川猪之助　小林市藏
市川政太郎　市川義勝
羽生田市次　坂田藤代作
坂田彌三郎　市川繁高
青木市太郎　羽生田吉太郎

同郡高井村組合

組合長 黒岩龍作　瀬谷崎光三郎
篠原敏次　中村直七
小出和四郎　太田才右衛門
松本秀太郎　山崎善重郎
山崎三治郎　黒岩七五郎
湯本龜三　龜原豊七郎
黒岩吉郎治

小縣郡依田村組合

組合長 吉池幹　金井今朝吉
宮下千一　關勝
瀧澤善一　清水清用
田村喜市郎　田村耕造
西村清吉　瀧澤二郎
瀧澤守一　瀧澤彌五平

新會員 (自十月一日 至十一月十日)

松島長藏　下高井郡高丘村
井出碩雄　南北久郡川上村
井出滉　同
土屋弼太郎　長野師範學校
青木長男　東筑摩郡東川手村
井出正人　南佐久郡川上村
竹内勝世　埴科郡五加村
大和田光男　北安曇郡北小谷村
荒井ふみ　長野市西長野
依田忠夫　北佐久郡五郎兵衛新田村
中澤三好　同
渡邊庫助　北佐久郡協和村

會費領收 (自十月二十六日 至十一月二十日)

一金貳圓也本年分
新沼榮之助殿　小林龜松殿　眞山由松殿　渡邊庫助殿　松島長藏殿　鷹田興吉郎殿　井出碩雄殿　井出滉殿　小河原對治殿　鈴木暢幸殿　中村庄右衛門殿　内田楯男殿　柄澤褒作殿　堀内朝雄殿　青木幸男殿　井出正人殿　竹内勝世殿　大和太光男殿　檀上謙爾殿　清水長治郎殿

一金六圓也大正十五昭和二、三年分　轟万作殿
一金貳圓也大正十四年分　山岸政藏殿
同　市川市作殿
一金六圓也大正十四、五昭和二年分　竹内忠康殿
同　竹内忠雄殿
同　小池寧平殿
一金貳拾八圓也　更級農學校視察組合殿
一金貳拾圓也　上水内古間視察組合殿

歌壇新設

俳句と和歌

會員讀者の御要求によつて前號に御報知の如く歌壇を新設致します。いづれも新年號より俳句と和歌について本誌の貴重なる紙面を提供いたします。奮つて應募して下さい。「題」は内外會員の世界各地に在住するの關係上、決しかねますから御自由の立場で嶄新なものを御投稿して下さい。選者　は當分當社編輯部にお任せ下さい。

海の外社編輯部

新年號ノ切十二月十五日限り

海外會費領收

一金拾圓也　在ブラジル　佐藤清義殿
一金貳拾圓也　在ダバオ　小山正直殿
一金拾也　在佛大使館　草間志亭殿　川口秀俊殿　下平敏殿
一金米貨拾弗也　在玖馬　大平忠男殿

編輯同人

歳月人を待たず、暮の瀬戸際に立つてこんな事を思ひ出す年頭には回暦戊辰の日本の意義深い感激をおぼへて本年を花々しく記録の一頁に加へたいと心願した。今その感慨深い年が恰かも無性な流水の如く何んの執着もなくくれんとしてゐるが過去一ケ年は決して無駄な生活ではなかつた事は確かであつた。△然らば無駄でなかつた生活とは?と追究されその功罪を問ふれるならばそれは各自の胸に答へる算盤の數字である。有形無形の數字が無駄でなかつた生活の收穫物なのである△慌しい歳の瀬に靜かに過去の一ケ年を顧み過ぎ方行く末を念じる事は徒事でないと、とりとめもなく以上一束(T、M生)△今年は何んと云ふても御目出度い御大典でこの聖壽の時に移植民の功勞者の幾人かが表彰され世に發表出來た事は何よりのよろこび、益々御健在御奮闘を祈り御祝ひ申上げる。△アリアンサを中心として西澤幹事と多羅間領事の玉稿を得たこれでアリアンサの誕生から今日までの經過が明白、南洋通の宮下氏が驍高らかに南洋發展のみちと說き小山氏が南洋を巡つての肩のこらない紀行は好一對、遙々ジネヴアから本縣出身の草間氏が國際聯盟の有樣を寄せてくれた友人の某移民監督の船中漫談海外通信の二三、は得難い讀物母國と信州の近情移植民ニウスの報導味覺をそゝる熱帶果物は本誌の獨得のもの、皆見逃してはならぬ記事ばかりで紙面は横溢してゐる。△或る皮肉屋が本誌を、かる燒き煎餅だなんて云ふたかる燒きせんべいの味は私の好きなもの、本誌が煎餅と同じ味とは有難い、もつて本誌を愛する所以(O、M生)△本年の終刊、では皆樣本年はこれで御免下さい。第七十九號の新年號は新裝を凝して御目にかゝりませう、御氣嫌よう。

信濃海外協會規約抄錄

一、本會ハ信濃海外協會ト稱シ本部ヲ長野市ニ支部ヲ必要ニ應シ内外各地ニ置ク
二、本會ハ縣民ノ縣外發展ニ關スル諸般ノ事項ヲ調査研究シ其ノ發展ニ資スルヲ以テ目的トス
三、本會ハ前條ノ目的ヲ達スル爲必要ニ應シ左ノ事業ヲ行フ
イ、縣民縣外發展ノ方法ニ關スル立案
ロ、發展地ニ就キ調査ヲナシ其ノ結果ヲ紹介
ハ、在外縣民ト聯絡ヲ計リ指導後援
ニ、海外投資ノ研究ヲナシ之ヲ發表
ホ、海外發展ニ必要ナル人材ヲ養成
ヘ、機關誌「海の外」ヲ發行シ隨時講演會各地ニ開ク
ト、海外發展ニ關シ各種參考品及統計ノ蒐集
チ、前各項ノ目的ヲ遂行スル爲臨機本會ノ代表者等ヲ内外樞要ノ地ニ派出スル事
リ、會員ニハ「海の外」毎月寄贈ス
ヌ、其ノ他本會ノ目的ヲ達スル必要ト認ムル事項
四、本會ノ會員ハ左ノ四種トス
イ、名譽會員ハ代議員會ノ決議ヲ經テ總裁之ヲ推薦ス
ロ、特別會員ハ一時金百圓以上ヲ釀出スル者
ハ、維持會員ハ會費年額金拾圓ヲ十ケ年間釀出スル者
ニ、普通會員ハ年額金貳圓ヲ十ケ年間又ハ一時金拾六圓以上ヲ釀出スル者

五、本會現在役員ハ左ノ如シ

總裁　千葉了
副總裁　平野桑四郎　佐藤寅太郎
顧問　小川平吉　今井五介　原嘉道
伊澤多喜男　岡田忠彦　本間利雄
梅谷光貞　高橋守雄
相談役　田中無事生　泊武治　小西竹次郎
降旗元太郎　越壽三郎　小里賴永
片倉兼太郎　鷸澤泰江　小林暢
山岡萬之助　工藤善助　樋口秀雄
植原悅二郎　山本愼平　松本忠雄
白石喜太郎　高田茂　菱川敬三

海の外(月刊)(一册廿錢)

定價表

	一册	六ケ月	一ケ年	五ケ年
内地送料共	廿錢	一圓十錢	二圓廿錢	拾圓
外國送料共	廿四錢	一圓四十四錢	二圓八十八錢	拾圓

御注意

△御送金は振替(長野二一四〇番)に御願ひします。外國よりの御送金は銀行、郵便局いづれにても確實に送金されます。
△御轉居の節は早速新舊兩御住所を御通知下さい。
△本誌へ廣告掲載御希望の方は詳細相談申上げます。

昭和三年十二月一日發行

編輯人　永田稠
發行兼印刷人　西澤太一郎
印刷所　長野市南縣町 信濃毎日新聞社

發行所　長野縣廳内 海の外社
振替口座 長野二一四〇番

各汽船會社專屬元扱

日本郵船會社
大阪商船會社
ダラー汽船會社
加奈陀汽船會社
アドミラル汽船會社
南洋郵船會社

日本力行會、信濃、廣島、和歌山
福岡、熊本、沖繩 各縣海外協會 指定旅館

海外渡航乘客荷物取扱所

今泉旅館

本店 神戸市海岸通六丁目三番邸
支店 神戸市榮町通五丁目六八番邸
電話元町 三二一番
振替大阪 三五四一〇番

各縣海外協會
日本力行會 指定旅館

海外渡航乘船
領事館手續
貨物通關取扱

高谷旅館本店

本店 神戸市榮町六丁目
神戸市郵便局私書函八四〇番
電話元町 八五四番、一七三七番
支店 神戸市宇治川楠橋東詰
電話元町 六六六番

海外渡航取扱所

◎東洋一の理想的設備を有する神戸港へ！
◎旅館は誠實にして信用のある神戸館へ！

各縣海外協會
日本力行會 指定旅館

神戸市榮町六丁目廿一番邸

神戸館本店

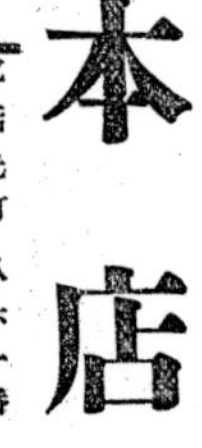

電話元町 八六一番
振替口座大阪 一四二三八番

支店 神戸市海岸通四丁目（中税關前）
電話三ノ宮 二一三六番

◎本店へハ神戸驛、支店へハ三ノ宮驛下車御便利

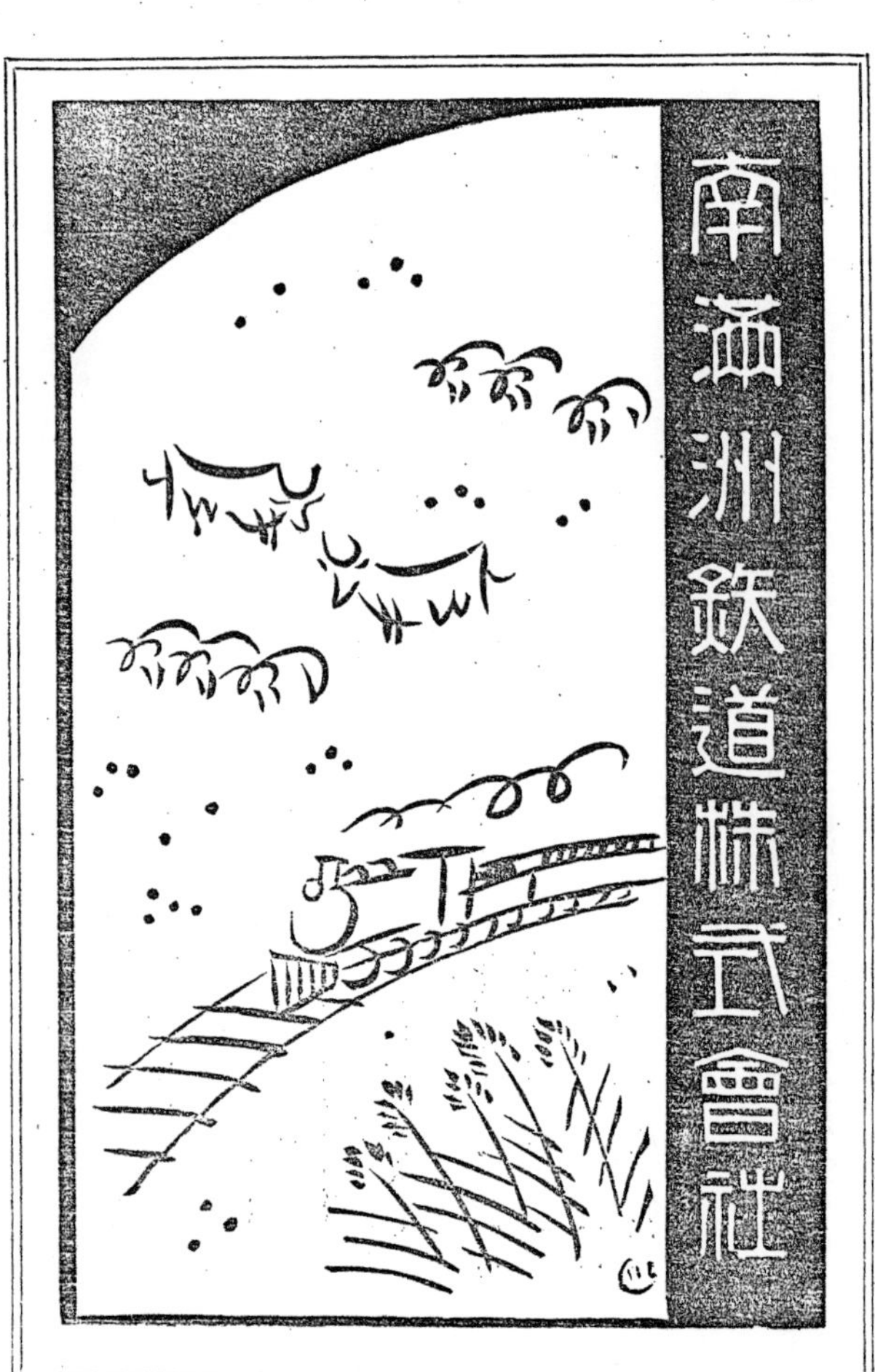

海の外—THE UMINOSOTO
Published Monthly by the Uminosoto Sha. Nagano, Japan.

「海の外」第七十八號（每月一回一日發行）

（大正十一年四月廿六日第三種郵便物認可）（昭和三年十二月一日發行）

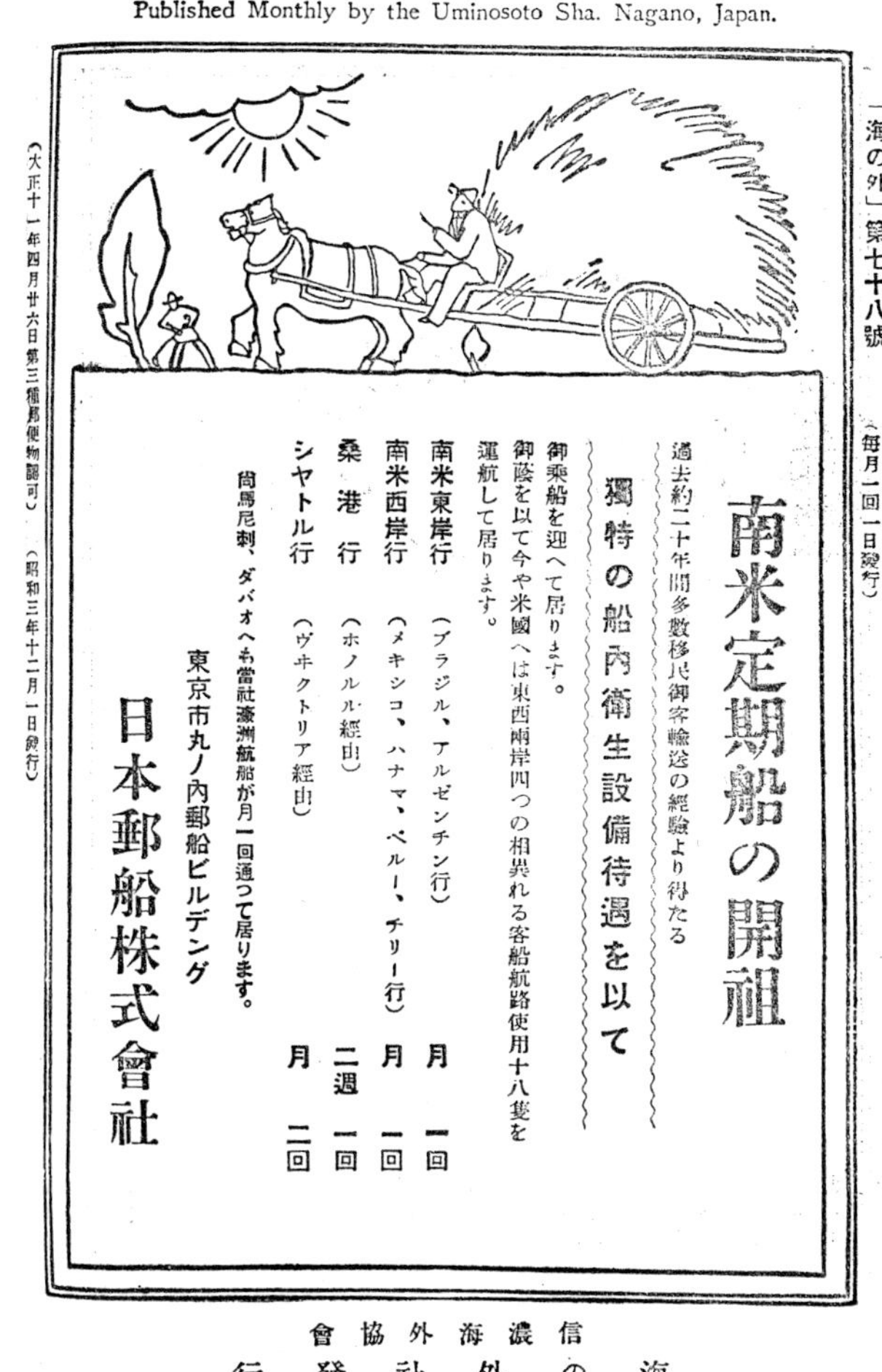

信濃海外協會
海の外社發行